Le Dossier M

Livre 1

Grégoire Bouillier

Le Dossier M

Livre 1

Flammarion

Des pièces supplémentaires au Dossier M sont disponibles en libre accès à l'adresse www.ledossierm.fr, renvoyant chacune à des pages indiquées dans le livre.

© Flammarion, 2017.
ISBN : 978-2-0814-1443-3

À qui veut bien

« Je pars d'un point et je vais jusqu'au bout. »

JOHN COLTRANE.

Livre 1

Après et pendant

PROLOGUE

Il s'appelait Carlos. Carlos Casagemas. Je peux dire son nom. L'histoire est connue.

Carlos était espagnol, il était peintre, il était l'ami de Picasso – qui n'était pas encore Picasso à l'époque. Tous deux partageaient un atelier à Barcelone ; ils n'avaient pas vingt ans lorsqu'ils décidèrent d'aller à Londres, en passant par Paris ; c'est Carlos qui finança en grande partie le voyage ; ils n'allèrent pas plus loin que Montmartre. Cela se passait en 1900.

Installés au Bateau-Lavoir, Odette et Germaine étaient leurs voisines. Pablo sortit avec Odette ; Carlos tomba amoureux de Germaine. Née Laure Gargallo, celle-ci était devenue Germaine Florentin après s'être mariée lorsqu'elle était mineure. Mais pourquoi avoir changé aussi de prénom ? Qu'était-il arrivé à Laure ? Et au sieur Florentin ? Mystère. Germaine conserva son « nom de guerre » et s'inventa la vie qui allait avec. Laure avait disparu et on n'entendit plus parler d'elle.

Germaine était blanchisseuse et couturière ; sinon, elle était danseuse au Moulin Rouge et posait nue pour les peintres, dont Pablo et Carlos. Jolie, le visage effronté, la taille fine et la poitrine avenante, elle avait de grands yeux, la bouche charnelle, des joues enfantines et une chevelure épaisse et bohème qui donnait l'impression qu'elle sortait tout le temps d'un lit, avec quelque chose de sombre et de sauvage dans le regard, d'animal. Muse, modèle et amante, Germaine ne semblait pas farouche tout en en ayant l'air. C'est ce que suggère une photo qui la montre, vêtue d'une robe noire ajourant sa gorge, regardant bien en face l'objectif, de trois quarts assise sur une pelisse dans laquelle ses doigts s'entortillent de façon presque équivoque, en plus de suggérer le froid qui pouvait régner dans l'atelier. Carlos prit-il cette photo ? Pablo ? Nul ne le sait. Dommage.

Carlos s'éprit de Germaine comme un homme désire de toutes ses forces son malheur et trouve la femme idéale pour mener à bien son projet : il était impuissant. Il souffrait de dysfonction érectile, dirait-on aujourd'hui. Était-ce physiologiquement rédhibitoire ou la vérité de son désir lui échappait-elle encore ? Aimait-il Germaine plus platoniquement qu'il ne le croyait ? Souffrait-il d'anxiété anticipatrice, comme parfois les jeunes gens, d'autant plus devant une femme qui en valait deux ?

Car Germaine n'était pas du genre à faire du sentiment sans y mêler le sexe. La frustration n'était pas son fort et qu'un homme ne soit pas à la hauteur la dépitait franchement. La barbait sitôt. La rendait *nerveuse*, moins certaine de sa féminité si celle-ci dépendait du désir des hommes. Qu'avait-elle à faire d'un amant s'il était un enfant ? S'il ne pouvait la prendre et la faire jouir, ni elle le tenir par les couilles ? Voici qu'elle se sentait peut-être désarmée, rejetée, humiliée. Voici que son corps n'avait plus aucun pouvoir à exercer ni sensations à éprouver – nul moyen de subsistance.

Que Carlos ne puisse la satisfaire ne pouvait lui convenir et elle ne s'en cacha pas, sans trop d'égards peut-être. En pouffant peut-être devant pareille déconfiture, ne pouvant s'en empêcher, tout en s'excusant, une main devant la bouche, tout ça nerveusement. Eh quoi, pas la peine d'être plus cruelle que la vie elle-même. Pas besoin de châtrer ce qui l'était déjà. Carlos ne pouvait tomber mieux – ou pire. Il avait trouvé son mur. Il se persuada qu'il n'était pas un homme, selon l'idée que les hommes s'en font d'après les femmes. Il se mit à boire, harcela Germaine, persista à voir en elle l'or qu'elle ne voulait plus être, rampa, s'avilit, désespéra, sombra, se haït, but encore plus. Ainsi pendant des mois.

Le 17 février 1901 était un dimanche. Il faisait froid. Très froid. Fin janvier, les températures étaient descendues jusqu'à -11° C à Paris et voici que ça remettait ça. Le chauffage n'était pas central à l'époque et on grelottait. La reine Victoria venait de mourir et le supplément illustré du *Petit Journal* étalait pleine page le grand cercueil de celle qui avait donné son style et sa morale au siècle précédent, veillé par cinq Welsh Guards en tenue d'apparat rouge et haute coiffe noire en poil d'ours, trophée de Waterloo arraché aux grenadiers français. Le dessin était spectaculaire. Il disait que la reine était morte et, avec elle, le XIXe siècle, son style et sa morale. Des temps nouveaux s'annonçaient. Un siècle inconnu piaffait d'entrer dans l'histoire et de se faire un nom.

Carlos vit-il ce dessin ? L'apprécia-t-il en tant que peintre ? L'idée de funérailles grandioses pour s'inventer un avenir l'imprégnait-il lorsqu'il convia ce soir-là Germaine, ainsi que cinq de leurs amis, peut-être coiffés de poil d'ours, au café de l'Hippodrome, situé 128, boulevard de Clichy ? D'aucuns disent que ce fut au café La Rotonde à Montparnasse. Une chose est certaine : le repas allait son cours lorsque Carlos se leva, sortit un pistolet de sa poche et, tel un anarchiste attentant à la reine, tira à bout portant sur Germaine. Mais il la manqua, on ne sait trop comment, bien qu'il semble avoir blessé Germaine superficiellement.

Même avec un pistolet il était piètre tireur. Ce fut peut-être l'ultime goutte d'eau. Germaine s'étant réfugiée derrière un convive ou, selon les versions, jetée sous la table, Carlos retourna l'arme contre lui et se tira une balle dans la tempe. Cette fois il fit mouche. Il avait vingt ans.

Picasso n'assista pas au drame : il était brièvement retourné en Espagne. C'est là qu'il apprit que son ami s'était brûlé la cervelle après que Germaine la lui eut dévorée toute. Rentré à Paris, il se fit raconter les détails. Peu après, il peignait une petite huile sur bois, d'un format 29,6 x 34,8 cm, représentant Carlos allongé dans son cercueil, une méchante tache sombre à la tempe, veillé par la flamme d'une bougie en forme de vulve. Flamme tourmentée à la Van Gogh. Flamme peinte, qui jamais ne s'éteindrait.

Picasso conserva toute sa vie par-devers lui cette petite huile sur bois, en dépit des déménagements, des amours, de deux guerres, des aléas innombrables, sans parler de son œuvre, des milliers de tableaux ; on ne découvrit l'existence de cette toile qu'après sa mort ; cela faisait 72 ans que son ami avait mis fin à ses jours et son souvenir, quoique dissimulé aux regards, ne l'avait pas quitté, le suivant partout.

L'histoire ne s'arrête pas là.

Car tout de suite après le suicide de son ami, Picasso se mit à peindre en bleu. Comme si la vie avait perdu ses mille et une couleurs ; comme si, entre lui et toute chose, se superposait désormais un filtre tristement bleu. Infiniment bleu. Bleu suicide. Comme si, du suicide de son ami, Picasso n'avait pu faire autrement que de lui donner une couleur et, réciproquement, que le suicide de Carlos avait inventé une nouvelle couleur dans l'Univers. Certains événements sont un tournant dans nos existences. Certains événements font de nous leur obligé et nous contraignent à voir les choses dans leur lumière, de façon unilatérale. C'est ainsi que Pablo devint picturalement Picasso.

Cette « période bleue », comme la nomment les spécialistes, dura quatre années, de 1901 à 1904. « Quand je n'ai plus de bleu, je prends du rouge », a dit un jour Picasso à propos de tout à fait autre chose. Mais c'est l'exemple du bleu qu'il prit.

Après la mort de Carlos, Germaine devint la maîtresse de Pablo. Exit Odette. C'est la partie de l'histoire que je préfère. Celle qui ouvre un abîme de complexité, de tendresse indicible, de vaudeville mêlée de perversité, d'incrédulité, de cruauté, de folie – de quoi ? On les imagine au lit et, en tous les cas, moi je les imagine au lit. Avec le fantôme de Carlos flottant dans la pièce, les regardant peut-être fixement depuis le plafond, se glissant peut-être dans le lit avec eux. L'amour physique comme remède à la mort ? La mort comme intense aphrodisiaque ? Le cher disparu comme invention des amants ? Ou rien de cela. La liberté et l'insouciance, la jeunesse, les corps livrés à eux-mêmes, l'appel des sens, la proximité faisant les larrons, le cirque humain tout simplement. Le besoin de tendresse tout simplement. Le désir de se tenir chaud par des températures de -11° C. Cependant, nombreux furent ceux qui, dans leur entourage, désapprouvèrent cette situation, la jugeant malsaine et dégoûtante. Une trahison. Relayée par les réseaux soi-disant sociaux, la réprobation ferait probablement le tour du monde de nos jours. Mais ce n'est pas parce qu'elle a trouvé un moyen de se faire entendre que la majorité cesse d'être silencieuse. De toute façon, que ne dit-on contre les vivants en mémoire des morts ? Pablo et Germaine n'en restèrent pas moins ensemble.

Germaine apparaît dans plusieurs tableaux de la période bleue : en saltimbanque, en femme assise avec un châle, en danseuse, accoudée au Lapin Agile en compagnie d'un arlequin… C'est elle, sur la gauche du tableau intitulé La Vie, qui enlace Casagemas regardant sombrement sur la droite une femme qui tient un bébé dans ses bras.

En 1904, Picasso rencontra Fernande Olivier ; ce fut le début de sa « période rose ». La vie venait de reprendre une jolie couleur. Peu après, Germaine épousait Ramón Pichot, un autre peintre catalan, plus vieux qu'elle, mais d'une belle prestance. Ensemble, ils ouvrirent un restaurant à Montmartre, qu'ils baptisèrent La Maison Rose. Comme un fait exprès. Comme un manque d'imagination. Comme on marche dans les pas de quelqu'un qui s'éloigne, sans pouvoir aller où il va.

Située au 2, rue de l'Abreuvoir, la façade est demeurée d'un rose incontestable, avec des volets désormais vert criard – mais ce n'est qu'une façade aujourd'hui.

Avec toutes ces émotions, après tant d'événements houleux, bizarres et intenses, peut-être parce qu'il y avait eu mort d'homme et que s'achevait ici sa tentative de « vivre sa vie », Germaine disparut comme elle était arrivée ; Laure refit son apparition. C'est elle qui reprit nommément les commandes. La fête était terminée. Adieu le nom de guerre. Enterrée la hache. Officiellement, la paix était déclarée et c'est de Germaine, cette fois, dont on n'entendit plus parler.

Officieusement, de se trouver bourgeoisement installée ne calma pas la persévérance souterraine de celle qui avait repris son nom de baptême :

elle fit tourner le beau et vieux Ramón en bourrique, comme tant d'hommes avant lui, toujours volage à ce qu'on dit. Tout à fait séductrice. À jamais éperdue.

Quarante ans plus tard, Françoise Gilot, l'avant-dernière compagne de Picasso, raconta que Pablo l'emmena un jour rue des Saules, dans le vieux Montmartre, voir une vieille femme qui gisait sur son lit, « seule, maigre, malade et édentée ». Picasso s'approcha de la pauvre chose alitée, lui dit quelques mots à voix basse, laissa un peu d'argent sur la table. « Je veux vous apprendre ce qu'est la vie, dit Picasso à Jacqueline une fois dehors. Cette femme s'appelle Germaine Pichot. Quand elle était jeune, elle était très belle et elle a tellement fait souffrir un ami peintre qu'il s'est suicidé... Elle en a fait tourner des têtes. Et maintenant... »

Peu après mourait Laure (ou était-ce Germaine ?) de la syphilis. C'était en 1948. Elle avait soixante-huit ans.

Au même moment, George Orwell faisait paraître *1984*, mais cela n'a rien à voir.

Cette histoire ne m'appartient pas, mais j'aurais pu en faire un roman, un scénario, un biopic, un grand film, une fresque du tonnerre. J'aurais pu en faire toute une histoire, la mienne, à quelques détails près, en misant sur le prestige des protagonistes, l'aura d'une époque mal connue et cependant charnière, les mystères de la création, les liens entre l'art et la vie, etc. Sans oublier l'amour et le sexe, l'amour sans le sexe et l'amour avec le sexe, l'amour et la mort, le sexe et la mort, etc. Cela aurait donné un « magnifique portrait de femme », comme on dit. Avec une reconstitution d'époque aux petits oignons, propre à soulager de la nôtre tout en la valorisant (rien de plus flatteur pour le présent que la nostalgie qu'il éprouve pour un passé dont il a triomphé). Et puis des scènes « fortes » (la vie de bohème, le dîner à l'Hippodrome, Pablo et Germaine au lit avec le fantôme de Carlos...), avec un casting cinq étoiles (quelle star dans le rôle de Germaine ?), etc. Avec, en toile de fond, le sort des émigrés venus dans notre beau pays sans le sou et des rêves plein la tête, en l'occurrence des Espagnols, histoire de faire écho à la situation actuelle et, pour pas cher, émouvoir tout en « donnant à réfléchir » (prévoir une scène de racisme ordinaire ? Des amis de Pablo et Carlos leur expliquant qu'ils avaient été refoulés à Calais puisqu'ils voulaient initialement aller à Londres ?). Cela aurait été bel et bon. Cela aurait été parfait. Le succès me tendait les bras, sachant qu'on a plus de chances de l'obtenir selon les termes de la société que selon ses propres termes. J'aurais été merveilleusement dans l'air du temps. J'aurais sans scrupule exploité la réalité, cette matière première à ciel ouvert. On aurait cru que je parlais de Carlos et de Pablo et de Germaine. Alors que je n'aurais fait qu'abuser d'eux. Alors que les histoires appartiennent d'abord à ceux qui les vivent. Alors que ce sont les autres qui s'invitent dans nos existences. Pas le contraire.

PARTIE I

« Parfois, tu ressembles à une vache. »
GEORGES PEREC, *Un homme qui dort*

Niveau 1

Il s'appelait Julien. Je peux dire son nom. C'est le moins que je puisse faire.

Le dimanche 27 novembre 2005, il s'est enfermé dans sa chambre et il s'est pendu avec la ccinture de son pantalon à la poignée d'une fenêtre, pendu jusqu'à ce que sa mort s'ensuive et plus tard, bien plus tard, un soir où j'étais seul chez moi et dans un drôle d'état, un état vraiment bizarre, j'ai essayé de comprendre comment il s'était pendu avec la ceinture de son pantalon à la poignée d'une fenêtre.

Comment avait-il fait ?

Techniquement parlant, je voulais savoir et me rendre compte par moi-même. Je ne voulais plus me poser la moindre question à ce sujet. Je ne voulais pas que mon imagination réécrive l'histoire en toute ignorance de cause ni qu'elle transforme le suicide de Julien en une fiction occultant par définition ce qui dépasse l'imagination et ce soir-là où j'étais seul chez moi et dans un drôle d'état, un état vraiment bizarre, le genre d'état où on se dit qu'il vaut mieux tenter quelque chose plutôt que rien et tant pis si cela rate, au moins aura-t-on essayé, ce soir-là, dis-je, j'ai commencé à refaire dans ma chambre les gestes que Julien avait dû faire et que je supposais qu'il avait fait ce fameux dimanche 27 novembre 2005, comme si les gestes étaient capables de retourner lentement vers la lumière ce que l'on a en tête et que j'allais moi aussi me suicider et en finir une bonne fois pour toutes avec la vie et aussitôt dit, aussitôt fait. J'ai ôté la ceinture de mon pantalon et je l'ai enroulée autour de la poignée de la fenêtre de ma chambre avant de me la passer autour du cou, avec l'intention de serrer autant que je le pourrais et pas davantage.

Mais cela ne marchait pas. Car une fois accroupi par terre et adossé à la fenêtre ainsi que cette position m'était apparue la plus confortable pour se pendre soi-même, ou bien la ceinture glissait de la poignée de la fenêtre et tout était à recommencer ; ou bien je n'arrivais pas à serrer la ceinture par-derrière de manière convaincante et, dans tous les cas, je devais me contorsionner pour un résultat approximatif et non garanti et on ne se pend pas soi-même aussi facilement à la poignée d'une fenêtre. Voici une chose que j'ai comprise ce soir-là, que je crois avoir comprise.

Peut-être ne suis-je pas doué. C'est possible. Peut-être ne disposais-je pas des bons outils. Mais se pendre avec sa propre ceinture demande un minimum de technique, contrairement à d'autres manières de se suicider où il s'agit d'appuyer sur une gâchette ou d'avaler un tube de comprimés et advienne ensuite ce qui doit advenir. Dans ces cas-là, il ne faut pas avoir inventé l'eau chaude avant de passer à l'acte. Aucune difficulté technique à l'horizon. Rien qui demande un temps de réflexion sophistiquée. Rien qui, n'importe le bout par lequel on prend la chose, requiert des compétences particulières. Dans ces cas-là, la motivation apparaît non seulement nécessaire mais suffisante, même si je n'en sais rien et parle ici sans savoir, comme tant de gens parlent sans savoir, partout, tout le temps et ce n'est pas une excuse mais je retire ce que je viens de dire. Je retire tout. Merci d'en tenir compte.

Pour en avoir le cœur net, il faudrait que je tente moi-même un certain nombre d'expériences. Sauf que celles-ci auraient, à un moment ou à un autre, de bonnes chances de trop bien réussir et je pense en particulier à celle qui me verrait sauter d'un cinquième étage ou appuyer sur la gâchette d'un pistolet dont j'aurais collé le canon contre ma tempe et que signifierait une expérience dont on ne peut tirer ensuite aucune conclusion ? Ce serait stupide. Sans compter que j'habite un deuxième étage, tandis qu'une arme à feu ne se trouve pas sous les sabots d'un cheval, du moins en France, où les chevaux ont déserté les villes depuis longtemps. Par ailleurs, quelle arme choisir : un pistolet ou un revolver ? Et où viser : la tempe ou bien le cœur ? Sous le menton ? Dans la bouche ? Et en aspirant l'air du canon au moment de presser la gâchette afin de projeter le moins de saletés possible dans la pièce ? Quel embarras soudain.

Qu'on ne me fasse pas dire ce que je ne dis pas. Mais c'est en se pendant avec une ceinture à la poignée d'une fenêtre que Julien s'est donné la mort et, du point de vue qui était le mien ce soir-là, dans l'état bizarre dans lequel je me trouvais, un état *vraiment* bizarre, toute autre velléité d'attenter à sa vie ne me concernait pas. Je n'en avais rien à fiche ce soir-là.

En attendant, la ceinture ne cessait de glisser de la poignée de la fenêtre, laquelle, de type levier pour ouvrants à la française, était en PVC blanc et arrondie à la base et, de ce fait, semblait particulièrement inappropriée à l'usage que je lui destinais et même conçue exprès pour que nul ne puisse s'y pendre tranquillement et tandis que je m'affairais de la sorte, je me suis demandé si par-delà toutes les raisons qui le poussaient à se suicider, Julien avait dû subir cette lamentable avanie de voir une poignée de fenêtre lui résister. *Une poignée de fenêtre !* Comme un ultime doigt d'honneur. Une incitation supplémentaire à quitter cette terre de malheurs. La preuve que jusqu'au bout les choses de la vie se seraient acharnées contre lui et que toujours son désir buterait sur l'impuissance de sa volonté et même à l'heure de sa mort. Même une poignée en PVC ! Avait-il eu envie de fondre en larmes à cet instant ? De rire aux éclats ? Ou s'était-il senti comme un gamin avili et désemparé par un problème du niveau du certificat d'études ? Le genre de problème où dix-huit robinets fuient, comme ça, sans raison, juste pour épater les mots et éprouver le monde, saper le moral d'un môme et lui donner un premier aperçu de la fameuse goutte d'eau qui fera un jour déborder son vase et il y a des situations qui n'existent que dans les livres et elles ne sont pas forcément les plus judicieuses. Pas les plus propices pour nous faciliter l'existence et éclairer notre lanterne et si je m'écoutais, je ferais bien une petite digression pour mettre le nez de la littérature dans son blabla. Comme ça. En passant. Pour le plaisir. Qui m'en empêcherait ?

Mais là n'était pas la question ce fameux soir où j'étais dans un drôle d'état et même dans une drôle de situation à tenter de me pendre sans y parvenir et jamais je n'aurais cru écrire un jour une telle phrase. Il ne s'agissait pourtant pas d'une équation impossible à résoudre. Julien en était la preuve. Pas la preuve vivante, ça non, je ne peux pas dire, mais la preuve tout de même, la preuve morte et, dès lors, encore plus indéniable et irréfutable ; non, me disais-je à ce moment-là en sentant l'énervement me gagner, il n'y a pas de raison pour que je ne parvienne moi aussi à réaliser une pendaison incomplète, puisque tel est le nom que l'on donne à ce genre de pendaison où les pieds touchent le sol au lieu de se balancer dans le vide et où, à la fin, on n'en est pas moins mort de chez mort. Il n'y avait pas de raison. Je n'étais pas plus abruti que Julien, quand bien même j'étais certainement moins désespéré que lui, très certainement ; mais ce soir-là, je n'étais pas disposé à croire que le désespoir décuple les facultés intellectuelles et je peux dire que la suite m'a plutôt donné raison.

Niveau 2

Car le temps que je prends pour raconter tout ça, au risque de plomber l'ambiance, équivaut grosso modo, si je rameute mes souvenirs, au temps qu'il m'a fallu pour enrouler correctement la ceinture autour de la poignée de la fenêtre et autour de mon cou de sorte que je puisse la serrer de façon concluante et un schéma en quatre ou cinq étapes décrivant pas à pas chacun de mes gestes et le détail de la procédure à suivre serait peut-être ici préférable.

Un joli petit schéma en quatre ou cinq vignettes, à l'image de ceux qui aident à monter un joli lit d'enfant en bois blanc importé en pièces détachées du joli pays de Suède, même si tout n'est pas toujours très clair dans ce genre de schéma qui, on ne sait trop comment et, en tous les cas, moi je l'ignore, peuvent s'avérer incroyablement déroutants et abscons et propres à décourager les meilleures volontés. Propres à crisper les esprits les plus patients et les amener à voir de plus en plus rouge au fil des minutes – et puis jaune et vert et violet et de nouveau rouge, mais rouge sang. De ce rouge propre à saper n'importe quel être humain à la racine de son être et à la racine de son humanité, jusqu'à bousiller en lui toute trace de confiance en soi en déchaînant dans ses veines des forces innommables dont le joli petit lit d'enfant fait bientôt les frais. Brutalement et désastreusement les frais. À grands coups de pied et de poing et d'enculés de ta mère vociférés sans la moindre retenue. Jusqu'à ce qu'il ne reste plus du supposé joli petit lit d'enfant qu'un gros tas de merde en bois blanc posé au beau milieu d'un dimanche après-midi et même la découverte que dieu n'existe pas ou que sa femme s'envoie en l'air avec son meilleur ami ou n'importe quelle autre révélation ayant le don de mettre un homme au pied de son mur n'a le pouvoir de mettre dans un état de furie aussi pur et immédiat que celui que provoque un débile petit schéma de montage prétendant avec arrogance qu'il faut fixer l'élément D5 dans les trous 3 et

4 de la planchette B8, alors qu'il n'existe aucun trou dans la planchette B8. Aucun trou. Ni 3 ni 4, ni 34, ni 43, rien. Aucun trou. Nulle part. Même en retournant la planchette B8 dans tous les sens et en vérifiant dix mille fois que l'on ne se trompe ni d'élément D5 ni de planchette B8, même en grattant le bois avec son ongle et comment survivre à pareil complot ? Comment continuer de croire et d'espérer ? À quoi bon ? C'est impossible, aucune philosophie ne résiste à de tels dimanches après-midi, la civilisation ne tient finalement qu'à un fil, même si on feint de l'ignorer le lundi matin et tous les autres jours de la semaine et je voudrais que la malédiction s'abatte sur tous les salopards qui ne savent pas ce qu'il en coûte de jouer avec nos nerfs et de nous plonger la tête sous l'eau et de l'y maintenir jusqu'à nous mettre totalement en déroute et heureusement que ces salopards ne signent *jamais* leur notice soi-disant explicative. Ils n'ont pas intérêt. J'ai depuis ma naissance tout un tas de planchettes B8 à leur faire bouffer par tous les trous, quand bien même un gosse peut très bien dormir sur un matelas posé par terre et qu'il ne fasse pas chier celui-là et voilà le résultat : on s'en prend maintenant au gosse alors qu'il n'y est pour rien, strictement pour rien, et dieu sait ce que ce gosse fera plus tard de cette planchette B8 devenue indirectement la sienne un certain dimanche après-midi et finalement tout dégénère, tout est lié, tout devient laid et sordide, les dominos du monde s'écroulent les uns après les autres à cause d'une minuscule erreur commise quelque part sans que l'on sache par qui et il n'est plus question pour moi de croire qu'une saleté de crobar vaut mieux qu'un long discours. Je n'y crois plus du tout. Assez de truismes et de foutaises ! Assez.

Niveau 3

Du calme. Tout doux. Pourquoi m'énerver ? Où en étais-je ? Julien. C'est cela. Julien. Le dimanche 27 novembre 2005. Et puis ma chambre. Plus tard. Bien plus tard. Un soir où j'étais dans un drôle d'état, un état on ne peut plus bizarre. Pas tout à fait l'état dans lequel je suis en ce moment précis, mais pas loin. Pas si loin. À force de me rappeler et de ressusciter par écrit. De plonger la tête dans mon sac pour en ramener ma ceinture et la poignée de ma fenêtre et l'état dans lequel j'étais ce soir-là, justement. Bon. Je ne dis pas que la technique de pendaison incomplète à laquelle je suis laborieusement parvenu ce soir-là fut la meilleure qui soit ; mais elle est celle que j'ai trouvée et il appartient à chacun d'inventer le monde qui est le sien, même si on croirait une publicité pour une voiture.

Quoi qu'il en soit, ce soir-là où j'étais seul chez moi et dans un état que je ne souhaite à personne, j'ai commencé à serrer autant que je le pouvais la ceinture autour de mon cou. D'abord d'un coup sec, puis en continuant de tirer sur l'une de ses extrémités jusqu'à sentir le cuir mordre ma chair et ses bords presque entamer ma peau et je me rappelle encore la sensation devenue très vite impitoyable du cuir autour de mon cou. C'est une sensation qui ne s'est pas effacée avec le temps, pas totalement, au point qu'elle resurgit parfois à l'improviste, oui, il m'arrive d'avoir soudain l'impression que quelqu'un cherche à m'étrangler par-derrière et j'ignore qui est cet enfoiré et pourquoi il s'en prend à moi, je ne sais d'où cette volonté de me nuire ni pourquoi elle survient à tel moment plutôt qu'à un autre puisque la dernière fois c'était en lisant dans l'autobus la nouvelle de Dorothy Johnson qui commence par ces mots, deux points ouvrez les guillemets : « Dans les moments de tension, on pense à des choses idiotes » ; mais la fois précédente je faisais du repassage chez moi et cela n'a pas de lien que je sache, aucun rapport, même en me creusant la cervelle.

Ce que je sais, en revanche, c'est que lorsque cette sensation fantôme me saisit à la gorge, je porte aussitôt la main à mon cou pour vérifier que rien de réel ne l'enserre, ni garrot ni mains d'étrangleur, non, personne ne s'amuse à ce petit jeu sadique dans mon dos et je me sens mieux soudain. Je me remets à respirer normalement. Ce qui ne m'empêche pas de continuer à me masser le cou pendant un bon moment et, si je suis en public, à me masser le cou avec le plus de discrétion possible afin de dissimuler ce qu'il y a de libidineux dans ma manière de me caresser le cou et, selon moi, dans toute manière de se caresser le cou en public, comme un maniaque, pendant de longues secondes, presque une masturbation. Jusqu'à ce que mes sensations passent enfin à autre chose et que s'évanouisse cette affreuse chimère que j'ai créée de toutes pièces et se livrer à des expériences n'est jamais totalement sans risque. Jamais.

Mais cela, je le savais avant de reconstituer le plus fidèlement possible dans ma chambre une pendaison incomplète. Ce que j'ignorais, c'est la rapidité avec laquelle j'ai commencé à partir en sucette. Car il n'a fallu qu'une poignée de secondes, dans mon cas trente secondes, peut-être vingt, disons vingt-deux secondes et n'en parlons plus. Disons à peu près la durée de mes phrases, dans ces eaux-là, comme par hasard. Comme le Greco étirait à l'extrême ses corps et ses figures, cette sensation-là, vécue à cet instant. Même si je n'ai pas chronométré sur le moment et, rétrospectivement, la notion du temps de ces brefs instants me fait aujourd'hui défaut. Tant pis.

Ce dont je suis sûr, c'est l'espèce d'étourdissement qui, d'un coup, s'est emparé de moi. Comme une évanescence brutale de mon être. Une faiblesse généralisée et cependant fébrile. Tout à fait effervescente. C'était à la fois diffus, opaque et électrique. Et puis rouge et noir et jaune, s'il faut donner des couleurs. Un bourdonnement dans les oreilles aussi, mais je n'en suis pas sûr. C'est flou dans ma tête. D'autant plus flou que tout s'est passé très vite et que je ne m'attendais pas à *m'évanouir*. Je ne m'y attendais pas du tout. Je n'étais aucunement préparé à ressentir les effets de ce que les médecins appellent une anoxie cérébrale, comme j'ai appris plus tard que les médecins appellent cette sensation irrésistible de perdre soudain conscience, de *partir sans savoir où*, et sans vouloir la ramener, voici une expression que j'ai comprise ce soir-là et que je crois avoir comprise au-delà du vocabulaire qui donne aux médecins le sentiment de savoir mieux que leurs patients de quoi ils souffrent et un philosophe allemand parlerait peut-être ici de « jargon de l'authenticité » et ils sont forts ces philosophes allemands.

Je peux même préciser que la surprise fut, en ce qui me concerne, d'autant plus grande que j'appréhendais la brutalité de la strangulation et la panique qu'allait immanquablement provoquer chez moi l'asphyxie. Cette épouvante de ne plus pouvoir respirer et de *suffoquer*, oui, je m'imaginais déjà battre furieusement des mains et des pieds et me tortiller dans tous les sens, faire des bonds terribles et me mettre à ruer atrocement comme un cheval sauvage pris au lasso pour tenter d'échapper à l'étreinte de la ceinture et cela d'autant mieux que je suis terrifié à l'idée d'étouffer, totalement angoissé, et si ce n'est depuis toujours, c'est d'aussi loin que je me le rappelle. D'aussi loin qu'un maître nageur au slip de bain proéminent m'a plongé de force la tête sous l'eau dans le petit bain de la piscine municipale de St-Germain-en-Laye lorsque j'avais six ou sept ans. D'aussi loin que je connais ma mère.

Mais non. Je me trompais complètement. Moi qui avais dans l'idée de comprendre comment Julien avait pu se massacrer lui-même sans que son instinct de survie émette au dernier moment une protestation si véhémente et forcenée que mettre son projet à exécution n'y aurait pas résisté, à l'instar de Martin Eden qui dut s'y reprendre à deux fois pour se noyer – et telle était la véritable question, la question de fond, l'énigme entre toutes que je me posais au sujet du suicide de Julien –, j'en ai été pour mes frais. Ce n'est rien de le dire. Aujourd'hui, je ris de ma naïveté et j'ai mérité que l'on se moque de moi – ô combien ! Car moi qui redoutais d'étouffer et, une fois ma ceinture bien serrée autour de mon cou, qui me préparais à cette épreuve en serrant les dents et, comble d'ironie, en retenant d'avance ma respiration afin de retarder le plus possible le moment où ma poitrine allait exploser et prendre feu, j'ai réalisé ce soir-là que mon cerveau commençait à manquer d'oxygène bien avant que mes poumons ne commencent à manquer d'air et peut-être devrais-je utiliser ici l'imparfait du subjonctif, je ne sais pas, je crois que oui, sauf que j'ai perdu le sens grammatical de l'existence depuis le suicide de Julien ; tout est si confus dans ma tête à présent, surtout avec une ceinture serrant mon cou jusqu'à m'en faire voir maintenant des papillotes et j'aimerais t'y voir ; en même temps, respecter la concordance des temps serait à cet instant tellement tonitruant pour les yeux et les oreilles qu'il n'en est pas question.

Quoi qu'il en soit, jamais je n'avais envisagé les pendaisons incomplètes sous l'angle d'une interruption de la circulation sanguine. Dans mon esprit, mes poumons allaient manquer d'air et mes pieds s'agiter fréné-tiquement pendant un moment qui promettait d'être assez éprouvant, avant de cesser peu à peu toute protestation, jusqu'à l'immobilisation complète, comme je l'avais tant de fois observé dans les westerns et maintenant que j'y songe, je trouve accablant de m'être fait enrhumer par des images tirées de films et, qui plus est, de films dans lesquels on sait *tout de suite* qui sont les méchants et qui sont les gentils. C'est incroyable comme on se fait des idées fausses et, partant, ce n'est pas rien de parvenir à se désabuser soi-même et, ce soir-là, je peux dire que je ne me suis pas seulement pendu avec ma ceinture à la poignée de ma fenêtre : j'ai carrément traversé le mot pendaison, comme dirait un autre philosophe allemand et ce n'est pas tous les jours que l'on peut sortir coup sur coup deux philosophes allemands de sa manche, même si l'un d'eux se prénomme Martin et je ne parle pas en l'air.

Je sais de quoi je parle. Je sais pour l'avoir éprouvé ce soir-là physique-ment que lorsqu'on se pend avec sa ceinture à la poignée d'une fenêtre, la mort ne survient pas d'une brutale obstruction de l'appareil respira-toire mais d'une sournoise interruption de la circulation sanguine pra-tiquée au niveau des vaisseaux et des veines du cou dont le cerveau fait en quelques secondes les frais, ainsi que j'en ai eu plus tard l'explication détaillée en approfondissant mes recherches et, sur l'instant, cette découverte m'a enchanté. Quel soulagement ! Quand bien même moi seul ignorais la vérité physiologique des pendaisons incomplètes, cette découverte signifiait que Julien n'était pas mort dans d'abominables soubresauts. Il n'était pas mort comme un cheval sauvage martyrisé par un lasso. Il n'était pas mort en se brisant la nuque. Ce n'était pas cela qui s'était passé le dimanche 27 novembre 2005. Tout s'était déroulé relativement en douceur et c'était tout ce que je voulais savoir. Tout ce qui pouvait m'ôter un poids de la poitrine et me servir éventuellement à l'occasion et maintenant que venait de m'apparaître en pleine lumière ce qu'il y avait pour moi de techniquement obscur dans le suicide de Julien, il était urgent que je cesse ma petite expérience de pendaison incomplète et que je la cesse immédiatement. Au plus vite. *Maintenant !*

Niveau 4

Car tout mon être était, là, tout de suite, à cet instant, en train de m'abandonner. Je le sentais s'évaporer par mes yeux et s'étendre hors de moi en une déliquescence qui se dissipait dans toutes les directions, sans que je puisse rien faire pour l'en empêcher et cette pure évanescence était une sensation envoûtante, une sensation puissante, une sensation *voluptueuse* et, en tous les cas, une sensation qui, j'en eus l'intuition en un éclair, serait la dernière de toute mon existence si je le voulais. Car cela ne tenait plus qu'à moi. Il me suffisait de fermer les yeux, de me laisser aller, de relâcher tous mes muscles et, sans le moindre heurt, sans même y consentir, dans une indolence parfaite, comme tombe la feuille d'un arbre en décrivant une lente et silencieuse arabesque, je plongerais dans une brume sans fin et, pour utiliser une apocope argotique, excusez du peu, je tomberais dans les vapes pour n'en plus émerger, jamais, et je peux dire que le sens profond de tomber dans les vapes m'est clairement apparu ce soir-là – alors que tomber dans les pommes, pardon, je ne vois pas le rapport, des pommes n'ont rien à faire ici, soit dit en passant.

Aujourd'hui encore, j'ignore combien de temps je me suis tenu sur le seuil de l'incertain et de l'inéluctable. Vraisemblablement cela n'a duré que quatre ou cinq secondes. Peut-être deux ou trois ; mais dans mon souvenir, cela sembla une éternité, pendant laquelle je suis resté au bord d'une tentation rayonnante dont je sais avoir frôlé la main tendue et entrevu le bleu sourire, pendant une deux ou trois secondes qui durèrent une éternité. Mais je sus presque aussitôt, de manière quasi simultanée, que je n'obéirais pas ni ne céderais à la tentation. Je n'allais pas saisir la main tendue ni embrasser le bleu sourire. Pas ce soir-là. Pas de cette façon. Pas sur un malentendu. J'étais allé aussi loin qu'il m'était possible d'aller et, parvenu à ce point de non-retour, il n'était pas question que j'accompagne Julien plus avant sur le chemin qui avait été le sien le dimanche 27 novembre 2005. Je ne le pouvais pas *et je ne le voulais pas.* Même dans l'état plus que bizarre dans lequel je me trouvais ce soir-là. En aucune manière je n'allais chercher midi à quatorze heures sur un cadran qui n'était pas le mien et cela signifiait qu'il me fallait laisser Julien s'en aller tout seul dans la nuit qui avait été la sienne. Il me fallait le laisser chevaucher l'enfer qui avait été le sien. Le suivre dans la mort n'était pas dans mes intentions et, ce soir-là, pendant une ou quatre secondes décisives, comme un cri, j'en eus la confirmation au-delà de toute confirmation. La confirmation somme toute joyeuse et revigorante et voici une chose que j'ai apprise sur moi ce soir-là et que je me félicite d'avoir apprise.

Sachant que je n'ambitionnais nullement au départ d'élucider quoi que ce soit me concernant à propos du suicide. On pourrait croire le contraire – mais non. Loin de moi cette idée ! Il ne s'agissait pas de ma petite personne ce soir-là, mais de Julien et du 27 novembre 2005. En même temps, je ne suis pas plus qu'un autre en mesure d'élucider les véritables raisons qui me poussent à faire ceci ou cela. Les raisons profondes et non pas celles que je me raconte à moi-même ou aux autres. Comme tout un chacun, pour autant que je le sache, je patauge à chaque instant dans mes propres lacunes et la plupart de mes motivations me demeurent insaisissables et peut-être me faut-il envisager la possibilité que je cherchais ce soir-là à caresser l'idée du suicide dans le sens de mon poil et à la regarder dans le blanc de ses yeux afin de revenir de cette épreuve trempé de certitudes. Ou bien la tête molle et pantelante. Peut-être dois-je l'admettre.

Ou bien la tête molle et pantelante ?
Je viens d'écrire cette phrase et
C'est curieux.
J'ai l'impression.
Cela me rappelle…
C'est comme si les mots voulaient me dire quelque chose.
Qu'ils cherchaient à me faire passer un message.
C'est peut-être important.
Ou pas du tout.
Je ne sais pas.
Chut.
Que personne ne bouge.
Molle et pantelante…
Ah oui.

Cela me revient.

J'avais dix ans.

C'était même le jour anniversaire de mes dix ans.

Cela se passait dans le jardin de mon papi.

Niveau 5

Pour me féliciter d'avoir dix ans comme s'il s'agissait d'un exploit que j'avais accompli, mon papi (ainsi fallait-il l'appeler et ainsi vais-je l'appeler ici malgré le ridicule) m'avait autorisé à tirer avec sa carabine vingt-deux long rifle et, après un premier tir qui m'avait surpris, le gamin que j'étais s'était appliqué. Il s'était concentré sur la bouteille en plastique posée dix mètres plus loin sur une souche d'arbre. Il avait visé et, pan ! Il y avait eu un drôle de bruit dans les feuillages qui buissonnaient derrière la souche. Le gamin que j'étais n'avait pas compris tout de suite. La bouteille en plastique était toujours là. Elle n'avait pas bougé. J'avais regardé papi. Il fronçait les sourcils. S'était brusquement retourné, soudain affolé ; mais le chien était là, juste derrière, à ses pieds, bien tranquille. Ouf. C'était quoi alors ? Ce bruit. Dans le fourré. Qu'avais-je *encore* fait ? Alors que je visais la bouteille en plastique. Je le jure.

Sans rien dire, les lèvres pincées, mon papi m'avait arraché la carabine des mains. Me faisant signe de rester où j'étais, il s'était avancé vers le buisson. Je l'avais vu s'accroupir. Écarter les feuilles. Fouiller un instant. – Viens voir ton œuvre ! avait-il crié d'une voix dure. Ah bravo ! Tu peux être fier de toi ! Dans sa main, il tenait un oiseau, dont la tête molle et pantelante pendait affreusement. Molle et pantelante, oui.

Encore aujourd'hui, j'ai la vision de cet oiseau dont le corps toujours chaud et doux gisait dans la main de mon papi, avec la tête affreusement molle et pantelante. Je me rappelle que je cherchais des yeux la blessure, mais sans la distinguer clairement et cela ajouta au sentiment que j'hallucinais. À l'espèce d'effroi que je ressentis alors. J'ai encore dans l'oreille la détonation. C'est un coup de feu qui ne s'est pas effacé avec le temps. Pas totalement effacé.

PAN !

Comme ne s'est pas entièrement dissipé mon malaise d'avoir tué ce jour-là un oiseau et, plus qu'un oiseau, d'avoir *supprimé une vie sur Terre*. Une vie qui n'était pas celle d'une fourmi ou d'un quelconque insecte (un moustique par exemple, ou une saloperie d'araignée) que je pouvais *sans problème* écraser comme s'ils n'étaient pas des êtres vivants ou qu'ils étaient indignes de l'être, mais celle autrement plus tangible d'une petite mésange à bec noir, comme mon papi me révéla qu'il s'agissait d'une mésange à bec noir, tandis qu'il lissait doucement les plumes du petit cadavre – oh ce mot de « cadavre ». Oh cette vision ! De la petite tête affreusement molle et pantelante. Vision de la mort. La première du genre en ce qui me concernait et jamais oubliée depuis lors – la preuve. Gravée en moi et très certainement « fondatrice », comme disent les psychanalystes qui, sauf erreur, parlent dans ces cas-là de « scène primitive » et cette « scène primitive » expliquerait par la suite tout un tas de trucs, tout un tas de névroses comme disent les psychanalystes – mais rien d'inquiétant.

Il ne faut pas exagérer.

Car j'ai bien conscience qu'il existe des visions de la mort autrement plus traumatisantes et spectaculaires que celle d'une petite mésange à bec noir la tête affreusement molle et pantelante – bon dieu, il ne s'agissait que d'un oiseau. Il s'agissait d'un *piaf* !

Oui, mais c'est moi qui l'avais tuée. Je venais, oui, de « donner la mort » ! J'avais donc ce pouvoir ? C'était aussi facile ? Aussi rapide ? Et inopiné ? Cette découverte me terrifia. Ce pouvoir, le gamin que j'étais n'était pas sûr d'en vouloir – même si, obscurément, une sensation très étrange, une espèce d'excitation, un ébranlement tout au fond…

Cette vision est ma première vision de la mort. C'est à cette occasion que j'ai vu, de mes yeux vu, pour la toute première fois, cette chose qu'on appelle la mort et où cette chose m'a regardé fixement. Où cette chose m'a *parlé* et où elle a prononcé *distinctement* mon nom et si la mort a un visage, elle a d'abord pour moi celui d'une *adorable* petite mésange dont la tête pendouille affreusement molle, comme saisie dans un doux sommeil, un ineffable abandon. Aucun autre visage de la mort n'est pour moi plus expressif que ce visage-ci de la mort. Aucune autre image de la mort n'est pour moi aussi éloquente et, là, tout de suite, tandis que ma ceinture m'étrangle et qu'un voile noir et rouge obscurcit de plus en plus mon esprit, je réalise que du suicide de Julien, je ne me suis jamais fait d'autre représentation que celle d'un type pendu par le cou avec sa tête affreusement molle et pantelante. Je ferme les yeux et je *vois* la tête de Julien pendouiller affreusement molle sur son épaule et quelque chose se serre alors en moi, quelque chose m'étreint et gémit à cette vision et je comprends alors que Julien est MORT.

Je réalise ce que cela *signifie*.

Ce n'est plus abstrait. Ce ne sont plus des mots.

Je *crois* que je l'ai tué.

Comme si, de la mort, j'avais depuis l'âge de dix ans une idée fixe et j'ignore si c'est une bonne chose ou si cela m'éloigne de la vérité, mais ce fameux soir où j'étais dans un état bizarre, un état au bord de l'évanouissement, peut-être cette idée fixe me prenait-elle justement la tête. Peut-être voulait-elle que je me retrouve avec la tête affreusement molle et pantelante pour que je voie ce que cela fait. Qu'à mon tour j'entre dans l'image et en fasse partie. Fût-ce pendant une fraction de seconde. Peut-être ce soir-là, oui, n'ai-je fait que jouer une *comédie* qui était la mienne quand je croyais rejouer la *tragédie* qui avait été celle de Julien et je verse cette pièce au *Dossier*, à tout hasard, même si je ne serai ni le premier ni le dernier à *abuser* d'un mort (en plus d'abuser depuis un moment des italiques). Sachant qu'il faut bien que nous nous fassions une représentation personnelle des choses pour qu'elles ne soient pas juste une rumeur effleurant notre esprit et puis s'en allant.

Tout ça à cause d'une petite mésange à bec noir qui, par ma faute, ne zinzinulerait plus jamais de sa vie. Car les mésanges ne font pas cuicui ! Elles ne gazouillent pas ni ne pépient ou piaulent ou chuchetent, non, elles *zinzinulent*. Très peu de gens s'en doutent, mais la mésange zinzinule. C'est comme ça. C'est une chose d'un intérêt difficilement discutable que j'ai apprise le jour anniversaire de mes dix ans et que je me rappelle très bien avoir apprise ce jour-là. Car après avoir déposé le petit cadavre (*le petit cadavre !*) dans une petite boîte en carton qui, faute d'en trouver une autre qui convienne (ce qui n'exclut pas une certaine perversité), avait servi à emballer je ne sais plus lequel de mes cadeaux d'anniversaire – et pendant un bref instant l'illusion fut si parfaite que, par la suite, j'ai toujours eu un léger problème avec les cadeaux d'anniversaire –, mon papi, dis-je, une fois *ma* petite mésange solennellement enterrée au fond du jardin, était allé chercher sa grosse encyclopédie Larousse achetée par correspondance afin d'y lire à voix haute tout ce qu'il était possible de lire sur les mésanges qu'elles soient à bec noir ou pas et, à cet instant, il avait tout d'un pasteur prononçant un sermon. On aurait dit qu'il lisait le Livre des Morts. Ou qu'il voulait que la laïcité batte la religion sur son terrain de prédilection. À tout le moins, il s'agissait de me faire prendre conscience qu'ôter une vie sur Terre, c'était ôter tout ce qui était *écrit*. C'était ôter tout ce qu'il était possible de dire sur ce qui avait été et qui n'était plus et voilà une bonne raison de dire tout ce que je sais du suicide de Julien. L'une des meilleures qui soit. Même si le stupide gamin de dix ans que j'étais ne retint à l'époque que deux choses de cette oraison funèbre improvisée à son intention. À savoir que les mésanges volent à la vitesse de 20 km/h, ce qui m'avait paru assez misérable ; et elles zinzinulent, du verbe zinzinuler, je zinzinule, tu zinzinules, nous zinzinulons, ils ou elles zinzinulent… Et le stupide gamin que j'étais de se retenir nerveusement de rire tout le temps que mon papi psalmodiait son Larousse. De se mordre la langue pour contenir l'hilarité qui, invincible, tonitruante, immense exutoire, s'emparait de lui et menaçait d'exploser dans toutes les directions parce que ce verbe zinzinuler – enfin bref.

Niveau 6

Une action en entraînant une autre sans que l'on sache très bien comment.

Je me rappelle avoir un jour rencontré une jeune femme dans un bar. Nous partagions la même soucoupe de chips au comptoir et la conversation s'était naturellement engagée tandis que, tamisant nos imperfections, une douce lumière nous enveloppait comme dans une cape soyeuse et je dois dire que sa manière de passer une main langoureuse dans ses cheveux m'apparaissait de très bon augure, d'autant que cette jeune femme ressemblait à la brune qui, à la fin des années 70, jouait dans le feuilleton Drôles de dames. Celle qui avait les cheveux longs et bouclés. Kelly quelque chose. Tout à fait mon goût, vraiment éligible pour l'adolescent que j'étais à l'époque. Eh bien, rencontrant cette drôle de dame, je me rappelle avoir tenté de lui expliquer que le film Judex était certainement l'un des plus grands films de l'histoire du cinéma. Elle ne me croyait pas ? Elle avait vu ce film ? Quoi ? Elle ne savait pas qui était George Franju ? Elle n'était pas née en 1963 ! Elle n'avait jamais vu la scène du bal masqué, lorsque le terrible Judex, vêtu d'une queue-de-pie et le visage dissimulé sous une impressionnante tête d'aigle royal, s'avance solennellement parmi les invités en exhibant dans la paume de sa main gantée de blanc une petite mésange dont la tête pendouille affreusement molle et pantelante et tant pis s'il s'agit à l'écran d'une colombe car c'est du pareil au même et rien que d'y songer j'en ai des frissons. Cette scène était d'une beauté absolue. Elle pouvait me croire. Je m'y connaissais en cinéma. J'exprimais un jugement esthétique parfaitement objectif.

À part ça, elle venait souvent dans ce bar ? Elle voulait encore une chips ? Savait-elle qu'elle était craquante ? J'aimais beaucoup la façon qu'elle avait de passer une main langoureuse dans ses cheveux. Pouvais-je faire la même chose avec ma main ? Okay. Je la taquinais. À propos de chips, il ne lui était jamais rien arrivé dans la vie qui l'avait laissée sur le carreau et son existence avait alors continué toute seule, elle la voyant s'éloigner et disparaître à l'horizon comme un train dont elle serait tombée en marche ? Elle voulait que je répète ? Elle ne comprenait rien à ce que je racontais ? Aïe.

Essayons autre chose, fis-je en effleurant mentalement ses lèvres. Se rappelait-elle la date du 4 avril 1974 ? Que faisait-elle ce jour-là ? Elle pouvait le dire ? Aux alentours de 22 h, 22 h 30. C'était un mardi. Elle avait un alibi ? Elle ne voyait pas de quoi je parlais ? Aïe. C'était bien embêtant. C'était *très* embêtant. Enfin quoi ! C'était le jour où Georges Pompidou était mort ! Cela ne s'oubliait pas ! Elle voyait qui était Georges Pompidou ? Il était à l'époque le président de la République française. Il dirigeait le pays tandis que – quoi ? Elle n'était toujours pas née à l'époque ? Mais quel âge avait-elle ? Elle n'était jamais née ou quoi ? En tout cas, ce n'était pas une excuse. Elle se targuait là d'un bien faible avantage. Elle n'allait pas non plus en faire toute une histoire et si elle voulait bien cesser de parler d'elle et me laisser en placer une, je me rappelais très bien la mort de Pompidou. J'avais treize ans à l'époque. Toute la famille regardait à ce moment-là le film des Dossiers de l'écran (oui, les « Dossiers de l'écran » !) lorsque. Tout à coup. Un bandeau s'était mis à défiler en bas de l'écran pour annoncer la mort du président de la République. Vlan ! *La Mort du Président de la République française !* Elle voyait le topo ? Elle voulait une chips ? Encore aujourd'hui, je me souvenais de ce bandeau, je me le rappelais *très* bien, dis-je d'un ton grave, en fixant tout à coup un point très éloigné par-dessus l'épaule de Kelly pour mieux signifier combien je plongeais à cet instant très profondément en moi-même. Euh, pardon… Je pensais à ce bandeau. C'était bizarre, continuais-je d'une voix rêveuse et pénétrée. Il défilait en bas de l'écran alors que le film continuait *comme si de rien n'était*. Elle pigeait les italiques ? Elle aussi avait envie de me lécher la bouche et d'y fourrer sa langue ? Aujourd'hui, on interromprait les programmes si le président mourait, mais pas à l'époque. Le bandeau défila ainsi jusqu'à la fin du film et je me rappelais encore la consternation qu'il provoqua. Quel émoi soudain !

Chacun se demandait ce qui allait maintenant se passer. Qui serait le prochain président ? Tout le monde parlait en même temps. Plus personne n'en avait rien à fiche du film qui, une seconde auparavant, retenait toute notre attention et si elle voulait le savoir, il s'agissait de L'Homme de Kiev, de John Frankenheimer. L'histoire d'un Juif accusé d'un crime qu'il n'a pas commis dans la Russie tsariste. Je le savais parce que j'avais fait des recherches. Il avait fallu que je fasse des recherches car je n'avais gardé aucun souvenir du film qui passait ce soir-là à la télévision lorsque vlan : le bandeau annonçant la mort de Pompidou s'était mis à défiler en bas de l'écran et l'homme de Kiev : il pouvait maintenant aller se rhabiller. Il pouvait bien servir de bouc émissaire dans la Russie tsariste, son sort n'intéressait plus personne, comme un aveu de faiblesse de la fiction devant – quoi ? Comprenait-elle ce que je disais ? Je parlais trop vite ? Qu'elle reprenne donc une chips. Ça me plaisait de la voir grignoter des chips. Plus qu'elle ne l'imaginait.

Et elle ? Se souvenait-elle de la première fois où on lui avait annoncé la mort de quelqu'un ? Comment c'était ? Elle avait quel âge ? On y avait mis les formes ? On lui avait mis un bandeau sur les yeux ? OK. Je ne voulais pas raviver de douloureux souvenirs. Moi, cela avait été Georges Pompidou. La première personne dont on m'annonça le décès fut le président de la République française ! C'était classe, non ? Ça lui en bouchait un coin, n'est-ce pas ? Comprenait-elle que la première fois où j'avais appris le décès de quelqu'un, c'était en lisant un bandeau qui défilait silencieusement en bas de l'écran, *tandis que le film continuait* ? Se rendait-elle compte ? De l'effet sur un gamin de treize ans. Des complications psychiques pour la suite si la mort était une brutale effraction révélant le cours fictif des choses ; si elle était un *sous-titrage* défilant en bas de l'écran ! Qu'en pensait-elle ? La mort a de drôles de façons de se manifester, dis-je comme on dit : on va chez vous ou on va chez moi ? Chacun devrait tenter de se rappeler la première fois où il a eu connaissance de la mort, dis-je en hochant la tête de haut en bas comme pour l'inciter mimétiquement à dire « oui, on va chez moi ». Cela peut avoir son importance. C'est peut-être *très* important. D'ailleurs, je regrettais terriblement de ne pas savoir à quel moment du film le bandeau s'était mis à défiler. Quelle scène, quelles images s'étaient soudain trouvées associées à la mort du président et qui, dans ma mémoire, le demeuraient probablement, à mon insu, même si ce que je voyais n'avait rien à voir avec ce que je lisais et précisément à cause de ce décalage. Comme si la photo d'une petite mésange à bec noir volant gracieusement dans un ciel d'été était légendée « La fin des haricots » *et qu'il s'agissait de la bonne légende* ! Elle pigeait le truc ? Elle croyait aux coïncidences, sur-tout si elles n'avaient pas l'air de coïncider et – quoi ? Que disait-elle ? Elle me trouvait *bizarre* ? Je lui faisais un peu *peur* ? Elle avait tout à coup envie de *danser*. Elle allait danser *maintenant*. Pas la peine que je lui offre un autre verre. Elle avait assez mangé de chips comme ça. Elle était venue dans ce bar pour s'amuser. Pas pour se prendre la tête et s'empiffrer de chips et Kelly machin chose de me planter là, comme si je l'avais saoulée pendant des heures avec l'histoire d'un type qui se pend avec la ceinture de son pantalon à la poignée d'une fenêtre et, à la fin, il s'en sort comme une fleur et je m'en fiche. Un jour, je trouverai quelqu'un qui m'écoutera sans cesser de passer langoureusement la main dans ses cheveux et chacun de ses gestes sera un ralenti pour la vie. Le temps ne s'écoulera plus à la vitesse de 24 images par seconde mais chaque seconde contiendra 72 images de rêve.

Niveau 7

Comment font les autres pour élucider ce qui leur arrive ? Comment s'y prennent-ils à leur niveau individuel des choses ? Pour surmonter l'angoisse. Penser l'impensable. Avec quelles armes bricolées dans l'urgence ? Quelles fictions inventées pour se maintenir à flot quand le monde se dérobe sous leurs pieds ? Si c'est à ce moment-là que certains se persuadent que les voies du seigneur sont impénétrables ou qu'un complot se trame quelque part ? Que l'on trouve plus rassurant de confondre ce qui défie notre imagination avec ce qui défie la raison ?

Pour ma part, je me rappelle que, plusieurs nuits durant, mon malaise fut tel d'avoir zinzinulé une petite mésange que je crus avoir tué mes anges le jour anniversaire de mes dix ans. Qu'avais-je fait ? *Qu'avais-je fait ?* Alors que je visais la bouteille en plastique ! Je le jure ! Comment un pataquès aussi horrible avait-il pu se produire ?

Comment Julien en vint-il à se suicider avec la ceinture de son pantalon à la poignée de la fenêtre de sa chambre ? Plus jamais je ne voulais toucher une arme à feu. Tout se confond et s'entremêle en moi, tandis que mon cerveau commence à manquer funestement d'oxygène. Alors que je visais la bouteille en plastique. Je le jure ! Sur la tête de ma mère. Quand bien même il avait bien fallu que le gamin de dix ans que j'étais tienne *à un moment ou à un autre* la petite mésange dans sa ligne de mire. C'était forcé. Ne l'avais-je pas vue dans le fourré ? Vraiment ? Pas même un tout petit peu ? En étais-je bien sûr ? Le jurais-je sur la tête de notre mère ? En mettais-je ma main au feu ? Avoue ! me torturais-je le soir dans mon lit. Il s'agit de ta main, me mettais-je la pression en agitant de façon menaçante un bidon d'essence et une boîte d'allumettes au-dessus de ma main. Il s'agit de la tête de notre mère, articulais-je lentement dans le noir, recroquevillé sous les couvertures. N'avais-je pas appris à l'école que l'erreur est humaine ? Je savais même le dire en latin et le gamin de dix ans que j'étais devait-il en déduire que c'est en commettant des erreurs que l'on devient humain ? m'embrouillais-je l'esprit.

Un simple instant d'inattention et tout peut dégénérer ? Des forces diaboliques en profitent aussitôt ? Voici que *tombent les masques ?* Nos véritables intentions se dévoilent et ton compte est bon mon bonhomme, triomphais-je sourdement en moi-même, le soir dans mon lit. Pensais-tu pouvoir t'en tirer aussi facilement ? me narguais-je tout seul et, outre que ce fut là ma première expérience de dissociation de la personnalité (comme si, à vouloir résoudre un problème, nous devions en engendrer de pires), j'ai encore en mémoire l'espèce de soulagement que j'éprouvai à me passer moi-même les menottes car cela me disculpait en partie : qui arrête un criminel ne saurait a priori être le meurtrier (ou alors c'est à douter de tout). À cette joie du soulagement se mêla une sorte de fierté : ne venais-je pas de résoudre à moi seul *L'Assassinat de la mésange à bec noir*, comme mon papi avait tout de suite su trouver les mots doux et réconfortants pour *intituler* ce qui s'était passé dans son jardin et en faire tout un roman policier, dont il était au demeurant un lecteur acharné et exclusif.

Car mon papi dévorait les romans policiers. Car mon esprit s'évapore tout à fait à présent, il se dissipe dans des limbes de plus en plus brumeux et informes, un mot en entraînant toujours plus loin un autre, une seconde après l'autre, oui, je défaille, je *délire*.

Le temps presse !

Sauf que j'abuse quelque peu du langage puisque là, tout de suite, je suis en train d'écrire et non de tomber dans les vapes. Je le précise des fois que l'on se ferait des idées et je ne veux pas savoir lesquelles. Je ne veux pas d'ennuis. En attendant, jamais je n'ai vu mon papi lire autre chose qu'un roman policier et pour autant que lire des romans policiers signifie quelque chose, pour autant que je cherche à gagner du temps avant de m'évanouir pour de bon et que « les livres sont une tentative de réponse au chaos », comme disait l'autre (Imre Kertész), mon papi trouvait manifestement son plaisir dans la recherche incessante, jamais satisfaite, toujours reconduite, de savoir *qui* était le criminel, *qui* le fauteur de trouble, *qui* le responsable du chaos ambiant – *qui* bon dieu ? Alors que sa femme (ma mamie) était un monstre, ma maman en sait quelque chose. Alors que cela change quoi de le découvrir ? Pour ma part, mettre un nom et un visage sur le criminel ne m'a jamais paru élucider un crime. Plutôt un moyen de se débarrasser du problème – en plus d'empêcher un criminel de sévir, ce qui n'est certes pas négligeable – et de se rassurer en constatant, une fois le livre refermé, qu'il ne s'agissait donc pas de soi – ouf.

Car enfin, il s'agirait de quelqu'un d'autre, cela ne ferait aucune différence. N'est-il pas entendu dès le départ que *tout le monde* est suspect ? Cela veut tout dire. Si au moins la personnalité du criminel ou son histoire personnelle éclairaient le crime qu'il a commis. Peau de balle ! Voilà qui paraît plutôt ajouter du mystère au mystère tellement c'est le crime qui semble donner du relief à la personnalité et à l'histoire du criminel. Tellement c'est à la lumière de son crime que s'éclairent soudain le nom et le visage du criminel qui, jusque-là, ressemblait à vous et moi. Sans compter que les criminels semblent les derniers à pouvoir dire quelque chose de pertinent sur le crime qu'ils ont commis : ou bien ils fanfaronnent, ou bien ils se repentent, ou bien ils meurent en emportant leur secret dans la tombe ; dans tous les cas, ils n'ont pas l'air d'en savoir plus long sur le crime qu'ils ont commis que, mettons, un moustique sur le virus du paludisme qu'il transmet. Depuis que j'ai compris que c'est le crime qui fait le criminel, je me fiche comme d'une guigne de savoir *qui*, mais bon dieu *qui*, est le criminel. Cela ne m'intéresse pas du tout. *Cela ne m'aide en rien* et j'aimerais beaucoup que mon papi (paix à son âme) lise ces lignes car après la mort de la petite mésange, il n'avait pas cru à la thèse de l'accident, non, il avait immédiatement deviné le vice chez le gamin de dix ans que j'étais, il avait découvert le criminel en moi, *il avait démasqué le coupable* et, par la suite, je me souviens que mon papi en fit longtemps ses choux gras dès que l'occasion lui en était offerte (aux repas de famille, au téléphone, au café du village : « Ah ah ah. Vous savez quoi ? Ce salopiau de Grégoire… » etc. etc.) et ceci explique peut-être cela, oui, ceci explique peut-être bien des choses.

Niveau 8

Mais suffit ! J'étais parti pour raconter une histoire (« Comment je me suis suicidé un soir pour de faux ») et je ne vais pas raconter à n'en plus finir tout à fait autre chose (« Comment j'ai abattu pour de vrai une petite mésange le jour anniversaire de mes dix ans »). Pas question. Il faut savoir se faire respecter un minimum. Les mots n'ont qu'à bien se tenir. Il faut savoir retenir ses chevaux et reprendre ses esprits et que dis-je ? Reprendre ses esprits ? Mais oui ! Bien sûr qu'il fallait que je reprenne mes esprits ! Ne voyais-je pas ce qui se passait ? Mais ouvre les yeux, bon dieu ! Cesse de divaguer. Eh oh ! Tu es en train de perdre connaissance. Putain, tu es en train de te pendre pour de bon. Tu vas MOURIR ! Eh oh !

Quelle panique alors ! Jamais je n'oublierai cette panique. Elle est gravée en moi pour la vie. J'ignore si l'expression « énergie du désespoir » est ici appropriée, mais c'est la seule qui me vient pour décrire l'espèce de fureur avec laquelle j'ai empoigné ma ceinture pour tenter de desserrer son étreinte et dégager mon cou afin de rétablir ma circulation sanguine et la rétablir sur-le-champ, *immédiatement,* dans l'intention forcenée de propulser dans mon cerveau des milliards de globules rouges gorgés d'oxygène vital. Mais impossible d'y arriver. *Impossible d'y arriver !* J'avais serré trop fort ! J'avais beau secouer la tête dans tous les sens et tirer sur cette saloperie de ceinture et me cogner le crâne contre le chambranle de la fenêtre, rien à faire, ma technique de pendaison incomplète était finalement très efficace et ma précipitation jouait contre moi et malgré mes efforts (ou à cause d'eux), j'ai vu le moment où je n'allais pas réussir à me dégager. Je n'y arrivais pas. JE N'Y ARRIVAIS PAS ! Ce n'était pas possible. AU SECOURS !

Dans un brouillard atroce, pendant un laps de temps que je ne veux pas chercher à mesurer, alors que tout mon être défaillait et, en même temps, qu'il rassemblait ses forces comme jamais je ne l'avais vu à ce point rassembler ses forces, j'ai très clairement envisagé le fait que j'allais mourir et que je n'allais pas m'en sortir. Pas cette fois. Pas ce soir-là. D'un coup cette éventualité s'est imposée en lettres de feu dans mon esprit et je me suis vu mort, mort tout entier, mort des pieds jusqu'à la tête, avec mon corps mou et pantelant et sans vie et c'était moi amoncelé par terre tel un paquet de linge sale, moi et personne d'autre, mon être le mien pendu comme une chiffe par le cou à la poignée de la fenêtre de ma chambre et pendu jusqu'à ce que ma mort s'ensuive sans le moindre espoir d'être sauvé, pas le moindre.

Car personne ne savait à quoi j'avais décidé d'occuper mon temps ce soir-là, absolument personne, et difficile ici de blâmer quiconque. Très difficile. Tandis que je n'attendais aucune visite ce soir-là. Quelqu'un aurait-il eu la bonne idée de passer à l'improviste et de sonner à ma porte, je n'aurais de toute façon pas pu lui ouvrir, pendu par le cou comme je l'étais à la poignée de la fenêtre de ma chambre, étranglé par derrière jusqu'à ne plus pouvoir émettre que râles stupides et gémissements étouffés – et quelle ironie si quelqu'un s'était trouvé tout près de pouvoir me délivrer. Quel raffinement dans la cruauté ! Mieux valait finalement que personne ne se manifeste et je devais me rendre à l'évidence : nul n'allait venir me sauver au dernier moment, au bon moment, in extremis pour le dire en latin. Il n'y aurait pas de happy end dans mon cas. Aucun miracle d'aucune sorte ne surviendrait dans les dix, quinze ou vingt minutes qu'il me restait à vivre comme c'est paraît-il le temps qu'il faut aux fonctions vitales pour être irrémédiablement altérées par la privation d'oxygène et que survienne la mort et dite soit la messe. Non, même en cherchant bien, il n'y avait aucune chance pour qu'un prodige quelconque me sorte du pétrin dans lequel je m'étais moi-même fourré et c'était tellement risible – tellement quoi ?

Il n'y avait pas de mot pour décrire ma situation. Putain. J'allais mourir comme un chien, là, maintenant, tout de suite, tout seul, mol et pantelant au bout d'une laisse, le cou strangulé, la langue grosse comme un escargot et le visage tout bleu, absolument seul, pire qu'une loque, alors que j'avais tant de trucs encore à vivre, sans savoir exactement lesquels mais ce n'était pas une raison. Alors que j'avais une histoire à raconter et que je devais raconter, qu'il fallait impérativement que je raconte si je ne voulais pas brûler en enfer et, seigneur dieu, on me retrouverait plus tard con de chez con pendu avec ma ceinture à la poignée de la fenêtre de ma chambre, le corps avachi et prostré dans sa merde, exactement dans la position et dans la puanteur dans laquelle on avait découvert Julien le 27 novembre 2005, ce qui avait été l'homme qui s'appelait Julien avant qu'il ne se massacre lui-même – et sûrement ce serait ma fille de onze ans qui trouverait mon cadavre en rentrant de chez sa mère, forcément ce serait elle qui me découvrirait la tête affreusement molle et pantelante, elle seule avait la clé de l'appartement et je ne veux même pas imaginer sa tête en découvrant le spectacle de son père pendu à la poignée de la fenêtre de sa chambre. Je ne *veux* pas l'imaginer.

Sans compter que ma fille croirait comme tout le monde que j'avais voulu me pendre et en finir avec la vie et avec elle en particulier et quel ravage potentiel dans son existence. Sans compter que, par la suite, que ne tenterait-on d'expliquer mon geste de mille et une façons plus perspicaces les unes que les autres et tellement tirées par les cheveux qu'elles en deviendraient chauves sans une seule fois soupçonner l'intention véritable qui avait été la mienne ce soir-là et, je le reconnais avec humilité aujourd'hui, débilement la mienne. Personne ne songerait à une reconstitution du suicide de Julien ayant trop bien réussi, personne, pas même un romancier, oui, je mourrais méconnu et anonyme comme chacun demeure toute sa vie méconnu et anonyme, oui, je mourrais pour rien, même si on meurt toujours pour rien, de toute façon, m'est avis, et avant d'en finir avec cette phrase encore une fois trop longue je suis miraculeusement parvenu à me libérer du piège de ma ceinture, évidemment, puisque je suis là en chair et en mots pour en témoigner. Inutile de feindre ici un suspens qui n'a pas lieu d'être. Qui n'a plus lieu de l'être.

Car sur l'instant ce ne fut pas gagné. Oh non. Il s'en est fallu d'un cheveu, d'un poil, d'un cil, et rien que d'y songer il me monte des entrailles un drôle de petit rire nerveux, une hilarité intérieure d'autant plus malsaine que j'ignore comment je me suis sorti des griffes de ma ceinture. Je ne le sais pas du tout et quand je dis pas du tout, je ne bluffe pas. Aujourd'hui encore, je n'ai pas la moindre idée de la manière dont j'ai réussi à échapper au pire. Tout ce que je peux dire, même si mes souvenirs sont on ne peut plus tourmentés sur ce point, c'est que tout s'est passé comme si j'avais soudain tiré le bon fil d'un sac de nœuds et que la pelote s'était d'un seul coup désemmêlée et je ne vais pas refaire l'expérience pour élucider ce miracle. Certainement pas ! Il ne faut pas compter sur moi. Une fois suffit. Je ne peux pas toujours tout élucider. Pas tout le temps. C'est une frustration avec laquelle je dois apprendre à vivre. Je ne saurai jamais à quoi tint ma vie ce soir-là et, au point où j'en suis, j'avoue que je préfère ne pas trop y songer. Il convient que je me ménage un peu. Ce serait une bonne chose. La sagesse fixe des bornes au savoir, disait l'autre (Nietzsche) et voici le troisième philosophe allemand que je cite et c'est donc vrai ce qu'on raconte : on ne se refuse rien dès qu'on frôle la mort. On se met aussitôt à vivre sur un grand pied.

Niveau 9

Ce qui s'est passé ensuite ? À vrai dire, je n'en suis plus très sûr. Je me revois allongé sur le sol telle une grosse méduse échouée sur une plage, totalement flaccide, le cœur battant et les oreilles en feu. La gorge très sèche, le manque de salive, la difficulté à déglutir et la pomme d'Adam douloureuse : de cela aussi je me rappelle. Et de ma respiration haletante, saccadée. De ma poitrine paniquée. Mon cœur comme une charge de cavalerie. Et, dans la chambre, d'un silence immobile. Compact. Glacé. Vibrant dans les basses. L'essence du silence. Le bruit de fond du cosmos. Avec de lourdes ailes noires. Qui me regarde et me toise et je sens ce regard peser sur moi, je le sens peser des tonnes et je ne sais pas trop ce que cela signifie car jamais le silence ne m'avait jusqu'ici regardé de haut et encore moins toisé. J'ignorais que le silence avait des ailes et voici encore une chose que j'ai apprise ce soir-là, une chose qu'il est sans doute préférable que je n'ébruite pas si je ne veux pas aggraver mon cas. Tandis que, accroché au mur, me regardait un cadre de traviole, avec une ironie renouvelée.

Peut-être me suis-je évanoui. Finalement. À retardement. Pas longtemps. Quelques secondes, à moins que ce ne soit plusieurs minutes, je ne sais pas et je n'ai aucun moyen de le savoir. Je me revois fermer les yeux et les rouvrir, mais plus tard, après un laps de temps indéfinissable. Peut-être me suis-je simplement assoupi. Sans presque m'en apercevoir. Comme un contrecoup nerveux aux minutes plutôt archaïques que je venais de vivre et à la débauche d'énergie que j'avais déployée pour me tirer de cette histoire la tête encore sur les épaules et non point molle et pantelante. C'est possible. Tout est possible.

À moins que mon cerveau n'ait libéré des flots d'endorphines ou je ne sais quelle substance qui font dormir son homme après l'amour – après l'acte sexuel veux-je dire, ne confondons pas tout. Car cette fatigue lourde et saturnienne imitait drôlement celle qui me tombe dessus lorsque j'ai joui (vraiment joui, ce qui n'est pas systématique, hélas non) et qu'y puis-je ? Ce sommeil ne m'appartient pas. On croit penser à tout et on oublie la chimie. On oublie ce qui se passe au niveau de nos cellules. Toutes ces décisions qui se prennent dans le secret de nos fibres et qu'il nous faut ensuite payer comptant. Sauf que je n'ai nul souvenir d'avoir été transporté de bonheur lorsque m'asphyxiait ma ceinture. Non plus d'avoir vu défiler ma vie, mais c'est peut-être que j'étais trop occupé à la sauver à ce moment-là. En tous les cas, je ne me rappelle rien de tel. Je n'ai aucunement l'impression d'avoir vécu ce soir-là un moment érotique, ni de près ni de loin, non, tout ce dont je me souviens, c'est de m'être dit d'une voix que j'aurais du mal à imiter tellement elle était à la fois enjouée et oppressée : « Waouh Bouillier, tu l'as échappé belle » et je sais avoir parlé à voix haute à ce moment-là car le son de ma voix m'avait rassuré sur mon compte. Il m'avait confirmé que j'étais encore lucide et plein d'à-propos et si le dernier mot doit revenir à la chimie, je ne le connais pas.

Qui disait que ceux qui jouissent, ils ont tout de même bien peu de caractère ? On s'en fiche. Comme de savoir si Julien s'envoya en l'air en même temps qu'il montait au ciel, pour le dire en aussi peu de mots que possible. Je n'en ai pas la moindre idée et je m'en contrefiche comme de l'an quarante, même si personne n'a jamais été fichu de me dire de quel an quarante il s'agit ; mais puisqu'on s'en fiche, cela tombe bien. Quoi qu'il en soit, ma petite reconstitution du 27 novembre 2005 ne me permet pas de répondre dans un sens ou dans un autre sur les derniers émois de Julien. C'est un secret qu'il a emporté avec lui, si tant est qu'il soit allé quelque part après s'être pendu. Rien n'est moins sûr. Auquel cas son secret doit encore se trouver sur place et quelqu'un devrait peut-être s'en préoccuper. Pas moi. Car depuis ce drôle de soir où j'ai dit et répété que j'étais dans un état bizarre, un état vraiment pathétique, les choses sont devenues très claires en ce qui me concerne. Du suicide de Julien je me suis approché le plus près qu'il m'était possible de m'approcher et il m'a raconté tout ce qu'il m'importait de savoir sur la manière dont il avait pu se dérouler et, par-dessus tout – comment dire ? J'ai gagné ce soir-là le droit de parler du suicide de Julien.

J'ai gagné ce droit.

Voilà.

Je ne l'ai compris que plus tard, mais enrouler la ceinture de mon pantalon autour de mon cou et la serrer ensuite autant que je le pouvais et pas davantage a ouvert une brèche dans le suicide de Julien. Cela a rompu la glace. Cela a brisé un sortilège. *Cela a intercédé en ma faveur* et qu'est-ce qu'il ne faut pas faire parfois pour trouver les mots qui nous manquent.

Niveau 10

Car on ne parle pas impunément de certaines choses. Non parce qu'elles seraient taboues, non, c'est juste que certaines choses nous laissent interdits. Nous laissent sans voix. Certaines choses sont si opaques qu'elles ne laissent pas passer la lumière du langage, pas un mot ; elles se tiennent dans le silence, debout, immobiles, granitiques, braquant fixement leurs yeux de sulfure sur nous et impossible de les déloger, impossible de leur faire cracher le morceau et ainsi nous restent-elles indéfiniment en travers de la gorge et s'il me faut retenir une leçon du suicide de Julien, ne serait-ce qu'une seule, la dernière, promis, c'est que certaines choses nous intiment la parole bien plus qu'elles nous intiment le silence.

Sauf que ces choses-là ont un prix. Ces choses-là ne se payent pas de mots : c'est nous qui devons payer un minimum de notre personne si nous voulons qu'elles desserrent un minimum les lèvres. Il nous faut les prendre à notre compte. Faute de quoi, tout ce que nous disons sonne faux. Sonne creux. Oscille entre platitude et cynisme. Devient spectacle. Reste emmuré.

Combien de fois me suis-je dit : ce n'est pas le sujet qui fait un livre, c'est le livre qui fait le sujet.

C'est le livre qui *doit* faire le sujet.

Que les choses soient claires : je devais parler du suicide de Julien – d'une façon ou d'une autre je le devais. Le mot événement ne convient pas, mais il s'agissait d'un événement dont je ne pouvais m'accommoder un jour de la semaine après l'autre depuis qu'il avait fait effraction dans mon existence un dimanche aux alentours de midi. J'aurais pu m'en fiche et passer à autre chose – mais non. C'était culpabilité – mais pas seulement.

La vérité, c'est qu'il ne s'agissait pas seulement du suicide de Julien.

Il ne s'agissait même pas de Julien.

Les choses ne sont jamais exactement ce qu'elles sont. Elles ont toujours des arrière-plans et, dans le cas de Julien, sans doute se suicida-t-il pour des raisons qui lui appartenaient, mais également pour d'autres qu'il ne soupçonna à aucun moment de son vivant. Je ne plaisante pas. Je possède de première main des informations sur le suicide de Julien que je ne peux pas garder pour moi. Il doit savoir. Même s'il est mort. Ce détail ne doit pas m'arrêter. Eh quoi ? Un homme est mort – et son fantôme erre peut-être tout proche, suppliant qu'on le libère. Ce n'est pas rien la mort d'un homme. Dans quelle langue faut-il le dire ?

Dans quelle langue raconter toute l'histoire ?

Niveau 11

Aucune n'allait et des années durant je suis resté silencieux, avec le suicide de Julien sur les bras, sur l'estomac, en travers de la gorge. Ne trouvant rien à dire du suicide de Julien. N'ayant rien vu du suicide de

Julien. Ne parvenant jamais à en parler, comme s'il était un plat trop brûlant pour que je m'en saisisse et le serve à table. Que je m'y essaie et le suicide de Julien poussait des hauts cris. Il hurlait à la fiction, à la trahison, à la *littérature* ; il me traitait de salopard ; il disait que c'était *son* suicide et que je pouvais aller me faire voir à Nevers si ça me chantait ; il prétendait que je cherchais à tirer la couverture à moi et, par-dessus tout, il disait que je me gargarisais de mots pour me débarrasser le plancher, afin que tout continue comme s'il ne s'était pas suicidé. Les mots sont des gommes, pestait-il. LES MOTS SONT DES GOMMES, s'énervait-il. Croyais-je m'en tirer en disant : « Julien s'est suicidé », comme trois petits mots et puis s'en vont ? Croyais-je avoir dit quelque chose ? Quand bien même j'utiliserais le ton le plus solennel, avec plein de blancs dans la page ou des trémolos dans la voix, comme une supercherie de plus. Bon dieu, les mots me *dénaturent*, me hurla-t-il un jour à la face, tout à fait hystérique. C'est moi qui me suis suicidé et toi… tu… Comment oses-tu ? me postillonna-t-il ce jour-là au visage. Car le suicide de Julien s'étouffait parfois de rage. Il me postillonnait volontiers au visage. Me hurlait très vite dessus. Il était capable d'affreuses colères et, pour un suicide, il était sacrément vindicatif. Ce qui me rendait d'autant plus muet en sa présence et telle était peut-être justement son intention. Car il ne voulait pas que je parle de lui. Pas comme ça. Ni comme ceci. Parce que je n'étais pas digne de parler de lui ? Parce que les mots ne suffisent pas ? Parce que c'était de ma faute s'il s'était suicidé ? Que voulait-il de moi à la fin ?

Niveau 12

Comment parler des choses ? Comment parler de tout ce qui se passe ? De ce qui nous arrive et il faut ensuite trouver une issue ? Comment parler tout court ? D'où ? Comment font les autres ? Je croyais le savoir avant le suicide de Julien. Je n'avais aucun problème. Aucun mérite non plus tellement il me semblait que, plus qu'un corps, je n'avais que les mots : ils étaient la limite de mon monde, que je pouvais étendre une phrase après l'autre. Gratuits, ils étaient ma richesse. Propriété de tous, ils étaient donc la mienne. Ils étaient ma liberté. Mon lien avec moi-même et les autres et l'Univers tout entier. Ils étaient une chance pour chacun d'entre nous. Sans eux, nous grimperions encore aux arbres. Nous ne penserions rien. J'en avais bien conscience. J'avais foi dans le langage. Ainsi pouvais-je parler de tout et ne m'en privais pas. Deux livres en avaient témoigné. C'était avant le suicide de Julien.

Le suicide de Julien a tout fichu par terre. Il m'a fait prendre conscience que le langage ne tombait pas du ciel. Oh non ! Il était une construction, un artifice, une convention, une médiation. Une *médiation ?* Stupéfiante découverte ! Sauf que je l'ignorais jusqu'ici. C'est-à-dire que je le savais et m'en fichais royalement. Je n'en déduisais rien de particulier. Lorsque je parlais de tomates, j'étais persuadé de parler de tomates. Lorsque la fille du journal télévisé parle des « migrants », elle est persuadée de parler des « migrants » et on ne peut rien contre ça, c'est incurable, disait je ne sais plus qui. Quel était son nom déjà ? Peu importe. Ce qui compte, c'est que lui aussi semblait croire qu'il parlait de la fille du journal télévisé et ainsi de suite.

Hier, on m'a parlé d'un documentaire sur les gens qui ont été irradiés à Tchernobyl. On m'a dit : « Ce documentaire était très émouvant. Il était très beau. » J'ai pensé : « C'est ça qui ne va pas. Des gens se font irradier et, à la fin, on dit que c'est un beau film. »

J'étais encore dans un drôle d'état hier.

En même temps, impossible de passer le suicide de Julien sous silence. Le silence n'est pas une option.
Oui, mais si le langage est le propre de l'homme : qu'il le prouve !
Prouve-le toi-même, eh Boudu !
Fais mieux, si tu peux ! me suis-je ri au nez.
J'étais vraiment dans un drôle d'état ce matin.
C'est peu dire que le suicide de Julien m'a mis dans de sales draps.

Que chacun tente de dire ce qui, ayant été vécu et éprouvé, le touche personnellement de près, au cœur, et il verra bien ! Il se prendra la pauvreté du langage dans les dents. Il comprendra sa fatuité. Il verra du sable sortir de sa bouche. Il entendra le ricanement des mots persifler entre les lettres. Il percevra l'effroyable amertume de ce dont il essaie de parler. Je sais aujourd'hui que si je parle, c'est à partir de l'impossibilité du langage et non à partir de la possibilité du langage.

Je parle d'un manque de confiance devenu total et définitif dans les moyens que j'utilise. À l'instar d'un menuisier qui regarderait avec suspicion ses outils : on ne voudrait pas lui confier des travaux chez soi. Ce qui, pour quelqu'un qui n'a toujours que les mots (mais je fais peut-être semblant d'écrire), est un problème. Indéniablement.

Je parle du fait que nous sommes sans langage. En plus d'être sans destin et sans qualité, nous sommes sans langage.

Je parle du mot catachrèse. Mot que j'ai appris après le suicide de Julien – et que la langue possède un mot pour dire qu'elle n'a pas de mot : cela m'a drôlement fait réfléchir.

Bien sûr, je pourrais m'en fiche. Faire comme s'il n'y avait aucun problème. Que tout était cool, zen, relax. Mais je ne le peux pas. Je ne le *veux* pas.

Pas sans avoir d'abord énoncé le problème.

Niveau 13

Ce n'était pas prévu ; mais m'étrangler moi-même a desserré l'étreinte que le suicide de Julien avait passée autour de mon cou et ce n'est peut-être pas si paradoxal que ça. Il suffit parfois d'agir. *Il suffit parfois d'agir.* En tout cas, cela a dénoué le nœud, cela a libéré ma parole, comme un torrent trop longtemps retenu. Une locomotive crachant de nouveau le feu. Une marée noire. Quand bien même cette parole ne serait pas concluante. Serait hirsute et décousue. Instable. Vérolée et prenant l'eau de partout. Pédale wah-wah amplifiant jusqu'à la distorsion la moindre résonance. Et tellement démonstrative avec ça ! Tellement bavarde. Tellement *maniaque*. Retournant chaque mot pour voir ce qu'il cache et tirant compulsivement à la ligne, comme haletant en permanence, comme asphyxiée, comme si elle manquait tout le temps d'air et cherchait à chaque instant son oxygène, ou bien sa route, je ne sais pas.

Je ne peux plus parler autrement.

Terminé ce qui se conçoit bien et les mots pour le dire viennent aisément. Terminé l'illusion que l'auteur sait ce qu'il dit et qu'il domine son sujet. Du vent tout ça. Du bluff. Si j'en fais trop, c'est parce que le suicide de Julien fut de trop dans ma vie. C'est aussi pour le noyer dans le flot. L'enterrer sous des monceaux de fleurs. Qu'il n'en reste rien. Si je renonce à la concision et au bel art paresseux de l'ellipse, c'est pour ne rien omettre du suicide de Julien. Ne rien laisser dans l'ombre. Entrer dans les détails, où se cache le diable. Faire toute la lumière. Ne pas parler du suicide de Julien comme s'il s'agissait d'une tomate.

Sachant que le premier venu a tôt fait de prendre ses aises dans les non-dits et d'y déposer ses petites affaires, ni vu ni connu, avec ses mains pleines de doigts ; mais le suicide de Julien n'est pas une paire de moufles. Il n'est pas un intérieur bourgeois. Non plus un lieu d'aisances où faire ses besoins en douce.

Je sais désormais l'impureté de ma langue.

Tout ça parce que le suicide de Julien a fait entrer le langage dans mon champ de vision et de découvrir qu'il faisait partie du tableau, *qu'il faisait partie du problème au lieu d'être la solution*, lui a ôté tout prestige et l'a fait tomber de son piédestal, boum, en plein dans la gadoue, splash. J'en rigole aujourd'hui, mais comme un tricot se défait, ma foi dans le langage s'est totalement effilochée à la suite du suicide de Julien. L'illusion qu'il révélait le réel à lui-même s'est effondrée et je dirais même plus : le suicide de Julien a provoqué chez moi une grave *crise du langage*, faut dire ce qui est, en italique s'il vous plaît. Il a fait de moi un Christian sans Cyrano ; et Roxane se meurt. Car Roxane est tout ouïe et la malheureuse en crève de tout ce qui se dit et de tout ce qu'elle entend.

Je suis trop long ? Je sais. J'aurais dû m'en tenir là et il est trop tard maintenant ? Désolé. Mille excuses. Je digresse affreusement et me suis mis à parler de moi ? Grave erreur ! Je romps le pacte du récit et n'ai-je pas honte ? Mais c'est le plan. C'est le *plan* ! Je suis trop long ? Mais qui dit ça ? Il a un train à prendre ? Qu'il le prenne. Je ne le retiens pas. Je ne suis plus dans la course. C'est moi le train. Qu'on se le dise. Je suis loin d'en avoir fini avec le suicide de Julien. Très loin. Je vais le travailler à la flamme bien moyenâgeuse. Si on voit ce que je veux dire. Et si on n'a pas vu Pulp fiction, tant pis. Je suis trop long ? Je sais. Je me répète ? Sans blague. Je tourne en rond ? Quelle perspicacité !

Comme disait l'autre (Hölderlin) à l'aube des temps industriels : « À quoi bon des poètes en temps de détresse ? » Poser la question était déjà y répondre et, deux siècles plus tard, Ghérasim Luca se jetait dans la Seine « puisqu'il n'y a plus de place pour les poètes dans ce monde », écrivit-il dans une lettre d'adieu à sa compagne. Deux siècles plus tard, Ionesco répondait pour sa part : « Tiens, il est neuf heures. » J'étais au courant. On ne pouvait pas me la faire. Cela faisait un moment que le langage avait perdu son innocence. Nombreux étaient ceux à s'en être aperçus, autrement plus qualifiés que moi. Je savais qu'il existait, entre la langue et l'affectif, une inadaptation fondamentale, une impossibilité irréductible, okay, merci Kafka. C'était noté. Et les choses ne s'étaient pas améliorées. La crise perdurait. C'est-à-dire qu'elle n'était pas une crise puisque, par définition, une crise décrit une situation à la fois paroxystique et temporaire. Putain de mots ! Dans la bouche de la plupart, leur usage n'est que l'enthousiaste célébration de la rupture du langage avec la réalité. Il est une défaite.

Mais quel rapport avec moi ? Je m'en fichais à mon niveau individuel des choses qui en appellent facilement à la liberté d'expression. Cela restait intellectuel. Ne continuais-je pas de m'exprimer normalement ? À croire aux mots qui sortaient de ma bouche ? À parler de tomates comme s'il s'agissait de tomates. Où le problème ? Je marchais du côté ensoleillé du langage, pépère, ne prenant surtout pas à mon compte ce que je savais – mais qui prend à son compte ce qu'il sait ? Il ne faut pas non plus trop nous en demander. Je trouvais d'ailleurs cette dépréciation du langage un tout petit peu exagérée. Un truc pour mettre des bâtons dans les roues des pauvres gars dans mon genre. Je veux dire : les petits gars qui n'ont que les mots pour s'en sortir.

C'était avant le suicide de Julien. Car le suicide de Julien : impossible d'en parler ! Voici que j'étais malade à mon tour, frappé personnellement de plein fouet, incapable de saisir avec des mots ce qui avait eu lieu, confronté à mon minuscule niveau individuel au même problème et ne sachant comment le résoudre. Voici que cela m'arrivait à moi. Mes temps de détresse à moi. Je ne pouvais plus m'entendre parler sans avoir envie de me boucher les oreilles. Sans avoir immédiatement la nausée. Je ne pouvais plus participer à aucune conversation tellement les mots qui s'échangeaient pompaient tout l'air de la pièce jusqu'à l'asphyxie pure et simple. Tout me semblait désormais incroyablement factice. Rapport à l'imagination, j'avais moins de problèmes : les mots n'étaient l'enjeu que d'eux-mêmes. Pour le reste, ils puaient la mort. Jamais ne rendaient justice. Étaient risibles de bout en bout. Toujours ils abattaient la mésange quand ils visaient la bouteille.

Quoi d'autre ?

Ah si ! J'en connais un qui, pour réussir à parler de la mort de sa mère (et de tous les morts des camps de concentration) ne trouva rien de mieux que de faire disparaître la voyelle qui, en français, s'avère la plus essentielle de l'alphabet et il faut imaginer la folie de cette disparition un mot après l'autre, une phrase après l'autre, pendant plus de trois cents pages. L'imagine-t-on ? Mesure-t-on *l'effort* ? Perçoit-on la *douleur* contenue dans cet effort ? Ce n'est pas seulement formel. Que l'on s'y essaye et on verra. QUE L'ON S'Y ESSAYE ! Que je bave et zinzinule à n'en plus finir est finalement un moindre mal. Avant que quelqu'un ne me détrompe et j'ai hâte de savoir qui. Même s'il aura raison de son point de vue.

J'en connais un autre qui, prenant la parole au Sénat, la garda le plus longtemps qu'il lui fut possible, jusqu'à l'extrême limite de ses forces, parlant debout à la tribune vingt-quatre heures durant, sans discontinuité, sans s'interrompre, sans reprendre son souffle, sans boire ni manger, parlant de n'importe quoi s'il le fallait, afin de faire obstruction au mensonge.

Faire obstruction au mensonge.

Voilà l'idée.

Si on ne connaît pas la vérité, au moins connaît-on le mensonge et c'est un début.

Je n'en vois pas de meilleur.

Niveau 14

C'est *après* avoir reconstitué dans ma chambre le suicide de Julien que j'ai écrit cette phrase : « Il s'appelait Julien. Je peux dire son nom. C'est le moins que je puisse faire. » Et depuis lors, je n'ai plus cessé d'ajouter une phrase après l'autre. Les mots m'étaient revenus. Non plus comme avant, mais chargés du suicide de Julien. Alourdis par sa masse. Magnétisés par son spin. Minés par sa rugosité. Oui, mais je savais soudain quoi dire. Si je ne pouvais pas parler du suicide de Julien, je pouvais au moins parler du simulacre auquel je m'étais livré. C'était mieux que rien. C'était beaucoup mieux que de le représenter, entreprise qui m'apparaissait aussi insuffisante qu'infâme. Comme si j'en savais quelque chose de ce qui s'était passé le 27 novembre 2005. Quand bien même plus personne ne se gêne aujourd'hui pour s'emparer de vies qui ne sont pas la sienne. Pour ma part, que l'on sente à quel point le suicide de Julien m'avait démoli, voilà qui l'évoquait, indirectement certes, mais au moins n'en faisais-je pas ma chose. Qu'il ait infusé dans ma langue : je ne pouvais que m'en réjouir. Je m'en réjouis. C'est la preuve qu'il a eu lieu. C'est à ses traces qu'on sait qu'un animal est passé par là. C'est à ses effets que l'on mesure une cause.

En face de mon bureau, il y a, scotché sur le mur, une feuille de papier sur laquelle j'ai écrit : Si tu dois raconter un échec, débrouille-toi pour que ton récit soit raté. Si tu es vaincu, ne parle pas la langue des vainqueurs. Si tu es en miettes, éparpille tes mots. Ne triche pas. Si tu dois décrire la couleur bleu, ne te contente pas d'écrire le mot « bleu » : écris en bleu. *Écris bleu !* Trouve le moyen pour que ce soit le bleu qui écrive. Dans le lot, il y aura bien quelqu'un qui comprendra.

De là que je parle du suicide de Julien à mon niveau ~~détraqué~~, ~~crétin~~, ~~coupable~~, individuel des choses et non à son niveau à lui, encore moins à un niveau général des choses. C'est pour élucider ce qui s'est passé, dont le suicide de Julien fut *à la fois l'aboutissement et le premier mot*. C'est pour dire tout ce que j'ai à dire et, éventuellement, faire sentir l'écart entre ce qui n'aurait jamais dû se passer et qui est pourtant advenu. C'est aussi pour faire briller une petite bougie, à l'instar de celle en forme de vulve que peignit Picasso sur le petit tableau représentant son ami Casagemas dans son cercueil et qu'on ne me fasse pas dire ce que je ne dis pas : Julien n'était pas mon ami – *il n'était même pas mon ami !*

Je le connaissais à peine.

Ce qui est encore plus idiot, à la réflexion. Ce qui complique la situation. La rend très étrange. À l'image de nos existences saccagées et, quoi qu'il en soit, j'ai réalisé quelque chose ce soir-là et c'était tout bête et

que veux-tu savoir maintenant ?

Jusqu'où veux-tu que je m'enfonce ?

Tu as bien réfléchi ?

Aux conséquences aussi ?

Tu ne diras pas ensuite ?

PARTIE II

« C'est encore nous les gentils ? »
CORMAC MCCARTHY, *La Route*

Niveau 1

J'ai appris la nouvelle du suicide de Julien alors que je buvais un crème bien chaud à la terrasse du café situé juste en bas de chez moi. C'était un dimanche en fin de matinée et je m'étais installé en terrasse en dépit de l'air vif qui, tel un méchant acompte sur l'hiver, piquait drôlement la peau du visage pour une fin novembre, alors que le mois d'octobre avait été le plus chaud jamais enregistré à cette période ; mais un rayon de soleil perçait les nuages et, diffractant une grâce bienfaisante, il réchauffait la peau, il jetait une belle lumière pure et dure sur l'asphalte des rues et sur la façade des immeubles et même sur les gros titres du journal que je feuilletais devant moi et je ne sais plus quelles étaient les nouvelles du jour.

C'est loin tout ça.

J'ai tout oublié.

Je ne sais même plus si Julien se suicida avant que l'ouragan Katrina ait dévasté La Nouvelle-Orléans ou après.

De toute manière, les nouvelles sont balayées aussi vite qu'elles sont produites. Elles n'informent pas sur ce qui se passe : elles fabriquent ce qui va arriver, en semant quotidiennement une espèce d'effroi, de façon toujours plus électrique et impérative. Elles disent que tout va mal, mais comme elles le disent à heure fixe, c'est que tout va bien. Tout peut continuer. Le flux emporte avec lui tout ce qu'il charrie, comme si c'était le cours normal des choses et — bref. Aujourd'hui, je ne saurais dire si le

27 novembre 2005, les émeutes de Villiers-le-Bel enflammaient encore les banlieues ou si c'est ce jour-là qu'un astéroïde frôla de près la Terre. Si un séisme dévasta l'Indonésie ou qu'un politicien proféra une cochonnerie de plus. Si un attentat fit de nouveau des dizaines de morts en Irak ou ailleurs ou si le panda Bao Bao fêtait ses 25 ans au zoo de Berlin. Etc.

Plus significatif du temps qui passe serait de dire que Brice de Nice était le film français qui, cette année-là, triomphait sur les écrans. Pour ceux qui l'ont vu comme pour ceux qui ne l'ont pas vu, je suis sûr qu'ils se rappellent l'affiche, ils revoient sa couleur jaune, ils se remémorent, là, tout de suite, maintenant, certains dialogues et ils se revoient eux-mêmes à l'époque, ils retrouvent mystérieusement la mémoire. Un film, même un film comme Brice de Nice, permet de mesurer l'épaisseur du temps bien mieux que n'importe quel événement ayant fait l'actualité et voilà qui donne à réfléchir. Voilà qui laisse un drôle de goût dans la bouche.

Pour ma part, je me rappelle que ce dimanche 27 novembre 2005 était une belle et froide journée. Genre clairière au milieu du gris et du morne, genre vérité grelottante descendue sur Terre pour purifier les âmes de bonne volonté et je ne dis pas cela pour Julien. Je ne dis pas cela pour jouer du contraste et suggérer que les éléments seraient à l'unisson de nos émotions et, en l'occurrence, qu'un rayon de soleil aurait exprès percé les nuages ce jour-là, à cette minute précise, de façon ironique. Le ciel se fiche de nous ; inversement, j'imagine que les considérations météorologiques étaient le cadet des soucis de Julien ce jour-là. Il se trouve que ce dimanche 27 novembre 2005 était une journée pleine de franchise et d'honnêteté climatique et il ne faut y voir aucun message particulier, ni dans un sens ni dans un autre. Chaque jour qui passe n'a que le temps qu'il fait pour espérer sortir du lot et que ne soit pas trop apparente la misérable répétition du temps qui passe. Ce pourquoi nous nous soucions tellement de météo et nous en soucions chaque jour : ainsi nous persuadons-nous qu'il ne s'agit visiblement pas du même jour qui bégaie. Ainsi se produit-il un changement, synonyme d'excitation, aussi fugace et dérisoire soit-il. Lorsque mon téléphone portable avait vibré dans ma poche et c'était un message de Patricia. La femme de Julien. La mère de leur petit garçon de deux ans. Sa veuve aujourd'hui. Mais pour moi – comment dire ? *Comment dire ?*

Niveau 2

Une semaine auparavant elle sonnait à ma porte, nue sous une petite robe bleue à pois blancs en polyamide (sûrement du polyamide), toute tremblante et frémissante et pas seulement à cause du froid qui régnait dans la cage d'escalier. Pas seulement. J'ai encore en mémoire la vision d'elle quasiment offerte et quasiment brûlante sur le seuil de ma porte, quasiment molle et pantelante dans sa minuscule petite robe bleue à pois blancs en polyamide (sûrement du polyamide) qui ne cachait rien de sa poitrine pleine de grâce, le seigneur soit avec vous, vous êtes bénie entre toutes les femmes et d'autant plus que la pointe de ses deux seins indiquait une direction qu'il était impossible de ne pas suivre des yeux et mieux vaut que je m'en tienne à cette simple évocation. C'est préférable. Vu les circonstances. Il s'agit tout de même de la femme de Julien et de celle qui est devenue sa veuve une semaine après que j'ai couché avec elle et si quelqu'un se demandait quel lien me rattachait au suicide de Julien ou, selon la version que je préfère me raconter, quelle corde le suicide de Julien m'a passée autour du cou, je crois que l'essentiel est dit. Dit en toutes lettres. Dit sans détour et ce n'était pas si difficile. Bien moins que je ne me l'imaginais.

Le voudrais-je aujourd'hui, je ne peux de toute manière plus revenir en arrière. Ni en paroles ni en actes. Je ne peux plus claquer la porte au nez de la tentation qui, huit jours auparavant, avait sonné sur les coups de vingt-deux heures à ma porte. Il est trop tard à présent. Trop tard pour moi et pour Patricia et pour Julien. Surtout pour Julien. Cela m'apparaît encore plus évident maintenant que je couche tout ça par écrit. Ce n'est pas comme si je jetais des mots en l'air sans me soucier dans l'oreille de qui ils peuvent tomber, virgule, les écrire modifie quelque chose d'imperceptible mais de néanmoins tangible dans l'ordre des choses, virgule, quoique je serais bien en peine de préciser la nature exacte de cette modification et rien à voir ici avec Michel Butor, point-virgule ; mais je ne vais pas commencer à digresser ici et maintenant sur les fantômes qui hantent les mots car j'ai déjà bien assez de ceux qui hantent ma vie et, quoi qu'il en soit, il n'est pas question que je cherche à gagner davantage de temps ni à noyer encore plus profond le poisson que le suicide de Julien m'a accroché dans le dos dans l'espoir que personne ne se rappelle à la fin de cette phrase ce que j'ai dit en la commençant.

Niveau 3

Dit de compromettant et de rédhibitoire et de particulièrement délicat à manier comme j'en ai eu la confirmation quelques mois après le suicide de Julien, un soir où j'étais de nouveau dans un état bizarre, mais cette fois dans un bar. Accoudé au comptoir. À côté d'un type aussi scrupuleux dans sa façon d'enfiler les verres que je l'étais moi-même pour plein de raisons mais, par-dessus tout, à ce moment-là, pour échapper au monologue que ce type tenait absolument à envisager sous l'angle d'une conversation avec moi à propos des salaires selon lui indécents des joueurs de football et j'avais beau regarder ostensiblement ailleurs que dans sa direction et marmonner d'indistincts et épisodiques borborygmes qui ne pouvaient *en aucun cas* passer pour une incitation à en apprendre davantage sur l'indécence des salaires des joueurs de football (d'autant moins qu'il y a des choses bien plus intéressantes à dire à propos des joueurs de football – par exemple, ils crachent toujours après avoir raté un but mais jamais lorsqu'ils marquent ; par exemple, on sait grâce à eux que manquer de réalisme, c'est dominer sans marquer, tandis que faire preuve de réalisme, c'est marquer contre le cours du jeu et moi qui me pose plein de questions sur le réalisme en général et dans la littérature en particulier, j'ai compris ce qu'il me restait à faire, j'ai compris tout l'intérêt d'aller contre le cours du jeu). Tout ça pour dire – quoi déjà ?

Ah oui : impossible d'empêcher ce pot de colle de s'épancher et de me tenir la jambe tel un roquet vicieux et frénétique. Impossible d'être tranquille et de boire en paix et de réfléchir à mon aise et peut-être ce type qui, cela me revient, ressemblait à Jack Bauer (même visage blond poupin, même physionomie délavée, tout à fait le visage des raclées que son père avait dû lui filer dans son enfance), peut-être ce type, dis-je, avait-il toute l'éternité devant lui, mais ce n'était pas mon cas et encore moins depuis le suicide de Julien – bon dieu, ce Jack Bauer de mes deux ne me rembourserait jamais le temps qu'il me faisait perdre. Ce baveux ne soupçonnait pas combien ses bavardages me coûtaient et il n'en avait pas la moindre idée, à l'instar de tous les crampons de son espèce et dieu sait s'ils sont nombreux et, bref, cette situation me rendait de plus en plus nerveux et j'allais me lever et, tout sosie de Jack Bauer qu'il était, le planter là en prétextant une envie pressante afin de me débiner au plus vite et chercher plus loin une place sur Terre où être seul ne dérangerait personne – avec cependant le goût de la défaite dans la bouche et l'amertume d'être chassé encore une fois de ma place – lorsque, interrompant cet abruti de Jack Bauer au milieu d'une phrase où il était toujours question d'indécence et de football et de salaires, mais dans un ordre différent, j'ai articulé d'une voix claire et forte qui me surprit moi-même : « Ben moi, j'ai couché il y a quelque temps avec une femme et son mari s'est pendu une semaine plus tard. » Et toc ! Dans sa face ! En pleine lucarne !

C'était la première fois que je disais tout haut ce que je ruminais tout bas depuis des mois. La première fois que *j'entendais* ce que j'avais fait et de faire tenir en aussi peu de mots tant de sentiments innommables m'a causé un choc. À Jack Bauer aussi, mais pas de la façon dont je m'y attendais. Car sans prévenir, le temps qu'il réalise que, footballistiquement parlant, quelque chose clochait dans ce que je venais de dire, ce taré s'est brusquement tourné vers moi en claquant son verre sur le comptoir avec une telle force que j'ai littéralement sursauté sur mon tabouret tandis que les gens autour de nous s'écartaient vivement et qu'un affreux silence se faisait dans le bar. L'instant d'après, Jack The Bauer se dressait devant moi et il me dominait de toute sa stature et d'une manière affolante, affolante pour moi, tout son être irradiait à ce moment-là une agressivité fantastique tandis que son visage se métamorphosait en une chose rouge et hideuse et tordue par la fureur et l'alcool et c'était incompréhensible, c'était la poisse avec la merde allée, bon dieu, que lui prenait-il ? C'était comme si je venais de lui apprendre que j'avais couché avec sa femme et qu'il s'était lui aussi suicidé une semaine plus tard et voici qu'il revenait maintenant d'entre les morts pour se venger et j'ai vu le moment où tout allait sauvagement barder pour mon matricule et, seigneur, je ne faisais pas le poids contre Jack Bauer et encore moins contre Jack Bauer métamorphosé en Hulk.

En même temps – comment dire ? J'ai senti qu'une partie de moi acceptait de recevoir une raclée et peut-être même le *désirait*. En mon for le plus obscur, quelqu'un jubilait à l'idée que *je* me fasse massacrer par cette salope de Jack qui confondait tout et qui ne méritait pas plus qu'on ne lui parle qu'il ne méritait qu'on l'écoute et sans broncher ni chercher à me dérober d'aucune sorte, le défiant plutôt du regard, je me préparais déjà à recevoir un coup terrible en pleine figure, oui, je m'attendais à voir la vengeance de Julien s'abattre sur moi et son nom serait l'Éternel et dans une seconde j'allais me prendre Ézéchiel chapitre 25 verset 10 en pleine poire et la douleur physique me laver de toute douleur psychique lorsque, contre toute attente, alors que mon ventre glouglloutait de peur et d'autre chose de particulièrement liquide que je ne tiens pas à analyser, Jack Bauer ou quel que soit son véritable nom s'est reculé comme si j'étais une chose trop répugnante pour qu'il s'en approche davantage et il a pointé son index sur moi, un index furieux et démesuré, une espèce de doigt de dieu et, à la façon d'un gorille se frappant la poitrine, il a éructé en me postillonnant au visage : « Toi... tu... t'es une vraie merde ! » – et sitôt dit, il a tourné les talons, sans rien ajouter ni me frapper ni même faire mine, oui, il a foncé vers la sortie en bousculant les gens sur son passage comme s'ils étaient un jeu de quilles et personne ne s'est avisé de moufter tant sa fureur était incandescente et menaçait de réduire en cendres quiconque la frôlerait seulement du regard et voilà ce que je voulais dire par « délicat à manier ».

En même temps, qui ne sait que la moindre expérience vécue, aussi infime soit-elle, *même joyeuse*, nous retranche de la communauté des hommes et du sentiment d'en faire partie tellement nous ne pouvons pas la partager ? Chacun le sait bien. Chacun le sait d'expérience, justement. Ce qui en dit long sur ce qui fonde la communauté des hommes. Soit dit en passant.

Plusieurs minutes durant je suis resté accoudé au bar à fixer dans mon verre mes intestins qui tremblotaient comme de la gelée verte et, tout en sentant les murmures voler bas dans mon dos, je n'ai rien fait d'autre pendant plusieurs minutes que d'attendre que tout s'apaise dans ma poitrine et que reflue l'adrénaline et qu'il me revienne à l'esprit que je n'étais pas un terroriste ni ne constituais une menace pour la sécurité des États-Unis. Lorsque le barman s'est approché et, tout en essuyant avec un torchon une flaque qui, sur le comptoir, témoignait de la scène, il m'a demandé si tout allait bien et voulais-je un autre verre ? Pardon, ajouta-t-il, mais il avait entendu ce que j'avais dit tout à l'heure à propos du mari qui s'était suicidé et cela ne le regardait pas mais – *c'était vrai ?* Ce disant, ses yeux salivaient une petite joie lubrique teintée de curiosité et d'excitation, oui, il était tout à coup super-émoustillé et si j'avais encore un doute, voilà qui n'incite pas à se confier aux autres. Voilà qui ne donne pas du tout envie de raconter sa vie à qui que ce soit. À moins d'avoir une idée derrière la tête et, ce soir-là, peut-être nourrissais-je le secret espoir qu'en racontant mon histoire à un inconnu, celui-ci la garderait pour lui et s'en irait avec et je n'aurais plus qu'à m'enfuir le plus loin possible afin de reprendre le cours de mon existence comme si le 27 novembre 2005 n'avait jamais eu lieu et que Julien ne s'était pas suicidé une semaine après que j'ai couché avec sa femme.

Niveau 4

Mais ce fut raté. Là encore. On ne peut pas compter sur son prochain et quoi qu'en disent certaines personnes qui, par parenthèse, ne manquent pas d'air, on ne se débarrasse pas de ses hantises en les refilant aux autres comme s'il s'agissait de la petite vérole et j'en profite ici pour faire passer le message que l'on peut préférer se taire non parce que nous souffrons d'une incapacité pathologique à nous exprimer, mais parce que personne ne nous écoute jamais. Personne ne prend jamais l'exacte mesure de ce que nous cherchons à dire de spécifique et de personnel, ainsi que je l'ai vérifié des millions de fois même auprès des gens les mieux disposés à mon égard. Personne ne se trouve jamais sur la même longueur d'onde que nous. Ce qui nous paraît important et significatif ne l'est *jamais* pour qui que ce soit d'autre. Nous faisons des phrases et elles tombent dans l'oreille de sourds qui prennent tout de travers ; nous faisons des phrases et elles sont aussitôt traduites dans une langue qui nous est étrangère, avec des mots qui ne sont pas les nôtres, une syntaxe qui procède d'une autre histoire, une musique qui nous est inconnue et, finalement, rien ne se passe comme nous l'espérons. Nul déclic dans notre sens. Le monde continue sur sa lancée et il nous faut nous pincer pour ne pas être engloutis dans ce néant. Nous pissons en permanence dans un violon et nous crions dans un désert et ce désert est notre unique interlocuteur et à quoi bon entretenir l'illusion que ce ne serait pas le cas ? À quoi bon aller au-devant des malentendus et, de fil en aiguille, au-devant des ennuis si, loin de laisser à nos pensées une chance de vivre leur véritable vie, les autres en font des confettis ? Quand ils ne les contestent pas à peine nous les formulons. Quand ils ne leur chient pas carrément dessus ou ne les retournent contre nous en leur prêtant toutes sortes d'arrière-pensées qui, curieusement, ne sont *jamais* d'heureuses arrière-pensées et nous avons beau dire et protester et nous arracher les cheveux s'il nous en reste, notre compte est bon. Nous restons seuls et étourdis d'amertume de constater combien les autres n'ont que leur incompréhension à nous offrir. Bon dieu, nous déployons des efforts insensés pour tenter de nous faire comprendre et nous en appelons désespérément à la compréhension d'autrui sans soupçonner que c'est à l'incompréhension d'autrui que nous en appelons en réalité et uniquement à son incompréhension. En permanence les autres nous *incomprennent* et ils nous incomprennent *parfaitement*, du verbe incomprendre, que j'aimerais beaucoup voir entrer dans le dictionnaire, qu'on se le dise. Et réciproquement puisque, de notre côté, nous n'avons que notre incompréhension à offrir – notre incompréhension et non notre compréhension – et, au bout du compte, jamais la liberté de chacun ne se déploie à travers la liberté des autres, jamais ; au bout du compte, chacun vit dans son monde qui le coupe des autres et, au bout du bout du compte, c'est une *incompréhension mutuelle et réciproque* qui nous lie les uns aux autres. Ce n'est rien d'autre. Et même si quelqu'un se dit d'accord avec nous, nous savons qu'il n'en est rien. Nous savons qu'il n'a strictement rien compris à ce que nous disions car il ignore d'où nous parlons, il ignore les tenants et il ignore les aboutissants de ce que nous disons et quelle méprise de tous les côtés ! Quel foutu carnaval et quelle perte de temps et mieux vaut finalement garder les choses pour soi et couper net les communications. Mieux vaut rester concentré et silencieux et botter en touche nos rêves de partage et de réciprocité car cela s'avère toujours moins douloureux que de se retrouver encore une fois avili et frustré – et encore plus par les temps qui courent, où chacun ne sait plus que klaxonner pour se faire entendre et où plus personne ne supporte *réellement* plus personne, où tout le monde se surveille en permanence, faisant régner à chaque instant une espèce de terreur dans les relations humaines et une exaspération envers autrui devenue le dernier lien social et affectif et pour clore cette parenthèse déprimante, je crois que les autres ne nous méritent pas. C'est la conclusion à laquelle, *contraint et forcé*, j'aboutis pour ma part. Entre les autres et moi, il a fallu que je choisisse. Simple question de survie. L'on a beau dire et répéter que les autres nous enrichissent, c'est faux. Quels autres ? QUELS AUTRES ? Ceux qui nous ressemblent ou ceux qui ne nous ressemblent justement pas ? Ceux avec qui un échange, un contact, un partage, un don et non un gain est possible sans que cela tourne immédiatement au pugilat et ils sont où ceux-là ? Non ! Les autres nous appauvrissent dès que nous leur en offrons l'occasion et particulièrement de nos jours où la plupart des gens n'ont plus accès à eux-mêmes tellement ils confondent leur vie intérieure avec la vie sociale qu'ils ont intériorisée. Je ne plaisante pas. Les autres m'ont toujours globalement appauvri et ils m'ont constamment détourné de mon chemin en faussant mon cap avec leurs incompréhensions toujours plus obtuses et avec leurs jugements toujours plus expéditifs et je ne dis pas cela pour toi, ne crois pas, mais voilà pourquoi se taire est selon moi l'attitude la plus raisonnable et sensée et lucide que l'on puisse avoir, connaissant les gens et se connaissant soi-même et fin du message.

Niveau 5

À propos de message, je me rends compte que j'ai omis de parler de celui de Patricia. Il est vrai qu'il n'y a pas grand-chose à en dire. C'était un sms (ou texto) et n'importe qui peut aujourd'hui paresser au soleil en feuilletant le journal à la terrasse d'un café et, d'un geste nonchalant, allonger la main pour empoigner son téléphone qui vient de vibrer en se disant : tiens, un message. Tiens, quelqu'un pense à moi, tiens, peut-être la vie va-t-elle me faire une proposition sympathique, chouette, peut-être une bonne nouvelle par cette belle et douce journée, le moment serait idéalement choisi et quel bonheur de disposer de moyens de communication aussi modernes et performants ; avant de s'apercevoir qu'il y a maldonne sur toute la ligne en découvrant sur l'écran de son portable un message comme seule notre époque permet d'en écrire d'aussi concis et brutaux et, pour tout dire, de pornographiques. Un message sans visage. Un message qui gâche tout et qui fait basculer l'existence en cent quarante signes du style « Je suis votre fils et j'aimerais vous rencontrer » ou « Vous êtes attendu lundi matin, 9 h, pour procédure de licenciement » ou « Les résultats de vos analyses sont arrivés. Veuillez prendre rendez-vous au plus vite » ou « C'est mieux si on ne se voit plus. J'ai rencontré quelqu'un. Désolé ».

Ou encore « Julien s'est pendu ce matin ».

Juste « Julien s'est pendu ce matin ». Sans ponctuation ni rien. Comme on balance une gifle. Comme on éteint la lumière dans une pièce. Comme si ce sms restait lui-même sans voix et obligeait à le regarder dans les yeux sans possibilité de détourner le regard, au point que, pendant quelques secondes de pure confusion mentale, je me suis mis à voir le sms de Patricia écrit partout autour de moi. Sur le bord du cendrier publicitaire posé sur ma table. En grosses lettres d'un blanc douteux sur l'auvent lie-de-vin du magasin de retouches-couture situé de l'autre côté de la rue. Sur le T-shirt ACDC (en deux mots ?) d'un gamin qui passait en skate et juste avant que je ne ferme les yeux et ne secoue la tête pour chasser au plus vite ces visions hallucinées, je sais avoir lu « Julien s'est pendu ce matin » écrit en énorme, écrit en grosses lettres accusatrices sur le journal que j'avais délaissé un instant devant moi et ce titre barrait la page sur toute sa largeur et j'ignore si c'était les pages Politique ou la rubrique Faits divers, mais juste en dessous il y avait ma photo et j'avais la sale gueule de Silvio Berlusconi.

S'il y a une chose que ma mère m'a toujours dite et répétée pendant toute mon adolescence, c'est de ne jamais rien faire qu'elle puisse lire le lendemain dans le journal. C'était ce qu'elle disait et répétait chaque fois que je me disposais à sortir. C'était sa manière de m'avertir de ne pas faire de bêtises et, à cette terrasse de café, j'ai compris pourquoi elle insistait tellement. J'ai tout compris. La honte et l'angoisse et l'envie de se cacher dans un trou de souris et de se transformer en bonhomme de neige jusqu'à la fin des temps et heureusement que j'ai repris mes esprits avant qu'il ne soit trop tard. Heureusement que le journal ne parlait pas de moi ni de Julien ni de rien me concernant. Oh oui. Je vois d'ici la scène si ma mère était tombée sur pareil article racontant mes derniers exploits avec la photo de Berlusconi juste à côté. Je l'entends déjà se demander avec effroi ce que les gens allaient maintenant penser d'elle – mon dieu, qu'allaient-ils dire ? Voilà ce qu'elle se serait écriée si d'aventure elle avait appris pour moi et pour Patricia et pour Julien et pour Silvio, car toujours ma mère s'est inquiétée de ce que les gens pouvaient penser d'abominable et de dégoûtant à son sujet, quelle mauvaise opinion ils allaient dorénavant nourrir à son endroit et il vaudrait mieux que tout ce que je raconte en ce moment ne sorte pas d'ici et demeure confidentiel car ma mère va terriblement s'inquiéter de ce que les gens vont penser d'elle s'ils apprennent le pétrin dans lequel s'est mis son fils et autant sauver ce qui peut encore l'être et merci pour elle.

Niveau 6

Mais assez bavassé et ma sarpata a parda ma la mancha ma la mancha. Pardon. C'est un petit jeu d'élocution de ma jeunesse qui vient de me revenir sur l'air de « ma serpette est perdue mais le manche mais le manche » et ce n'est peut-être pas un hasard, c'est peut-être un message que m'envoie mon inconscient – mais lequel ? Peu importe. J'étais à cette terrasse de café et le message de Patricia se propageait dans mes veines comme un poison, un venin, une brûlure et imagine-toi une seconde à ma place. Juste une seconde. Ce n'est pas beaucoup une seconde. *Imagine-toi recevoir ce sms.* Pour ma part, ce fut comme si m'avait piqué une vive. Je ne peux pas mieux dire. Pour ceux qui se sont fait un jour piquer par cette saleté de petit poisson perciforme qui guette son homme entre deux eaux, ils savent que la douleur ne reste pas localisée mais qu'elle s'étend et ne cesse d'augmenter et d'irradier encore et encore ; c'est une douleur qui rend fou de douleur car on n'en voit pas le bout tellement elle semble n'avoir aucune limite et, à cette terrasse de café, toutes proportions gardées, j'étais prêt à me pisser dessus ou à plonger entièrement nu dans un grand bain d'ammoniac ou, comme il est aussi recommandé en cas de piqûre de vive, à approcher le bout incandescent d'une cigarette de l'endroit où le message de Patricia venait dans mon être de porter le fer afin de combattre le feu par le feu tellement j'entrevoyais de manière de plus en plus exponentielle tout ce que le suicide de Julien signifiait et impliquait et bouleversait à partir de maintenant dans mon univers et, sans vouloir paraître mégalomaniaque, dans l'Univers tout entier. Oui, chaque minute qui passait amplifiait horriblement le retentissement du suicide de Julien dans tous les compartiments de ma vie et pour ceux qui n'ont jamais été piqués par une vive et qui ne voient pas bien de quoi je parle, ils n'ont qu'à imaginer la nouvelle du suicide de Julien comme, disons, un point minuscule à l'horizon qui se rapprocherait à toute vitesse sans que l'on distingue de prime abord de quoi il s'agit ; avant de s'apercevoir que c'est un chien. Un putain de molosse. Un monstrueux pitbull qui, venant de très loin, comme surgi des enfers, fonce droit vers vous, charge littéralement, bave au vent, tous crocs dehors, en aboyant de toutes ses forces, avec cette démence typique des chiens dressés pour tuer et, à ce moment-là, on n'en croit pas ses yeux. On regarde le monstre au loin et on réalise qu'on ne va pas pouvoir discuter. On regarde encore mieux et – trop tard ! SURPRISE ! Le chien vous saute déjà à la gorge ! Alors qu'il se trouvait à cent bons mètres, l'enfoiré a franchi la distance qui vous séparait de lui *en une fraction de seconde*. Le danger a fondu sur vous à la vitesse de l'éclair, comme surgissant d'une autre dimension, comme dans Monty Python Sacré Graal. Sauf qu'il ne s'agit pas d'un gag. Tu peux rigoler, mais il est trop tard maintenant pour s'enfuir, les mâchoires du piège se sont refermées et elles ne vous lâchent plus, preuve qu'on ne gagne pas toujours à vouloir mieux distinguer les choses et je veux bien faire l'effort de trouver une autre métaphore pour ceux qui, en plus de n'avoir jamais été piqués par une vive, n'ont jamais vu un molosse leur foncer dessus et/ou le gag le plus cinématographique de l'histoire du cinéma, mais il faudra me payer.

Niveau 7

Un jour, j'ai rencontré une jeune femme dans un bar. C'était un soir. Il s'agissait d'un autre bar. Nous partagions la même soucoupe de chips au comptoir et la conversation s'engagea naturellement entre nous tandis que, tamisant nos imperfections, une douce lumière nous enveloppait comme dans une cape soyeuse et je dois dire que cette jeune femme ressemblait *beaucoup* à la « bêcheuse du cinquième » qui, dans une vieille publicité pour Nescafé, se retrouve coincée dans un ascenseur. Heureusement, le « play-boy du deuxième » vient à son secours et pour que sa voisine (au demeurant très jolie dans son petit tailleur gris perle) prenne agréablement son mal en patience, il lui prépare une bonne tasse de café et, l'instant d'après, on la voit tremper ses jolies lèvres dans la tasse et, bien sûr, l'ascenseur se remet en marche juste à ce moment-là, l'envoyant direct au cinquième étage, si ce n'est au septième ciel – oh la grosse ficelle ! Mais plus que la jolie « bêcheuse du cinquième » m'avait ébloui le fait que le « play-boy du deuxième » réussisse à faire passer une tasse de café à travers la porte grillagée d'un ascenseur *sans en renverser une seule goutte*. Quel tour de magie ! Quel tour de force ! Cela m'avait stupéfié ! Si bien que je me rappelais encore ce prodige des années plus tard et, le dirais-je, je caressais obscurément le rêve de pouvoir en faire autant moi-même – et pourquoi pas ce soir-là ? Dans ce bar. Puisque, sans être aucunement un play-boy (c'est peu de le dire – mais j'habite un deuxième étage !), je me trouvais le voisin de droite d'une jeune femme qui, vêtue d'un ravissant tailleur gris perle (il suffit d'un détail pour réveiller notre mémoire), m'avait subitement rappelé cette pub débile et, en attendant de lui montrer de quoi j'étais capable à travers une petite grille se trouvant au fond de la cour de récréation (voir page 195), sachant que « nous avons tant d'arômes à partager », j'avais décidé de tenter ma chance et, pour commencer, de me montrer sous mon meilleur jour. C'est-à-dire fin, intelligent, cultivé, charmeur, drôle sans être lourd, extrêmement attentif à tout ce qu'elle pouvait dire et, pour le reste, ne regardant pas à la dépense, tout à fait à mon aise dans la vie, bien dans mon époque et néanmoins doué de personnalité, sans pour autant dissimuler certaines fragilités dévoilant que je suis *aussi* un être d'une grande sensibilité avec lequel elle pouvait se sentir, sinon à égalité, du moins en confiance. Etc. Ce genre de papier à musique. De café spécial filtre. Comme si Julien ne s'était jamais suicidé.

À propos de papier à musique, connaissait-elle ce livre dont j'avais lu la veille au soir les premières pages ? Elle avait tort. Car ce livre démarrait fort – pas comme d'autres, trois points de suspension. Qu'elle en juge : un type ramenait un soir une fille chez lui et, par pitié, qu'elle ne s'imagine pas que j'essayais de lui faire passer un message, oh non, pas du tout, loin de moi cette pensée. ☺

N'empêche ! Dès les premières pages, le type et la fille s'envoyaient en l'air, puis ils s'endormaient et, jusque-là, tout allait bien. Je n'avais aucun problème de lecture à ce moment-là. En ouvrant un livre, on signe le pacte qui, par convention, fait gober au lecteur tout ce qui est écrit sur la page, même les situations les plus invraisemblables et, j'y songeais soudain, existait-il quelque part une trace écrite de ce pacte ? Le savait-elle ? Parce que j'aimerais vérifier quelque chose. Je voudrais m'assurer qu'il ne figure pas en bas de page de petites lignes rédigées en caractères minuscules réservant de mauvaises surprises en cas de problème de lecture et, en attendant d'en avoir le cœur net, le type découvrait à son réveil que la fille était morte dans son lit. Eh oui. Ce sont des choses qui arrivent dans les livres. Le pacte jouait à plein.

Sachant que tout est également possible dans l'existence et, pour ma part, suivez mon regard, je n'arrêtais pas de vérifier combien la réalité a plus d'imagination que nous et comprenait-elle ? Suivait-elle mon regard ? Elle voulait qu'à travers ses jolies mèches je lui tende une tasse de café sans en renverser une goutte ? Tant de choses se produisent de par le monde qui ne sont pas censées se produire et moi-même avais un jour couché avec une femme dont le mari s'était suicidé une semaine plus tard et que pensait-elle de ça ? Dans le genre surprise du chef ? Hein ! Ça lui en bouchait un coin ! Elle faisait moins sa bêcheuse tout à coup. Elle monterait désormais ces cinq étages à pied. Elle voulait bien prendre une autre tasse de café ou plus du tout ? Cela m'intéressait de le savoir.

Elle voulait une chips ?

Enfin bref.

Donc le type se réveille, repris-je gaiement. Et bing : il découvre la fille morte dans son lit et, passé un instant de stupeur, il rejette les draps, il bondit hors du lit et… « passé un instant de stupeur ». Vous pigez le truc ?, m'excitais-je tout à coup sur mon tabouret. Vous visualisez la scène ? « Passé un instant de stupeur ». C'est ce qui était écrit. Je vous jure. *Passé un instant de stupeur !* Sans rire. Sans déconner ! Vous voyez le problème ? *Passé un instant de stupeur !* J'ai cru m'étouffer de rire. Allez poursuivre votre lecture après ça ! Vous ne comprenez pas ? Okay ! Combien de temps dure selon vous un instant de stupeur ? Dites un chiffre pour voir ! Une seconde ? Trois minutes ? 24 heures ? Je me pose encore la question. En ce qui me concerne, cela fait bientôt dix ans que j'attends que passe un instant de stupeur survenu le dimanche 27 novembre 2005. Dix ans que je vis à l'intérieur de cet instant de stupeur. Que je bondis chaque matin hors mon lit parce qu'il y a un pendu à ma fenêtre. *Passé un instant de stupeur !* Mais la stupeur ne passe pas ! C'est faux. Archifaux ! Vous imaginez découvrir un cadavre dans votre lit et, « passé un instant de stupeur », plouf plouf, rejeter les draps et bondir hors du lit ? Franchement. Sérieusement. Et pourquoi pas le petit doigt en l'air tant que vous y êtes ? À mon avis, vous bondissez hors du lit et basta. Vous n'attendez pas que passe un instant de stupeur comme s'il s'agissait d'un train ou de je ne sais quoi. *Vous bondissez hors du lit dans un état de totale stupeur.* J'en prends le pari. C'est même la stupeur qui vous fait bondir hors du lit. Sinon quoi ? Passé un instant de stupeur… Je vous jure. Pacte de lecture ou pas, c'est trop de couleuvres. Les expressions toutes faites : voilà le diable. C'est comme passer une tasse de café à travers la porte grillagée d'un ascenseur sans en renverser une goutte : ce n'est pas possible ! Mais il est vrai que si l'on commence à se passer des conventions, tout l'édifice s'écroule. Si on refuse cela, on refuse tout le reste. On ne peut plus écrire la fin de la phrase. Exit la magie ! Adieu la pub. On doit tout revoir depuis le début. On est forcé d'entrer dans les détails. Voici qu'il nous faut remettre les pendules à l'heure et on est forcé d'inventer l'heure et la pendule qui va avec et, croyez-moi ou pas, j'ai balancé le bouquin par la fenêtre qui était ouverte à ce moment-là. Ras le bol. Je vous jure. Je l'ai balancé par la fenêtre. Ni une ni deux. Hop. Zou. *Raus !* Bon vent ! Par la fenêtre ouverte. Un livre ! Comme les nazis. Et tant pis si quelqu'un le recevait sur la tête. Bien fait ! Vous me trouvez *excessif* ?

Mais je parlais dans le vide. Il n'y avait plus personne à côté de moi. Envolée la « bêcheuse du cinquième » ! Retournée vite fait chez elle en ascenseur, sans que je m'en aperçoive. Sans un mot. Pfuit. Abracadabra. Profitant du fait que je m'énervais tout seul sur mon tabouret. Mince alors ! Tu parles d'un café crème ! J'aurais décidément tout vu. Quelle buse tout de même ! Rien dans le ventre ! Alors que je lui ouvrais mon cœur dans l'espoir de nouer un lien qui, pour une fois, ne serait pas factice. Ne serait pas uniquement social. Genre : et si on parlait du dernier film dont tout le monde parle, des salaires des joueurs de football, du temps forcément pourri qu'il fait, des autres qui sont tous des abrutis comme si les gens, ce n'était pas nous aussi, de ses relations avec sa famille qui sont de toute façon pourries et tutti quanti à l'avenant, pendant des heures et des heures, en attendant d'aller baiser comme des faux culs, comme des machines, comme des cadavres, après que j'eus payé les consommations. Merde ! Elle aurait pu prévenir. Ce sont des choses qui se font. Mais d'où sortent les gens ? Pourquoi sont-ils sur Terre ? Quand peut-on enfin parler *sérieusement* ?

Me contorsionnant sur mon tabouret, je cherchais des yeux cette misérable dans le bar qui était maintenant bondé. Finis par l'apercevoir à une table du fond : tout sourire, elle passait de nouveau sa main dans ses cheveux et trinquait avec un type qui ressemblait à un parasol, tout en évitant manifestement de regarder dans ma direction et je m'en fiche. Un jour, je rencontrerai une femme qui, sans cesse de caresser voluptueusement ses cheveux, aura comme moi le souci du détail. Saura comme moi que tout peut devenir épopée, tout *est* épopée, tout est *sacré*, howl howl howl, même une expression toute faite dans un livre, une pénalité en face des poteaux, un pendu à sa fenêtre, un café à travers une grille d'ascenseur et… quoi ? Vos gueules les chips. Ce n'est pas à vous que je cause !

Niveau 8

Ce qui est drôle, si j'ose dire, c'est qu'entre le moment où j'ai lu le prénom de Patricia affiché sur l'écran de mon portable et le moment où j'ai lu son message qui m'apprenait le suicide de Julien, il s'est passé un très bref instant durant lequel j'ai imaginé que Patricia m'envoyait un nouveau message du genre sexto, avec peut-être en pièce jointe une photo la montrant nue sous certains de ses pleins et déliés les plus affriolants, ainsi qu'elle m'envoyait de plus en plus souvent de tels messages explicites et dévergondés et, pour certains d'entre eux, carrément pervers depuis la nuit passablement sexuelle que nous avions passée ensemble une semaine auparavant et, à dire le vrai, qu'elle ne cessait de m'envoyer avec une frénésie qui prenait des proportions de plus en plus inquiétantes. Au point que je commençais d'être franchement embarrassé et même tout à fait effrayé lorsque j'avais lu deux jours plus tôt sur l'écran LCD de mon portable, deux points ouvrez les guillemets : « Vos mains autour de mon cou : encore ! ENCORE ! Je n'en peux plus. Je vous veux en moi ! Enlevez-moi ! Bandez-moi les yeux. Bandez pour moi. Je veux votre langue partout. Je veux votre queue grosse au fond de ma gorge. Je veux qu'elle me déchire ! Suffoquez-moi ! Prenez-moi ! Je suis à vous ! Enlevez-moi Grégoire ! ENLEVEZ-MOI ! Je voudrais que vous cogniez fort. Très fort ! » et c'était peut-être une provocation, c'était évidemment excessif, il ne s'agissait que de s'exalter à distance, oui, mais de mon point de vue, les choses commençaient à prendre une *très* mauvaise tournure. L'exaspération de vivre a beau me bouleverser lorsqu'elle prend le visage de la plus sincère lubricité et de la plus inconsolable dépravation, oui, les excès de ceux et surtout de celles qui, comme ma mère, ont un cœur trop grand et dévasté pour ce monde ont toujours eu le don de me captiver au-delà du raisonnable, il y a néanmoins des limites à ce qu'un prédateur compassionnel comme moi peut désirer d'une proie et, inversement, à ce qu'une proie réellement déterminée peut exiger d'un prédateur pétri comme je le suis des valeurs essentiellement velléitaires de la classe moyenne et voilà pourquoi j'envisageais sérieusement de calmer le jeu et, malgré la promesse de nuits de débauche à venir assurément palpitantes et de sms à collectionner pour mes vieux jours, de me mettre à l'abri de cette avalanche d'émotions exacerbées et de prendre mes distances et de les prendre fissa, au plus vite.

D'autant que je n'avais nullement l'intention de transformer la nuit magnifique que Patricia et moi avions connue en une histoire de longue haleine. À aucun moment ne m'avait effleuré l'idée qu'il pût s'agir entre nous d'autre chose que d'une de ces nuits où le sexe devient magie parce que rien ne vient par la suite mettre à nu les ficelles qui dévoilent qu'il s'agit d'une splendide prestidigitation et, de ce fait, ainsi demeure intacte notre foi en la force consolatrice de la fornication. Ainsi nous fabriquons-nous des souvenirs éblouissants et je dis bien « fabriquons » car notre mémoire n'est pas un petit coffret à bijoux dans l'écrin duquel s'accumule précieusement dans un coin de notre tête ce qui a pu nous arriver, mais une bête sauvage qui exige rituellement que lui soient sacrifiées des parcelles étincelantes de la réalité. Qu'en pâture lui soit jeté le présent.

Niveau 9

J'ai bien conscience que cela ne change rien au bout du compte. Cela ne consolera pas Julien, où qu'il soit à présent, si tant est qu'il soit quelque part, rien n'est moins sûr ; mais j'avais d'emblée prévenu Patricia que sa présence sur le pas de ma porte tenait à une espèce de malentendu qui n'était pas voué à se reproduire et j'étais à ce moment-là aussi sincère qu'on peut l'être. J'avais à ce moment-là des raisons *personnelles* de la réfuter intérieurement. Des raisons qui démarraient toutes par la lettre M

– mais chut !

Patricia n'avait pas besoin de savoir.

Même si, ce disant, je me penchais déjà pour embrasser ses lèvres qui cherchaient les miennes et, sans vergogne, commençais à vouer un culte à sa langue qui était prodigieuse, absolument diabolique, frétillante et pointue et agile et salace et longue comme pas permis, longue comme cette phrase, si si si, ce n'était d'ailleurs pas une langue mais la quintessence du sexe que je voyais s'agiter et grésiller sous mon nez et tout en me répétant en mon for que c'était une erreur, il ne fallait pas, je ne devais pas, non non non, tout ceci ne menait à rien et ne mènerait à rien et si ce n'était à rien, ce serait à des ennuis colossaux, forcément, bon dieu, il s'agissait d'une femme mariée et non seulement mariée, mais maman d'un petit garçon de deux ans et cela sentait l'embrouille qui pue car ce genre de liaison a toujours quelque chose de pourri qui se termine dans les cris et les larmes et l'épuisement des psychologies. Toujours. Je le sais depuis l'âge de sept ans et le divorce de mes parents.

Leur divorce éreintant, synonyme pour moi d'abandon du père et synonyme de malheur de la mère, auquel je fus livré sans défense.

Synonyme de fin de la confiance. D'insécurité intérieure. De sentiment d'injustice. D'impuissance. De conflits internes et externes. De culpabilité indicible. De début des *emmerdes*.

Etc.

Synonyme d'harmonie totalement *idéalisée*, d'envies de réconcilier toute chose avec son contraire, le jour avec la nuit, papa avec maman, comme une mission impossible, une vocation obligée, comme Nirvana, pour le dire en musique. Le groupe Nirvana. Entre désirs infiniment mélodiques et explosions de rage venant tout saccager *au sein du même morceau*. Pour ne pas dire au sein de la même famille. Car chacun des membres de Nirvana était le rejeton de parents divorcés et cela s'entend désespérément. Cela qui me plut dès ma première écoute de Smells Like Teens Spirit ou de Lithium. J'y reconnus immédiatement *mes* problèmes. Ce qu'il y a de psychotique en moi. Et je ne fus pas le seul. Le fantastique engouement pour le groupe d'Aberdeen fut aussi symptomatique que l'était sa musique à une époque (le tournant des années 90) où les enfants de parents divorcés devenaient pour la première fois une génération à part entière. Le rock s'inscrit moins dans l'histoire de la musique que dans l'évolution des mœurs. Il est une musique sociale. Il suit au plus près l'évolution de nos tourments et le groupe Nirvana : il exprima des sentiments qui dépassaient son cas particulier (ce qu'il paya très cher). Il fit entendre l'immense *frustration* des petits Blancs de la *middle class* confrontés à une défaillance historique de leurs parents. Il rendit audibles leurs contradictions sans nom, sans fin et *sans issue*, entre fureur et tendresse, désirs d'amour et folie destructrice, les Beatles allée, avec le punk, en un perpétuel écartèlement, l'incapacité même à devenir adulte si les adultes ne sont plus que hargne et furie, l'impossibilité de trouver une place et un équilibre qui ne soient façon psychiquement morcelée d'être au monde, cris et sanglots, guerre parentale des sexes dont les enfants sont le champ de bataille.

Juste après le divorce de ses parents, le petit Kurt Cobain (il avait neuf ans) tagua sur le mur de sa chambre : « Je hais maman, je hais papa, papa hait maman, maman hait papa, ça me rend tellement triste. »

J'avais sept ans quand mes parents divorcèrent. Avant de se remettre ensemble un an plus tard. Et ce fut encore pire. Ce ne fut pas du tout youpi. Ni pour eux ni pour moi. Tous mes ressentis de petit garçon confronté au divorce de ses parents : ils devinrent tout à coup sans objet. Ils durent être *refoulés*, au profit d'une incrédulité majuscule. D'un rire du plus beau jaune écarlate. Tout ça pour ça ? Quelle *dérision* !

Par la suite, je n'ai jamais cru que d'un mal pouvait sortir un bien. J'ai été amené à croire *tout l'inverse*.

Enfin bref.

Niveau 10

Tout ça pour dire que convoiter la femme de mon prochain n'a jamais fait partie de mes plaisirs, surtout s'il y a un gosse dans les parages. Au contraire. Si j'ai une perversion dans ce genre de situation, c'est d'avoir une pensée pour la personne qui est trompée et qui, à l'image de ma mère éplorée qui commençait à vouloir se jeter par les fenêtres, fut également moi dans une vie antérieure, eh oui, ce sont des choses qui arrivent. Des choses stupides et mortelles, d'une manière ou d'une autre.

C'est donc pour des raisons troubles et personnelles que cette situation avec Patricia me déplaisait intérieurement. Et que ces raisons troubles et personnelles puissent passer pour une conduite vertueuse me fait bien rire, comme me font rire tant de gens avec leurs impératifs psychiques sublimés en impératifs moraux pour les autres. Quoi qu'il en soit, je me disais et répétais qu'il ne fallait pas que je tombe dans le piège que Patricia me tendait avec sa langue de tous les diables car cela serait trahir les principes qui sont devenus les miens par la force de mes névroses douloureusement acquises et patiemment consolidées.

Par-dessus tout, je n'avais pas besoin de ce genre de complications. Surtout pas. Pas à cette période de ma vie où les mots amour, chéri(e), reste, mon biquet, pupuce, poussin, loulou ou chouchou et autres doigts entrelacés me donnaient envie de vomir et où l'idée qu'une femme puisse envahir mon existence par terre, par mer ou par les airs me causait une angoisse si violente qu'elle pouvait dégénérer en un infarctus qui, pour n'être que crise d'angoisse, n'en était pas moins aussi atroce qu'une véritable crise cardiaque, au point de finir une fois à l'hôpital, toutes sirènes hurlantes. Je ne voulais pas que quelqu'un s'attache à moi. Je ne voulais plus être responsable du moindre être humain. Je ne supportais plus aucune promiscuité psychique. J'en avais soupé des malentendus et M comme misère. M comme méprise – mais ne pas parler de M, non non non, pas maintenant, pas encore !

Pas question de révéler à Patricia qu'elle était à cet instant une petite mésange alors que je visais depuis le début M dont l'écho, l'aura et le souvenir ne me sortaient toujours pas de l'esprit. Ce pourquoi je ne voulais pas qu'elle m'aime ni ne s'attache à moi. Et ce qui valait pour Patricia valait pour toutes. Je ne voulais pas qu'on m'aime. Ce n'était plus une option dans ma vie. Pas avec le dossier que je traînais et, pour ne pas le nommer, le Dossier M. Pas avant dix ans ! Il fallait le dire dans quelle langue ? Tout célibataire et libre comme l'air que j'étais en apparence, je n'aspirais qu'à purger ma peine à cette époque. Je n'aspirais qu'au calme et à la tranquillité, aux joies sans lendemain, à l'harmonie des couleurs, à la paix des ménages et au redressement de l'économie mondiale et puis merde !

Trop brûlantes étaient ses lèvres.

Basta !

J'étais en rut et sans plus me contenir, j'empoignai Patricia par la nuque et, tirant ses cheveux à la racine, je la cambrai pour l'amener à moi et, dans ce mouvement plein de désirs et d'autorité, l'un de ses seins jaillit hors de sa petite robe bleue à pois blancs et moi de me mettre à le pétrir et tant pis pour les conséquences. Tant pis pour elle et tant pis pour moi. Tant pis pour son mariage et pour le gosse. Tant pis pour M. Elle l'avait bien cherché aussi ! Et tant pis pour Julien. Mille fois tant pis. Demain serait un autre jour. Nous étions deux adultes consentants qui allions joyeusement prouver combien nous étions des adultes et combien nous étions consentants et fuck les commandements de la Bible, fuck le divorce de mes parents et fuck le gosse de sept ans qui n'en finit pas de me pourrir la vie avec le divorce de ses parents et qu'aurait fait Zuckerman à ma place ? Qu'aurait fait Chinaski ? Et Fritz the Cat ?

Les réponses à ces questions ne me font pas peur. Même si je ne vais pas raconter *maintenant* ce qui s'est passé cette nuit-là entre Patricia et moi. Que l'on ne compte pas sur moi pour ce genre de déballage. Cela serait sordide d'évoquer l'espèce de fête sexuelle... cette nuit-là... dont je garde certaines visions très précises... visions joyeuses... terriblement délurées... encore excitantes aujourd'hui... même a posteriori... *même sachant la suite*... visions de Fragonard mais en plus explicites... visions de Sam Francis pour le dire en couleurs... visions électriques de Miles Davis pour le dire en musique... visions d'une baise grandiose pour le dire tout net. Sans hypocrisie. Sans me cacher derrière les mots. Si on voit ce que je veux dire. Et si on ne voit pas tant pis. Pas grave. Si on est choqué pas grave. Personne ne saurait l'être aujourd'hui plus que moi.

Surtout qu'il ne faut pas oublier qu'à ce moment-là, *cette nuit-là*, Patricia et moi ignorions que Julien allait se pendre une semaine plus tard avec la ceinture de son pantalon à la poignée de la fenêtre de la chambre conjugale et, de mon point de vue, à mon petit niveau individuel des choses à prendre en compte, cela fait une *sacrée* différence. C'était un événement que ni l'un ni l'autre ne pouvions prévoir et, précisons-le pour ceux qui voient le mal partout, encore moins désirer et c'est peut-être par manque d'imagination. Je n'exclus pas cette possibilité. Mais qui s'envoie en l'air le soir en se disant qu'il va se retrouver le lendemain avec un cadavre sur les bras et que ne voilà un chouette résultat ? Qui ? J'aimerais le savoir. Qu'il se manifeste ce grand malade. Ou ce génial devin.

Niveau 11

Je sais ce que tu te dis : tu penses que je dramatise la situation. Que je m'exagère mon rôle et, du suicide de Julien, que je fais tout un cirque, un foin, une montagne afin d'occuper le devant de la scène. Tu penses que je me *complais*. Tu te dis que le suicide de Julien ne justifie pas que j'en fasse tout un plat et encore moins un livre. Eh quoi, un type s'est suicidé, c'est bien triste, c'est dommage, mais qu'est-ce qu'on peut y faire ? Tu ne vois pas trop le problème à ton niveau individuel des choses. Tu as le sentiment que j'abuse du prestige qui nous vient des drames de l'existence et qui nous vaut d'avoir soudain quelque chose à dire. Quelque chose de soi-disant urgent à propager dans le monde. Comme si on avait gagné le droit à la parole et le pouvoir de capter l'attention tellement le malheur rend bavard. Tellement il impose le respect et cloue le bec et semble un culte à rendre et vive le malheur, finalement. Hourra pour le malheur ! Je plaisante.

Sauf que je ne m'exagère pas mon rôle dans le suicide de Julien. Aucunement. Parce que Julien ne s'est pas seulement pendu avec la ceinture de son pantalon au petit matin du dimanche 27 novembre 2005. Il ne s'est pas étranglé jusqu'à ce que sa mort s'ensuive et après lui le déluge. Non. De son suicide, il n'a pas voulu que chacun l'interprète comme bon lui plaise en élucubrant toutes sortes d'hypothèses dans l'espoir de comprendre comment il avait pu en en arriver à cette dernière extrémité – avant que chacun avoue son incompétence en matière de suicide et reconnaisse que se massacrer soi-même comporte de toute façon une part de mystère. Une part qui défie de toute façon le sens commun et qui demeure de toute façon irréductible et c'est ce que l'on finit de toute façon par dire dans ces cas-là et à ta santé Julien. Personne ne pleure les suicidés. J'ai remarqué cela aussi. De l'incrédulité, oui ; de la colère, énormément ; mais des larmes, jamais ! Pas sur l'instant. Au mieux, chacun s'interroge et tente de résoudre l'équation tellement en finir avec sa propre existence apparaît sacrilège au regard de la vie, impie au regard des religions, pur gâchis au regard de la société, inconcevable au regard de sa propre existence et même carrément contre nature puisque les animaux ne se suicident pas – malgré les rumeurs qui prétendent le contraire.

Tellement cela ouvre une porte en soi qu'on ne tient pas spécialement à voir s'ouvrir.

Non. Pour Julien, il n'aura pas été question *une seule seconde* que son suicide demeure un mystère que nul n'éluciderait jamais. Pas question non plus qu'un petit malin l'en dépossède en rappelant que son père s'était suicidé lorsqu'il était enfant, ainsi que je l'appris par la suite. La belle affaire ! Julien a fait en sorte que nul ne s'amuse à faire ce genre de parallèle par trop commode, quand bien même le père de Julien s'est suicidé lorsque Julien avait deux ans ; or, Julien s'est suicidé au moment où son petit garçon venait d'avoir deux ans, comme par hasard, sacrée coïncidence, ainsi que je l'appris par la suite.

Mais Julien avait prévu le coup (selon moi). Il se doutait (selon moi) que d'aucuns tenteraient de faire reculer son suicide dans l'ombre du suicide de son père et que la thèse de prédispositions familiales l'ayant conduit à se massacrer lui-même apparaîtrait d'autant plus crédible qu'elle dédouanerait chacun d'avoir la moindre part de responsabilité dans ce qui s'était produit au matin du 27 novembre 2005. Tel père tel fils et inutile d'aller chercher plus loin. Quand bien même le vent du suicide devait certainement siffler à ses oreilles depuis que son petit garçon avait atteint l'âge de deux ans ; oui, mais qui déclare un cancer à l'âge exact où l'un de ses parents a développé un cancer, malgré l'affreuse et mégalomaniaque conviction que l'histoire va se répéter à travers nous ? Il fallait qu'il y ait autre chose pour que Julien passe à l'acte et Julien n'a laissé aucun doute sur ce que cela pouvait être. Sur *qui* cela était.

Je n'étais pas présent lorsque Julien s'est suicidé. Il ne manquerait plus que ça. Mais je le tiens de Patricia et les policiers arrivés sur les lieux l'établirent par la suite dans leur procès-verbal : avant d'ôter la ceinture de son pantalon et de s'ôter lui-même la vie, Julien ôta son pantalon et tous ses vêtements et, une fois nu, il ôta les cadres et les photos qui décoraient les murs de la chambre conjugale ; il ôta aussi la literie du lit conjugal : les couvertures et puis les draps et même les taies de chacun des deux oreillers et je n'étais pas présent, je ne peux que conjecturer, mais il semble que Julien ait cherché à ce moment-là à ôter de sa vue tout ce qui concernait sa vie avec Patricia et qui matérialisait leur couple depuis bientôt dix ans qu'ils étaient mariés et c'était peut-être autre chose qu'il cherchait en même temps à s'ôter de la tête, avant de s'ôter la vie, faute de mieux, en désespoir de cause (sans vouloir conjecturer).

Mais cela ne marcha pas. De toute évidence, cela ne le soulagea pas ni ne le calma car après s'être mis tout nu et avoir mis à nu le matelas du lit conjugal jusqu'à en exhiber la toile originelle, il a été établi que Julien avait alors chié sur le matelas et, à pleines mains, directement sur la toile à matelas, avec ses doigts pleins de merde, il avait écrit le nom de Patricia et, juste à côté, il avait écrit mon nom, avec sa merde, oui. Juste avant de se pendre avec la ceinture de son pantalon à la poignée de la fenêtre de sa chambre, il a été établi que Julien avait écrit nos deux noms avec sa propre merde et, juste en dessous, il avait encore écrit avec sa merde, deux points ouvrez les guillemets : « MAUDITS ». C'est ce qu'il écrivit en énorme avec sa merde sur la toile à matelas, juste en dessous de nos deux noms, avec sa merde, oui. Et ce n'est pas tout. Car tant qu'il put utiliser sa merde, il a été établi que Julien avait dessiné sur la toile nos deux effigies en train de copuler à quatre pattes comme des animaux et, de façon non moins merdeuse, comme ressuscitant à lui seul la préhistoire et ses visions des cavernes, avec une fureur « terrible » m'a rapporté Patricia (et sa voix tremblait au téléphone, sa voix n'était qu'une ombre au téléphone), il avait représenté avec sa merde une bite gigantesque qui nous transperçait l'un et l'autre et cette bite gigantesque prenait, côté couilles, la forme d'un glaive et, putain, quel enfer, avais-je songé sans trouver les mots pour le dire à Patricia. Putain, c'était possible de chier autant, n'avais-je pu m'empêcher de penser en fermant les yeux pour ne surtout pas me représenter la scène. Il avait la diarrhée ou quoi ? Je ne sais pas. Je n'ai pas vu le matelas et, quoi qu'il en soit, je ne vois pas comment je pourrais tirer un quelconque prestige de ce que je viens de raconter. Je ne vois pas comment je pourrais *exagérer* le rôle que j'ai pu tenir dans le suicide de Julien.

Niveau 12

Si ce n'est pas dieu qui nous envoie des épreuves, s'il n'existe *aucune* raison ou justification à nos malheurs ici-bas, à nos malheurs incessants et effroyables qui nous démolissent petit à petit, une lamelle après l'autre, alors

je ne sais pas comment finir cette phrase.
Je ne *veux* pas la finir.
Je ne vais pas mentir.
Mettre des mots là où je n'en vois aucun.
Si dieu n'existe pas
si la société est corrompue
et pousse au crime
si la réalité dépasse la fiction
et celle-ci ne la rattrapera plus
s'il n'y a rien après la mort
ni vie au-delà ni paradis ni enfer
si les hommes sont des bêtes féroces
et les femmes ne valent guère mieux
si la raison n'est qu'un affect comme les autres
si la culture est devenue un déni de culture
et ne fait plus barrage aux détresses infantiles
si la science fait empirer les choses
et donne des armes à la furie des hommes
si le langage est une impuissance
et l'amour est un crime
si la camaraderie n'est qu'un mot
si la sagesse ne viendra jamais
et la bêtise sera toujours la plus forte
si rien ne dure et que tout est voué au néant
si même les victimes deviennent des bourreaux
et les carottes sont déjà cuites
si même l'air est pollué
et que le climat se réchauffe
que les dés sont constamment pipés
et que c'est chacun pour sa gueule
chacun sa merde
si même l'absurde a perdu son absurdité
et si nous vivons et souffrons
et parfois sommes heureux
et mourrons de toute façon

sans savoir pourquoi

sans espoir de rien

et hier les portes du métro se sont fermées juste devant moi

alors

je préfère ne pas finir cette phrase.

I prefer not to.

C'est préférable.

Mieux vaut rester sans réponse.

Mieux vaut rester avec la question sur les bras plutôt que de s'en débarrasser.

Car tout ce que je pourrais dire ne ferait qu'aggraver les choses.

Non.

Si quelqu'un connaît une réponse, qu'il le dise. Qu'il la fasse savoir au monde. Quelqu'un qui saurait pour de bon. Pas un charlatan. Pas un marchand de sable. Pas un nihiliste de mes deux. Un souffleur patenté sur les braises. Un camelot d'opium du peuple. Un illusionniste de plus. Assez de subterfuges ! Depuis des millénaires qu'elle se raconte de génération en génération, la plaisanterie a assez duré. Les blagues les plus courtes sont les meilleures.

Il est possible de vivre sans réponse.

Point d'interrogation ?

Niveau 13

Cela me rappelle le film Collateral (Michael Mann, 2004). Que j'allais voir avec M (mais chut ! Ne pas parler de M, pas encore !). L'histoire d'un chauffeur de taxi (Max) qui, une nuit durant, se voit contraint de servir de chauffeur à un tueur à gages (Vincent) venu exécuter un certain nombre de contrats. Vers la fin du film, une conversation s'engage entre eux, tandis que Max conduit dans la nuit de Los Angeles et qu'il regarde dans son rétroviseur Vincent qui, installé à l'arrière, vient d'exécuter un nouveau meurtre et deux points ouvrez les guillemets :

« Max – Fallait vraiment que tu le tues ?

Vincent – Je fais ça pour vivre.

— Tu parles d'un boulot !

— T'as vu le tien ? Chauffeur de taxi...

— Je tue personne, moi ! Ça fait une différence, non ? Mais dis-moi : pourquoi fais-tu ce... "boulot" ?

— Pourquoi ? Pourquoi ?... Mais il n'y a pas de pourquoi. Aucune raison. Ni bonne ni mauvaise. Ni de vivre ni de rester. Réfléchis un peu. Des millions de galaxies où scintillent des millions d'étoiles et un point lumineux apparaît pendant un instant sur l'une d'elles : voilà ce que nous sommes. Un minuscule et éphémère point lumineux perdu dans l'espace. Toi, moi, tout le monde.

— C'est quoi ces conneries ? Tu vas où avec des trucs comme ça ? T'as aucune idée de ce qu'il peut y avoir dans la tête des gens que tu assassines. T'es qu'une ordure, mon frère, juste une ordure. Bon dieu, mais tu sors d'où ? Tu te venges ? T'es un de ces mômes qu'ont eu une enfance bien pourrie ? C'est ça ?

— Hey, tu t'es vu ? C'est qui le champion du bourrage de crâne ? Sans blague ! Regarde-toi ! Avec ton petit casse-croûte, ton petit taxi aseptisé, à rêver de monter ta petite boîte de limousines de luxe… Un jour mon rêve se réalisera… Mais qu'est-ce qui fait que t'es encore collé à ce volant ? Vas-y. Explique un peu, je suis curieux.

— T'as raison, Vincent. Je ne m'étais jamais posé la question. Je veux dire : je ne me suis jamais interrogé sur moi. J'aurais dû le faire. C'est vrai. J'ai fait semblant de miser sur mon avenir mais c'était perdu d'avance (il enfonce le champignon et la voiture commence à prendre de la vitesse dans la nuit de Los Angeles). Mais tu vois, là, tout de suite, tu veux que je te dise ? J'en ai rien à foutre. C'est vrai, après tout, qu'est-ce qu'on s'emmerde ? Vu qu'on est tous des taches insignifiantes dans le merdier universel. De minuscules conneries cosmiques. C'est bien ce que t'as dit ? (il roule maintenant à fond, grillant les feux rouges et, à l'arrière, Vincent se cramponne et lui ordonne de ralentir). Ben quoi ? Qu'est-ce t'as ? T'as peur ? Tu me surprends, Vincent. Ça colle pas trop avec ton personnage, non ? C'est toi qu'as dit qu'on était que dalle (il roule encore plus vite). Tu sais quoi ? Je te remercie d'être là, finalement. Ça a servi au moins à ça. Grâce à toi, je vois les choses autrement. Ah oui, tu viens de m'ouvrir les yeux. Rien n'a de sens, n'est-ce pas ? Vivre ou mourir, c'est égal. Ça change rien, au final. L'un dans l'autre, ça se vaut. Alors autant en finir. T'es pas d'accord ? Autant en finir *tout de suite*. J'ai pas raison ? (Il jette un dernier coup d'œil dans le rétroviseur.) Tu sais quoi, Vincent ? Va te faire FOUTRE ! (Il précipite la voiture dans le décor.) »

Si rien ne justifie ce qui nous arrive, si le monde est injustifiable et si nous-mêmes sommes injustifiables

à quoi bon *s'emmerder*, en effet.
Pourquoi faire encore des efforts ?
Autant en finir tout de suite.
Autant être *indifférent*.

Pas vrai ?
Pas vrai ?

Niveau 14

En attendant, j'aimerais savoir si d'autres que moi se sont un jour retrouvés dans ma situation. Je veux dire : dans la situation de devoir vivre en *sachant* qu'un homme vous a maudit juste avant de se donner la mort et qu'il vous a désigné avec sa propre merde aux yeux du monde comme son assassin, sans que la police puisse trouver quoi que ce soit à y redire et le côté impuni des suicides ne m'échappe pas aujourd'hui. Il ne m'échappe plus depuis le 27 novembre 2005. Voilà une nouvelle chose que le suicide de Julien m'a enseignée. Une chose qui m'arrange bien sur le plan pénal mais qui me complique les choses sur un plan personnel (et pour Patricia donc !) : comment me débarrasser du sentiment d'avoir commis un crime si rien ne vient le sanctionner ? Il faut pourtant que je sois puni pour ce que j'ai fait. Il le faut. D'une manière ou d'une autre.

Ma situation n'est cependant pas la pire qui soit : en ce moment même, les bombes sont en train d'anéantir les villes de Homs et Alep, là, tout de suite, maintenant, tandis que j'écris. Hier c'était Fallujah, Grozny, Srebrenica, Sarajevo, Murambi, Hiroshima, Tokyo, Dresde, Varsovie, Milan, Saint-Lô, Hambourg, Shanghai, Everytown *et cetera* – et je n'écris pas *et cetera* à la légère. En aucune façon. Je fais tenir toute l'histoire moderne des hommes dans cet *et cetera*. À qui le tour maintenant ? Quelle ville demain ? Quelles *populations civiles* puisque ce sont elles qui sont en première ligne désormais. Naguère, les armées se donnaient rendez-vous sur un champ de bataille pour en découdre et décider du vainqueur. Mais depuis le 26 avril 1936 et Guernica, première ville de l'histoire ne présentant aucun intérêt militaire à avoir été *systématiquement* et *délibérément* bombardée depuis le ciel, de façon quasi divine, par la Légion Condor qu'hitler avait aimablement prêtée à franco, les temps ont changé, au tragique détriment des gens (dont je fais partie) ; lors de la guerre d'Espagne, il s'est passé quelque chose de terrible et d'inédit, quelque chose d'immonde et d'innommable, qui n'a plus cessé de se perpétuer et de s'amplifier et d'ensanglanter l'air jusqu'à Homs et Alep aujourd'hui. Qui est devenu le modèle de tous ceux qui ne jurent que par « un État, une Église, un Chef ou un Parti » et, au cri de « Vive la mort », se disent prêts à « massacrer la moitié de leur peuple s'il le faut ». Qui est devenu la honte du monde laissant se perpétrer des massacres sans lever le petit doigt.

Guernica n'est pas *seulement* une toile de Picasso.

Ce n'est pas *seulement* un grand moment de peinture.

Il ne s'agit pas *seulement* d'une grande scène de ménage déguisée en carnage fasciste, alors que Picasso venait de rencontrer Dora Maar et qu'Olga Khokhlova (qui lui avait donné un fils) refusait de divorcer, sans compter qu'il voyait deux jours par semaine Marie-Thérèse Walter, sa maîtresse attitrée depuis dix ans et, depuis peu, maman d'une petite Maya. D'ailleurs, Dora et Olga figurent dans le tableau : l'une à gauche et l'autre à droite, toutes les deux au plus loin, toutes les deux suppliciées. Au centre, un cheval hurle.

Mais si je commence par là je ne vais pas m'en sortir, je vais devoir la boucler et ce que je veux dire (car je cherche à dire quelque chose, vaille que vaille, même en m'égarant), c'est que ma situation n'est pas la pire qui soit et voilà une manière de le dire (il y en a d'autres). C'est-à-dire que je n'avais jamais connu une situation de cette *nature* et, là, tout de suite, maintenant, à cette terrasse de café, j'aimerais savoir si d'autres que moi se sont un jour retrouvés dans une situation, sinon strictement identique, du moins similaire en valeur absolue et s'ils s'en sont sortis, si d'aventure ils s'en sont sortis, ce que je leur souhaite pour des raisons évidentes. Parce que cela m'intéresserait de partager leur expérience et de marcher sur leurs traces ou, au contraire, de les éviter soigneusement des fois qu'ils seraient aujourd'hui immobilisés par des sangles dans un lit d'hôpital ou obsédés par les salaires des joueurs de football, sans parler de religion ou de je ne sais quoi qui ne donne définitivement pas envie et si jamais quelqu'un se reconnaît et qu'il est animé de bonnes intentions, qu'il n'hésite pas à contacter mon éditeur qui fera suivre. J'ai bien dit : « animé de bonnes intentions ».

Niveau 15

J'ai retrouvé plus tard les petits carnets dans lesquels je note les pensées qui me passent par la tête. Car c'est une habitude que j'ai d'avoir toujours sur moi un stylo et un petit carnet afin d'inscrire au débotté les pensées qui me traversent l'esprit. C'est une manie qui me vient de l'époque où, à l'école, je dessinais plein de petits crobars dans la marge de mes cahiers. C'était déjà machinal. Compulsif. Plus tard, lorsque je me mis à entendre des voix dans la rue, cela devint vital : quand la crise était passée (elle cessait aussi subitement qu'elle était venue), je me posais n'importe où (sur un banc, dans le métro…) et noircissais avec fureur, dans un état proche de la transe, des carnets entiers, jusqu'à deux ou trois en moins d'une heure de temps, sans pouvoir m'en empêcher, sans savoir ce que j'écrivais, comme si ma vie en dépendait, comme dans un rêve éveillé, comme si, après L'Homme à la caméra, je devenais « l'homme au stylo », de façon convulsive ; une fois rentré chez moi, je me dépêchais de ranger mes carnets dans un carton qui, une fois rempli, finissait au fond d'un placard, où ils se trouvent encore.

Jamais je n'ai cherché à savoir ce qu'il y a dans ces carnets. Ils sont comme une tombe où repose quelqu'un qui mourut alors. Ils contiennent les cendres d'une folie qui fut mienne à une époque. Ils témoignent que quelque chose eut lieu, même si je ne suis pas sûr que ce soit en ma faveur. Ils sont à présent des monstres enfermés dans un placard, ils sont mes monstres du placard et qu'ils y restent. J'ai bien trop peur de les libérer. Une fois, j'ai jeté un carton plein de mes petits carnets dans une grande benne à ordures dans la rue, sans les lire (en fait, j'en ouvris un au hasard et tombai sur cette phrase : « Au moment où Aimé Césaire pourfendait le racisme et le colonialisme français, Miles Davis était de passage à Paris et, pour la première fois de sa vie, il avait l'impression que les gens qu'il rencontrait le considéraient comme un être humain et non comme un nègre et c'était si inattendu qu'il envisagea de s'installer en France. » J'ai refermé le carnet et je l'ai replacé dans le carton et j'ai balancé le tout. Pour me dire que je pouvais le faire. Que j'en étais capable. Que je ne devais plus rien à cette période de ma vie). Il ne s'est rien produit. Aucune manifestation bizarre. Nul cri. Dans la benne, le carton ressemblait à un cercueil.

La manie m'est restée. Je continue de noter dans de petits carnets ce qui me passe par la tête au moment où cela me passe par la tête. Non que mes pensées seraient impérissables, pas du tout ; mais ce sont mes pensées et j'en prends soin comme de n'importe laquelle de mes affaires, quand bien même je sais qu'il ne s'agit pas véritablement de pensées mais plutôt d'impulsions électriques qui, dans mon cerveau, se mettent à former des mots que je transcris alors en direct dans mes petits carnets et j'en ai si bien conscience que je ne relis toujours pas mes petits carnets : une fois remplis jusqu'à la dernière page, ils finissent dans le même placard, avec les autres, au cachot. Mais de m'insoucier totalement de ce qu'ils contiennent ne m'empêche nullement de continuer à les remplir avec un sentiment d'urgence et une espèce de jubilation qui ne se démentent jamais et peu importe si le verbe insoucier n'existe pas car nécessité faisant loi, je prends sur moi de l'inventer ici et maintenant.

En tous les cas, que je sois dans le métro, dans un bus, au café ou même en train de marcher dans la rue, je note à la volée la moindre de mes pensées comme elle me vient, comme si elles étaient mes éphémères (reconnaissables « à leur corps mou et à leur vol médiocre », précise Wikipédia). Afin que demeure une trace de mon activité psychointellectuelle puisqu'elle est la plus volatile d'entre toutes et, en même temps, celle qui intéresse le moins mon entourage. Alors qu'elle est la seule qui m'assure de n'être pas seulement un animal ou un numéro de la Sécurité sociale. La seule qui me rappelle que je suis, du verbe être, à défaut d'exister et – bref.

Je me revois sortir mon petit carnet de ma poche à cette terrasse de café et me mettre à y inscrire fébrilement tout ce qui, dans la foulée du message de Patricia m'annonçant le suicide de Julien, me traversa l'esprit et se bouscula dans ma tête, avec une espèce de fureur qui, rétrospectivement, fait peine à voir. Car même pour moi, mon écriture apparaît par endroits illisible tellement les mots se chevauchent et s'exaspèrent sur la page, sans compter les points d'exclamation dont le nombre et l'ostensible répétition sont aussi affolants que douloureux à voir, tandis que plein de passages sont soulignés et même soulignés plusieurs fois d'un trait si rageur et grandiloquent que le papier est parfois entamé et, au final, ces notes trahissent un désarroi musculaire et une effervescence psychique qui les rendent tout bonnement inquiétantes, limite malsaines, on dirait une saignée comme les humoristes les pratiquaient avec une lancette au Moyen Âge pour extirper la bile noire des êtres possédés par le mal et, pour qu'il n'y ait pas de malentendus, humoriste ne signifie pas ici comique mais médecin partisan de la doctrine de l'humorisme et il existe des encyclopédies médicales si l'on veut en apprendre davantage sur ce sujet que j'imagine volontiers fascinant.

Niveau 16

Lorsqu'on se parle à soi-même, cela signifie qu'on est le seul à écouter ce qu'on dit, a pu écrire Ludwig Wittgenstein, dans des circonstances que j'aimerais beaucoup connaître et c'était peut-être à une terrasse de café, j'aimerais bien, je me sentirais moins seul tout à coup. Ce que je veux dire, c'est que les notes qui figurent dans mon petit carnet doivent être prises pour ce qu'elles sont et en aucun cas pour ce qu'elles ne sont pas et voici une bonne chose de dite. Personne ne pourra maintenant me reprocher de restituer ces notes dans le désordre dans lequel elles furent écrites à cette terrasse de café et de les restituer telles quelles, comme le fac-similé d'instants émotionnels assez désastreux, comme le suaire de tourments s'étant emparés de moi, comme – quoi au juste ? Sachant que de tels tourments ne me semblent nullement spécifiques mais, au contraire, typiques de l'art très pervers avec lequel les tourments s'emparent des êtres humains au détour de leur existence et s'emparent d'eux par surprise, avec une brutalité inouïe, sans le moindre scrupule, même s'ils n'ont pas couché avec une femme dont le mari s'est suicidé une semaine plus tard. Je ne compte pas les fois où j'ai vu de tels tourments tomber à bras raccourcis sur un individu qui passait par là et se mettre sauvagement à le déchiqueter, à le réduire en charpie, à lui briser les os et le cœur et tout ce qui est fragile en lui et c'est parfois une maladie, parfois une trahison, parfois un décès, toujours un gouffre. Quelle bataille obscure alors ! Que ne se dit-on alors en son for *qu'on ne dira jamais à personne*. Quel odieux traquenard dont sortir vainqueur ne signifie jamais sortir indemne et qu'il s'agisse ici du suicide de Julien est finalement anecdotique. Aussi anecdotique que, mettons, la vision d'un bernard-l'hermite ayant perdu sa coquille et s'affolant sur le sable mouillé, son corps mou et gras et tout à fait répugnant désormais sans protection, désormais exposé aux regards et aux quolibets et au froid qui, à cette terrasse de café, pénétrait de plus en plus mes os jusqu'à la moelle jaune et je crois que je suis de nouveau en train de m'égarer un mot après l'autre et, bon, faisons le chat qui retombe souplement sur ses pattes et disons pour en finir au plus vite que vains sont finalement nos efforts de nous doter d'une personnalité à toute épreuve, d'une personnalité inaltérable, d'une personnalité à la Jack Bauer et, à cette terrasse de café, vains furent en tout cas mes efforts de dépasser la pauvreté de mon moi comme les notes de mon petit carnet le démontrent malheureusement et, bref, allons-y Alonzo, au hasard Balthazar. Assez tergiversé. Assez reculé pour mieux sauter. Voici les notes de mon petit souterrain à spirale et advienne maintenant que pourra.

Niveau 17

Et puis non.

Ces notes de mon petit carnet.

Maintenant que je viens de les lire et même de les recopier.

Elles ne riment à rien.

Elles ne sont que pâle désarroi, nombrilisme achevé, mesquinerie répugnante, affreux souci de soi.

Elles sont très embarrassantes.

Elles me dépriment moi-même.

À la lumière du suicide de Julien, certaines font carrément pitié et me mettent terriblement mal à l'aise.

Elles me rappellent William « D-Fens » Foster, à la fin du film Chute libre (Joel Schumacher, 1993). Lorsque après avoir tué tout un tas de gens s'étant mis en travers de sa route alors qu'il voulait simplement rentrer chez lui, cet Ulysse en col blanc s'écrie : « Eh quoi ? C'est moi le méchant maintenant ? Comment est-ce arrivé ? J'ai fait tout ce qu'on m'a dit de faire. Les impôts, la lutte contre le racisme, l'art contemporain... j'ai tout gobé. Et c'est moi le méchant maintenant ? Vous savez qu'ils mentent à tout le monde. Même aux poissons. »

Voilà ce que c'est que de parler sous le coup de l'émotion.

On cherche d'abord à sauver ses fesses.

J'avais vu ce film à sa sortie et nul besoin de gloser ici et maintenant sur l'amertume des classes moyennes qui, à l'instar de William « D-Fens » Foster, à l'instar de Job sur son fumier, s'aperçoivent un beau jour, un jour de grosse chaleur ou de grand froid, dans leur voiture ou à la terrasse d'un café, que la société qui les a créées, loin de tenir sa promesse de salut, transforme leur existence en un mensonge toujours plus douloureux et irrémédiable. Toujours plus lourd à porter et, à la fin, elles se pendent à la poignée d'une fenêtre ou elles trucident tout le monde à l'arme lourde. Qu'en penses-tu ? Okay. Mettons que je n'ai rien dit.

Si, complètement aux abois, cherchant littérairement à me suicider, je venais un jour à publier l'intégrale de mes petits carnets, j'intitulerais ça : *Celui qui n'a jamais vu chier un hippopotame n'a rien vu dans sa vie.*

Si, en exhumant les notes de mon petit carnet, je nourrissais par-devers moi l'espoir de découvrir quelque secret ou vérité que je me serais empressé d'enfouir à cette terrasse de café comme on fait un nœud à son mouchoir ou, pour le dire en remuant la queue, comme un chien enterre un os en sachant qu'il s'en délectera plus tard, je me trompais du tout au tout.

Surtout que certaines de mes notes me demeurent aujourd'hui obscures et incompréhensibles. Par exemple, je parle à un moment d'un « cheval jaune ». Sans autre précision. Souligné deux fois. Qu'avais-je en tête à cet instant ? De quel cheval jaune s'agit-il ? Mystère. Et quid de « l'histoire dans le métro », note inscrite là encore sans la moindre explication, avec même une sorte de rage si j'en juge mon écriture ? En plein d'endroits, mon petit carnet recèle de tels messages codés dont la signification s'est perdue et c'est bien la peine de prendre des notes si elles doivent dresser de nouvelles barrières entre soi et soi et tout ce que je retire de ce charabia, c'est que du jour au lendemain peut cesser d'avoir le moindre sens ce qui nous semblait sur l'instant de la plus haute importance et voilà une nouvelle leçon que je retiens du suicide de Julien, une de plus, qui n'est pas la moins chevelue.

Là où les notes de mon petit carnet m'ont carrément fait peur, c'est que je cite à deux reprises Rika Zaraï. Pourquoi Rika Zaraï ? Alors que je ne vois aucun lien entre Rika Zaraï et le suicide de Julien. Même en cherchant bien et en retournant le nom de Rika Zaraï dans tous les sens, aucune connexion de quelque ordre que ce soit ne m'apparaît et que Rika me pardonne si elle le peut, mais je refuse de croire que j'aurais fredonné à cette terrasse de café « sans chemise, sans pantalon ». C'est tout bonnement impossible. Même dans l'état d'agitation extrême dans lequel je me trouvais à ce moment-là c'est rigoureusement impossible. Même désespéré. Même les doigts gelés. Pas moi. Pas à ce moment-là. Pas « sans chemise sans pantalon ».

J'espère que tu réalises qu'en renonçant à divulguer les notes de mon petit carnet, je *t'épargne*.

Niveau 18

En même temps, ce petit carnet existe. *Il témoigne de ce qui eut lieu ce 27 novembre 2005.* Il décrit l'effet que le suicide de Julien produisit sur moi, comme la pomme qui tombe décrit la gravité ; il est même la preuve que je n'ai pas rêvé. Sans lui, je pourrais presque croire que Julien ne s'est pas suicidé et, plus sournoisement, que je n'y fus pas mêlé. Ne pas divulguer son contenu équivaudrait à nier mon implication. *Ce serait faire disparaître une preuve !* Pas question ! À elles toutes, mes notes sont l'instant qui, à cette terrasse de café, cherchait sa durée. Elles font entendre l'espèce de cri que, silencieusement, je poussai à cette terrasse de café et tant pis si un cri n'est jamais agréable à entendre. Parce qu'il révèle la vulnérabilité de l'homme face à la douleur, à la rage, à la surprise ou même à la joie ; il en donne la mesure. C'est au cri qu'il pousse qu'on reconnaît l'animal.

Mais quoi ? Ce n'est pas moi qui décide des pensées qui me traversent l'esprit. Mes pouvoirs ne vont pas jusque-là. J'aimerais d'ailleurs devenir minuscule et me glisser parfois dans la tête des gens afin de surprendre ce qu'ils se racontent eux aussi comme somptueuses conneries lorsqu'ils mordent la poussière et se retrouvent perdus dans leurs pensées, comme on dit fort justement. Car je soupçonne que cela ne doit pas être non plus très reluisant, même si je peux me tromper et cela d'autant plus que je ne vois autour de moi que des gens qui semblent ne jamais transpirer sous les bras et pouvoir à tout moment se regarder dans la glace sans baisser les yeux ni rendre un son creux ou fêlé lorsqu'ils se cognent contre leur image.

Tant pis.

Ce petit carnet fait partie de *mon* histoire du suicide de Julien – et merci à monsieur l'imprimeur de respecter l'italique de l'adjectif possessif dont je viens de faire précéder le suicide de Julien car il est essentiel à mon propre service juridique.

Je prends donc sur moi d'en livrer les « meilleures » pages, sans rien changer (ou si peu…), afin que cette pièce figure malgré tout au Dossier, comme il faut qu'elle y figure. C'est nécessité. C'est un minimum. À toi de lire ou pas, c'est comme tu veux et, quoi qu'il en soit, allons-y Alonzo, bis repetita. Deux points ouvrez les guillemets : « La journée est fichue, mais pas moi. (…) Quel con de s'être suicidé. Mais quel con ! (…) On demande toujours de quoi est mort quelqu'un ; mais de quoi vivait-il ? Le sait-on ? Le demande-t-on ? (…) Il s'est suicidé et alors ? Pourquoi m'en faire ? (…) Tout m'effare. Je dis : tout m'effare. J'écris : tout m'effare. Au commencement est l'effarement. L'effarement est mon état d'esprit depuis toujours (souligné). Il est mon lien le plus fort au monde. Ma quête aussi. Si je ne suis pas effaré, je ne suis rien. Je ne sens rien. L'effarement est ma boussole. Je suis même effaré d'être effaré. Effaré de le dire. Effaré de l'écrire. Effaré que le mot effarement existe. Effaré de ce qui m'arrive comme de tout ce qui se passe dans le monde. C'est moi l'homme effaré. (…) Le suicide de Julien veut m'enlaidir à mes propres yeux. M'amoindrir et me détourner de mon cap. De toutes les façons il veut me changer, il me change déjà. Il veut me rendre moral. Il veut me couper les couilles. Il veut me rendre haineux de la vie. (…) Ce n'est pas nous qui avons des problèmes mais les problèmes qui nous choisissent. (…) Les gens : ils vont au stade, ils se voient soudain sur l'écran géant et ils sautent immédiatement de joie, *ils éclatent de rire à leur vue.* C'est plus fort qu'eux. Pas un, se découvrant sur l'écran géant, qui se mette à fondre en larmes. (…) Même si leur équipe perd, ils font de grands signes de joie comme des naufragés apercevant soudain la terre. Ils ne sont plus du tout tristes. Ils ne sont plus eux-mêmes. C'est très curieux. C'est terrifiant. C'est dire la puissance des médias. (…) Comment sortir d'un piège qui est soi ? (…) J'ai désormais un « secret » à cacher. Tout le monde ne peut pas en dire autant. (…) Si on possède un secret, celui-ci possède aussi son homme. (…) Dès qu'il nous arrive quelque chose de grave, tout paraît irréel autour de soi. Plus rien n'est comme avant. Les gens, les choses, les gestes semblent maintenant absurdes. Ils dévoilent qu'ils sont en toc. (…) Je dois me préparer à encore plus de solitude. À encore plus d'obscurité à la lumière du suicide de Julien. À rencontrer encore moins de gens avec qui communiquer soit possible. *Le suicide de Julien va me rendre totalement inaccessible* (souligné cinq fois). (…) Rika Zaraï (…) Où commencent nos actes ? Où finissent-ils ? (…) Quand j'avais dix ans, j'ai donné un coup de poing à un camarade et il est mort l'année suivante avec toute sa famille dans un accident de la route. Cela m'avait drôlement perturbé. (…) Dans quel état P en ce moment ? Comment va-t-elle s'en sortir ? Comment le peut-elle ? C'est pour elle que c'est le pire ! Penser à elle !!!! (…) Penser au gosse ! Peut-être viendra-t-il un jour me demander des comptes. (…) Personne ne pense mériter les saloperies qui lui arrivent ; mais les bonnes choses, on est moins regardant. (…) Ne rien faire du suicide de Julien. Ne pas l'instrumentaliser ! En même temps, il constitue un moment fort de mon existence. C'est indéniable. C'est son bon côté. Il y a toujours un bon côté. (…) Comment être responsable de nos actes s'ils nous dépassent ? (…) Si un truc pareil arrivait à quelqu'un d'autre : que se dirait-il ? Quelles pensées pour lui-même ? Que noterait-il dans un petit carnet ? Quel *autre* ? (…) Les horreurs qui se passent dans le monde ne sont plus mon problème : elles sont le problème de la société ; mon problème maintenant, c'est le suicide de Julien. (…) Que vais-je faire du suicide de Julien et *que va-t-il faire de moi ?* (…) Nous signons sans le savoir un pacte avec la vie et la vie vient ensuite réclamer son dû faramineux. (…) Comme un sale gosse casse son jouet ! (…) Rêver d'un monde où nous ne serions plus infantilisés. Où ce qui serait « réservé aux adultes » ne signifierait pas « interdit aux enfants » (comme si c'étaient les enfants qui définissaient les adultes), mais bel et bien « réservé aux adultes », c'est-à-dire réservé à leur usage, adapté à ce qu'ils sont, vivent, éprouvent, affrontent, etc. Ce n'est pas demain la veille. (…) On ne naît pas homme, mais on ne nous laisse pas le devenir non plus. (...) Que deviennent les gifles qui se perdent ? (...) C'est P qui va s'en prendre plein la gueule. Elle qui va devoir vivre avec *ça*. Chaque jour. À ses yeux et aux yeux des autres. Elle la coupable désignée. L'infidèle, la salope, la mère indigne, etc. Quelle merde ! Quelle vengeance ! (...) Ma langue ne pourra plus jamais être au-dessus de tout soupçon. Quand je dis au-dessus de tout soupçon, je veux dire blanche de peau, sexuellement hétéro, socialement bien intégrée, de confession plutôt catholique, etc. (...) Julien avait-il en tête de se suicider ou n'a-t-il trouvé que ce moyen d'expression, sans garantie que ce soit le bon ? (...) Ça veut dire quoi : se suicider ? (...) "La plus haute des illusions d'un égoïsme désespéré est de croire que l'on va anéantir le monde en s'anéantissant soi-même" (Sylvia Plath, qui s'est suicidée au gaz. Certains savent de quoi ils parlent). (...) Aujourd'hui, de plus en plus de gens se suicident en voulant anéantir le plus de monde possible. Ils ne veulent pas mourir tout seuls. Ils veulent faire de leur mort un carnage. Ils veulent en faire un *spectacle*. Vu l'époque, il ne s'agit donc pas d'une décision strictement personnelle. Le sentiment d'être au monde (au point que se tuer l'anéantirait) est en nette régression. (...) Les cons font exister des problèmes qui sont plus vastes qu'eux et que d'autres doivent ensuite régler à leur place et c'est à cela qu'on les reconnaît. (...) On va me dire de laisser pisser, de ne pas me sentir coupable, que ce n'est pas de ma faute, etc. Plus personne n'est coupable de rien de nos jours et plus personne ne *doit* l'être. Il y a désormais une volonté féroce d'amnistie générale, l'innocence est devenue un impératif pour tous ; alors que ce qui est *sain*, c'est que je ne fasse pas comme si Julien ne s'était pas suicidé après que j'ai couché avec sa femme. (...) Que quelqu'un me jette la pierre et je pourrais alors me *défendre* ! (...) Tout ça pour une « nuit d'amour » : c'est tout de même cher payé ! (...) À petites causes grands effets : qui le premier a formulé cette vérité indépassable ? (...) Le centre raté de David Ginola et, 30 secondes plus tard, la France était éliminée ; la gifle que donna une obscure petite policière tunisienne à un marchand ambulant et, le lendemain, vlan : les révolutions arabes. Etc. Trouver d'autres exemples de gens qui se sont trouvés dépassés par les événements qu'ils ont eux-mêmes provoqués. (...) Je ne suis pas tout seul. (...) À Bornéo, quatre touristes totalement bourrés se sont mis à poil au sommet de la montagne sacrée de Kinabalu et une heure après, un tremblement de terre de magnitude 6 secouait l'île, faisant 18 morts. Ils ont tous été arrêtés. (...) À la table à côté de moi, une bonne femme avec un serre-tête rouge vient de dire : "J'ai mangé trop de beurre." Qu'est-ce que cela signifie ? Un message pour moi ? (…) David Vincent chercherait-il encore le raccourci que jamais il ne trouva s'il avait su que cela le conduirait à découvrir que "le cauchemar a déjà commencé !" ? (…) Aller se faire pendre ailleurs : ne plus jamais employer cette expression débile, je le jure ! (…) Ne plus jamais jouer au "jeu du pendu". (…) Le fruit dans le ver, le moine fait l'habit, l'arbre cache la forêt, le bois sort du loup, la botte de foin cherche l'aiguille, la tête sort des yeux. (…) Je voudrais que tout ceci ne soit jamais arrivé ; mais c'est arrivé. (…) L'intégrale cosmique, la somme de l'homme, ne s'ajoute à rien. (…) Si le monde m'apparaît maintenant à la lumière du suicide de Julien, à la lumière de quoi m'apparaissait-il jusque-là ? Bonne question ! (…) Le suicide de Julien : le suicide de trop dans mon cas. Le suicide qui fait remonter à la surface toutes les tentatives de suicide de ma mère et les sentiments désastreux qu'ils m'ont toujours inspirés. Une certaine lassitude aussi. (…) La *force* de l'habitude. (…) Pourvu que P ne s'imagine pas que nous devrions maintenant nous mettre ensemble en souvenir de Julien, en réparation de notre "crime". Faire gaffe. (…) L'enfer ne m'intéresse pas mais l'enfer s'intéresse à moi. (…) Ce qui dépasse l'entendement à la course (…). Les gens disent que la réalité dépasse la fiction mais de cette information, ils ne font rien. Ils n'en déduisent rien. Comment est-ce possible ? Ils ne peuvent pourtant pas dire qu'ils ne savent pas. (…) Je me sens caca. (…) Je ne vois pas comment quelqu'un pourrait *maintenant* m'aimer. (…) Dans "suicide de Julien", il y a "j'encule dieu". (…) Ce qui ne nous abat pas nous rend plus fort ? Mais à ce rythme, je devrais être Superman. (…) Chacun est bien placé pour savoir que ce qui ne l'abat pas le *détraque* et *l'insensibilise*. Mais parce que nous prenons conscience de cette mutilation, parce que nous nous endurcissons, nous nous croyons plus forts. *Nous pensons avoir gagné au change.* (…) L'*Odyssée*, chant XI (?) (…) Acheter boîtes + litière pour le chat (écrit dans la marge et entouré) (…) Qui se suicide encore par amour, comme on dit ? Pour une histoire de cul ? Qui, de nos jours ? En 2005 ! On ne se suicide plus pour si peu. C'était bon pour les époques romantiques, les époques chevaleresques. C'est totalement anachronique ! (…) Cheval jaune (…) Les mots sont des gommes : les dictionnaires de synonymes devraient le mentionner. Les mots sont des gomme, ils sont des gomm, ils sont des gom, ils sont des go, ils sont des g, ils sont des, ils sont de, ils sont d, ils sont, ils son, ils so, ils s, ils, il, i (…) L'empressement de P à me prévenir ; mais qui a besoin de recevoir *de toute urgence* des mauvaises nouvelles ? Il y en aurait moins si elles nous parvenaient plus lentement. Le grand gagnant des moyens de communication modernes, c'est le malheur : il se propage plus vite. Le poison tue *parce qu'il se répand.* (…) D'un autre côté, quelle histoire "géniale". En tirer un livre ? (…) Toute tentative de salut comporte une part de cynisme. Ou est-ce le cynisme qui se déguise en tentative de salut ? (…) Comment s'est-il suicidé ? Comment se pend-on ? Il s'est brisé la nuque ? Il est mort en se débattant, comme un cheval pris au lasso ? Il doit pourtant y avoir un moment où l'instinct de survie doit résister, refuser, se *cabrer.* (…) Des plantes arrivent à percer le bitume des villes ! (souligné). (…) Ce n'est pas moi la victime. Ne pas inverser les rôles ! (…) "La dernière fois où j'ai fait l'amour" : voilà un super-titre de livre. (…) Peut-être suis-je en train de déclarer un cancer à partir de maintenant, en représailles. (…) Je n'ai aucune idée des conséquences à venir. Jusqu'où le suicide de Julien va-t-il se prolonger en moi, bouger mes lignes, affecter épigénétiquement mon ADN ? Seule certitude : il va laisser des traces. (…) Les saucisses ne se suicident pas. (…) Tous les soucis que créent la société sont superflus : nous avons bien assez des nôtres. Ou alors ils sont l'occasion d'oublier nos soucis, justement. Ils sont un divertissement. (…) Là, tout de suite, je cherche à m'épuiser, à m'abrutir. (…) Mes pensées sont des marshmallows. (…) "Seuls importent les jours riches d'expériences insaisissables", disait Rilke. Super ! (…) "Méditer vos malheurs", voilà ce que lança Pétain aux Français dans son message de Noël en décembre 1942. Je médite. Je médit. Je medi. Je med. Etc. (…) En même temps, tout va bien. Tu as toujours un boulot. Ta fille va bien. Tu es encore en bonne santé. Toujours hétéro et de race blanche et c'est un avantage dans nos contrées. Tes origines sociales ne te stigmatisent pas et c'est un atout toujours plus incontestable. Tu vis dans un pays qui n'est pas en guerre depuis 50 ans et même si cela ne durera pas indéfiniment, c'est inestimable. Même si tu n'es pas entendu, tu peux encore dire ce que tu veux sans être jeté en prison et c'est loin d'être partout le cas. En sorte, tout va bien pour toi. Tu fais toujours partie des "privilégiés" dans ce monde tel qu'il ne va pas et le suicide de Julien ne peut pas te retirer ça. Il s'agit donc d'autre chose. (…) Le suicide de Julien est un gland : un chêne pourrait en sortir. (…) Utiliser "suicide de Julien" comme clé de chiffrement pour différents codes (code César, Vigénère, etc.) et m'en servir pour coder mon nom, celui de Patricia, etc. Voir ce que cela donne. Peut-être de bonnes surprises. (…) "Ici Londres. Grand-mère mange des bonbons ; La vache saute par-dessus la Lune ; Les sanglots longs de l'automne blessent mon cœur d'une langueur monotone ; Julien s'est suicidé ce matin, deux fois." (…) Hiroshima a bien eu lieu. Nevers is never enough. (…) Tout ça pour une fille qui n'était même pas M, dirait Proust (…) »

Et cetera.

Ça suffit comme ça.

C'est déjà *trop*.

Niveau 19

Surtout que les notes de mon petit carnet : elles oublient de dire quelque chose. Elles omettent le plus important. Je m'en aperçois seulement maintenant : elles ne disent rien du *contexte*. Pas un mot. Or, chacun réagit à une situation, d'une part selon la nature de celle-ci et selon sa personnalité, d'autre part selon les circonstances. Les circonstances comptent pour beaucoup dans notre appréciation d'une situation et, en l'occurrence, le suicide de Julien se produisit alors que je vivais à l'époque une *période noire*. Je ne plaisante pas. Depuis bientôt deux ans, je prenais coup sur coup. J'en prenais plein la gueule. *Le sort s'acharnait contre moi.* Tout ce que je touchais se retournait contre mézigue, m'enfonçait chaque fois davantage la tête sous l'eau, toujours plus profondément, comme une volonté de me nuire personnellement. Pareille constante dans la poisse était même remarquable. J'exprime ici un simple constat. Je décris un état de fait. Tout le monde a déjà vécu de telles séries noires. Où rien ne va. Où tout semble se liguer contre lui. Où quoi qu'on fasse, cela rate, foire, tourne eau de boudin, s'acharne contre vous. On se sent persécuté. Et ce n'est pas qu'une impression : on est réellement l'objet d'une persécution, pour des raisons qui nous échappent, des raisons qu'on peut croire astrologiques, proprement saturniennes, faute d'avoir une meilleure explication.

Ainsi le suicide de Julien ne fut-il pas seulement le suicide de Julien : au vu de la tournure qu'avait prise mon existence, il m'apparut la pire chose qui pouvait *encore* m'arriver. Nul n'a besoin dans sa vie qu'un type se suicide parce qu'on a couché avec sa femme mais, à ce moment-là, c'était vraiment la dernière chose dont j'avais besoin. À cette terrasse de café, je me sentais déjà fragile, défait, *maudit* ; j'étais un homme sur le flanc et dans la paille. Et voici que j'apprenais que Julien s'était suicidé ! Après m'avoir désigné avec sa merde comme son assassin ! C'en était trop. J'eus la sensation qu'on frappait un homme à terre. Je n'étais pas en état de supporter cet ultime coup de poignard. *Je pris peur.* Je crus que cela n'en finirait jamais. À l'évidence, on voulait ma peau. Ce pourquoi le suicide de Julien m'affecta autant. Ce ne fut pas seulement affaire de sidération et de culpabilité, non, ce fut bien plus *grave*. Il y avait là une intention manifeste. On voulait me faire passer un *message*.

Qui ça « on » ?

Alors qu'il ne faut pas exagérer.

En d'autres circonstances, j'aurais réagi sainement à l'annonce du suicide de Julien. Je veux dire : avec le recul nécessaire. En hochant la tête, en fermant les yeux pendant quelques instants non mesurables, en faisant le signe de croix si je croyais à ce genre de trucs ; puis je serais passé à autre chose.

J'aurais réagi comme n'importe qui : avec indifférence et sensibilité. J'aurais eu les armes intellectuelles pour me protéger. Je me serais senti coupable, mais pas au point d'aller me livrer à la police. J'aurais combattu cette culpabilité et j'en aurais *aisément* triomphé. Nul ne se condamne lui-même. C'est instinctif. Et ce qui est instinctif est invincible, disait l'autre (Rémy de Gourmont). Si faute nous avons commise, notre premier mouvement est de nous trouver des excuses et, d'une façon ou d'une autre, de nous disculper. Moi comme les autres. En d'autres circonstances, le suicide de Julien me serait apparu un malheur de plus dans la somme des malheurs qui accablent nos existences, au point de se confondre avec elles ; je me serais dit que c'était bien triste, car c'est ce qu'on peut dire de plus sensé à propos du malheur. J'en aurais appelé à la fatalité et à l'incompréhensible, afin de clore toute discussion. Je ne me serais pas débattu comme un chat la tête prise dans un sac en plastique. Je n'aurais embêté personne avec cette histoire, sinon à l'occasion, pour dire que j'avais moi aussi quelque chose à raconter.

En temps normal, je n'aurais rien fait du suicide de Julien. Que faire d'une pierre ? Sinon shooter dedans, la jeter au loin, faire des ricochets dans l'eau, la balancer au fond d'un puits. Le suicide de Julien, je l'aurais bonnement enseveli dans un coin de ma tête, là où se trouve une espèce de cimetière, dépotoir de nos actes et de leurs conséquences, quelque part entre le cortex préfrontal et l'hypophyse. Là où, une souillure après l'autre, chacun dissimule son petit portrait de Dorian Gray. Eh quoi ? Julien n'était pas le premier à s'être suicidé dans mon entourage ; et je m'en étais chaque fois fichu, plus ou moins, après m'être dit que je ne m'en fichais pas.

Comme ce jour. C'était lors d'une fête du côté de Marseille, quelque part dans les calanques. Quelqu'un proposa que tout le monde aille prendre un bain de nuit. Alors que je me préparais à suivre le mouvement, un type m'alpagua. Je savais qu'il était l'un des grands amis de la maîtresse de la maison. Il me dit qu'il avait lu un article que j'avais écrit (une espèce de Dossier à ma façon sur l'héritage…). Il me dit qu'il aurait aimé l'écrire. Je ne sus quoi répondre. Ce furent ses derniers mots. Lorsque la compagnie revint joyeusement de la plage, il s'était pendu. Lui aussi avec la ceinture de son pantalon. C'est à regretter que les bretelles soient passées de mode (sauf dans le milieu bancaire, et cela signifie peut-être quelque chose). Plus tard, j'avais songé à notre bref échange. J'étais le dernier à qui il avait adressé la parole. Si j'avais su quoi lui répondre et, plutôt que d'aller me baigner à la lune, si j'étais resté avec lui, oui, si ceci, si cela. Basta !

En découvrant le corps, la maîtresse de maison avait poussé un grand cri. De voir son ami pendu par le cou : sa réaction fut immédiate. Elle fut magistrale. À tour de bras, elle se mit à gifler le cadavre. Vlan. Et vlan. Dans la gueule du suicidé. Deux grandes tartes. Sans prévenir. À toute volée. Pas de discussion. Non pour le ranimer mais pour lui apprendre à vivre. Pour lui apprendre à se suicider chez les gens alors que c'était jour de fête. Pour lui apprendre l'amitié. Pour lui apprendre je ne sais quoi. En tout cas, la soirée était foutue. Elle tourna vinaigre. Les gens faisaient des crises de nerfs, ils ne se contrôlaient plus, c'était à qui serait le plus affecté, à qui serait le plus perturbé. Un vrai concours ! On aurait cru que la fin du monde était arrivée. J'avais proposé qu'on boive du champagne. Que la fête continue. Que nul ne se laisse abattre. Vive les soirées ceinture ! On m'avait demandé de quitter les lieux.

Le suicide de Julien ? So what, finalement ? C'est lui qui s'était suicidé. Je ne lui avais pas passé ma ceinture autour du cou. Il s'était pendu tout seul. Il s'agissait de *sa* bouche (voir page 775). Pas de quoi en faire un bouquin, j'allais dire du boudin.

Sauf que les choses ne sont pas passées comme ça.

Je ne vivais pas des temps normaux à l'époque.

Cela va même plus loin.

Car il y a plus retors.

Niveau 20

Je le dis en l'absence de mon avocat.

D'un côté, le suicide de Julien me catastropha, en raison du rôle que j'y avais tenu et parce qu'il me mettait encore un peu plus la tête sous l'eau (sans compter le drame humain qu'il était par définition) ; mais d'un autre côté, il était trop énorme, trop hallucinant, trop – quoi ? Je l'ignorais. Mais après toutes les merdes qui m'étaient arrivées ces derniers temps, il semblait une apothéose. Cette fois, c'était le bouquet. Ah oui ! C'était même le bouquet final. C'était le bouquet final qui *annonçait la fin du feu d'artifice*.

Cela m'apparut une évidence à cette terrasse de café.

Ce fut comme un déclic.

Le suicide de Julien n'était pas une énième catastrophe dans ma vie, non, il était la catastrophe qui mettait fin à la série. Il venait parachever l'œuvre pour y mettre un terme. Il était une sortie en beauté de ma période noire. Il annonçait la fin du cycle. Voilà ce qu'il était !

Avec le suicide de Julien, une limite était atteinte. Cela ne pourrait *jamais* être pire.

Les notes de mon petit carnet ne le disent pas, mais à mon niveau individuel des choses qui s'arrangent pour tirer au maximum le meilleur du pire, le suicide de Julien m'apparut paradoxalement une *bonne nouvelle*. Désolé, mille excuses. Ce fut indicible, mais il était le drame qui mettait fin à la tragédie et, en ce sens (et uniquement en ce sens), je sais avoir éprouvé une espèce de *soulagement* à cette terrasse de café. La sensation qu'un poids m'était soudain ôté de la poitrine. Les dieux allaient désormais me fiche la paix. Terminée la poisse ! J'allais pouvoir souffler. À lui seul, le suicide de Julien levait la malédiction qui me frappait depuis bientôt deux années et je dirais même plus : son suicide était lié à cette malédiction. Il ne tombait pas du ciel. Oh non. Pas de mon point de vue. Pas après les deux années que je venais de vivre. Ce n'était pas seulement que j'avais couché avec Patricia, non non non, cela venait de bien plus loin, c'était lié à tout ce qui s'était passé dans ma vie d'incompréhensible et de proprement hallucinant depuis maintenant deux ans – *depuis que j'avais rencontré M.* Mais oui ! Le suicide de Julien était lié à mon histoire de M, il en était même L'ÉPILOGUE ! Telle était sa *signification*. Tout commençait à prendre forme. Il ne suffit pas de considérer les choses pour ce qu'elles sont, avec toute la distance qui s'impose, afin de les respecter, dit-on, afin de nous en protéger en réalité : il faut aussi les prendre un minimum pour soi, il faut leur faire une place dans sa vie, admettre qu'elles ont quelque chose de personnel et de spécifique à nous dire et, à cette terrasse de café, je sus que le suicide de Julien ne s'inscrivait pas seulement dans l'histoire de Julien : il s'inscrivait aussi dans ma propre histoire. C'est là qu'il trouvait sa véritable origine. S'il avait un sens, c'était dans ma vie. C'est même dans mon existence qu'il prenait *tout son sens !* Ce n'était nulle part ailleurs. Mais oui ! Quelqu'un devait mourir à la fin de l'histoire, je savais que quelqu'un allait mourir un jour ou l'autre et ce quelqu'un avait été Julien.

Cela n'avait pas été moi.

Ce ne fut pas moi !

À ma décharge. Dans l'état d'esprit dans lequel je me trouvais. Sachant le contexte. Apprendre que Julien s'était suicidé. Que quelqu'un était mort dans *ma* vie. Symboliquement. Ce fut *parfait !* Je ne peux pas mieux dire. Symboliquement, ce fut parfait !

Si Julien ne s'était pas suicidé, j'ignore ce que je serais devenu.

Je ne tiens pas à le savoir.

Je sais seulement que je lui dois une fière chandelle.

Il m'a sauvé la vie.

J'imagine qu'il fallait au moins ça. Il faut toujours que quelqu'un meure. Qu'un sacrifice ait lieu. À la fin de la pièce. Au dernier acte. Pour que tombe le rideau. Pour libérer les spectateurs. C'est le théâtre qui veut ça. Et la vie en est un. Elle obéit aux lois de la fiction. Les époques aussi : la mort d'un seul individu a souvent scellé leur sort. Il suffit d'un cercueil pour enterrer les rêves d'une génération. Tout le monde y croit. C'est ridicule. C'est symbolique. À mon niveau existentiel des choses, il s'est passé la même entourloupe avec le suicide de Julien. Le même micmac.

Sachant que cela aurait pu être le suicide de quelqu'un d'autre.

Ce n'est pas Julien l'important.

Il n'est pas le sujet de ce récit (si c'est un récit).

D'une certaine façon, je me fiche que ce soit lui qui se soit suicidé.

Je dis bien : d'une *certaine façon.*

Je peux te le dire à toi.

Tant pis pour lui.

Tant pis pour nous tous.

Comment dire ?

Le suicide de Julien fut le dernier maillon d'une chaîne d'événements que moi seul connais. Ce pourquoi il me faut raconter toute l'histoire. Car un homme est mort *pour de vrai*.

Ce n'est pas rien la mort d'un homme.

Même s'il s'agissait d'une méprise.

« Tout ça pour une fille qui n'était même pas M. »

C'est le seul moment où les notes de mon petit carnet lèvent un coin du voile.

Je n'en dis pas plus pour l'instant.

Niveau 21

À cette terrasse de café, je n'avais pas une vision aussi nette du suicide de Julien. J'étais encore sous le choc. Je résistais férocement à son influence. Refusais de comprendre ce que cet événement signifiait pour moi en général et pour tout en particulier. Ainsi mon instant de stupeur s'éternisait-il. Il prit même une tournure – comment dire ? Derrière moi, des gens s'étaient installés à des tables tandis que j'écrivais fébrilement dans mon petit carnet et ces gens : je ne les avais pas entendus arriver. C'est comme s'ils avaient surgi de nulle part. Comme s'ils avaient pris place de façon concertée dans mon dos, en catimini, sans faire de bruit, comme les oiseaux d'Hitchcock lorsqu'ils s'amassent sur un échafaudage. Exactement cette sensation. D'une menace dans mon dos. D'un *danger*. J'avais l'impression que ces gens étaient là pour moi. Ils me voulaient quelque chose. Leur présence irradiait une sourde hostilité. Elle me faisait *flipper*. Je n'osais plus bouger sur ma chaise. N'osais pas me retourner. La nuque raide, j'essayais de deviner ce qu'ils trafiquaient dans mon dos. Combien étaient-ils ? J'avais l'impression qu'ils se faisaient des signes en cachette. Je percevais des déplacements furtifs et, au sol, je voyais leurs ombres s'étirer jusqu'à venir parfois lécher ma chaise et c'était comme si la mort elle-même rampait vers moi, s'allongeant démesurément dans ma direction, telle une flaque de sang, un gouffre s'ouvrant sous ma chaise. Comme si des ténèbres cherchaient à s'emparer de moi, voulaient M'ENGLOUTIR !

Je te rappelle que j'allais très mal à l'époque.

Lorsque du coin de l'œil, j'ai vu sur ma gauche l'un de ces monstres se détacher du groupe et se diriger vivement dans ma direction. Putain, il me fonçait carrément dessus et, à chaque pas qu'il faisait, je le voyais devenir immense, je me sentais devenir minuscule et me ratatiner sur ma chaise – oh mon dieu ! Oh seigneur ! Je crois bien avoir esquissé un geste de défense avec mon bras. Trop tard ! Le garçon de café me demandait si je voulais autre chose et il me fallut un moment pour réaliser qu'il s'agissait du garçon de café et non d'une goule hideuse d'où sortaient des sons que je n'entendais pas : je les *voyais*. On aurait dit de gros vers blancs et luisants qui grouillaient et gigotaient et qui me tiraient la langue et leur langue était caca d'oie et ils voulaient savoir si je voulais la même chose, ils n'arrêtaient pas de demander si je voulais la même chose – mais la même chose que quoi ? La même chose que qui ? C'était non ! Ma réponse était non ! Je ne voulais pas la même chose ! Je voulais autre chose. Ah oui ! J'avais mon compte et je pouvais le crier sur les toits s'il le fallait – lorsque j'ai réalisé que j'étais sinon en train de crier, du moins en train de parler très fort, oui, c'était ma voix qui zinzinulait à cette terrasse de café et devant moi se tenait le garçon de café, l'air con, l'air d'un bouledogue. Mais c'était mieux que s'il s'était agi d'une plante carnivore. Ah oui. Ouf. Le fait d'entendre ma voix m'avait ramené à de plus justes proportions de la réalité. En une fraction de seconde, cela avait fait fuir mes idées noires qui s'étaient je ne sais comment matérialisées à cette terrasse de café. Autour de moi, tout avait maintenant repris son apparence ordinaire. Nul putain de zombie dans mon dos. Ils s'étaient tous évanouis comme un troupeau de biches détale au craquement d'une brindille – bien fait pour leurs gueules ! À la place, il n'y avait qu'un groupe de touristes, effectivement nombreux, probablement descendus d'un car. Putain ! Quelle trouille en moins de deux.

De là, dans mon petit carnet, la référence au chant XI de l'*Odyssée*. Passage dans lequel Ulysse, descendu aux enfers pour connaître son avenir, s'épouvante du nombre des morts qui veulent le retenir, au point qu'il finit par s'enfuir à toutes jambes pour regagner au plus vite son bateau, trois petits points de suspension.

Regagner son navire, anagramme d'avenir.

Devant moi, le garçon de café jouait de nouveau à réaliser sa condition (comme dit l'autre) et son visage affichait l'impatience caractéristique des garçons de café qui, dans le genre client réalisant sa condition d'emmerdeur, en a vu d'autres et sans doute faudra-t-il un jour que je consulte un spécialiste pour me tenir à l'abri de ces sortes de dérapages homériques ; mais je dois avouer que j'ai tendance à leur trouver a posteriori du charme et du piquant, c'est le mot, du piquant, du piquant bleu même, a posteriori. A contrario de la folie du monde contemporain, qui est tout sauf bleue. Tout sauf piquante et stimulante et romanesque et lorsque je parle de la folie du monde contemporain, j'ai en tête ce père de famille (je le connais) qui

Niveau 22

J'ai en tête ce père de famille qui passait ses vacances avec sa compagne et leur petite fille de cinq ou six ans au bord de la mer et je ne connais pas tous les détails, je n'étais pas en vacances avec eux et cela signifie qu'il me faut faire preuve de délicatesse en même temps que d'un peu d'imagination et, bref, disons que lui (le père) avait emmené sa petite fille de cinq ou six ans se promener sur le port afin d'admirer les voiliers qui étaient amarrés et tous les deux cheminaient gentiment sur l'embarcadère au son des drisses qui cliquetaient au vent comme des mouettes de métal (j'imagine), tous les deux la main dans la main (j'imagine), lui, le père, réglant son pas sur celui de son enfant et, devant un voilier, mettant parfois un genou à terre pour expliquer avec des mots très simples ce qu'étaient la proue, la poupe, le safran, la ligne de flottaison et la quille dessous la coque, la bôme et ce câble, là, à l'arrière, c'était le pataras ; cette voile, c'était le génois, et sur les très vieux voiliers, il y avait tout en haut une voile qui s'appelait le cacatois et il (le père) d'observer à la dérobée sa petite fille parce qu'il savait que ce mot cacatois allait la faire rire. Puis le père (j'imagine encore) s'était mis à épeler le nom de chaque voilier devant lequel ils passaient comme autant d'invitations au voyage mêlées à l'apprentissage de la lecture : L'Aigue de mer, Petite Marie, Joshua, L'Hispaniola, Le Pequod, Le Jauréguiberry, Teignmouth Electron, Jolly Roger, Idéal du Gazeau, Bellino II et pourquoi me gêner puisque j'imagine.

Lorsque tous les deux, le père et la petite fille de cinq ou six ans, avaient aperçu un peu plus loin des gosses qui s'amusaient à plonger depuis un ponton de fortune et c'était un spectacle si plaisant que le père et sa petite fille de cinq ou six ans étaient restés un bon moment la main dans la main à observer ces gosses plonger en riant dans l'eau et remonter à toute vitesse sur le ponton de fortune pour se dépêcher de plonger de nouveau et encore et encore, jusqu'à épuisement, toujours riant, hilares, rayonnants. De voir ces gosses si heureux et insouciants était communicatif (j'imagine encore) et, depuis l'embarcadère, le père et sa petite fille de cinq ou six ans en souriaient rien qu'à les voir faire de grandes gerbes dans l'eau et se bousculer les uns les autres sur le ponton de fortune, pousser de grands cris à chaque fois qu'ils piquaient une tête (j'imagine toujours) et c'était un joli moment que lui, le père, et elle, la petite fille de cinq ou six ans, partageaient ensemble. Voici qu'ils regardaient pour une fois dans la même direction et ce qu'ils regardaient était joyeux.

C'est alors que la petite fille de cinq ou six ans s'était tournée vers son père et d'une voix timide qui, pour continuer d'imaginer la scène, devait être celle que prennent tous les enfants lorsqu'ils cherchent à obtenir une faveur exceptionnelle de leurs parents, elle avait demandé « où se trouvait le monsieur à qui on achetait des tickets pour jouer dans l'eau comme les enfants là-bas » et je n'invente rien. Ce coup-ci, je n'imagine pas. C'est exactement ce que la petite fille de cinq ou six ans avait demandé à son papa, ainsi que celui-ci me l'avait raconté à son retour des vacances et je me rappelle de l'air sombre qui crispait alors ses traits, oui, son regard était embué d'une espèce de tristesse morne et noire car il n'avait pas pris ce qu'avait dit sa petite fille de cinq ou six ans pour l'un de ces mots d'enfant qui font se taper grassement les adultes sur les cuisses et qui, soit dit en passant, sont ce que les parents ont inventé de mieux pour se moquer ouvertement de leurs progénitures, pour se moquer d'elles *en face et en public et en toute impunité* – non ! Le père n'avait pas trouvé drôle du tout ce que sa petite fille de cinq ou six ans avait dit sur l'embarcadère ; au contraire, cela l'avait incroyablement déprimé de découvrir tout à coup dans quel monde sa petite fille de cinq ou six ans évoluait déjà : un monde où batifoler en riant dans la mer lui paraissait payant, forcément payant, le plus naturellement du monde et où était le problème ? Sans doute le père savait-il que sa petite fille quitterait un jour la maison familiale, oui, elle s'en irait comme s'en vont les enfants et à sa tendresse serait soustraite, comme tous les enfants s'en vont un jour de par le vaste monde, comme on disait lorsque le monde semblait encore vaste, c'était dans l'ordre des choses, oui, mais pas si tôt, avait eu envie de crier le père. Pas si vite. Pas comme ça, *pas dans ce monde-ci*, non, c'était trop bête, quelle connerie et, bon dieu, « je ne veux pas faire partie du rêve de quelqu'un d'autre », s'offusquait Alice au Pays des merveilles.

C'est à ce moment-là que j'avais imaginé le père se mettre à couver d'un regard indicible sa petite fille de cinq ou six ans. À la regarder avec une espèce de malaise consterné en s'apercevant qu'il manquait là, tout de suite, à cet instant, d'arguments pour la convaincre que tout n'était pas payant dans l'existence tel qu'elle le croyait, oui, il avait beau cher-cher, il ne trouvait pas d'exemples concrets, à la fois probants et indu-bitables, qui lui auraient permis de convaincre avec des mots simples sa petite fille de cinq ou six ans et de la détromper immédiatement. De lui faire prendre conscience qu'elle regardait le monde avec les yeux du monde et non avec ses propres yeux et, en définitive, je l'avais imaginé, lui, le père, découvrir qu'il ne croyait pas vraiment à ce qu'il cherchait à dire, bon dieu, *il n'y croyait plus lui-même.* Sa propre vision du monde : voici qu'elle lui apparaissait tout à coup feinte, défunte, absurde, complètement à l'ouest. Les choses n'étaient pas du tout comme il s'apprêtait à en persuader sa petite fille de cinq ou six ans. Lui qui comptait la désabuser, il allait finalement l'abuser, il allait lui dissimuler la *vérité* et, au bout du compte, il se préparait à lui raconter un conte à dormir debout qui, à ce train-là, lui porterait sûrement pré-judice lorsqu'elle devrait se débrouiller plus tard dans la vie et je l'avais imaginé, lui, le père, entendre que quelque chose se déchirait quelque part en lui lorsqu'il avait dû admettre que, fondamentalement, il n'y avait aucune raison pour que batifoler en riant dans la mer ne devienne pas un jour prochain payant dans le monde tel qu'il était réellement devenu. Rien ne s'y opposait et le père, je l'avais imaginé regarder à cet instant sa petite fille comme on regarde quelqu'un qui se noie – et ce quelqu'un était sa propre fille, il s'agissait de cette part de lui à jamais innocente, émanation pure et inentamée de son être et je l'avais alors imaginée elle, la petite fille de cinq ou six ans, qui n'avait pas cessé de fixer avec des yeux brillants les gosses qui, là-bas, s'en donnaient tou-jours à cœur joie sur le ponton de fortune, ne pas comprendre pour-quoi son papa serrait maintenant très fort sa main (j'imagine toujours) ni ce qu'il racontait à propos de « l'argent qui parlait à travers elle car l'argent parlait, eh oui, il avait une bouche, comme monsieur Doudou, sauf qu'il disait plein de bêtises, etc. » – sinon qu'il refusait à l'évidence de lui acheter un ticket pour aller jouer avec les enfants là-bas et c'était peut-être parce qu'il n'avait pas d'argent et c'est de cette folie-là dont je parle.

Folie noire du monde contemporain.

Folie que lui, le père, n'avait pas empêché d'advenir durant sa propre existence et à laquelle il avait même concouru en tant que cadre supé-rieur dans une grosse boîte internationale. Folie qui se faisait passer pour la raison parce qu'elle n'épargnait personne et broyait tout le monde et prenait même les enfants au berceau, même *sa* fille, oui, cette folie-là, qui n'en finissait pas de rétrécir les êtres et l'aventure humaine autant que j'allonge mes phrases et je ne vais pas digresser davantage sur la folie du monde contemporain. Je ne vais pas me mettre à cracher maintenant mon petit fiel sur le grand fiel de cette époque. Quand bien même ce n'est pas l'envie qui m'en manque et je ne parle pas de petites postillonnades mais d'une belle et furieuse envie de glavioter et de mollarder sur cette folie-là du monde contemporain, je parle d'une violence nullement *gratuite* ; sauf que ce n'est ni le moment ni l'endroit de me lancer dans pareille entreprise salivaire qui, au demeurant, enquiquinerait tout le monde, en plus d'éclabousser tout le monde et je ne dis pas qu'une meilleure occasion ne se présentera pas puisque ce monde offre d'innombrables occasions de s'en prendre à lui ! Ô combien ! Même si cela ne sert à rien. Je n'ai aucune illusion sur ce point. Le monde se fiche complètement de ce que je pense. Il charge sabre au clair et je suis mis à chaque instant devant le fait accompli. Il charge sabre au clair et je me sens complètement impuissant. Je ne suis ni sourd ni aveugle cependant et vu ce qui t'attend (tu ne diras pas ensuite que tu ne savais pas !), autant te prévenir et le plus tôt est le mieux : cracher mon petit fiel sur le grand fiel de cette société est, dans mon cas, un plaisir. Voilà. Un *plaisir*. Cela ne va pas plus loin. Cela va aussi loin que va le plaisir.

Niveau 23

Sachant

petit a) que j'ai grand souci de mes plaisirs.

petit b) que je crache d'autant plus volontiers mon petit fiel sur le grand fiel de cette époque que je n'ai pas eu de relations sexuelles depuis un certain temps. Il y a un lien de cause à effet. D'une façon ou d'une autre, il faut que je *gicle*.

petit c) c'est moi Monsieur Gicle !

petit d) je gicle : je ne *discute* pas.

petit e) pfuit pfuit.

petit f) parce que cela me fait plaisir et parce que cette société le vaut bien. On croirait même que la grosse vache le fait exprès : d'énerver, de provoquer, de scandaliser, de dégoûter, d'attrister, *d'exciter*.

petit g) du reste, de bien meilleurs que moi (ô combien !) ont tenté de culbuter l'engin et… la situation s'est-elle améliorée ? N'a-t-elle pas plutôt *empiré* ? Voilà qui fait réfléchir. Meuh meuh.

petit h) ~~il existe une technique de judo qui permet d'amener l'adversaire à terre, non en lui résistant, mais en se dérobant devant lui, *en sacrifiant son propre équilibre.*~~

petit h) ~~ils sont forts ces judokas.~~

petit i) ~~il se pourrait que cette société croule faute d'ennemis sur lesquels compter. Sauf qu'en s'effondrant, il est à craindre qu'elle ne nous emporte tous dans sa chute. Il est à redouter qu'une société pire encore n'advienne. Oui, mais cette société ne nous emporte-t-elle déjà pas tous dans sa chute ? Une petite fille de cinq ou six ans n'en vient-elle pas à imaginer que se baigner dans la mer est payant ?~~

petit j) ~~alors que personne *n'aime* cette société : si tel était le cas, les publicités ne répéteraient pas à longueur de temps qu'il faut « redonner des couleurs à la vie ».~~

petit k) ~~en même temps, ceux qui fuient des pays dévastés par la guerre ou la dictature n'ont qu'une hâte : rejoindre les démocraties capitalistes.~~

petit l) ~~pourtant, à mon niveau social des choses, je n'ai pas à me plaindre de mon sort. Je vis convenablement, tout à fait bourgeoisement, sans excès mais sans me priver non plus. Tout va bien pour moi. Je fais partie des *privilégiés*, à ce qu'il paraît. (Mais ce n'est pas parce qu'on s'est mis à l'abri que le problème n'existe pas.)~~

petit m) ~~en sorte, je ne suis pas dans le collimateur de cette société. Pas directement. Dire le contraire serait indécent. Cette société n'est un « problème » que pour les pauvres et pour leurs semblables comme, disons, le nazisme ne fut un « problème » que pour les juifs (et les tziganes, les homosexuels, les malades mentaux, les opposants politiques) et où le « problème » si on n'est pas visé ? Pour ceux dont le nazisme se fichait plus ou moins, ils pouvaient s'en fiche pareillement. Ils n'avaient pas de soucis à se faire et la plupart vécurent d'ailleurs sans problème le fait que le nazisme, c'était les autres. C'était le problème des autres. Pas le leur. Chacun sa merde. Même si, à la fin, le nazisme finit par devenir *leur* problème. Ils croyaient quoi ? *What did they expect ?*~~

petit n) ~~en même temps, je ne peux pas vivre tout seul. Je suis un être *social*. Je vis en société — et quelle société justement ?~~ Je parle de l'EAU DU BOCAL ! Sous-entendu : je suis un poisson comme les autres.

petit o) attends. Il me vient une idée. J'essaie un truc. Oui. Je ferme les yeux. Je me concentre. Voilà. Quelque chose remue, oui, j'entends un bruit, j'entends qu'on crache et qu'on glaviote, j'entends des pas. Chut ! Quelqu'un vient, c'est lui, c'est Monsieur Giele, je le vois surgir de la brume de mon esprit, je le vois s'approcher, il arrive, il prend forme humaine, le voici, il s'avance. Il m'apparaît. Tiens, il est barbu. Tiens, il porte une casquette de marin. On dirait… mais oui… il ressemble… ça alors ! Saperlipopette ! Le capitaine Haddock ! Mille milliards de mille sabords ! Le capitaine Haddock ! Monsieur Giele ! Par ma chandelle verte ! Si je m'attendais…

petit p) don Quichotte a son Sancho Panza, Estragon a son Vladimir, Philinte a son Alceste, Bouvard son Pécuchet, Robinson son Vendredi, Montaigne a La Boétie, Valéry a son Monsieur Teste et moi j'ai Monsieur Giele. Chacun son pote, son compagnon d'infortune, son Roland furieux, son reflet dans la glace, son baveux, sa plaie, son boulet, son attardé mental. Chacun ses idées fixes, ses *fixations* (les fixations arriment un objet pour l'empêcher d'être emporté par le vent, par le courant, une tempête).

petit q) saluer l'apparition d'un nouveau personnage dans mon récit (si c'est un récit).

petit r) Monsieur Giele est celui qui, en moi, cherche tout le temps à écraser une araignée sans jamais y parvenir. Celui qui n'arrive jamais à se débarrasser d'un truc qui colle aux doigts et désespère.

petit s) il s'agit probablement d'une image écran, d'un *déguisement* (mon père porte une barbe taillée à la Haddock. Et son père avant lui).

petit t) désolé vieil océan ! Mais c'est encore moi qui décide ! C'est moi Tintin et toi Haddock. Ce sont *mes* aventures.

petit u) ce n'est pas parce que je me distingue de Monsieur Giele que je me désolidarise de lui. Monsieur Giele est mon *ami*. Il est mon *meilleur ami*. Je ne vais pas lui tirer une balle dans la nuque comme Lennie Small. Jamais !

petit v) ce qui me distingue fondamentalement de Monsieur Giele, c'est qu'il est incapable d'être heureux. Il est incapable d'aimer. Il souffre bien trop. Sa vision des choses n'est pas fausse : elle est *trop* parfaite. (Je peux tirer sur ta barbe ? C'est un postiche ?)

petit w) se pose ici la question de savoir si je ne devrais pas supprimer tout ce que je viens de dire. Parce qu'un livre doit *maîtriser* son sujet.

Il doit *respecter* son lecteur. Il ne peut pas prendre son plaisir sur la plage et se fiche du reste. Il doit avant tout raconter une *histoire*. Il doit vérifier certaines *règles*. Tout livre doit être L'IMAGE D'UN LIVRE. N'es-tu pas d'accord ?

petit x) ce que je suis présentement en train d'écrire, tu dirais quoi : c'est nul ? Cela n'apporte rien ? Cela ralentit l'action ? Égare inutilement le lecteur. Nuit à la cohésion de l'ensemble (j'allais dire sociale) ? À ton avis ? C'est un test.

petit y) mais je m'entends moi-même chuchoter à mon oreille que je devrais supprimer ce que je suis en train de dire. M'acharner est stupide, me dis-je à moi-même. Or, je ne suis pas sourd. Ce n'est pas Monsieur Gicle qui, de son nom, signera à la fin.

petit z) bon, d'accord, je raye tout.

Cela gagnera de la place.

Car tel que je suis parti, je crains d'être bien trop long.

Cela risque de devenir très vite un *problème*.

Si ce n'est pas Monsieur Gicle qui signe, c'est qui alors ?

Attends.

C'est comme une ampoule qui vient de s'allumer dans mon cerveau. Une ampoule de cent mille watts. Attends. Je viens de comprendre quelque chose. Je réalise là, tout de suite, en écrivant, que tout ce que *je* pense n'a strictement aucune importance. Mes opinions, mes croyances : rien à fiche ! Elles sont un élément du récit. Elles ne sont rien d'autre. *Je* est un personnage comme les autres. *Il n'est pas l'auteur.* Car l'auteur, c'est le récit. C'est l'histoire. Dont moi qui te parle ne suis que le scribe. Ce pourquoi il me faut *raconter*.

L'auteur, c'est le récit.

C'est le bateau et les flots et les dieux qui décident du voyage, ce n'est pas Ulysse. Lui n'a qu'une idée en tête et toutes les idées sont fixes.

Voilà qui change tout.

Où puisse conduire ce récit, j'aimerais que tu gardes présent à l'esprit que l'auteur, ce n'est pas moi, c'est le récit. Ne l'oublie pas. C'est important et, par parenthèse, pour ne rien te cacher, de me formuler à moi-même ce qui m'apparaît à présent une prodigieuse évidence, j'ai éprouvé une exaltation formidable. Je te jure. D'un coup, une boule de feu m'est montée au cerveau et tout mon être a fait un bond, proie de sensations vibrantes, pétillantes, électriques dans tous les sens, quasiment un orgasme, oui, un orgasme ! Car il m'arrive d'éprouver des orgasmes lorsque j'écris. Lorsqu'une phrase après l'autre, voici qu'une pensée surgit à laquelle je ne m'attendais pas. Une pensée qui, soudain, fait tilt, fait mouche, m'éblouit moi-même, m'élucide tout entier, m'ouvre d'immenses perspectives. Me fait voir plein de petites étoiles et me laisse pantois. C'est comme un flash. Comme si m'apparaissait la femme de mes rêves et, sur ma chaise, j'en tremble de tous mes membres. Je brûle. En moi-même, l'effervescence est telle que j'ai l'impression de perdre la boule et, pendant un instant, je crois effectivement devenir fou. Je me vois le devenir. *Je cesse d'écrire.* Il me faut un moment pour me calmer et faire redescendre mon rythme cardiaque. Quand bien même il me faut des pages et des pages pour faire pleurer le petit singe et atteindre cette félicité, ce n'est pas la question : cet orgasme me signale que je viens de déchirer la nuit et d'y faire entrer la lumière. Il me révèle que je suis *dedans le vrai* et cette exultation qui me soulève et me transporte d'allégresse dans le temps de l'écriture en est l'indice le plus pur. Elle en est la manifestation la plus physique. C'est elle qui détient la vérité. Car les sensations ne mentent pas. Ce pourquoi j'écris et n'écris peut-être que pour atteindre ces sortes d'orgasmes au-dessus de la ceinture.

À propos de ceinture, quel imbécile tout de même de s'être suicidé.

Niveau 24

Avec tout ça, après ce petit intermède, ce *temps faible* comme il en faut, car il n'y a pas que des temps forts dans l'existence, sachant que je pourrais aussi bien parler des écrans publicitaires qui, à la télévision, interrompent sans cesse les programmes, oui, avec tout ça, je ne sais plus très bien où j'en suis. J'imagine que toi non plus. J'imagine qu'avec tous ces tours et détours, tu as perdu le fil. Tu te demandes à quoi tout ça rime. Où je vais comme ça. Où mène ce récit ? Tu ne vois pas où il veut en venir. Tu n'es pas sûre d'avoir envie de le savoir. Tu n'as même pas l'impression de lire ce qui pourrait s'appeler un livre, tellement cela n'y ressemble pas. Je te comprends. Je ne suis pas loin de partager ton sentiment. Mais sais-tu de quoi demain sera fait ? Quelqu'un le sait-il ? C'est la même chose ici. À chaque instant, il peut se produire quelque chose qui nous éloigne de notre route. Qui nous égare et nous enfonce dans l'informe. Nous voulons aller quelque part et, tel Ulysse, nous sommes entravés. Ce n'est ni rassurant ni confortable ; mais c'est ainsi.

C'est le chaos.

Si cela t'angoisse, ce n'est pas de ma faute.

Je ne vais pas renoncer à cause de *ton* angoisse.

J'ai bien assez de la mienne.

De toute façon, j'avais prévenu (voir page 46) que ma langue était décousue, qu'elle était affreusement *bavarde*, qu'elle prenait l'eau de partout et, telle une pédale wah-wah, qu'elle amplifiait jusqu'à la distorsion la moindre résonance, etc.

Je ne mentais pas !

À quoi bon raconter un voyage si le récit n'est pas lui-même un voyage ? S'il est un trajet en TGV, c'est-à-dire raconté depuis le confort immobile d'une place numérotée et réservée à l'avance, le nez collé à la vitre, le paysage défilant à toute allure et disparaissant aussi vite. Sans possibilité de descendre quand on en a envie, ni même d'ouvrir la fenêtre.

Enfin bref.

Pour mémoire, j'étais donc à cette fichue terrasse de café devenue pendant deux ou trois heures l'endroit le plus givré de mon existence et dire que j'étais épuisé après toutes ces émotions est un euphémisme. Mais comme je ne vois plus grand-chose à ajouter sur ce qui se produisit ce fameux 27 novembre 2005, j'imagine que tu ne seras pas fâchée de me voir me lever de ma chaise pour aller me coucher au plus vite après avoir pris des cachets et, si ce n'est pour aller me coucher, à tout le moins passer à autre chose.

Ou passer à la trappe.

Bonne idée. Ce serait le moment.

Sachant que je pouvais aussi passer l'éponge et la main et mon tour et, tant que j'y étais, pourquoi ne pas passer le flambeau et mes nerfs et un savon ou même passer à l'ennemi ou à la vitesse supérieure. Sans compter que je pouvais également passer l'arme à gauche, la rampe, au peigne fin et même passer en revue et sous silence ou à la moulinette et stop, pouce, calmos ! C'est dingue finalement le nombre de solutions qui s'offrent à nous de passer à autre chose et c'est une énième chose que j'ai découverte grâce au suicide de Julien. Une chose encourageante pour tous ceux dont l'horizon leur paraît bouché et, à cette terrasse de café qui, par parenthèse, me sortait désormais par les yeux, j'avais en définitive l'embarras du choix concernant la direction à donner à mon existence après le suicide de Julien et cela signifiait qu'il allait falloir que je me coltine ce nouvel embarras en plus du super-embarras que le suicide de Julien m'avait collé sur les bras et j'avoue que je n'en avais ni la force ni le courage à ce moment-là.

De toute façon, mieux valait faire le mort à partir de maintenant. Afin de n'avoir aucune responsabilité dans quoique ce soit pouvant désormais survenir dans mon existence ou dans l'Univers, oui, je devais à partir de maintenant afficher un comportement exemplaire et une probité sans faille, tout en prenant un air cool et en me mettant à siffloter « C'est une maison bleue adossée à la colline », comme je sifflote depuis l'âge de douze ans « C'est une maison bleue adossée à la colline la si la sol fa# » lorsque je veux avoir l'air cool et ne plus me prendre la tête avec quoi que ce soit et inutile de faire ici un commentaire désobligeant car personne ne choisit ses béquilles psychologiques et encore moins à l'âge de douze ans.

Voici comment on devient très obéissant dans l'existence, malgré soi servile, insensiblement fantomatique. Car avisant l'addition sur la table, je me revois tirer de ma poche un billet de vingt euros et le coincer en évidence sous le cendrier, afin que le garçon de café soit persuadé dès son retour, au premier coup d'œil qu'il jetterait sur ma table, que j'avais payé ma consommation, de sorte que ne l'effleurerait à aucun moment le soupçon que j'avais pu partir sans payer. Pas question d'être pris en faute. Hors de question. Mes nerfs n'auraient pas supporté, au moment de m'éloigner dans la rue, d'entendre crier dans mon dos « Au voleur ! » « Arrêtez-le ! ». Je ne l'aurais pas supporté du tout ! Non plus d'être lynché par une horde de gens tout à fait excités à la perspective de redresser à coups de pied et de poing les torts qui étaient les miens puisque, d'après mon expérience, qui vaut ce qu'elle vaut mais pas moins non plus, rien ne semble davantage exciter les gens que la perspective de redresser les torts qui ne sont pas les leurs et quand je dis exciter, je suis gentil tellement redresser les torts qui ne sont pas les siens semble la passion individuelle la plus collectivement partagée, à croire qu'il s'agit du dernier plaisir auquel l'humanité puisse encore s'adonner sincèrement dans ce monde épuisé.

Je ne vais pas davantage insister sur le fait qu'en quelques minutes, en plus de prendre un sale tour paranoïaque, mon existence prit dès cet instant un tour plutôt dispendieux. Car laisser vingt euros pour un simple café crème, voilà qui était princier (pour moi). Mais tant pis. J'avais couché avec une femme dont le mari s'était suicidé après avoir écrit mon nom avec sa merde et c'était une ardoise qui n'allait pas s'effacer de sitôt et autant commencer à rembourser tout de suite ma dette dans la mesure de mes moyens. Même si le garçon de café ignorerait toujours les raisons de ma générosité ; mais je m'en fichais. C'était aussi bien comme ça. Il s'agissait dorénavant que je fasse profil bas, le temps que cette vilaine histoire se tasse. Il s'agissait de faire le bien et si cela signifiait ne plus chercher à aller au-devant de la vie, eh bien soit. J'allais attendre stoïquement, attendre modestement, de voir quel nouveau tour à sa façon l'existence me réservait et je n'ai pas eu long à attendre.

Car en ramassant le journal que j'avais plié en quatre et, si on se le rappelle, posé sur un coin de la table, une espèce de frisson s'empara de moi en découvrant la rubrique astrologique qui, en dernière page, s'étalait en dessous des prévisions météorologiques et comme un pressentiment étreint subitement le cœur, comme un gyrophare se met à tournoyer dans la nuit, je me souvins que Julien était du signe du Bélier. C'est ça. Il était Bélier. C'était un Bélier et comment savais-je que Julien était du signe du Bélier ? Bon dieu, faut-il que, *sur ce point aussi*, je doive faire toute la lumière ? OK. Tu l'auras voulu.

Niveau 25

Cela se passait lors de la fameuse nuit où Patricia et moi et, bon, allons tout de suite à l'essentiel.

Au moment où, nus sur le lit, nous reprenions tous les deux notre souffle et faisions une pause-cigarette. Tous les deux soudain silencieux et plongés chacun dans ses pensées et dans cette solitude un peu noire et éberluée qui survient lorsqu'on a éprouvé la sensation d'avoir excédé pendant un instant ses propres contours et, revenu de Cythère, voici que l'on se retrouve de nouveau aux prises avec soi-même. De nouveau seul et forclos, proie des bruits du monde, l'esprit de nouveau effroyablement lucide et la tête ailleurs, à dix mille lieues de là, comme détachée de notre corps et du plaisir qu'il vient de prendre. N'en ayant plus rien à fiche maintenant du plaisir. Le dédaignant plutôt. Lui reprochant d'avoir tout calciné et de nous faire amèrement retomber sur Terre. Au point d'avoir hâte maintenant de passer à autre chose et, pour ce qui me concernait, je grimaçais intérieurement en songeant aux éventuelles conséquences de ce qui venait d'avoir lieu, avec cependant la sensation d'être repu et reconnaissant.

Lorsque Patricia avait brisé la pénombre de la chambre pour se mettre à parler de Julien et des problèmes que leur couple rencontrait depuis dix ans qu'ils étaient mariés et j'aurais préféré qu'elle n'aborde pas ce sujet qui était le plus susceptible de me mettre mal à l'aise et qu'elle ne l'aborde pas à ce moment précis (« Oh non, pas ça ! » me rappelle avoir songé avec accablement, en m'efforçant de prêter un *maximum* d'attention à ce qu'elle disait sans qu'elle soupçonne que tout en moi bayait à ce moment-là aux corneilles et levait les yeux au ciel).

Sauf que Patricia avait besoin, là, maintenant, tout de suite, de parler d'elle et de Julien et de leur mariage qui battait de l'aile et, dans la pénombre, d'en parler à voix haute et d'en parler au plafond qu'elle fixait à ce moment-là du regard comme s'il matérialisait *au-dessus d'elle* le mur contre lequel elle se cognait dans l'existence et si je ferme les yeux pour mieux faire remonter mes souvenirs, je revois Patricia allongée sur le dos à mes côtés, nue et molle et splendidement pantelante ; je revois la sueur qui collait ses cheveux dans son cou et la marque que mes dents avaient laissée sur son épaule et je revois sa poitrine qui se soulevait à chaque fois qu'elle tirait une lente et profonde bouffée de sa cigarette que sa main droite, au terme d'une gracieuse arabesque rougeoyante, portait à intervalles réguliers à ses lèvres et si je ferme encore plus fort les yeux, je revois sa main gauche qui amignonnait mon sexe comme on caresse distraitement un chat endormi sur ses genoux et le joli verbe amignonner veut dire caresser avec tendresse et/ou dans le sens du poil et c'était exactement ce que sa main gauche faisait en même temps qu'elle me parlait d'elle et de Julien et de l'impasse dans laquelle se trouvait leur couple, sans compter leur petit garçon de deux ans, mais pas seulement.

Car il y avait aussi cette dette qu'elle pensait avoir contractée envers Julien. Savais-je qu'ils se connaissaient depuis le lycée ? Ils s'étaient un temps perdus de vue ; puis ils s'étaient retrouvés et ne s'étaient plus quittés. S'étaient mariés. C'était il y a dix ans. Comme le temps passait vite. Ils avaient fini par faire un enfant. Elle n'était pas sûre de vouloir. Mais tout semblait tellement évident. Comme s'ils n'avaient pas le choix. Ils étaient si proches depuis toujours. Julien était « comme son frère ». Comprenais-je ? Il avait toujours été là. Il s'était toujours soucié d'elle. Il l'aimait tellement. Mais elle n'en pouvait plus maintenant. Elle étouffait. Julien était devenu comme son enfant. Il l'avait toujours été mais depuis que leur fils était né, c'était pire. Elle avait maintenant deux enfants à s'occuper et c'était un de trop. Ce n'était pas ce qu'elle voulait. Elle avait envie de vivre. Elle avait envie d'un homme. Elle avait envie de se *lâcher*. Comprenais-je ? Elle vieillissait, elle aurait bientôt quarante ans et elle avait le sentiment de n'avoir rien vécu. De passer à côté de son existence. Comprenais-je ? Pour une femme, la quarantaine, c'était le début de la mise en quarantaine. Mais elle ne pouvait pas quitter Julien. Elle ne pouvait pas lui faire un coup pareil. *Ça le tuerait,* disait-elle en fixant obstinément le plafond une semaine avant que Julien ne se suicide.

Niveau 26

Sans doute est-ce difficile à comprendre et encore plus difficile à supporter pour tous les conjoints du monde (dont je fus dans une vie antérieure), mais il n'y avait rien d'obscène dans cette scène. Elle n'avait rien d'injurieux pour Julien. C'est à lui, uniquement à lui et sincèrement à lui, que Patricia pensait en caressant du bout des doigts mon sexe et cela ne me vexait pas ni ne m'attristait car j'imaginais bien qu'elle avait des raisons personnelles et, en l'occurrence, conjugales de se retrouver dans un lit avec moi. Moi-même avais des raisons particulières de me retrouver au lit avec elle sans qu'elle soupçonne combien ces raisons étaient ce qui la rendait attrayante à mes yeux et, en même temps, la niait paisiblement en face et j'enfonce peut-être ici une porte ouverte, mais c'est drôle comme dans un lit personne n'avoue jamais l'intérêt qu'il sait être le sien et, au contraire, dissimule ce qu'il trouve chez l'autre d'avantageux pour lui et de désavantageux pour lui et je suis sûr que tu vois très bien de quelle sorte de calculs intériorisés je parle.

C'est même drôle comme, dans ces moments de parfaite intimité, chacun s'emploie à dissimuler la vérité qui est la sienne comme si l'autre ne s'y employait pas tout autant dans son coin et à quoi jouons-nous en définitive les uns et les autres ? Que cachent ces cachotteries ? Que notre souci de l'autre n'est que le profit que nous tirons de lui ? Dit comme cela, cela ne donne pas envie. Cela expliquerait le silence. Mais si c'est la vérité ? Si cet intérêt par-devers soi était tout ce que nous avions à offrir et qu'il était même ce que nous pouvions offrir de *mieux* ? On voit le tableau ? Car finalement, qui sommes-nous pour exiger que l'on s'intéresse à nous ? À *nous* en quatre lettres et pas une de plus. D'où cette revendication permanente et affolée ? Qu'avons-nous de si exceptionnel les uns et les autres ? De si prestigieux ? Pour que l'un de nos semblables, quelqu'un fait de la même viande et tombé pareillement d'un vagin, voué tout autant à la décrépitude et au néant

– en un mot, quelqu'un rigoureusement de notre espèce – puisse tout à trac, comme ça, d'un coup de baguette magique, du seul fait que nous serions qui nous sommes, nous trouver dignes d'intérêt ? Puisse poser ne serait-ce qu'un regard sur nous sans y mettre un peu, beaucoup, passionnément, à la folie du sien ? Alors qu'il suffit de se regarder dans une glace : qui voudrait de soi s'il se rencontrait ? Franchement. Sachant ce qu'il sait de lui. Sachant *tout* ce qu'il sait sur son compte.

Il est des questions qu'il vaudrait mieux ne jamais poser et je n'ai pas plus qu'un autre envie de savoir ce que je trafique réellement dans un lit. Surtout si c'est pour m'apercevoir que, dans le fond mais pas dans la forme, personne n'en a personnellement rien à fiche de personne et je me mets bien évidemment dans le lot, en plein dedans, jusqu'au cou, en tant que personne. Sauf que si c'est la vérité, qu'est-ce qui nous empêche d'en parler ? Ne serait-ce que pour en avoir le cœur net. Rire de nous. Créer un déclic. Briser le cercle. Je ne sais pas. J'ai lu il y a deux jours dans le journal qu'une certaine Ma Nuo, 22 ans, préférait « pleurer à l'arrière d'une BMW plutôt que d'être heureuse à l'arrière d'un vélo » et – comment dire ? Qu'y a-t-il de réel entre les êtres ? *Qu'y a-t-il de réel entre les êtres ?*

Niveau 27

Mais ras-le-bol des questions d'intérêt général. D'autant que cela n'a rien à voir avec l'horoscope de Julien et, hop, abracadabra, voici que je ferme de nouveau les yeux et que les images recommencent à défiler derrière mes paupières closes et je les fais défiler cette fois en avance rapide pour ne plus te faire perdre ton temps ni moi le mien et stop. Nous y voici. Pile à l'endroit. Regarde bien. Patricia est en train d'écraser sa cigarette dans le cendrier et la voix que tu entends est la sienne, on l'entend nettement s'élever dans la pénombre et que dit-elle ? Écoute bien. Chut. Elle dit que Julien est du signe du Bélier alors qu'elle-même est du signe du Sagittaire et le dit-elle oui ou non ? Mais écoute encore. Ce n'est pas fini. Écoute. C'est drôle, c'est elle qui dit que c'est drôle et perçois-tu le ton un peu forcé de sa voix, comme une amertume, lorsqu'elle dit que les Bélier et les Sagittaire sont deux signes de feu et qu'ils ne peuvent pas faire bon ménage très longtemps parce que s'ils font des étincelles au début, c'est pour mieux brûler à la fin dans les flammes de l'Enfer et qu'en pensait le plafond ?

C'est bon ? Je peux rouvrir les yeux ? Tu me crois lorsque je dis que Julien était du signe du Bélier ? Faudra-t-il vraiment que je me justifie jusqu'à la fin des temps ? En tous les cas, je rouvre les yeux là, tout de suite, maintenant et, miracle des mots, me voici de nouveau à cette foutue terrasse de café en train de me les geler avec, sous les yeux, la rubrique astrologique du journal que je tenais désormais entre mes doigts et comme une rime éblouit tout à coup le sens d'un mot, la pensée que Julien était du signe du Bélier me revint à la mémoire, comme une minuscule petite décharge électrique m'avertissant de quelque chose et par acquit de conscience, appelons ça un pressentiment, je me suis mis à chercher dans le journal ce que les astres prédisaient ce jour-là aux natifs du signe du Bélier et

Niveau 28

Je sais que c'est ridicule. Je sais que les rubriques astrologiques ne sont qu'un ramassis de conneries destiné aux individus dont la minuscule, obscure et immobile existence ressemble tellement à un cul-de-sac et, disons-le, à une fosse à merde qu'ils ne trouvent de soulagement que dans la lumineuse et ample trajectoire des grands corps célestes, dirait un sociologue. Des conneries qui traduisent un complexe de castration en donnant l'illusion d'être relié au ciel faute d'être relié au père, dirait pour sa part un psychanalyste. Je sais cela et je sais d'autres choses imparables à propos des rubriques astrologiques qui, sans même évoquer leur absurdité astronomique, renforcent la soumission à l'ordre établi en détournant au ciel la source de ce qui se produit sur Terre, dirait cette fois un marxiste ; mais il se trouve que j'étais précisément à l'époque l'un de ces individus dont l'existence ressemble à une fosse à merde, sans compter que je souffre indéniablement de n'être pas relié au père et que je ne peux me dissimuler un grave complexe de castration et c'était si vrai que cela faisait des mois – depuis M en fait, depuis la page 512, mais chut ! – que je consultais chaque matin *mon* horoscope pour y chercher, parmi la masse des informations qui m'enseignent à longueur de colonne l'insignifiance qui est la mienne dans ce monde et l'impuissance qui est la mienne dans ce monde, celle qui, en toute fin de journal, in extremis pour le dire en latin, semblait tout à coup s'intéresser à mon sort en particulier. Celle qui, de manière coruscante, me rappelait que je ne suis pas un être totalement sans destin et qui, pour la modique somme de un euro, m'inventait chaque matin une actualité dont je pouvais enfin avoir l'usage et quelqu'un a-t-il mieux à me proposer en attendant un changement de civilisation ? De quoi me consoler de manière moins futile et humiliante pour une somme également dérisoire ? Personne ? Aucune transcendance au jour le jour ? C'est bien ce que je pensais.

Que cette actualité astrologique fut éphémère me convenait très bien : chaque jour m'apportait une destinée à accomplir ; je n'étais jamais désœuvré ; tantôt une nouvelle rencontre allait « me redonner le sourire », tantôt je devais me méfier de « quelqu'un dans mon entourage » ou m'attendre « à un succès inattendu », tantôt j'avais intérêt à « faire du footing » ou à « manger du foie de veau », tantôt c'était autre chose et je trouvais *toujours* le moyen, aussi ténu et tiré par les cheveux fût-il, de vérifier dans mon existence et jusque dans mon assiette ce que me prédisaient les astres. Que je lise un matin « Stress en hausse » et, aussitôt, dans la seconde, je me sentais stressé de la tête aux pieds, follement angoissé pour toute la journée, que je passais effectivement dans un état de nervosité qui me prenait la tête et n'ayant qu'une hâte : que se termine cette sale journée car jamais les astres ne prédisent deux jours de suite la même chose et, au passage, tant de créativité au jour le jour éblouit autant qu'elle donne à réfléchir. Tant d'inventivité quotidienne sans jamais se répéter est la marque d'esprits supérieurs. On n'est pas loin ici de la littérature la plus romanesque. Chaque matin, un *texte* ne me rappelait-il pas que je venais de bien plus loin et, du néant quotidien, que je n'étais pas le jouet coqueluché – même si je ne sais pas trop ce que « jouet coqueluché » peut signifier, mais il faut savoir lâcher du lest de temps en temps. Eh quoi ! Grâce aux astres, mon attention se tenait chaque jour en éveil ; le génie de ma vie palpitait à la lecture de ce que me prédisait le ciel et pour fallacieuse que fut cette aspiration vers les hautes sphères, cela ne me troublait nullement puisque… parce que… euh… je n'en sais trop rien… je n'ai pas réponse à tout… euh… n'est-ce pas Bob Dylan qui changea sa date de naissance parce qu'il préférait être Taureau plutôt que Gémeaux… euh… « le vrai n'est-il pas un moment du faux » ? J'ai lu cette phrase un jour et je ne suis pas certain qu'elle convienne dans ce cas précis, mais me la rappeler tombe à pic et c'est donc ce que je dirais s'il faut à tout prix que je me justifie comme il semble que je doive me justifier *à chaque instant* depuis le 27 novembre 2005 – et me justifier d'abord à mes propres yeux. Au risque de citer un auteur qui n'était ni philosophe ni allemand mais puisqu'il est mort et que tout le monde en semble convaincu, j'imagine que ce n'est pas grave. C'est du passé. Ça vaut que dalle. Ce n'est plus d'actualité.

Quel auteur ? Cela changerait quoi de le savoir ? Franchement. Pour aller y voir de plus près et me laisser en plan ? M'empêcher de parler de Julien et de son horoscope pour la journée du 27 novembre 2005, comme je l'aurais déjà fait *si je n'étais tout le temps interrompu* ? Me préférer un autre auteur ? Pas si fou ! Que chacun se débrouille avec ce qu'il sait et ignore. De toute manière, citer ses sources est absurde : quelle friture aussitôt sur sa ligne ! On donne tout de suite l'impression de citer *tout* Machin ou *tout* Bidule et, à la fin, son petit filet de voix se perd dans l'aura des guillemets, comme écrasé, oui, plus personne n'entend ce que l'on cherche à dire au travers des phrases d'un autre et, au bout du compte, on donne l'impression d'être un nain qui se hisse sur l'épaule d'un géant pour paraître plus grand. On croit qu'on fait étalage de sa science en sortant de sa manche des noms prestigieux comme seuls les tricheurs et les escrocs ont l'art de sortir des as de leur manche et pour toutes ces raisons (et d'autres trop longues à développer), tout le monde vous regarde soudain de travers à cause de vos citations à la gomme, oui, plus personne ne vous fait confiance comme moi-même n'ai plus aucune confiance dans la truite sauce au beurre blanc parce que je viens d'apprendre à la radio que c'était le plat favori d'hitler et voilà autre chose.

Voilà que je dérive toujours plus au sud. Ou est-ce à l'ouest ?

Niveau 29

Cela me rappelle.

J'ai fait un petit sondage parmi mon entourage.

Il vaut ce qu'il vaut, mais il en ressort que je ne suis pas le seul à éprouver le sentiment d'avoir loupé un épisode dans mon existence. D'avoir raté ma vie, pour parler franc, et c'est irrémédiable. C'est un gouffre en soi. Pas le seul à me demander, dans un moment d'absence ou de lucidité, comment l'existence a pu prendre la direction qu'elle a prise ? Comment en est-on arrivé là où on en est ? À cette débâcle. À ce désastre. Par quels détours et sortilèges ? Quel est le fil conducteur, au-delà des étapes pas à pas ? Sans même parler du suicide de Julien, que s'est-il passé exactement ? À quel moment ? Pour se retrouver à vivre cette vie et pas une autre. À habiter cet appartement depuis des années et à faire le même boulot jour après jour. À partager son lit avec la même personne depuis si longtemps et à entretenir des gosses qui ne se doutent encore de rien et la caisse du chat à changer chaque jour ou le chien à sortir matin midi et soir, etc.

Ce n'est pas que cette vie, cet appartement, ce boulot, cette personne, ces gosses, ce chat ou ce chien soient épouvantables. Ce n'est pas ça. Pas seulement ça, dixit mon petit sondage. C'est plutôt que cette vie semble tellement incongrue. Inerte. Mutilée. Elle est devenue *n'importe quoi*. Vie débile. Vie hors sujet. Vie morte et enterrée et j'en passe de plus grossier du style « vie de merde », « vie de cons » et je suis fondamentalement d'accord. Ma vie n'est pas ma vie, m'entends-je moi-même dire dans pareils moments d'absence ou de lucidité – et dire d'une voix forte, presque un cri. Ma vie est une autre, me mets-je à boxer l'air des deux poings dans ces moments-là. Elle ne *ressemble* pas à ma vie. Ah non ! Elle est ce que ma vie est devenue contre toute attente. Par la force des choses, comme on dit. La foutue force des choses. Par négligence et faiblesse aussi. Par ma faute, je veux bien l'admettre. Par lâcheté et pression sociale ou je ne sais quoi. Déterminismes en tout genre. Poids du passé et peurs implantées. Accumulation de hasards, de circonstances diverses et variées, d'infimes décisions prises sur le moment sans mesurer leur portée, sans parler d'un manque probable d'imagination, d'un travail de sape à la racine, de rencontres plus ou moins favorables, plus ou moins fatales et je songe ici à M (mais chut !). Résultat : toute notre existence se retrouve vidée de sa substance. Elle n'est plus qu'un leurre, un cadavre, une lividité. Elle ne vaut même pas la peine d'être vécue, même si on préfère ne pas se l'avouer.

Comment ai-je pu me retrouver dans une telle MERDE ?

Ai-je contrôlé quoi que ce soit un jour ? Aurais-je choisi cette existence si on me l'avait montrée sur catalogue ? L'aurais-je souhaitée en poussant des cris de joie et en trépignant d'impatience lorsque j'avais dix ans ? Suis-je l'être que j'espérais devenir ? Les réponses à ces questions sont toutes déprimantes et dans ces moments d'absence ou de lucidité qui, fort heureusement, ne durent jamais longtemps, comme s'il était psychiquement impossible de s'éterniser dans semblables moments d'absence ou de lucidité, un mot finit par venir de manière irrésistible aux lèvres et c'est le mot : escroquerie. Ce mot-là et pas un autre. Avec lequel il nous faut nous bagarrer tout au fond de nous, en un combat à mains nues, afin qu'il ne nous emporte pas tout entier et l'Univers du même coup. Ne nous gâche pas toute joie de vivre. Ce qui semble avoir été le cas de Julien (sans vouloir conjecturer).

Le comique de la situation, c'est que personne n'a l'idée de nous prévenir que les événements vont, à notre pitoyable niveau individuel des choses, tourner au grand n'importe quoi alors que tout le monde est au courant depuis des milliers d'années. Quel secret incroyablement bien gardé ! Presque une conspiration, j'allais dire constipation. En tous les cas, personne ne m'a jamais préparé à cette idée – ni mes parents, ni la société, ni les émissions du dimanche après-midi de Michel Drucker, etc. Mais c'est peut-être que mes parents, la société et les émissions du dimanche après-midi de Michel Drucker font partie du complot, si c'en est un. Et il est trop tard à présent. Les jeux sont plus ou moins faits, surtout depuis le suicide de Julien. Je me trouve si loin de moi désormais. Si loin de *l'idée* que je me faisais de la suite des événements. Aussi loin que, disons, me mettre tout à coup à parler d'hitler et de truite sauce au beurre blanc, parce que j'ai entendu tout à l'heure à la radio qu'hitler adorait la truite sauce au beurre blanc et cela m'a fichu un coup : moi aussi j'adore la truite sauce au beurre blanc et maintenant que je sais qu'il existe un lien, fût-il culinaire, entre Adolf et moi, je me pose tout un tas de questions sur mes goûts et sur leur signification profonde, oui, je me demande si je ne perpétue pas l'ignominie sans le savoir, alors que c'est la seule bonne question que je me suis jamais posée et à laquelle j'ai toujours tenté de répondre et, à la fin, ma vie est devenue une sombre merde. À la fin, Julien s'est pendu à la poignée d'une fenêtre avec sa ceinture. Alors que j'étais parti plein d'enthousiasme et de foi en l'avenir pour parler de son horoscope concernant la journée du 27 novembre 2005. L'horoscope qui fut le sien le dernier jour de sa vie et l'horoscope qui fut le dernier horoscope de toute son existence et, sur le papier, cela avait tout de même fière allure et je fais quoi maintenant ? Vais où ?

Niveau 30

C'est simple : je fais comme tout le monde, faute de connaître le moyen de rebrousser chemin pour repartir du bon pied dans la bonne direction. C'est-à-dire que je vais crânement aller de l'avant en sifflotant « C'est une maison bleue la si la sol fa# » et la pensée d'Ulysse contrarié dix années durant (*dix années durant !*) dans ses projets m'accompagnera comme la pensée d'Ulysse m'accompagne en permanence et de toute manière la vie continue. C'est bien ce qu'on dit : la vie continue. *La vie continue.* Le dit-on oui ou non ? Il ferait beau voir que l'on me reproche mes petits errements narratifs s'ils sont le lot commun et inutile d'être plus royaliste avec moi qu'on ne l'est avec soi-même et le bon côté des choses (car il y a toujours un bon côté des choses, il y a toujours un endroit par où la réalité nous sauve d'elle) – mais basta.

Avec tous ces bavardages, j'oublie que je me trouve toujours à cette foutue terrasse de café et j'en suis moi-même le premier surpris. Car je n'ai pas bougé d'un cil ni fait le moindre geste depuis la page 51, sinon taper des pieds pour me réchauffer en attendant qu'on veuille bien de nouveau s'intéresser à moi et se soucier de mon sort et ne plus me laisser poireauter comme un con dans le froid sans rien pouvoir faire d'autre que poireauter dans le froid comme un con et quelle désinvolture à mon endroit ! De qui se moque-t-on ? Alors que c'est *mon* histoire et, sans moi, il n'y aurait tout simplement pas d'histoire à raconter. Alors que c'est moi et personne d'autre qui dois vivre avec le poids du suicide de Julien, moi qui me suis rappelé que Julien était du signe du Bélier et moi encore qui, pris d'une subite inspiration, me suis mis à chercher dans la rubrique astrologique du journal que j'avais déplié et tenais désormais ouvert devant moi ce que les astres prédisaient ce jour-là, ce fameux dimanche 27 novembre 2005, aux natifs du signe du Bélier en général et, par voie de conséquence, ce qu'ils prédisaient ce jour-là à Julien, oui, par acquit de conscience, appelons ça de nouveau un pressentiment, je voulais vérifier si des fois, par hasard, non, pas par hasard justement, enfin si, enfin bref, j'ai regardé ce que les astres prédisaient ce jour-là aux natifs du signe du Bélier en général et à Julien en particulier et je n'en ai pas cru mes yeux.

Ce qui s'appelle ne pas en croire ses yeux.

Un long moment je suis resté à lire et à relire ce qui était écrit dans le journal jusqu'à ce que je comprenne et admette que je ne me trompais pas de ligne ni de signe astrologique. Je ne me trompais pas non plus de date. Il n'y avait pas d'erreur. Mot pour mot il était écrit à l'intention des natifs du signe du Bélier en général et de Julien en particulier deux points ouvrez les guillemets : « *Vous risquez de régler un problème conjugal sans faire trop de bruit* » – et je répète parce que je ne m'en lasse pas moi-même : il était écrit noir sur blanc que Julien, en tant que natif du signe du Bélier, risquait ce fameux 27 novembre 2005 de régler un problème conjugal sans faire trop de bruit et

merci monsieur l'imprimeur de sauter ici une deux trois quatre lignes car en ce qui me concerne, j'ai le souvenir d'un blanc à ce moment-là.

D'un court-circuit dans mon cerveau. Comme si un coup de poing à l'estomac m'avait coupé le souffle, mais dans la tête. Quelque chose comme ça. Pendant une deux trois quatre secondes. Durant lesquelles je suis resté sans voix à cette terrasse de café. Les bras mous. La bouche sûrement ouverte. Le cerveau en capilotade. Comme lorsque Zidane a donné son fameux coup de boule. Pour ceux qui étaient devant leur télévision, se rappellent-ils leur effarement pendant une deux trois ou quatre secondes ? Et tout de suite après, comme si on avait directement jeté dans leur bulbe rachidien des tubes entiers de cachets effervescents, les cris, les exclamations, les gestes affolés et le flot débridé des paroles. Ces tentatives furieuses et désordonnées de mettre des mots. D'en trouver au plus vite. À tout prix. Afin de se hisser verbalement à la hauteur du choc. De le réduire au bruit. De colmater la brèche ouverte dans l'ordre devenu soudain trop réel des choses. Pourquoi crie-t-on dès qu'on a mal quelque part ? Quel rapport de cause à effet ?

S'il avait été en mon pouvoir de transcrire par télépathie dans mon petit carnet ce qui se passa à cet instant précis dans ma tête, je crois que cela aurait donné quelque chose comme « wow, blaarzh, gling glong, vaaache, diiingue, quel délire, putain, génial, personne ne me croira jamais, Vous risquez de régler un problème conjugal, – et comment donc !, sans faire trop de bruit, tu l'as dit bouffi, oh Julien !, poor Yorick, j'y crois pas, qu'est ce que tout cela signifie ?, c'est une maison bleue accrochée à la colline » et qui dit mieux ? Pas moi. Car jamais je n'aurais trouvé litote capable d'en dire aussi peu sur le suicide de Julien afin d'en suggérer infiniment plus. Même en me creusant la cervelle, l'idée ne me serait jamais venue de considérer le suicide de Julien et, potentiellement, n'importe quel suicide, comme le moyen de régler un problème (conjugal ou autre) sans faire trop bruit. Il fallait y songer. Chapeau. Bravo les astres. Salut les mirifiques. Je défie quiconque de trouver plus perspicace. Sans la moindre caméra pour filmer la scène et c'est très bien ainsi. Il y a des émotions qu'aucune image ne peut percer à jour.

Niveau 31

Un jour, j'ai rencontré une autre femme dans un bar. C'était le même bar que l'autre fois et, là encore, c'était un soir. Là encore nous partagions la même soucoupe de chips et la conversation s'était naturellement engagée entre nous et elle ressemblait à une publicité – mais je ne me rappelle plus laquelle. Je ne peux pas me rappeler de tout.

Ce dont je me souviens, c'est d'avoir fixé les chips dans la soucoupe et de m'être senti soudain mal à l'aise. Ce n'étaient pas des chips, là, dans la soucoupe, mais des oreilles. D'un coup j'ai réalisé que les chips étaient des oreilles. Pas seulement celles qui se trouvaient sur le comptoir, mais toutes les chips. Il suffit de les regarder : elles ressemblent terriblement à des oreilles. On dirait qu'elles sont tout ouïe. Elles n'ont l'air de rien dans leur soucoupe, elles semblent inoffensives, mais elles écoutent tout ce qui se raconte à portée de chips. C'est évident. Je l'ai compris ce soir-là. On croit penser à tout, mais on oublie les chips qui tendent l'oreille dans de petites soucoupes offertes sournoisement aux clients dans *d'innombrables* établissements et, si tu veux le savoir, je vide toujours les soucoupes de chips qui se trouvent devant moi. Je m'y applique désormais consciencieusement. C'est plus fort que moi. Et si je n'en peux plus de m'empiffrer de chips, j'émiette discrètement celles qui restent jusqu'à les réduire en une poudre de chips tellement fine et turpide qu'il ferait beau voir qu'un seul mot puisse encore en sortir. Rien de ce que je dis ne doit transpirer sans mon consentement. Ma tranquillité d'esprit est à ce prix.

J'avais fait part de ma découverte à ma voisine et, si elle voulait mon avis, cela ne m'étonnait pas tant que ça. La réalité a plus d'imagination que nous et comprenait-elle ce que cela signifiait ? Suivait-elle mon regard ? Tant de choses se produisent de par le monde qui ne sont pas censées se produire et moi-même avais un jour couché avec une femme dont le mari… euh… vous pouvez me croire, me repris-je. Tant de situations surviennent qu'on n'imaginait pas pouvoir se produire et je pouvais, là, tout de suite, dresser la liste d'un certain nombre d'événements qui prouvaient que j'avais raison. Depuis A comme Auschwitz, B comme Buchenwald, C comme Chelmno, D comme Dachau… euh… R comme Romeu et connaissait-elle Jean-Pierre Romeu ?

Un rugbyman français des années 70. Dit le Gaulois, à cause de ses moustaches spectaculaires. Jean-Pierre Romeu. Comme le temps passe, mais pas nos souvenirs. Avait-elle déjà entendu parler de Romeu ? S'intéressait-elle au rugby ? À l'art d'aller de l'avant en se faisant des passes en arrière ? Tant pis. Pas grave. Romeu était très célèbre dans les années 70. C'est lui qui, à la dernière minute d'un certain Irlande-France, botta la pénalité du Grand Chelem. La pénalité du *Grand Chelem* ! Se rendait-elle compte ? La France n'en avait gagné qu'un seul en cinquante années de participation au tournoi des cinq nations : c'était en 1968, une grande année, fallait croire (sourire). Et voici qu'un essai tricolore à la toute dernière minute, limpide, inespéré. Un essai de trois-quarts, après une 89 d'école derrière la mêlée et une immense contre-attaque. Bon dieu, voici que l'exploit redevenait possible. Il ne tenait plus qu'à la transformation de l'essai. Celle-ci idéalement placée puisqu'elle se trouvait juste en face des poteaux, à même pas vingt mètres : du gâteau ! Quelle euphorie ! *La pénalité du Grand Chelem* ! Cela se passait à Dublin au printemps 1973, j'avais douze ans à l'époque et, devant le poste de télévision, je ne tenais plus en place. J'avais cessé de respirer. Je coqueriquais déjà de joie. Tout à fait chaviré j'étais à ce moment-là. Sauvé par avance du concept de l'échec et entrevoyant pour la première fois sa réfutation en marche. La victoire était donc une possibilité *pour de vrai* ? La défaite nullement une *fatalité* ? Il y avait tant d'espérances au bout du pied de Romeu. Il y avait tant *d'enseignements* à retirer de cette pénalité. Et j'étais là pour voir ça. Cela se passait de mon vivant. Je pourrais dire que j'y étais.

Sauf que Romeu botta comme une bouse. Comme une bouse il botta ! Je vous jure. *C'est à peine si le ballon décolla du sol !* Comme s'il refusait tout net de s'élever dans les airs. Détournait exprès les yeux de sa cible parce qu'il aurait aperçu une mésange ou je ne sais quoi qui aurait soudain capté son attention. Je vous jure, c'est plein de dégoût, absolument à contrecœur que le ballon quitta le sol et, tel un papier gras mollement emporté par le vent, qu'il passa à droite des poteaux. *Il n'atteignit même pas les poteaux !* Une vraie boucherie ! Romeu lui-même n'en revint pas. Il s'arracha carrément la moustache sur la pelouse. J'en ris aujourd'hui, quarante ans plus tard, mais quelque chose se brisa en moi à ce moment-là. Je vous jure. Comme si c'était ma vie qui venait de passer à droite des poteaux. Ma vie qui ne décollerait jamais vraiment du sol. Je me souviens être resté sans voix, les yeux écarquillés, le cœur dévasté, l'esprit vide, mou, effondré. M'être pris la tête entre les mains. Avoir cherché quelque part un soutien sans en trouver aucun. Que s'était-il passé ? Comment Romeu avait-il pu louper cette pénalité ? Ce n'était pas dieu possible. Je n'en croyais pas mes yeux. J'étais au bord des larmes. Tout mon être sanglotait. Qu'allais-je devenir ? C'était trop atroce. Cela m'apprendrait. J'étais trop bête à la fin. Je m'étais vu quand j'étais plein d'espoir ? Je m'étais vu quand je faisais confiance aux autres ?

C'est finalement cette défaite qui fut pleine d'enseignements. Car ce jour-là, j'eus la révélation de l'impensable. *L'impensable*. C'est le mot. Il n'y en a pas d'autres. Je vous jure. L'Impensable. Avec une majuscule. En dix lettres. Commençant par Romeu et finissant à droite des poteaux. À mon niveau individuel des choses, j'ai découvert ce jour-là que l'Impensable existait. J'ai appris ce nouveau mot. Sans l'aide d'aucun philosophe allemand. À l'âge de douze ans et ce ne fut pas de la tarte. Ainsi devient-on précoce. Ainsi n'a-t-on pas vraiment envie de grandir. Deux ans auparavant, j'avais déjà eu un avant-goût de l'Impensable en abattant une petite mésange alors que je visais une bouteille en plastique et si elle voulait en savoir plus sur cette triste histoire, elle n'avait qu'à aller page 29. Mais cette fois, je n'y étais pour rien. L'Impensable existait par-delà mon cas particulier, des milliers de gens avaient pu le voir se manifester en direct et comprenait-elle ? C'était important qu'elle comprenne. Car il s'agissait de choses qui vous marquent à vie. Qui vous fendent la conscience en deux et impossible ensuite de recoller tout à fait les morceaux. Qui vous donnent un aperçu du tragique à venir et de tout ce qui par la suite passera fatalement à droite des poteaux, ou même à gauche des poteaux et ne rigolez pas ! Je suis très sérieux quand je dis ça. Ma vie aurait été tout autre si cet empoté de Romeu avait réussi cette foutue pénalité. J'aurais cru que d'autres pouvaient porter mes couleurs et me *représenter*. Et Julien ne se serait jamais suicidé – hein ? Non, ce serait trop long à vous expliquer, pardon. Mais je vous soûle avec mes histoires… je vois bien… pardon… je ne fais que parler de moi… euh… avait-elle connu de son côté pareille désillusion ? Semblable vertige ? Sans vouloir paraître indiscret, se souvenait-elle la première fois où elle avait senti passer sur elle le vent de l'aile de l'Impensable ?

Je ne me rappelle plus ce qu'elle répondit.

Ce n'est pas bien grave.

Ce ne devait pas être important.

Niveau 32

Qu'ajouter de plus ?

Rien.

Je pense en avoir terminé cette fois pour de bon avec cette maudite terrasse de café.

Ouf.

Si cela ne tenait qu'à moi, je plaquerais d'ailleurs tout sur-le-champ : choses et gens et astres et tout ce qui va avec. J'enverrais tout balader.

Parce que ras-le-bol. C'était mon Truman Show ou quoi ? Des gens se planquaient-ils derrière les décors, n'attendant qu'un signe pour apparaître et se mettre à applaudir à tout rompre tandis que mille projecteurs, les feux de toute la rampe, l'éblouissement total et j'imagine déjà la scène. Je vois d'ici les paillettes et les cotillons et les caméras qui foncent vers moi tels d'énormes insectes crapuleux et elles me mettent en joue tandis que, surgissant de nulle part, un orchestre se met à jouer à fond les ballons avec des hordes de synthés rutilants, mille violons zinzinulant, toutes les trompettes de Jéricho en même temps et j'imagine l'animateur multicolore bondissant, hurlant, en chaleur, hourra, bravo, bonjour publiiiiic, bonjoouuuur, chauffe Marcel et je vois les dents de l'animateur, splendides, immenses, en caoutchouc, phosphorescentes ; je *sens* sa main qui se pose sur mon épaule comme si on était de vieux potes et que nous avions gardé les vaches ensemble, compté les mêmes fleurettes, chié dans le même vase, mâché le même chewing-gum, etc. Sa main de flic en réalité, posée sur mon épaule pour contrôler mes réactions au cas où, des fois que, je sens bien, oh oui, cette autorité qui sourit de toutes ses dents sur mon épaule et toujours les tonnerres d'applaudissements, sans discontinuer, la claque parfaitement réglée, vlan et vlan, par vagues immenses, des tornades d'applaudissements, des cyclones de bravos, l'énorme son & lumière et j'imagine la tête que je fais à ce moment-là. Ma tête en découvrant que tout ce qui vient de m'arriver n'était qu'une mascarade. Un jeu télévisé. Un falbala monté de toutes pièces. Que Julien ne s'est pas suicidé. D'ailleurs il est làààààà, en couliiiiiiiisse, hurle l'animateur. Mais ouiiii-iiiii. Julien n'est pas mooooort et il va venir nous rejoindre dans un instant. Avec Patricia, mais ouiiiiiiii, Patricia est là aussiiiii ! La charmante Patriciiiaaaaa ! Elle aussi va venir nous rejoindre. C'était une farce, mais ouiiiiiiii. Mais restez là Grégoire. Venez près de moi Grégoaaaare. N'ayez pas peur. (*N'aie pas peur !*) En vérité je vous le dis : rien n'est vrai. Tout est faux. Tout est buée. Tout est vanité. Tout est show ! Ah ah ah. Allez le public, on applaudit encore notre fabuleux candidat aux galères. On lui fait une ovation. Vous êtes là le publiiiii-iiiic ? Vous êtes formidaaaaaable ! Je vous aiiiiiiimmme. Mais on ne vous entend pas ! Plus fort, public adoorréééé ! Je compte jusqu'à troi-iiiiis. Mais d'abord une page de publicité et, à l'écran, j'ai l'air con comme pas permis. Dieu comme j'ai l'air con. J'en pleurerais.

Niveau 33

L'Horoscope. Comme titre de livre. Qu'en penses-tu ? Si un éditeur était intéressé. Cela pourrait marcher. Vu l'intérêt des gens pour la chose astrologique. La misère ambiante. Le besoin de transcendance. Même ceux qui président aux destinées des nations consultent les astres. Ou alors *La Vie sentimentale de la classe moyenne*. Puisqu'il s'agit de cela aussi. Ou *L'Obscénité*, comme j'ai déjà dit. Ou *L'homme qui hochait tout le temps la tête*. Ou *The Complete Julien's Suicide Sessions*. Ou *La Beauté du 4 x 100 m féminin* et ne me demande pas pourquoi, c'est conceptuel. Et que penses-tu de *La Chiennasse altruiste* (ce serait des poèmes). De *L'auréole qui pue* (ce serait un pamphlet). Ou *Anthologie d'un échec*, sans que l'on sache si cela s'adresse au narrateur, à la vie en général, au livre lui-même – alors que c'est tout un. Ou *Fiasco*. C'est bien *Fiasco*. C'est bref, c'est percutant, ça veut tout dire, c'est mon nom aujourd'hui. *Call me* Fiasco. Mister Fiasco. Ou alors *La Cruauté*. Tant qu'à faire. Sous-titré « La Vie ». Et pourquoi pas *Un pauvre type*. Ou *Mémoires d'une ceinture de pantalon*. Ou *L'Effet clinamen*. Ou *Point de fuite*. À lire dans les deux sens. Et pourquoi pas *Si c'est un livre*. Ou *Un suicide littéraire*. Ou *Le secret, c'est de tout dire* ? Sauf que c'est déjà le titre d'un (bon) livre. Ou je ne sais quel autre titre car il m'en vient à foison, là, tout de suite, maintenant (*Textures IV, Le cri Wilhelm, Le Ras des pâquerettes, Drawing dead, Les Couleurs stupides, Et cetera, etc.*) et tu ne veux pas passer une main langoureuse dans tes cheveux ? S'il te plaît. Cela m'aiderait. Okay. Je n'insiste pas. Je plaisantais. Ah si ! J'ai trouvé. *Pollock*. Juste *Pollock*. Comme le peintre. Parce que cette histoire de M est un *dripping*. Chaque phrase comme une giclure, les unes à la suite des autres, par-dessus aussi, toutes emmêlées, empilées, dans tous les sens, de façon active. Ou bien *S'en sortir*. Ah oui ! C'est sobre. C'est fort. Ça sonne bien. C'est un peu triste. C'est bien dans l'air du temps. Tout le monde comprend le message. Comment s'en sortir ? De tout ce qui nous arrive. Cela concerne chacun d'entre nous. Il ne s'agit pas seulement de moi. Je ne suis qu'un cas parmi des milliards. Comment s'en sortir ? Qu'invente-t-on ? Y arrive-t-on ? Bon, okay. Lors du fameux concert de l'île de Wight, en 1970, le type qui devait annoncer Miles Davis (à la tête de sa toute première formation électrique) demanda le morceau qu'il comptait jouer et l'autre lui dit : « Call it anything ». Appelle ça comme tu veux finalement. Qu'est-ce que j'en ai à faire ? Bon. Okay. Disons *Le Dossier M* et n'en parlons plus. Oui, voilà ce que j'écrirai en haut de la page si j'arrive à la tourner. *Le Dossier M*. Tout simplement. Sous-titré « Un récit contemporain ». Ou « Récit d'un niveau individuel des choses (2004-2016) ». Comme *Lolita* est sous-titré « Confession d'un veuf de race blanche » (et pourquoi de « race blanche » ? Que tenait à souligner Nabokov ? Enfin bref). Je ne crois pas pouvoir faire mieux. *Le Dossier M*. Dossier signifiant « ensemble de documents se rapportant à un même sujet, à une même affaire et, par extension : problème, ennui, avanie ». Signifiant « partie postérieure d'un siège contre laquelle appuyer le dos ». Signifiant « chemise en carton où ranger des papiers » et « pièce de harnais servant à soutenir les limons ou les brancards » (dictionnaire Larousse). Signifiant ici « genre littéraire à part entière, au même titre que le roman, le conte ou l'essai ». Car s'il nous manque une case, il nous faut l'inventer de toutes pièces. Pas le choix. Qui marche dans les pas qui ne sont pas les siens ne va jamais très loin. Il ne trace pas *son* chemin. *Le Dossier M,* donc. Parce que M comme mésange. Comme maison bleue. Comme matelas et merde et maudit. Comme mardi 29 novembre 2005. Comme classe moyenne. Ma Nuo, 22 ans. Main langoureuse. M comme meinture de mantalon, muicide, migne astrologique, monton de fortune, motes de mon petit carnet, Matricia, merrasse de café, Monsieur Gicle. M comme mort, mors aux dents, *danke schön*, Sean Connery, avec un grand C, c'est la vie.

M comme celle dont je n'ai pas encore parlé. Dont je ne t'ai pas encore parlé. M'en suis bien gardé. Ai failli, à plusieurs reprises – et puis non. Afin de ménager mes effets. Relancer l'intérêt. Jouer du rebondissement et il est temps à présent. Plus que. Oh oui, il y a quelqu'un dont je dois parler maintenant. Là. Tout de suite. Impérativement. Quelqu'un qui n'a rien à voir avec Julien et qui n'a rien à voir avec Patricia et qui a pourtant tout à voir avec eux. Qui a tout à voir avec le suicide de Julien. À la lumière de qui le suicide de Julien n'éclaire plus rien mais se trouve éclairé de l'intérieur. Je ne te dis que ça.

PARTIE III

« Le monde s'effondre et nous,
nous tombons amoureux. »
INGRID BERGMAN, *Casablanca* (1942)

Niveau 1

23 juin 2004. Rencontre MB (souligné trois fois).

C'est ce qui est écrit dans l'un de mes petits carnets.

Juste « Rencontre MB », en lettres majuscules et, au-dessus, la date du 23 juin 2004. Le 23 juin 2004 étant un mercredi, jour de Mercure, le messager des dieux, comme par hasard.

Juste « Rencontre MB » et rien d'autre.

Souligné trois fois.

Comme si cela voulait tout dire et que j'augurais déjà de la suite et prenais instinctivement date. Comme si en rajouter dans les mots m'était apparu superflu ce jour-là et c'est un signe qui ne trompe pas tellement pareil laconisme ne me ressemble guère. Ce que je note dans mes petits carnets m'entraîne *toujours* sur les cimes les plus élevées du bavardage intérieur et du babillage cosmique et bon, okay, inutile de remuer le couteau dans ma plaie.

Mais pas ce 23 juin 2004. Pas ce fameux mercredi où j'ai rencontré M. Jour qui restera dans mes annales et peut-être une vie bien remplie, *une vie réussie*, est-elle une vie où, pour soi-même, à son niveau individuel des choses, chaque jour de l'année parvient à dater un événement bien précis et, à nos yeux, décisif, comme si chaque jour était un verre vide attendant d'être rempli. Ou un verre plein attendant d'être bu. Que chaque jour, tel un lieu-dit, devenait un jour-dit parce qu'il nous est personnellement arrivé quelque chose ce jour-là, tel le 27 novembre est et restera pour moi le jour où Julien s'est suicidé et le 23 juin le jour où j'ai rencontré MB et ainsi de suite, trois cent soixante-cinq fois ainsi de suite, sans laisser aucun blanc dans l'année. Comme le 23 janvier fut, pour Baudelaire, le jour où il reçut « un singulier avertissement » tandis que le 23 juillet fut la date choisie par Alain Leroy pour en finir avec les humiliations. Et que dire du jeudi 10 juillet pour Verlaine et Rimbaud ou du 7 janvier pour Samuel Beckett. Du 4 octobre pour Victor Hugo. Du 4 juillet pour Lewis Carroll. Du 19 mars pour Imre Kertész. Du 10 avril pour Glenn Gould. Du 15 octobre pour Gene Tierney. Du 6 août pour Aragon. Du 16 novembre pour Humbert Humbert. Du 4 avril pour Winston Smith. Du 5 juin pour Spider-man. Du 6 décembre pour Donald Crowhurst. Du jour de 1949 où Ornette Coleman se fit tabasser par six « brothers » pour lui apprendre à jouer une musique qui disait la couleur noire avec beaucoup trop de couleurs. *Et cetera.* Jusqu'à combler tous les vides de l'année à son niveau calendaire des choses. Jusqu'à pouvoir cocher toutes les cases du temps et s'inventer une éphéméride qui soit la sienne plutôt que celle des saints de l'église ou des fêtes nationales ou, pour les plus désespérés d'entre nous, des journées mondiales à célébrer et quand je songe que la journée mondiale de la femme précède la journée mondiale de la plomberie, je me dis que je préfère encore célébrer ma propre existence. Je me dis qu'il ne faut pas que je me conforme à un temps qui n'est pas le mien et, un jour, je m'amuserai à remplir mon propre avent de tous les événements qui me sont personnellement arrivés depuis ma naissance et ce jour restera comme le jour où je serai parvenu à étaler devant moi le spectacle de toute ma vie et celle-ci m'apparaîtra alors sous un nouveau jour, justement. D'un jour à l'autre, elle révélera des passages dans le temps, des effets tunnels, des liens secrets et des galeries souterraines jusqu'ici insoupçonnées. Elle tissera des coq-à-l'âne qui me plongeront dans des réflexions toujours plus diverses et variées et qui sait si un fil conducteur ne surgira pas de façon inopinée et ce ne serait pas pour me déplaire.

Niveau 2

Sauf que, là encore, ça ne marche pas. Car de même ma date de naissance est-elle, neuf mois durant, contestable au regard de la date où je fus conçu, ce n'est pas le 23 juin 2004 que j'ai rencontré MB. J'ai cru que c'était ce jour-là, mais c'est faux. La vérité est plus retorse ; elle est à l'image de mon histoire avec M, disons M, autant l'appeler par son petit nom : jamais là où on l'attend et, en tous les cas, où moi je l'ai attendue. Que cela me plaise ou non, c'est un autre jour que M fit irruption dans ma vie. Un autre jour qu'elle féconda mon âme et où je la conçus en mon for. Un jour dont j'ignore la date et c'est bien dommage, astrologiquement parlant, même si je peux la situer, par recoupements et déductions, aux alentours du début avril 2004.

En tous les cas, c'était en début d'après-midi. Vers les quatorze heures. Quatorze heures trente. Dans ces eaux-là. Dans les locaux du journal où je gagne ma vie – pardon, où je gagne un salaire, ne confondons pas tout. Je revenais de déjeuner et avec V (un ami et collègue) nous discutions dans le couloir à côté de la machine à café et, pour camper le décor, il s'agissait d'une machine à café de marque Illico et ce nom m'a toujours fait rire, sans raison, nerveusement.

Lorsque dans mon dos : une sensation étrange. Intense. Comme un souffle dans mon cou. Une espèce de brûlure. Une main se posant fugacement sur mon épaule. Aussitôt je me retourne. Tout au bout du couloir une silhouette disparaît vers les ascenseurs. Ce n'est qu'une ombre, une chevelure qui s'enfuit, rien de tangible, à peine une odeur qui s'évapore, un fantôme qui traverse un mur, une comète pour faire un vœu, ce genre de sensations.

V avait-il vu ? Senti lui aussi ? *Pressenti* comme moi ?

Je le lui avais demandé. D'une voix altérée qui m'avait moi-même surpris. Comme si je lui désignais un taillis et, tapie dans l'ombre, une bête que j'aurais cru voir remuer. Mais il n'avait pas fait attention. Il lui avait semblé reconnaître la nouvelle stagiaire que le service marketing comptait embaucher cet été. Une certaine M.B. Il ne savait pas. C'était peut-être la fée Clochette. Rires. Lorsqu'il avait froncé les sourcils. J'étais tout pâle, paraît-il. Livide tout à coup, à en croire V qui, plus tard, bien plus tard, m'a remis cette scène en mémoire que j'avais pour ma part totalement oubliée et qu'il en soit ici publiquement remercié car sans lui, il m'aurait manqué une pièce essentielle de mon histoire de M. Pièce aux contours de laquelle toutes les autres pièces du puzzle se sont par la suite emboîtées les unes après les autres, comme par magie, jusqu'au suicide de Julien. Pièce que je m'empresse évidemment de verser au Dossier. Sans V, j'aurais cru que j'avais rêvé.

Lequel, le jour où il me rappela cette scène, trouva d'ailleurs curieux que j'aie pu refouler une telle émotion car il ne m'avait jamais vu dans cet état et quelque chose n'allait pas ? s'était-il inquiété. Voulais-je m'asseoir ? Désirais-je un verre d'eau ? Fallait-il appeler un médecin ? J'avais haussé les épaules et, d'un geste, écarté son aide. En m'accrochant des deux mains à mon gobelet en plastique, j'avais préféré reprendre notre conversation comme si de rien n'était. Mais j'avais les jambes en coton. Des papillons devant les yeux. Ce souvenir-là. D'un étourdissement soudain. D'un état extrêmement bizarre. Comme une faiblesse généralisée. Une brutale et incompréhensible chute de tension. Sans rien montrer cependant. Parfaitement lucide en même temps. Conscient qu'il venait de se passer quelque chose que je ne m'expliquais pas mais qu'il était préférable de garder pour moi. Qu'aurais-je d'ailleurs pu dire ? Qu'une minuscule aiguille venait de me piquer au vif et de m'inoculer par-derrière, d'un trait me pomper le sang ou y injecter une herbe miraculeuse ? Autant laisser tomber. L'instant d'après je n'y pensais d'ailleurs plus. Voilà. C'est tout.

Et dix-huit mois plus tard, Julien se pendait avec la ceinture de son pantalon à la poignée d'une fenêtre après avoir écrit mon nom avec sa merde.

Niveau 3

« Mon cœur a-t-il aimé jusqu'ici ? Non ; jurez-le, mes yeux ! Car jusqu'à ce soir, je n'avais pas vu la vraie beauté » (*Roméo et Juliette*, 1597). « Je le vis, je rougis, je pâlis à sa vue » (*Phèdre*, 1677). « Elle se tourna et vit un homme (...) qu'il était difficile de n'être pas surprise de voir quand on ne l'avait jamais vu » (*La Princesse de Clèves*, 1678). « Parmi les jeunes gens dont j'attirais les regards, il y en eut un que je distinguai moi-même, et sur qui mes yeux tombaient plus volontiers que sur les autres. J'aimais à le voir, sans me douter du plaisir que j'y trouvais ; j'étais coquette pour les autres, et je ne l'étais pas pour lui ; j'oubliais à lui plaire, et ne songeais qu'à le regarder » (*La Vie de Marianne*, 1734). « Ce fut comme une apparition. (...) Jamais il n'avait vu cette splendeur. (...) Leurs yeux se rencontrèrent » (*L'Éducation sentimentale*, 1869). « Et subitement, je vis mon amour de la Riviera qui m'observait par-dessus ses lunettes noires » (*Lolita*, 1955). Etc.

Je pourrais continuer à l'infini, traverser des siècles plus anciens et exhumer d'autres chefs-d'œuvre ou même de fades romans et jusqu'aux pires analgésiques littéraires, j'aboutirais encore et toujours au même constat : l'amour (comme on dit) nous vient d'abord par les yeux et par nul autre organe. Un coup d'œil précède toujours le coup de foudre pour se confondre avec lui et je ne le conteste pas. Celles que j'ai moi-même aimées dans le monde tridimensionnel (mais c'était avant M et, depuis lors, certains mots n'expriment plus pour moi les mêmes sentiments et *vice versa*) m'apparurent avant que d'exister ; elles furent d'abord vision et cette vision se confondit avec l'amour et celui-ci se confondit avec la sensation d'être soudain ébloui. Nous sommes aveugles et un beau jour, un jour de splendide béatitude palpitante, voici que s'éveille notre nerf optique comme s'il n'était jusque-là qu'un morne cyclope assoupi. Voici que nous avons l'impression d'ouvrir les yeux pour la première fois et de voir la lumière pour la première fois et de la recevoir comme un sacrement divin et nous appelons amour ce baptême émerveillé qui nous fait soudain voir la vie en rose, en bleu, en vert, en jaune et on peut retourner ce poncif photoluminescent dans tous les sens, il n'y a d'aphrodisiaque que l'échange d'un premier regard et tant pis pour les aveugles.

Sauf que ma première rencontre avec M fut d'un autre ordre. Elle fut d'une autre *nature*. Car ce fameux jour de la machine à café de marque Illico (M comme machine à café), nul choc ophtalmique ne m'ensorcela sur place. Aucune excitation primordiale de la papille optique ni lumineuse révélation hypnotisant ma cornée pour déverser dans mon âme enchantée un miel pour la vie. Non, rien de cette voyance à l'état pur qui, un jour de splendide béatitude palpitante, fait basculer l'existence du sombre ubac vers l'adret resplendissant. Dérogeant à la loi universelle – et c'est une pièce que je tiens à faire enregistrer devant huissier tellement elle m'apparaît de la plus extrême importance –, M entra dans ma vie *avant que je la voie* (souligné vingt mille fois). Avant que, d'elle, j'aie la moindre idée de son visage, de la lumière de sa chevelure ou de la couleur de ses yeux. Du dessin de ses lèvres. Du galbe de ses seins et de la promesse de ses hanches. Etc. Avant que, d'elle, ne me captive la moindre représentation susceptible de me taper dans l'œil et de ressusciter je ne sais quel idéal enfoui dans ma mémoire, comme on ramène un moribond à la vie. De même une plaque argentique met un certain temps à révéler l'image qui l'impressionna au moment de la prise photographique et, dans le bain de la vie, ce temps de la révélation peut prendre des années, des décennies parfois (même si cette métaphore est devenue caduque avec le numérique et, de ce fait, prive aujourd'hui de penser la latence amoureuse, faisant croire que tout serait immédiatement donné et, en aucun cas, pourrait venir de loin).

Mais non. Argentique ou pas, rien de la sorte ne se produisit à ce moment-là. Aucune émulsion de ma gélatine intime ni excitation de mes atomes d'halogénure d'argent à côté de la machine à café de marque Illico. Nulle lumière inactinique éclairant la scène pour me la rendre visible sans la détruire. Rien, te dis-je. Sinon une fugitive palpitation dorée dans l'air. Une onde. Un frisson. Une sensation sans contours ou je ne sais quoi d'encore plus imperceptible et pour ceux qui s'imagineraient qu'un parfum résout l'énigme, je les arrête tout de suite : une infection aux staphylocoques dorés survenue dans ma prime enfance me prive du sens de l'odorat depuis bientôt cinquante ans et s'il est un pouvoir qui n'a aucune prise sur moi, c'est celui des odeurs et des fragrances et des effluves bons ou puants et voilà bien le mystère dans le mystère : entre M et moi, ce ne fut pas une question *d'images*, pas du tout, il faut le dire dans quelle langue ? Non ! M trouva le chemin de mon être par une voie dont j'ignore le secret, elle franchit mon seuil par une porte à moi-même dérobée et elle s'insinua dans mes fibres par un sens qui n'était ni la vue ni l'odorat et encore moins le toucher ou l'ouïe ou le goût et il faut croire qu'il s'agissait d'un sixième sens ou peut-être du septième du nom et je n'en sais rien. Il s'agissait en tous les cas d'un sens totalement inconnu de moi et, pour autant que je le sache, fort peu documenté à ce jour et M comme magie. Comme miracle. Comme magnétisme. Comme l'amour est aveugle et Cupidon s'en fout, lui qui décoche ses flèches au hasard et s'en lave ensuite les mains tel un putain d'enfoiré.

Niveau 4

« L'apparition de la Vierge est souvent précédée d'un signe qui laisse deviner que quelque chose de non ordinaire va se produire. Ce signe est tout à la fois un avertissement et, souvent, *une manifestation sensible du monde surnaturel*. Il est de nature très diverse :
– un pigeon blanc précède Jean Courthil à Celles (1686), alors que la première apparition va avoir lieu.
– Deux bœufs dans un champ refusent d'avancer à Montégut (fin du XIᵉ siècle).
– Un « coup de vent » à Querrien (1652) et à la grotte de Lourdes juste avant la première apparition (11 février 1858).
– Deux éclairs précèdent la première apparition à Fatima (13 mai 1917), un éclair précédera les autres.
– Des lumières précèdent l'apparition de 1463 près de Lisbonne. »
(*Enquête sur les apparitions de la Vierge*, Yves Chiron, 1995).

Je regrette énormément de ne pas connaître la date où M me souffla son nom dans le cou à côté de la machine à café de marque Illico. Je ne saurai jamais s'il se produisit, de par le monde, un événement étrange et significatif ayant valeur d'annonciation *et* d'avertissement. J'ignore même quel était mon horoscope pour cette date. Non plus le sien… Je dois accepter d'avancer à l'aveuglette et que veux-tu que je te dise ? M comme un pigeon blanc ou deux éclairs ? M comme deux bœufs refusant d'avancer ? Comme un « coup de vent » ?

Niveau 5

Ou alors M comme miasme et je n'utilise pas cet affreux terme à la légère. Je l'emploie à dessein, comme une explication peut-être tirée par les cheveux mais que je peux étayer, contrairement à toute autre explication, cc qui est plus satisfaisant pour l'esprit. Ne dit-on pas de quelqu'un suscitant l'engouement qu'il est la coqueluche (de la classe, des médias, des dames, etc.), alors que la coqueluche est une méchante maladie infectieuse ? Le premier à avoir fait le rapprochement fut bien sagace (ou très malade, c'est-à-dire très amoureux). Voilà, en tout cas, qui me confirme dans mon intuition.

Car approximativement trois semaines plus tard, au terme d'une période dont tout m'indique aujourd'hui qu'elle fut d'incubation, il se produisit dans mon être un bouleversement psychique, une espèce d'effervescence impaludée dont, sur l'instant, je ne compris rien des fiévreux tenants MBesques, tandis que ses aboutissants me valurent plus tard une réputation internationale et une gloire planétaire aussi délirantes que pleines d'épines et dans le genre petites causes grands effets, voici un nouvel élément à verser au Dossier et à verser en ricanant car je n'avais pas besoin de ça *en plus*. Pas besoin qu'en remette une couche cette perpétuelle conspiration qui prétend se faire passer pour ma vie.

Approximativement trois semaines plus tard… Cela se passa le 24 avril 2004, si tu veux le savoir. Un samedi, jour de Saturne, ce qui n'aide pas. Cela faisait plusieurs jours que je me sentais dans un état bizarre, un état drôlement bizarre, sans en connaître la raison ni faire le moins du monde le lien avec la scène de la machine à café de marque Illico. J'avais complètement oublié le trouble qui m'avait saisi à ce moment-là ; mais lui ne m'avait pas oublié. Car je le sais aujourd'hui, ce trouble sans nom se prolongea sournoisement dans mon être, il se mit à vivre sa vie propre à mes dépens, *il prospéra* jour après jour et, trois semaines plus tard, voici qu'il avait dégénéré en un état carrément fiévreux et maladif. Un état de fébrilité indescriptible. Secoué d'agitations malsaines j'étais. Les sangs bouillonnant d'un trop-plein d'énergie et le corps parcouru de frissons électriques. Je ne tenais plus en place. Je ne comprenais pas ce qui m'arrivait. Pourquoi une telle allégresse soudain ? Une ébullition si radieuse, sans raison que je puisse identifier ? Était-ce le printemps qui s'annonçait en moi ?

À dire vrai, je ne me posai pas la question tellement j'étais tout entier la proie de cette insurrection de vitalité venue je ne savais d'où et qui, dans mes veines, montait crescendo comme le Boléro de Ravel, mais que jouerait l'Art Ensemble of Chicago. Ce que je sais, c'est que, rentrant un soir du boulot et me trouvant dans cet état d'exaspération irrésistible, je décidai tout à trac, sur un coup de tête, comme pris de folie, de faire le ménage chez moi et de le faire de fond en comble.

Ce qui s'appelle de fond en comble.

Cela n'a l'air de rien, mais jamais auparavant je n'avais entrepris de faire pareil ménage de fond en comble chez moi – ni du reste chez personne (si tu veux le savoir). Cela me fait sourire aujourd'hui, mais je me mis au boulot dans la seconde, en commençant par la cuisine, assurément le gros œuvre. Sans même comprendre ce qui m'arrivait, je me lançai dans une fantastique opération de nettoyage, comme une femme enceinte entreprend subitement d'improbables et de contre-indiquées acrobaties domestiques telles que changer les rideaux du salon, faire les vitres, décaper une armoire, retapisser un fauteuil, etc. – avant de s'apercevoir que ce fol enthousiasme ménager est le signe avant-coureur de l'imminence de l'accouchement, le signe que le *travail* a déjà commencé.

Et moi de même ! Car j'étais à ce moment-là enceint de M depuis trois semaines, grosse d'elle jusqu'aux yeux et pareillement dans un état hormonal incontrôlable. Au point d'être pris de nausées au spectacle soudain déprimant de ma vie et, sitôt rentré à la maison, d'enfiler chaque soir des gants en caoutchouc rose pour me mettre à lessiver avec un zèle outrancier les murs du sol au plafond et gratter avec une exaltation fanatique la crasse qui avait conglutiné derrière le réfrigérateur ; j'allais jusqu'à bazarder par sacs entiers des vieilleries qui croupissaient depuis trop longtemps dans mes placards et penderies et c'était plus fort que moi. Il fallait que je m'active. Je devais faire le ménage. *J'étais envoûté.* Je devais, de toute urgence, impérativement, faire le vide et le propre autour de moi, faire table rase de tout, sans perdre une seconde ; il fallait que je me débarrasse de mon superflu et que je nettoie chaque recoin de mon intérieur et donne partout un grand coup de balai et dans ma vie aussi. Dans ma vie surtout. Un coup de chiffon en entraînant un autre, jusqu'à remonter à leur raison d'être originelle.

Car modifier les choses en surface et changer mon décor pour gagner du temps n'allait pas suffire – pas cette fois. Ce n'était pas en briquant les sols et les murs, en déplaçant les meubles du salon ou en changeant la couleur des rideaux que je retrouverais mon calme. J'ignorais pourquoi, mais je n'étais pas d'humeur à me contenter d'une apparence de changement afin que tout continue. Exit les métaphores de substitution. Il m'apparaissait vital de dégager, non seulement extérieurement mais intérieurement, mon horizon du fatras qui l'encombrait afin d'en ressusciter les pures lignes de fuite, jusqu'à ce que celles-ci dessinent la trame d'un nouveau chemin qui deviendrait au plus vite le mien car il se préparait quelque chose, je ne savais quoi au juste mais cela n'allait pas tarder à se produire et je devais me tenir prêt.

Je devais rompre avec S.

Niveau 6

Rompre avec S !

Cette pensée me vint alors que je m'échinais à frotter les couches de tartre qui, au fond de la cuvette des vécés, s'étaient tellement accumulées avec le temps qu'on se demandait si la chasse d'eau était encore salubre et si je n'étais pas précisément penché au-dessus de la cuvette des vécés mais récurais à ce moment-là tout à fait autre chose, l'idée est là : d'un coup je sus que je devais rompre avec S (*Tu dois rompre avec S !*). Le moment était venu. Son sourire talmudique. Ses yeux rieurs. Sa frange agaçante. De ça et du reste j'avais soupé et ne voulais plus. De ça et du reste j'avais soudain *horreur* et aussi vite les sentiments nous viennent, aussi mystérieusement ils s'en vont et si quelqu'un trouve cela injuste, je suis bien d'accord – mais les sentiments ne sont pas de gauche, que je sache (non plus de droite, mais tout le monde le sait déjà).

Quoi qu'il en soit, c'était fini. Je devais rompre avec S (*Tu dois rompre avec S !*) et, penché au-dessus de la cuvette des vécés ou dans une génuflexion tout aussi compromettante, j'ai subitement réalisé qu'il me fallait rompre avec S. Je me suis subitement avoué cette évidence au-dessus de la cuvette des vécés et quand les mots nous viennent avec une telle clarté, il est trop tard. Les jeux sont faits. Nous sommes déjà partis en fumée. Quoi que nous en pensions et que cela nous plaise ou non, nous ne pouvons plus nous dissimuler la vérité lorsque les mots pour la dire nous viennent avec une telle clarté et nous ne pouvons pas faire autrement que d'en tirer les conclusions qui s'imposent et, en l'occurrence, vécés ou pas vécés, il me fallait annoncer à S mon intention de rompre avec elle et il me fallait affronter son sourire talmudique et ses yeux rieurs et, par-dessus tout, j'allais devoir braver sa terrible frange et découvrir ce qu'elle cachait – et c'est ici que les choses se compliquent.

Ici que les femmes bafouées
Les hommes trahis
Poum poum
Akoum kniaialu
Comme hurlait le Mômo
Qui savait hurler
Lui

Ici que le fait divers
Les cris et les larmes
Les désirs de vengeance
La guerre des sexes et ses horreurs
Pour une fin de toute façon écrite

Ici que le Lucifer latent
Comme disait le Beau Charles

Ici qu'il faut prendre son courage à deux mains
Ses responsabilités, comme on dit.
Ne pas se laisser fléchir
Par le chagrin de l'autre
et toutes les formes horribles qu'il peut prendre
Ne pas refuser le mal qu'on sait causer.

Ici, oui, qu'il nous faut lamentablement justifier notre volonté d'aller voir ailleurs si on y est et, à la nature injuste et périssable de l'amour, trouver des explications, comme si nous étions responsables de la nature injuste et périssable de l'amour et on croit rêver. C'est à désespérer de tomber amoureux. À se taper la tête. Poum poum.

Mais je t'en fiche ! Des justifications et des explications nous sont immédiatement demandées dès que nous cherchons à recouvrer notre liberté, comme on dit. Des justifications et des explications sont systématiquement *exigées* dès que nous entamons notre propre guerre de libération. Alors que nous-mêmes ignorons ce qui nous arrive et pourquoi le soufflé de l'amour est soudain retombé, akoum kniaialu, alors que nous aurions préféré que le soufflé de l'amour ne retombe jamais plutôt que de devoir affronter ce délabrement et, parvenu à ce point de non-retour, alors que la bonne question serait d'expliquer et de justifier pourquoi nous devrions rester *une seule seconde de plus* avec qui nous n'aimons plus maintenant que nous ne l'aimons plus, nous sommes violemment mis en demeure d'expliquer et de justifier notre incroyable prétention à continuer de notre côté notre chemin où qu'il mène et il nous faut impérativement expliquer et justifier l'aspiration à vivre qui demeure malgré tout la nôtre, *il nous faut inventer de A jusqu'à Z des raisons crédibles et convaincantes d'être qui nous voulons encore être.*

Car nous ne pouvons pas dire « Je te quitte », juste « Je te quitte », comme une décision désormais établie dans nos fibres, sachant que nous ne pourrons jamais mieux dire ni être plus proche de la vérité qui est la nôtre et, aussitôt dit, tourner les talons et nous en aller sans nous retourner, à la fois triste et désolé de la tournure des événements, infiniment triste et sincèrement désolé de la nature injuste et périssable de l'amour et des ravages qui s'ensuivent et dont nous ferons assurément les frais la prochaine fois, après en avoir fait naguère les frais, évidemment, afin que soit respecté le Grand Équilibre de l'Univers ; mais néanmoins gai comme un pinson d'avoir fait ce que nous devions faire et d'être en règle avec notre avenir et tout sourire devant son innocence retrouvée. Désormais débarrassé de nos chaînes et avide de l'inconnu qui nous attend et quelle joie alors ! Mille mésanges zinzinulent dans notre cœur. Comme nous voici légers et soulagés, la si la sol fa# ! Quelle euphorie de larguer enfin nos amarres et, affranchi du poids mort de l'amour mort, de sentir la petite brise souffler de nouveau dans notre âme et un seul être débarrasse enfin notre plancher et tout redevient frisson. Peur. Désirs. L'aventure retrouve sa dignité. L'horizon ses courbes à perte de vue.

Niveau 7

Dans un de mes petits carnets, je retrouve ces notes, éparses, deux points ouvrez les guillemets : « Qui n'aime plus a le *droit* de s'en aller. Il en a le *devoir* (souligné quatre fois) (…). Si l'amour ne dure pas toujours, ce n'est pas que son espérance de vie est limitée, comme l'éponge de mer vit mille ans ou la mouche de mai à peine quelques heures ; ce n'est pas non plus que les amants cessent de s'aimer, laissant supposer que leurs sentiments seraient un capital dont ils auraient épuisé le filon, non, c'est juste que nous sommes (biologiquement ?) poussés par le désir de changement et que l'amour nous apparaît soudain une pauvre habitude, la tendresse un automatisme, la vie à deux une léproserie. (…) De même les enfants restent chez leurs parents, de même restons-nous en couple : c'est un timing que nous avons intériorisé. (…) Toute notre enfance, on nous a appris à ronger notre frein et nous restons en couple exactement comme nous sommes restés chez nos parents. En faisant pareillement nos coups en douce. En attendant – quoi ? De devenir grands ? (…) En amour aussi, nous croyons qu'il nous faut atteindre l'âge de la majorité pour avoir le droit de nous tirer. (…) Je ne suis pas un gosse ! (…) "Déteste-moi mais ne me quitte pas. Ça a marché avec mes parents" (Sheldon, dans The Big Bang Theory, saison 7). (…) Même le bonheur plus que parfait : un jour il pue la mort. (…) Personne ne mourra à ma place et cela me donne certaines raisons de vivre ma vie. (…) On croit que l'amour s'en est allé, mais c'est nous qui ne tenons pas la durée. C'est notre désir qui, après avoir culminé, retombe chaque fois dans l'amorphe. Quels qu'ils soient, les êtres, les choses et les événements décrivent en nous une courbe en cloche et cette courbe en cloche décrit uniquement notre incapacité à persévérer dans les êtres, les choses, les événements. (…) Même les guerres finissent par lasser. (…) On croit penser à tout mais on oublie le désir de changement. Dont nous pensons qu'il exprime notre amour de la vie alors qu'il trahit d'abord notre épouvante de la mort. (…) L'ennemi : c'est l'immobilité. C'est la raideur cadavérique. C'est instinctif. *Cela n'a rien de personnel !* (…) Signe qui ne trompe pas : nous bougeons même pendant notre sommeil. (…) Le changement pour le changement. (…) En nous, le *besoin* de changement est le plus fort. Il emporte tout. Il détruit tout. Il sauve de tout. (…) L'homme n'est qu'énergie, tantôt vitale, tantôt du désespoir. Il n'est rien d'autre. Que faire de cette énergie est la seule question qui se pose à nous. (…) Sans cesse nous désirons l'illusion de la vie, c'est-à-dire le bruit, la vitesse, l'excitation, la nouveauté et son frisson et nous la désirons aujourd'hui d'autant plus que le monde est devenu plus bruyant, plus rapide, plus excitant, plus nouveau à chaque instant. (…) Parce que nous avons deux bras et deux jambes, nous sommes convaincus de devoir nous en servir. Le sentiment de notre propre existence est à ce prix. (…) Peu importe la situation vécue et peu importe la nature du changement à venir, la vie est animée ou elle n'est pas. Elle est mouvement ou elle n'est pas. Notre cœur bat ou nous sommes morts. Le temps fait le tour du cadran ou il s'arrête. (…) Même les saisons passent. Même la Terre tourne sur elle-même et tourne autour du Soleil. (…) Des femmes vont chez le coiffeur pour changer de tête et certaines changent *tout le temps* de tête ! (…) Changer quoi ? Changer pour quoi ? (…) Nous bougeons même pendant notre sommeil : noter cette phrase dans un de mes petits carnets. Euh, mais je suis en train de noter cette phrase dans l'un de mes petits carnets !!! (…) etc. »

Rompre avec S : voilà qui changerait *quelque chose*.

Je l'ignorais, mais la machine à café de marque Illico *l'exigeait*.

C'est elle qui tirait les ficelles désormais.

Sachant que tout le monde rêve de changement. Chacun n'aspire qu'à ça, à force de sentir peser sur soi tant de contraintes de toutes sortes, au point que le temps paraît figé, l'espace une asphyxie, la vie un fossile pris dans de l'ambre. Mais changer quoi ? De logement, de ville, de pays ? De boulot ? Pas si simple par les temps qui courent. De famille ? Mais il est trop tard. De sexe ? Il faut être motivé. De gouvernement ? Mais les élections ont lieu tous les cinq ans et elles changent que dalle. Changer le monde ? À soi seul, il ne faut pas y compter. Changer de classe sociale ? Beaucoup y travaillent. Changer d'air ? Mais il est pollué presque partout. Changer de fringues, de coiffure, de voiture, de rideaux aux fenêtres ? Déjà fait ! Un animal de compagnie ? Ce serait une contrainte supplémentaire. Changer de chaînes de télé ? Mais tout le monde zappe déjà frénétiquement.

Que peut-on changer pour de vrai dans son existence ? Quand tout semble mortel et inamovible ? Mais changer de copine, pardi ! Ou de petit copain, pardi ! De toutes les contraintes qui pèsent sur son existence, le petit copain ou la petite copine est celle qui peut être la plus aisément levée, pour un profit immédiat et une sensation de changement maximale. Elle est la solution *à notre portée*. C'est la solution de facilité même. Quand tout paraît vissé, cloué, collé, cimenté, blindé, le (ou la) petit(e) ami(e) devient le maillon faible. *Il est la variable d'ajustement.* Celui sur lequel nous pouvons faire peser tout ce qui cloche dans notre vie, même s'il n'y est pour rien. Ou bien nous changeons de petit copain ou de petite copine, ou bien nous changeons tout le reste et le choix est vite fait. C'est pur pragmatisme. Dès que quelque chose ne va pas, ce sont les individus qui trinquent. Ils sont en première ligne. Ils l'ont toujours été.

Jamais les gens n'ont autant divorcé et que peux-tu en déduire sur l'impossibilité à changer le monde ?

Rompre avec S. (*J'y viens !*) Sauf que ce n'est pas si simple. Par exemple, je n'allais pas disparaître sans un mot ni une explication. Impossible. On m'avait déjà fait le coup et c'était non. Je suis incapable de faire ce genre de truc. Je sais qu'on peut en devenir fou. J'en sais quelque chose. Je n'allais pas non plus lui balancer que (…) et que (…) et aussi que (…) et vlan, en plein dans ses gencives, comprenait-elle maintenant pourquoi je la quittais ? Qu'elle dégage !

Non. Ce n'était pas mon style (tu comprendras plus tard pourquoi). De toute façon, ce n'était pas S le problème mais la machine à café de marque Illico (même si je l'ignorais à ce moment-là, mais cela ne change rien à l'affaire). Pour l'heure, je ne pouvais arguer d'aucune raison de m'en aller qui concernât S à proprement parler. Sachant que personne ne veut faire souffrir l'autre au-delà de la peine qu'il lui cause : il ne lui veut pas du mal, il cherche seulement son propre bien. Et tout à son égoïsme, il ne tient pas à charger sa mule d'une détresse qui le poursuivrait. Celui qui part préfère s'en aller léger. Sans trop hypothéquer son renouveau. Que sa nouvelle vie ne se fonde pas sur un crime.

Mais c'est irrémédiable : il y a des gens, désolé, mille excuses, on n'en veut plus de leur amour. On n'en peut tout simplement plus. Ils ont beau mettre le meilleur d'eux-mêmes à nos pieds, on a envie de le piétiner. Ils n'y sont pour rien, ce n'est pas de leur faute, on le regrette autant qu'eux, mais leur amour est la dernière chose que l'on souhaite désormais obtenir de leur part. On veut bien accepter un dernier biscuit s'ils y tiennent, on veut bien leur donner l'heure si ça peut les aider (à gagner du temps), cela reste dans l'ordre du possible, en mémoire de ce qui fut, on n'est pas des chiens ; mais leur amour : non. C'est non. Désolé. C'est trop nous demander. C'est fini. Ce n'est pas de notre faute. Dans quelle langue faut-il le dire ?

Mais autant parler à un mur. Autant jouer au Loto et, soit dit en passant, c'est drôle comme nous demandons en permanence des comptes au malheur alors que nous accueillons le bonheur sans jamais nous poser la moindre question et voici encore deux poids et deux mesures qui faussent tout. Voilà de quoi se demander si, en amour, les rencontres ne sont pas *l'impatience de la rupture* et je me comprends quand je dis ça. Quand on voit l'état effroyablement bizarre dans lequel les gens (dont j'ai pu faire partie) se mettent lorsqu'ils se font plaquer, de quoi ils sont tout à coup capables, jusqu'où ils enflent en tragédie, combien de kilos ils perdent ou prennent, on se dit qu'ils n'attendaient que l'instant de la rupture pour donner leur pleine mesure et que l'histoire d'amour qui a précédé n'était qu'un prétexte. Un préalable. Un passage obligé devant conduire au drame, comme une demande informulée depuis le début, une promesse latente, telle la femme de Barbe-Bleue prévenue dès son arrivée qu'il existe une porte dont elle ne doit en aucun cas franchir le seuil et quelle porte ? Celle-ci ? Merci de me la désigner ! Je ne l'aurais jamais trouvée toute seule et quelle farce abominable !

Tout le monde redoute de souffrir sur la croix et chacun le désire pourtant depuis deux mille ans et, dans nos contrées, cette contradiction pousse les couples au pire, à la fois lentement et résolument. Chacun veut son quart d'heure christique. Exulter au grand jour son plus beau martyre. Pour autant que j'aie pu le constater, jamais l'être ne s'en donne autant à cœur joie que lorsqu'on lui dit d'aller se faire foutre. Voilà qui a le don de l'éveiller tout à fait. Voici qu'il éprouve des émotions qui valent soudain plus que la somme de toutes les autres et auxquelles il s'abandonne tout entier, sans restriction aucune, en toute impunité, pour une fois autorisé à menacer l'autre ou soi-même. À gémir et à souffrir. À hurler et à casser la vaisselle et à jouer son plus grand rôle, toutes ses tripes à l'air, toute sa vase énormément remuée, vomie, balancée à la gueule, sur les murs, étalée en grand, de toutes ses forces. Quelle fiesta d'enfin souffrir ! Sans l'avouer cependant. Grand dieu non ! L'amour (cette sorte d'amour) est une téléologie qui refuse de dire son nom depuis deux mille ans et ainsi reculons-nous le moment de rompre car c'est à qui tiendra le plus longtemps. À qui plaquera l'autre *le dernier* et gagnera ainsi le droit d'être l'esclave du malheur, avec les sensations immenses qui vont avec, l'impunité qui va avec, l'indignité enfin justifiée, suprêmement licite et veux-tu que je te dise ? D'après mon expérience, qui vaut ce qu'elle vaut mais pas moins non plus, les ruptures amoureuses ne sont pas la fin de l'amour : elles sont le commencement de l'être. Elles sont sa révélation au zénith. Sa libération pleine et entière. Son retour à ses origines préhistoriques. Son devenir enfin expressif. Sa licence ès victime. Sa tête sublimement à l'envers. Comme disait l'autre, il y a quelque chose de particulièrement tentant pour l'homme et ce quelque chose, c'est le : CACA ! Alors que s'il existe un mystère, un prodige, une torture, une éternité : c'est la joie. Désolé. Mille excuses. Veux-tu que je te dise ? S'il s'agit de donner un os à ronger à notre esprit, l'allégresse de la rencontre est une matière infiniment plus substantielle que les fastueuses orgies de la séparation. S'il s'agit d'exprimer son être et d'exploser dans l'ancestral, c'est le bonheur qui, pure violence, pic momentané d'extraordinaire, devrait être une convention depuis deux mille ans. Sauf que personne ne nous l'a jamais enseigné. Personne ne veut remettre les choses à l'endroit et sûrement y a-t-il de bonnes raisons à cela.

Mais allez dire ça en face. *Allez dire ça à S !* Je le savais d'expérience : personne ne veut ni ne peut entendre la vérité à propos de la nature injuste et périssable de l'amour. Personne ne nous *autorise* à dire la vérité qui est la nôtre et, en tous les cas, personne ne m'a jamais autorisé à dire la vérité qui est la mienne et quand je dis personne, je pense à celles que j'ai quittées dans ma vie car toujours elles m'ont sommé de m'expliquer et de me justifier, toujours elles ont tenté de me retenir et de m'extorquer les raisons que j'avais de vouloir les quitter sans jamais trouver assez convaincantes et crédibles les *innombrables* raisons que, sous la contrainte, je m'efforçais d'inventer avec la meilleure volonté du monde, oui, toujours cela s'est *très mal passé.* Il y en a qui parviennent à rompre gentiment, fort civilement, en toute dignité, sans violence, jusqu'à même rester amis par la suite ; pas moi. Je n'ai pas eu cette chance. Si c'est une chance. Je ne sais pas. Peut-être ces gens ne s'aimaient-ils pas vraiment pour se quitter comme on quitte ses vêtements le soir. Je ne sais pas.

Niveau 9

Ce que je sais, c'est ma mère qui, un dimanche après-midi, s'inquiéta de savoir ce que mon frère et moi pensions d'elle et, promis les enfants, nous pouvions parler sans *crainte,* nous pouvions *tout* lui dire, nous pouvions dire la *vérité,* j'avais alors sept ou huit ans.

Et ma mère de vouloir se jeter par la fenêtre lorsque le gamin que j'étais osa lui avouer d'une voix *très* douce et mesurée que l'amour qu'elle nous portait et, pour être exact, l'amour qu'elle *me* portait n'était pas de l'amour mais une pure et simple oppression psychique, une permanente torture nerveuse, une tentative forcenée et immarcescible de dévoration de mon être intérieur, même si le gamin de sept ou huit ans n'utilisa pas ces mots-là mais le sens y était.

Le message passa cinq sur cinq.

À peine ma phrase achevée, ma mère se précipitait pour se jeter par la fenêtre du cinquième étage et outre que dans le genre petites causes grands effets, je peux dire que j'ai été à bonne école et même à l'école du cirque, je sais avoir découvert ce jour-là le sens du mot susceptibilité et l'effroi de ce mot et, par la suite, je n'ai plus jamais oublié que ma mère avait tenté de se jeter par la fenêtre juste après que je lui eus dit que je ne l'aimais pas autant qu'elle l'aurait voulu et comprends-tu ?

J'ai déjà raconté cette scène une fois ; mais pas comme il aurait fallu. C'est encore une chose que le suicide de Julien m'a apprise.

Je veux dire : je ne l'ai pas racontée sous l'angle des *conséquences* pour moi.

À mon niveau individuel des choses à dire ou à ne pas dire.

Surtout à une femme.

Déjà que ce n'est pas facile de rompre avec quelqu'un.

Qui peut dire le contraire ?

S'il a un minimum de sensibilité.

Retiens bien ceci : dire ce que je pense, au risque de contrarier et de froisser la susceptibilité et que la personne se jette du cinquième étage : ah non ! Merci bien ! J'ai retenu la leçon. Je ne me risque plus à ce genre d'épouvante. Même si, placé dans semblable situation, je n'envisage pas sérieusement que la personne va, là, tout de suite, devant moi, se jeter par la fenêtre, bien sûr que non, je n'en suis plus là, le souvenir de cette scène a perdu depuis très longtemps son pouvoir de nuisance, il n'a plus le don de m'effondrer, le temps (ou autre chose de plus subtil) a eu raison de lui, bon débarras. Sans compter qu'il n'y a pas toujours une fenêtre par laquelle se jeter du cinquième étage pour un mot inapproprié que je pourrais dire. Sans compter que ma mère est ma mère et je ne la confonds pas avec n'importe qui. Les autres femmes sont libres de réagir comme elles l'entendent. Chacun fait comme il peut. J'ai raison ou pas ?

Sauf que si j'ai vaincu ce souvenir, la mémoire m'en est restée et je ne peux pas dire que j'ai gagné au change. Car j'ai complètement intériorisé l'angoisse ressentie sur le moment, au point de craindre systématiquement la réaction des gens.

J'anticipe tout de suite le *pire*.

C'est devenu un *réflexe*.

Je vis avec la certitude que l'autre, pour un mot de travers, peut complètement partir en vrille. Il *peut* se jeter par la fenêtre. Je le sais. J'ai des *preuves*. Je m'y attends désormais. J'y suis préparé, sans y être aucunement préparé. Et s'il ne se jette pas par la fenêtre, il va faire quoi ? Je pressens que cela pourrait s'avérer terrible, monstrueux, tout à fait exponentiel en termes de mauvaise surprise, ce pourquoi je préfère la boucler plutôt que d'affronter une réaction que j'imagine d'emblée effroyablement disproportionnée, à l'image du geste disproportionné de ma mère, comme si, plus que le fait que ma mère ait tenté de se jeter par la fenêtre, m'avait choqué la démesure de son geste, comme l'obscénité la plus vertigineuse, l'os même qui se fractura ce jour-là dans mon enfance. Tout cela parce que j'avais dit – quoi ?

La vérité ?

Comme on me demandait de la dire ?

Au commencement est l'Incrédulité.

Au commencement est l'Effarement.

Et puis vient l'Impensable.

Et puis la Peur.

Tout vient de là, cristallisé ensuite.

Voilà pourquoi je me garde de dire en face ce que je pense si cela risque de déplaire. Émancipée de ses origines maternelles, mon angoisse est à la longue devenue sans objet. Elle a acquis une puissance fabuleuse. *Elle est devenue un affreux pressentiment.* Par un mécanisme qui m'épate moi-même (et que connaît quiconque a eu un grave accident de voiture ou a été physiquement agressé alors qu'il ne s'y attendait pas, alors qu'il était *innocent*), l'effroi que je ressentis lorsque j'avais sept ou huit ans s'est mué en terreur de ce qui pourrait avoir lieu à n'importe quel moment, oui, l'imparfait s'est transformé en conditionnel et si j'avais su que vaincre un mauvais souvenir libérait grammaticalement la mémoire qu'on en a, je n'aurais pas signé.

Mais c'est ainsi. Un pli a été pris. Un sale pli. Je n'ai plus CONFIANCE. Ni dans les autres. Ni en moi (mais qu'est-ce qui m'avait pris de vouloir dire la vérité à ma mère ?). Et voilà le résultat : j'ai terriblement peur de ce qui peut se passer si j'en viens à formuler, même de façon *très* douce et mesurée, une vérité qui déplaît, quand bien même elle n'est que la mienne. J'ai compris qu'il me fallait la retenir au bord des lèvres. La garder pour moi. Tellement elle fait souffrir et provoque des catastrophes. Tellement elle est coupable et assassine et je n'ai pas eu besoin qu'on me le dise deux fois. Je ne veux surtout pas qu'on me le dise une deuxième fois. Je ne peux pas tout le temps suicider ma mère. Plutôt mourir. Plutôt moi que l'autre. *Je vis mieux avec ma propre mort sur la conscience qu'avec celle d'autrui.* Même si ce n'est pas une solution très satisfaisante et, au bout du compte, Julien s'est tout de même pendu avec la ceinture de son pantalon.

Niveau 10

Mais qu'y puis-je ? C'est une tare, c'est un handicap, je ne le sais que trop. Ce n'est pas une hypocrisie, même si cela y ressemble. C'est comme avoir une jambe en moins, sauf que c'est dans ma tête. C'est comme ces rats qui, habitués à manger dans un bac de couleur bleue, se prennent tout à coup une décharge de 100 000 volts lorsqu'ils s'approchent du bac de couleur bleue : par la suite, ils ne s'approchent plus jamais du bac de couleur bleue. Ils préfèrent crever de faim ou se dévorer l'extrémité des pattes. Par la suite, ce comportement acquis leur demeure, *même après que les chocs électriques ont cessé.* Même s'ils peuvent de nouveau manger dans le bac bleu sans risquer de se prendre 100 000 volts dans les gencives, ils ne s'en approchent plus. Ils gémissent à sa vue. Ils se liquéfient sur place. Marqués à vie ils sont. Ils doivent faire avec cette impuissance – sans se douter que c'est cette impuissance qui fait d'eux ce qu'elle veut.

J'en suis le premier marri, mais je suis devenu ce que les tentatives de suicide de ma mère ont fait de moi. Toujours il me faut prendre en compte l'effet que mes paroles peuvent produire. C'est un boulot épuisant. Je suis celui qui, au moindre visage qui se rembrunit, laisse tomber. Renonce. À dire ce qu'il pense. Je suis l'homme qui, à l'ego des autres, à leurs *névroses*, laisse névrotiquement toute la place, quoi que j'en pense. En sachant quoi en penser, cependant. En me griffant le cœur. Mais rien à faire : à l'oral, je prends toujours des gants et je dis bien : à l'oral. À l'écrit, je fais ce que je veux, je me sens libre, j'essaie de me respecter moi-même, *je rétablis l'équilibre* ; mais à l'oral, je me fais tout petit. Je botte en touche. Je *biaise*. Je fais comme si ma langue maternelle n'avait pas été balancée du cinquième étage, me laissant sans mots et sans voix. Au pire, je deviens tout rouge, franchement écarlate ; mais je la boucle. Cela fait quarante ans que je la boucle à l'oral. Quarante ans que j'avance en crabe dans les conversations. D'ailleurs je suis du signe du Cancer.

Ainsi suis-je devenu relativement intelligent. C'est-à-dire relativement à ce qui m'oppresse et m'angoisse. Car notre intelligence doit tout à ce qui nous entrave, elle est une réponse à la pression du milieu et le bon côté des choses, c'est que je suis l'être le plus conciliant au monde, l'homme le plus diplomate, le plus psychologue, le moins vindicatif qui soit, le plus fermé aussi, en permanence sur la défensive. *Je fuis le conflit.* Dès que deux personnes commencent à s'écharper, je me précipite pour les séparer comme si c'était mon père et ma mère. C'est irrépressible. Ce qui m'a d'ailleurs valu de voir des belligérants se retourner méchamment contre moi. Une sacrée mauvaise surprise, pleine d'enseignements cependant ! En tout cas, je ne suis pas du genre à dire à Oronte que son sonnet est bon à mettre au cabinet. En aucun cas je ne m'aviserais à faire un doigt d'honneur à des péquenots armés jusqu'aux dents si je les croisais en *chopper* sur la route 666, tandis que Roger McGuinn reprend la chanson de Dylan qui dit « Tout va bien maman (je saigne seulement) ». Pas si fou !

Ou bien j'explose, vlan, je coupe les ponts, brutalement, avec d'autant plus de violence que je me fais moi-même violence, voilà où j'en suis. En général, cela surprend. Moi si calme et si compréhensif d'ordinaire, si *intelligent* ! On ne s'attend pas du tout à ce que je sorte soudain de mes gonds et détruise tout au lance-flammes. Avec moi, c'est tout ou rien. C'est effrayant. C'est comme les morceaux du groupe Nirvana. Alternance de calme et de rage. C'est tout à fait caractéristique. C'est triste, quand j'y songe. Je voudrais ôter ce masque qui me défigure, mais c'est impossible. Je ne fais que mutiler mon visage. Que je le veuille ou non, les suicides de ma mère (et l'impuissance de mon père à les empêcher comme à me protéger) ont fait de moi un être arraché à sa racine. Un être frustré et intérieurement écartelé. Quelqu'un dont l'unité est à jamais perdue. Et que mes parents, un an après avoir divorcé, se soient remis ensemble : cela fit cette fois de moi un être risible. C'est tout à fait stupide. Vraiment dommage ; mais ma marge de manœuvre est *très* réduite. J'ai pris l'habitude de parler à l'intérieur de ce que disent les autres ; c'est à l'intérieur du plaisir d'autrui que je tente de prendre mon plaisir et, à la longue, j'en souffre. Je n'en peux plus. Ce pourquoi j'explose de temps en temps et prends des mesures radicales, largement disproportionnées, bien génocidaires. Ce pourquoi j'écris tant et tant dans mes petits carnets, pour relâcher la pression. C'est un fait : ma mère m'a mis dans un sacré pétrin, sans qu'il s'agisse de ma mère à proprement parler, je ne parle pas d'elle, j'espère que tu comprends que je parle ici d'un problème qui est devenu le mien.

Je parle des *conséquences*.

Je ne parle de rien d'autre !

Je parle des gens qui portent un sac à dos dans les transports en commun et qui vous le fichent en pleine figure comme s'ils ignoraient qu'ils portent un sac à dos. Je sais, moi, que j'ai un sac à dos. D'ailleurs, je le porte sur le ventre.

C'est au point où j'hallucine dès que j'entends dire en face ses quatre vérités à quelqu'un. Est-on fou ? Est-ce parce que ses parents étaient un mur et, par la suite, on ne prendrait plus de gants. On s'en ficherait. On cognerait sans retenue, persuadé qu'autrui est dur comme de la pierre ? Je l'ignore. Mais ne sait-on pas combien les gens sont susceptibles ? Qu'on peut se tuer pour un reproche qu'on vous fait ? Qu'on peut tuer l'autre pour les mêmes raisons ? Ma mère, ma maman, m'a convaincu que personne ne voulait connaître la vérité et surtout pas ceux et celles qui réclament la vérité à cor et à cri. Ceux-là et celles-là sont les derniers à pouvoir *supporter* la vérité, leur demande exprime en fait leur angoisse, je le sais depuis l'âge de sept ou huit ans. Je le sais grâce à ma maman. Je sais grâce à elle qu'il ne faut *surtout* pas dire en face ce que l'on pense. En aucun cas. Personne ne le supporte ! Il faut se mordre la langue jusqu'au sang et résister fermement à la pression de ceux et de celles qui exigent de connaître la vérité car ils et elles ne veulent définitivement rien savoir. Leur exigence de vérité est purement rhétorique et nul ne peut plus aujourd'hui me convaincre du contraire car *toujours* j'ai en tête l'image d'une femme que la vérité rend folle et qui, dans la seconde, enjambe un balcon et veut se jeter du cinquième étage sous mes yeux à cause de moi. À cause de la naïveté que le gamin de sept ou huit ans que j'étais eut de croire qu'il pouvait dire la vérité qui était la sienne lorsqu'on la lui demandait.

En même temps, avec le recul, force m'est de reconnaître que, par la suite, j'ai eu le chic pour tomber sur des femmes susceptibles. J'ai toujours eu le nez creux pour tomber sur des femmes *très* susceptibles. Celles qui n'étaient pas susceptibles m'excitaient beaucoup moins. Comme s'il fallait que je rejoue en permanence la même impossibilité de dire, la même catastrophe. Qu'il fallait que je me retrouve en permanence à la même croisée des chemins où mon être prit une certaine tangente alors qu'il aurait pu suivre une meilleure pente si les choses s'étaient passées différemment. Ou une pente encore pire, qui peut le dire ?

Niveau 11

Dans les années 60 et 70. Les époux Harlow. Harry et Margaret Harlow : ils menèrent des expériences demeurées célèbres. Sur des petits singes, de l'espèce macaque rhésus. Avec l'objectif avoué (mais on n'est pas forcé de les croire) d'étudier « l'importance des interactions physiques directes dans le processus de socialisation à travers l'attachement à la mère ». Ce qui, *trois décennies durant,* leur valut d'importants crédits de la part de l'administration américaine.

En pratique. Il s'agissait de soumettre des petits singes à des expériences de privation maternelle via tout un tas de dérèglements sensoriels et d'observer ensuite. Les troubles. Qui en résultaient. Les dégâts possiblement symptomatiques et catastrophiques.

Pour ce faire, les époux Harlow : ils imaginèrent un certain nombre de protocoles expérimentaux aux noms évocateurs. Par exemple. « Isolement partiel ou total ». Les troubles apparaissant plus sévères lorsque l'isolement était total et quelle surprise ! Par exemple. L'expérience dite « Puits de désespoir ». C'est ce protocole que je préfère.

L'expérience consiste à arracher un petit singe macaque à sa mère sitôt après sa naissance. Et à étudier ses réactions si on lui présente à la place : un chiffon, une éponge, une grande structure métallique. Celle-ci baptisée « mère fil de fer ». Dans ce dernier cas, le petit singe va-t-il se précipiter vers ce substitut de métal ? Parce que c'est la seule mère dont il dispose ? Fût-elle fil de fer ? Va-t-il plutôt se détourner. Pas dupe. Et réclamer sa vraie mère ? Son affection pour elle va-t-elle s'en trouver amoindrie ? Dénaturée ? Comment va-t-il se comporter ? Comment va-t-il régler. Son besoin d'amour ? Suspens. Sacré suspens.

Il se trouve que le petit singe, d'abord terrorisé, finit par se blottir tendrement contre la carcasse métallique, l'enlaçant comme si c'était sa vraie mère, se pelotonnant absolument contre elle, comme s'il ne faisait pas vraiment la différence, parce qu'il n'a pas vraiment le choix.

Et si on soumettait maintenant le petit singe à quelque chose de « vraiment effrayant », s'enthousiasme Harry dans une des vidéos que lui et sa femme tournèrent à l'époque. À des fins pédagogiques et démonstratives. Oh oui ! Et si la structure métallique se hérissait de pointes métalliques bien acérées ? De lames tranchantes. Quelle géniale idée ! Le petit singe se blottirait-il malgré tout contre sa herse de mère ? Le plus tendrement qu'il le peut ? Quand bien même il serait lacéré et entaillé par des pointes transperçant son corps ?

Eh bien oui !

L'expérience le démontra. Plusieurs fois le démontra. À chaque fois, l'attachement pour la mère parut le plus fort. L'affection du petit singe pour elle semblait en définitive incroyablement profonde. Ce lien. Était si puissant que le petit singe allait jusqu'à se mettre en danger. Jusqu'à se faire transpercer les chairs. Tellement son besoin de. Chaleur maternelle. Était vital. Quoi qu'il lui en coûtât, aussi désastreux cela fût-il pour lui, même si sa mère était une affreuse herse le transperçant lorsqu'il se blottissait contre elle. Conclusion des époux Harlow (applicable à l'homme, précisent-ils) : autrui est essentiel.

Mais plus fort maintenant, plus « effrayant », oh oui ! Youpi ! Et si la structure métallique, en plus des pointes se hérissant lorsque le petit singe cherchait à se blottir contre elle, crachait du feu ? Mais quelle excellente idée ! Quelle splendide expérience ! Hourra ! Car il fallait être sûr de la solidité de cet attachement de l'enfant pour sa mère. Il fallait en avoir le cœur net. Il s'agissait de science. Il s'agissait de savoir jusqu'où « le contact sensoriel était primordial dans le processus de socialisation d'un petit singe ». Ainsi fut fait.

On arracha un autre petit singe à sa mère naturelle et, sacré veinard qu'il était, on le fit entrer dans la pièce où la « mère cracheuse de feu » avait été disposée. Celle-ci cachant toutefois bien son jeu à ce moment-là. Elle ne crachait le feu que si le petit singe s'approchait d'elle. Si c'était lui qui provoquait la réaction de rejet. Qui allumait le feu maternel. Lui et son fichu besoin d'amour qui étaient coupables, fina-lement. Comment allait-il réagir ? Le suspens était cette fois insoute-nable. Les époux Harlow retenaient leur souffle derrière la vitre. Leur caméra n'en perdait pas une miette. Cette fois, c'était du sérieux. Cette fois. Ce n'était pas de simples pointes acérées que le petit singe allait devoir braver pour obtenir. Amour et tendresse. Cette fois. Sa mère allait cracher feu lorsqu'il s'approcherait d'elle. Elle allait lui balancer toute sa purée dès qu'il chercherait à se blottir contre elle et à l'enlacer de toutes ses forces. Pour qu'elle le protège de tout son amour. Ah ah, il ne s'attendait pas à ça, le petit singe. Il n'avait jamais envisagé que sa mère puisse être un LANCE-FLAMMES ! Surprise surprise ! Que croit-on qu'il se passa ?

À ton avis ?

Le petit singe s'est-il jeté dans les flammes et il a fini grillé comme une côtelette. Sous les yeux émerveillés des époux Harlow ? L'amour pour la mère est-il à ce point irrémédiable. Qu'il peut conduire au sacrifice de soi-même ? Notre besoin de tendresse est-il à ce point ? À ton avis ?

Je te donne un indice : les époux Harlow ont conclu de cette expérience qu'autrui est essentiel, *mais pas n'importe quel autrui.*

Sans blague.

Elle leur avait fait quoi ? Leur mère ? Aux époux Harlow ?

Niveau 12

Rompre avec S. (*Encore une minute.*) Là où je ris jaune, c'est que moi-même ai toujours demandé des explications et des justifications aux femmes qui m'ont quitté. Alors que je suis parfaitement instruit de la nature injuste et périssable de l'amour, je sais avoir longtemps tenté de leur extorquer des mensonges plutôt que d'admettre la vérité. Eh oui. Je n'en suis pas fier, mais j'exigeais qu'elles inventent des raisons toujours plus crédibles et convaincantes et j'avais beau jeu ensuite de leur reprocher de dire n'importe quoi (Mais pourquoi ? Que me reproches-tu ? Je t'aime !). Je ne me privais pas de leur renvoyer leurs misérables inventions au visage (Et merde ! Tu dis n'importe quoi. Tu juges avec ton sexe ! Pourquoi a-t-il fallu que je tombe amoureux d'une dactylo de 28 ans !) et de les supplier de m'avouer enfin la vérité, enfin la vraie raison (Tu as rencontré quelqu'un ? C'est ça ? C'est qui ? Je le connais ? Avoue ! Ne me quitte pas ! Il en a une plus grosse que moi ? Pitié ! etc.), pourvu que cette vérité ne soit pas trop vaste pour moi et, en même temps, qu'elle soit *assez vaste* pour justifier et expliquer que je me sente à ce point dévasté et, par parenthèse, je peux dire aujourd'hui que les femmes qui m'ont quitté avaient toutes un même problème et ce problème ne me concernait même pas, fermer la parenthèse.

En même temps, plein de choses m'énervaient chez S. Je m'en rendais soudain compte. Là, tout de suite, dans la lumière infrarouge de M qui m'irradiait à ce moment-là et qui m'ouvrait tout grand les yeux sur une vérité que je ne voulais pas m'avouer jusqu'ici. Préférais ne pas. Comme Anna Karénine s'aperçut tout à coup que les oreilles de son mari lui déplaisaient après qu'elle fut tombée amoureuse de Vronski, de même, énormément de choses m'exaspéraient *maintenant* chez S. M'exaspéraient en réalité *depuis le début.*

Car dès ma première rencontre avec S, j'avais remarqué ceci et j'avais repéré cela qui me déplaisaient chez elle. Qui me hérissaient intérieurement et provoquaient chez moi un mouvement de recul instinctif et dans le film Belle de Jour (Buñuel, 1967), Pierre Clémenti ordonne à Catherine Deneuve de se rhabiller immédiatement, au plus vite, oust, alors qu'alanguie sur le lit, nue et molle et splendidement pantelante, Catherine Deneuve s'offre à lui pour la première fois. Sauf que Pierre Clémenti remarque sur la peau de Catherine Deneuve (*la peau de Catherine Deneuve* !) une petite tache de naissance et cette petite tache de naissance sur la peau de Catherine Deneuve gâche tout, elle est pour Pierre Clémenti une horreur sans nom, elle est une abomination qui lui brûle les yeux et Buñuel se garde évidemment de montrer à l'écran la tache de naissance de Catherine Deneuve tellement celle-ci n'est visible que pour Pierre Clémenti, tellement son effroi appartient à Pierre Clémenti et comme je comprends Pierre Clémenti.

Comme je me sens proche de lui et souffre du même mal. Comme j'ai l'œil pour, à l'improviste, sursauter de dégoût à la surface des choses à cause d'un infime détail qui gâche tout, comme si je venais de voir la mort en face, la moisissure qui corrompt tout, quoique sans tomber dans les excès de Pierre Clémenti ni avoir la force de caractère de prendre au sérieux ce qui me répugne et d'en tirer les conséquences qui s'imposent (oust, rhabille-toi, du balai !). N'empêche ! J'avais très vite perçu certains aspects de la personnalité de S qui, de mon point de vue, à mon impérieux petit niveau individuel des choses qui m'offusquent, m'apparaissaient totalement incompatibles avec certains aspects de ma personnalité, au point que je savais d'avance que nos deux personnalités n'auraient aucune chance de jamais s'accorder sur certains points, absolument aucune, même à la longue, même en faisant des efforts, de mon point de vue. Oui, j'avais pressenti dès le départ l'erreur que pourrait constituer *à la longue* toute liaison avec S – s'il n'y avait eu son sourire talmudique et ses yeux rieurs.

Car il y avait son sourire talmudique et ses yeux rieurs. D'emblée le sourire talmudique de S et les yeux rieurs de S m'avaient séduit et tels sont les hommes : ils chérissent un petit bout de l'autre qui leur plaît par-dessus tout et ils peuvent rester des années avec une femme uniquement pour l'attache de ses poignets ou le galbe de ses seins et, dans mon cas, je sais que c'est le *sourire*. Par-dessus tout le sourire qui illumine un visage. Mon fétichisme le mien. En deuxième position, je place les cheveux, à égalité avec les dents, la peau, les seins, le cul, les jambes et la silhouette tout entière, la façon de marcher dans la rue ; puis les mains, la voix, les oreilles, les orteils, les ongles, etc. Les DENTS ! Puis l'intelligence du cœur par-dessus tout. La vivacité d'esprit. La *souplesse*. Une certaine attention désintéressée aux choses et aux êtres. La joie de vivre sachant le tragique de l'existence. La gentillesse envers soi et autrui. L'éthique personnelle. Une certaine exaspération de vivre propice à la lubricité. Une compréhension un tout petit peu politique des choses – enfin bref, tout ce qui n'excite pas immédiatement le désir mais qui menace de le faire retomber en un clin d'œil, une fois les sens assouvis. Ainsi, dans le même temps où m'agaçait sa frange qui barrait son front et où me sautaient désagréablement aux yeux certains aspects de S, je tombai amoureux de son sourire talmudique et de ses yeux rieurs, je *pariai* sur son sourire talmudique et sur ses yeux rieurs contre tout ce qui n'était pas son sourire talmudique et ses yeux rieurs et je ne suis certainement pas le premier à croire qu'une partie puisse valoir pour le tout.

D'autant que, en ma présence, S mettait le paquet avec son sourire talmudique et ses yeux rieurs (« Hey, Mrs Robinson, you're trying to seduce me, aren't you ? »). Ses yeux devenaient plus rieurs et son sourire plus talmudique en ma présence et, sous de tels assauts, je cessai très vite de voir chez elle ce qui *démentait* son sourire talmudique et ses yeux rieurs, pour m'absorber entièrement dans ses yeux rieurs et dans son sourire talmudique. J'avais vu le reste, mais je ne voulais plus le voir. C'était toujours là, quelque part dans ma poche, avec mon mouchoir par-dessus et, abracadabra, ce n'était plus là. Ce n'était plus qu'une première impression déplorable, laquelle renvoyait d'abord à mon niveau salement perceptif des choses et je peux dire aujourd'hui que sans son sourire talmudique et ses yeux rieurs, jamais je n'aurais remarqué S lors de notre première rencontre. J'aurais tout de suite vu qu'elle était trop vieille pour moi et pas du tout mon type et, de fil en aiguille, une mauvaise impression en amenant une autre, sans ses fichus yeux rieurs et son sourire talmudique et, disons-le, sans certains élans inconsidérés de ma part que je ferais mieux de censurer, oui, sans certaine aspiration à vivre qui me pousse à dire oui quand je devrais dire non, Julien serait encore vivant à l'heure actuelle. Très probablement. Voici encore une petite cause ayant provoqué un bel effet. Encore une pièce à verser au Dossier. Voici comment M, du seul fait qu'elle me frôla à côté de la machine à café de marque Illico, effaça d'un revers de la main le sourire talmudique qui illuminait le visage de S et ferma ses yeux rieurs et, comme un rideau se lève sur une scène vide, me révéla subitement l'ampleur du désastre qui n'attendait que son heure. N'attendait que l'occasion de prendre sa revanche.

Niveau 13

Car tout de même. Maintenant que je récurais les vécés avec une ardeur redoublée pour ôter les couches de tartre qui s'était accumulées au fond de la cuvette depuis des temps immémoriaux. Tout de même, me disais-je. M'énervais-je plutôt, la tête penchée dans la cuvette des vécés. Il ne fallait pas exagérer. Ce n'était pas comme si S et moi vivions ensemble depuis des années : nous ne vivions même pas ensemble ! Ce n'était pas comme si nous étions mariés et avions fait des gosses et partagions tout jusqu'à ne faire plus qu'un. Pas comme si je lui avais promis quoi que ce soit puisque je ne lui avais rien promis, rien du tout, *nada*, je m'en étais bien gardé. Bon dieu, nous n'avions pas vraiment d'histoire ensemble, soliloquais-je en récurant de plus en plus rageusement le tartre qui s'était accumulé au fond de la cuvette des vécés. Ce n'était pas du tout comme si l'amour fou ou la passion ou la miséricorde. Pas comme si le sexe. Oh non ! Pas le sexe ! Faut dire ce qui est, m'exclamais-je à voix haute en récurant plein de hargne le tartre qui résistait à mes efforts de l'ôter des parois de la cuvette des vécés. S manquait totalement de vice au lit – comment dire ? Elle était adorable, elle était *très* intelligente, et puis facétieuse, elle avait énormément de qualités – mais au lit : aucune imagination ! *Elle ne voulait même pas regarder ce qui se passait sous les draps*, ah oui, elle n'était pas du tout rigolote, faut dire ce qui est, m'enflammais-je tout seul, le visage suant et transpirant à force de récurer ce bon dieu de tartre qui ne voulait pas partir au fond de la cuvette de vécés. Elle voulait bien que je la prenne, elle n'était pas contre, elle se laissait faire, elle devenait toute rouge, presque violacée, elle respirait très fort, okay, chacun jouit à sa façon, ou simule, je ne sais pas – mais jamais elle ne me prenait. Jamais ! Car les femmes aussi prennent les hommes. Que crois-tu ? Que ce soit dans sa main, dans sa bouche ou dans ses bras, la femme prend l'homme tout entier quand elle l'aime, elle devient *préhensile* et S ne m'aimait pas, finalement, pas sexuellement en tout cas, faut dire ce qui est, sifflais-je entre mes dents serrées, les mâchoires bloquées, tout en récurant avec une telle hargne le fond de la cuvette des vécés que je ne voyais même plus ce que je récurais. Des sentiments, ça oui, ô combien, à la pelle ; mais que valent les sentiments s'ils sont la peur déguisée du sexe ? S'ils sont l'horreur du sexe ? Valent que dalle ! Ils ne sont même pas de vrais sentiments puisqu'ils viennent en compensation d'autre chose, puisqu'ils sont une consolation et cette situation ne me convenait pas du tout, ah non ! Non non et non ! hoquetais-je en enfournant carrément la tête dans la cuvette des vécés afin d'arracher le tartre avec mes dents. Le fait que S soit si peu coopérative au lit est un problème *pour toi*, c'est un foutu problème, comme ce foutu tartre, putain de tartre, plongeais-je cette fois furieusement la tête tout entière dans l'eau de la cuvette des vécés, en retenant ma respiration en totale apnée. C'est peut-être de ta faute, sûrement, okay, soupirais-je en remontant à la surface, un morceau de tartre entre les dents. Okay, délicate est l'alchimie sexuelle, fragile la confiance que s'accordent les corps, okay ; S a énormément de qualités, oui, mais elle a le tempérament érotique d'une huître, faut dire ce qui est, même s'il n'est pas question de lui balancer ce genre de vérité en face, ah non, *je te l'interdis,* elle pourrait sauter du haut de la tour Eiffel, éructais-je carrément en barbotant maintenant jusqu'à mi-cuisse dans la cuvette des vécés dans l'espoir de récurer bec et ongles le tartre qui, sur les côtés, refusait définitivement de s'en aller et c'est quoi le tartre au juste ? Vient d'où ? Putain de vécés ! Quand bien même S s'efforçait de faire de son mieux, elle se forçait en réalité et c'était ça le plus triste et quelle saloperie ce tartre, mais quel bon dieu de bordel de saloperie de tartre ! m'écriais-je à bout de force en tirant rageusement la chasse d'eau et en m'aspergeant le visage avec l'eau des chiottes tellement j'étais en nage. Et merde ! J'abdiquais. Je n'en pouvais plus. Plus jamais de ma vie je ne voulais récurer les moindres vécés. Plus jamais rompre avec S ni avec personne. Tant pis, basta, ras-le-bol, crachais-je un gros mollard dans la cuvette, tout en constatant d'un air accablé qu'il restait *énormément* de tartre incrusté dans l'émail. Bon dieu, les choses seraient peut-être différentes si c'étaient les hommes qui enfantaient les femmes, songeais-je en regardant d'un œil mauvais la lunette des vécés. Le sexe aurait peut-être beaucoup moins d'importance à leurs yeux, rigolais-je nerveusement en tirant d'un geste las et désespéré la chasse d'eau et, cela fait, en m'extirpant péniblement des vécés, les reins douloureux et le corps courbaturé. Finalement, tranchais-je en ôtant mes gants en caoutchouc rose et en les balançant de dépit à travers l'espace comme s'ils étaient la cause de tout, rien ne nous enchaînait l'un à l'autre. Strictement rien. Chiotte ! J'avais décidément le chic pour trouver des femmes qu'on ne quittait pas sans casser des œufs par boîtes entières et certains signes ne trompaient pas.

Niveau 14

Car S semblait de plus en plus persuadée que cela devenait sérieux entre nous à mesure que moi-même y croyais de moins en moins et la trivialité de ce genre de mécanique m'effondre depuis toujours. À sa place, j'aurais vu, j'aurais compris que plus le temps passait et plus je devenais anguille entre ses doigts. Faux-fuyants. Refus polis mais toujours plus *significatifs* de l'accompagner ici ou là et, par exemple, au Japon, que j'aurais *adoré* découvrir ; mais j'avais décliné son invitation à l'accompagner à Tokyo tous frais payés car je savais que cela aurait un coût sentimental *exorbitant*. Je ne voulais pas être son débiteur comme j'avais l'impression qu'elle cherchait tout le temps à faire de moi son débiteur et me connaissait-elle donc si mal ? Croyait-elle pouvoir m'acheter avec ses petits soins ? N'avait-elle rien d'autre à *offrir* ? Quelle opinion avait-elle donc de moi ? Et d'elle ? Ne voyait-elle pas que je voulais rompre ? Était-elle aveugle ? Il en avait fallu beaucoup moins à Madame de Staal-Delaunay, selon moi l'auteur des plus beaux Mémoires du XVIIIe siècle, pour découvrir, « sur de légers indices », la diminution des sentiments que lui témoignait Monsieur de Rey et deux points ouvrez les guillemets : « Souvent, il me raccompagnait et ne manquait pas de me donner la main pour me conduire. Or, il y avait une grande place à passer ; et, dans les commencements de notre connaissance, il prenait son chemin par les côtés de cette place, ce qui allongeait notre promenade : mais je vis bientôt qu'il voulait la traverser par le milieu ; d'où je jugeai que son amour était diminué de la différence de la diagonale aux deux côtés du carré. » Que S ne maîtrisait-elle la géométrie dans l'espace pour en déduire ce qu'il convenait d'en déduire !

Il était temps que finisse cette mascarade ! Temps pour moi et temps pour elle. Les choses n'étaient pas allées si loin entre nous qu'elles ne puissent se défaire sans provoquer de blessures pour la vie, de désastres au plus profond de soi, de saut dans le vide. Il ne fallait pas exagérer. Ce n'était pas si grave, me persuadais-je en faisant les cent pas dans mon appartement et en shootant dans un gant en caoutchouc rose qui s'était retrouvé dans le passage et qui manqua de peu de passer par la fenêtre ouverte. Je n'étais pas sans ignorer que plus les rencontres amoureuses sont rapides, plus les sentiments se défont promptement. C'était comme une loi. Or, les choses s'étaient faites très vite entre S et moi. Elles finiraient donc aussi vite. Si j'aimais S, c'était surtout *intellectuellement*. Voilà. Il me fallait l'admettre. Sans doute avais-je cru pouvoir l'aimer tout court au début, je l'avais peut-être *espéré* ; mais la réponse s'était finalement imposée à son contact et il fallait me rendre à l'évidence : j'étais devenu Ulysse s'ennuyant ferme chez Calypso. Je voulais maintenant reprendre la mer. Désolé auguste nymphe, mille excuses grande déesse. À mon niveau individuel des choses qu'on réalise trop tard, à mon tout petit niveau d'insatisfaction personnelle, il ne s'agissait finalement entre S et moi que d'une tocade, pour utiliser un joli mot que plus personne n'utilise aujourd'hui comme si, entre le grand amour (sic) et la rencontre d'un soir (sic), il n'existait aucune nuance ni marge de manœuvre. Nulle alternative. Un mot qui signifie « forte inclination passagère » et j'aime beaucoup le côté passager de la chose. Je me reconnais entièrement dans le côté transitoire de tout.

Niveau 15

Restait à faire passer le message à S. Ne pouvait-on demeurer amis, simplement amis, comme des gens civilisés ? S'il vous plaît. Mais je savais que non. Je savais que S allait très mal prendre la chose. La quitter la blesserait dans son orgueil bien davantage que dans ses sentiments. Je n'en doutais pas une seconde. S était orgueilleuse. Elle l'était par-dessus tout. Il y a des femmes que le chagrin dévaste lorsqu'on les quitte et on se sent affreusement coupable devant elles, on se sent une merde, un monstre, un assassin ; et il y a les autres. Il y a les *susceptibles*. Il y a les *dangereuses*. Il y a les Médée ! Quelle plaie ! Je devais m'attendre au pire. La suite promettait d'être folklorique. Hou là là ! Athéna ne pouvait-elle plaider ma cause au plus haut des cieux ? Zeus ne pouvait-il envoyer Hermès instruire l'auguste nymphe qu'elle retenait captif un homme dont le destin n'était pas de dépérir loin de chez lui, mais de rentrer coûte que coûte en Ithaque ? Je t'en fiche ! Les dieux avaient mieux à faire, semblait-il. Ou bien je n'étais pas Ulysse. Hypothèse la plus probable.

En même temps, j'avais reçu l'appel de la machine à café de marque Illico. Je l'avais reçu oui ou non ? Ma petite mythomanie était en marche. Elle était inéluctable. C'est elle qui précipitait mes événements. Je devais agir *illico*, justement. Même si, je le redis, j'ignorais à ce moment-là qu'une force supérieure à la mienne me poussait. Mais un message m'avait été envoyé. Et que ne parvint-il aussi à S ! Que ne reçut-elle la même injonction ! Cela m'aurait bien arrangé. Mais S faisait la sourde oreille, elle ne se doutait à l'évidence de rien (ou faisait mine) et comment se débarrasser de quelqu'un qui ne veut rien entendre ? S'en débarrasser sans ajouter à la violence de la rupture la brutalité du moyen ? Je lancerais bien ici un petit concours, histoire d'en avoir le cœur net.

Car en la matière, la documentation manque singulièrement.

Elle manque *culturellement*.

On sait la souffrance de celui qui est quitté et on ne sait que cette souffrance. C'est toujours ce point de vue qui est mis en avant. C'est lui qui tient la plume. Lui qui fabrique le monde. Ce n'est jamais le point de vue de celui *qui veut recouvrer sa liberté.*

Ainsi se sent-on bien seul au moment de quitter quelqu'un. On manque d'exemples, de conseils avisés, de soutien.

Surtout s'agissant de quitter quelqu'un comme S.

Niveau 16

Car je ne te l'ai pas dit, mais S n'était pas n'importe qui.

S était une artiste.

Une grande artiste.

Elle était très célèbre dans le monde de l'art contemporain. Très cotée. À l'international aussi.

Et adulée avec ça. Controversée aussi, ce qui augmentait d'autant son prestige.

Ce qui signifiait que rompre avec S ne serait pas seulement rompre avec elle : ce serait rompre aussi avec ce qu'elle représentait. Ce serait rompre avec son monde. Rompre avec l'art contemporain. Rompre avec la communauté des artistes, avec les célébrités, avec les STARS qui se donnaient rendez-vous chez elle et, sur le papier, cela semblait terriblement excitant.

Ne touchais-je pas au but de beaucoup de gens : côtoyer des artistes, des actrices, des STARS ! Faire partie de leur *univers* ?

Je ne vais pas le dissimuler : j'étais curieux d'entrer dans le monde de S. Je me sentais flatté. J'étais un peu impressionné au début et – quoi ? Que dis-tu ? Je ne devrais pas parler de ça ? Parlons-en au contraire ! Comme si les histoires se déroulaient dans l'absolu sentimental et mon œil ! Le contexte social joue aussi. Il joue à plein. Il joue, enrobé de sentiments touchants, un rôle *actif* et essayons de voir ce que je peux tirer de ce thème si peu romanesque.

Je te rappelle que Julien ne se serait jamais suicidé si je n'avais pas rompu avec S.

Partie IV

« Cavalier en h5. »
Bobby Fischer, Championnat du monde d'échecs, 1972

Niveau 1

Lorsque j'étais gosse, j'avais plein d'amis. Ils s'appelaient le Club des cinq. Ils s'appelaient Cadichon. Puis Bob Morane. Puis d'Artagnan. Puis tous les Jules Verne. Tous les Rouletabille. Tous les Arsène Lupin. Tout Harry Dickson, etc. J'étais plus proche de ces amis de papier que de n'importe qui dans mon entourage. Jamais je ne m'ennuyais en leur compagnie. Passais un temps fou dans leur fréquentation et, chaque soir, j'avais hâte de les retrouver sous mes couvertures, à la lumière d'une petite lampe torche, en suçotant des morceaux de sucre dérobés dans la cuisine et glissés sous mon matelas en prévision de la nuit.

Musicalement, Frank Zappa fut mon premier ami. C'est lui, le premier, qui me *déboucha* les oreilles et, ce faisant, il m'ouvrit l'esprit. Lui qui m'apprit petit 1) la musique à la fois populaire et savante ; petit 2) le refus d'être une « idole des jeunes » par respect pour eux ; petit 3) l'ironie et l'éthique qui la sous-tend (la pochette de l'album We're Only in It for the Money (1968) parodiant celle de Sgt. Pepper's Lonely Hearts Club Band sorti un an plus tôt, cela voulait dire quelque chose ; et les Beatles intentant un procès, cela voulait aussi dire quelque chose). Ce que j'entendais autour de moi, que ce soit à la maison, à l'école ou ailleurs, m'apparut soudain musicalement insipide. J'avais trouvé mieux à écouter. Personne ne rivalisait avec les « mères de l'invention ».

Lorsque j'étais gosse, j'avais une vie intérieure très secrète et intense. Une fois seul, je ne l'étais plus dès que j'ouvrais un livre. J'éprouvais alors des joies immenses. Mon niveau individuel des choses connaissait de fantastiques embellies. Des enchantements sublimés. Ainsi passaient les jours. Tels étaient mes véritables interlocuteurs. Plus présents dans ma vie quotidienne que mes parents ou même mes copains de classe, les livres me tenaient chaud autant qu'ils me tenaient en haleine ; ils me nourrissaient de festins ; me faisaient voir le monde et l'existence comme personne ; me présentaient des êtres et des choses qui rachetaient au centuple leurs congénères tridimensionnels ; me racontaient des histoires incroyables et ces histoires incroyables étaient vraies dans le temps où elles me captivaient – et parfois longtemps après ; sans compter qu'ils me rendaient meilleur, plus grand et plus intelligent que je m'imaginais ; me donnaient du plaisir ; me donnaient du courage ; me faisaient réfléchir et grandir et me transportaient d'enthousiasme ou me tiraient des larmes (Ô Cadichon ! Ô ma première mouture d'Ulysse !) et, sur mes envies d'évasion, mettaient enfin des mots, des paysages, des couleurs, des situations qui étendaient dans toutes les directions les limites de ma perception. Ils me révélaient à moi-même combien j'étais plus vaste que j'en avais l'air ou qu'on voulait que je sois. Combien j'étais tissé d'émotions qui n'attendaient qu'un signe pour enfin s'exprimer. Pour qu'enfin se rompent les digues qui les retenaient. Tous ensemble, les livres me *défendaient*.

Lorsque j'étais jeune, je ne voulais pas mourir idiot et encore moins vivre idiot et je me demandais parfois qui était Enid Blyton ? Qui était Henry Vernes ? Qui était Alexandre Dumas ? Qui la Comtesse de Ségur, née Rostopchine ? Dans mes rêves, j'imaginais parfois les rencontrer. Je voulais les remercier ; j'avais tant de choses à leur dire ; j'aurais voulu qu'ils m'emportent avec eux et m'adoptent. Des brouillons de lettres en témoignèrent, heureusement jamais envoyées, faute de savoir où les adresser (hors de question qu'un éditeur lise mon courrier !). De toute façon, quoi leur dire ? Je n'étais personne ! Je n'étais rien. Comparé à tout ce qu'ils me donnaient, je n'avais rien à offrir en échange. Je n'étais riche que d'eux. Vides étaient mes mains et, par extraordinaire, si je m'étais trouvé en leur présence, je sais que j'aurais rougi jusqu'aux oreilles. Je me serais dégonflé comme une baudruche. Me serais éperdu en bafouillages, submergé d'émotions, de gratitude, d'insignifiance, de je ne sais quoi. Assurément je me serais collé une sacrée honte tellement, d'eux, je me faisais un monde. Je ne doutais pas une seconde qu'ils devaient être des êtres d'exception et ne rigole pas : si on ne m'avait pas menti (et pourquoi m'aurait-on menti ?), l'homme avait été conçu à l'image de dieu et, en bonne logique, les œuvres d'art devaient être à l'image de leurs créateurs et ne rigole pas, te dis-je. Par définition, le créateur surclasse sa créature et les artistes devaient être encore plus *formidables*. Ils devaient être incroyablement *excitants*. D'une puissance intellectuelle *phénoménale*. D'une *sensibilité* infiniment radieuse. Et beaux avec ça, dans leurs moindres faits et gestes. Compréhensifs au-delà de tout. Orgueilleux et combatifs. Doux et tempétueux à la fois. Préoccupés de tout et de rien, mais toujours de façon personnelle et unique. Toujours dégagés du vulgaire. Toujours surprenants et insolites. Doués d'une perspicacité inouïe. D'une désinvolture supérieure, rayonnante, généreuse, native. Ils devaient être tellement en colère contre le monde tel qu'il ne va pas en général, la vie telle qu'elle est avilie, les gens tels qu'ils pourraient faire un minimum d'effort et, en même temps, tellement respirer la joie, *tellement être du bon côté*, oui, ils étaient *le gratin de l'humanité*. Ils étaient sa *fierté*. Eux savaient ! Eux avaient quelque chose à dire ! Eux ne chiaient jamais ni ne transpiraient sous les bras. Ils avaient leur propre niveau individuel des choses, eux. Ils n'étaient pas comme les gens que je connaissais, eux. Ils se souciaient de moi, eux.

Niveau 2

Ne rigole pas ! N'oublie pas que j'étais jeune et que je le suis longtemps resté. Autant que j'ai pu. Et à la fin, Julien s'est pendu avec la ceinture de son pantalon. Je verse donc également au Dossier le fait que, lorsque j'étais jeune, je n'imaginais pas d'autre communauté humaine que la communauté des écrivains, des musiciens, des artistes. Je n'imaginais rallier aucune autre communauté humaine que la leur, comme d'autres rallièrent Londres par leurs propres moyens. Les autres communautés humaines n'étaient pas des communautés humaines : elles étaient des familles, des smalas, des clans, des chapelles et des églises ; elles étaient des milieux professionnels, des partis, des castes, des cliques et des claques, elles étaient des administrations et des syndicats, des assemblées d'actionnaires, des mafias constituées, elles étaient de pauvres communautés humaines. Toutes les autres communautés humaines participaient du monde tel qu'il ne m'a jamais semblé aller de soi, *tel qu'il m'a toujours écœuré* (et encore plus à la lumière de mes lectures), au contraire de celle des artistes, qui le rachetait au centuple avec leurs œuvres et ne rigole pas, te dis-je ! Qui ne s'invente des idéaux sur ses propres décombres ?

Et voici que je dînais avec les plus fameux artistes du moment ! Voici que je dégustais en leur compagnie des pointes de respounchous sautées au gingembre qu'un ami étoilé de S était venu exprès cuisiner aux petits oignons et c'était quoi des respounchous ? Ça se mangeait ? Avec les doigts aussi ? Voici que je trinquais et discutais et plaisantais avec des artistes de l'art contemporain, avec des écrivains dont certains très connus, avec des cinéastes de réputation mondiale, avec des musiciens dont, pour certains, j'avais des CD, avec des chanteuses dont je connaissais les chansons, avec des danseuses que je me promettais d'aller voir sur scène au plus vite, avec des actrices que j'avais parfois vues *toutes nues* à l'écran.

Avec des STARS !

Avec des journalistes aussi, et puis des critiques d'art et même des banquiers, un ministre ; mais je m'en fichais un peu

Voici que j'étais assis à la gauche de Marlène Dietrich (elle venait de tourner L'Ange bleu) tandis qu'André Gide (avec son bonnet sur la tête) était à ma droite et je n'avais pas l'impression de faire tache dans le tableau. Pas tant que ça. Je ne m'en sortais pas si mal. Je ne sais pas. J'avais des a priori au début. Bien sûr que je nourrissais certaines appréhensions. Je me sentais excité aussi. Et puis méfiant. Je me demandais : ne vais-je pas me ridiculiser ? Faire sauter un bouchon de champagne en plein dans l'œil d'André Gide ? Renverser mon verre de vin sur la robe (en soie sauvage, couleur vert et rose) de Marlène Dietrich (sûrement de la soie sauvage, sûrement du rose et du vert) ? Qui ne se sent dans un état bizarre en présence d'une STAR, quelle qu'elle soit, même s'il ne l'admire pas spécialement ? Et s'il l'admire, c'est pire. Voici qu'il se sent comme un petit enfant devant un géant. Voici qu'il sourit trop. Ou se renfrogne et joue les taciturnes dans l'espoir de se faire remarquer, même défavorablement. Dans tous les cas, il ne voit pas l'individu : il ne voit que la STAR et, devant elle, ébloui malgré lui, il ne se sent plus tout à fait lui-même. Il éprouve un indicible sentiment d'infériorité, parce qu'il a intériorisé qu'entre la STAR et lui, il y a un fossé qui ne plaide pas en sa faveur, il y a un monde et ce n'est pas n'importe quel monde. C'est ridicule, mais il se sent intimidé, diminué, tellement il est gêné de ne pas pouvoir parler d'égal à égal, parce que c'est impossible, sans bien comprendre pourquoi ; mais c'est une gêne dont il lui faut se débrouiller et je ne sais pas. Ce n'est pas tous les jours qu'on se fait une montagne de quelqu'un qui fait pourtant notre taille, sans que celui-ci ait besoin de lever le petit doigt, pour la seule raison qu'il *représente* quelque chose et nous pas et voici que cela m'arrivait à moi. Quand bien même Enid Blyton n'était pas là, je craignais mes réactions. Me connaissant comme je me connais, je n'étais pas rassuré. Je me sentais dans la peau d'un *usurpateur* et allais-je me montrer servile. Ou bien agressif ? Quelque part entre ces deux extrêmes ? J'étais curieux. Il s'agissait d'un examen de passage et, au début, je m'étudiais par-devers moi. J'écoutais si tumulte il y avait en moi, à l'affût de la vérité de ce tumulte et mets-toi une seconde à ma place. Imagine la situation. Imagine-toi en face de Marilyn Monroe. À la même table qu'elle. Elle t'adressant la parole. Elle portant un verre à sa bouche. Elle passant langoureusement la main dans ses cheveux tandis qu'elle parle. Tandis qu'elle *te* parle. Tandis qu'elle se penche vers toi. Tandis qu'elle écoute ce que tu dis. Tandis qu'elle rit à ce que tu viens de dire ! Tu vois ta tête ? Tu vois sa bouche ? Tu vois son décolleté ? Tu réalises que c'est MARILYN ?

Niveau 3

Imagine alors mon soulagement de constater que je n'étais pas si impressionné que cela. Je ne cherchais pas particulièrement à briller. Je faisais comme si ce n'était pas vraiment Marilyn qui riait un peu trop fort ou, plus exactement, j'arrivais à faire abstraction de sa notoriété, percevant intuitivement que cela aurait été vulgaire, tout à fait inapproprié de ma part de remarquer que c'était Marilyn qui avait soudain une crise de larmes. Qui se mettait soudain dans tous ses états. Je ne sais pas. Elle semblait terriblement fragile. Elle était pénible aussi. Je ne sais pas. Ma faculté d'adaptation était somme toute remarquable et la conscience que j'avais de moi-même persistait tranquillement en elle-même, sans faire de vagues, sans péter plus haut que son cul ni faire profil bas. J'offrais du feu à Marilyn qui avait retrouvé sa bonne humeur et ma main ne tremblait pas. Je ne regardais pas spécialement ses seins. Je ne franchissais pas le cercle qu'elle-même traçait autour de sa personne, comme n'importe qui à dire vrai. Eh oui, j'ai donné du feu à Marilyn et tout le monde ne peut pas en dire autant. Tout le monde n'a pas eu la chance d'avoir vu Marilyn de près, tantôt souriante, tantôt les nerfs à vif, vêtue d'un simple jeans et d'un sweat gris perle, à peine maquillée, les cheveux simplement rejetés en arrière et me regardant comme si j'existais (et je ne te dis pas tout ce que j'ai vu, de mes yeux vu, quelle IMMENSE STAR j'ai vue faire pipi une fois dans un parking et je souris encore de sa classe intacte ! Ce fut ma vision d'Anita Ekberg dans la fontaine de Trevi). Comme si, de Marilyn, je faisais partie de *son* monde. Comme si je lui plaisais ou pouvais lui plaire. Wow ! De près, sa peau était moins nette qu'à l'écran et quel privilège de pouvoir comparer ! En était-ce un ?

En face de moi, Frédéric Chopin grignotait une miette de pain et rends-toi compte : Frédéric Chopin ! Une miette de pain ! Si seulement ma mère avait pu me voir à cet instant ! Comme elle aurait été fière de son fils. Elle aurait su qu'elle avait eu raison de ne pas sauter du cinquième étage. Eh quoi ! Tout pioupiou que j'étais, j'accédais à la source individuelle de l'art. J'appelais Jean-Jacques Rousseau par son prénom (« Hey, Jean-Jacques, tu peux me passer la bouteille de vin, s'il te plaît. Merci »). Et Jean-Jacques me passait la bouteille de vin. Il était trop aimable ! Je l'avais à ma pogne ! Je le tutoyais ! Sans blague ! Tout le monde m'accueillait à bras ouverts et n'étais-je pas *l'actuel* fiancé de S ? Ne venais-je pas de publier un livre dont la *critique* faisait l'éloge tandis que les ventes *décollaient*. N'étais-je pas un écrivain *très* talentueux, vraiment *intéressant*, qui gagnait à être *connu* car on ne savait pas jusqu'où il irait celui-là ? Mon talent était synonyme de réussite, à l'instar de chaque convive autour de la table, même s'il me restait encore du chemin à faire. « Tu vas voir, ça va changer ta vie », m'avait glissé à l'oreille un ancien lauréat lorsque j'avais reçu un prix littéraire. Je l'avais regardé avec des yeux ronds : de quelle vie parlait-il ? Je n'avais pas aimé la façon dont il m'avait cligné de l'œil d'un air entendu, comme si nous allions désormais garder les vaches ensemble, compter les mêmes fleurettes, chier dans le même vase, mâcher le même chewing-gum et nous en taper tous les deux une bonne tranche sur le dos des autres.

En même temps, je ne pouvais nier l'évidence : j'avais maintenant mes entrées au carré VIP de l'art et ce n'était pas rien. Je faisais tout à coup partie de *l'élite*, je représentais moi aussi quelque chose, du moins en apparence. En sorte, j'avais *réussi*, comme on dit. Sans l'avoir prémédité. Sans avoir dérogé à aucun de mes principes. Grâce à mes talents. Grâce à S. Comme la vie est rigolote, songeais-je. Je ne m'en suis pas si mal sorti, m'envoyais-je des bisous. Je suis en pleine ascension sociale, me félicitais-je. Qui l'eût cru ? Sachant d'où je venais, c'était plutôt inespéré. Quinze ans plus tôt, je vivais dans la rue, proie de voix qui m'ordonnaient de faire ceci ou cela, de marcher follement dans les rues, de tourner à droite, et puis à gauche, d'aller tout droit parce que, dans le ciel, un avion traçait une ligne dans cette direction et ainsi de suite pendant des heures, jusqu'à ce que je trouve, apposée sur la façade d'un immeuble, une plaque annonçant que quelqu'un était mort à cet endroit précis et le charme cessait tout d'un coup. Les voix se taisaient enfin. Je reprenais mes esprits. Sacrées voix ! J'avais fait du chemin, ça oui ! J'avais eu *énormément* de chance. Je n'allais pas me le dissimuler.

Pas faire le délicat. Pas la ramener avec des considérations qui tenaient à des a priori assurément typiques de ceux qui n'ont jamais été invités à prendre place au banquet de la vie. Une fois qu'ils y sont, ils voient les choses d'un autre œil, ils les voient de l'intérieur et tu n'es plus un simple spectateur, me disais-je, tu fais maintenant partie du spectacle et n'est-ce pas ce que tu as toujours voulu ? Avoue-le ! Mais avoue-le donc ! Pourquoi pinces-tu les lèvres ? Te crois-tu différent des autres ? À ta place, je rayonnerais ! Regarde : Ava Gardner vient d'arriver, regarde, elle est pieds nus et n'est-ce pas *fantastique*, tentais-je de me convaincre, tout en piquant très délicatement avec ma fourchette une pointe de respounchous sautée au gingembre qu'après avoir lentement portée à ma bouche je laissais fondre sur ma langue un temps succulent, comme si l'existence n'était plus qu'un suave ralenti.

Niveau 4

Socialement, fréquenter S était formidable.

Artistiquement, je ne pouvais rêver mieux.

J'en avais pleinement conscience.

Un peu trop même.

Comment imaginer renoncer à la *chance* qui m'était offerte ? À cette possibilité indécente de faire avancer ma *carrière* ? De nouer des contacts *utiles* et de constituer un *réseau* ? D'approcher des gens *extra-ordinaires* et devenir peut-être leur *ami* ?

Comment ne pas aimer S, sinon pour elle, du moins pour son monde ?

Ce serait retourner dans l'ombre après avoir goûté à la lumière.

Il faudrait être fou.

Ce serait complètement stupide.

Qu'aurais-tu fait à ma place ?

Aurais-tu rompu avec S ?

À cause de – quoi au fait ?

D'une machine à café de marque Illico ?

D'une légère insatisfaction sexuelle ?

Ce serait vraiment crétin.

N'es-tu pas d'accord ?

Attends.

Ne réponds pas trop vite.

Car je ne t'ai pas tout dit.

Il faut que tu saches

qu'aux dîners de S

Comment dire ?

J'aurais tellement aimé être ébloui, me trouver en présence de Génies, de Héros, au contact desquels je me serais surpris à éprouver de l'admiration, enfin ce sentiment, depuis si longtemps désiré. Mais on dirait que les gens se refusent tout le temps à moi et qu'ils le font exprès. Je ne sais pas. Je me voyais sourire à Gide et à Marlène et à Ava et la facilité avec laquelle je jouais le jeu me faisait grimacer intérieurement. Comme si le monde de S était supérieur à la somme des individus qui le constituaient et, à leur détriment, leur dictait quoi dire et ne pas dire, comment essuyer leurs lèvres avec leur serviette, à quel moment éclater de rire en rejetant gracieusement la tête en arrière, etc. Qu'est-ce qui clochait chez moi ? N'étais-je pas au firmament ? Ne pouvais-je me forcer un tout petit peu et *profiter* de l'instant, sans être dupe cependant, comme les autres ? Comment faisaient-ils tous ? Qu'est-ce qui m'échappait ? Je ne sais pas. Je me disais : c'est bizarre comme les gens célèbres préfèrent s'entourer d'autres gens célèbres et j'ignorais si c'est parce que la célébrité fabrique une réalité à part entière, mais je me sentais insensiblement devenir paranoïaque dans cette ambiance douceureuse et enjouée. C'était comme une expérience de privation sensorielle. Je n'avais pas l'habitude. Je n'étais pas dans mon élément. Tout le monde était trop *gentil*. Trop plein *d'amour* entre soi. Ils souriaient *trop*. Ils avaient l'air incroyablement *satisfaits*. D'une *naïveté* confondante. L'étaient-ils ? C'était comme me trouver dans une bulle de savon et sentir que le monde extérieur venait écraser son visage contre la paroi molle et irisée, jusqu'à devenir difforme, tout à fait monstrueux sous la pression – et ce visage avait aussi mes traits. Je ne sais pas. J'aurais dû être aux anges et je ne l'étais pas. Je n'y arrivais pas. Je n'aimais peut-être pas assez le luxe. Pas assez ce monde. Je ne sais pas. Je me sentais faux. Je ne me sentais pas à ma place – mais où était ma place alors ? Je me faisais *chier* et c'était un comble ! N'étais-je donc qu'un rabat-joie ? Un pisse-froid ? En demandais-je trop ? Qu'est-ce qui n'allait pas chez moi ? Qu'est-ce qui clochait dans le monde de S ? Je ne sais pas. Jamais les ambitions des autres ne semblent s'accorder avec les miennes. Leurs plaisirs me demeurent étrangement étrangers et vice versa. Je ne sais pas. Ce n'était peut-être pas les bons artistes, pas les bonnes célébrités, pas le bon gratin. C'était peut-être les respounchous. Ou le gingembre. Ce n'était peut-être ni le lieu ni l'endroit. C'était peut-être les astres. C'était probablement mon étroitesse d'esprit, typique de la classe moyenne, imprégné typiquement d'idéalisme non moins typique, se faisant typiquement des idées fausses d'après des images vraies. Ou bien c'était mon sens acquis de la politesse, qui me fait me tenir correctement en toutes circonstances, quoi que j'en pense. Ou à cause de Roland qui, à Roncevaux, à vingt contre un, percé de flèches et d'estocs, malgré le preux Olivier qui l'en supplie (mon frère s'appelait Olivier), refuse de déposer les armes *et il en meurt* ; ou bien à cause de Bernard Palissy (mon père se prénomme Bernard) qui, après vingt années de vaines recherches, malgré les moqueries et les railleries, persista dans son idée fixe, au point de brûler sa maison jusqu'au dernier de ses meubles, jusqu'aux lattes de son plancher, pour faire monter la fournaise de son four et, devant les yeux horrifiés de sa femme, *ainsi trouva-t-il le secret de l'émail jaspé*. Qui peut dire s'il a tort ou s'il a raison de persévérer en son être puisque tantôt cela abat, tantôt cela élève ? Je ne sais pas. C'est à l'école que j'ai appris que les héros n'écoutent jamais la voix de la raison, sont atrabilaires, jamais ne *jouent le jeu* et vive l'école publique ? Vive l'héroïsation de l'histoire, lorsqu'elle était encore au programme scolaire ? Je ne sais pas. Autour de la table, les gens étaient pourtant charmants. Marlène était délicieuse et elle me donna son numéro de téléphone en partant et son regard soudain trouble et intense me parut une invitation à l'appeler discrètement à l'occasion, quand bien même elle était une « grande amie » de S. Ou parce qu'elle était justement son amie et que ce milieu cultivait la consanguinité et partouzait entre soi ? Je ne sais pas. Jean-Jacques était tout à fait affable, souvent pompette. Chopin se mettait parfois au piano. Ce qui ravissait Gide : il se mettait aussitôt à manger son bonnet et à se tortiller sur sa chaise, la tête renversée en arrière, les paupières prises alternativement de tics, comme si elles battaient le rythme, quoique à contretemps, comme tous les Français qui accentuent depuis la Renaissance les temps forts plutôt que les temps faibles et cela en dit long sur les Français. Je ne sais pas. Tous étaient vraiment cool, zen, relax et, à vrai dire, ils n'avaient pas de raison de ne pas l'être. « Vous êtes tous très sympathiques », portait d'ailleurs un toast Mister Love qui était arrivé sur le tard et qui adorait faire son numéro ; il me faisait rire celui-là ; il ne pouvait s'empêcher d'être caustique, comme s'il cachait lui aussi un secret. Je ne sais pas. Beaucoup s'éclipsaient sitôt leurs respounchous terminés. Peut-être avaient-ils mieux à faire ailleurs. Ou bien se couchaient-ils tôt car ils travaillaient tôt le lendemain matin, comme n'importe quel salarié. Ou bien ils venaient s'empiffrer gratis de respounchous. Je ne sais pas. Pris individuellement, il se serait peut-être produit une étincelle. Avec B. S. par exemple. Ou F. A. Ou S. E. Ou J.-P. K. Ceux-là me plaisaient bien. Ils étaient de qualité. Mais tous ensemble. Je ne sais pas. Tous ensemble : c'était *oppressant.* Cela devenait *caricatural.* Une espèce *d'obscénité* sautait aux yeux. Comme s'ils se congratulaient tous en permanence. Se frottaient les mains les uns les autres. Quand bien même S y mettait du sien pour que la soirée soit réussie. Organisait des jeux. Froufroutait de l'un à l'autre, jouait la diva rigolote, l'artiste à malices, soignait son monde et se donnait du mal pour l'enchanter, afin que tout soit joyeux et *glamour,* comme une tentative de créer de l'animation, preuve qu'elle faisait naturellement défaut. Comme on tente de donner vie à un cadavre. Mais je n'aurais jamais cru. Comment dire ?

Personne ne disait rien.

Les gens parlaient, mais c'était pour ne rien dire.

C'était ça le problème.

C'était *mon* problème.

Je te jure : pas une *seule* conversation. À aucun moment. Lors de ces fameux dîners. Pas avec moi en tout cas. Comme si tous s'en gardaient bien. Je te jure. Chacun s'évertuait à rester hypercool, zen, relax, comme s'ils s'étaient tous passé le mot. Comme s'ils se réservaient pour les interviews et certains me regardaient d'ailleurs avec une espèce de « regard caméra », donnant l'impression qu'ils ne pouvaient regarder quiconque en face s'ils n'étaient pas filmés et je te jure : le cinéma a créé un regard qui n'existait pas avant. Un regard qui fixe intensément un point dans le vide, par-dessus notre épaule. Je te jure. Tout le monde semble vivre aujourd'hui sous le regard intérieur d'une caméra qui le surveille et ainsi régnait-il autour de la table une sorte de pauvreté concertée. Moi qui espérais rencontrer des individus pleins de vie et d'émotions, j'en étais pour mes frais. Au sein même du spectacle, le spectacle régnait encore plus et c'était bizarre. Je m'attendais bêtement à l'inverse. Je ne sais pas. Il me revenait en tête le roman de G. K. Chesterton dans lequel un policier « nommé Jeudi » infiltre le

Conseil central des anarchistes et s'aperçoit peu à peu que tous ses membres sont eux aussi des agents infiltrés, *tous sont des taupes*, mais aucun ne le sait, ce qui fait que chacun joue à l'anarchiste pour entretenir l'illusion et ne pas griller sa couverture et remplace maintenant le mot anarchiste par le mot artiste. Comprends que, dans ce livre, le seul anarchiste véritable est un dénommé Gregory et Chesterton n'aurait-il pu choisir un autre prénom ?

Parfois j'essayais de briser la glace ; mais rien à faire ; je m'y prenais mal ; je n'insistais pas. Tandis que les cancans, les ragots : ah oui ! (Tu sais quoi ? Non ! Avec un respounchous ? Pas possible ! Elle n'a pas fait ça ! Mais c'est répugnant !). Et puis des extases (Quelle merveille ces respounchous. Ils sont *sublimes* !). Des confidences les yeux dans les yeux (J'adore ton livre. J'ai adoré ton dernier album. Je vais adorer ton prochain respounchous). Des secrets d'alcôve (J'ai mangé une fois des respounchous chez Cocteau et je peux vous dire qu'il les fait revenir avec un peu du sperme de Jean Marais). Des plaisanteries pour faire rire l'assemblée (Deux respounchous sont dans un bateau. Gingembre coule. Il reste quoi ?). Des illuminations soudaines (C'est vrai que les respounchous, ça sent un peu le sperme). Des angoisses sombrement partagées (C'est incroyable cette montée du front national des respounchous. Ça fait peur). Des déclarations impérissables (Je Suis Dans l'Émotion Du Respounchous !). Des besoins d'amour (Tu me donneras la recette de tes respounchous ? S'il te plaît ! Bisous bisous). Des perfidies (Voltaire déteste les respounchous. Il n'a jamais eu aucun goût). Des éblouissements (C'est un Lacroix ton respounchous ? Il est sublime ! Tu m'accompagnes lundi à une vente privée chez Gingembre ?). Des projets d'avenir (Tu crois que ça marcherait si je photographiais des respounchous dans des boîtes Campbell ? Qui a une meilleure idée ? Je lui donne dix respounchous en échange !). Des coups de folie passagers (Je peux donner un respounchous au chat ?). Des soucis aussi (Tu avais des respounchous planqués au Panama ? C'est la merde…), des chansons a capella (C'est un respounchous / Accroché à la colline / On y monte à pied, la si la sol fa#) ; *etc. etc. etc.* Il n'était question que des respounchous. Il n'y en avait que pour eux. Je n'en pouvais plus.

ASSEZ !

Les respounchous, ils me sortaient par les yeux. Ils n'étaient pas seulement des respounchous : ils étaient un cri, un ralliement, un code. Les gens au firmament, je ne sais pas, on dirait qu'ils n'ont que la gastronomie pour se distinguer des autres. Ils se rencontrent toujours autour d'un bon gueuleton. Ils décernent même des prix en bouffant. Comme s'ils n'avaient que ce qui se trouve dans leur assiette pour se persuader qu'ils sont au firmament et ainsi s'extasiaient-ils encore et encore devant les respounchous, qu'ils trouvaient sublimes parce que cette saloperie d'asperge sauvage sublimait leur réussite. Hormis cela : rien ! Un *sujet* de conversation : pas la queue d'un ! Une conversation digne de ce nom, même minuscule : grand dieu non ! Une parole échangée depuis l'incertain de soi et non depuis la certitude de son personnage : jamais ! Surtout pas. Au grand jamais ! Des fois que. Oh là là. Quelqu'un mettrait les pieds dans le plat ? Romprait l'harmonie ? Dirait un truc qui fâche et ne ferait rire personne ? Écornerait son image ? *Ne serait plus invité ?* Oh là là. Je ne sais pas. Bonjour, me saluait tout à coup Lucien de Rubempré. Comment va ? Car Lucien me tutoyait lui aussi. À quand ton prochain livre ? s'empressait-il. On a hâte ! Sa voix était chaleureuse. Je hochais la tête. Faisais un geste vague de la main. Un silence. S est décidément merveilleuse, me confiait-il. Je l'adore. Il semblait sincère. Il me disait ça comme un secret qu'il faudrait que je répète au plus vite à S. Il reposait son verre de vin. Un silence. Et à part ça, lui disais-je, tu n'as pas envie de te trancher les veines ?

Bon dieu, j'aurais tellement aimé discuter, rien qu'un tout petit peu, plutôt que de devoir me réjouir en permanence ! Discuter de quoi ? Ah ah ah. Je te reconnais bien là ! En tous les cas, je n'imaginais pas un tel néant. Bon dieu, j'avais bien plus rigolé avec des marins des Glénans. C'était décourageant. Je n'en croyais pas mes oreilles d'entendre cette écrivaine me confier sur le ton de la plaisanterie que je lui piquais des parts de marché (« Ton livre me pique des parts de marché ! ») et *elle ne plaisantait pas du tout !* Elle avait un respounchous coincé entre les dents. Je ne sais pas. Il n'y avait même pas de sexe. Même pas de coke (même si je n'en prends plus depuis belle lurette). Seulement des respounchous. J'avais la sensation d'être entraîné mollement par le fond. Je perdais mon temps et aucune star ne me le rembourserait. Parfois, je voyais tel ou telle se mettre tout à coup à conciliabuler à voix basse dans un coin et s'échanger des numéros de téléphone et, pendant cinq ou huit minutes, cela parlait *business* à voix basse. Avant, l'affaire conclue, de se recomposer une jouvence tout sourire et retourner faire la fête avec les autres, youpi, trop heureux d'être venus, quel régal ces respounchous ! Je ne sais pas. Les dîners de S : ils étaient aussi des dîners d'affaires. Tout le contraire de ce que j'imaginais, songeais-je en piquant ma fourchette dans une pointe de respounchous et je piquais à ce moment-là tout à fait autre chose (une colère ? une tête ? du nez ?

une crise ? un sprint ? l'argenterie ? un roupillon ? C'est fou le nombre de choses qu'on peut piquer avec une fourchette). Je ne sais pas. Tu n'as rien à faire ici, tu *t'appauvris*, me donnais-je des coups de pied sous la table, la bouche envahie par les obscènes fragrances du gingembre. Tu ne sais pas mêler le plaisir aux affaires, tu n'es pas solidaire, tu ne connais pas la chance que tu as et tu n'es pas un artiste finalement, voilà, tu dois l'admettre. Tu vas rester dans ta crotte et bien fait pour toi. Tu crèveras tout seul dans ton coin et tant pis pour toi. Alors qu'il suffirait que tu signes, là, en bas du parchemin.

Ce n'est pourtant pas si compliqué.

Tu te crois où ?

Je ne sais pas. Je n'avais plus envie d'être un artiste. Je préférais ne plus. Je pouvais repasser avec mes idéaux de jeunesse. Mais où diriger mes pas si tutoyer le firmament me donnait le sentiment de dégringoler en moi-même ? Quelle communauté m'inventer ? Où le Bateau-Lavoir d'aujourd'hui ? Le Cabaret Voltaire ? Le Chelsea Hotel ? L'Hôtel sans nom de la rue Gît-le-Cœur ? Le 3, impasse du Doyenné ? Je ne le savais pas. Je n'en avais pas la moindre idée. Je n'arrivais pas à décoller mon cul de ma chaise. Les dîners au café de l'Hippodrome étaient-ils aussi convenus ? Je ne l'aurais pas parié. Il n'était pas là Iggy Pop ? Dans cette atmosphère de cretonne sautée au gingembre, j'avais envie qu'un drame. Un pugilat. Une catastrophe. Je ne sais pas. Que prennent feu la nappe et les rideaux. Le bonnet d'André Gide. La robe de Marlène Dietrich. Des pulsions pyromanes me montaient. Je voulais que *quelqu'un* mette sur la platine The Lowlands et pousse le volume à fond pour qu'Archie Shepp, Philly Joe Jones et Chicago Beau fassent exploser leur rage intacte de 1969 et, pendant 18 minutes et 26 secondes de pure musique free, qu'un chaos hurlé saccage tout, avant de réconcilier chaque instrument sur la base de relations sociales s'accordant d'elles-mêmes sur un autre rythme, oui, The Lowlands. Bon dieu, je subissais le contrecoup d'un environnement si parfaitement civilisé que j'éprouvais ce « besoin désespéré de chaos qu'engendrent paradoxalement la tolérance et la compréhension sans limite des uns envers les autres », comme dit l'autre (J. G. Ballard). Ce pourquoi je ruminais de plus en plus sombrement, sans cesser cependant de sourire à la cantonade, me détestant davantage à chaque minute qui passait.

Ça les élites ? Mais j'aurais voulu qu'elles le soient vraiment. J'aurais adoré qu'elles le soient hautement et superbement. Je rêve depuis toujours de rencontrer des êtres qui me tirent vers le haut.

Eux les artistes ? Sans rire !

Que voulais-je à la fin ? Je regardais les respounchous refroidir dans mon assiette et je n'avais plus envie d'y toucher. J'avais envie d'un bon steak bien saignant avec plein de frites bien grasses. Je ne sais pas. À l'un de ces dîners, je vis une fois un grand type débarquer. C'était l'écrivain du mois. Son livre faisait un tabac. J'avais moi aussi été l'écrivain du mois, quoique dans une moindre proportion. Et un autre écrivain le serait le mois prochain : il faut chaque mois un écrivain du mois. En attendant, son bouquin suscitait d'innombrables éloges et son auteur était devenu « la star montante de la littérature ». Et voici qu'il venait manger des respounchous comme les autres. Mais tout le dîner, il ne cessa de regarder les gens avec une espèce d'incrédulité. Avec quelque chose de triste et de mauvais dans le regard qui me plaisait bien. Un bon moment, il s'entretint avec une femme qu'il semblait avoir bien connue et, de toute évidence, aimée avant de devenir l'écrivain du mois et je l'entendis s'exclamer : « Mais j'étais le même avant, exactement le même ! Pourquoi vouloir de moi maintenant ? Il est évident que ce n'est pas pour moi-même qu'on m'invite à manger des respounchous. C'est pour autre chose. C'est parce que j'ai du *succès*. N'est-ce pas ridicule ? N'est-ce pas déprimant ? » Plus tard, il dit à la femme d'un ton sec et amer : « Pourquoi ne l'avez-vous osé plus tôt ? Quand je n'avais rien ? Quand je mourais de faim ? Quand j'étais exactement celui que je suis aujourd'hui et que j'écrivais les mêmes livres, sauf qu'ils n'avaient pas de succès. Putain, j'étais le même écrivain alors, j'étais le même homme, j'étais le même Martin Eden ? Tout ça me dégoûte. »

Une autre fois, un drôle de type fit une brève apparition. Il avait l'air au bout du rouleau. Il était chancelant. Blême. Peut-être était-il malade. S le serra dans ses bras. J'aimais son malaise. Enfin quelqu'un qui semblait humain. C'est-à-dire défait. À un moment, il montra ses deux mains à S en lui disant qu'il n'arrivait plus à saisir quoi que ce soit. Tout lui échappait. Tout glissait entre ses doigts. Comprenait-elle ? J'aurais voulu que S nous présente. Mais il s'éclipsa avant que l'occasion se présente. D'un coup je le vis se lever, prendre son manteau et s'en aller, presque s'enfuir. Juste avant de disparaître, je crois l'avoir entendu dire « Assez d'humiliations ». Quelque chose comme ça. Il paraît qu'il s'appelait Alain Leroy. Je ne sais pas ce qu'il est devenu. Je ne sais rien. Dans mes mauvais jours, je me disais que ces artistes qui avaient conquis le monde, le monde les avait conquis en retour et ils ne faisaient plus le poids à présent, ils étaient faits comme des rats et ils ne s'en plaignaient pas. Au contraire !

Du coup, leurs œuvres m'apparaissaient soudain sous un autre œil. Comme n'a jamais dit Baudelaire, ils sont forcément intéressés ceux qui prétendent qu'il n'existe pas de lien entre la vie de l'artiste et son œuvre et une sensation désagréable en entraînant une autre, un truc commençait à se faire jour dans mon esprit. Un truc moche. Tout semblait d'une connivence tellement parfaite, rondement menée, indiciblement verrouillée et tant d'efforts pour ça ? Je ne sais pas. Je continue ou je m'arrête là ? Tu as ta dose ? Tu veux un respounchous ? Je croyais quoi ? Je regardais ces artistes et, bon dieu, au lieu de s'aligner sur leur niveau artistique des choses, ils s'alignaient sur le niveau social de l'art et ces artistes, bon dieu, ils n'étaient pas les pires individus sur Terre, bien sûr que non ! D'autant qu'ils n'étaient même pas snobs, même pas ridicules, même pas méchants, en aucun cas arrogants ou cyniques, non, ils étaient juste incroyablement attendris de se retrouver entre eux et de partager les mêmes respounchous, d'avoir réussi à sortir de l'anonymat et d'être chacun devenu quelqu'un et, dans mes mauvais jours, j'avais l'impression qu'ils remerciaient à chaque bouchée le monde tel qu'il ne va pas, la vie telle qu'elle est avilie et les gens tels qu'ils pourraient faire un minimum d'effort et je ne sais pas. Ces artistes, ils étaient trop bien installés, trop bien assis, ils étaient des *professionnels de l'art* et j'étais bien stupide de ne pas en prendre de la graine. C'est ce que je me disais dans mes mauvais jours, tandis que les invités partis, j'aidais S à débarrasser et lui assurais que le dîner avait été très réussi (Oh oui, c'était très réussi ! Quelle bonne soirée ! J'ai trouvé Gide très en forme, son nouveau bonnet lui allait très bien, mentais-je effrontément, incapable de dire ce qui n'allait pas chez moi et fasciné de voir à quel point je pouvais me renier moi-même), tout en jetant à la poubelle les respounchous que certains n'avaient pas finis et qui ratatinaient à présent dans les assiettes : on aurait dit des vers de terre dans de la vase. On aurait dit. Je ne sais pas.

Je sais seulement qu'à la fin, Julien s'est suicidé.

Tu trouves que j'exagère ? Mais cette autosatisfaction en cercle fermé pousse le monde au cynisme et au désespoir faute d'être toujours plus sentimentale en apparence et toujours plus complaisante en profondeur et je verse tous les dîners de S au Dossier, avec tous les respounchous, pas de quartier ! Chaque détail compte. Il n'y a pas de raison pour que Patricia et moi soyons les seuls impliqués. Le suicide de Julien peut accueillir *énormément* de monde. C'est ce que je me dis dans mes mauvais jours (et c'en est un aujourd'hui). Je ne sais pas. S m'avait avoué qu'elle pensait au début que j'étais pauvre, du latin *pauper*, formé à partir du radical *pou*, comme l'insecte. Elle ignorait que je gagnais ma vie, suffisamment pour vouloir l'impressionner un jour en commandant un petit pot de caviar dans une brasserie, parce que c'était la fête et que je ne voulais pas qu'elle pense que je puisse être son gigolo. Hors de question. Je tenais d'emblée à faire valoir mon indépendance financière et donc affective. Ni maquereau ni gigolo, telle a toujours été ma devise. Eh quoi ? Elle pensait donc que j'étais *pauvre* ? Cela qu'elle avait *tout de suite* pensé ? Cela qui lui avait *plu* ? Elle était *déçue* que je ne le sois pas ? Cela marchait donc *dans les deux sens* ? Bon dieu, c'était du plus haut comique. Bon dieu, j'en ai marre de mettre des mots en italique. Dans mes bons jours, je haussais les épaules. Je me disais que ce n'était qu'une goutte d'eau. Ce n'était pas si grave. Il ne s'agissait que de dîners. Du jeu social tel qu'il existe depuis toujours et sous-tend le reste. Dans mes bons jours, Philinte prenait le dessus et, à la nature humaine, je préférais faire grâce et des mœurs de ce temps ne voulais plus me mettre en peine. Flegmatique j'étais dans mes bons jours. Personnellement, je n'avais rien contre personne. C'est contre moi que j'en avais plutôt. C'est mon avenir qui m'inquiétait. Où diriger mes pas si le monde des artistes était un monde comme les autres, mais en plus décourageant puisqu'il aurait dû valoir mieux que les autres ? Je ne le savais pas. Jean-Jacques, tu veux bien me repasser la bouteille de vin ? Merci mon pote. À ta santé mon pote. Je ne sais pas. J'en ai fini aujourd'hui des dîners mondains et même des dîners en général et sans doute me faut-il remercier S car, grâce à elle, j'ai pu me faire ma propre opinion sur les soirées de l'ambassadeur, loin des perfides généralités qu'affectionnent les envieux et dont nul ne peut dire si, à ma place, ils ne se seraient pas empiffrés de pointes de respounchous sautées au gingembre. S'ils n'auraient pas fait un *calcul* tout à fait différent du mien.

Je précise que pas une seule fois, lors des dîners de S, je me suis dit que si les gens ne venaient pas me parler, c'est parce que je n'étais finalement pas très intéressant. Cela, je ne me le suis jamais dit et tires-en les conclusions que tu veux.

Niveau 5

Rompre avec S (*essayons encore !*). Peut-être fut-ce un effet de la machine à café de marque Illico. Mais rompre avec le monde de S. Maintenant qu'un voile se déchirait, me le révélant peut-être pas tel qu'il était, mais tel que je ne m'y voyais pas et, par parenthèse, il m'avait fallu tout ce temps pour ouvrir les yeux et parvenir à tirer de cette expérience certains a posteriori valant mieux que tous les a priori qui faussent les perceptions. Maintenant. Oui. Que j'avais pris ma décision. Je me sentais soulagé. Je me sentais *restitué*. Le dirais-je ? J'en tirais au fond de moi une vaniteuse gloriole. Comme si quitter le monde de S tenait de l'*exploit*. Comme si rompre avec lui n'était pas seulement rompre avec lui mais avec quelque chose d'autre dont il était l'expression sournoise et malsaine. Eh quoi, on ne m'achetait pas, moi ! Je ne mangeais pas de ce pain-là, moi. Hourra pour mézigue !

En sorte, rompre avec S ne serait pas seulement une décision sentimentale, non, il s'agissait aussi d'une décision *politique*. Cela valait *engagement*. J'y voyais clair à présent. Je m'étais laissé embringuer, mais le piège ne s'était pas refermé sur moi. Nul ne pourrait dire le contraire ! Je serais bien tranquille de ce côté-là. Je pourrais regarder les autres sans baisser les yeux. J'étais celui qui avait dit non aux respounchous et cela me donnait certains droits. Cela me donnait *énormément* de droits. Non qu'il y ait lieu de me vanter, mais je saurais ce que j'avais refusé et, à mes propres yeux, ce refus me donnerait un certain crédit. Je pourrais frimer devant ma glace. Je savais maintenant à quoi m'en tenir sur mon compte et cette information valait son pesant de respounchous. Elle me donnerait des forces.

Rien que d'y penser, il me semblait déjà recouvrer une liberté de mouvement et de pensée, comme un corps se redresse après s'être affaissé et amolli. Rompre avec S et avec son monde, cela avait du *sens*. Cela allait me maintenir en forme. Plus que je ne me l'imaginais. Cela n'avait l'air de rien, mais c'est aux choix minuscules que fait un individu dans sa vie qu'on peut le juger. Pas à ses grandes déclarations d'intention. Jamais à ses idées. Nous sommes ce que nous acceptons et ce que nous refusons. Rien d'autre. Ici s'apprécient les existences à leur juste valeur et le monde de S : il délimitait finalement une frontière à partir de laquelle une espèce de tri s'opérait. Car faire partie de ce monde n'était pas gratuit. Refuser d'en faire partie ne l'était pas non plus. Mais le prix à payer m'apparaissait moins exorbitant dans ce dernier cas. Cela me serait rendu, sinon dans le monde de S, du moins dans le mien. En tous les cas, il y aurait un avant et il y aurait un après ma rupture avec S. Il y aurait des *conséquences*. Il y aurait des prolongements. Je devrais être à la hauteur de cette décision. Qui osait rompre avec le meilleur des mondes possibles ?

Sacrée machine à café de marque Illico !

Cela t'intéresse ce que je raconte ou tu t'en fiches ?

Niveau 6

L'eussé-je voulu, je ne pouvais de toute façon pas faire autrement. Une force me poussait, supérieure aux miennes. Je devais quitter S et son monde et l'avenir ne m'effrayait pas. J'avais assez d'imagination pour l'affronter et même l'inventer s'il le fallait (et je ne croyais pas si bien dire…). Comme dit l'autre (Donald Westlake) : « Si un individu malheureux dans la vie est capable d'imaginer une autre vie, il est plus disposé à divorcer qu'à se suicider. C'est pour cette raison que les écrivains s'en sortent mieux et qu'ils ont un taux de divorce important : ils sont capables d'imaginer une alternative satisfaisante à ce qu'ils ont, qu'ils y parviennent ou non. » En attendant, qu'allais-je faire ? Où aller ? Si je ne voulais pas être un artiste de la satiété, je voulais quoi ? Si je n'écrivais pas des livres pour « réussir dans le monde », pourquoi écrire ?

Peut-être te dis-tu que je manquais d'envergure, comme un type bêtement intègre et incapable de s'élever au-dessus de sa condition, telle une pauvre chèvre attachée à son pauvre piquet. C'est possible. Je ne suis peut-être qu'un petit joueur. Je ne sais pas. Je peux sans doute faire illusion, mais pas longtemps. À vingt ans, passe encore. À cet âge, il est notoire de se faire des idées sur le monde et sur les gens ; il est recommandé d'être « révolté » ; c'est charmant, c'est romantique, cela rappelle à chacun qu'il fut jeune autrefois, lui aussi, avant de devenir malin. À vingt ans, on est Alceste, on est Antigone, on n'est pas sérieux. Mais à quarante-quatre ans ! Quelle misère ! Quel échec ! C'est pourtant une chose que le monde de S m'a enseignée et que le suicide de Julien m'a confirmée : *je suis incapable de me tuer !* Certains y arrivent très bien et s'en font même une gloire, jusqu'à en tirer une certaine pratique au quotidien ; ce n'est pas mon cas. Je ne suis pas malin. Je ne le suis pas du tout. Je n'ai jamais réussi à jouer le jeu. Je suis toujours vivant. Peut-être pas bon vivant, mais vivant cependant. Je ne suis pas défunt, contrairement à tant d'autres, postmodernes déclarés, qui disent et répètent que nous sommes tous morts et pour des crevés, ils ont la langue bien pendue. Qu'ils crèvent plutôt dans leur coin. Leur mort n'est que la leur. Leur défaite n'est pas la mienne. Je tiens à rester en vie à mon microscopique niveau individuel des choses et, crois-moi ou non, c'est cela qui me sauve, non pas socialement *mais pour tout le reste* (dis-je en bombant le torse et tout prêt de retourner défier à mains nues ce qu'il restait de respounchous incrustés au fond de la cuvette des vécés).

Savoir se tuer ou pas ; être malin ou ne pas l'être, par peur ou par intérêt : à mon niveau individuel des choses, je dois dire que je ne me suis pas surpris sur ce coup-là. Je ne suis pas sorti de mon personnage abonné aux refus. Récalcitrant je suis depuis toujours. Récalcitrant ou réfractaire ? Il faudra que je vérifie. En attendant, « To be or not to be » n'est pas seulement une question pour les princes, comme on le croit depuis Hamlet : elle concerne chacun d'entre nous, aussi médiocre soit sa situation dans le monde.

D'un autre côté, j'avais donné sa chance au monde de S et il ne l'avait pas saisie. Tant pis pour lui. Il me fallait maintenant sauver ce qui pouvait l'être. En finir avec ma déplorable confusion entre l'art et les artistes. Sachant, au point où j'en étais, que rompre avec le monde de S me sortirait de la *contradiction*. Tant pis pour ma maman qui, lorsqu'elle réglait ses courses chez le boucher, ne pouvait s'empêcher d'évoquer avec fierté la réussite de son fils (alors qu'elle avait détesté mon livre). Elle demandait au marchand de fruits et légumes s'il avait des pointes de respounchous. Désolé maman. Mais au niveau individuel de ce qui peut m'amoindrir, rompre avec le monde de S serait *salutaire* et le plus tôt serait le mieux tellement, lors de ces fameux dîners, je me sentais comme un gosse à la table des adultes qui se promet de ne jamais devenir comme eux car, d'eux, il ne voit que leurs défauts et qu'ajouter d'autre ? Quelle chute trouver à ce détestable épisode du suicide de Julien ? Comment sortir de table et m'en aller dignement ? Je ne sais pas. Puisque je te dis et te répète depuis tout à l'heure que *je ne sais pas*. Dans quelle langue faut-il le dire ?

Dans un de mes petits carnets, je retrouve ceci : « Les enfants n'ont pas d'enfance et c'est à cela qu'on les reconnaît. À cela qu'on distingue ceux qui sont devenus des adultes de ceux qui n'en ont que l'âge. »

Et puis ceci : « Le vrai problème, le problème de fond, c'est que je ne suis pas intelligent. Je suis *bête* (souligné deux fois, rageusement). Et le savoir ne me rend pas plus intelligent. Au contraire. » Sachant que l'intelligence n'est pas la raison. La raison a toujours des raisons et elle veut toujours avoir raison. Ce qui n'est pas le cas de l'intelligence. À quoi on la reconnaît, d'ailleurs.

Et puis ceci, en bout de course, qui éclaire sous un autre angle – un angle plus personnel – mon ressenti du monde de S : « L'enfant qui découvre un jour que son père n'est pas le sien développe pour la vie un sentiment d'imposture *totale*. Pour la vie, il se croit un usurpateur dans un monde faux. Son existence repose sur un mensonge et, pour la vie, il rêve de trouver sa place dans le monde et, pour la vie, il ne la trouve nulle part. *Il se débrouille pour ne jamais en trouver une.* Parce que le sentiment qu'il aurait sa place quelque part le fait affreusement éclater de rire ; et parce qu'il n'existe aucune place sur Terre qui, à ses yeux, ne soit forcément un leurre et, de ce fait, ne lui inspire un profond dégoût. Ainsi est-il voué à l'errance. Il est un éternel passager. Un pitoyable Ulysse qui cherche à rentrer chez lui sans jamais y parvenir. Car il n'a pas de chez-lui. Pour lui, Ithaque n'existe pas. Il n'est qu'un *mot*. »

Niveau 7

Un soir, j'ai rencontré une femme dans un bar. Nous partagions la même chips au comptoir et la conversation s'était naturellement tamisée entre nous, nos imperfections nous enveloppant comme dans une cape langoureuse tandis que sa manière de passer une main chevelue dans la soie me rappelait la brunette qui apparaît dans une pub pour la Banque Populaire. Celle qu'on voyait dans les années 2005, fameuse à l'époque, sur l'air de I'm free de Stevie Wonder, tandis que défile à l'écran la vie d'un type depuis sa naissance jusqu'à son emprunt à la Banque Populaire, en passant par l'école… les filles… les amis… les filles… LA FILLE… l'amour… la vie… et, parmi « les filles », il y a une brunette qui fait une moue délicieuse en gros plan et c'est à cette brunette que me faisait penser cette fille rencontrée dans ce bar, plus ou moins. Il faut bien inventer un tout petit peu les gens pour qu'ils ne nous laissent pas indifférents. Enfin bref. J'en étais à mon troisième cognac et connaissait-elle Bukowski ? Charles de son prénom. L'auteur de *Women*. L'écrivain complètement bourré lors de l'émission de Pivot. Mais si ! Il avait fallu l'évacuer du plateau avec ses deux bouteilles de blanc. Dehors le pochetron ! Tous les artistes invités à l'émission étaient bien d'accord avec l'animateur. Ah ah ah. Quel scandale ! Du jour au lendemain, Bukowski devint célèbre en France et elle pouvait refaire cette moue avec sa bouche ? S'il vous plaît ? Tant pis. Savait-elle que Bukowski avait écrit un poème intitulé « The Day I Kicked Away a Bankroll ». Ce qui peut se traduire par « Le jour où j'ai envoyé paître la fortune ». Elle n'avait jamais lu les poèmes de Bukowski ? Elle ignorait qu'il avait été marié dans sa jeunesse à une espèce de millionnaire texane qui dirigeait une revue de poésie depuis les champs de derricks de sa famille et ainsi Bukowski put-il publier ses premiers poèmes. Ainsi se maria-t-il. Ce type savait payer de sa personne. Il avait compris que rien n'est gratuit dans l'existence. Le *mariage* ? En échange de la publication de poèmes ? Waouh.

Mais deux ans plus tard, Bukowski divorçait et il écrivit ce poème qui commence ainsi : « and, I said, you can take your rich friends and family / and all your lousy respounchous / and your seven lakes / and your pansy artists / you can take all these / and shove them, baby / shove them » – et comprenait-elle l'anglais ? Elle avait déjà envoyé paître la fortune ? To Kick away the bankroll. Ne serait-ce qu'une fois dans sa vie ? Racontez-moi, lui dis-je, tout excité. Cela m'intéresse. Une fois ? C'est vrai ? Une fois you kicked away the bankroll ? Chouette ! Vous étiez jeune alors. Okay. Un type. D'accord. Un gosse de riche. Beau gosse avec ça. Avec une Porsche. Une Porsche jaune. Très bien. Vous étiez jaune alors. Hein ? Jeune. Ah oui. Pardon. C'est la Porsche qui était jaune. Okay. Quoi ensuite ? En plus, le type était vraiment mignon. En plus de quoi ? De la Porsche ? Pas de problème. Vous êtes donc allée faire un tour dans sa Porsche de couleur jaune. Bon. C'est toujours mieux que d'aller sous un porche. Je plaisante. Bon. Et ça vous a plu au début. Vous l'avez laissé faire. Très bien. Il vous a tripotée et tout. Oui. Une main dans la culotte. D'accord. Son machin dans votre bouche. Forcément. Vous vouliez savoir. Ce que cela fait. Dans une Porsche jaune. Je comprends. Vous étiez jeune. Vous l'avez déjà dit. Et peu après le type vous larguait comme une merde et qu'il aille se faire foutre ce gros enculé de petit-bourgeois de merde ! Mais ce n'est pas du tout envoyer paître la fortune ! Vous n'avez rien compris ! Cela s'appelle envoyer paître la misère. To kick away the misery. Ce n'est pas du tout la même poésie. Merde. Désolé. Vous voulez bien retourner avec les autres filles de la pub. Mille excuses. Vous n'êtes pas LA FILLE.

Et elle de me dire : « Connard ! Mais pour qui tu te prends ? Va chier ! »

Niveau 8

Pour qui je me prends ?

Bonne question.

Vaste question.

Très vaste !

Ouh là là.

À laquelle je vais pourtant tenter de répondre (car je ne suis pas si pressé de rompre avec S, finalement, sachant que je vais le faire, là, tout de suite, dans un instant, sachant tout ce que signifiera pour moi le fait de rompre avec S et avec son monde et, à la fin, Julien s'est suicidé). De toute façon, le Dossier ne serait pas complet si je n'y figurais pas de A jusqu'à Z et pour qui me prends-je ?

Il me faut ici remonter aux années 60 et 70. Aux feuilletons que le gamin que j'étais regardait à la télévision, parfois tout le jeudi après-midi. Et le samedi aussi. J'avais sept, huit, neuf, dix, douze ans et les héros mis télévisuellement à la portée des gosses étaient – comment dire ? Ils étaient « positifs ». Ils étaient « sympathiques ». On dirait manichéens de nos jours. Aussi idéologiques que le sont les héros d'aujourd'hui, mais incarnant naïvement les valeurs de justice et de liberté, en toute innocence, sans ambiguïté, ni se poser de question. *Tout était extrêmement simple.* À l'époque, l'Occident ne se rongeait pas encore les sangs. Il ne culpabilisait pas. Il se pensait sincèrement le détenteur exclusif de valeurs universelles et ses héros étaient à l'avenant : ils ne possédaient pas de côté obscur ; ils n'offraient aucune prise à la contradiction ; ils étaient les gentils de l'histoire et ce n'était pas eux le problème, mais le mal qui se fomentait, là, sous leurs yeux, *dans leur entourage*, au coup par coup. Pas la peine de chercher midi à quatorze heures. Le mal était ce qui faisait du mal et le bien qui s'opposait à lui n'était pas douteux ; il se dressait fièrement sur la route des vilains pour les empêcher de nuire et point barre. Déjouer leurs sales complots était une évidence. Le sentiment qu'il se commettait des injustices était le plus fort. Les héros ne pouvaient pas rester les bras croisés. *Ils ne restaient pas les bras croisés !* Pas eux. Sans se faire d'illusions cependant : de nouveaux vilains se manifesteraient au prochain épisode, les forçant de nouveau à intervenir. C'était le jeu. Il était bien réglé. Il n'aurait jamais de cesse. La vie serait un perpétuel combat des gentils contre les méchants. Rien ne serait jamais acquis. Les héros incarnaient ce que l'humanité avait de meilleur contre ce qu'elle avait de pire et cela depuis toujours, cela pour des siècles et des siècles.

Devant la télé, n'importe quel gosse recevait cinq sur cinq ce message. Il le mémorisait malgré lui. Il le faisait sien. Jusqu'à rêver devenir un jour lui aussi un héros. C'est-à-dire un type qui venait au secours des opprimés et dans les bras duquel les plus jolies filles tombaient parce qu'il était le plus beau et le plus fort, a contrario du sale type qui ne pensait qu'à ses fesses et qui se les faisait toujours botter à la fin, sans une copine pour le consoler. Les filles n'aimaient *jamais* le méchant de l'histoire et, dans ces conditions, le choix était vite fait. N'importe quel gosse savait le mal qui se fomentait là, sous ses yeux, *dans son entourage*.

N'importe quel gosse en avait marre de se faire tout le temps botter les fesses. N'importe quel gosse pouvait rêver d'idéal.

J'ignore à qui les enfants s'identifient aujourd'hui. Quels héros leur donnent envie de se prendre follement pour eux sur le chemin de l'école, tandis qu'ils bondissent entre les voitures et enjambent d'un saut prodigieux un caniveau comme si c'était le Grand Canyon ou des galaxies. S'imaginent-ils en robots Transformers ? En Spiderman ? En magicien de Poudlard ? En vampires diaries ? En mutants costumés et encombrés de superpouvoirs, honteux de leur différence et effrayés de ce qu'ils sont parce que les gens normaux sont des abrutis qui ne savent qu'avoir peur et ne comprennent rien à rien ? Je leur souhaite bien du courage. On verra ce que cela donnera. Il me semble en avoir déjà une idée.

Niveau 9

Dans les années 70, il était beaucoup plus facile de s'identifier aux héros que l'industrie du divertissement mettait pédagogiquement à la portée des jeunes générations. L'offre était d'ailleurs conséquente et il y en avait pour tous les goûts et pour toutes les époques, surtout lointaines (parce que les héros venaient de loin ? Parce qu'il y avait pénurie présentement ? Parce qu'en costume-cravate, un héros en avait moins l'air ?). En tout cas, il y avait Ivanhoé, il y avait Thierry la Fronde (et le tout premier disque que j'aie jamais possédé fut le 45 tours du générique, avec Jean-Claude Drouot lançant sa fronde sur la pochette), il y avait Tarzan (et son cri). Il y avait Thibaud et les croisades. Il y avait Hondo (voir page 353). Il y avait Josh Randall (et sa Winchester à canon scié). Il y avait La Petite Maison dans la prairie (et la gamine qui, dans le générique de fin, dévalait la colline et vlan, elle se vautrait comme une bouse, le nez en plein dans l'herbe, de façon si comique et adorable que je rigolais à chaque fois – surtout qu'on sentait que ce n'était pas prévu, on voyait la gamine se remettre debout et regarder hors champ, un instant interloquée, ne sachant que faire, imaginant que la prise était ratée, avant de se remettre à dévaler la pente parce qu'un assistant de production avait dû lui hurler de continuer de courir). Il y avait Le Virginien. Il y avait Les Mystères de l'Ouest et puis Chapeau melon et bottes de cuir (ô Emma Peel ! Ô ses tenues en cuir et latex !). Il y avait le High Chaparral et Bonanza et La Grande Vallée (et la blonde qui me faisait tellement d'effet que mes parents se moquaient de me voir rougir). Il y avait Amicalement vôtre (et son générique jamais égalé). Il y avait Mannix (et son générique en split screen sur la musique de Lalo Schifrin que je voulais absolument enregistrer sur le minicassette en plastique que j'avais reçu à Noël – sauf que le micro était si merdique que même en mettant la télé à fond et en collant l'appareil contre elle, le doigt sur la touche rouge du magnétophone et me tenant prêt chaque semaine pour ne pas rater le générique tandis que toute la famille n'osait plus bouger un cil pour me complaire, on n'entendait à la réécoute qu'une infecte bouillie sonore et j'en aurais pleuré à chaque fois, ce fut l'une de mes premières grandes frustrations personnelles). Il y avait Les Envahisseurs (et le fameux raccourci que jamais David Vincent ne trouva). Il y avait les Incorruptibles (avec Eliot Ness). Il y avait Mission Impossible (Bonjour Mr Phelps). Il y avait Benny Hill (et le petit chauve sur le crâne duquel il tapait tout le temps d'une façon qui me mettait chaque fois en joie). Il y avait Les Habits noirs (et je revois encore la main gantée de fer du générique et cette main me terrifiait) et il y avait L'Âge heureux (et je revois la petite Delphine Desyeux s'aventurant en pleine nuit, vêtue de son tutu de danseuse, sur les toits de l'Opéra de Paris et j'aurais aimé être avec elle, connaître le danger avec elle, être intrépide avec elle, faire des trucs interdits avec elle, des entrechats et des sauts carpés). Il y avait Belle et Sébastien (et ce fut longtemps la seule et unique représentation que j'eus de la montagne). Il y avait Les Chevaliers du ciel (et la drôle de tête de Laverdure). Il y avait Les Globe-trotters (où comment faire le tour du monde sans un sou). Il y avait Le Prisonnier (et moi non plus je n'étais pas un numéro). Il y avait La Demoiselle d'Avignon (ô Koba Lili, qui faisait croire qu'une princesse pouvait se balader dans la nature et sympathiser avec des routiers sympas avant d'épouser à la fin un ambassadeur, fallait tout de même pas déconner). Il y avait L'Homme du Picardie – euh non, pas L'Homme du Picardie. Il y avait Kung Fu (essaie encore, petit scarabée). Il y avait Daktari (et le lion Clarence qui louchait). Il y avait Fifi Brindacier (et ses plans bressoniens). Il y avait L'Autobus à impériale (tous les jeudis après-midi). Il y avait Rintintin (mais je n'étais pas un chien). Il y avait Skippy (mais je n'étais pas un kangourou). Il y avait Flipper (mais je n'étais pas un dauphin). Il y avait Poly (mais je n'étais pas un poney). Il y avait Bonne nuit les petits (mais je ne voulais pas aller me coucher). Il y avait Zorro.

Pour moi, ce fut Zorro.

Il fut le grand héros de mon enfance.

Le vrai, l'unique.

Le redresseur de torts par excellence.

Le Justicier masqué.

En lui je me *reconnus* !

Lui était un homme puissant, c'est-à-dire qu'il n'était pas impuissant face aux événements.

Sitôt l'épisode terminé, je courais dans ma chambre en chevauchant Tornado qui piaffait et se cabrait (holà, tout doux ! Hiiiiiiiiiiiiii). Je nouais autour de mon cou une serviette de bain pour simuler une cape et, avec mon épée jaune en plastique, je provoquais en duel mon frère, le chat, mon polochon ou n'importe quel ennemi imaginaire, j'allais dire sanguinaire. J'étais Zorro en pyjama. Cela m'est resté.

Zorro fut ma toute première projection identitaire.

Ma première véritable utopie.

Ma découverte de la mythomanie.

Il fut l'expression inaugurale d'un besoin de justice, d'un désir d'aventure, d'une figure héroïque à laquelle m'identifier, probablement pour combler un manque.

Ou pour exprimer un trop-plein ne trouvant nulle part où s'incarner.

Pour Don Quichotte, cela avait été Renaud de Montauban « surtout quand il le voyait sortir de son château, dressé sur son grand cheval Bayard, l'estoc à la main ; de tous les chevaliers, c'est celui qu'il préférait. Quant au traître Ganelon, pour lui donner une volée de coups de pied dans les côtes, il aurait volontiers donné sa gouvernance, et même sa nièce par-dessus le marché ».

Niveau 10

Avant Zorro, j'ignorais l'existence du bien ; j'en avais entendu parler, comme tout le monde, notamment au catéchisme, mais je n'en avais jamais eu aucun aperçu. Le bien était une rumeur. Une légende. Un truc de curé. Il était une punition que je recevais lorsque je faisais une bêtise. Il était une velléité. Il était toujours par défaut et a contrario. Il était une martyrologie. Il était surtout une *impuissance*, vu ce que je constatais autour de moi. Dans le monde, le bien brillait surtout pas son absence.

Tout changea avec Zorro.

En nous, la réalité (comme on dit) et la fiction (comme on dit) ne font qu'un. Notre inconscient ne fait pas la distinction. Ce qui existe existe, que ce soit en chair et en os, à la télévision ou dans un livre. Tout nous fait pareillement signe et, dans mon cas, Zorro fut le premier héros à me faire signe. C'est lui qui m'apprit qu'il y avait des bons et des méchants. Il fut mon incarnation de la Providence. Mon idée du bien et cette idée n'était pas christique. Elle ne finissait pas éplorée et crucifiée. Au contraire. Elle avait un sourire. Elle avait une fine moustache. Elle avait une sacrée prestance. Elle maniait l'épée comme personne. Elle avait énormément d'humour et redressait joyeusement les torts partout où ils se commettaient. Elle ne tombait pas du ciel mais surgissait de la nuit pour courir l'aventure au galop et elle surgissait *lorsque le besoin s'en faisait sentir*. Uniquement dans ce cas-là. C'est-à-dire qu'elle n'était pas un joug, un ordre auquel se plier vingt-quatre heures sur vingt-quatre, une morale ou une politique, non, elle était une manifestation (providentielle). Elle était une intervention (in extremis). Elle était une *nécessité*. C'est lorsque la situation l'exigeait que Zorro apparaissait, chevauchant joyeusement son beau cheval noir (et, entre deux épisodes, je dévorais d'ailleurs les aventures de L'Étalon noir, de Walter Farley, dans la Bibliothèque verte, comme un préquel de Tornado).

Comparativement aux romans du Club des cinq ou de Bob Morane, Zorro n'avait pas besoin de mon imagination pour l'enflammer : il avait les images pour lui et il avait le réalisme de ces images pour lui, même si elles étaient en noir et blanc. Ce n'était pas moi qui l'inventais. Il n'était pas que des mots. Il était réel. Il existait pour de vrai, hors de moi, quelque part en Californie. Je n'étais pas aveugle. Ils avaient bien de la chance, les habitants de la Californie : Zorro veillait sur eux et, à tout moment, ils pouvaient l'apercevoir surgir de la nuit au galop. Il ne redressait pas les torts dans un pays imaginaire et essaye maintenant de me convaincre qu'il était fictif.

Zorro m'a tout appris. Il m'a montré la Voie.

Et toi : comment l'idée du bien t'est-elle venue ? Par quel canal ? Sous quel déguisement ?

Quel fut le héros de ton enfance ?

Que t'en reste-t-il aujourd'hui ?

On croit penser à tout et on oublie l'imaginaire des gosses et comment cet imaginaire fabrique ensuite des adultes, en plus du reste.

On croit penser à tout et on oublie les feuilletons télévisés.

Niveau 11

Zorro. Le « Renard » en espagnol. Créé en 1919 par Johnston McCulley, auteur américain de romans populaires, ai-je lu sur Wikipédia. Lequel McCulley se serait inspiré du Mouron rouge, personnage de justicier anglais sous la Révolution française, imaginé en 1903 par la baronne Emma Orczy, née hongroise – tout héros populaire qu'il est, Zorro a donc des origines aristocratiques, trois points de suspension. Les justiciers viennent effectivement de loin. Et ils se prolongent dans le temps. Batman s'inspire de Zorro (ainsi que de Dracula et des études de Léonard de Vinci sur l'hélicoptère), aux dires de Bob Kane qui, en 1939, fut le premier à coucher l'homme chauve-souris sur le papier pour DC Comics. Lequel est donc une reprise crépusculaire du Renard, qui lui-même est une reprise du Mouron rouge. Retiens cela quand tu arriveras à la page 533 du Livre 2 (si tu arrives jusque-là – et moi donc).

Retiens aussi que si la justice est aveugle, le justicier est masqué. Il ne peut pas apparaître à visage découvert dans le monde. *Il est hors la loi.* Ne me demande pas pourquoi. Je sais seulement avoir acquis très tôt la conviction que le bien s'oppose à la société. Il ne lui appartient pas. Et c'est la télévision qui me l'a appris.

Zorro. Que Douglas Fairbanks, Tyrone Power, Alain Delon, Antonio Banderas et bien d'autres acteurs, la plupart oubliés, incarnèrent au cinéma. Entre 1920 et 2005, pas moins de quarante-deux films, dont trois muets et treize en noir et blanc, portèrent le « justicier masqué » à l'écran. Ce qui fait plus d'un film tous les deux ans. Les années 60 étant cinématographiquement les années Zorro : dix-sept longs-métrages entre 1961 et 1971, depuis El Zorro vengador (1962) jusqu'à Zorro, marquis de Navarre (1971), en passant par Zorro et les trois mousquetaires (1963). Né en 1960, je suis de la génération Zorro plus que d'aucune autre.

Maintenant que je fais des recherches, je découvre l'existence d'un film belge sorti en 1972 et intitulé Les Aventures galantes de Zorro. L'affiche promet « un Zorro jouisseur et libertin comme vous ne l'avez jamais vu ». On y voit le justicier masqué entouré de filles à poil s'offrant lascivement à lui. Je regrette de n'avoir pas vu ce film à sa sortie. Qui sait si Julien ne serait pas encore en vie ? À douze ans, je me serais peut-être fait une tout autre idée de la justice – et de mon existence aussi. D'autant que ce film semble indépassable : il s'agit d'une obscure production mexicaine, rachetée pour une bouchée de pain par des producteurs belges, qui l'entrelardèrent après coup de scènes érotiques n'ayant rien à voir avec le film original. Ce qui fait que Zorro n'est pas interprété par le même acteur lorsqu'il manie le fouet et l'épée avec une dame ou contre les méchants. Tandis que l'on passe sans sourciller d'une hacienda perdue dans la pampa à l'intérieur cosy d'une villa située quelque part dans la région d'Ostende ou de Leffrinckoucke. Un bonheur ! Zorro a toujours favorisé toutes les audaces.

Niveau 12

En 1957, les studios Disney s'emparèrent du personnage du Justicier Masqué pour une série télévisée de 78 épisodes de 25 minutes chacun, que le réseau ABC diffusa jusqu'en 1961. C'est ce Zorro-là que je vis. C'est lui qui coule encore dans mes veines. Ce renard-là et pas un autre. Le Zorro de Guy Williams, splendide acteur d'origine sicilienne, à qui je suis infiniment reconnaissant d'avoir donné au héros de mon enfance sa prestance, son sourire, sa fine moustache, ses yeux pétillants et ses incomparables talents d'escrimeur pendant 82 épisodes (tiens, 82 et non plus 78 ? Wikipédia pourrait-il faire la lumière sur ces quatre épisodes fantômes ?). Quoi qu'il en soit, j'aime à croire que Guy Williams exécuta effectivement devant la caméra « tous ses duels sans doublure, alors que la pointe des épées n'était pas mouchetée » ! Je veux y croire. Cela confirme *tout* ce que je pense. Même pour jouer Zorro, il faut être à la hauteur. En moi-même, je délibérais d'ailleurs que Zorro devait être meilleur escrimeur que d'Artagnan. Il l'aurait battu en duel. Ou pas. Mais si ! Zorro était le plus fort. L'image battait l'écrit. Je voulais tellement ressembler à lui. Je ne voulais ressembler à personne d'autre. Cela me semblait tellement préférable à l'être insignifiant que j'étais. Les héros nous tirent vers le haut.

Et Zorro plus que les autres. Il était fantastique ! Fallait voir comme il ridiculisait les méchants, pif paf, leur bottant les fesses, leur échappant toujours, quand bien même ceux-ci avaient pour eux la loi et l'ordre d'un pouvoir oppressif et illégitime (en l'occurrence l'occupation mexicaine de la Californie) et les studios Disney se rendaient-ils compte qu'ils insufflaient dans l'âme de millions de gamins le goût de la révolte contre l'ordre établi et même plutôt 78 (ou 82) fois qu'une ? Qu'ils plaidaient pour une morale non écrite contre l'ordre établi ?

Niveau 13

En France, Zorro fit son apparition sur la première chaîne de l'ORTF à partir de 1965 et la série fut diffusée tout au long des années 1970. J'étais devant le poste à ce moment-là. Je ne tenais plus en place devant chaque épisode que j'avais le droit de regarder. J'avais huit, neuf, dix, onze ans et je riais aux déboires du gros sergent Garcia. Il me semblait que j'avais moi aussi un ami fidèle qui était muet de naissance et qui faisait croire à tout le monde qu'il était sourd pour mieux surprendre leurs secrets et, par parenthèse, quand je songe que mon père s'appelle Bernard et qu'il était aussi silencieux que Bernardo, je me pose soudain des questions. En tous les cas, je chevauchais éperdument Tornado lorsque j'allais chercher le pain (hiiiiiiii). Amoureux de Zorro, je feignais d'ignorer les jolies brunes qui tombaient amoureuses de lui et, de toute façon, ce n'était jamais la même et quelle importance alors ? Tels étaient les héros à l'époque : une fille dans chaque épisode. Jamais Zorro ne s'attachait à une femme en particulier. Jamais n'était en couple. Jamais de mariage. *Il n'avait même pas de mère !* Tout pour l'Aventure, le Bien, la Justice, la Liberté. Par principe et par nécessité, Zorro était misogame, il était libre comme l'air *et cela lui réussissait.* Il les séduisait toutes. Ce qui me faisait bien réfléchir. Car les filles n'étaient jamais amoureuses du méchant de l'histoire et cela m'est resté plus que je ne saurais le dire. Cela signifiait-il qu'un homme marié ne pouvait pas être un héros et, par voie de conséquence, que le héros n'était pas le père, mais le fils ? Était-ce là l'idéologie de Walt ? Je pressentais ce qu'il me resterait à faire lorsque je serais grand. En attendant, je pouvais dormir tranquille : Zorro serait là demain. Il serait toujours là, il revenait toujours au galop botter le cul des méchants comme le soleil se lève chaque jour et moi aussi je redresserais un jour les torts qui se fomentaient et j'aurais une jolie fille dans chaque épisode et, à la fin, Julien s'est pendu avec sa ceinture à la poignée d'une fenêtre.

Pour les filles de mon âge, un feuilleton comme Zorro ne devait pas être très valorisant : elles n'étaient l'héroïne que d'un seul épisode. Aussi vite étaient remplacées, comme un clou chasse l'autre, comme si elles étaient interchangeables et ne pouvaient briller que le temps d'une aventure. Pendant 25 minutes, montre en main. Une fois sur 78 (ou 82) et pas davantage. En déduisaient-elles une conception déprimante de leur rôle sur Terre ? Que, dans le cœur du héros, elles ne pouvaient tenir qu'une place très momentanée, de même que dans le grand feuilleton de la vie ? Sauf à changer tout le temps d'apparence et faire croire qu'elles n'étaient pas la même que l'autre jour et de là leur art du maquillage ? Je l'ignore. Je n'étais pas une fille. Zorro n'était pas pour les filles. En même temps, elles savaient qui elles devraient aimer le jour venu, lorsqu'elles seraient en âge et qu'un héros croiserait leur chemin. Mais qu'elles ne songent pas à une relation durable. Qu'elles ne songent pas au *mariage*. Impossible ! S n'avait-elle donc jamais regardé Zorro ? Elle aurait dû. Elle aurait su qu'elle n'était qu'un épisode dans mon existence. C'est ainsi que les choses marchaient. Passé 25 minutes, elle devait s'éclipser. La vie n'est pas une histoire en continu : elle est épisodique, voilà une leçon que m'a apprise Zorro et, à la fin, Julien s'est pendu avec sa ceinture à la poignée d'une fenêtre.

Niveau 14

Sans doute n'y eut-il pas que Zorro : il y eut aussi les « superhéros de Stan Lee ». Spiderman, Les Quatre Fantastiques, les X-Men, Daredevil (mon préféré, car il était aveugle comme j'étais anosmique et j'avais moi aussi l'impression de sentir incroyablement mieux les choses que si j'avais le sens de l'odorat). Dans mes jeunes années, je dévorais leurs exploits. Dans Fantask pour commencer (interdit en 1969 par la censure pompidolienne dès le numéro 7), puis Marvel (interdit en 1970 dès le numéro 13) et enfin Strange, dont les planches (édulcorées en termes d'onomatopées et de couleurs pour ne pas risquer la censure) firent longtemps mes délices. En parallèle de Zorro, « les superhéros de Stan Lee » prolongeaient chaque mois le Justicier Masqué sous des déguisements toujours plus collants et colorés, que je passais mon temps à décalquer pour apprendre à dessiner. C'était toujours plus d'héroïsme dans mon existence. Je ne comprenais pas que la censure interdise du jour au lendemain des publications qu'elles jugeaient « *extrêmement nocives et démoralisantes pour la jeunesse* », alors qu'elles me donnaient le goût d'être un héros – mais tel était peut-être l'objectif, justement. Pour ma part, j'avais l'impression de faire quelque chose de dangereux et d'interdit. De lire des « publications pour adultes », mais sans les filles à poil.

Sauf que « les superhéros de Stan Lee » : ils me ressemblaient un peu trop. Ils étaient des gamins. Ils avaient des problèmes avec les filles. Ils étaient supercomplexés. Alors que Zorro était un homme : lui me disait quel adulte je pouvais devenir lorsque je serais grand. Il me projetait dans l'avenir. Je ne visais pas la proximité mais l'élévation.

Surtout, les Spider-Man & Cie n'étaient pas très crédibles. Eh quoi, il s'agissait de *mutants*. Ou bien ils venaient d'une *autre* galaxie. Ou bien ils s'étaient fait piquer par une araignée radioactive, quand ce n'était pas des rayons gamma qui avaient salement modifié la structure moléculaire de leurs corps, les rendant géant vert, homme élastique ou torche humaine. Ce qui signifie qu'ils étaient des héros *malgré eux*. Ils étaient devenus des héros par *accident*. Ils n'avaient pas la *vocation*. Ils n'étaient pas du tout comme Zorro ! Il s'agissait de types ordinaires qui s'étaient fait bombarder par des rayons gamma ou piquer par une araignée radioactive et ils auraient refusé ce cadeau empoisonné s'ils avaient eu le choix (« *Rien ne va… snif… je voudrais n'avoir jamais eu de superpouvoirs* », se lamentait Peter Parker au début de sa carrière d'homme-araignée). Inimaginable pour Zorro ! En sorte, les superhéros étaient des héros qui n'en avaient pas l'étoffe, juste les pouvoirs. C'étaient leurs pouvoirs qui faisaient d'eux des héros. C'était le pouvoir qui donnait la responsabilité et les tourments qui allaient avec. Pas la volonté. Pas la conscience. Pas le désir de justice. Avis aux *kids* : n'est pas héros qui veut, tout dépend *d'abord* d'une araignée radioactive ; ou bien il faut venir d'une autre planète ; ou bien être un mutant. Cherche maintenant à devenir *quelqu'un*, petit scarabée. Essaie *d'exiger* quelque chose de toi. Tente de *contrôler* tes émotions si ce sont elles qui te transforment en surhomme.

Je ne marchais pas dans cette combine.

Alors qu'il me suffisait de nouer une serviette de bain autour du cou pour me prendre pour Zorro, les superhéros se *métamorphosaient* et comment m'y prendre pour leur ressembler ? C'était peine perdue.

Non, décidément, j'aimais mieux Zorro. Il m'offrait beaucoup plus de possibilités de m'identifier et de me croire plus fort que je n'étais.

Lui était *toujours* radieux. Tout vêtu de noir, il était la nuit solaire.

Niveau 15

Un jour, l'enfant cesse de regarder la télévision pour naître au monde, tout armé en son for de l'idée qu'il s'en fait grâce aux histoires qu'on lui a racontées et du rôle qu'elles lui ont suggéré d'y tenir et je te repose la question : quel est le héros de ton enfance ? Quel personnage de fiction a ensemencé ton imagination, enflammé tes rêves, dessiné ton reflet dans la glace, redoré ton blason et, en ton for le plus intime, sauvé personnellement de ton quotidien, surtout si celui-ci était pur ennui et morne attente qu'il se passe enfin quelque chose dans ta vie ?

D'autant plus si elle était misérable. Comme seule et unique échappatoire à la malédiction d'être un enfant précipité dans le monde des adultes et, par parenthèse, combien de crimes les enfants doivent-ils commettre pour que les parents reconnaissent les leurs ? Comme si ce n'était pas lié. Comme la justice est sans pitié avec les pauvres alors qu'elle est complaisante avec les riches et remplace maintenant les « pauvres » par les « enfants » et tu verras qui juge qui. Tu verras l'injustice.

Qui défend les enfants ?

Comme le petit Adolf, oui, même lui : salement battu par son père pendant toute son enfance, il se réfugia dans la lecture des romans d'aventure de Karl May, sorte de Dumas allemand qui, émule de Fenimore Cooper, demeure encore aujourd'hui une gloire littéraire outre-Rhin avec ses deux héros courant l'aventure au galop dans l'Ouest américain : le trappeur Old Shatterhand et son ami le chef apache Winnetou, dont les folles équipées se déroulant du Far West jusqu'aux confins de l'Orient sauvèrent le petit Adolf des coups de son père et lui donnèrent peut-être des idées de conquête de l'Ouest. Le transportèrent en tout cas ailleurs en pensée, jusqu'à placer secrètement son être martyrisé sous leur égide tandis qu'il jouait aux cow-boys et aux Indiens avec ses camarades de classe, eh oui, on a du mal à l'imaginer, mais le petit Adolf adorait jouer aux cow-boys et aux Indiens lorsqu'il portait des culottes courtes et, une chose en entraînant une autre, celui qui allait devenir hitler semble avoir trouvé dans ces récits d'aventure des figures à la fois tutélaires et protectrices le sauvant en imagination de la réalité (bien moche dans son cas), au point de l'inciter à prendre exemple sur le fier Winnetou : il se raconte que le petit Adolf s'évertua bientôt à supporter sans broncher la douleur lorsque son père le cognait, sans plus émettre un cri ni pleurer, jusqu'à tuer toute sensibilité en lui. Toute pitié. Toute humanité. Comme une découverte de l'idéologie. Le début d'une psychopathie personnelle. Le prolongement d'une haine héritée.

Parvenu au pouvoir, hitler obligea son état-major à lire tous les ouvrages de Karl May afin que chacun comprenne – quoi ?

Plus tard, la psychologue Alice Miller a associé le salut hitlérien à la main de son père qui se levait sur lui, suggérant que le petit Adolf se serait identifié au geste qui le terrorisa sous couvert d'emprunt au salut romain et, une fois devenu grand, il se serait vengé de la « pédagogie noire » qu'il avait reçue dans son enfance pour lever à son tour la main sur l'Allemagne, puis sur le monde et on croit penser à tout, mais on oublie que « ce qui arrive à l'enfant se répercute ensuite sur l'ensemble de la société ».

On oublie la guerre d'extermination contre son propre moi à laquelle, dès notre plus jeune âge, nous sommes parfois conduits, insensiblement et inéluctablement.

On oublie les livres et les feuilletons télévisés qui, les premiers, nous proposèrent une issue à laquelle on n'aurait jamais songé soi-même.

On oublie la *culture*.

« Qui n'est pas quelque chose qui s'ajoute à notre personnalité déjà formée, non, elle est ce par quoi nous devenons nous-mêmes. »

Ai-je entendu tout à l'heure à la radio.

J'ai noté cette phrase dans un de mes petits carnets.

Avec le mot Zorro à côté.

Niveau 16

Mais en y réfléchissant peu après dans le métro, je me suis dit que le type à la radio ne faisait que la moitié du chemin. Je me suis dit qu'il aurait pu ajouter : quelle culture ? Car si la culture est ce par quoi nous devenons nous-mêmes, rien ne dit que ce soit pour le meilleur. C'est peut-être pour le pire. À notre complet détriment. *Cela dépend de la culture* et, dans le métro, j'ai songé à ceci… et à cela… et puis encore à ceci… et puis… et puis…

Une idée après l'autre, une station de métro après l'autre, cela n'en finissait plus. Je n'arrêtais pas de découvrir comment j'étais devenu qui j'étais sans m'en apercevoir, n'y ayant jamais réfléchi auparavant et… c'était effrayant. C'était très *instructif.* Tant et si bien que j'ai raté ma station. À force de démêler les fils de ma pelote, j'ai fait toute la ligne de métro ! Je suis allé jusqu'au terminus, jusqu'au dépôt et même plus loin. Coincé parmi les passagers, j'ai complètement oublié où je devais me rendre, à quelle station je devais descendre, oui, je me suis vu dériver de plus en plus loin et m'éloigner inexorablement de mon récit, jusqu'à le perdre de vue et perdre le fil de ce que je voulais dire (« tu dois rompre avec S ») et ce ne serait pas si grave (telle est l'aventure de l'écriture : un truc d'ivrogne, une envie de se perdre, de restituer un chaos et d'en extraire une nouvelle unité) si, au bout de compte, je n'avais vu le nombre de phrases, de mots et de signes devenir fantastique. Proprement obscène.

À ce rythme, je ne romprais jamais avec S !

Vu l'ampleur que prenait le Dossier, je ne m'en sortirais jamais.

Un livre (si livre il doit y avoir) est comme un bateau : il ne peut pas excéder un certain tonnage. C'est affaire de loi d'Archimède, de poids et de volume, de pression exercée sur le lecteur, de coût du papier aussi.

Supprimer tout ? Faire comme si je n'étais pas l'enfant d'énormément de choses, et à la fin Julien s'est suicidé ? Donner à penser que je serais strictement moi-même alors que c'est faux ? Mais je ne veux rien supprimer ! Plus depuis le suicide de Julien. Supprimer quoi ? Comme on supprime du personnel dans les entreprises : pour des raisons de rentabilité et faire plaisir aux actionnaires ? Qui décide ? Au nom de quoi ? Je ne veux pas écrire « à l'économie ». Je l'ai déjà dit page 98. Je voyais venir le problème page 98. À mon niveau individuel des choses, l'austérité n'est pas une option. Je ne veux pas exprimer l'ordre du monde. Je ne veux pas suivre les règles si elles massicotent la parole afin qu'elle reste dans un format préétabli. Un *standard*.

Comment faire ?

Niveau 17

L'idée m'est venue bien plus tard, en rêve. Presque en rêve. J'étais en train de m'endormir et j'ai brusquement ouvert les yeux : mais oui ! Eurêka ! J'allais créer un site Internet, une espèce de cyber Bureau des Greffes, sur lequel je posterais tout ce qui, *en raison de contraintes qui ne sont pas les miennes*, ne pouvait raisonnablement pas figurer dans une éventuelle version imprimée du Dossier, alors que cela doit y figurer si je veux qu'il soit complet. Puisqu'il doit l'être.

En y pensant dans mon lit, je me suis dit qu'il était possible que d'autres pièces du Dossier viennent par la suite s'ajouter.

C'était à craindre.

Que n'y avais-je songé plus tôt ! Cela m'aurait été bien utile ! Lorsqu'il m'avait fallu tout raturer page 98, par exemple.

C'est en cours de route que l'on trouve des solutions. Car c'est chemin faisant que les problèmes surgissent.

L'art de faire passer une botte de foin par le chas d'une aiguille : voilà un bon titre de livre. Qu'en penses-tu ?

Je précise qu'il ne s'agit pas d'une opération marketing : il s'agit de ne plus me sentir à l'étroit. De repousser les murs, de ne plus être contraint par l'objet livre. De faire ce que j'ai à faire, comme je dois le faire, comme j'en ai envie. De sorte que chacun puisse avoir accès à l'intégralité des pièces que je me suis donné pour objectif de rassembler et, pour ma part, j'aurai la conscience tranquille. Rien ne sera perdu. Tout sera consigné. Il pourrait même y avoir des photos.

Et qui sait, ai-je songé dans mon lit. Voilà qui pourrait relancer la littérature. Voici qu'elle pourrait profiter d'Internet au lieu d'en pâtir, ai-je souri dans le noir. D'autres pourraient d'ailleurs reprendre l'idée. L'améliorer. C'était peut-être le début de quelque chose.

En attendant, je ne veux pas écrire comme on prend le TGV : en filant tout droit, comme on dit « filer droit » ; en traversant les paysages sans les voir, sans aller y voir, sans possibilité d'ouvrir la fenêtre, comme si tout ne faisait que défiler, saisi par la vitesse, l'auteur dans son fauteuil, sur des rails, dans une ambiance climatisée, jamais ivre.

Littérature de TGV.

Comme disait l'autre (Angus MacLise, batteur du Velvet Underground) : « Je refuse qu'on me dise à quel moment commencer et quand arrêter. » Raison pour laquelle il quitta le Velvet juste après un concert où le groupe avait été payé pour jouer un temps que d'autres avaient défini à l'avance, selon des impératifs qui n'étaient pas les siens et qui n'avaient même rien à voir avec la musique.

Comme disait l'autre (Tchekhov, à son éditeur Souvorine) : « Pour vous parler en toute conscience, j'aurais volontiers raconté mon héros, avec plaisir, avec goût et posément ; j'aurais décrit son état d'esprit au moment de l'accouchement de sa femme, sa mise en accusation, son impression d'écœurement après l'acquittement, j'aurais décrit la pluie, cela ne m'aurait procuré que du plaisir ; car j'aime fouiller et prendre mon temps. Mais que faire ? Il y a les délais. Il y a que je commence mon récit tranquillement, *sans contraintes,* mais au milieu, je commence à me sentir inquiet et j'ai *peur* que mon récit ne soit *trop long.* Que faire ? Qu'on le veuille ou non, quand on commence une nouvelle, on se préoccupe avant tout de son *économie.* Alors, on se contente d'un seul personnage, on ne dessine que lui, on le met en relief ; et tout le reste, on l'éparpille sur le fond, comme une menue monnaie. On obtient alors une grosse Lune et, autour d'elle, la masse des petites étoiles. Mais la Lune n'est pas bien rendue ; parce qu'on ne peut la comprendre que si les étoiles elles aussi sont comprises. *Finalement, cela ne donne pas de la littérature mais quelque chose qui n'a ni queue ni tête.* Que faire ? Je n'en sais rien de rien. »

Si Tchekhov avait écrit sans contraintes, on n'aurait pas « Tchekhov ». Okay.

Mais je ne suis pas Tchekhov (cela se saurait).

Tant pis pour « l'idéal Bourbons », qui était de « faire court », comme dit l'autre (Philippe-Joseph Salazar). « Faire court » pouvant s'entendre « faire cour ». Étant une manière de faire allégeance au pouvoir en place. Et cela vaut aussi de nos jours : les pouvoirs en place ne veulent voir qu'une seule tête : la leur. Tout ce qui dépasse doit être supprimé.

De toute façon, comme j'ai dit à plusieurs reprises, je ne sais plus ce qu'est un livre. Ce qu'un livre doit être ou n'être pas : je n'en ai plus aucune idée. Je ne veux plus le savoir.

De toute façon, je n'en peux plus de l'unité fictive des livres. Je n'en peux plus que les livres ne soient que *l'image* de livres. Je n'en peux plus qu'ils s'écrivent et se lisent de la gauche vers la droite (chez nous), de sorte qu'ils induisent une vision dextroverse de la réalité (alors que les Arabes et les Hébreux sont sinistroverses et je ne parle pas des Chinois ni des Étrusques). De sorte que les livres annoncent forcément un début, un milieu et une fin et impossible d'échapper à cette contrainte *qui n'appartient aucunement au récit.* Les livres rabattent tout ce qu'on peut dire dans leur plan, c'est structurel ; même si l'histoire qu'on veut raconter n'a pas véritablement de début, de milieu de fin, voici qu'elle ne peut faire autrement que d'avoir un début, un milieu et une fin. C'est agaçant. Alors que la vie ne se *déroule* pas du tout de façon linéaire, de la gauche vers la droite. Ce n'est pas comme cela que les choses se passent et, pour ma part, je n'en peux plus de me faire avoir ; je veux faire à mon idée.

Banco.

Je *poste* tout à l'adresse www.ledossierm.fr/01.

Voilà. C'est fait. Zou. Ce n'est pas plus compliqué.

Si cela t'intéresse, tu découvriras à cette adresse de quelle culture je suis le produit et comment je suis devenu qui je suis sans m'en apercevoir ni même qu'on me demande mon avis et, à la fin, j'ai rompu avec S et Julien s'est suicidé.

Car cela a son importance : nos coordonnées sociales, historiques, familiales, affectives, géographiques et temporelles ne sont pas neutres.

Tout le contraire !

J'en ai été convaincu lors de cet interminable trajet en métro. J'ai soudain découvert mes propres *déterminismes*. Et j'ai mesuré leur *ampleur*.

Niveau 18

Par exemple, j'ai songé : que ma culture était judéo-chrétienne et qu'il faudrait peut-être que je comprenne ce que cela signifiait et impliquait à mon niveau le plus profondément individuel des choses ; j'ai songé que : j'appartenais aux classes moyennes, dont la culture est de n'en avoir aucune. Contrairement aux autres classes qui ont une histoire et des traditions à faire valoir, les classes moyennes n'ont que des velléités, ai-je songé en faisant la grimace. Puis j'ai songé que j'étais un enfant de l'école publique à une époque où le taux de réussite au BAC dépassait à peine 60 % et que je ne m'en étais jamais plaint, même s'il ne m'en était pas resté grand-chose, sinon d'immenses lacunes. La raison d'un côté et, de l'autre, la foi : cette étanchéité m'était restée. Elle m'avait structuré, avec ses avantages et ses inconvénients, la porte ouverte aux excès des uns et des autres, comme dans toute division du travail. De toute façon, ai-je songé, tu n'as jamais eu de crise mystique, jamais cru en dieu, sinon pour la forme, et personne ne t'a embêté avec ça. Pourvu que cela continue, ai-je songé en grimaçant. En sorte, tu es un enfant de la séparation de l'église et de l'État, ai-je songé en ayant le sentiment de mettre le doigt sur quelque chose d'important. En pensant que je n'étais pas du genre à remplacer dieu par le culte de l'être suprême ou un truc du genre. À bas les cultes, ai-je marmonné dans le métro. De dieu, de la marchandise, de la personnalité et tutti quanti. Tu es bien trop curieux pour être idolâtre, ai-je bombé le torse (mouvement aussitôt réprimé par le ciment compact et mouvant des voyageurs autour de moi). Même si c'est pour découvrir des trucs que tu ne t'expliques pas. Même si tu n'ignores pas les problèmes existentiels que peut poser l'absence d'entité au plus haut des cieux et autre bataclan supérieur (par exemple sur le sens de la vie et à l'heure de notre mort), nul ne peut plus te convaincre qu'un dieu quelconque serait la réponse quand l'aventure intellectuelle consiste précisément à refuser les réponses toutes faites, surtout si elles sont péremptoires et impénétrables. Pour toi, la croyance en dieu est une peur, elle est une défaite, elle est un *refus de discuter*, elle est un *manque d'imagination*. Si ça rend des gens heureux, grand bien leur fasse – mais qu'ils ne te fassent pas chier ! En même temps, la foi a permis de très belles œuvres d'art, disait l'autre dans son Dictionnaire des idées reçues et j'ai songé que ne pas croire en dieu n'empêchait nullement une certaine spiritualité. Bien au contraire ?

Le métro n'arrivait toujours pas et j'ai songé qu'on est fils ou fille de, on est né quelque part, on a un statut et un rôle social, on a des papiers d'identité qui disent officiellement qui on est ; mais cela n'épuise pas qui on est. Et pourtant, les gens se foutent sur la gueule parce qu'ils s'accrochent à la personne qu'on leur a dit qu'ils étaient. Ils tirent de leur identité des *certitudes* sans réaliser que celles-ci reposent sur des bases à la fois obscures, fragiles et arbitraires et j'ai songé qu'il fut un temps où les hommes croyaient aux signes qu'ils lisaient dans les entrailles des animaux et nous croyons aujourd'hui aux indicateurs économiques.

Cela n'avait pas de rapport, mais j'ai alors songé quelque chose à propos de ma vision du monde prégaliléenne. À propos du fait que je me comportais comme si la Terre était le centre de l'Univers et que le monde tournait autour de moi – alors que je sais que c'est faux ! Bon dieu, me suis-je dit, ce serait bien que tu arrives un jour à te hisser à un niveau einsteinien des choses. À un niveau quantique des choses aussi. Histoire de ne pas voir les choses et les êtres avec des yeux datant de plusieurs siècles.

Sur le quai d'en face, il y avait une grande affiche sur laquelle il était écrit en énorme : « C'est parfois en restant fidèle qu'on se trompe le plus. » C'était quoi cette pub ? C'était pour « le premier site de rencontres extraconjugales pour femmes » et j'ai songé que je ne serais pas du tout le même si j'étais né au temps des cathédrales.

J'ai également songé que j'étais né à Tizi-Ouzou (Algérie) et que du sang kabyle coulait dans mes veines (Il y a du bâtard en toi, tous tes raisonnements sont bâtards, j'allais dire bavards, ai-je songé en hochant gravement la tête) ; je me suis alors rappelé la fois où j'avais découvert que j'étais né en Algérie, ce dont je me fichais complètement jusque-là : j'avais six ou sept ans et, dans le préau de l'école, l'infirmière (blonde et jolie) chargée de faire le vaccin du BCG avait doucement passé sa main sur mon torse nu et, d'une voix rêveuse, elle m'avait demandé où j'étais né pour avoir une peau si douce – et tac ! Sans attendre ma réponse, ayant réussi à détourner mon attention, elle avait enfoncé l'aiguille dans mon bras. TAC ! J'avais aimé toute la scène : la caresse indiciblement érotique de la jolie infirmière sur ma peau nue, sa voix rêveuse et son stratagème pour me piquer par surprise, comme un chien. La brûlure qui avait coulé dans mes veines. J'en avais retiré l'impression que ce n'était pas si mal d'être né à Tizi-Ouzou, ce qui ne m'avait jamais effleuré l'esprit. C'était une espèce d'atout que j'ignorais.

Mais quelques années plus tard, j'avais découvert que ce n'était pas si simple. J'avais alors douze ans. Cela se passait dans le commissariat du huitième arrondissement de Paris, où j'avais été conduit pour des faits enfantins de vandalisme, en compagnie de copains raflés comme moi après une bataille de marrons à la sortie des classes qui avait malencontreusement explosé les pare-brise de quelques voitures en stationne-ment ; or, le policier qui, en attendant que ma mère vienne me chercher, avait mission de me faire la morale en prenant une grosse voix et en me menaçant de la prison si je continuais dans la voie de la délinquance, ce policier, il me demanda tout à coup « si je me conduirais comme ça dans mon pays ». Je l'avais regardé sans comprendre.

« Dans *mon* pays ? » Il tenait devant lui la fiche d'identité que j'avais dû remplir et, lisant à haute voix mon lieu de naissance, il articula le nom de Tizi-Ouzou d'un ton que je n'ai jamais oublié. En l'écorchant comme si ce nom lui écorchait la bouche. Pour bien signifier qu'il ne s'agissait pas d'un nom français. À moins qu'il ne sut à peine lire le français. Ce qui était possible. Sur l'instant, je fus envahi d'émotions contradictoires, entre incrédulité, hilarité, sentiment d'injustice, brusque colère et honte diffuse d'être né en Algérie comme si c'était de ma faute, comme si c'était une tare et que j'étais coupable d'être né là-bas, coupable de je ne savais quoi. Comme si je n'étais pas français, ce que je n'aurais jamais cru si ce policier ne me l'avait appris et, en une phrase, n'avait fait de moi un étranger, m'incitant à le devenir si c'était comme ça et, dans le métro, j'ai songé que les autres nous en apprennent de belles sur notre compte. Et sur eux.

J'ai songé qu'il y avait une différence entre les infirmières et les flics et, à tout prendre, mieux valait celles-ci que ceux-là. Ô combien ! Tout le monde ne pouvait pas être mis dans le même sac.

Dans la foulée, je n'ai pas pu m'empêcher de penser que ma langue était le français et que je ne pourrais jamais mieux dire à quel point je suis français, puisque je pense ce que pense cette langue. Je crois que le participe passé du verbe avoir s'accorde avec le complément d'objet direct si et seulement si celui-ci est placé avant le verbe. De façon plus affective, j'ai songé que jamais je ne m'étais senti plus français qu'aux glorieux temps où l'équipe de France de rugby développait un jeu qui n'appartenait qu'à elle et j'ai songé que si le *french flair* était une exception française, alors j'étais heureux d'être français. Je *voulais* l'être. Je m'époumonais de l'être à chaque match, que ce soit dans la victoire comme dans la défaite. C'était son jeu, tissé de brio, de vaillance, d'incertitude et d'improvisations aussi audacieuses qu'inspirées, qui faisait la nationalité de l'équipe de France. Il s'agissait d'un *style*. Ce n'était pas autre chose, ai-je songé en songeant à ce qu'était devenu le jeu français (une pitié, un renoncement, une *déchéance de la nationalité*).

Puis j'ai songé à mon milieu familial et j'ai songé que je m'étais toujours senti seul, toujours senti agressé, jamais senti à ma place. J'ai songé que, au sein de ma famille, je n'avais eu aucun *allié*. Pas un seul. Pas une fois. Pas même un oncle, un cousin éloigné, une grand-tante, un aïeul. *Personne*. Aucun soutien. Nul amour m'ayant donné le sentiment que j'existais. En même temps, j'ai songé que je n'avais pas à me plaindre. Des enfants étaient battus, des enfants étaient violés, des enfants étaient martyrisés, ce qui n'avait pas été mon cas. En aucune manière. Et alors ? ai-je songé. Cela me fait une belle jambe, ai-je songé, conscient de mon amertume de petit garçon et conscient que cette amertume grattait une plaie toujours à vif, malgré les années. Plaie qui ne se refermerait probablement jamais. Plaie qui avait fabriqué un adulte instable, inquiet, toujours sur la défensive et rarement heureux car terriblement méfiant dès qu'il s'agit des autres et affreusement idéaliste dès qu'il s'agit de lui-même.

Puis, j'ai songé que j'étais un enfant de la démocratie et que c'était en son nom que je contestais qu'elle soit marchande et représentative. Tu crois aux droits de l'homme, ai-je songé, mais tu n'as pas rencontré beaucoup d'hommes dans ta vie. Tu crois à la liberté, à l'égalité et à la fraternité et il arrivait ce putain de métro ? J'ai alors regardé le quai bondé en me disant que les classes dominantes défendaient aujourd'hui bec et ongles la démocratie et, dans leur bouche, cela ne sonnait pas pareil que dans la bouche des gens comme moi. Cela signifiait qu'il y avait un problème – mais voici que le métro arrivait enfin.

Tassé dans la rame, j'ai alors songé à Meryl Streep dans Le diable s'habille en Prada (« Je trouve *assez* amusant que vous pensiez avoir fait un choix vestimentaire qui n'a pas été dicté par l'industrie de la mode et par un petit groupe de personnes réunies dans un bureau » *et cela ressemblait à un complot ou je me trompais ?*). J'ai songé que j'étais un consommateur-né. Eh oui. C'était une modalité qui n'oubliait personne, du moins dans les pays dits riches. Ce qui fait que je ne pouvais pas dire *en toute certitude* si, dans mes relations aux choses, aux êtres et jusqu'avec moi-même, je ne faisais pas que *consommer*. À l'autre bout de la chaîne, ne savais-je qu'*exploiter* les choses, les êtres, moi-même ? Comment savoir ? J'ai alors songé que la plupart des gens focalisaient énormément sur leur histoire personnelle parce que c'est plus facile que d'affronter l'énorme secret de polichinelle – à savoir que chacun est davantage l'enfant de son siècle que de ses parents, comme le dit si bien dit un proverbe arabe. Car les parents sont également le produit de leur époque et ainsi de suite.

Puis j'ai soudain réalisé que l'école n'était pas mixte lorsque j'y entrai et que j'avais découvert l'existence des filles à travers une petite grille qui donnait sur la cour de récréation de l'école des filles qui jouxtait la mienne et cette grille était obstinément fermée, jamais je ne l'avais vue ouverte et j'ai songé que cette grille ne disait pas seulement la différence des sexes : elle la *magnifiait*. Elle la renforçait, au lieu de chercher à l'abolir. Elle était la révélation d'un univers complètement différent du mien et, en même temps, elle était ce qui en interdisait l'accès et que déduire de ce paradoxe ? Que l'interdit est la condition d'apparition des choses ? Qu'en son absence, rien n'émerge, tout se dilue dans l'informe, les plus forts mettant tout le monde au pas et faisant régner leur loi, au point que ma fille, ai-je songé avec une certaine hargne, a renoncé à porter des robes à l'école et se croit tenue de se viriliser pour ne pas avoir d'ennuis. Était-ce parce que nous étions dans des cours séparées que les garçons devaient faire la cour aux filles, comme je l'entendais parfois dire ? Mais « faire la cour », cela voulait dire quoi ? Faire le mur ? Sauter la grille ? Sans cette grille, ai-je songé, je n'aurais jamais *cru* que le féminin existait à part entière et qu'il n'était pas le masculin et je ne veux pas dire que la robe fait la femme, mais j'ai songé que la féminité m'avait toujours fait plus d'effet que son absence et, bon dieu, cette petite grille : elle se trouvait dans l'angle nord-ouest de ma cour de récréation et n'est-ce pas dans l'angle nord-ouest du couloir qui menait à la machine à café de marque Illico que s'était manifestée la première palpitation dorée de M ? Comme si une femme ne pouvait m'apparaître que dans cette direction, ai-je songé, un peu éberlué par cette découverte.

Il me restait encore sept, huit, neuf stations… treize stations ! Tant que ça ? Okay. J'avais le temps de noter que mes parents n'étaient pas racistes. Ils n'étaient pas antisémites, même de loin. On n'hérite pas que d'horreurs, ai-je souri dans le métro En songeant aussi que mes parents étaient des gentils, ils étaient *trop* gentils et j'ai soudain pensé au film La Fureur de vivre lorsque James Dean supplie son père de se relever, de retrouver sa dignité, de devenir un homme.

Du coq à l'âne, j'ai songé que, climatiquement, ma culture était tempérée (« je n'imagine aucun changement qui ne prenne un certain temps et ne possède ses propres couleurs »). Qu'elle était citadine (« ce qui veut dire nul lien avec les animaux, sauf domestiques. Aucune relation avec les arbres, les fleurs, les oiseaux, etc. »). Mais pas n'importe quelle ville : Paris ! La ville que tout le monde déteste en France – la *capitale* ! (« Ce qui fait une différence avec les provinciaux : eux peuvent monter à Paris. »)

Il ne restait plus que huit stations lorsque j'ai réalisé que j'étais un pur produit de la France giscardienne. Né en 1960, j'étais un enfant de la satiété. J'étais un gosse bien nourri, tout mignon, qui avait toujours vécu dans un environnement prospère et qui imaginait que les Trente Glorieuses dureraient toujours, sans se douter que cette situation économique était en réalité exceptionnelle. Sans mesurer non plus la chance qui était alors la sienne de n'avoir jamais eu à se priver, jamais eu à se battre, oui, ai-je songé, tu fais partie de la première génération qui n'a connu aucune guerre et qui a vécu dans le confort et l'opulence collective d'une société de consommation à son zénith, même lorsqu'on n'était pas particulièrement riche. Et si, avec la crise du pétrole, les choses commencèrent socialement à se gâter au moment où j'atteignais l'âge de puberté (sic), cela ne m'affecta pas réellement. Le pli était pris. Ce qui était en train de devenir le chômage de masse était un phénomène trop récent pour transformer ma foi en l'avenir en souci apeuré du lendemain. Tu es parti plein d'optimisme dans l'existence, ai-je songé. Contrairement à ta fille dont la culture est la culture de la crise et la culture du chômage, hélas, ai-je sourdement hoché la tête dans le métro en découvrant encore un peu plus comment j'étais devenu qui j'étais sans m'en apercevoir – et les autres itou.

J'ai alors songé que toute mon enfance, je n'avais connu que la droite au pouvoir tandis que les intellectuels étaient majoritairement de gauche, selon une répartition aux petits oignons. La société était extrêmement polarisée. Tout était très simple alors. La coupe de cheveux était un Manifeste à elle toute seule et pas la peine de lire Marx. D'ailleurs cela se voyait que j'étais un *rebelle*. Mon apparence était imparable. Elle était un slogan à elle toute seule. Capillairement, j'étais plein de poésie. Même si j'avais parfois un doute : l'anticonformisme n'était-il pas un conformisme qui ne disait pas son nom ? Il n'empêche ! Vive la révolte ! Vive l'indignation ! Ras-le-bol du bleu céruléa ! C'était avant de découvrir qu'au commencement de la guerre d'Espagne, il y avait eu la rébellion de généraux nationalistes contre la République que les urnes venaient de porter au pouvoir. Le rebelle dans cette histoire, c'était franco ! C'étaient les fascistes ! Cela me ficha un sacré coup. Quoi ? Les rebelles n'étaient pas forcément du bon côté ? Ce n'était pas si simple ? Merde alors !

En tous les cas, j'étais un enfant de l'après-Mai 68 (« À quelques années près je participais à la fête ; mais l'histoire avait passé, j'étais venu au monde un tout petit trop tard et ce sentiment ne m'avait plus quitté, ai-je songé. Je faisais partie d'une génération qui ne ferait jamais l'histoire car elle arrivait à contretemps et, par la suite, je n'ai jamais été surpris de me trouver en décalage et de louper le coche : c'était normal. C'était mon fatum générationnel. Il n'empêche ! Je voulais continuer le combat. J'étais la jeunesse de France refusant de collaborer. Ne pas collaborer, ne pas être un *collabo*, à aucun prix : voilà qui te résume tout entier, ai-je songé en bombant le torse. En me passant tout à coup une main moite sur le visage. Car cette culpabilité typiquement française n'était pas la mienne, putain, elle n'est même pas la tienne, ai-je songé, soudain effaré de l'importance qu'avaient pu prendre dans mon existence le mythe de la Résistance et l'horreur à la fois mécanique et viscérale de tout ce qui, de près ou de loin, pouvait ressembler au fait de collaborer, c'est-à-dire se ranger du côté du plus fort, par peur ou par intérêt »).

Et puis, j'ai songé que si j'étais un fier résistant dans mes années lycée, je l'étais surtout en chantant à tue-tête sur Paris Mai de Nougaro et en manifestant dans les rues – contre la réforme Haby, notamment. Plus largement, je n'en pouvais plus de cette société « avec sa manche droite, avec sa manche gauche, ses pâles oraisons, ses hymnes cramoisis, sa passion du futur, sa chronique amnésie » – je me souviens encore très bien des paroles. Je voulais moi aussi « savoir si l'homme a raison ou pas ». Je voulais que cesse l'oppression. Je voulais que ma mère arrête de se jeter par la fenêtre – hein ? Quoi ? ai-je sursauté dans le métro. Ma mère ? Mais oui ! Bien sûr que ma mère était centrale à mon niveau adolescent d'engagement politique, ai-je songé en devenant soudain blême. Jamais je n'avais fait le rapprochement. Mais il faut bien avoir une raison *personnelle* de s'en prendre à la société (ou de faire cause commune avec l'ordre établi) et, pour ma part, quand bien même ma mère ne saurait épuiser ce qui appartient objectivement à la société et que ce n'est pas parce qu'on porte des lunettes noires que le paysage n'est pas sombre, je sais avoir traîné toute ma jeunesse comme un secret honteux le fait que je voulais politiquement en finir avec la figure suicidaire de la mère alors que tout le monde à l'époque voulait en finir avec la figure autoritaire du père. Là où on croit déceler des problèmes de classes, il s'agit parfois de problèmes de personnes ; et l'inverse est également vrai, ai-je songé en jetant des regards suspicieux autour de moi.

Pour le reste, j'ai songé aux Kleenex, aux briquets Bic, aux rasoirs jetables et j'ai songé que j'avais grandi en même temps que l'idée – tout à fait nouvelle – que lorsque quelque chose casse ou ne sert plus, on ne le répare pas : on le jette. Ce qui ne vaut pas seulement pour les objets, ai-je songé en songeant à S.

Quoi d'autre ?

Ah si : je me suis dit que cela avait été une chance inouïe de commencer ma vie sexuelle alors que la pilule contraceptive venait juste d'être commercialisée et que le sida n'existait pas encore (« pour la première fois dans l'histoire de l'humanité, voici que faire l'amour n'était plus *une question de vie ou de mort*. Ce fut un moment unique dans l'histoire des hommes et des femmes et s'il ne dura pas, je ne l'ai jamais oublié. Je vis toujours sur cet acquis. J'ai dû mettre trois ou quatre préservatifs dans toute ma vie »).

En même temps, j'ai été forcé de reconnaître que j'étais aussi un *enfant de la télé*. Chaque dimanche, toute la famille déjeunait devant Le Petit Rapporteur et nous nous mettions à table *pile à l'heure*. Comme un rituel. Un culte nouveau, juste après l'heure de la messe et j'ai songé que j'avais adoré l'arrivée d'un poste de télévision chez nous. Bien qu'en noir et blanc et tout petit (il s'agissait d'un poste portatif avec deux antennes qu'il fallait sans cesse orienter), voici que des images me révélaient des mondes, des paysages et des histoires dont je n'avais pas idée. Voici que j'échappais à la morosité familiale, toujours la même, tellement mal filmée et dialoguée par comparaison. Sans parler de Zorro ! C'était magique. C'était la fête. C'est avec le plus grand soin qu'il fallait presser le bouton pour allumer le poste et… pas touche les enfants ! Oh malheureux ! Laissez faire papa ! C'est très fragile la télévision, ça coûte de l'argent, il y a un « tube cathodique » à l'intérieur et le poste peut exploser à tout moment si on fait une fausse manœuvre, il peut *imploser* et ce mot, à lui seul, me terrifiait.

Si les parents étaient maîtres des programmes à regarder, d'un autre côté, la télé avait l'air d'en savoir plus long qu'eux sur énormément de choses. Elle leur coupait carrément la parole. Elle *sapait leur autorité* lorsque je voulais qu'ils la bouclent pour entendre ce qui se disait *de plus intéressant* dans le poste. En sorte, ai-je songé, tu as fait partie de la première génération de gosses qui ont vu leurs parents perdre tout prestige et toute crédibilité au profit d'une instance supérieure – car eux aussi regardaient la télé comme des enfants. Voici qu'ils n'étaient plus les adultes mais qu'ils devenaient ce que la télé faisait de nous tous, sans distinction d'âge, de sexe et de tout. C'était très étrange. Ce fut inéluctable. Nous apprenions qu'il existait en France un patelin qui s'appelait Montcuq, dont on pouvait faire le tour, ce que ni mes parents ni moi n'aurions jamais su sans la télé. Ce n'est que bien plus tard que j'avais découvert que « le média est le message » et que les conditions modernes de production tendent à « éloigner tout ce qui est directement vécu dans une représentation » – mais il était trop tard alors, ai-je songé en me frottant les yeux dans le métro.

J'ai également songé que j'étais contemporain des mouvements féministes et, oui, j'étais à fond pour la libération des femmes, synonyme selon moi de la libération des hommes : ils n'auraient plus à se tuer à la tâche pour entretenir à eux seuls leur petite famille, ils n'auraient plus à endosser un rôle social qui niait leur liberté de mouvement et de pensée – fini le costume-cravate, finies les responsabilités prélevées à la source, terminé de perdre sa vie à gagner un salaire pour faire vivre le foyer – vive le partage ! De façon plus personnelle et immédiate, j'étais à fond pour que les hommes deviennent enfin l'égal des femmes et si on ne me croyait pas, on pouvait venir à la maison vérifier auprès de ma mère à quel point il valait mieux que la femme ne soit pas l'avenir de l'homme.

J'ai également songé à l'homosexualité de mon frère : Je la détestais. Elle avait dénaturé notre lien fraternel et, en réaction, je recherchais partout ailleurs de vraies fraternités, de viriles amitiés. Je me sentais trahi. Mon frère ? Un homo ? J'avais treize ans et cette situation m'angoissait. Je préférais l'occulter. Auprès de qui allais-je maintenant demander conseil ? Avec qui parler gonzesses ? Quelle fichue famille !

Nul ne pouvait donc tenir correctement son rôle ? Et si c'était héréditaire ? Si c'était génétique ? Si moi aussi j'étais « oh comme ils disent » ? Dans le métro, je me suis rappelé la nuit où il s'était glissé dans mon lit avec des intentions fort peu fraternelles. Ne voulant pas comprendre ce qu'il fabriquait. Ne voulant JAMAIS le comprendre. Je restai immobile, à fixer le plafond, ne sachant que faire, attendant qu'il cesse de s'activer sous les draps, cesse de souffler, ôte ses pattes de moi, SE CASSE DE MON LIT ! Heureusement, il ne recommença jamais. Il comprit, je crois. Que je n'avais pas aimé. Que je n'étais pas comme lui. Qu'il avait détruit quelque chose entre nous et ne pouvait plus être mon « grand frère ». Même si jamais nous n'en avons parlé. « Je t'excitais donc ? ai-je songé dans le métro. Depuis *quand* ? C'était de ma faute ? » ai-je songé en jetant un coup d'œil par-dessus mon épaule pour vérifier que personne ne lisait dans mes pensées. En me rappelant que mon frère en avait drôlement bavé avant d'admettre qu'il était « oh comme ils disent » ; cela avait été *horrible* pour lui ; cela avait été une guerre *monstrueuse* en son for et, dans le métro, je me suis dit que les homosexuels savaient le prix qu'il en coûte de devenir qui on est. Dans leur genre, ils sont des espèces de héros, me suis-je dit. L'homosexualité est un existentialisme, me suis-je dit. Un truc comme ça.

J'ai laissé passer une station. Puis je me suis rappelé l'époque où je lisais jusqu'au bout des essais de linguistique structurale et autre bouquins à la mode aussi éloignés de la plus élémentaire intelligibilité que, disons, la crotte de l'anus qui la chie ; mais plus c'était illisible, obscur, *abstrait*, plus cela m'apparaissait prodigieux ; l'autodidacte en moi était bluffé. Etc. etc.

Je ne vais pas tout raconter. Sinon que, comprimé comme je l'étais dans le métro, j'ai réalisé tout à coup que j'étais un stéréotype (« Tu es un STÉRÉOTYPE, ai-je songé, en voulant soudain descendre en marche de la rame. On te l'aurait dit, tu ne l'aurais jamais cru »).

Par la suite, je m'étais rendu compte à quel point j'avais eu tout faux depuis le début. À quel point j'étais devenu ce que la société, ma famille et l'époque avaient ponctuellement fait de moi et, dans le métro, j'ai cru que j'allais faire un malaise tellement la rame était bondée. Je me suis demandé : que sauver de tout ce bordel ?

Ou bien on part d'un principe, ou bien on part d'un constat. Je répète : ou bien on part d'un principe, ou bien on part d'un constat. Il n'y a pas d'alternative. Cela vaut pour tout le monde. C'est ce qui distingue les gens (dont je fais partie). C'est ce qui permet de savoir à qui on a affaire. De faire le tri. *D'abréger les conversations.* Car chacun part de ce qu'il croit être le bon pied et, un pas après l'autre, il arrive là où le conduisent ses pas et nulle part ailleurs. Et s'il est parti d'un principe, il arrive toujours un moment où il bute sur la réalité et, plutôt que de s'avouer vaincu, il dit que c'est elle qui a tort. Il la punit. S'il le faut, il la détruit. Il n'y a pas plus susceptibles que les principes. Pas plus féroces et haineux. À partir de là, *à partir de ce constat,* mon choix fut fait. Je devins *matérialiste* tendance empirique et, dans le métro, j'ai songé qu'il avait fallu que la vie s'en mêle pour que mon personnage se fissure et me laisse sortir du ventre idéalisé de moi-même. D'abord en vivant une expérience de mort imminente après avoir pris certaines substances qui me réussirent trop bien (« bon dieu, je possédais un être astral et *mon être astral riait !* »), puis en découvrant de quoi souffraient réellement les alligators du lac Apopka (« C'était la pollution chimique qui réalisait la défaillance du masculin et non le féminin qui l'émasculait », ainsi que je l'avais lu sous la plume d'un intellectuel à la mode qui, à l'instar de beaucoup d'autres à cette époque, réduisait tout à des faits de langage) et en allant voter pour la première fois (« Mais en regardant Mitterrand entrer seul au Panthéon, le visage déjà momifié, je sus que c'était foutu ») ; enfin, en prenant la résolution de ne pas devenir *quelqu'un* mais une *personne.* Je voulais vivre *ma* vie et non celle que tout un tas de gens (la plupart sans visage) avaient écrite à mon intention. Je voulais devenir qui j'étais, si cela avait un sens. En espérant qu'il avait raison celui qui disait que « Florence n'explique pas Galilée. » En prenant conscience de ma totale *impureté.* Du coup, je m'étais mis à faire de la peinture pour savoir s'il existait une parcelle de vérité en moi.

Et, à la fin, Julien s'est suicidé.

Voilà ce que j'ai pensé dans le métro, entre autres choses, en résumé, en abrégeant salement, en 1 600 mots au lieu de 34 000 mots – et à toi de voir maintenant si tu te contentes d'un vingtième des choses.

Pour ma part, supprimer tout ça ?

N'y pense même pas.

Niveau 19

Si on me le demande (mais personne ne me demande rien), je viens de bien plus loin que j'en ai l'air. Mes coordonnées sont plus ancestrales.

J'ai environ 36 000 ans. C'est ce que je dirais. Je suis ardéchois d'origine. *Je viens de la grotte Chauvet.* C'est génétique, mais pas seulement. Au fil d'un nombre incalculable de générations.

Je viens d'hommes qui pénétrèrent dans une vaste grotte s'étirant de tout son long sous la falaise et dont ils ornèrent, pour leur plaisir ou pour une nécessité plus vitale et mystérieuse, les parois de peintures et de dessins pendant des milliers d'années. Dans cette grotte en particulier. Grotte dominant la vallée et offrant un point de vue ébloui sur la nature grandiose de la nature. Grotte sombre et humide se ramifiant sur plusieurs centaines de mètres en galeries toujours plus enténébrées, preuve que ces hommes n'avaient pas peur du noir. Qu'ils n'avaient pas peur de s'enfoncer dans l'inconnu. Grotte utérus se terminant par un embranchement aux allures de trompe de Fallope, d'où sortit un génie propre à notre espèce. Où s'inventa l'humanité. Je viens de cette grotte. Elle m'a enfanté, comme nous tous. Pourvu qu'on se le rappelle.

Je viens de ces hommes qui, à la lumière de torches, dessinèrent sur les parois des centaines de mammouths, de chevaux, de taureaux, de lions et de lionnes, de rhinocéros laineux et de mégacéros, de bouquetins, une panthère des neiges, des bisons. C'est-à-dire tout le bestiaire des animaux qui peuplaient leur univers et dont beaucoup les menaçaient. Car ils étaient à l'époque des hommes fragiles, peu nombreux, isolés, qui devaient survivre aux mille dangers d'un monde animal dont ils étaient l'un des maillons faibles. Dont ils étaient surtout la proie. Ils n'étaient alors que dix mille. Peut-être cent mille, disséminés par monts et par vaux. Aube humaine.

Hommes aux dons premiers d'observation. Car sur les parois, ils restituent au plus près les formes, les attitudes, les mœurs animales, qu'elles soient paisibles, combatives ou amoureuses. Ils expriment toute leur admiration pour ces animaux qui les dominent. Qui les émerveillent. Dont ils captent le prestige avec une empathie perceptible dans chaque trait, une douceur et une précision qui bouleversent. Les têtes, surtout, les fascinent. Leurs expressions, leur intensité, leurs profils. Toujours des profils. Pointant vers l'ouest, presque toujours vers l'ouest. Monde de profil – cela doit avoir une signification. Monde animal en tout cas, ignorant le monde végétal. Ces hommes n'étaient pas contemplatifs.

Je viens d'hommes qui regardaient dans une certaine direction. D'hommes qui, dans la nuit noire de la grotte, dansaient avec les figures qu'ils traçaient sur la roche et qui devenaient mouvantes à la lueur de leurs torches. Qu'ils animaient de leur flamme jusqu'à les rendre vivantes dans la nuit. Jusqu'à faire résonner dans le silence caverneux les furieuses cavalcades de chevaux dévalant les parois. De lions et de lionnes chassant les bisons. Hommes esprits. Hommes sorciers. Hommes d'ombres et de lumières. Hommes récréant le monde extérieur dans l'intimité obscure d'une grotte. C'est-à-dire l'intériorisant. Après l'avoir mémorisé. Car ils ne copiaient pas la nature : ils la restituaient en pensée, ils la magnifiaient dans l'obscurité la plus totale de la grotte, d'après ce qu'ils avaient vu dehors. Ce qui implique une opération mentale et sentimentale. Une intériorité véritable. Implique l'invention du temps. Dévoile un niveau humain des choses. D'où le mien vient en droite de ligne.

J'hérite de ces hommes. Nécessairement. Même si c'est imperceptible. De ces hommes dits des cavernes, qu'ils partageaient avec des ours ! Car sur les parois, les peintures voisinent et parfois recouvrent de grandes griffures laissées par des ours qui venaient là hiberner et enfanter. Hommes ours. Hommes disputant aux ours leur antre une fois l'été revenu. À qui ils réservaient une place unique dans leur imaginaire : en plus de sanctifier leurs ossements et de mettre en scène leurs crânes, ils dessinaient des ours sur les parois, mais sans les yeux. Ils ne les dotaient d'aucun regard. D'aucune tendresse. Tels des dieux aveugles. Ce sont les seuls animaux dans ce cas. Je viens d'hommes qui virent l'homme qui vit l'ours. Cette généalogie-là. D'hommes qui avaient le temps pour eux. Car cinq mille ans séparent le dessin d'un cheval jaune de celui d'un autre juste à côté, *qui semble pourtant de la même main*. Cinq mille ans ! Cette continuité dans le temps. Cette fraternité de génération en génération. Notre histoire. Jusqu'à aujourd'hui.

Par-dessus tout, je viens d'un homme qui avait le petit doigt tordu, fracturé, déformé. D'un homme qui, enduisant sa main d'argile, tamponna encore et encore le grand rocher situé au fond de la première salle, jusqu'à le pommeler tout entier de gros points rouges. C'est la première chose que l'on voit lorsqu'on pénètre dans la grotte. Le grand « rocher aux Points-Paumes ». Dont la signification échappe. On dirait un rocher malade de la rougeole. On dirait un code secret. On dirait – quoi ?

Mystère.

Sauf à prendre du recul. À considérer le rocher de loin. Depuis l'entrée de la grotte pour être exact. De ce point de vue précisément. Qui permet d'embrasser le rocher *avec la paroi qui l'entoure et le domine*. Alors on voit. Soudain on comprend.

Suis-je le seul à m'en être rendu compte ?

Cela saute pourtant aux yeux lorsqu'on considère le rocher aux Points-Paumes dans son décor et sous un certain angle. Car dès lors, les anfractuosités de la roche, les lignes tourmentées qu'elles dessinent au hasard des fissures, les différences de matière et de niveau fabriquent un jeu d'ombres et de lumières d'où émergent, parfaitement reconnaissables, les contours d'un animal fabuleux. Deux pas sur la gauche ou sur la droite et l'illusion s'évanouit ; mais là, c'est très net. Une fois qu'on a vu, on ne voit plus que ça. Voici que l'informe prend forme. C'est miraculeux. Comme révélant un spectre, la paroi dévoile un immense cheval de pierre, mi bison mi-rhinocéros laineux : à gauche, sa tête, énorme, pique du nez, comme pour brouter ; son profil se découpe nettement, avec de grandes oreilles ou ce qui pourrait être une corne, tandis qu'un creux dans la roche simule une vaste cavité orbitale, un œil immense et vide et cependant vivant. Prolongeant la tête et lui imprimant un incroyable élan en avant, une puissante encolure mène à un corps massif et rugueux pourvu de pattes bien visibles et même d'une queue parfaitement reconnaissable à l'arrière : c'est le grand rocher, dont les points rouges qui le couvrent révèlent alors leur signification : ils figurent le pelage moucheté de la bête ! C'est évident. C'est magique. C'est comme reconnaître un visage dans un nuage qui passe dans le ciel. Quoi ? Tu ne vois pas le visage ? Et avec un trait pour marquer la bouche : tu vois mieux ? *Tu vois maintenant ?*

Tel est le secret des Points-Paumes : ils rendent apparent ce qui était latent. Ils soulignent l'image qui, appartenant à la roche, passait inaperçue avant qu'un homme y reconnaisse un animal fabuleux. Ils expriment une vision de plus de trois mètres de long sur deux de haut. Ils livrent un mode d'emploi. Ils authentifient un filigrane. Ici, un homme interpréta l'inerte pour lui donner un sens. Il fit parler la pierre. D'un détail, il créa un monde et le révéla à lui-même. Il hallucina son propre esprit. Homme voyant. Homme qui voit ce que lui seul peut voir et qui s'en émerveille. S'en épouvante aussi ? Car à la lumière des torches, l'immense cheval de pierre devait paraître fantastique. Surgissant de la roche, l'apparition devait terrifier. Est-ce pour la retrouver dans le noir que l'homme la marqua de son empreinte ? Ou pour en avoir moins peur ? Pour prévenir aussi les autres ? Qu'ils sachent, même d'ici cinq mille ans. Qu'ils voient de leurs yeux le prodige. Ne passent pas à côté et s'en étonnent, sans être cependant surpris. Sans sursauter à la vue du monstre fabuleux tapi dans la roche et l'obscurité. Comme s'il avait été domestiqué.

Il faut imaginer la paroi lorsqu'elle était encore anonyme. Avant que le rocher aux Points-Paumes signale la bête dans la roche. Qui la verrait alors ? Et, la voyant, la prendrait suffisamment au sérieux pour avertir les copains ?

À lui seul (mais il n'était peut-être pas seul), l'homme de Chauvet fit une incroyable découverte et il ne voulut pas qu'on l'oublie. Il voulut hautement marquer l'emplacement. Il se plut à le faire. Car j'imagine sa joie, sa surprise, d'avoir vu l'image dans la caverne. D'avoir décrypté le néant. Je connais moi aussi cette joie. Cette surprise. Je viens de là. De ce geste de l'homme de Chauvet. Et j'imagine la nécessité qui fut la sienne d'authentifier de sa main l'œuvre de la nature. D'avoir stig-matisé le hasard. Grâce à un artifice dont il faut prendre la mesure. Car il lui aura suffi de donner l'illusion d'un pelage pour suggérer *tout* l'animal. Il lui aura suffi de flatter de rouge les flancs de la bête pour la faire exister. D'imprimer cent fois sur la roche la paume rougie de sa main, dont le petit doigt était tordu, fracturé, déformé, ainsi que l'a révélé l'examen anatomique des empreintes. Comme moi-même ai le petit doigt tordu et déformé depuis une fracture dans ma petite enfance. Comme un signe héréditaire qui me relie du bout des doigts à la grotte Chauvet. Comme les Envahisseurs de la série avaient eux aussi le petit doigt tordu, ce qui permettait de les distinguer des êtres humains ; mais j'imagine que c'est une coïncidence. Je l'espère. L'homme de Chauvet était tout le contraire d'un extraterrestre.

Voilà d'où je viens.

D'un geste vieux de 36 000 ans.

D'une faculté ancestrale *de voir là où il n'y a rien* tant qu'on ne voit rien. Là où, en apparence, il n'y a que le vide, le chaos, l'inerte, une surface nue et hasardeuse ; et pourtant il y a quelque chose : on peut le voir !

Quoi ? Je projette ? J'affabule ?

Mais non : je perpétue. Je prolonge. Je renoue.

Puisque je viens de là.

Telle est ma *culture*.

Même si tout est fait pour que je l'oublie.

Niveau 20

Rompre avec S.

Oui oui.

Ça vient.

Pour qui je me prends.

Là où j'en étais.

Zorro.

Okay.

Et toi ?

De qui es-tu devenu la pute, imaginairement parlant ? En qui et en quoi as-tu cru ? Comment es-tu devenu crétin ? Quel est ton stéréotype ?

Pour ce qui me concerne, c'est avec Zorro en tête que je partis un beau matin dans l'existence. Indéniablement. Inconsciemment.

Assez de répéter mon rôle dans ma chambre d'enfant, une serviette nouée autour du cou. Assez de jouer les Zorro à l'école ou en allant chercher le pain. L'heure était venue de passer de l'autre côté de l'écran. J'allais être Zorro dans la vraie vie. J'allais passer à l'action. J'allais combattre les exploiteurs et défendre les opprimés. J'allais suivre son exemple et m'en montrer digne. Hiiiiiii.

Pour le dire autrement : au commencement du commencement fut Zorro à mon niveau individuel des choses dont on ne s'aperçoit de l'importance qu'après coup. Dont on réalise trop tard que nous avons fait d'elles ce qu'elles ont fait de nous. Sachant que j'ai oublié de dire que j'appelle « niveau individuel des choses » non la maladie infantile de l'individualisme dont le marché fait, au départ comme à l'arrivée, son beurre et ses épinards, mais le mouvement par lequel un individu accède à sa propre lumière, se construit lui-même, comprend quelque chose, jusqu'à devenir ce qu'il peut être et non ce qu'on veut qu'il soit, c'est-à-dire devenir une personne, devenir singulier, non pas supérieur mais précieux et s'il l'est, tout le monde l'est. Le partage devient possible. Ce qui est le contraire de l'individualisme de masse – fabuleux oxymore qui résume à lui seul la misère la plus contemporaine qui soit.

Ainsi quittai-je le foyer familial avec le Justicier Masqué comme viatique, comme d'Artagnan « se mit un jour en route, muni de trois présents paternels et qui se composaient, comme nous l'avons dit, de quinze malheureux écus, d'un vieux cheval jaune qui allait la tête plus bas que les genoux et d'une lettre de recommandation pour M. de Tréville ; sans oublier la recette d'un certain baume que sa mère tenait d'une bohémienne et de conseils avisés, lesquels avaient, on s'en doute, été donnés par-dessus le marché. Avec pareil vade-mecum, d'Artagnan se trouva, au moral comme au physique, une copie exacte du héros de Cervantès, auquel nous l'avons si heureusement comparé lorsque nos devoirs d'historien nous ont fait une nécessité de tracer son portrait. Don Quichotte prenait les moulins à vent pour des géants et les moutons pour des armées, d'Artagnan prit chaque sourire pour une insulte et chaque regard pour une provocation. Il en résulta qu'il eut toujours le poing fermé depuis Tarbes jusqu'à Paris, et que l'un dans l'autre il porta la main au pommeau de son épée dix fois par jour. »

« L'un dans l'autre »…

On part avec ce qu'on peut dans la vie et, pour moi, indubitablement, ce fut avec Zorro « par-dessus le marché ». Lui mon vade-mecum. Ma boussole pour me repérer dans la forêt obscure. Ma lettre de recommandation. On était en juin 1978. J'avais 18 ans. C'était même le jour de mes dix-huit ans. J'étais majeur depuis une heure et je ne perdis pas une minute pour prendre mon indépendance. Partir plus tôt ? Mon frère m'avait devancé, se tirant dès l'âge de 16 ans aux États-Unis pour y vivre son homosexualité à l'abri des regards et des jugements. Suivre son exemple aurait laissé notre mère démunie. Toujours plus livrée à elle-même. J'étais son fils préféré. Je rongeais mon frein jusqu'à ma majorité. Je me disais que je devais faire les choses dans les règles. Je craignais l'irréparable dès que je serais parti et ce serait encore une fois de ma faute.

Niveau 21

C'est rive gauche que je trouvai une chambre de bonne située sous les toits, quand j'avais passé toute mon enfance rive droite. Si mon frère avait traversé l'océan, j'avais plus modestement traversé le fleuve ; ce fut néanmoins comme si j'étais passé de l'autre côté du miroir. Comme si je découvrais l'Amérique. C'était une sorte d'exploit. Un symbole fort. Ceux qui habitent Paris ne peuvent pas monter à la capitale et il leur faut donc ruser s'ils veulent quitter leur Gascogne natale et donner forme à leurs rêves d'avenir, de gloire, d'épopées et d'amours. Franchir la Seine est ainsi la seule illusion à leur portée, que ce soit dans un sens ou dans un autre. Ils ont alors le sentiment d'avoir quitté quelque chose et d'arriver quelque part. En passant d'une rive à l'autre, ils changent de décor, de scène, de théâtre des opérations. Tel fut en tout cas mon sentiment lorsque j'emménageai rive gauche. J'avais traversé le grand fleuve. J'avais laissé mes parents sur l'autre rive et, entre eux et moi, j'avais mis la largeur de la Seine qui se la coulait douce et je respirais soudain mieux. Enfin livré à moi-même j'étais – et aussi libre qu'on peut croire l'être à cet âge. Enfin soulagé de l'oppression mater-nelle j'étais (quoique j'allais déjeuner le dimanche en famille, comme un sacerdoce, comme une culpabilité, une façon de ne pas laisser tomber ma mère ni d'aggraver son cas et le mien ; j'avais donné ma parole et cela ne me coûtait finalement pas grand-chose – même si j'étais nerveusement à cran au sortir de chaque déjeuner, près d'implo-ser et d'exploser tout à la fois). Pour le reste, responsable de tout ce qui pouvait m'arriver j'étais. Gagnant mon propre argent et financièrement autonome. Commençant à peindre. N'ayant désormais de comptes à rendre qu'à moi-même. À moi l'Aventure de la Vie ! À moi l'Amour ! Que les méchants garent leurs fesses ! Que les filles s'assemblent dans la cour. J'avais terriblement hâte. J'allais sauter toutes les grilles. Je me sentais follement chevaleresque.

Ce sentiment était si puissant que je me fis promptement exempter du service national militaire qui, à l'époque, était obligatoire et menaçait de me prendre une année de vie que l'armée ne me rembourserait jamais. Zorro n'était pas un soldat ; il n'obéissait pas aux ordres ; il ne portait pas l'uniforme : il s'était fabriqué son propre costume.

C'est dans cet état d'esprit que j'allais faire mes « trois jours » au fort de Vincennes, où je réussis si bien les tests d'évaluation lors de la première journée qu'un sergent instructeur m'avertit le soir même que j'étais pres-senti pour devenir élève officier de réserve, ce qui m'ouvrait la voie à un poste de commandement lors de l'année que j'aurais à passer sous les drapeaux, quelque part en Allemagne, du côté de Landau, un endroit bien pourri, tout à fait sinistre, surtout l'hiver, avais-je entendu dire ; j'acquiesçai évidemment à cette flatteuse proposition ; pour paradoxale que parut mon attitude, elle faisait partie de mon plan : j'avais compris que l'armée ne redoutait rien tant que les appelés qui, d'un côté, sor-taient du lot, et, de l'autre, dissimulaient des tares susceptibles de causer par la suite toutes sortes d'ennuis dont l'institution militaire ne voulait justement pas : rien de pire qu'une recrue instruite et intelligente et, en même temps, psychologiquement fragile.

Ce pourquoi, dans le formulaire intitulé « Antécédents familiaux » qu'il m'avait fallu remplir avant de passer les tests d'évaluation, je n'y étais pas allé de main morte. Vu mes véritables antécédents familiaux, cela m'avait paru tout indiqué de noircir énormément le tableau, exprès, afin d'alerter les autorités supérieures sur mon cas, en toute ingénuité (pardon papa, pardon maman). Mon idée était que l'armée me juge elle-même trop taré pour me vouloir dans ses rangs, malgré le désir évident que je manifestais de porter l'uniforme. Précisément à cause du désir que je feignais d'exprimer, là où ceux qui voulaient échapper à la conscription manifestaient bêtement un refus ostensible et mettaient en avant toutes sortes d'incapacités physiques ou intellectuelles qui les dénonçaient trop aisément ; ils se retrouvaient bleubites en moins de deux, à Landau ou à l'infirmerie, ou les deux. Les militaires n'étaient pas si stupides. Je n'en doutais pas une seconde. Je voulais qu'ils me croient bon pour le service, avant de s'apercevoir que j'étais inapte. Je voulais qu'ils m'*empêchent* de servir sous les drapeaux et qu'en me rendant à la vie civile, ils pensent que c'était eux qui faisaient la bonne affaire, et non moi. Telle était ma ruse de renard.

Ainsi chargeai-je à bloc mes antécédents familiaux, jusqu'à en faire du pur Hugo, période Cosette. Un parfait nid à psychoses. Sacrément perturbé je devais être. Détraqué peut-être. Voire dégénéré. Une vraie cocotte-minute qui menaçait d'exploser et mieux valait que ce ne soit pas lors de manœuvres, une grenade entre les mains. Moi-même, sur l'instant, m'effrayais de mettre au pire mes antécédents familiaux, craignant tout à coup de ne pas l'emporter au paradis et d'exploser un jour pour de vrai, en représailles de ce mensonge. Mais il était trop tard. En plus de ceux qui étaient réellement les miens, je m'inventais si bien des tas de problèmes à la fois latents et perceptibles que sans même avoir à le demander, je fus dès le lendemain matin envoyé d'office en consultation chez le psy, pour une petite évaluation de ma personnalité. Rien ne pouvait mieux me convenir. Ah bon ? m'inquiétai-je cependant auprès du sergent instructeur qui, maintenant, me regardait comme si j'étais une bouse de vache. Mais pourquoi ? Quelque chose ne va pas avec mes antécédents familiaux ? Zut alors. Snif.

Niveau 22

Une fois dans le bureau du psy, j'hésitai un court instant, ne sachant quel parti adopter. Je n'avais rien prévu de particulier, je me faisais confiance. À l'heure du combat, Zorro avait le don d'improviser, il utilisait ce qui lui tombait sous la main pour parvenir à ses fins : une charrette à foin, un tonneau de vin, un lustre. Son audace faisait la différence. Je verrais bien si j'étais digne d'être son émule. Je ne savais qu'une chose : il me fallait marquer le coup. Pas de demi-mesure. C'était maintenant que tout se jouait, je devais y aller à fond, je devais… je… Avant même de réaliser ce que je faisais, je me jetai sauvagement sur le bonhomme psychiatre, l'attrapai par le col, le secouai comme un prunier, renversant au passage les papiers sur son bureau, m'en fichant, continuant mon numéro, faisant de grands gestes avec les bras et bafouillant des propos paniqués, me dirigeant même vers la fenêtre comme si j'allais me précipiter dans le vide et tout le temps que j'improvisais cette magnifique crise de nerfs, je me regardais tranquillement devenir fou, je me voyais devenir étrangement ma mère, je riais aux éclats intérieurement, j'appréciais ma splendide performance au point de presque y croire moi-même : j'étais très bon ! Un acteur-né !

Dix minutes plus tard, j'étais rendu à la vie civile, un pan de ma chemise déchiré entre mes mains tremblantes. Hagard de ma prestation, au point d'être incapable de lire ce que le psy avait noté sur ma feuille d'affectation ; tout dansait devant mes yeux et il fallut que je demande à un troufion ce qu'il en était. Il jeta un œil sur le papier et me dit : – Ah désolé pour toi, mon pote. – Désolé quoi ? Je pars faire la guerre ? – Non, t'es exempté P4, me répondit ce messager des dieux. – Ah. Bon. OK. Merci. Je m'éloignai la tête basse ; mais c'était pour dissimuler que je riais aux éclats. Hourra ! Bien joué Bouillier ! Tu avais tout bon ! L'armée n'avait pas besoin de fous dangereux présentant d'évidents troubles psychiatriques, peut-être des tendances schizophrènes et/ou suicidaires, quand bien même ils pourraient faire de bons officiers. Mission accomplie ! Tournée générale ! C'est une caserne bleue la si la sol fa#. J'avais brillamment exécuté mon plan. J'étais à présent dégagé de mes obligations militaires. J'avais bien mérité de Zorro. Ma carrière de héros commençait par un coup d'éclat. N'avais-je pas réussi à berner la soldatesque d'un pouvoir oppressif et illégitime ? N'avais-je pas roulé dans la farine un psy galonné ? Ah ah ah ! Ils n'étaient pas si fortiches, les psys. Bien moins que les philosophes allemands. Je pouvais être fier de moi, quoique l'esprit vaguement troublé d'avoir si bien joué le rôle d'un sociopathe, comme une prédisposition plus naturelle que je ne l'eusse souhaité. Comme une vérité qui n'attendrait peut-être qu'une occasion pour se rappeler à mon bon souvenir le moment venu. J'avais joué avec le feu et je ne devrais pas faire l'étonné si je m'y brûlais plus tard et, de fait, sachant que nous ne mentons pas au hasard et ainsi tout mensonge est-il l'enfant de la vérité, je devins fou huit ans plus tard. Fou schizophrène. Jusqu'à me prendre pour un cheval en pleine rue et si Nietzsche était passé par là, peut-être l'eussé-je embrassé sur la bouche.

L'autre mauvaise nouvelle, c'est que de tous les amis (les copains du lycée avec lesquels je levais le poing dans les manifs, les fiers rebelles comme moi, les chevelus qui fumaient joint sur joint *et cetera*), je fus le seul – je dis bien le seul ! – à honorer notre *serment* de ne pas faire l'armée – ce qui me fit bien réfléchir sur le concept d'amitié et, plus généralement, sur ce que disent les gens la main sur le cœur. Sur le grand écart entre les actes et les paroles. Tant pis. Je me sentais toutefois un peu seul en prenant pied sur la rive gauche. Un peu *trahi*. Mais je commençais à être habitué. Je me consolais en me disant que la solitude est le lot du héros. C'est parce que les gens n'ont pas le courage de leurs opinions qu'il faut que Zorro s'en mêle. On ne peut pas leur en tenir rigueur. Me disais-je. Loin de me décourager, mon côté Zorro se trouva puissamment conforté lorsque, parvenu rive gauche, je coupai les ponts avec mes années lycée.

Niveau 23

Preuve que j'avais de la suite dans les idées, je renonçai pour les mêmes raisons à faire des études (ce que je regrette aujourd'hui, vu l'immensité de mes lacunes). Mais nos choix nous poursuivent et si je mis les pieds à la fac de Jussieu à la rentrée de septembre, j'en ressortis immédiatement par la grande porte, pour n'y plus retourner, sans même m'inscrire. Passer encore des années en compagnie de lycéens devenus des étudiants, comme une progression dans le vide se croyant le plein ? Reculer le moment d'entrer dans la vraie vie et, d'elle, continuer de n'avoir que des idées facultatives plutôt que prises à la source ? Ah non ! J'en étais dégoûté d'avance. J'avais trop hâte de vivre ma vraie vie. Zorro ne faisait partie d'aucune institution. Lui se fichait bien d'avoir des diplômes, il ne cherchait pas à réussir dans ce monde. Il avait mieux à faire et moi tout pareil. Je voulais marcher sur ses traces et tandis que j'explorais les bistrots de mon nouvel arrondissement, je hennissais tout bas (hiiiii), gonflé de mon importance comme jamais. Hautement conscient d'avoir fait tout seul le grand voyage de Tarbes à Paris. Je me débrouillais comme un chef. Cela me donnait certains droits, estimais-je. Ainsi, pour un mot de travers dans une discussion, pour un sourire un peu torve, « je portais dix fois par jour la main au pommeau de mon épée de Zorro ». J'avais de qui tenir. Je m'étais inventé une lignée. Je venais de bien plus loin que mes père et mère. J'échappais à ma condition. Sans me douter à l'époque que j'avais peut-être les rêves qui étaient les siens. De toute façon, mes parents n'avaient pas les moyens de me payer des études. Je ne me rappelle pas que la question fût seulement débattue. Je ne pense pas être le premier à tourner à son avantage les choix qui lui sont imposés.

Encore fallait-il vivre. La mère d'un copain, directrice d'une agence d'intérim, recrutait des jeunes gens pour le compte d'une grande radio commerciale (la bande FM n'était, à l'époque, pas « libérée » et quatre grandes stations monopolisaient les grandes ondes, deux d'entre elles se livrant une concurrence particulièrement acharnée pour prendre la tête des audiences et remporter la guerre des recettes publicitaires). J'avais dix-huit ans. C'était inespéré. Je travaillais à la RADIO ! Quand bien même mon job était inintéressant au possible : il s'agissait de télé-travail. Les gens appelaient pour participer à l'émission et après avoir noté sur une feuille ce qu'ils voulaient dire à l'antenne, je transmettais à l'assistante du réalisateur, qui sélectionnait ceux que je devais mettre en attente et passer ensuite à l'antenne. Nous fonctionnions par équipes de six ou huit, enfermés dans un bocal, au gré des émissions. L'ambiance était très sympathique. Que demander de plus ? Les copains trouvaient que j'avais trop de la chance de bosser à la radio. Les filles me regardaient maintenant comme si j'étais un magazine people et j'en étais gêné pour elles.

Je l'étais tout court. Car après deux années de ce régime, je me sentis piégé. Je m'ennuyais comme Ulysse chez Calypso (et vois-tu le lien avec S ?). Comme si une machine à café de marque Illico vibrait dans les parages. Même si j'étais plutôt apprécié et qu'un réalisateur (natif de Corse) m'aimait bien, tandis qu'un autre (qui devait supporter quotidiennement les humiliations que lui faisait subir un « animateur star ») m'avait pris sous son aile, au point de me sauver la mise alors que j'arrivais tout le temps en retard (partout il se trouve des gens bienveillants). Mais j'avais vingt ans et je n'allais pas passer ma vie dans cette taule. J'avais de plus grandes espérances, que je n'allais pas répudier au prétexte que je bossais dans l'industrie du divertissement et que tout le monde m'enviait. Je devais me tirer de là. Mon aventure dans l'existence ne pouvait finir à peine commencée.

Niveau 24

C'est ainsi que je fomentai (en compagnie de G et de M-H – hello les filles !) une vaste insurrection contre notre statut d'intérimaire, laquelle fit boule de neige, jusqu'à rallier par un prompt renfort plus d'une centaine d'« étudiants » (comme la radio se plaisait à appeler les télé-travailleurs que nous étions, parce que cela faisait plus chic à l'antenne et parce qu'elle pouvait ainsi se voiler la face : elle n'avait pas l'impression d'exploiter des bataillons de jeunes gens pour faire tourner à bas prix ses émissions, non, elle rendait service à des « étudiants » qui, pour la plupart, n'en étaient pas et n'avaient que ce job pour vivre. C'est eux qui devaient s'estimer heureux de travailler pour une radio si prestigieuse et nombreux étaient ceux, en effet, qui s'en persuadaient, alors que leur statut d'intérimaire les rendait corvéables à merci, pour des salaires miteux et sans la moindre contrepartie). Et voici que moi et mes deux camarades disions « stop ». Et *tous* de dire : ah oui, c'est vrai, stop !

Quand je dis « tous », cela signifie une centaine d'étudiants. Autant dire une *armée*.

Quel combat épique alors ! Un vrai siège de La Rochelle ! Lequel dura des mois et des mois, plus d'un an en fait, pendant lesquels notre petit club des trois (considérés comme les « leaders » d'une affreuse insurrection) dut travailler dans un climat d'hostilité dont on ne peut avoir idée si on ne l'a pas vécu, tous les coups semblant permis pour nous discréditer et nous pourrir la vie, nous saper le moral, nous harceler, depuis les pires rumeurs jusqu'aux plus misérables vexations, celles-ci venant de tous les côtés, même les plus inattendus : de la direction et des sous-chefs, comme de juste, mais aussi du CE, des syndicats et même des autres salariés et, côté étudiants, de certains « jaunes » – youpi. Je sus alors ce que c'est que d'être mis au ban d'une société, quand bien même la victoire fut au bout du chemin (au grand dam de la mère de mon ami qui m'avait fait entrer chez Madame Radio comme le loup dans la bergerie et je n'étais pas fier des ennuis que je lui causai par la suite, au point d'aller m'excuser en personne). Mais la justice avait tranché : le juteux contrat (des dizaines de millions de francs par an tout de même) qui permettait à la boîte d'intérim de pourvoir Madame Radio en « étudiants » bien sympathiques dut être résilié, au profit d'embauches en bonne et due forme, quoique d'une durée déterminée de six mois, déplaçant ainsi le problème sans le régler. Mais je m'en fichais.

Car de même j'avais prétendu vouloir intégrer l'armée pour qu'elle me rejette comme un malpropre, de même feignais-je de revendiquer une embauche à laquelle j'avais droit, sachant que je ne l'obtiendrais jamais : pour des raisons d'impôt sur les sociétés, Madame Radio s'arrangeait pour ne pas dépasser un nombre très précis de salariés. De là qu'un bon tiers de son (petit) personnel passait par la boîte d'intérim. Ce n'était pas social, c'était économique (grande distinction !

Grande découverte !). Dans ces conditions, Madame n'embaucherait *jamais* personne. Cela lui était rigoureusement impossible. Des sommes colossales étaient en jeu, qui dépassaient mon minuscule petit cas personnel, ainsi que celui de mes camarades, fussent-ils deux ou cent. Pour des raisons structurelles, notre combat était perdu d'avance – c'est-à-dire que nous étions sûrs de gagner !

Car moi et mes deux complices voulions être licenciés et non point démissionner, pour le principe et, pour ce qui me concernait, parce que me faire virer m'apparaissait *à tout point de vue* plus commode que de m'en aller de mon propre chef ; c'était un pli familial que j'avais pris, une façon d'obtenir ce que je voulais sans en prendre la responsabilité. Plus que de soutirer éventuellement de l'argent, il s'agissait d'un confort psychologique – mais chut ! Nul ne devait se douter de nos véritables intentions. Nous ne pouvions rien dire à personne. À chaque instant devions garder le secret, dissimuler nos plans, vivre dans la duplicité la plus clandestine. Madame Radio devait être persuadée que nous voulions à tout prix intégrer ses jupons, pitié, s'il vous plaît, embauchez-nous, prenez-nous sous votre aile, ne nous aimait-elle donc pas ? Que nous reprochait-elle ? Alors que nous la servions fidèlement depuis des années et qu'elle ne pouvait ignorer que nous faisions partie intégrante de ses ouailles, ainsi que le droit du travail le stipulait, pourvu qu'elle se donnât la peine de le respecter. C'était écrit noir sur blanc dans le code Dalloz. Voulait-elle qu'on lui souligne les articles ?

Pour être socialement légitime, notre démarche était donc économiquement vouée à l'échec dès le début. Elle n'avait d'autre but que de mettre Madame au pied de son mur et, face à notre intransigeance, de la contraindre à nous virer, tant pis pour nous, nous l'aurions bien cherché. Bingo !

Niveau 25

Ainsi notre stratégie consistait-elle :

petit 1) au vu de notre ancienneté, à dénoncer notre statut d'intérimaire puisque nous occupions depuis des années les mêmes postes, preuve qu'il s'agissait de postes fixes, valant embauches en bonne et due forme (avec sécurité de l'emploi et tous les avantages sociaux afférents) ;

petit 2) considérant que nous faisions *de facto* partie de l'entreprise, même si ce n'était pas le cas *in contracto*, nous demandions tendrement que notre situation soit régularisée et, en attendant cette merveilleuse conclusion, il n'était pas question que nous signions un CDD qui aurait permis de nous licencier le plus légalement du monde six mois plus tard (nous croyait-on si bêtes ? Il faut croire puisque, comme la dinde vote pour Noël, 97 « étudiants » sur 100 signèrent ce qui leur fut présenté comme un premier pas pour faire carrière dans la radio, malgré nos avertissements que d'ici six mois ils se retrouveraient tous à la rue : c'était écrit dans leur contrat, c'était purement économique. Mais ils ne nous écoutèrent pas et, au contraire, ils se retournèrent tous contre nous, avec une hargne formidable, nous reprochant maintenant de leur nuire après avoir si bien servi leurs intérêts) ;

petit 3) pour nous trois qui avions l'outrecuidance de continuer le combat, cette situation hors contrat ne pouvait s'éterniser ; inévitablement, nous serions nous aussi virés à coups de pied dans le cul, sans doute en même temps que les autres, hop, dans la charrette des « six mois et pas un jour de plus », par ici la sortie, par voie d'affichage dans le couloir, un simple papelard rappelant laconiquement à chacun ce qu'il avait signé (et que de larmes alors, de stupeur, de *crises de nerfs* ! On croit rêver…). Pourvu que nous ne commettions entretemps aucune faute professionnelle qui, aussi bénigne soit-elle, pourrait nous être reprochée et ainsi nous fallut-il déjouer certains pièges… Pourvu, aussi, que Madame ne nous propose pas secrètement un CDI, contre toute attente, parce que nos arguments l'auraient finalement attendrie et que nous n'étions plus que trois, ce qui nous aurait drôlement mis dans le caca : il nous aurait fallu abattre notre jeu, sans plus aucun atout dans notre manche ;

petit 4) lorsque viendrait le jour, cruel entre tous, de nous dire adieu, nous dénoncerions les larmes aux yeux un licenciement abusif et, de ce pas, irions porter l'affaire devant les juridictions compétentes, parce que c'était trop injuste à la fin.

Et tout se déroula comme prévu ! Point par point. À merveille ! Alors que personne dans notre entourage ne croyait en nos chances. Vous êtes fous, nous disait-on. Il s'agit de la première radio commerciale de France. Il s'agit de Madame Radio ! Vous rendez-vous compte ? Vous ne savez pas à *qui* vous avez affaire ! Madame Radio est *intouchable*. Elle est une *institution*. Elle dispose de moyens *colossaux*. Elle a des *armées* d'avocats à sa solde. Vous ne gagnerez *jamais* ! Vous ne *pouvez* pas gagner. C'est *impossible*. Vous êtes qui pour *oser* vous en prendre à elle ? Elle va vous *broyer*. Elle est la société tout entière et vous n'êtes *rien*.

En sorte, nous étions les seuls à penser que la loi s'applique à tous.

Niveau 26

Bien nous en prit. Car dix mois plus tard, les avocats de la partie adverse (ils étaient six à plaider quand, de notre côté, nous assurions nous-mêmes notre défense, ce qui fit bien sourire le président de la commission paritaire de conciliation de la publicité qui, un temps, chercha à régler notre litige) négociaient un chèque la veille du jugement prud'homal dont il ne faisait aucun doute qu'il leur serait défavorable : ils ne tenaient pas à ce que cette affaire ternisse la réputation que Madame Radio avait auprès du public et j'ai retenu la leçon : pour les grosses boîtes, ce n'est pas le pognon qui compte, c'est l'image de marque. Madame Radio ne tenait pas du tout à être condamnée pour avoir exploité de pauvres petits « étudiants » en toute illégalité et, là encore, j'ai retenu la leçon : même si nos intentions étaient impures, notre combat était juste et la loi nous donnait en tout point raison et ce n'est pas rien de découvrir qu'on a la loi pour soi. C'est *très* rassurant. Mais par-dessus tout, ils n'en revenaient pas que deux gamines et un godelureau tout crasseux et chevelu leur tiennent tête. Putain, ils concouraient pour le titre de première radio commerciale de France, ils avaient des moyens colossaux, ils étaient une véritable institution et personne ne s'était jamais avisé de dénoncer les pratiques de Madame, nul n'avait osé commettre pareil *sacrilège* et nous étions qui, bon dieu ? Nous sortions d'où ?

Mais nous étions pilotés par la radio concurrente, pardi ! C'était évident ! Nous étions des sbires stipendiés. Des agents infiltrés pour les déstabiliser et saper les audiences. Nous étions des voyous, des communistes, des révolutionnaires, des *terroristes* agissant pour le compte de types qui nous manipulaient dans l'ombre. C'était obligé. C'était la seule explication possible et jamais ces grands avocats (et ceux pour qui ils travaillaient) ne crurent que nous pouvions agir de notre propre chef, sans l'assistance de personne, parce que nous étions dans notre droit et pas eux. Cela, ils ne le crurent jamais. Ils plaidèrent le *complot* et j'en rigole encore. Ils exprimèrent magnifiquement la vision du monde qui était la leur. De les voir nager en plein délire m'hallucina d'ailleurs. Qu'ils soient si *mauvais* me consterna. Je m'attendais à plus retors et subtil de leur part. Mais non. Ils étaient si imbus d'eux-mêmes que pas une seule seconde ils ne nous prirent au sérieux et tant pis pour eux. Pas une seule seconde ils n'imaginèrent que si nous les attaquions en justice, c'est parce qu'ils étaient en faute. Tout bonnement. Et telle fut l'ultime leçon que je retins : si un moustique le pique, le puissant s'imagine que c'est un dragon qui l'attaque. Il ne conçoit pas qu'un moustique puisse s'en prendre à lui. Pas lui. Pas un *insecte* !

C'est ainsi que je me retrouvais du jour au lendemain avec 46 000 francs sur mon compte en banque, somme faramineuse pour moi à l'époque. Le renard avait encore gagné. Avec mes deux camarades (dont je ne dirais jamais assez qu'elles étaient des filles et comment ne pas en tirer certaines conclusions ?), nous arrosâmes dignement cette grande victoire qui, pour chacun d'entre nous, avait eu de bout en bout valeur d'éducation politique : quand les jeunes de nos âges potassaient pour obtenir un diplôme, nous avions réussi haut la main notre examen dans la vie sociale. Emportés par l'euphorie et ne pouvant garder pour nous une gloire conquise de si haute lutte et qui nous auréolait de mille feux, nous nous autorisâmes alors une petite mesquinerie : aux quatre ou cinq « étudiants » qui, une fois leur CDD en poche, s'en étaient salement, mais vraiment salement, pris à nous dans l'espoir de se faire bien voir de la direction et en être plus tard remerciés (mais pas comme ils le furent effectivement six mois plus tard), nous envoyâmes à chacun une jolie photocopie de nos chèques qui disaient combien nous avions eu raison et combien ils avaient eu tort, assortie de plein de petits cœurs dessinés au feutre violet.

Je ne sais pas pourquoi je raconte tout ça.

Alors que j'en étais à vouloir quitter S. Sachant que je me pose la question de savoir comment m'y prendre. Comment me tirer au mieux de mes intérêts.

Niveau 27

Ah si ! À mon niveau individuel des choses zorrophiles, je me rappelle surtout le grand patron de la radio me convoquant un soir *dans le plus grand secret*. Après m'avoir fait poireauter une bonne dizaine de minutes dans son bureau immensément vide et somptueusement design, il déboula tout sourire, superbronzé, comme ont l'art de débouler tout sourire et superbronzés les gens qui exercent d'importantes fonctions jusque sur les terrains de golf et qui tiennent à ce que tout le monde constate au premier coup d'œil à quel point ils se sont fait une belle place au soleil, que cela soit parfaitement visible, un signe extérieur de réussite leur collant directement à la peau.

Une fois assis dans son fauteuil en gros cuir (lequel, par-dessus la table en verre fumé, lui permettait de me dominer comme si j'étais assis sur une chaise d'enfant), il se tourna vers moi et, avec un bel entrain, s'exclama : « Ah, Grégoire (alors qu'il ne m'avait jamais vu, il m'appela d'emblée par mon prénom, avec une familiarité censée briser la glace et l'écart de salaires, comme si nous avions gardé les vaches ensemble, compté les mêmes fleurettes, chié dans le même vase, etc.), Gringoire, me dit-il tout sourire, je suis très heureux de vous rencontrer. C'est que j'ai beaucoup entendu parler de vous, Magloire. Ah ah. On peut dire que vous fichez une belle pagaille, Gérard. Ah ah. Mais laissons ça de côté, Grimoire (il n'en pouvait plus de m'appeler Grégoire sur tous les tons, comme si mon prénom était un chewing-gum qui lui collait aux dents, comme une technique de management bien rodée). Parlons plutôt de *vous*, Grégoire. Parlons de votre *avenir*. Y avez-vous *songé* ? Sérieusement. *Grégoire !* De vous à moi, *entre nous,* vous avez sûrement des *projets*. J'imagine que vous voyez plus *loin*, m'enfin, vous m'avez l'air d'un garçon *intelligent*, vous me semblez très *sympathique*, vous n'allez pas rester éternellement un *étudiant*, enfin, je ne veux pas dire du mal de votre *travail* ni de vos *camarades,* mais vous valez tout de même *mieux* et, bref, qu'allez-vous faire *ensuite* ? Je suis sûr que vous y avez déjà *réfléchi*. Vous avez certainement un *but*. Quelque chose que vous *aimeriez* faire… Or, figurez-vous qu'un poste de réalisateur va justement se *libérer* ! Eh oui ! Qu'en dites-vous ? Ce serait pour une nouvelle émission d'ores et déjà programmée à la saison *prochaine*. Mais chut. Ne dites *rien* à personne, c'est encore *secret*. Je peux vous faire *confiance*, n'est-ce pas ? Je crois que ce serait *parfait* pour vous. Nous pourrions nous *arranger*. Ce serait *formidable*. Nous avons besoin de *jeunes gens* comme vous, dynamiques, réactifs, avec de la personnalité, qu'en pensez-vous ? Mon petit Greg. Je peux vous appeler *Greg ?* »

Toute ma vie je me rappellerai ma réponse : « Désolé monsieur, mais je crois que je suis trop cher pour vous. » Vlan ! Dans la face du Cardinal ! Cela dit d'une voix très calme, sans la moindre animosité, d'un ton impardonnable. Les mots m'étaient venus comme si je les avais déjà entendus (et sans doute était-ce le cas : peut-être dans Spider-Man). Comme si j'étais à cet instant Guy Williams récitant son texte. Ce fut parfait. De la très grande télévision ! Toute ma vie je me rappellerai la joie immense, tout intérieure, follement narcissique, de n'avoir eu à cet instant *aucune* hésitation, pas le moindre *doute*. Je tenais là mon plus beau rôle. J'avais croisé le fer avec le bras le plus droit et armé de Madame Radio et, sur son front, j'avais signé d'un Z qui disait mon nom. J'avais remporté mon premier grand duel. Il pouvait remballer son bronzage ! Toute ma vie je me rappellerai d'ailleurs son visage, soudain interloqué, comme s'il venait de prendre un méchant coup de soleil et, voyant son plan tomber à l'eau, qu'il avait conscience de s'être humilié pour rien devant moi en jouant un jeu qui devait sûrement fonctionner en temps normal si j'en jugeais la belle comédie qu'il m'avait servie pour me mettre le marché entre les mains, en y mettant si nonchalamment les formes qu'il semblait ne pas douter un seul instant de ma réponse, signe que bien d'autres avant moi avaient dû marcher dans la combine, tel un jeu réglé d'avance, une procédure normale, une *formalité* – et puis non. Pas cette fois. Pas avec moi. Désolé, mille excuses. J'avais une trop haute opinion de moi-même pour me soucier de mon « avenir » comme il disait. Il ignorait que j'avais un petit Zorro qui me fouettait intérieurement le cocher et, plus généralement, on se sent très fort quand on ne cherche pas à obtenir un poste ni à garder sa place. Nul ne peut plus vous faire chanter. On peut dire non ! C'est une chose que j'ai découverte ce jour-là. Une espèce de privilège. Une *force*.

Niveau 28

L'instant d'après, je marchais dans la rue, tout à fait hilare. Gonflé à bloc. Je me sentais immense. Je me sentais Popeye. Mes pectoraux explosaient et je ne touchais plus terre. Le soleil d'Austerlitz m'auréolait. La Rochelle était tombée ! J'étais mousquetaire. J'étais resté environ vingt-cinq minutes dans le bureau du grand patron, c'est-à-dire la durée exacte d'un épisode de Zorro ! La vie est bien faite ou elle n'est pas. À mon niveau individuel des choses qui vous donnent une indicible estime de soi, ce fut divin. C'était presque trop beau. Quand on vous a appris ce qu'il en coûte de dire la vérité, le mensonge devient très vite une seconde nature. On compte sur lui pour parvenir à ses fins. Sur quoi d'autre le pourrait-on ?

Fort de ce premier succès, je ne me suis plus jamais soucié d'en avoir de la même sorte. Je ne ferais jamais mieux. Socialement, j'avais tout donné. Zorro combattait-il deux fois les mêmes crapules ? À la fin de l'épisode, le sujet était épuisé et celui-là le fut dans mon cas. Je ne me le dis pas comme ça à l'époque, mais ce fut comme si j'avais coché une case dans la longue liste des choses (au nombre de 78 ou de 82 ?) qu'il me fallait réaliser dans la vie, sans que je sache à l'avance lesquelles. Ça, c'était fait. Nul ne revient sur les lieux de ses succès et je n'étais pas du genre à renouveler un exploit que je savais avoir accompli, au risque de perdre la prochaine fois. Il ne faut pas entacher ses victoires. Que brille dans ma mémoire celle que je venais d'obtenir m'allait très bien : elle était la possibilité de passer à autre chose et, dans mon existence, d'ouvrir un nouveau chapitre. De continuer ma route où qu'elle mène. Depuis le début, ne voulais-je pas partir ? Ainsi voyais-je les choses et, mon chèque en poche, j'allais maintenant voir ailleurs ce que le monde avait à me proposer. Je suis toujours allé voir ailleurs si j'y étais. De nouvelles aventures m'attendaient et j'avais soif de triomphes dans d'autres domaines. Comme dans un jeu d'arcades, j'avais passé ce niveau. Cet épisode éminemment social de ma vie de Zorro était terminé et j'avais hâte du prochain.

On n'apprend presque rien de ses victoires. On les savoure. On n'a pas à les digérer.

Et vingt-cinq ans plus tard, Julien s'est pendu avec la ceinture de son pantalon à la poignée de la fenêtre de sa chambre.

Ce pourquoi je verse tout mon passé au Dossier, il le faut, comme une archéologie de son suicide.

J'étais bien parti pourtant.
Tout semblait me réussir.
Mais les choses n'ont pas tourné exactement comme je le voulais.
J'aurais peut-être dû accepter le deal qu'on me proposait et faire carrière à la radio.
Je n'aurais peut-être jamais dû rompre avec S.
Je rigole.
Mais c'est peu dire qu'un truc a mal tourné.
Quand je dis un truc, je devrais plutôt dire les années 80.

PARTIE V

« Pst… Pst… En voilà un qui vient de gémir. »
COMTESSE DE SÉGUR, *Mémoires d'un âne*

Niveau 1

Je voudrais reculer le plus possible le moment de rompre avec S et, une chose en entraînant une autre, Julien ne se suiciderait jamais, que je ne m'y prendrais pas autrement.

Comme chantait l'autre (Bob Dylan) : « Je partirai demain, mais je pourrais partir aujourd'hui. »

Mais cela a aussi son importance et doit figurer au Dossier : à l'orée de mes vingt ans, la société – comment dire ? Elle changea du tout au tout. Elle fit une espèce de bond en avant. Surgissant de la nuit, c'est elle qui se mit soudain à cravacher à toute allure. On était en 1978, en 1980, en 1982, en 1988 et voici qu'un nouveau monde sortait tout armé de sa propre imagination, répudiant l'ancien monde et, avec lui, tout ce en quoi on m'avait fait croire et à quoi j'avais cru. Voici que Zorro n'était plus du tout d'actualité. Si les années 60 et 70 avaient fomenté la révolte, ce furent les années 80 qui firent la révolution et celle-ci avait un visage. Elle avait un sourire. Elle avait même des initiales. Elle s'appelait J.R.

On ne s'en souvient peut-être pas, mais le feuilleton télévisé Dallas fut le commencement de quelque chose et la fin de quelque chose. Il ne fut pas un simple feuilleton télévisé : il fut un putsch culturel qui, pendant toutes les années 80, *pendant plus d'une décennie*, changea les règles de l'imaginaire collectif en faisant d'un salopard fini, cupide, veule et marié comme on ne le souhaite à personne, le personnage central d'un feuilleton qui, entre 1978 et 1991, au cours de 357 épisodes (quatre fois plus que Zorro !), imposa un tout *nouveau concept de héros* : non plus redresseur des torts, mais incarnation machiavélique du mal. Exit le justicier masqué que médiatisait jusqu'ici la télévision, place au type sans foi ni loi que le petit écran se mit à populariser alors que les pourris de son espèce se faisaient jusqu'alors botter les fesses par Zorro. Adieu le renard, vive le loup. Les rôles venaient de s'inverser. Les pôles aussi. Le monde dévoilait soudain son vrai visage et *il s'en vantait*. Il ne craignait plus de s'exposer au grand jour. Voici qu'il n'y avait plus personne pour faire culturellement contrepoids. Voici que le crime payait ouvertement.

Cela semble banal aujourd'hui, cela semble *acquis*, mais à l'époque, les gens en restèrent babas devant leur télé. Ils n'en revenaient pas d'une telle audace, presque un sacrilège. Ils n'avaient jamais imaginé que le personnage principal puisse ne pas être un héros, mais le contraire d'un héros. Ce fut un incroyable retournement de situation. Une révolution au sens propre. Un dédoublement de personnalité. Le remplacement d'une chose par une autre. Aucun « héros de cette sorte » n'avait jamais ressemblé à J.R. : il était une pure création des temps nouveaux et l'engouement fut formidable. Ils étaient 360 millions (*360 millions !*) à voir J.R. se faire tirer dessus sans que nul ne sache par qui (pas même les scénaristes) et, des mois durant, les médias tinrent la population en haleine avec cette question faisant partout les gros titres : « Who shot J.R. ? » Comme s'il s'agissait d'un événement à la fois tragique et réel. *Comme s'il s'agissait de J.F.K. !*

Pour J.F.K., on savait, plus ou moins, qui lui avait tiré dessus, à Dallas, Texas (USA), justement – mais pour J.R. ? Ce fut, là aussi, le début de quelque chose. Prodigieux fut l'impact de ce feuilleton. Le mimétisme marcha à plein. La réalité (comme on dit) n'en sortit pas indemne. Du reste, certains s'offusquaient et des débats alimentèrent les gazettes. Mais il était trop tard. Cela ne fit que renforcer la passion générale pour « l'Infâme J.R. ». La balle était partie, elle était maintenant dans les têtes et la suite a montré qu'un même refrain, comme un mot d'ordre trottant désormais dans les consciences sur l'air de synthés rutilants, allait massivement dessiner les contours de la vie : *ton* univers impitoyable, *tu* glorifies la loi du plus fort.

J'avais l'air malin maintenant avec mes idées de Zorro. Je démarrais dans l'existence avec des notions qui n'avaient plus cours.

Et le fossé ne fit que se creuser par la suite. Je le sais. J'étais là. J'ai vu qu'en une décennie, un fantastique renversement des valeurs s'opéra à cause de Dallas, face auquel nul n'avait les mots. C'était du jamais vu. Ce fut un choc, annonciateur de tant d'autres. L'acte de décès de deux mille ans de chrétienté. Le commencement d'un dégoût euphorique. Voici que le souci du bien et tous ses synonymes (déontologie, honnêteté, intégrité, éthique, courage, héroïsme, etc.) cessèrent d'avoir collectivement la cote. Les vertus étaient devenues débiles. Ineptes. Obsolètes. Il y en avait marre de la veuve et l'orphelin. Ras-le-bol des opprimés. À bas les faibles ! Qu'ils crèvent ! Tant pis pour eux. Enfin sautait le verrou de la morale qui oppressait depuis des millénaires les populations, enfin on respirait un air franchement fétide, enfin les rapports d'argent n'avaient plus besoin de se dissimuler sous de touchants sentiments, enfin les passions tristes pouvaient se donner libre cours et plus personne ne devait éprouver la moindre gêne de viser son intérêt personnel et exclusif. La honte était *vaincue* ! Qui se souciait encore de son prochain n'avait rien compris. Malheur aux perdants. Vive Reagan, élu le 4 novembre 1980 à la présidence des États-Unis, juste au moment où démarrait la saison 4 de Dallas, avec un premier épisode crevant l'audimat (J.R. n'était pas mort), diffusé le 7 novembre 1980 et intitulé de façon prémonitoire « No More Mister Nice Guy » (« Terminé le gars sympa, finis les sourires »). Reagan. Un *acteur* ! Qui, trente ans plus tôt, avait joué dans La Collégienne en folie. Reagan. Avec ses idées ultralibérales sorties tout droit de Southfork. Dont il se raconte que l'élection à la tête de la première puissance mondiale fut notablement aidée par les badges que le parti républicain distribuait partout et qui proclamaient : « Les démocrates ont tiré sur J.R. » On n'avait jamais fait aussi *moderne* dans la culture populaire. Ce fut l'avènement d'un nouveau monde. Avec ses héros à l'avenant. Quand bien même les salopards existaient depuis toujours, le statut du méchant de l'histoire changea du tout au tout avec Dallas. Lui qui n'avait jamais eu le beau rôle mais toujours celui de faire-valoir du bien et de vaincu de l'histoire, voici qu'il tenait maintenant le premier rôle et *qu'il gagnait à la fin*. Il tenait sa revanche. Et pas seulement sur le petit écran.

Sans doute la culture du « happy end » mentait-elle jusqu'ici sur l'état réel du monde et pour ceux qui en chiaient au quotidien, ce mensonge était une consolation (les bons jours) autant qu'une exaspération (les mauvais jours). Mais en l'espace de dix ans, Dallas rompit l'équilibre qui prévalait jusqu'ici : il fit pencher la balance d'un seul côté. Il fit triompher dans la fiction ce qui certes triomphait déjà dans la réalité, mais triomphait honteusement, de façon occulte ; de ce fait, il étendit le royaume de la malfaisance dans toutes les directions, supprimant du même coup les consolations et les exaspérations qui entretenaient la flamme. À partir de Dallas, la saloperie ne souffrit plus aucune contestation, même *en imagination*. Elle ne fit plus aucun *complexe*. Plus la peine de faire semblant. Et comme toute vérité, celle de Dallas fut émancipatrice – mais dans le sens des rois du pétrole plutôt que dans le sens du bien commun. Dans le sens de la cupidité naturelle de l'homme, à qui le capitalisme va comme un gant et vice versa. Ce fut le début d'une impunité revendiquée. Ce fut un complet changement de paradigme, au sens où un paradigme est un « système de croyances définissant une vision du monde qui satisfait aux critères *que lui-même édicte* » (Thomas Kuhn).

Niveau 2

Je le sais. J'y étais. J'ai vu qu'il y avait un avant-Dallas et un après-Dallas. J'ai vu changer l'eau du bocal des poissons. J'ai vu, à la surface de l'eau, de plus en plus de gens se mettre à flotter le ventre en l'air. J'ai vu changer la nature des conversations et le comportement des individus. Je l'ai vu de mes yeux. En 1974, âgé de quatorze ans, j'avais été envoyé en séjour linguistique d'un mois à Brixham, gentille petite cité balnéaire du Devon, dans une gentille famille anglaise dont le père était un gentil bobby et, un matin, tandis qu'il mangeait ses œufs brouillés accompagnés d'une saucisse et de petits pois incroyablement gros et verts, mister Bobby m'avait expliqué qu'il était policeman par vocation, par conviction, il était sur terre pour venir en aide aux gens qui étaient dans le besoin (to help people in need) et, comprenant ce qu'il racontait, j'avais hoché la tête en disant que c'était cool, seul mot d'anglais que je savais par cœur et qui me servait en toutes circonstances. Mister Bobby semblait vraiment croire ce qu'il disait et je n'avais aucune raison de douter de sa sincérité. D'autant moins que sa femme était très jolie, vraiment adorable, tout à fait féminine, surtout en chemise de nuit, alors qu'elle servait les œufs brouillés et les saucisses accompagnées d'énormes petits pois d'un vert éclatant et je rougissais de dévorer en douce le galbe de ses petits seins qui faisaient frémir l'étoffe avec, fièrement dressés, leurs deux petits pois du plus vermillon effet.

Mais lorsque j'étais repassé dans la région en 1983, soit neuf ans plus tard, en plein thatchérisme, à l'occasion d'une virée à trois en voiture pour, notamment, explorer le Loch Ness et, de là, sillonner toute l'Angleterre, mister Bobby était devenu *trader* ! Vlan ! À trente-huit ans, il avait plaqué la police. Il n'en avait plus rien à fiche d'aider les gens dans le besoin. La police de Thatcher cassait désormais du gréviste à tout-va et ras-le-bol du gentil bobby. Face à J.R., Bobby Ewing ne faisait plus le poids et il avait capté le message. Il voulait à présent gagner un maximum de pognon en un minimum de temps, il s'était mis à l'heure de Dallas et sa femme (laquelle était aussi adorable que dans mon souvenir et c'était d'ailleurs elle que, secrètement, j'avais cherché à revoir), sa femme, dis-je, s'inquiétait de voir soudain son homme perpétuellement aux cent coups, fiévreux, surexcité, super-angoissé, hargneux, courant partout sans avoir plus une minute à lui ou pour elle ou pour les enfants, un vrai drogué ! Il avait perdu toute attention à autrui. Il vivait dans un temps qui ne connaissait plus de répit. Un temps qui n'était pas le sien et qui n'était même pas humain car il était le temps des machines qui accéléraient les échanges financiers. Voici qu'il était irascible pour un rien, sans cesse sous la pression des cours de la Bourse et fluctuant psychiquement à leur rythme, sans cesse le nez dans le guidon, l'ambiance était devenue lugubre dans la maison. Madame Bobby ne reconnaissait plus l'homme qu'elle avait épousé. On le lui avait changé et elle pressentait qu'il n'avait pas les qualités d'un J.R., elle sentait qu'il allait précipiter leur famille dans la ruine et que tout cela allait très mal se terminer et j'ignore ce qu'ils sont devenus, mais j'aimerais tout à coup le savoir.

Quoi qu'il en soit, j'ai vu, de mes yeux vu, que « l'esprit de Dallas » se répandait comme une traînée de poudre pendant les années 80. Contaminait les deux côtés de l'écran. Car l'un et l'autre doivent s'apprécier ensemble. L'un ne va pas sans l'autre. Les deux se renforcent mutuellement et

la suite à l'adresse www.ledossierm.fr/02. (Je savais bien que ce procédé servirait de nouveau !)

Si cela intéresse quelqu'un de savoir la suite.

Parce que tel que je suis parti, je sens que je vais déboiser une forêt entière.

Niveau 3

Comme si j'étais le seul à savoir que tout devint à la fois affreusement simple et affreusement compliqué à partir de Dallas et, par exemple, qui imaginait qu'il adorerait un jour détester le héros de l'histoire, ainsi que le proclamait le slogan qui accompagnait la diffusion de Dallas. « Adorer détester » : voilà qui était tout à fait nouveau. Une façon de dire deux choses à la fois alors qu'elles s'excluent a priori. Un oxymore vraiment fantastique. Dallas fut le premier à soumettre ouvertement la société à une « injonction paradoxale », un *double bind* disent les psychologues, qui ont établi que confronter un individu à ce genre de contradiction dans les termes bloque toute possibilité de communication. Rend confus. Conduit au mutisme. Au repli sur soi. L'effet est si admirable que nombre de publicités sont passées maître dans l'art de dire une chose et son contraire dans le même mouvement, créant une sidération qui, sur l'instant, désamorce toute critique et, de la sorte, favorise l'implantation du message publicitaire dans le cerveau, comme en témoignent des slogans qui vous coupent la chique, du style : « Cessez d'obéir ! », « L'essentiel c'est le superflu », « La petite géante », etc.

Tu ne me crois pas ? Tu trouves que j'exagère ?

Attends.

Si je te dis que c'est pendant les années Dallas que les États se sont convertis les uns après les autres au libéralisme économique échevelé, à la financiarisation brutale des marchés, à la mondialisation ensauvagée du capitalisme, à la fétichisation hystérique de l'entreprise, aux actionnaires rimant avec tortionnaires, à la transformation de tout, *absolument* tout, en marchandises et, pour faire passer la pilule autant que pour doper les ventes, à la communication tous azimuts, à la médiatisation incitant à vivre toujours plus par procuration, à la fusion du politique avec le divertissement, ouvrant ainsi gaiement la voie à un monde toujours plus impitoyable. Au culte du plus fort énormément glorifié.

Si je te dis que J.R. fut le premier *people* : tu mesures les conséquences ? La face du monde complètement changée ? Les jugements et les comportements absolument faussés ? L'invention d'un type humain non seulement accablant, mais le plus dérisoire de tous les types humains ayant jamais existé ?

Si je te dis que c'est à cette époque que l'appellation direction des « ressources humaines » est passée dans les mœurs comme une lettre à la poste, sans faire un pli, évinçant ce qu'il pouvait encore y avoir de « personnel » dans les relations de travail.

À cette époque que la quantité est devenue une qualité – et même la première d'entre toutes. Dès lors que 360 millions de téléspectateurs regardent un truc à la télé, plus personne ne se demande si ce truc est de qualité ou pas : il l'est quantitativement. Comme disait je ne sais plus qui : « Le poison tue *parce qu'il se répand.* »

À cette époque que les méfaits du capitalisme (sur la vie humaine, les relations sociales, les animaux, la nature environnante, etc.) sont devenus le vecteur de son développement et même un gage de sa pérennité, sur le modèle du pompier pyromane.

À cette époque que des SDF tout à coup dans les villes. Plein de SDF. Exit les clochards et les poivrots plus ou moins folkloriques qui démontraient les ravages de l'alcool, place aux nouveaux pauvres que le monde de Dallas se mit à jeter par fournées entières à la rue, si nombreux qu'ils devinrent même un sigle, comme EDF ou GDF, comme n'importe quelle *grosse entreprise.* Comme une démonstration des ravages de l'économie marchande version J.R., sauf que ceux qui boivent ne sont pas ceux qui trinquent – tout le contraire ! Dans la foulée apparurent dans le métro de très jolis bancs publics conçus exprès pour que nul ne puisse s'y allonger s'il est fatigué et, par exemple, un SDF. Comme une deuxième mise au ban de la société. Le cynisme le plus sordide. C'est en découvrant ces bancs de la honte que j'ai compris le sens profond des années 80 et, accessoirement, des mots « design » et « mobilier urbain » passés dans le langage courant à cette époque et on comprend pourquoi. On réalise ce qu'il s'agit d'esthétiser. On devine le cahier des charges. On voit, dans son atelier aux grandes baies vitrées, le *designer* réfléchir à un banc sur lequel un pauvre ne pourrait pas s'allonger.

À cette époque que commencèrent d'être rendus un nombre incalculable de cultes : de l'argent, bien sûr, mais aussi de la nouveauté à tout prix, du glamour à tout prix, de la jeunesse à tout prix, de la consommation à tout prix, de la performance à tout prix (au lit aussi), de la productivité à tout prix, de la santé à tout prix, du judiciaire à tout prix, des marques à tout prix, du look à tout prix, des nouvelles technologies à tout prix, de l'humour à tout prix, de la musique à tout prix, du politiquement correct à tout prix, de la sécurité à tout prix, de la peur à tout prix, du communautarisme à tout prix, etc. Toutes choses qui existaient déjà mais auxquelles un culte n'était pas rendu. Et tous ces cultes de multiplier chacun à sa façon le grand culte de Dallas.

À cette époque la fin du progrès (au service de l'offre), remplacé par le concept d'innovation (au service de la demande).

À cette époque que les symptômes ont réussi à se faire passer pour des symboles. Que l'intelligence de la connerie a supplanté les conneries de l'intelligence. Que la mafia et le capitalisme ont fait alliance pour se partager le gâteau.

Que les top models.

L'industrie du luxe se payant l'art contemporain.

Le prozac pour se sentir supercool zen relax dans un monde impitoyable et positiver positiver positiver…

L'économie faisant main basse sur la libido, avec le libre-échangisme devenant la pratique sexuelle à la mode.

Le rap, cette belle musique des ghettos rêvant de Rolex, en bonne fille des temps.

L'individualisme *de masse*.

À cette époque une nouvelle loi : « la loi des marchés » et ce n'est pas rien une nouvelle loi. Ce n'est pas rien la loi. Nul n'est censé l'ignorer et elle s'applique à tout et à tous, par-delà toute autre considération (morale, esthétique, etc.). C'est bien simple : si ce sont les marchés qui font la loi, alors ce n'est pas Autre Chose et cela veut tout dire. Tout s'éclaire. Quelqu'un qui se met en couple peut effectivement dire qu'il « n'est plus sur le marché ». Depuis Dallas, chacun a intériorisé que tout ce qui existe sur Terre existe en tant que marché *ou n'existe pas*. L'amour, l'art, la politique, les religions ou même la critique sociale ne sont plus *perçus* comme l'amour, l'art, la politique, les religions ou la critique sociale mais comme des marchés sur lesquels des produits se livrent une concurrence plus ou moins acharnée et essaie maintenant d'être hors la loi, petit scarabée. Essaie d'en avoir par-dessus le marché. Imagine que tu n'es pas une *offre*.

À cette époque que Pac-Man a véritablement lancé l'industrie du jeu vidéo, avec un principe métaphorisant parfaitement le monde de Dallas : tu es dans un labyrinthe et tu dois bouffer tout ce qui se trouve sur ton chemin en essayant d'échapper à ceux qui veulent te bouffer. Auparavant, on jouait sa vie au flipper, où il s'agissait de lutter contre la fatalité gravitationnelle du plan incliné et la chute existentielle dans le trou.

À cette époque que *tous* les rapports humains (familiaux, amoureux, professionnels…) sont devenus, implicitement ou explicitement, des rapports économiques, et ce, dès la naissance puisqu'une mère qui accouche peut aujourd'hui se voir facturer 39,99 dollars le fait de prendre dans ses bras l'enfant à qui elle vient de donner naissance et si elle ne paie pas, *on ne lui donne pas son bébé* ! Si elle ne paie pas, elle ne peut pas tenir dans ses bras l'enfant qu'elle vient de mettre au monde et ce n'est pas dans n'importe quel monde.

À cette époque que tout a changé d'échelle, plus rien ne semblant à taille humaine, privant toujours plus chacun d'avoir prise sur son existence.

À cette époque que les gens ont exigé toujours davantage de respect pour eux et pour les autres dans un monde n'ayant que du mépris pour eux et il y aurait beaucoup à dire d'une société foncièrement immorale fabriquant des individus toujours plus puritains et donneurs de leçons.

À cette époque la fin des luttes sociales. Exit la lutte des classes, déclarée obsolète sans autre forme de procès, on ne se demande pas pourquoi, ni par qui.

À la place : de nouvelles revendications opposant ceux luttant contre les discriminations pour tous et ceux défendant le droit de ne pas être d'accord pour tous. Les uns et les autres s'affrontant sur tous les fronts, *sauf sur un point* : les inégalités économiques. Car celles-ci cessèrent du jour au lendemain d'être un problème pour tous. Le vrai problème désormais, c'était ces putains d'étrangers, ou bien ces enculés de racistes, ou bien ces connards d'antiracistes, ou bien ces enfants de pédés, ou bien ces tarés de cathos, etc. C'est même splendide de constater combien, à partir des années 80, les gens ont commencé à s'écharper sur des questions d'identité nationale, sexuelle, raciale, familiale, religieuse, *en oubliant complètement leur identité économique*. Alors que s'il y a une chose qui distingue les individus, qui les fragilise et les dresse les uns contre les autres, les transforme en monstrueux panier de crabes, ce sont les inégalités économiques. Et comme par hasard, au moment où il ne fut plus question de lutter contre elles, les inégalités économiques se creusèrent magnifiquement à cette période, fabriquant une société toujours plus impitoyable et des individus toujours plus hargneux et frustrés. Sacré monde de Dallas ! Qui n'en finit pas de se frotter les mains que le fleuve de boue dont il est la source soit si bien détourné de son cours que les gens sont persuadés que la boue, c'est machin qui déteste trucmuche ou bien c'est trucmuche qui déteste machin, *mais ce n'est en aucun cas le monde de Dallas*. Surtout pas. Quelle idée ! Ici la pensée DOMINANTE. Ici que le monde de Dallas, pour se maintenir et pour aucune autre raison, a besoin d'ennemis (intérieurs ou extérieurs) et les invente de toutes pièces, faisant le pari qu'entre le dégoût qu'il inspire et la peur d'un pire à venir, celle-là l'emportera toujours, lui assurant de chier encore longtemps dans les ventilateurs – jusqu'au jour où son petit calcul s'avère faux. Comme dit l'autre (Walter Benn Michaels), « les discours identitaires, qu'ils soient progressistes ou réactionnaires, sont une arme efficace pour *défendre* les profits. Et c'est précisément parce qu'ils épargnent le capitalisme qu'ils séduisent autant de gens ». Putain de J.R. ! Qui devint le doux arbitre de conflits dont il est la poudre, la mèche et l'étincelle qui l'allume. Qui réussit à faire croire que « les luttes contre les discriminations remplaçaient la lutte des classes, *alors qu'elles en sont une modalité* » – mais chut.

Il faut dire que c'est à cette époque que plus personne n'a imaginé vivre dans un autre monde que celui de Dallas. Plus personne ne l'a officiellement envisagé, ni désiré, ni voulu. Au vu des monstruosités commises par les régimes qui s'opposaient à lui (qui le concurrençaient plutôt, avant de voir tout l'intérêt qu'il y avait à suivre son exemple), plus personne n'a évoqué le *sujet*. À une vitesse stupéfiante, l'immense majorité des gens s'est ralliée à cette société comme si, à défaut d'être la meilleure qui soit, *sachant qu'elle ne l'était pas*, elle était néanmoins la seule possible et qu'il n'existait pas d'alternative, aucune issue. *Fin de la discussion*. Que chacun en vienne à penser que les intérêts de la famille Ewing seraient l'intérêt de tous : ce fut un grand moment de télévision. Qu'une série arrive à faire de J.R. le héros des temps nouveaux : quel délire. Quel aveu. Quel monde que celui de Dallas !

À cette époque, aussi, que les enfants ont commencé d'être l'objet de tellement d'attentions apeurées que leur « périmètre de liberté » se trouve aujourd'hui réduit de 80 % par rapport à ce qu'il était avant Dallas. 80 % de liberté en moins dès le plus jeune âge ! *Quatre-vingts pour cent !* Cela fabrique quels adultes ?

Cela me rappelle cette famille qui, au grand complet (les parents, les trois enfants et même la mémé), s'enferma une nuit dans la cave de son pavillon avec des provisions pour un mois, afin de faire croire qu'ils étaient partis en vacances, tellement les parents avaient honte que leurs voisins découvrent qu'ils n'avaient pas les moyens de s'offrir des vacances. Tellement, dans le monde de Dallas, forte est la pression qui pèse sur les individus et il y a des faits divers qui en disent plus long sur l'état d'une société que sur la folie humaine. C'est une patrouille de police qui, apercevant un filet de lumière à travers un soupirail et croyant à des cambrioleurs, découvrit la famille au grand complet terrée comme des rats, avec pour seule occupation la télévision (où passait peut-être Dallas), une lampe à UV afin de simuler un magnifique bronzage et un guide touristique pour devenir incollable sur le pays ensoleillé où tous diraient avoir passé des vacances géniales. Cela se passait en 1992 à Steinfort, au Luxembourg. Que sont devenus les trois enfants ?

À cette époque que chacun fut *embedded*. Que l'époque est devenue un impérialisme. Que tout est devenu *pulsionnel*. Que le secteur tertiaire a supplanté tous les autres, les intermédiaires devenant les nouveaux maîtres du monde, alors qu'ils ne produisent rien, sinon leur propre hégémonie. Que Paris est devenu un musée pour le tourisme de masse et une galerie marchande pour touristes fortunés. Avec des quartiers « rénovés » pour ne plus avoir une once d'histoire. Ô Paris : cette espèce de vitrine avec la réputation d'une grande ville. Ô Paris, dont un élu s'est récemment félicité qu'elle « est la deuxième *marque* la plus connue au monde après Coca-Cola ». Paris : un soda ?

À cette époque l'édification de fortunes colossales, avec la complicité ou l'incurie des États, celles-ci placées illico sur des comptes *offshore* pour échapper au fisc, provoquant de ce fait l'appauvrissement des nations et, partant, des populations, toujours plus plongées dans la mouise et soumises à l'austérité, celle-ci décidée par ceux qu'elle ne concerne pas. Car les pauvres sont liés à leur environnement, ce qui n'est pas le cas des riches : eux peuvent enjamber les frontières, ils ont les moyens d'aller où bon leur semble, là où l'herbe est toujours verte. À rien ils ne sont tenus. Eux sont les véritables citoyens du monde.

À cette époque que la situation a, socialement, économiquement, culturellement, moralement, politiquement, semblé aller de plus en plus mal et qu'on a commencé à dire que le monde allait de mal en pis et chacun devait désormais prendre conscience que les temps étaient devenus difficiles et que cela n'allait pas aller en s'arrangeant. La fête était finie. Chacun allait devoir se serrer la ceinture. On oubliait de dire que c'était le veau d'or qui parlait des vaches maigres. Car pour les J.R. & Cie, ce monde n'a cessé d'aller mieux depuis quarante ans. Eux n'ont cessé de s'enrichir. Ils se sont même enrichis comme jamais auparavant. Pour eux, la misère du monde est une bénédiction. Elle est la condition de leur bonne fortune.

À cette époque que les prospérités du vice firent réellement l'infortune des vertus.

À cette époque que le cul a commencé de faire du cinéma, alors que le cinéma venait tout juste d'avoir l'audace de faire du cul.

À cette époque les rires enregistrés (« *laugh tracks* ») ponctuant les gags dans les sitcoms et je me rappelle de mon malaise à l'écoute de cette nouvelle forme d'hilarité à la fois forcée et artificielle.

À cette époque la colorisation des vieux films et des vieilles séries télévisées (dont Zorro !), comme une falsification du passé, une volonté de tout mettre au présent afin que rien ne lui échappe. Tout lui appartienne et lui profite.

À cette époque la mise au point des premières machines conçues pour battre l'homme sur son propre terrain et les débuts d'une jubilation technologique consistant à fabriquer une intelligence artificielle supérieure à la nôtre.

À cette époque que des employeurs ont eu l'idée de contracter des assurances vie pour leurs employés sans que ceux-ci le sachent, pariant sur leur mort pour faire des profits et, plus largement, dévoilant d'où viennent les profits, de quoi ils sont terriblement tissés.

À cette époque que tout a été USURPÉ. Que tout est devenu CYNIQUE, INDÉCENT et DÉLIRANT. Mais sous des dehors HYPERCOOL, ZEN, RELAX.

Est-ce lié ? Le quotient intellectuel moyen des Français a chuté de quatre points entre 1999 et 2009. Quatre points en l'espace de dix ans ! À cause de la pollution, des perturbateurs endocriniens, des méfaits du monde de Dallas. Car cette tendance est avérée dans les pays développés *depuis la fin des années 80.* Sans déconner ! Pour la première fois dans l'histoire de notre espèce, nos capacités cognitives DIMINUENT. En quarante ans, l'évolution de la société a engendré une régression évolutive au niveau des individus. Sans déconner ! Chacun d'entre nous est globalement moins intelligent après Dallas qu'il l'était avant Dallas et étonne-toi maintenant de tout ce qui se passe.

Etc. Etc. Etc.

Niveau 4

C'est à cette époque, pendant les années Dallas, qu'une radio a commencé à faire de l'info un « réflexe », comme le proclamait son slogan publicitaire. Un *réflexe* ! Le programme était clair. Il était pavlovien. Et cela marcha à merveille : chacun suit désormais l'actualité en continu sans possibilité de lui échapper, contraint et forcé de se soucier de cette époque, d'assister à ses exploits, de s'épouvanter de ce qui lui arrive, de pleurer sur son sort, de n'avoir d'autres préoccupations que les siennes. C'est comme une drogue. À chaque jour son shoot quotidien d'informations toujours plus stupéfiantes et à force d'être piquousé en continu, non seulement la durée de vie de n'importe quel événement s'épuise incroyablement vite, mais tout paraît irréel, insensé, fantasmagorique, tandis que l'effet d'accoutumance conduit à en redemander dans l'addiction, pourvu que la came soit toujours plus dure. Ce qui fait que chacun ne sait plus qu'halluciner la réalité et que celle-ci le lui rend bien. Se désintoxiquer ? Couper le son et l'image ? Mais à moins de se réfugier sur une île déserte, les autres vous soufflent dans les bronches la dope qu'ils ont prise ; tandis que ce n'est pas parce qu'on se détourne de ce qui se passe qu'il ne se passe plus rien : c'est seulement qu'on ferme les yeux et qu'on se bouche les oreilles et justement : peut-être l'idée est-elle que chacun en vienne à se foutre de tout, laissant ainsi les coudées franches aux J.R. & Cie. Peut-être tout ceci conduit-il à une gigantesque *overdose* de réalité – et on peut mourir d'overdose.

Si je te dis que tout ce qui existe et tout ce qui a disparu vient des « années fric » : les crises à répétition, le chômage endémique à plus de 10 %, le walkman, le premier McDo sur les Champs-Élysées, le fitness de masse, des vagues d'attentats en plein Paris, l'invention du FN, les minorités de plus en plus agissantes pour leur propre compte et la majorité croyant en devenir une, l'essor de l'informatique personnelle et, entre Mac et Windows, chacun de choisir son camp comme s'il s'agissait d'un choix *éthique* et que celui-ci se résumait désormais à défendre un *système d'exploitation* plutôt qu'un autre, etc. etc.

Toutes les années 80 sont une *litanie*.

Dallas fut PROGRAMMATIQUE.

Si je te dis que la série X-Files, qui connut un succès pareillement retentissant tout de suite après Dallas, fut la *névrose de Dallas* en hallucinant l'inhumain dans le supranormal et J.R. dans E.T. et un seul indice ici : dans un épisode de juin 1998, Mulder et Scully découvrent que l'explosion d'un immeuble dans la ville de Dallas, Texas, dissimule l'existence d'un virus extraterrestre qui menace de se répandre sur Terre et d'éradiquer toute vie. À Dallas, donc, désigné dans la série comme *le foyer d'une infection planétaire* et il faut le dire dans quelle langue ?

Si je te dis qu'il existe une archive montrant Mitterrand imitant J.R. pour faire rire sa petite fille, tu me crois quand je dis que nul n'a échappé à Dallas, pas même ceux occupant les plus hautes fonctions, au point d'imiter J.R. en privé ? Surtout pas eux, puisque J.R. définit justement le type humain à l'usage des maîtres du nouveau monde.

Si je te dis : un type avec un chapeau de cow-boy, texan de père en fils, ayant fait fortune dans le pétrole, capable de mentir à tout le monde, capable d'entuber le monde entier et visant exclusivement ses intérêts : tu penses à qui ? À J.R. ? Ou à george w. bush jr ? À *Junior* ayant accédé à la présidence du pays le plus puissant du monde et vendant lors d'un show télévisuel une guerre du pétrole qui fit plus de 150 000 morts *(150 000 morts !)* et, à la fin, le Proche-Orient en fut si bien déstabilisé qu'il en sortit tout armé un état baptisé islamique et merci george, *thanks* J.R. C'est quand tu veux pour boire un verre en terrasse à La Belle Équipe ou au Petit Cambodge…

Tout ça pour du fric. Pour du pétrole.

Si je te dis que pour exister dans le monde d'aujourd'hui, il faut être à la hauteur de sa bassesse. Si je te dis que parler du monde de Dallas est juste devenu impossible ; mais heureusement qu'il nous reste le foot, les people et les faits divers.

Si je te dis que c'est en 1981 qu'un Japonais du nom de I.S. assassina une jeune étudiante hollandaise venue discuter poésie chez lui, dans son studio de la rue Erlanger, Paris XVIᵉ ; cela fait, il la découpa en morceaux et mangea sa chair, crue ou cuisinée, prenant des photos entre deux bouchées, entre deux plats. *Exit la poésie !* À l'époque, ce fait divers m'avait impressionné. Bien plus que l'affaire du petit Gregory, il me resta en mémoire (surtout après avoir vu les photos du « festin » que publia sous blister noir le magazine *Photo*). Par la suite, I.S. devint une star dans son pays. Il fit de la télévision, il publia des livres, il tourna dans des films, il fit carrière. L'époque sait reconnaître les siens. Elle n'honore pas n'importe qui. C'est à partir de Dallas qu'elle devint, au propre et au figuré, CANNIBALE.

Ce fut anthropologique.

Etc. etc. etc.

Mon intégrale de Dallas se trouve à l'adresse que tu sais (www.ledos-sierm.fr/02). Avec cette phrase extraite de l'un de mes petits carnets : Je ne dis pas que c'était mieux avant : ce n'était pas mieux avant. Certainement pas. Mais c'est pire aujourd'hui et comment est-ce possible si ce n'était pas mieux avant ? Est-ce parce que nous ne pensons plus avoir d'avenir qui ne soit sombre et effrayant, tandis que notre passé nous apparaît pourri jusqu'à l'os ?

Niveau 5

Si je te dis que c'est à ce moment-là que les gens se sont mis à courir. À courir pour rien, courir sans but, en rond. À courir en masse, en groupe, en troupeau, non pour aller quelque part, non pour chasser le gibier ou pour fuir un ennemi (quoique…), non, ils se sont juste mis à courir, tout seuls, tous ensemble, comme un seul homme, chacun dans son coin, dans les parcs et les jardins, avec un walkman sur les oreilles, chaque week-end ou plusieurs fois par semaine, comme une lubie individuelle et collective, au moment où, comme le dit une publicité pour un opérateur de téléphonie : « On n'arrête pas le progrès : on *l'accélère*. » Et les *joggeurs* apparurent à ce moment-là. Tandis que le monde *accélérait*. Tel un monstre mécanique lancé à toute allure que plus personne ne pouvait arrêter. Et comme par hasard les gens se sont mis à courir comme des lapins, comme des dératés, en rond, dans le sens des aiguilles du monde, même les présidents de la République, eux aussi en short et tee-shirt mouillé, hop hop hop, ah les grands personnages de l'État, oh le bel aveu. À croire que les uns et les autres avaient compris qu'ils devaient maintenant cravacher s'ils voulaient rester dans la course. S'ils ne voulaient pas rater le train en marche et que leur existence les laisse en plan. Comme s'ils pressentaient qu'ils risquaient d'être dépassés par les événements. Qu'ils l'étaient déjà. Qu'il était fini le temps où on les faisait marcher, au sens de duper. Ah oui, ils ne marchaient plus dans la combine désormais : ils couraient.

Et à la fin, Julien s'est pendu avec la ceinture de son pantalon. À la fin, la Bourse prend trois points. Elle saute de joie. Elle célèbre la mort.

Tout ça à cause de Dallas.

Mais si mais si.

Le symptôme dit la maladie.

Des centaines de millions de gens ont vu Dallas. Des milliards d'individus, finalement, au fil du temps, en l'espace d'une décennie, sans compter les rediffusions. Et ce, partout sur la planète : Dallas a été diffusé dans cent trente pays. J.R. a connu un égal « bonheur » sur tous les continents, par-delà les différences de race, de religion, de sexe, de tout ce qu'on veut. Il se raconte même que les États-Unis offrirent la première saison de Dallas à l'Algérie en remerciement de son aide dans l'affaire des otages de l'ambassade d'Iran.

Tu parles d'un cadeau.

À propos de cadeau empoisonné : c'est pendant ces années-là que le sida – mais je pousse peut-être le bouchon.

Là, je n'en peux plus.

Je piquerais bien un petit roupillon.

Il faut que j'aille dormir !

À toi de dire maintenant ce qui arriva de bien aussi à cette époque. Grâce à elle. Car rien n'est jamais tout noir ou tout blanc et je compte sur toi pour rétablir l'équilibre si tu m'estimes injuste. Éponger mes flaques si tu as du Sopalin. Compenser, comme on dit chez Clearstream. Moi, je n'ai pas la force. Je sais que plein de gens pensent que la société s'est améliorée et que c'est mieux aujourd'hui qu'hier. C'est beaucoup mieux. Question médecine, par exemple. Question mœurs aussi. La faim dans le monde. Plein d'autres trucs ici ou là et heureusement que c'est le cas. Si tout était affreux, le monde de Dallas n'y survivrait pas. Tandis que les hommes et les femmes de bonne volonté n'ont pas tous disparu. Il ne faut pas exagérer. Quoi qu'il en soit, cela ne change rien au tableau général. Au sens de l'histoire. À *l'eau du bocal* ! Sans compter qu'il y a toujours eu des gens pour se satisfaire de leur sort et grand bien leur fasse. Tant mieux pour eux. C'est cool. C'est peut-être qu'ils sont si bien adaptés à leur environnement qu'ils ne veulent plus en changer. Ne le peuvent plus. Jusqu'à mettre à son crédit ce qui console en fait de lui. C'est peut-être qu'ils n'ont pas assez d'imagination. Ou qu'ils n'ont pas de mémoire. N'ont pas le sens de l'humour. N'ont jamais été de toute leur vie dans un état bizarre. Ou qu'ils le sont en permanence à force d'être ce que le monde de Dallas fait d'eux. Je ne sais pas. Je n'en peux plus. Je n'ai plus de salive.

Niveau 6

Mais pourquoi m'embêter ? Chacun sait *très bien* dans quel monde il vit. Il en fait l'expérience chaque jour. Il est autant que moi aux premières loges. La question n'a jamais été d'être au courant ou pas. Désolé.

Quelle est la question alors ?

Dans un de mes petits carnets, je retrouve cette note : C'est en regardant Dallas à la télévision que j'ai découvert dans quel monde je vivais. Jusqu'ici, je vivais sans me poser de questions. Je me fondais dans le décor, faisant corps avec mon environnement. J'étais *indifférencié*. Dallas m'a ouvert les yeux. Il a été à l'origine d'une prise de conscience. Il faut bien que quelque chose nous ouvre les yeux et, dans mon cas, ce fut Dallas. Cela aurait pu être autre chose, cela aurait pu être quelqu'un d'autre ; mais ce fut J.R.

Et puis cette note : Ce qui disparaîtra avec moi, c'est une certaine conscience des choses, à la fois datée et inadaptée. C'est d'être parti dans la vie avec des idées devenues du jour au lendemain complètement inadéquates. Voir le monde de Dallas avec les yeux de Zorro : c'est cela qui disparaîtra avec moi. Puisque tout le monde voit aujourd'hui le monde de Dallas avec les yeux de J.R.

En attendant, tu peux rire que je me sois pris pour Zorro, comme la preuve d'une faiblesse d'esprit, d'un désarroi profond, je ne le nie pas ; mais que le monde se prenne pour J.R., cela fait moins rire. C'est beaucoup plus inquiétant.

C'est au terme de quatorze années d'une gloire télévisuelle sans partage, sa mission civilisatrice accomplie, son OPA culturelle parfaitement menée, que le tout dernier épisode de Dallas s'acheva le 3 mai 1991 sur cette question : J.R. s'est-il suicidé ?

Pour Julien, on sait.

Attends.

Te rappelles-tu Les Aventuriers de l'arche perdue ? Je le vis à sa sortie au cinéma. C'était en 1981. Tandis que Dallas passait le samedi soir. Ce film m'avait beaucoup plu à l'époque. J'avais ri aux éclats lorsque, confronté à un gros malabar tout de noir vêtu qui lui barre le passage en faisant tournoyer son sabre de façon hyper-menaçante, Indiana se prépare d'abord au pire ; avant de se détendre, de sourire, de regarder l'autre avec pitié et… de l'abattre d'un coup de pistolet. Pan. Puis il se retourne vers la caméra, sans un regard pour sa victime, rien à foutre, qu'il crève. Bon débarras. Affaire réglée. Affaire suivante. Pas la peine d'en faire un fromage. Lui a un pistolet tandis que l'autre n'a qu'un sabre et il croyait quoi, le gros malabar ? Qu'il allait frimer longtemps avec son sabre ? Qu'il pouvait *rivaliser* ? C'est hilarant à l'écran. C'est d'une désinvolture achevée. Le comique vient du fait qu'en usant de son pistolet, Indiana trahit sans vergogne les règles du combat à la loyale et, tout héros de l'histoire qu'il est, cela ne lui pose aucun problème. Voici que les rôles sont inversés. C'est Indiana qui est cynique et expéditif, c'est le héros qui tue un homme comme on écrase un insecte, sans le moindre égard pour sa victime, pas même un regard, comme s'il s'agissait d'une simple formalité, avec un mépris souverain de l'existence. Ce qui produit un effet si inattendu et saisissant que le spectateur éclate de rire. C'est jubilatoire. Comme chaque fois que le faux révèle son mensonge et que la vérité lui éclate de rire au nez. À l'écran, on assiste en direct à l'invention d'un nouveau type de héros, aux méthodes parfaitement expéditives, pour qui assassiner un être humain est un *gag*, ce qui annonce ni plus ni moins une *nouvelle forme de barbarie*. Fait passer le message que la vie est quantité négligeable, même aux yeux du bien. C'est indicible, mais on voit parler la poudre et jamais elle n'avait aussi bien parlé. Jamais n'avait été aussi éloquente. Mais si j'avais réalisé à l'époque de quoi je riais exactement, je me serais peut-être moins gondolé sur mon siège. J'aurais compris que le regard de pitié que jette Indiana au gros malabar tout de noir vêtu avant de le tuer comme on claque des doigts, c'était celui que jetait J.R. à Zorro (ici ridiculisé) et, par extension, celui que jetait le monde de Dallas au monde entier, avant de l'abattre comme un chien galeux. Avec une désinvolture achevée. Avant de passer à autre chose, sans un regard, pas la peine d'en faire un fromage. Bienvenue dans le monde de Dallas ! Mais il croyait quoi le Zorro, ce malabar tout de noir vêtu ? Avec sa cape pourrie et sa ridicule petite épée ? Times they are a-changing. Et il n'en faisait pas partie. Ce n'était plus lui le héros. Il fallait le lui dire dans quelle langue ?

Des millions de gens ont vu ce film.

On croit que le néocapitalisme est un système économique ; mais il est bien plus. Il est en fait une culture à part entière. Il est devenu la culture dominante, c'est-à-dire ce par quoi chacun devient ce qu'il est sans s'en apercevoir.

Attends.

Je ne dors pas.

Je n'arrive pas à trouver le sommeil, j'allais dire le soleil.

Je ne dors plus depuis le suicide de Julien.

Depuis les années 80 non plus.

Sans parler de M.

Attends.

C'est important.

J'oublie de dire que j'ai des raisons personnelles d'en vouloir aux années 80.

Ah oui.

Parce que c'est à cette époque que le rugby a commencé de devenir une fastidieuse haltérophilie glorifiant toujours plus la loi du plus fort, au détriment d'un art enjoué de se faire des passes atteignant parfois au sublime.

Eh oui, même le rugby !

Ce mélange de chaos et de lumière.

Cet amour de ma jeunesse, lorsque je jouais au SCUF.

Je m'arrête là ou je continue ?

J'envoie tout dans le cyberespace ?

Tu préfères ?

Tu n'en as rien à fiche du rugby ?

Tu en as marre.

Tu voudrais que je quitte S et que je passe à autre chose.

Tu as tort.

Car l'évolution du rugby (notamment français, spécialement français) est exemplaire de l'évolution de toute la société depuis les années Dallas. Il en est l'expression parfaite sur le terrain, sur les corps et sur la façon de jouer. Il en est la volonté et la propagande.

C'est au point où moi qui devenais français jusqu'au bout des ongles à chaque match du XV de France, j'ai aujourd'hui le sentiment que la France a été déchue de sa nationalité – ou bien c'est moi. Quand on en vient à souhaiter que son équipe perde, c'est que quelque chose de *grave* s'est produit. C'est qu'on ne veut pas voir triompher sur le terrain ce qui, par-delà le nom du vainqueur, vole la victoire.

C'est comme voir surgir dans son rêve J.R. à la place de Zorro.

Mais puisque cela ne t'intéresse pas, je n'insiste pas.

Je ne vais pas raconter comment le rugby, à l'instar de toutes les activités humaines, a été démantelé et restructuré selon des principes en vigueur dans le monde de l'entreprise et, notamment, chez Toyota. Avec ce que cela implique de division des tâches, d'optimisation rationalisée des postes et de nivellement des personnalités. De *projet de jeu* décidé par des *managers* fixant des *objectifs* à atteindre, comme on dit maintenant dans le monde du rugby. Quand un sport se met à parler le langage de l'économie, c'est qu'il a perdu sa langue. Il l'a donnée aux chiens.

Je ne vais pas raconter que le jeu réalise aujourd'hui une volonté de destruction au lieu d'une volonté de création. Qu'il est devenu si impitoyable que des protocoles ont été mis en place pour protéger la santé des joueurs. Que plus personne n'ose dire aujourd'hui « que le meilleur gagne », car il ne s'agit plus d'être le meilleur sur le terrain mais de glorifier littéralement la loi du plus fort. Il s'agit de Dallas.

Je ne vais pas raconter quel rôle spectaculaire joua Jonah Lomu dans la conversion du rugby à l'ultralibéralisme, dont la Nouvelle-Zélande est la fille préférée.

Je ne vais pas raconter comment on a prétendu que pour gagner, il fallait désormais cesser d'y mettre l'art et la manière car y mettre l'art et la manière conditionnait bien trop le résultat final. C'était bien trop *romantique*. Assez ! Désormais, c'est le résultat final qui devait conditionner la manière de jouer. Sans rire. Sans déconner. Comme on met la charrue avant les bœufs. Comme on devient con. On croyait quoi ?

On oubliait de dire que ne plus y mettre l'art et la manière, c'était encore y mettre une certaine manière et, dans le cas des Bleus, la pire qui soit. Celle s'accordant le moins avec leurs qualités et leurs défauts. Celle qui les émasculait en leur ordonnant de ne plus faire de fautes plutôt que de prendre des risques. Celle qui gérait la défaite au lieu de viser la victoire. Résultat ? Le XV de France gagne moins sans y mettre la manière que du temps où il la mettait ! Ah ah ah. Pour des gens si férus de résultats comptables, ils auraient dû être licenciés pour incompétence – mais non. Eux prétendent qu'il faut pousser encore plus loin ce qui a déjà fait tant de dégâts et que l'erreur serait de s'arrêter en si mauvais chemin, preuve que le monde de Dallas ne se juge pas à ses résultats : il est une idéologie.

On oubliait aussi de dire que cette façon fantasque, tantôt brillante et sublime, tantôt brouillonne et désespérante, qu'avaient de jouer les Français, elle était d'abord leur manière de gagner et, parfois, de perdre (un match n'est jamais écrit d'avance). Elle était la manière qu'ils avaient trouvée et qui convenait à leur caractère. Celle qu'ils s'étaient forgée au fil du temps, à force de défaites et de victoires, et qui fusionnait, dans une alchimie unique, les deux visages de la France : aux avants la férocité prolétaire de 1789 et le courage des grognards de Napoléon ; aux lignes arrières les envolées aristocratiques et catholiques typiquement latines. On croyait quoi ? Qu'ils se faisaient des passes pour le plaisir ? Qu'ils ne *voulaient* pas gagner ?

Je ne vais pas raconter comment, après une action d'éclat, vingt-quatre petites secondes peuvent suffire à déchirer le faux du monde (et on devrait se le rappeler à chaque minute qui passe) ; comment quinze petits Bleus furent salement punis en dehors du terrain pour avoir osé s'opposer à la marche de l'histoire un certain jour de 1999 ; comment le temps d'un match est un temps *vivant* et combien, depuis Dallas, triomphe sur les terrains de rugby comme ailleurs, non plus la possibilité de l'étincelle humaine, mais la froide volonté qui l'éteint ; etc.

Je n'insiste pas.

C'est trop triste et affligeant.

Je poste tout à l'adresse www.ledossierm.fr/03.

Niveau 7

Tu ne me crois pas ?

Tu crois que j'exagère ? Attends. J'ai entendu tout à l'heure à la radio (il faut croire que je retarde de moins en moins) les élèves d'une classe de terminale d'un lycée du Val-d'Oise donner leur sentiment sur La Cérémonie, un vieux film de Claude Chabrol, sorti en salle en 1995.

À l'époque, ces élèves étaient à peine nés, ils faisaient partie de la géné-ration née après Dallas et que comprenaient-ils aujourd'hui à l'histoire de deux copines massacrant à la fin tous les membres d'une famille archétypale de la bourgeoisie éclairée chez qui l'une (Sophie) était employée comme bonne à tout faire, tandis que l'autre (Jeanne) était employée dans une minable petite agence postale de province. Pen-saient-ils que quelque chose clochait dans le monde ou que quelque chose clochait chez les individus ? Quelle conscience avaient-ils des choses, alors qu'ils allaient passer leur bac et entrer dans la vie active (comme on dit) et élire le prochain président de la République, faire un jour des gosses, etc. ?

Trente ans plus tôt, j'étais comme eux, j'entrais dans la vraie vie, avec Zorro en tête.

Et eux ?

Je te laisse juger par toi-même et deux points ouvrez les guillemets :

« Je pense pas que quand les gens sont pauvres, les mauvaises odeurs, ça les dérange tant que ça. » « Dans le film, on voit bien que Jeanne, elle est envieuse. On dirait qu'elle a une haine contre les gens qui sont riches. Alors que s'ils sont riches, tant mieux pour eux. Chacun sa situation. » « C'est eux les patrons. On lui demande quelque chose, elle le fait, elle est payée pour ça, elle est tout de même nourrie logée blan-chie. » « Les patrons, ils ont une vie de rêve parce qu'ils ont eu tout ce qu'ils voulaient. Ils ont sûrement dû travailler dur pour avoir tout ça et c'est une chose que j'apprécie. » « Ils sont riches quand même. Et ça donne envie parce qu'ils ont tout ce qu'ils veulent, ils ont une maison, ils ont la possibilité de tout faire. Jeanne, elle veut avoir la même richesse que la famille. Elle veut être riche, elle veut avoir beaucoup d'argent, elle veut avoir la moitié de ce qu'ils ont. » « C'est bien d'avoir de l'argent, de vivre dans une vie comme ça, le luxe… Comme ça, on mange tout ce qu'on veut, on boit tout ce qu'on veut, on met tout ce qu'on veut. » « Moi, si j'avais de l'argent, j'irais en vacances partout, je serais partie à Dubaï, y a tout là-bas, je sais pas, je trouve ça beau : les sacs, les habits, tout. C'est beau, je trouve. Y en a beaucoup des sacs des sacs. Moi, la première chose si j'y vais à Dubaï, c'est m'acheter des sacs, des sacs. Le reste, ça vient après ; mais les sacs, moi, j'ai un tic des sacs. » « Moi, plus tard, j'aimerais vivre sur les Champs-Élysées, y a beaucoup de shopping à faire sur les Champs. » « Moi, j'ai toujours été dans ce truc où on se préoccupait de l'argent. C'est-à-dire : est-ce que je vais pouvoir remplir le frigo. Ça s'est posé cette question. C'est arrivé y a pas longtemps ; mais après, on se dit qu'il faut avancer dans la vie, et puis on resserre la ceinture. Y avait un voyage scolaire, j'ai pas pu y aller, voilà, c'est simple. Y a des choses comme ça que je peux pas faire. » « Moi, le mot "bonne", je sais pas, ça me fait un peu bizarre. C'est comme une soumission de la femme, je suis pas d'accord avec ça. Après, y a des demeures qui sont vraiment immenses et une personne toute seule : elle pourrait pas, c'est pas possible. C'est comme les agriculteurs : ils ont des hectares et des hectares de champs et ils ont besoin d'avoir un tracteur. D'avoir des outils assez performants, des aides en gain de temps, disons. En quelque sorte, une bonne, c'est comme un tracteur, c'est vrai. C'est la vérité. Hi hi hi. Après, faire le ménage c'est pas très sympathique. » « Moi, mon père, il est au chômage. Et ma mère, elle est aide-ménagère et, je sais pas, je me dis : c'est ça qu'elle vit chez ceux chez qui elle travaille ? Après, je lui ai posé la question et elle m'a dit : "Bah non, pas du tout, ils sont très sympathiques ; la dame, elle me parle, elle est sympathique, elle est pas méchante, elle veut m'offrir des cafés, elle me dit : 'Si t'as pas le temps, c'est pas grave'." Ma mère, elle est très conciliante chez la personne à qui elle travaille. » « Les patrons, ils sont pas tous mauvais. Regarde, la fille des patrons : elle a essayé d'être sympathique avec Jeanne, elle a toujours été honn… enfin, elle a toujours cherché à mieux la connaître et Jeanne, elle l'a rejetée. Après, c'est surtout une question de personnes qui se sentent dominées, mais faut pas non plus abuser, elles sont pas dominées, pas à ce point-là. » « Jeanne, elle est assez vicieuse. Elle aurait pu se dire que son patron, il était assez généreux, il a tout de même voulu lui payer des cours de conduite. Mais elle a préféré mentir, je trouve ça un peu vicieux, dès le départ, j'aime pas trop le personnage. » « Pour moi, Jeanne, elle a vraiment des problèmes psychologiques. La patronne, elle a pas un fond méchant, elle lui dit ce qu'elle doit faire et c'est quand même son métier, et Jeanne, elle le prend mal directement. » « En fait, je pense qu'elle se sent inférieure, parce qu'elle sait qu'ils ont de l'argent, oui, y a une forme de pitié, elle se dit qu'ils ont pitié d'elle et tout ça, alors que ça part d'un bon sentiment. » (France Culture. Émission Les Pieds sur terre du 29 mai 2014 et si tu veux entendre ces malheureux enfants du siècle, entendre de vive voix ce que ce siècle fait aux enfants, le podcast se trouve à l'adresse www.ledossierm.fr/04.)

Dallas. Ton univers impitoyable. Tu glorifies la loi du plus fort.

Si un truc cloche, c'est donc plutôt chez les individus.

Si j'avais leur âge, aurais-je été comme *ça* ?

Rien ne m'assure que non.

Tu crois que j'exagère ?

Attends.

Niveau 8

Dans un de mes carnets, je retrouve deux coupures de presse glissées entre les pages, l'une du *Guardian* du 02/11/2014 et l'autre de *La Parisienne* du 21/12/2014 et de nouveau deux points ouvrez les guillemets : « C'est révolutionnaire », s'enthousiasme Joel Cadbury, héritier des chocolats du même nom, et président de KidZania Londres. Soit un parc d'attractions d'un nouveau genre, véritable cité miniature à 20 millions de livres, qui va ouvrir au-dessus du Mark's & Spencer de l'immense centre commercial Westfield, dans l'ouest de la capitale britannique. Un univers à l'échelle des enfants qui, sur quelque 7 000 mètres carrés, permet aux 4-14 ans de jouer aux grands.

Au lieu de les envoyer sur des manèges à sensations comme un parc à thème lambda, KidZania reconstitue des lieux de travail. Les enfants jouent à travailler et sont rémunérés en « KidZos ». Ils peuvent choisir entre plus de 60 rôles, pour des séances de 25 minutes chacune (soit un épisode entier de Zorro, il n'y a pas de hasard !). L'enfant peut ainsi être éboueur le matin, pizzaïolo à l'heure du déjeuner et chirurgien l'après-midi.

Les gamins découvrent aussi comment piloter un avion de British Airways, ils portent des colis habillés en vrais petits livreurs DHL et ils fabriquent des smoothies de la marque Innocent. Au centre technique Renault, ils apprennent à changer des pneus, tandis que l'académie H&M leur enseigne le B.A.-BA de la mode et du design. À l'hôtel Dorsett, ils peuvent être manager, réceptionniste ou encore faire les chambres. En sorte, ils apprennent le nom de tout un tas de marques, dont ils consommeront plus tard les produits, s'ils n'y travaillent pas.

« Il s'agit d'ouvrir les yeux des enfants aux réalités de la vie », déclare Joel Cadbury, qui se réjouit des nombreux « partenaires industriels » se ralliant peu à peu au projet.

Le tout premier KidZania a ouvert en 1999 à Mexico. À ce jour, 35 millions d'enfants ont visité un parc KidZania, que ce soit à Mumbai, à Tokyo, au Caire, à Istanbul, à Lisbonne ou à Séoul (il y a actuellement 16 parcs KidZania dans le monde ; ils seront 23 en

2015). Le succès est chaque fois au rendez-vous et, partout, la formule est la même. À Londres, précise Joel Cadbury, « le ticket le plus cher sera à 28 livres [35 euros]. C'est plus avantageux que le baby-sitting ! »

Au KidZania de Lisbonne, l'entrée est de 10 euros pour les parents et de 20 euros pour les enfants ; ici, les enfants paient donc deux fois plus cher que les adultes leur entrée dans l'univers enchanté de la vie active.

Les enfants sont équipés d'une puce de géolocalisation qui permet de les surveiller en permanence pendant les quatre heures que dure la visite. Une aubaine pour les parents, qui peuvent les laisser en toute quiétude découvrir la vie qui les attend tandis qu'ils vont faire des courses, sachant que presque tous les KidZanias ont eu la bonne idée de s'installer à côté d'un centre commercial.

À leur entrée dans le parc, le personnel remet aux enfants un chèque et les accueille avec un « Que ta journée soit productive ! ».

Avec leurs KidZos, les petits peuvent acheter de la nourriture, un billet de kart ou des souvenirs. Mais une fois à court d'argent, ils doivent travailler pour en gagner, comme dans la réalité. D'où la portée pédagogique de KidZania. Ceux qui auront décroché un diplôme universitaire gagneront davantage – « comme dans la vraie vie », souligne Xavier López Ancona, l'inventeur mexicain du concept.

« Ici, je suis un adulte, j'ai mon propre argent ! » lance spontanément Zaq, 9 ans. Depuis vingt minutes, il travaille à l'usine de la Vache qui rit et doit livrer l'hôpital en fromage. Ici, la crise économique n'a pas lieu d'être, non plus les plans sociaux ni les grèves, l'exploitation et les écarts de salaire. Les patrons – les adultes – sont tous gentils et très patients. Ici, la société capitaliste est un éden et elle éduque ses clients présents et futurs à son idéal.

C'est qui les *utopistes* ?

Le diable aussi a des idéaux.

Spécialement lui.

Et à la fin, une gamine de six ou sept ans demande à son papa où se trouve le monsieur à qui on achète des billets pour aller jouer dans l'eau de la mer.

À la fin, un sondage Ipsos apprend que 60 % des enfants âgés de huit à quatorze ans redoutent aujourd'hui de devenir pauvres lorsqu'ils seront grands. 60 % ! Dès huit ans ! La *peur* de devenir pauvre ! Sans déconner !

À la fin, Julien s'est suicidé avec la ceinture de son pantalon.

Quoi ? Que dis-tu ? Si je mets ma fille dans le lot ?

Si ma fille m'apparaît aussi foutue, avilie, désespérée ?

Si elle est uniquement de son époque ?

Tu vois qu'il y a de l'espoir.

Tu salis tout.

Niveau 9

Qui serais-je devenu si Zorro n'avait pas été inventé ?

Je me pose parfois la question.

Je n'ai aucune réponse.

Je me pose la question, tandis que ma fille (justement) regarde Desperate Housewives. Une série qui a démarré en 2004. Juste au moment où j'allais quitter S, comme par hasard. (Car je vais la quitter, là, tout de suite, promis, le temps de regarder un épisode de Desperate Housewives avec ma fille).

Pas un épisode entier, cependant. Car au bout d'un moment, je ne peux m'empêcher de dire à ma fille que ces crétines ne sont pas désespérées : elles sont désespérantes. Il s'agit de greluches complètement aliénées qui font croire que leur existence en est une, alors qu'elle est une misère consentie, ce que la série se garde bien de dire. Tu te fais du mal, dis-je à ma fille d'une voix douce. Les personnages de fiction sont des êtres spéciaux, dis-je en fixant moi aussi l'écran. Ils n'ont jamais l'air d'imaginer que leurs problèmes viennent de la vie qu'ils mènent et qu'il leur suffirait peut-être d'en changer pour qu'ils soient moins *desperate*, dis-je en regardant de nouveau ma fille. Ils propagent l'idée qu'il n'y a pas à voir plus loin, comme des poissons qui ignoreraient qu'ils nagent dans un bocal ; mais si l'eau du bocal est croupie, auras-tu le même poisson ? Le mangeras-tu ? Ne le verras-tu pas flotter le ventre en l'air, comme tes copines de Wisteria Lane ?

À ces mots, ma fille rigole ; elle hausse les épaules ; elle trouve que j'exagère ; elle dit que c'est *mon* point de vue et le sien est tout autre (sous-entendu, tous les jugements se valent car ils sont relatifs ; $2 + 2 = 4$ est une opinion et chacun la sienne ; la raison est une vue de l'esprit et la vérité n'est qu'affaire de conviction personnelle ; etc. – ô ma fille, biberonnée au relativisme ambiant considéré comme un universel, ce qui est juste une contradiction dans les termes). Elle dit qu'elle m'a reconnu, allez, elle sait que c'est Monsieur Gicle qui parle par ma bouche – « Sors de ce corps, Monsieur Gicle, sors de mon papa ! » qu'elle rigole. Ça ne prend plus avec elle, elle est trop grande maintenant, elle a compris d'où je parle, c'était bon pour quand elle était petite ; mais c'est fini à présent. Zorro, c'est du passé, il faut me réveiller, eh oh, faut que j'ouvre les yeux, je deviens lourd à force ; elle dit que, de toute façon, les personnages de cette série sont des caricatures. C'est voulu s'il n'y en a pas un pour racheter l'autre. Elle ne se fait aucune illusion sur ce qu'elle regarde et c'est ça qui est drôle justement. Puis elle se détourne et me préfère l'écran de la télévision.

Ça qui est DRÔLE ?

Qu'elle ne se fasse *aucune* illusion ?

Je sens une espèce de froid envahir alors la pièce.

Je vais dans la cuisine m'ouvrir une bière.

Je me dis qu'avec mes idées de Zorro, Julien s'est tout de même suicidé. Je ferais mieux de la boucler, me dis-je en dégoupillant une canette comme si c'était une grenade et en buvant une longue rasade à même l'ouverture. Je n'ai de leçon à donner à personne, me dis-je en allumant une cigarette et en allant m'accouder à la fenêtre qui est ouverte, ma canette à la main. Je suis vraiment très mal placé, me dis-je en regardant la nuit et les étoiles qui scintillent dans le ciel. Puis, je me dis que si j'avais son âge (à ma fille), je serais probablement comme elle. Je ne verrais pas que la télé me rend très sympathiques des personnages qui ne le méritent aucunement. C'est ça le truc post-Dallas, me dis-je en regrettant de n'avoir pas un de mes petits carnets sous la main. La télé rend supercool, zen et relax des personnages qui sont de véritables ordures. Des super-pourris. Des assassins. Des criminels. Des *monstres*. Dans le lot, il y a même aujourd'hui des cannibales. Putain de J.R., me dis-je en tétant un bon coup ma bière. Putain, tous ces héros n'en sont pas : ils sont juste des types dont la télé a fait des vedettes. Il s'agit de sinistres référents pour adultes, me dis-je en regardant de nouveau le ciel et les étoiles qui scintillent là-haut. D'ailleurs la plupart sont mariés et il faut voir comment ! Ils connaissent tous de graves problèmes de couple. J.R.

et Sue Ellen ont bien travaillé. Ils ont énormément de marmots, me dis-je en buvant à même l'ouverture de la canette une autre rasade de bière. Même Dexter est marié. Et il a un gosse ! Quand je pense qu'elle (ma fille) l'adore. Putain, mais c'est un TUEUR EN SÉRIE, chérie. Ouvre les yeux, ma fille ! Tu ne peux pas ADORER un tueur en série ! Ce n'est pas du tout comme aimer Zorro ! Putain, tu adores un type que tu ne voudrais jamais rencontrer dans la vraie vie et comprends-tu ce que cela signifie ? C'est ça qui est DRÔLE ?

Mais après un moment, je me dis que donner en pâture aux gosses des personnages qui sont de vrais salopards – comment dire ? C'est peut-être très malin, me dis-je en rallumant mon clope qui vient de s'éteindre. On voudrait empêcher les gosses de s'identifier qu'on ne s'y prendrait pas autrement. Yep, ces monstres ne sont sympathiques qu'à la télé, ils ne sont humains que de l'autre côté de l'écran et c'est peut-être cela que ma fille comprend mieux que moi, me dis-je en aspirant une profonde bouffée de tabac. Elle ne confond pas tout, elle. Parce que tout est fait pour qu'elle ne confonde pas tout. Pour que la vie et l'imagination demeurent étanches et qu'à aucun moment elles ne fabriquent quelque chose ensemble. Que chacun, devant son écran, reste strictement lui-même, socialement invétéré, sans se rêver autre, me dis-je en finissant d'un trait ma bière. C'est peut-être ça le secret : proposer aux gosses des personnages auxquels *ils ne peuvent pas s'identifier.*

Si c'est l'idée, c'est vraiment très intelligent, me dis-je en agitant ma bière pour constater qu'elle est bien vide. C'est vraiment rusé. Cela laisse chacun à sa place et la société bien tranquille. Cela ne laisse en effet aucune *illusion*, comme a si bien dit la poupette. Elle l'a dit oui ou non ? Il faut écouter les enfants. Bien joué ! dis-je en levant ma canette en l'air et en trinquant à je ne sais qui. En attendant, me dis-je en tirant une dernière bouffée sur ma cigarette, je n'oublie pas que Dexter est un tueur en série et je ne *veux* pas l'oublier. Putain, ses *problèmes* de couple : rien à foutre ! Son *humanité* : qu'il se la garde ! Elle ne m'intéresse pas. Sa *morale* : il peut se la foutre où je pense. Faut pas déconner. Je t'emmerde Dexter, dis-je à voix haute, assez fort, dans la nuit. Commence par arrêter de tuer des gens, *exige* cela de toi et on en reparlera, me dis-je en balançant d'une pichenette mon mégot dans le vide et en refermant la fenêtre sans regarder où il a pu tomber, sur la tête de quelqu'un comme J.R., peut-être. Putain de merde. Que je bougonne en me dirigeant vers l'évier de la cuisine. Tous ces Dexter, ces Desperate Housewives & consorts, tous autant que vous êtes, ah oui, je ne vous félicite pas. Vous n'en finissez pas de justifier ce monde, me dis-je en froissant la canette dans mon poing avant de la jeter à la poubelle. Puis en crachant dans l'évier. Pfuit pfuit.

En sortant de la cuisine, je me demande ce que sont devenus les gosses qui regardaient La Petite Maison dans la prairie. Si avoir été éduqué à la « bien-pensance » de la famille Ingalls leur a grillé les neurones et a fait d'eux des tarés ou – quoi ?

« Bon dieu, Ingalls ! Vous tueriez quelqu'un de votre peuple pour protéger des Indiens ?
– Je ne suis pas de votre peuple.
– Mais nous sommes des Blancs.
– Vous êtes des lâches ! »

(La Petite Maison dans la prairie. Saison 4,
épisode 13, intitulé « La liberté »)

Niveau 10

Finalement, me dis-je, pas la peine de situations extrêmes, de temps troublés, de grande guerre, de cataclysmes : la grande histoire (comme on dit) se manifeste à chaque instant, dans d'infimes détails, même au travers d'un simple feuilleton télévisé. Nous ne sommes jamais hors du temps. Nous croyons nous tenir à l'avant-scène, notre silhouette se découpant fièrement sur une toile de fond ; mais en réalité, nous faisons partie du décor, nous sommes une partie du décor, nous sommes fondus dedans. À mon niveau individuel des choses, je n'ai pas besoin que l'Histoire se manifeste de façon spectaculaire pour sentir son poids sur ma nuque. Je baigne dedans à chaque instant. Je sais que je ne serais pas le même si j'étais né à une autre époque. Je ne penserais pas ce que je pense. Je n'aurais pas les mêmes amours. Mon espérance de vie serait deux ou trois fois moindre. Non que je rêve de vivre dans un autre siècle que celui dans lequel j'ai été précipité à ma naissance. Je ne rêve rien de la sorte. Je ne suis nostalgique de rien. Je ne veux pas de ce genre de confort intellectuel. Ceux qui disent qu'ils auraient aimé vivre au XVIIIe siècle, par exemple le XVIIIe siècle, si souvent cité, me font bien rire. Car il y a un problème. Tu m'écoutes ? Je dis qu'il y a un problème. À les entendre, ils auraient roulé en carrosse, ils auraient été parés de dentelles. Ils auraient couru les fêtes galantes. Vécu des liaisons dangereuses, philosophé dans les boudoirs. Ils auraient parlé le français le plus délectable, ils auraient été les Lumières. Etc. Ils oublient qu'ils auraient chié sans papier pour s'essuyer, bouffé du gruau toute l'année, gelé à pierre fendre l'hiver, pataugé dans la boue des rues et se seraient pris des seaux de merde en passant sous les fenêtres. Auraient subi l'absolutisme. Auraient trimé vingt heures par jour depuis l'âge de sept ans. Ils n'auraient pas eu voix au chapitre, se seraient fait bastonner pour un rien, arracher les dents cariées avec des pinces. Etc. En changeant de siècle, ils imaginent changer de classe sociale. Abracadabra. Alors que si on transpose leur situation actuelle trois siècles en arrière, ils auraient été des *gueux*.

Qu'est-ce que je disais ?

As-tu vu Cogan – Killing them softly ?

Un petit film indépendant américain, comme on dit.

Sorti en 2012.

Je l'ai vu hier soir à la télévision, ce pourquoi j'en parle, preuve que je fais ce que je veux sur la page. Avec Brad Pitt dans le rôle d'un tueur à gages (on n'en sort pas). Lequel Brad Pitt, dans la dernière scène, retrouve son employeur pour lui réclamer son fric après avoir exécuté trois contrats. Tous deux sont à ce moment-là dans un bar et, installé en hauteur, un poste de télévision diffuse le fameux discours de Barack Obama du 4 novembre 2008 prononcé à Chicago, jour de sa victoire électorale à la présidence des États-Unis. Brad regarde un instant Obama déclamer à la télé avec force et conviction, deux points ouvrez les guillemets : « ... jeunes et vieux, riches et pauvres, démocrates et républicains, Noirs, Blancs, Latinos, Asiatiques, Indiens, gays et hétéros, handicapés et non handicapés... nous sommes un seul peuple... Nous nous élevons et nous tombons comme une seule nation... Nos histoires sont singulières, mais notre destin est partagé » et, à ses mots, Brad lève les yeux au ciel. Ce discours le crispe, il lui hérisse le poil. Il lui fout les boules. Il marmonne que lui aussi a fait un rêve : que les Noirs aient tous des petites bites, ah ah ah, c'est facile de faire des rêves. Quelle connerie ! qu'il siffle entre ses dents. Mais lorsqu'il entend Obama déclarer, je cite : « La vraie force de notre nation ne vient pas de la puissance de nos armes ni de l'étendue de notre richesse, mais du pouvoir durable de nos idéaux : la démocratie, la liberté, l'opportunité et l'espoir inébranlable », il n'y tient plus. Il voit rouge, le Brad. Il pète carrément un plomb, le Pitt. C'est plus fort que lui. « *Foutaises que tout ça !* s'écrie-t-il en tapant du poing sur le bar. FOUTAISES ! » Puis, se tournant vers son employeur, il lui assène d'une voix qui ne souffre aucune discussion : « Tu veux que je te dise ? L'Amérique, c'est pas un pays : c'est un business. » Sur ce, il s'en va pisser aux chiottes.

C'est la dernière réplique du film.

On croirait que celui-ci a été tourné uniquement pour cette dernière réplique. Pourquoi pas ? Je n'écris moi-même (si j'écris) que pour une ou deux petites choses qui me tiennent à cœur (et, si possible, atteindre l'orgasme au-dessus de la ceinture) mais qu'il me faut contextualiser afin qu'elles ne tombent pas totalement à plat et tant pis si cela m'oblige à noircir des pages et des pages. Tant pis si je te saoule. Tant pis si c'est un tueur à gages qui se pique de morale. Je commence moi aussi à m'y faire. Enfin bref. Je te propose un petit jeu, histoire que tu ne perdes pas définitivement ton temps avec moi. Histoire que tu aies à t'occuper tandis que je plonge toujours plus profond la tête dans mon sac. Alors voilà : si la France n'est pas un pays, c'est… quoi ? Tu dirais quoi ? Quel mot ici ? À ton avis ? Tu veux bien jouer à ce jeu avec moi ? Réfléchis bien à ce que tu vas dire. Réfléchis à la réputation de la France et à ce qu'elle est réellement. Tu n'as droit qu'à trois réponses.

Fermer la parenthèse.

Niveau 11

Zorro.

En finir maintenant.

Dire le plus important.

Dire que, lorsque, tout minot, je regardais Zorro à la télévision, je ne me posais aucune question. Je n'avais d'yeux que pour les apparitions du Justicier Masqué, ses combats à l'épée, ses folles chevauchées dans la nuit, son ombre se cabrant sur fond d'éclairs et de tonnerre, son élégance, son humour, sa superbe, son agilité et le mot primesaut ici (voir page 505).

Julien : quel était le héros de son enfance ?

Je me pose encore la question.

Lui aussi devait en avoir un. Tous les gosses se sont reconnus un jour dans un personnage de fiction. Et il leur en reste quelque chose, aussi minime cela soit-il.

Quand je dis qu'il en reste quelque chose, je veux dire que le concept de Zorro m'est resté. Je veux dire que j'ai laissé tomber la cape, le masque, l'épée et même Tornado – bien sûr que j'ai laissé tomber *l'atti-rail* de Zorro, tu croyais quoi ? De Zorro, je n'ai conservé que le meilleur, c'est-à-dire *l'idéal* qu'il incarna pour moi. C'est-à-dire *l'esprit* et tout ce qui, à l'époque, m'était largement passé au-dessus de la tête (« jamais de mariage ! »). C'est peut-être regrettable, mais en grandissant, une fois franchi la Seine et passé sur l'autre rive, j'ai complètement renoncé au déguisement de Zorro, au point que même dans mes états les plus bizarres, l'idée ne me vient pas de me draper dans une serviette de bain et de cavaler dans tout l'appartement en hennissant. À cinquante ans ? Pfff.

Pour autant, Zorro n'a pas disparu. *Il vit en moi.* J'ai complètement intériorisé ce personnage de fiction et, sur sa cape soyeuse, je me prends encore aujourd'hui pour lui dès que je me trouve en milieu hostile. C'est plus fort que moi. Comme un réflexe conditionné. Comme l'autre soir… (La suite sur www.ledossierm.fr/05 – toujours pour des raisons de place, mais aussi parce que cela me gêne de raconter comment il m'arrive de surgir parfois au galop dans un bar pour redresser les torts qu'on fait – en l'occurrence à une femme.) Sachant que je n'ai aucun des talents du Justicier Masqué et ne porte même pas une fine moustache. Je suis le premier à le reconnaître.

Oui, mais du Renard, il m'est resté le plus *utile*. Je veux dire : il m'est resté son double, son *alias*, son alter ego. *Il m'est resté Don Diego de la Vega !* L'homme derrière lequel Zorro se cache. L'homme sans qui le Justicier Masqué ne pourrait pas se déguiser en Justicier Masqué ni apparaître à l'écran pour botter le cul des méchants et déjouer leurs sales plans machiavéliques. L'homme qui, à la ville, dans les dîners, au civil, est la couverture de Zorro, espionne pour son compte, et ce n'est pas n'importe quel homme que cet homme-là. Ce n'est pas n'importe quelle couverture. Car Don Diego de la Vega est l'homme sans qualités par excellence. Il est l'homme consensuel au possible. L'homme agréable en toutes circonstances, qui ne fait jamais de vagues, à croire qu'il a vu sa mère tenter de se jeter par la fenêtre pour un mot qu'il lui aurait dit de travers. En tout cas, il est en toutes circonstances d'une politesse exquise, toujours respectueux des lois et des usages et si cela signifie manger des respounchous à longueur de journée et pactiser avec l'oppresseur mexicain, quelle importance ? Il n'y comprend rien à toutes ces histoires. *Cela l'ennuie.* Cette oppression ou une autre ? Du gingembre ou le sperme de Jean Marais ? Alep ou Homs ? Bah ! La vie continue, la mort nous emporte tous à la fin, les hommes sont comme ils sont et on ne les corrigera pas et ainsi Don Diego est-il Philinte affichant partout une bonne humeur sereine, infatuée, philosophique. *En apparence.*

Car en sous-main, Don Diego de la Vega : c'est Zorro. Philinte : c'est Alceste qui ne dit pas son nom (et, par parenthèse, un metteur en scène montera-t-il un jour *Le Misanthrope* avec le même comédien jouant Alceste et Philinte, en montrant qu'Alceste est l'exaspération de Philinte, son conflit intérieur, son dégoût de lui-même le débordant de toute part ? Tandis que Philinte serait sa couverture, son masque dans le monde, sa possibilité d'y circuler, il serait le Don Diego de la Vega d'Alceste et j'aimerais voir ça ! Fermer la parenthèse).

Le gamin que j'étais à l'époque l'ignorait tellement il n'avait d'yeux que pour les exploits du Justicier Masqué, mais Don Diego de la Vega est le personnage central de l'histoire. *Il est l'homme qui se cache en plein jour.* Celui dont nul en société ne doit soupçonner la véritable identité car il grillerait sa couverture. Il exposerait son alter ego, son *alias*, son double et on lui rirait alors au nez. Il aurait tout de suite la maréchaussée aux trousses. Il se prendrait procès sur procès. Les sirènes des ambulances hurleraient très vite dans le lointain. Tout le monde lui tomberait immédiatement sur le râble. On voudrait à chaque instant lui passer la camisole de force, des psys le sangleraient sur un lit comme les psys pratiquent de plus en plus ce qu'ils appellent la « contention physique », tellement se prévaloir de son propre niveau individuel des choses paraît aujourd'hui pure folie. Dangereusement pathologique. On lui demanderait pour qui il se prend ? Pour Zorro ? Laisse tomber !

Ce ne sont pas des choses à dire et Diego doit faire très attention. Ne rien laisser transparaître. Ne surtout pas se trahir. Tuer le roi *sous la cape*. Se fondre dans la masse, la foule, l'anonymat, l'époque. Faire croire qu'il est comme tout le monde, comme n'importe qui. Qu'il garde les mêmes vaches que les autres. Compte les mêmes fleurettes. Chie dans le même vase. Mâche le même chewing-gum. Ce qui ne l'empêche pas d'avoir des yeux et des oreilles et d'observer ce qui se trame, quelles saloperies se fomentent, les abominations en marche. Afin d'avertir le Justicier Masqué. Si Diego de la Vega prétend volontiers que tout est bien dans le meilleur des mondes, c'est pour mieux voir ce qui cloche autour de lui, sous des dehors parfaitement agréables. Sacré boulot ! Rira bien qui rira le dernier, songe-t-il alors, sans cesser de sourire, une fourchette à la main comme si c'était son épée en miniature et piquant avec des respounchous sautés en tortillas dans son assiette. Bientôt Zorro surgira de la nuit pour courir l'aventure au galop, songe-t-il alors, le cœur sauté au gingembre. Car se battre n'est pas son job. Cela lui est interdit. Lui est nul au combat. Il n'arrive même pas à sortir son épée de son fourreau sans la faire tomber ou se blesser. Mais c'est pour mieux détourner les soupçons. C'est lui le Renard. Voilà. On croit que c'est Zorro le Renard, *mais c'est Don Diego de la Vega le Renard.* Lui qui est lâché dans le poulailler du monde, auquel Zorro n'a pas accès puisque sa tête est mise à prix. Il est un hors-la-loi et, sans Diego, Zorro ne saurait rien de ce qui se trame. Il serait trop occupé à se cacher, à fuir, à combattre, fuir de nouveau, s'échapper, combattre encore, être en permanence sur le qui-vive, tout le temps avec la maréchaussée à ses trousses, les sirènes hurlant dans le lointain – et il finirait par se faire prendre. Il s'épuiserait. Il désespérerait. D'une façon ou d'une autre. Un jour ou l'autre. Comme s'épuisent et désespèrent et se font mettre en cage ou passer une camisole de force ou trahir par un lâche Robert Ford tous ceux qui jouent les héros à découvert et ceux-là disparaissent très vite du paysage. Ceux-là ne durent pas 78 ou 82 épisodes. Ceux-là alimentent la martyrologie qui fait énormément rêver et vive Don Diego de la Vega ! C'est grâce à lui que je suis encore là (si je suis encore là).

Niveau 12

Sachant que sans Zorro, Don Diego n'est qu'un fantoche, un pitre, un parasite. Il ne faut pas confondre les Diego qui travaillent pour Zorro et ceux qui *ne* travaillent *pas* pour lui. Les vrais de la Vega et les faux. Ou le contraire. Je ne sais pas comment dire. J'espère que tu comprends l'idée. J'espère que tu fais le rapprochement avec le gamin inhibé par sa mère que j'étais et qui fut conduit à nourrir en son for une idée héroïque de lui-même, sous des dehors les plus inconsistants. En tout cas, c'est Don Diego de la Vega qui rend possible Zorro. Il est la condition de son existence et non l'inverse. Immense révélation ! Voici que tout s'éclaire à la lumière de Don Diego de la Vega. Sans lui, je n'aurais jamais restauré l'image mortifiée que j'avais de moi-même. Je n'aurais jamais pu me projeter dans une version glorieuse, tout à fait salvatrice de mézigue et je dirais même plus : sans Diego de la Vega, Zorro ne pourrait pas signer son nom à la pointe de son épée d'un Z qui veut dire Zorro Zorro Zorro Zorro Zorro… Encore plus grande révélation ! Car signer son nom à la pointe de son épée : cela m'est sacrément resté. Je ne l'ai jamais oublié. Je l'ai chanté des millions de fois sur le chemin de l'école (holà, tout doux ! Hiiiiiiiiiiiiiii). Et quand, cessant d'aller à l'école, je me suis trouvé ridicule de hennir dans la rue (en plus de constater que je ne serais jamais aussi fringant que Guy

Williams), j'ai franchi un cap : j'ai cherché le moyen de signer mon nom à la pointe d'une autre épée et voilà le travail. Quand j'écris, c'est pour courir l'aventure au galop et redresser les torts qui se fomentent dans mon entourage. Je le dis sans honte, avec un petit sourire amusé, mais devant mon ordinateur, j'ai une serviette de bain nouée autour du cou et je porte dix fois par page la main au pommeau de mon épée de Zorro, comme tu peux le constater, au risque d'exaspérer. De même, toutes proportions gardées, l'ingénieux hidalgo « perdit-il le jugement et se fourra si bien dans la tête que tout ce magasin d'inventions rêvées était la vérité pure qu'il n'y eut pour lui nulle autre histoire plus certaine dans le monde ».

Sauf que Julien s'est pendu avec la ceinture de son pantalon, la réalité m'a rattrapé comme on dit (car la réalité à des jambes et elle court vite) et il me faut maintenant tout déballer. Arracher mon masque de Don Diego. Puisque c'est lui qui m'est resté. Lui dont, sans m'en apercevoir, je me suis inspiré quand il ne fut plus question pour moi de hennir à tue-tête. Oui, c'est en Don Diego de la Vega que je me suis *déguisé* dans la vraie vie et en qui j'ai été *contraint* de me déguiser. Là où la plupart des individus dissimulent un être monstrueux dont ils ont honte, j'ai fait tout le contraire : j'ai dissimulé ce qu'il y avait de meilleur en moi, comme s'il était une abjection. Au couple Jekyll & Hyde incarnant la névrose du puritanisme, le couple Zorro & Don Diego oppose une névrose plus contemporaine : celle de devoir cacher ce qu'il y a de bien, d'audacieux et de primesautier en soi. Tout ça à cause de Walt Disney.

Je dois tout à Walt Disney ! Le bon et le mauvais. Je lui dois la plus belle opinion que j'aie de moi-même et je lui dois d'avoir renoncé au monde de S et, une chose en entraînant une autre, d'avoir le suicide de Julien sur la conscience, ce pourquoi je verse aussi ma panoplie de Zorro au Dossier, avec sa belle cape noire et son épée, son cheval Tornado et son fidèle Bernardo, j'allais dire Sancho. Il faut bien se prendre pour quelqu'un et, à tout prendre, je n'avais pas tiré le pire numéro. J'avais tiré un excellent numéro quand je pense aux héros d'aujourd'hui. Quand je pense à J.R. *Quand je pense à Pikachu !* Oui, dans mon malheur, j'ai eu la chance de décrocher un rôle qui m'a longtemps permis de circuler incognito dans le monde, sans trop attirer l'attention, sous les dehors les plus civilisés et gracieux qui soient, sans que personne soupçonne qui je suis en réalité (ce qu'on appelle en réalité). Mais chut ! Il ne faut pas le répéter. C'est un secret qui doit rester entre nous.

C'est le secret de Zorro !

Savais-tu que la vision du renard est particulièrement bien adaptée à l'obscurité ? Au cœur de sa rétine, ce canidé du genre vulpes possède en effet une membrane supplémentaire, appelée *tapetum lucidum* (« tapis luisant »), qui réfléchit la lumière une seconde fois à travers l'œil, doublant ainsi l'intensité lumineuse des images. Le renard voit *deux fois mieux dans la nuit* ! En contrepartie, il ne distingue pas certaines couleurs et, par exemple, les couleurs optimistes. Les couleurs du verre à moitié plein. On ne peut pas tout avoir. Et Julien s'est suicidé. Pour qui se prenait-il tout au fond de lui ? Pour qui se prennent les gens ? Pour ce qu'ils sont ? Pour ce qu'on exige d'eux ? Pour leur lieu d'origine ? Pour leur mère patrie ou leur nom du père ? Pour leur cité de banlieue ou leurs beaux quartiers ? Pour leur numéro de Sécurité sociale ? Pour des enfants de dieu ? Pour personne ? Pour ce qui me concerne, on sait. Même si je regrette que Walt Disney soit mort. Je lui aurais écrit une lettre pour lui demander si c'est Don Diego qui se déguise en Zorro ou si c'est Zorro qui se déguise en Don Diego. Lequel est l'émanation de l'autre ? Vaste question ! Que j'aimerais énormément voir résolue, pour des raisons aisément compréhensibles. Zorro est-il né Zorro ou l'est-il devenu ? Sans doute voit-on Don Diego mettre son masque et enfiler sa cape, mais qui peut garantir qu'il ne revêt pas à ce moment-là ses véritables habits ? Qu'il ne se débarrasse pas en réalité de son déguisement de Don Diego de la Vega ? Moment crucial ! Et quel rôle joue Guy Williams dans cette affaire ? Serais-je triple ? Oh là là. Mieux vaut passer à un autre niveau des choses. Vite !

Niveau 13

Tout ça pour dire – oui, *tout* ça ! – que, dans le monde de S, au banquet des artistes, si j'y tenais bien mon rôle, ce n'était *pas* de n'y comprendre rien. Tout le contraire ! Désolé. Mille excuses. Même si, une fois rentré chez moi, je m'inquiétais parfois : Don Diego n'était-il pas insensiblement en train de prendre le dessus sur Zorro ? À force de feindre que tout était parfait dans le meilleur des mondes possibles, mon côté Vega n'était-il pas en train de trahir mon côté Zorro et de retourner sa veste tellement c'était facile, tellement c'était communicatif ? Qui disait que « tous étaient bourgeois et ceux qui ne l'étaient pas, à leur contact, le devenaient irrésistiblement ». Je ne sais plus. J'ai oublié. Je te le jure.

Mais non. Je voyais par trop l'épicerie de l'art. Je voyais très bien la façon dont le monde de S fonctionnait. Hey, Lola, tu t'en iras bientôt. On a mis les artistes à table. Ce fut au petit jour que dans ton cœur un dragon plongea son couteau et rompre avec S. Oui. Maintenant. Enfin ! Assez tergiversé ! Si cela s'appelle tergiverser.

Niveau 14

Rompre avec S. (*On y est ! Pas trop tôt !*) C'est vers quatorze heures, quatorze heures trente que je me décidai ce fameux samedi 24 avril. Trois semaines environ avaient passé depuis la scène de la machine à café de marque Illico et après cette période d'incubation, la maladie se déclara, la fièvre me saisit, ma résolution fut prise et, dès cet instant, elle fut irrévocable, oh oui, j'allais rompre avec S *et avec tout ce qu'elle signifiait* et j'allais le lui annoncer MAINTENANT, oui, j'allais l'appeler pour lui fixer rendez-vous, oui oui oui, rien ne pouvait plus empêcher maintenant l'inéluctable de se produire.

Dans l'état très bizarre dans lequel je me trouvais à ce moment-là, mes souvenirs concernant ce fameux samedi 24 avril ne sont pas d'une folle clarté. Ils me reviennent étrangement tressautants, de façon saccadée, non pas en couleurs mais en noir et blanc, comme s'il s'agissait d'un petit film muet, genre Max Sennett ou Max Linder et M comme Max. Dans ma tête, les images défilent follement en accéléré et cet écart hystérique, la réalité est d'une loufoquerie achevée et quel dommage qu'il n'existe pas une littérature muette comme il existe un cinéma muet. C'est très dommage, narrativement parlant, tellement ce samedi 24 avril 2004 m'apparaît de bout en bout un « silent film » dans le genre de L'Arroseur arrosé (1895), presque un cartoon, il ne manque que l'accompagnement musical au piano *forte* pour que l'illusion comique soit parfaite et même sans accompagnement musical, je ne peux m'empêcher de rigoler au souvenir du Charlot que j'étais à ce moment-là, faisant les cent pas à la cadence de 16 images/seconde dans ma chambre et grimaçant outrancièrement en regardant d'un œil noir l'appareil téléphonique (un vieux modèle en bakélite noire), oui, je me revois m'approcher et m'écarter du téléphone, m'en approcher encore et m'en écarter de nouveau en lui jetant des regards noirs et apeurés comme s'il était brûlant ou risquait de me mordre et pour signifier l'ampleur du conflit qui m'agite à ce moment-là (*Tu dois rompre avec S ! Courage !*), je me ronge ostensiblement les ongles et je roule les yeux dans mes orbites, je me tape la tête contre un mur, poum poum, et le mur s'écroule dans un nuage de poussière, boum, entraînant à sa suite tous les autres murs de la pièce, badaboum, et la maison tout entière pour finir, tout le château de cartes du monde, braoum. Mais qu'à cela ne tienne ! Au milieu des décombres et du panache de fumée blanche qui m'a transformé en clown blanc, le téléphone trône, noir et luisant et immaculé. Lui n'a rien ! Absolument rien. Inaltérable il est. Et il me nargue et me défie et son hostilité est palpable. Une hostilité velue de mygale ! On le sent vivant et ricanant et, du bout du pied, je le pousse un peu, pour voir sa réaction. Des fois que.

Mais rien ne se produit.

Alors je me décide. Je bombe le torse, je gonfle mes biscoteaux, j'exécute devant la caméra quelques mouvements d'assouplissement, une deux, une deux, histoire de montrer au téléphone qu'il ne me fait pas peur et, ostensiblement, j'examine mes mains comme si je découvrais qu'elles étaient deux, qu'elles étaient mille, qu'elles étaient pleines de doigts et toujours pour endormir la méfiance du téléphone, je salue une petite mésange à bec noir qui passe par là, hello mésange. Mais elle me fiente dessus et tout en essuyant mon veston je sifflote quelques mesures de « C'est une maison bleue » la si la sol fa# et c'est bon. C'est le moment ! D'un coup je me retourne et me jette par surprise sur l'appareil téléphonique qui ne s'y attendait plus. D'un bond je m'affale de tout mon long sur lui et tente d'arracher sauvagement le combiné de sa fourche et pendant un bref instant c'est une lutte acharnée entre nous, c'est Achab contre Moby Dick, c'est Ned Land contre la pieuvre, c'est saint Georges contre le dragon, etc.

Mais le combiné ne cesse de m'échapper comme une truite au bout d'une ligne et il me glisse des mains pire qu'un morceau de savon noir tandis que le fil du téléphone s'entortille autour de moi comme les tentacules d'une hydre géante cherchant à m'étouffer et je me débats comme un fou, je tombe et dérape et patauge en plein dans les gravats et lorsque je parviens enfin à maîtriser le combiné, je me relève fort dignement, j'époussette fort dignement mes vêtements qui sont à présent en lambeaux et, comme si de rien n'était, dans un décor dévasté et le visage tout enfariné, je colle fort dignement le combiné à mon oreille et, après un toussotement fort digne, je compose avec beaucoup de dignité le numéro de S afin d'en finir une bonne fois pour toutes avec elle tandis qu'un carton avertit à l'écran « Adieu S ! ». Et de me jeter aussitôt au sol, les deux mains plaquées sur mes oreilles, les yeux plus que fermés, paré pour l'explosion. Le bruit d'un corps s'écrasant cinq étages plus bas.

Mais pas d'explosion ni de corps éclaté sur le bitume. Pas de S au bout du fil. Argh ! Je tombai sur son répondeur et, d'une voix glaciale, sans presque respirer, je lui laissai un message pour que l'on se voie « au plus vite… euh… bon… voulait-elle bien me rappeler au plus vite… euh, je vous emb… euh… J'attends votre appel ». Clic. Voilà. Ma fusée était lancée. Je venais de tirer son premier étage sur S et il adviendrait maintenant ce qui devait advenir. D'un coup de fil j'avais franchi le pas et déclenché le compte à rebours et ce n'était finalement pas plus sorcier que ça. À moi la liberté ! Vivement que je franchisse la Seine et me retrouve sur l'autre rive du fleuve ! Vivement que je rencontre M ! Car celle-ci ne le sut jamais et, je le dis et le répète, moi-même l'ignorais à ce moment-là, mais je venais de lui sacrifier S. Je venais, *à sa demande informulée*, de lui faire une offrande semblable à celle de M. de Nemours répudiant la princesse à laquelle il était promis après avoir eu ouïe parler de Madame de Clèves, pour une simple *rumeur* lui étant parvenue. En rompant avec S, je ne venais pas seulement de rompre avec elle et avec son monde : je venais de dresser à M un autel pour lui rendre mon culte. J'avais dégagé ma piste pour son atterrissage en douceur, oh mon ange qui pouvait à présent descendre du ciel, oh ma belle qui pouvait enfin paraître et, pure curiosité, j'aimerais savoir si beaucoup d'hommes ont quitté une femme pour une autre qu'il ne connaissait pas encore et dont il ne soupçonnait même pas l'existence, mais dont ils eurent *l'intuition* ? À cause d'une indicible *prémonition*. On pourrait peut-être former un club. Nous réunir tous les 31 juin.

Niveau 15

Ce n'est que le lendemain matin (après une nuit où je dormis curieusement comme un bébé) que je reçus un sms de S. Lequel m'informait qu'il me faudrait attendre si je voulais lui parler, trois points de suspension, fin du message… Et pour qui se prenait-elle ? Bordel ! Dans l'étrange disposition d'esprit qui était la mienne à ce moment-là, j'ai le souvenir très net que certains mots dépassèrent ma pensée tandis qu'une espèce de fureur s'emparait de moi. Je devais rompre avec S et je voulais rompre avec elle *maintenant*, tout de suite, sur-le-champ, tant que j'étais *motivé* ! Pas question d'attendre que Madame m'impose son calendrier. Hors de question de remettre aux calendes ma guerre de libération. Ah non ! Elle n'allait pas encore me faire le coup de la sourde oreille ! Pour qui me prenait-elle ? J'avais des projets et si j'ignorais lesquels, ils ne pouvaient souffrir le moindre contretemps !

À moins que S ne se soit doutée de mon intention de rompre. Mon message sur son répondeur, ma voix glaciale, notre relation qui battait de l'aile : S avait peut-être compris ce qui l'attendait et elle cherchait à gagner du temps. Elle voulait retarder l'heure de vérité et plus tard, bien plus tard, j'appris que S n'était pas à Paris à ce moment-là, mais à Berlin. Elle était à Berlin pour y exposer ses œuvres, ce que j'ignorais et qui, au passage, en dit long sur les liens qui nous unissaient. Ce pourquoi elle disait qu'il me faudrait patienter pour nous voir, trois points de suspension, fin du message.

Ou alors elle avait une aventure, là-bas, à Berlin. Elle avait rencontré quelqu'un.

Si seulement cela pouvait être vrai.

Dans l'état d'exaspération totale qui était le mien à ce moment-là, j'interprétai dans un tout autre sens son message et ainsi les malentendus font-ils l'histoire. Car je ne doutais pas que S faisait la sourde oreille comme elle faisait toujours la sourde oreille dès qu'il s'agissait de moi et un seul exemple ici : dès le début de notre relation elle s'était plu à m'appeler son fiancé en public et elle avait persisté à m'appeler son fiancé en public alors que je lui avais demandé, *alors que je l'avais instamment priée,* de ne pas m'appeler son fiancé en public car je n'étais pas son fiancé, ni en public ni en privé. Nous n'allions pas nous marier, même pas en rêve ! *Même pas en parole !* Étais-je assez clair ? Dans quelle langue fallait-il le lui dire ?

Mais autant parler à un mur. À croire que faire le contraire de ce que je lui demandais l'excitait. À croire que son plaisir s'augmentait de mon déplaisir et c'était peut-être inconscient de sa part, mais S aurait voulu que je la quitte qu'elle ne s'y serait pas prise autrement et voilà qui ouvre certaines perspectives – mais elles ne sont pas les miennes.

Quoi qu'il en soit, je n'étais pas le premier qu'elle appelait son fiancé en public et pourquoi en faisais-je tout un plat, s'étonnait S. Qu'est-ce que cela me coûtait ? Je n'allais pas en mourir et c'est incroyable comme les hommes ont tout le temps peur, se lamentait S. Ce n'était pas la première fois que j'entendais pareil argument massue et profitons-en pour ouvrir de nouveau une petite parenthèse : ce qui est vraiment incroyable, selon moi, d'après mon expérience qui vaut ce qu'elle vaut mais pas moins non plus, c'est le nombre de femmes qui sont persuadées que lorsqu'un homme refuse ceci ou cela, c'est qu'il a peur de ceci ou cela. Pour elles, les mots peur et refus sont des synonymes dès lors qu'il s'agit d'un homme. Pour elles, ce qu'homme refuse, peur le veut et l'homme a beau leur expliquer qu'il refuse ceci ou cela pour des raisons qui n'ont rien à voir avec la peur mais tout à voir avec le fait qu'il n'aime tout simplement pas ceci ou cela, du verbe aimer, j'aime, j'aime pas, elles ne le croient pas. Elles sont *convaincues* du contraire et sans doute ont-elles des raisons personnelles de voir les choses ainsi, mais au lieu de s'en préoccuper et de démêler leur vrai du faux, elles hochent la tête et elles regardent l'homme avec pitié ou elles lui sourient comme on gronde un enfant car toujours les femmes voient l'enfant dans l'homme, même si elles n'ont pas d'enfant et encore plus si elles n'ont pas d'enfant, oui, on les voit prendre leur air de femmes maternellement instruites des mystères de la vie et, en même temps, leur air de femmes supérieurement incomprises depuis la nuit des temps et mieux vaut que je ferme ici la parenthèse car je sens que je vais supérieurement dire des bêtises que je regretterai plus tard.

Niveau 16

Rompre avec S *(suite et fin)*. Je n'aime pas ce que je m'apprête à dire maintenant. Je n'aime pas tout ce que je dis ou fais en général, *très loin s'en faut*, surtout depuis le suicide de Julien, ce serait trop beau si c'était le cas ; mais tant pis. Je le dis quand même : aussitôt après avoir reçu le sms de S, un sentiment de rage me submergea et sans réfléchir, dans un état plus que bizarre, un état second et même tierce, je me précipitai sur mon ordinateur et commençai à taper (le mot est faible) un mail à l'intention de S et M comme mail. Un mail – comment dire ?

Comment font les autres ?

Quel est leur secret pour rompre ?

S'agit-il d'un tabou tellement le silence règne en la matière ? Tellement ne semblent avoir droit à la parole que ceux qui sont quittés et, bref, il s'agissait d'un mail épouvantable. D'un mail *assassin*. Oui. Assassin. C'est le mot. Je n'en vois pas d'autre. Tellement je tapais fort sur les touches du clavier. Cognais comme si chaque touche était un punching-ball. Était une aiguille que j'enfonçais jusqu'à la garde dans une poupée de chiffon à l'effigie de S. Tellement je déchiquetais S avec des mots rasoirs et la saccageais de griefs accumulés depuis ma naissance, lui éjaculais par écrit ses quatre vérités et mon cœur était à ce moment-là un lance-flammes, une masse d'arme, un sous-marin atomique, un boa constrictor. J'étais Ézéchiel chapitre 25 verset 17 devant l'écran de mon ordinateur. J'étais Les Oiseaux d'Hitchcock crevant les yeux de S au clavier. J'étais un Boeing lancé dans les tours jumelles de son monde. J'étais toutes les émeutes du monde renversant d'insupportables conditions d'existence. J'étais Grégoire le Schizophrène pourfendant sa mère-dragon au travers de S dans l'espoir que l'une ou l'autre, *peu importe laquelle*, entende pour une fois ce que j'avais à dire et me rende ma liberté et sorte de mon corps et cesse enfin de me torturer et tout ceci était très exagéré. Très inquiétant. Je ne prétends pas le contraire. J'avais prévenu que M m'avait mis dans un très drôle d'état, un état à ne pas mettre entre toutes les mains.

Que se serait-il passé si j'avais pressé la touche Envoi ? Si, comme les doigts libèrent la corde de l'arc, j'avais décoché mon mail bubonique en plein dans le cœur de S ? Cette pensée me fait sourire aujourd'hui et tu comprendras pourquoi page 586 du Livre 2 (eh oui). Mais je ne le saurai jamais. Car je retins mon geste. Je revois le curseur de la souris s'approcher de la touche Envoi, hésiter, s'arrêter au-dessus d'elle, hésiter – et puis non ! Je ne pouvais pas envoyer ce mail à S. Appelons ça des scrupules. Appelons ça un éclair de lucidité. Appelons ça la conséquence de deux mille ans de chrétienté. Appelons ça un *complot* si je songe aux répercussions. Appelle ça comme tu veux. Il y a, dans le fait de cracher son venin sur le papier, la consumation totale de ce qui nous empoisonne : il n'en reste rien après coup. Ce mail n'était qu'un cri et maintenant que je l'avais poussé, je me sentais mieux. Je me sentais libéré. Plus du tout vindicatif. Au contraire : je me sentais revenu à la raison. Toute colère bue je me sentais. L'esprit apaisé et comme vidé, sexuellement vidé, et j'aurais d'ailleurs volontiers piqué un petit roupillon à cet instant précis.

Mais ce n'était pas le moment de dormir. Je devais d'abord rompre avec S, depuis le temps que je le dis et le répète. Plus que jamais je voulais rompre avec elle. Il fallait battre mon fer tant qu'il était chaud. Si le désir que j'en avais persistait après que j'en eus épuisé l'humeur noire, c'est que c'était du sérieux. Ce n'était pas une simple question d'affect. Ce n'était plus négociable. J'y voyais clair à présent. Je ne voulais pas que pourrisse en moi la résolution que j'avais prise et qu'au fil des minutes, des heures et des jours ma décision de rompre s'effiloche et se dissolve et finisse par n'être qu'un simple état d'âme passager, un accès de fièvre momentané dont j'aurais guéri après une bonne suée et combien de problèmes ne sont jamais réglés à force d'être remis au lendemain ? Je n'étais pas guéri. Il ne s'agissait pas d'un feu de paille. Il ne s'agissait pas d'une *dispute*. Au contraire. Je commençais tout juste d'être malade (M comme miasme) et, effaçant le mail que je venais d'écrire (Ctrl A + Suppr), j'en rédigeai aussitôt un autre qui n'avait rien à voir, d'une tonalité tout à fait différente celui-là, en me mettant cette fois dans la perspective de S et non plus dans ma perspective à moi, en y voyant clair à présent, en contrôlant tout à fait mes affects, un peu comme Flaubert lorsqu'il eut le bonheur de se rendre pour la première fois chez le Grand Amour De Sa Vie : il s'arrêta en chemin au bordel pour s'éviter par la suite l'embarras de débordements intempestifs, on n'est jamais trop délicat ni trop prudent.

Quoi qu'il en soit, c'est en pianotant cette fois sans effort sur les touches du clavier, en y mettant l'application d'un écolier, que j'exposai mon intention de rompre et, un mot en entraînant un autre, que je tricotai une belle lettre de rupture, dans laquelle j'avançais les raisons qui me poussaient à prendre cette cruelle décision et que ces raisons soient parfaitement artificielles, fallacieuses de bout en bout, m'allaient très bien. C'était le mieux que je pouvais inventer dans ma situation. Si je ne pouvais pas dire la vérité qui était la mienne, je pouvais au moins écrire un mensonge que S prendrait pour argent comptant. C'était, pour mon profit, un geste que je pouvais faire dans sa direction. Exactement comme j'avais poussé l'armée française à me virer de ses rangs. Idem avec Madame Radio. Aussi intelligente fût-elle, S ne se douterait pas du stratagème. J'en étais certain. Elle ne m'aimait pas assez. Je comptais là-dessus. Je revenais à ce que je savais faire le mieux lorsque je voulais m'en aller : convaincre l'autre que c'était lui qui faisait la bonne affaire. On ne change pas une équipe qui gagne. Tout nous ramène tout le temps à nos sentiers battus.

Ainsi n'y allais-je pas de main morte pour me montrer sous un jour pitoyable, empêtré de médiocrité, assurant S de mon affection (sincère) et, la phrase suivante, lui révélant que je voyais maintenant d'autres filles – ce qui était faux mais néanmoins prémonitoire. Ce qu'elle ne supporterait évidemment pas et ne pourrait pas supporter – pas elle ! Elle valait mieux que ça, je valais mieux que ça, nous valions mieux que ça, blablabla. À me montrer si tortueux, S serait cueillie à froid. Elle ne pourrait plus faire la sourde oreille. Elle verrait que je n'étais pas digne de l'intérêt qu'elle me portait. Un sentiment de mépris lui viendrait, bien préférable selon moi au chagrin. Elle me rejetterait plutôt que de se jeter par fenêtre. Elle me ficherait la paix. Elle croirait ce qu'elle lirait, malgré ce qu'elle savait de moi ; elle goberait tout, parce que cela *l'arrangerait*. J'étais prêt à en prendre le pari. Tout cet arsenal aurait pour effet de forcer sa décision dans le sens qui me convenait le plus.

Elle serait dégoûtée, elle serait terriblement en colère contre moi, mais elle recevrait cinq sur cinq le message et je n'en demandais pas davantage.

Elle penserait que c'était elle qui faisait la bonne opération.

Niveau 17

Cela me rappelle une histoire. Me rappelle un type. À la sortie d'un bar. Il faisait nuit. Il faisait froid. Le type était un peu éméché. Un peu énervé. Un peu le genre Jack Bauer, si tu vois ce que je veux dire. Bref. Ce type aperçoit un peu plus loin un frère humain qui, à quatre pattes, furète de droite et de gauche au pied d'un réverbère. Le frère humain est correctement habillé, ce n'est pas un SDF ni un pouilleux qui pourrait causer des embrouilles, il ne vomit pas non plus dans le caniveau, non, il paraît normal, quoi que ce mot suggère. Bref. Le type s'approche. – Excusez-moi, vous avez perdu quelque chose ? – Mes clés, j'ai perdu mes clés, répond l'autre sans lever la tête. – C'est moche. Je sais ce que c'est. Un jour j'ai perdu les miennes et je ne vous raconte pas l'angoisse ! Se retrouver à la porte de chez soi, cela m'a vraiment fichu la trouille. Ne plus pouvoir rentrer chez soi, c'est pire que tout. On se sent perdu. On se trouve littéralement hors de soi et on se dit qu'on ne pourra plus jamais réintégrer ses pénates. On découvre qu'on pourrait errer toute sa vie, sans fin, à quoi tient la confiance ? Hic.

J'ai encore dans l'oreille mon papi faisant hic pour imiter le type éméché sortant du bar lorsqu'il raconta cette histoire à la table familiale un autre été que je passais chez lui et je crus tout d'abord qu'il s'agissait d'une histoire vraie. D'une histoire qui était réellement arrivée à mon papi, oui, je songeais en l'écoutant que mon papi était le type bourré qui sortait du bar mais qu'il n'osait pas l'avouer devant son petit-fils et encore moins devant mamie (qui n'était pas commode, ma pauvre maman en sait quelque chose, ma pauvre maman a été complètement détruite par sa propre mère et elle ne s'en est jamais remise, elle est tombée de très haut avec sa mère, d'une hauteur d'à peu près cinq étages) et ainsi naissent les fictions, censure oblige ; avant de découvrir qu'il s'agissait d'une histoire drôle (mais je ne fais pas toujours la différence tellement la vie ressemble à une plaisanterie). Il s'agissait d'une de ces blagues qu'on raconte aux repas, justement, et je ne doute pas que certains l'ont déjà entendue et tant pis pour eux. Car je ne connais pas d'autres histoires drôles que celle-ci. Je n'ai aucune mémoire en ce qui concerne les histoires drôles et, de toute façon, je n'ai aucun talent pour raconter les histoires drôles, que ce soit à table ou ailleurs, la preuve. Je suis sinistre dès qu'il s'agit de faire marrer les gens avec des blagues et j'évite systématiquement de raconter la moindre plaisanterie en public tellement je ne fais rire personne et ne parlons pas de prendre l'accent belge ou d'imiter Bamboula car c'est encore pire. C'est un supplice. Cela devient chez moi du racisme pur et simple et, en tous les cas, de toutes les histoires drôles que j'ai entendues dans ma vie (et dieu sait si), l'histoire drôle de mon papi est la seule que j'aie jamais retenue. La seule qui se soit gravée en moi et la seule qu'il m'arrive, poussé dans mes retranchements, de raconter lorsqu'il s'agit pour moi de prouver que je fais malgré tout partie de la Communauté. Elle est *mon* histoire drôle. L'histoire drôle qui m'était destinée. Celle qui parle pour moi et qui parle de moi comme, me semble-t-il, chacun connaît une histoire drôle qu'il a mémorisée à l'insu de son plein gré et ce n'est jamais n'importe quelle histoire drôle. Ce n'est pas un hasard.

Ce n'est pas un hasard si Patricia, pour prendre quelqu'un de célèbre, me raconta dans un autre moment d'accalmie l'histoire de l'autruche qui, poursuivie par un lion et tout près d'être rattrapée et dévorée, s'enfonce tout à coup la tête dans le sable et ouf ! La voici sauvée ! Le lion doit maintenant se demander où elle est passée et quel crétin ce lion ! Ta race le lion – et cette blague faisait mourir de rire Patricia. Elle ne pouvait s'empêcher de s'esclaffer en la racontant et, me la racontant de nouveau à l'envers comme si je n'avais pas compris ce qu'il y avait de drôle dans cette histoire, de se tenir les côtes à l'idée de cette conne d'autruche qui se croit invisible lorsqu'elle se voile la face et qui s'imagine qu'il suffit de ne plus voir le danger pour lui échapper et le plus drôle, dixit Patricia pliée en quatre sur le lit et terriblement désirable à ce moment-là, magnifiquement obscène à se gondoler toute nue devant moi et m'apparaissant d'autant plus érotique qu'elle n'avait aucunement conscience de m'offrir le spectacle de son corps dans toute sa splendeur hilare, le plus drôle, pouffait Patricia, c'est que cette conne d'autruche offre son cul au lion, ha ha ha, elle offre son cul alors qu'elle croit garer ses miches et on ne peut pas faire plus débile et c'était Patricia toute crachée. C'était elle l'autruche et *elle le savait*. Et moi le lion qui était trop con pour ne plus la voir lorsqu'elle me montrait son cul ?

En tout cas, elle se reconnaissait tout entière dans l'autruche, ce pourquoi cette blague la faisait tellement rire. Offrir son cul pour échapper à la réalité était son problème dans la vie, dixit Patricia les larmes aux yeux tandis que, riant moi-même aux éclats mais vibrionnant en réalité de convoitise et d'intentions perverses, je m'approchai d'elle et l'enlaçai et commençai à la chatouiller et à la mordiller et à la peloter tout partout afin qu'elle rie d'encore plus belle. Qu'elle rie toujours plus. Devienne tout entière rire à ma merci et un geste en entraînant un autre le plus naturellement du monde, le plus perfidement en fait, à la faveur de la situation, avant que Patricia ne réalise ce que je fabriquais et puisse s'en offusquer, avançant à pas de loup dans l'hilarité qui la secouait et priant pour que celle-ci se prolonge le plus longtemps possible, je me revois rugir à ses oreilles comme si j'étais le lion de sa blague et, profitant de cette diversion auditive, je revois ma main se frayer un chemin vers son ventre pour se mettre à exciter le grand sourire qui ruisselait entre ses cuisses tandis que, définitivement crapule, je pressais de mon autre main ses seins, puis sa gorge, puis la masse de ses cheveux, puis sa nuque que je ployai alors et amenai à se pencher jusqu'à ce que, ô surprise, ô le gros lion, Patricia se retrouve nez à nez avec la partie redevenue gaillarde de mon anatomie, afin qu'elle l'enfourne tout entière dans son rire, ô béatitude, dans son rire l'enfourne jusqu'à la garde, moi coulissant jovialement, happé par la jubilation, vaporisé de bonheur, là où je voulais en venir depuis le début, et rebelote alors follement entre nous, rebelote dans la joie la plus réjouie et dans la chaleur la plus animale, quand bien même je savais très bien à ce moment-là que Patricia cherchait à me faire passer un message sous couvert de franche rigolade et justement parce que j'avais saisis le message, je l'avais parfaitement mémorisé, la preuve.

Niveau 18

Ce que je veux dire, c'est qu'il appartient à chacun de connaître la blague qui est la sienne. D'en apprécier le tragique au cœur du rire et voici un conseil que je donne à tous ceux qui tiennent en réserve une histoire drôle en particulier. Que je donne comme ça, en passant, gratos, puisque la littérature peut aussi servir à aider son prochain. Sachant que cela vaut aussi pour les sociétés si l'on songe que, dans les années 30, de nouvelles plaisanteries se répandirent soudain en Allemagne comme un seul homme à petite moustache et il ne s'agissait pas de n'importe quelles nouvelles plaisanteries et de quoi rit-on aujourd'hui ? De tout ? Aïe. De quoi ne peut-on pas rire alors ? De rien ? Aïe.

Mais loin de moi l'idée d'empêcher quiconque de rigoler. D'autant que, le voudrais-je, mes pouvoirs ne vont pas jusque-là. Mais puisque je n'ambitionne nullement d'interdire quoi que ce soit et encore moins quiconque de rigoler, tout va bien. Tout va pour le mieux. Ceci dit, je me demande ce que le type du bar aurait fait si, dans la rue, il était tombé sur une autruche la tête plantée dans le bitume et, à côté, se grattant la crinière, un lion se demandant où sont passées ses clés et quel crétin ce lion, ta race le lion ; mais l'histoire ne le dit pas.

Ce qu'elle dit en revanche, c'est que le type du bar se met à scruter le sol tout autour du réverbère dans l'espoir d'apercevoir les fameuses clés qu'a perdues l'autre gars et peu importent les raisons qu'il a de jouer à ce moment-là les bons Samaritains, on s'en fiche, il ne faut pas trop en demander aux histoires drôles. Disons qu'en plus de ressusciter brièvement en lui un pur sentiment d'humanité, il aimerait retrouver les clés, quand bien même elles ne sont pas les siennes car cela le soulagerait d'avoir perdu sa femme, cela lui donnerait l'illusion de la retrouver et de remettre la main dessus. Disons qu'il voudrait les retrouver *le premier* afin de les rendre triomphalement à leur propriétaire et, prenant un air modeste, éprouver ce sentiment de victoire que l'existence nous refuse ordinairement mais que les plus démunis d'entre nous se font un plaisir d'offrir à ceux qui sont encore plus démunis car il faut bien que les plus démunis servent à quelque chose, dixit cette fois mon papi qui ne mâchait jamais ses mots à table et ne se gênait pas non plus pour broder ici et là lorsqu'il racontait une histoire, fût-elle drôle.

Sauf que le type du bar ne trouve pas les clés. Rien à faire. Lui aussi fait chou blanc. Et de devoir s'avouer vaincu l'énerve et l'angoisse ; de constater qu'il perd son temps et qu'il ne récupérera jamais sa femme et qu'il salit en plus son pantalon achève de l'exaspérer, oui, il s'effraie soudain de sentir combien la vulnérabilité de l'autre l'oblige maintenant à dévoiler sa propre vulnérabilité et l'entraîne inexorablement vers le fond quand il voulait tirer l'autre vers le haut. Il entrevoit le piège dans lequel il s'est fourré et dont il lui faut maintenant se tirer au plus vite et sans dissimuler son agacement, il se tourne vers le plus démuni que lui comme s'il allait le mordre : « Dites donc, l'ami (*ami mon cul !*), vos clés, vous les avez perdues où exactement ? – Oh, là-bas, rétorque l'autre, comme s'il énonçait une évidence. Ce disant, il désigne un vague endroit de la nuit situé de l'autre côté de la rue. – Vous vous fichez de moi ? se redresse d'un bond notre Samaritain qui, à cet instant précis, ne se sent plus du tout charitable. – Mais non s'entend-il répondre. Ne vous fâchez pas, se récrie l'autre d'une voix presque offensée (ou suave, ou glaciale, ou ingénue, ou perverse, c'est comme on préfère, l'histoire ne précise pas ce point de détail et c'est regrettable tellement le sens de l'histoire dépend finalement de cette intonation). Mais non, proteste donc le type. C'est juste qu'il y a de la lumière ici et vous comprenez, avait triomphé mon papi : *Il y a de la lumière ici !* Ah ah ah. Elle n'est pas bonne celle-là ? » Et tout le monde de s'esclaffer gentiment autour de la table. Ah ah. Très drôle, papi ! Bon, à table maintenant ! Ça va refroidir !

Moi, j'étais resté plutôt ahuri. Quelle blague débile, avais-je songé. Quelle blague pourrie nullos, avait décrété le gamin que j'étais, à la fois déçu et incrédule de voir les adultes sourire d'un air entendu comme s'ils avaient pigé un truc super-malin qui lui aurait échappé – mais quoi ? Avant de se rendre compte au moment du dessert, comme si les mots devaient tourner sept fois leur langue dans nos têtes avant de faire tilt, que la morale de cette histoire (*la morale de l'histoire !*), c'est que nous cherchons dans la lumière ce que nous avons perdu dans le noir (souligné trente fois). Toujours nous cherchons dans la lumière ce que nous avons perdu dans l'obscurité et toujours nous cherchons ici ou là ce que nous avons de toute façon perdu ailleurs et cela signifie que nous ne cherchons jamais au bon endroit et cela explique pourquoi nous ne retrouvons jamais ce que nous avons perdu et je ne déroge pas à la règle. Sacré papi.

Niveau 19

Cela fait du bien de rigoler un peu. J'aimerais que cela m'arrive plus souvent. Cela permet de faire passer le temps et ce n'est pas du luxe. Car une heure, dix heures, vingt-quatre heures, trois jours, une semaine, deux semaines j'attendis que S se manifeste après que je lui eus envoyé mon mail de rupture. Mais rien. Nada. Nenio pour le dire en espéranto.

Dans mon esprit, S allait pourtant se manifester. Elle *devait* se manifester. Ce n'était pas possible autrement. C'était prévu et je me tenais prêt. Je comptais plus ou moins les heures comme on compte les secondes qui séparent l'éclair du tonnerre pour savoir à quelle distance se trouve l'orage. Mon mail était l'hameçon et non le harpon et ce silence était incompréhensible. Déroutant. Perfide. Inquiétant. S s'était-elle suicidée ? Oh non ! Du calme ! Respire, me disais-je ! Le pire n'est pas toujours certain et je n'étais pas le seul à être dans son collimateur ; je n'étais pas son seul chat à fouetter ; sur d'autres il lui arrivait aussi de jeter ses anathèmes et je ne pouvais pas tout le temps provoquer des suicides autour de moi. Alors quoi ? D'où ce silence ? Personne ne se fait plaquer du jour au lendemain par écrit sans exiger des explications en face. Sans forcer l'autre à soutenir son regard et à se justifier de vive voix. Sans tenter de le retenir, ne serait-ce que pour la forme. Ne serait-ce que pour pleurer devant lui. Ne serait-ce que pour le contraindre à voir le mal qu'il cause et qu'il ne s'en sorte pas aussi facilement. Ne serait-ce que pour s'assurer que les morceaux ne peuvent pas être recollés. Ne serait-ce que pour accuser réception, ce serait la moindre des politesses. Non, personne qui aime et souffre ne peut se satisfaire d'un *mail* !

Mais rien. Pas un signe de S. Nul mail ou coup de fil ou lettre d'injures ou trempée de larmes. Rien. Au point que je doutais qu'elle eût reçu le message ; mais elle m'eût contacté à son retour de Berlin (*Hello ! Comment allez-vous, cher fiancé ? Devinez ce qui vient de m'arriver : c'était extravagant !*). Et on m'aurait prévenu si elle était morte. Je l'aurais appris. Sinon par la bande, du moins par les journaux. Non. S était en vie. *Il le fallait.* Bon dieu. Réfléchis, tentais-je de me calmer. Cesse de dramatiser, m'exhortais-je. Rationalise ! S n'est pas ta mère, me persuadais-je. Son silence est juste un silence. Ce silence est ta punition. Il est ses représailles. S est trop fière pour s'abaisser à te retenir. Son orgueil a pris les commandes, *ton plan a parfaitement réussi* et ne va pas maintenant l'appeler au prétexte de savoir comment elle va, juste pour apaiser ta conscience. Ne gâche pas tout. Ne *renoue* pas. Surtout pas. Assume la part qui te revient en homme qui sait le chagrin qu'il cause. Ce silence est sa réponse et il lui appartient et il est tout à son honneur. Mais oui ! S ne veut pas salir l'histoire qui a été la nôtre. Elle veut préserver son souvenir en évitant une confrontation qui piétinerait tout ce qui a eu lieu entre nous comme c'est généralement le cas dans pareille situation et quelle femme exceptionnelle, m'extasiais-je. Pourquoi diable avais-je rompu avec elle ! Je ne le savais plus soudain. J'étais en plein doute à cause de son foutu silence et, sournoisement, la nostalgie de son sourire talmudique et de ses yeux rieurs m'envahissait. J'éprouvais malgré moi le retour de flamme du sourire talmudique de S et de ses yeux rieurs comme si, à la lumière du silence de S, ils étaient de nouveau la partie valant pour le tout. D'un coup je mesurais ce que j'avais jeté aux orties et quel imbécile j'étais ! Quel chiot débile ! Quelle erreur insensée de ma part. J'avais tout gâché. J'avais lâché la proie pour l'ombre et on ne quitte pas une femme qui demeure aussi digne dans l'adversité. Qui sait encaisser les coups sans broncher. Refuse de se plaindre et de se venger et d'étaler sa misère. N'en fait pas tout un drame ni ne se jette immédiatement par la fenêtre. Une femme qui *comprend* la nature injuste et périssable de l'amour et qui *accepte* la nature injuste et périssable de l'amour et ce n'était pas demain la veille que je retrouverais une femme avec un si grand F.

En attendant, le sort en était jeté ! À moi la liberté. À moi l'innocence de l'avenir. Place à M.

PLACE À M !

Enfin !

Pas trop tôt.

PARTIE VI

> « Le monde s'annonce comme une immense
> accumulation de bonheurs. »
> NICOLE CAVER, *Écrits du frigo, vol. 1.*

Niveau 1

M.

Celle que j'appelle M et que j'ai toujours appelée M dans mes petits carnets, depuis notre toute première rencontre, il n'y a pas de raison pour que cela change.

Qui n'aura d'autre nom ici que M parce que cette treizième lettre de l'alphabet, pile la lettre du milieu, comme si M coupait le monde en deux, ou bien la poire. Qui a toujours été pour moi l'initiale de quelque chose d'impossible à formuler et qu'il me faut pourtant parvenir à formuler. Que je me dois de. À supposer que j'en sois capable. Je veux dire : parler de *M* et non *parler* de M. Je me comprends quand je dis ça. C'est une nuance qui fait toute la différence. Marque une frontière. Ouvre un gouffre. Me torture.

Parler de M : ça je peux faire ; ça c'est facile ; tout le monde en est capable à son niveau individuel des choses qu'il projette sur autrui et, pour autant que je peux le constater, personne ne s'en prive ; chacun parle de soi au travers des autres, tout le monde instrumentalise tout le monde et cette belle unanimité fait croire qu'on aurait tort de se gêner. Poubelle est le nom de l'autre, dépotoir, fosse psychique, cela se constate partout. Toute ma vie les gens m'ont amalgamé à eux, plaqué leurs trucs et leurs machins sur le front en prétendant que c'était moi, en prétendant que c'était eux, en disant qu'eux et moi c'était du pareil au même, oui, d'aussi loin que je me le rappelle j'ai été englué des pieds jusqu'à la tête, agoni de reproches ou de compliments qui ne me concernaient pas le moins du monde, taxé de tout et de n'importe quoi par ceux-là même qui ne veulent pas savoir que c'est celui qui dit qui y est – car c'est toujours celui qui dit qui y est.

C'EST TOUJOURS CELUI QUI DIT QUI Y EST.

Rien n'a changé depuis l'école maternelle.

Au contraire.

La projection de soi est ce qui se fait passer le plus universellement pour le souci de l'autre et voici pourquoi parler de soi m'apparaît, à la réflexion, l'attitude la moins narcissique qui se puisse être, l'attitude la plus immédiatement respectueuse d'autrui, celle qui, à la réflexion, *lui nuit le moins*. C'est seulement lorsqu'on s'est vu soi-même qu'on peut espérer voir l'autre. À tout le moins percevoir sa présence et ne pas la confondre avec notre ombre. Enfin bref.

Niveau 2

Parler de M, voilà la vraie paire de manches. Ne pas nier la distance qui me sépare d'elle, voilà l'effort. Aller vers elle au lieu de la ramener à moi, tel est mon défi. Que j'ai essayé de relever. Bien sûr. *Of course.* Cela fait dix ans que je n'arrête pas d'essayer. Dix ans que je ne compte plus les fois où je me suis installé devant l'écran de mon ordinateur – en vain. Même devant une feuille de papier je n'arrive pas à parler de M (car il y a des sentiments qui ne supportent pas d'être *tapés* sur un clavier). Même tout nu, pour me dépouiller au maximum, ou en me branlant pour faire jaillir la lumière (mais je ne suis parvenu qu'à prendre froid et à souiller du Sopalin). Même en écrivant debout devant un lutrin ou, au contraire, couché sur mon lit, ça ne marche pas. Rien à faire. Je continue de *parler* de M. Je dégomme la mésange quand je vise la bouteille. Je vois un animal fabuleux là où il n'y a peut-être qu'une paroi vide et anonyme.

Changer de position pour écrire devrait pourtant changer l'écriture, me disais-je. Ne plus être assis, ne plus être un homme assis et *ne plus m'asseoir sur rien*, oui, cela doit libérer quelque chose, me disais-je. Pourrait faire sauter le verrou. Comme Jackson Pollock parvint à dire ce qu'il avait à dire le jour où il posa sa toile au sol. Le jour où, refusant le traditionnel face-à-face, la sempiternelle confrontation en miroir, il se mit à peindre au-dessus de la toile, *penché sur elle*. Macache ! Encore une fois raté. Encore et toujours je ne fais que *parler* de M. Quoi que je fasse ou tente je ne parviens qu'à frôler son ombre. L'ombre de sa main. L'ombre de son chien. C'est toujours moi qui y suis et non M.

L'idéal serait de me taire. De ne rien dire du tout. Laisser parler le silence. Je ne le sais que trop. J'ai tenu bon dix années durant. Ou alors de me mettre en quatre. Comme Luc, Jean, Matthieu et Marc s'unirent pour parler de J.-C. Pour dire qu'il n'était pas possible de parler de J.-C., sinon en l'abordant de tous les points de vue à la fois, en l'attaquant sur tous les fronts, en *réfutant* l'idée que les mots pourraient le saisir une fois pour toutes et qui a été plus perspicace depuis deux mille ans ? Plus conscient de la difficulté ?

Ou bien Dante (toutes proportions gardées, bien évidemment). Après la mort de sa Béatrice, il prit, je cite, « la ferme résolution de ne rien dire de [sa] *Bienheureuse*, jusqu'à ce que je pusse parler tout à fait dignement d'Elle ; aussi, j'espère dire à son sujet ce qui jamais n'a encore été dit d'une autre » ; avant d'en convenir : « Dussé-je en son honneur réunir dans mes vers / Tout ce que j'ai dit d'elle en mille chants divers / Je resterais encore impuissant à la peindre. »

Si même Dante...

Pourtant, il faut que je parle de M. D'une manière ou d'une autre il le faut. Même si mes mots ne rencontrent que le vide et que moi seul y suis. Même plié en quatre. Même la langue usée et râpeuse et morte et bifide. Ne serait-ce que pour me relancer dans l'existence. Me donner un peu d'air. Passer le temps. Faire de la place en moi. Un peu le vide. Et pour Julien. Qu'il sache enfin ! Où qu'il soit. Si tant est qu'il soit quelque part rien n'est moins sûr. Le rôle que joua M dans son suicide sans qu'il s'en doute. Sans qu'elle-même s'en doute. Mais basta ! Assez de préliminaires. On verra bien. Ce sera comme ce sera. On est prévenu. Tiens-le-toi pour dit. M comme Maintenant. Il est temps. Plus que. Puisque le grand ménage est fait. Que j'ai balayé devant ma porte, tout détartré. Me suis montré sous mes dehors les moins sympathiques. Ai tout raconté : d'où je viens, qui je suis et pour qui je me prends. Le *contexte* dans son intégralité. Maintenant que plus rien ne s'oppose à son entrée en scène. Plus rien ni personne et M comme le clou de mon spectacle. Il fallait au moins ça pour arriver jusqu'à elle. Me débarrasser de tous mes antécédents pour qu'elle accède au jour, m'apparaisse enfin, vienne à moi comme la chance arrive un jour. Oui, il fallait tout ça pour la *mériter*. Cela a pris un peu de temps, désolé, mille excuses, mais je devais d'abord ôter toute ma merdre au cul. Je voulais que tu saches. Ne rien te cacher. Que tu prennes la mesure. Du temps que cela prit. Pour rencontrer quelqu'un comme elle. Des atermoiements dans tous les sens. Crois-tu que les choses arrivent comme ça, d'un claquement de doigts ? Abracadabra ? Change de lectures ! Les choses viennent de très très loin. Épineux est le chemin. À l'aveuglette la route. Rien n'est donné. Rien n'est facile. Le bonheur dépend de certaines conditions qu'il nous appartient d'inventer. Il faut d'abord y mettre un peu du sien. Arracher un peu son masque. Sauter la grille et quitter son monde. Faute de quoi rien n'advient et, à Montégut, nul bœuf n'a l'idée de s'arrêter subitement d'avancer. À Capullet non plus. Tu voulais savoir ? Tu sais maintenant.

Niveau 3

M.

La lettre M.

M comme quoi ?

Comme le vin qui fait découvrir le vin.

Je ne peux pas mieux dire.

Un jour, on boit un vin qui fait découvrir le vin.
On avait déjà bu du vin ; on en appréciait certains et moins d'autres ; on n'avait rien bu.

On le découvre ce jour-là.

Ce jour-là, un vin nous fait découvrir le vin et c'est inoubliable. C'est une révélation pour la vie. On se rappelle ce vin toute sa vie. On garde son goût intact. Il devient notre goût. Son nom et son millésime sont maintenant les nôtres. C'est une expérience fondamentale à notre niveau individuel des choses. Ce vin nous a ouvert les portes d'un monde que nous ne soupçonnions pas. Il nous a ouvert les portes d'un paradis sur terre. Ce vin n'est pas simplement du vin : il est le vin qui fait découvrir le vin. Il est l'éternité allée, avec sa robe, sa longueur en bouche, ses arômes, ses notes, son corps, son âme. Il est désormais notre étalon. Notre barre la plus haute. Un secret nous a été révélé et nous mourrons en emportant avec nous la saveur de ce vin qui nous fit découvrir le vin. Ou ne mourrons jamais.

Un jour, on mange une huître qui fait aimer les huîtres. Enfant, on n'aimait pas les huîtres. On n'aimait ni leur goût ni leur aspect. C'était visqueux, c'était *vivant*. On pensait, comme Jonathan Swift, qu'il était bien hardi le premier qui avait osé manger une huître. Il était fou. Il devait sacrément crever la dalle. Ou on l'avait forcé. Et voici qu'une huître nous fait aimer les huîtres. C'est une illumination. On est envahi. On ne s'en lasse plus. On a l'impression de n'avoir jamais rien mangé d'aussi bon. On ne comprend pas comment on pouvait ne pas aimer les huîtres. Que nous est-il arrivé ? On ne le sait pas. C'est un mystère.

Un jour, on lit un livre qui fait découvrir la littérature. On entend une musique qui fait découvrir la musique. On voit un tableau qui fait découvrir la peinture. On assiste à une corrida qui fait découvrir la corrida. On aime un être qui nous fait découvrir l'amour et, dans mon cas, ce fut M.

J'avais aimé auparavant ; mais c'était auparavant. Je n'avais rien vu de l'amour. Je n'imaginais même pas. Je parlais sans savoir.

D'où vient ce vin qui fait découvrir le vin ?

Pourquoi celui-ci et pas un autre ?

Qu'a-t-il d'unique ?

Qu'exige-t-il de nous ?

M comme – quoi ?

Niveau 4

M comme MacGraw. Ali de son prénom. Actrice américaine. Née en 1938. D'un père irlandais et violent et d'une mère juive et professeur de danse. Révélée en 1970 par le film Love Story, qui fut le plus grand succès cinématographique de l'année 1971 et l'une des romances les plus imparablement hollywoodiennes. L'histoire, dixit le site Allociné.com, est celle d'un « jeune homme (Oliver Barrett) issu d'une famille aisée, étudiant en droit à Harvard, qui rencontre une jeune fille (Jennifer Cavalleri) à la bibliothèque où elle travaille pour payer ses études. Malgré le fait qu'ils appartiennent à des classes sociales différentes, leur amour devient plus fort que tout mais sera soumis aux épreuves de la vie... » Les trois points de suspension sont du site Allociné.com. De même l'expression « épreuves de la vie » et elle a bon dos la vie.

À la fin du film, la réplique « L'amour, c'est n'avoir jamais à dire qu'on est désolé » a été élevée par l'American Film Institute au rang de treizième citation la plus célèbre du cinéma américain. Juste derrière « J'aime l'odeur du napalm au petit matin » (Apocalypse Now, 1979) ; mais avant « L'étoffe dont sont faits les rêves » (Le Faucon maltais, 1941) ; à ne pas confondre avec La Tempête, de Shakespeare (1611), où il est dit au début de l'acte IV que « Nous sommes de l'étoffe dont sont faits les rêves / et notre petite vie est entourée de sommeil »). Quant à la musique de Love Story, signée Francis Lai, elle reçut un oscar qui n'était pas volé.

Avant Love Story, Ali MacGraw avait tourné en 1969 un premier film : Goodbye Columbus, adaptation d'une nouvelle de Philip Roth. Il y avait pire comme choix. L'histoire, dixit cette fois le site Wikipédia (le site Allociné.com n'affiche aucun synopsis) est celle de « Neil Klugman, un homme d'une grande intelligence (sic), issu de la classe ouvrière et vétéran de l'armée, diplômé de l'université Rutgers, qui gagne sa vie en tant que commis de bibliothèque. Il tombe amoureux de Brenda Patimkin, une riche étudiante du Radcliffe College, en vacances pour l'été. La différence de classe sociale sera un obstacle dans leur amour ». Sans points de suspension. Les « épreuves de la vie » sont ici plus explicites.

Entre 1969 et 1971, Ali a donc changé de classe sociale, mais Marx se dresse toujours sur son chemin. Entrave ses amours. Menace son bonheur. À l'époque, le cinéma américain confrontait l'amour à la société. Les films avaient des trucs à *défendre*. C'était avant Dallas. Les scénaristes affectionnaient aussi les bibliothèques, comme si c'était le lieu où Cupidon s'en fiche le moins. Que l'on songe à Falling in Love, à Coup de foudre à Notting Hill, à The Shop Around the Corner, à Le ciel peut attendre, etc. Pour ma part, j'aime l'idée qu'il puisse s'agir de la même bibliothèque dans Goodbye Columbus et Love Story, comme si, pour une fois, deux films parvenaient à tisser entre eux une continuité au lieu d'obliger le spectateur à combler les trous et, par exemple, moi qui adore Al Pacino, quel choc de découvrir qu'il était devenu un minable petit gangster dans Une après-midi de chien alors que moins d'un an auparavant je l'avais vu – de mes yeux vu ! – devenir le chef de la Mafia dans Le Parrain 2 ? Pareille déchéance en moins d'un an… C'était à n'y rien comprendre. Sauf à nous prendre pour des imbéciles. Sauf à faire personnellement l'effort de renier ce que l'on sait avoir vu – de ses yeux vu ! – et qui peut dire si cette abjuration en son for, quasiment une apostasie de soi-même, ne provoque pas certains dégâts dans la conscience en l'habituant *à ne plus jamais* en croire ses yeux ni à chercher de fil qui tienne entre deux histoires ou de cohérence chez les individus ? Quoi qu'il en soit, à mon petit niveau individuel, je me dis qu'il aurait suffi, dans cette fichue bibliothèque, que Jennifer rencontrât Neil plutôt que Oliver et que celui-ci tombât amoureux de Brenda au lieu de Jennifer pour que je n'en sois pas là où j'en suis aujourd'hui, ni Julien six pieds sous terre.

Niveau 5

Je n'ai pas vu Goodbye Columbus, que personne ne se rappelle d'ailleurs et, en tous les cas, personne de ma connaissance. Je n'ai pas vu non plus Love Story. Ni à l'époque ni par la suite. Mais j'ai vu The Getaway, en 1972, à sa sortie en salle, sur les Champs-Élysées.

Guet-apens en français.

Le troisième et quasiment dernier film que tourna Ali MacGraw, aussitôt après Love Story. Réalisé par Sam Peckinpah. Musique de Quincy Jones. D'après un roman éponyme de Jim Thompson, dont il ne reste quasiment rien à l'écran, et surtout pas la « noirceur », ce gros mot que Hollywood craint de montrer à l'écran. Jim Thompson. L'homme qui crut que la littérature pouvait sauver son homme : pour réunir l'argent qui permettrait à son père gravement malade d'être hospitalisé, le jeune Thompson se mit à écrire des nouvelles comme une course contre la montre et le jour où un éditeur accepta enfin de publier l'une de ses histoires et lui envoya le chèque tant espéré, son père décédait pile à ce moment-là. Bienvenue au club ! Bonjour le guet-apens. Voici la noirceur de la vie telle qu'elle doit rester à Hollywood une affaire strictement privée. Qui sait ce qui se passerait si la vérité venait à éclater sur *grand* écran ? Si on filmait scrupuleusement combien la réalité dépasse la fiction.

The Getaway. Histoire revue et corrigée, donc, par un certain Walter Hill, « connu pour ses films d'action aux allures de western ». L'histoire ne présente strictement aucun intérêt. « À sa sortie de prison, le détenu Doc McCoy doit réaliser le hold-up d'une banque pour le compte de Jack Benyon. Après avoir abattu son complice Rudy Butler qui avait tenté de le tuer, il s'enfuit avec sa femme (Carol) et l'argent volé à travers les États-Unis. » Dixit le site Allociné.com qui, pour quiconque a vu le film, ferait mieux de la boucler : en réalité (si j'ose dire), Doc ne parvient à tuer Butler que dans la fusillade finale, violente et lyrique, genre guerre du Vietnam reconstituée dans un hôtel miteux situé à la lisière du Mexique, avec embuscades à chaque coin de porte, ennemis tapis dans les couloirs, traquenards à tous les étages, chaleur tropicale collant à la peau et tout et tout (on est en 1972) ; et si Carol et Doc s'enfuient, c'est parce que Carol abat Benyon (un vrai salopard) au moment où celui-ci révèle à Doc qu'il a couché avec sa femme en contrepartie de sa libération de prison, ce qui complique passablement les retrouvailles du couple et telle est d'ailleurs la (maigre) intrigue sentimentale du film.

Dans le rôle de Doc McCoy, Steve McQueen tient la vedette. Pendant le tournage, lui et Ali entamèrent « sur-le-champ » une liaison « invincible » et leur attirance physique se sent à l'écran. *Elle se voit.* « Il y avait du tigre en Steve. On le sentait dangereux (…) et c'est ce qui le rendait si excitant », a raconté plus tard Ali dans son autobiographie intitulée *Moving Pictures* (Bantam Press, 1991) et traduite l'année suivante en français sous le titre *Une vie tremblée* (Presses de la Renaissance). Petit détail : le livre est précédé d'une double dédicace, bien mystérieuse dans un premier temps :

« XX
4Z
XX »

Suivie de cette autre dédicace, plus banale : « et à la mémoire de mes parents, leur fille aimante ».

Horizontalement, XX 4Z XX ferait presque songer à une plaque d'immatriculation. Mais verticalement ? Je ne sais pas. Il s'agit à l'évidence d'un code – mais lequel ? Quel message Ali a-t-elle tenu à crypter en préambule de son autobiographie ? Pour qui cette énigme ? Dédicacée à qui, avant de rendre pieusement ses devoirs filiaux avec une insistance qui met la puce à l'oreille, comme si elle venait de faire une bêtise et s'en excusait tout de suite après ? Qu'est-ce que tout cela signifiait ? Je me suis creusé la cervelle ; puis j'ai donné ma langue au chat. Si quelqu'un a la solution…

N'empêche. Voilà qui dit deux choses sur Ali : l'une obscure et l'autre explicite. Sans ambages, elle fait voisiner l'ésotérique et le consensuel et que le lecteur se débrouille avec ça. Les dédicaces sont toujours instructives. Je les lis avec le plus grand soin. Souvent, elles m'enjoignent de *ne pas* lire le livre que je viens d'ouvrir. Ce livre n'est pas pour toi, me dis-je alors en reposant l'ouvrage sur la table du libraire. On croit penser à tout et on oublie les dédicaces. Encore une chose que l'on oublie un peu trop facilement (et vas-tu maintenant te précipiter pour regarder à qui ce livre est dédicacé ?).

Niveau 6

Est-ce lié ? Ali MacGraw n'a jamais caché qu'elle était « admirablement directe » avec les hommes. Et elle aimait les drogues. Spécialement l'alcool. Elle se saoulait volontiers à la tequila, parfois plusieurs jours durant (« Je bois pour relâcher mon besoin intérieur de contrôle et il arrive que je me détende suffisamment pour pouvoir m'amuser. Mais il est très rare que je me sente vraiment joyeuse »). Tu te doutes que j'extrais cette citation pour certain retentissement qu'elle a en moi.

Après The Getaway, Ali dut interrompre sa carrière. Une fois mariée avec Steve McQueen, celui-ci, tout grand acteur qu'il était et peut-être pour cette raison précisément, interdit à sa femme de remettre les pieds sur un plateau de cinéma, en plus d'être violent avec elle (comme l'était son père…). Ali obéit. Elle avait 24 ans. Ainsi « le plus grand nom de la profession triompha-t-il de la star du plus gros succès de l'année ». Josh Randall n'était plus ce qu'il était. « Tant que j'habitais chez mes parents, analysera plus tard Ali, j'étais là pour empêcher les explosions de violence, et c'était devenu un emploi à plein temps. Une fois adulte, je ne me suis pas aperçue que faire en sorte à chaque instant que tout se passe bien et que rien ne dérape ou n'explose me transformait en quelqu'un de rigide et d'étriqué. » En quelqu'un qui n'a pas le droit d'exister et qui se laisse marcher dessus et maltraiter comme si c'était dans l'ordre des choses. Comme si c'était moi.

Ce n'est qu'après son divorce, au terme de six années de mariage qu'elle-même qualifie « d'éprouvantes », « d'intenses » et de « malhonnêtes », qu'Ali tenta un *come back* sur les écrans. Mais son heure était passée. Elle avait coupé ses cheveux et ne pouvait pareillement passer une main langoureuse dans ses mèches, au demeurant « trop rebelles pour les patrons des studios ». Fatal à sa carrière fut son amour pour Steve – et la conduite de celui-ci.

Quelques apparitions dans des productions télévisées lui permirent un temps de subsister. En 1984, âgée de 46 ans et n'ayant pas les moyens de refuser une offre financière « réellement alléchante », elle accepta un rôle dans la série Dynastie (dans laquelle jouait aussi la blonde de La Grande Vallée, tiens donc… Voir page 177) : lors de la cinquième

279

saison de ce soap-opéra conçu comme un rival de Dallas et tout aussi emblématique des fabuleuses années 80, mais J.R. en moins et cela fait toute la différence, elle incarna « l'agressive » Lady Ashley Mitchell s'évertuant sans jamais y parvenir à séduire « le chouchou de l'Amérique de l'époque » (John Forsythe), puis le « jeune premier de l'Amérique de l'époque » (John James), puis rideau sur une année qu'Ali, à une heure de grande écoute, passa « dans le rôle d'une femme constamment repoussée ».

Un rôle prémonitoire – ou programmatique – puisque, à partir de là, l'industrie du spectacle cessa peu à peu de faire appel à elle et à son « jeu inexpressif », comme Ali décrit son talent de comédienne avec une belle lucidité. L'humanitaire fit moins la fine bouche. Des années durant, Ali s'investit dans « diverses tragédies à travers le monde », se dévouant pour « tout un éventail de nobles causes, ce qui m'a probablement empêchée de me considérer comme une ratée en tant qu'être humain ». Je souligne volontiers cette citation.

Après avoir débranché son téléphone « pour voir si cela sert à quelque chose » et suivi une cure de désintoxication, dont le journal qu'elle tint au jour le jour constitue la matière granitique de son autobiographie, Ali se tourna vers la spiritualité, les joies pastorales et les méthodes de relaxation, avec, à la clé, une cassette VHS diffusée en 1994 et intitulée Ali MacGraw : Yoga, Mind & Body ($ 3 sur eBay, ou $ 79,99 en version « New DVD »).

Pour autant que j'en sache quelque chose, nombre de femmes ayant été dans leur jeunesse « admirablement directes » avec les hommes se tournent, passé un certain âge, vers la spiritualité (ou les animaux, c'est au choix, c'est presque la même chose). En désespoir de cause ? Parce que leur beauté s'en est allée ? Qu'elles en ont assez vu concernant les hommes, l'amour, le sexe ? Telle Betty Page : une fois qu'elle se crut trop vieille pour continuer à jouer les pin-up enchantant l'Amérique avec sa bonne humeur physique, elle disparut en Floride, où elle commença d'entendre des voix. C'était dieu qui lui parlait. Et il n'était pas content. Il lui reprochait salement d'avoir posé nue et avili son corps et perverti la jeunesse américaine. Pour sauver son âme, Betty devait maintenant se consacrer à Lui. À Lui se donner tout entière. Elle fut internée en 1972 (l'année de The Getaway). après avoir poignardé de vingt-sept coups de couteau sa logeuse lors d'une crise de schizophrénie paranoïde.

Et tant d'autres.

Niveau 7

Ali vit toujours.

Je ne veux pas savoir à quoi elle ressemble aujourd'hui.

La vision de tant de stars déchues, bouffies, refaites, défigurées, certaines ruinées et oubliées de tous jusqu'à vivre dans un gourbi, m'a vacciné de ce genre de curiosité. J'espère qu'elle va bien.

Ce qui compte, c'est qu'en 1972, Ali fut un miracle. *Elle était inespérée.* Elle me causa un choc nerveux tellement elle faisait exister à l'écran une beauté jusqu'alors inédite. Jusqu'ici gardée au secret et jusqu'ici interdite aux regards. Jusqu'ici étouffée par les pulpeuses et les blondes plantureuses roulant dans des gaines trop visibles leurs laiteuses mécaniques mammaires depuis les années 50. Une beauté souple, veloutée, pleine de santé et de vigueur, noire de jais, délicate et sauvage à la fois, à fleur de peau, spectaculaire par son refus même de l'être, aux antipodes de Marilyn. S'excusant presque d'être la jeunesse dans toute sa fraîche arrogance et, en même temps, mal assurée de sentir son corps si vibrant, soudain affranchi, enfin désinvolte. Un pur animal érotique déguisé en muguet du printemps, en biche de Cimino, en sorbet à la réglisse – que dis-je ? En ville libérée, en gymnopédie dansée, en forêt enchantée avec sa chevelure aux quatre vents – une chevelure où se perdre les yeux fermés. Où se noyer corps et âme comme dans une rivière, un torrent, un lac bleu, une toison d'émeraude. Quel avènement !

Jamais le gamin de douze ans que j'étais n'avait vu pareil spécimen de fée échevelée et, si tu ne l'as pas déjà compris, les cheveux des femmes me préoccupent depuis longtemps. Ils m'inspirent des sentiments et des idées et des observations toujours plus divers et variés. Ils m'inspirent tout court. Pour une raison que je ne tiens pas à élucider de peur de rompre le charme, ils me rendent fétichiste. J'avoue. J'ai mis un certain temps à l'admettre, mais c'est par ses capillaires qu'une femme infuse d'abord en moi. J'observe sa coiffure et soit elle m'indiffère, soit l'envie me prend d'y entrelacer mes doigts et d'en défaire la composition, d'en prendre possession, d'en libérer la nature et le cri et le génie. J'observe la coiffure d'une femme et je sais tout de suite si elle me plaît. Si j'ai envie de la prendre à la racine. Je sais si on va s'entendre. Je sais le principal et l'essentiel de ce que je veux savoir. Je sais tout, plus ou moins. Son humeur du moment et ses démêlés avec elle-même et jusqu'à son rapport à la loi. Son histoire présente et passée. Si elle aime les huîtres ou les escargots. Dans quelle branche elle travaille. Pour qui elle a voté aux dernières élections. Si elle dort sur le ventre, une main nichée entre ses cuisses, ou en chien de fusil et je plaisante. Je ne devine pas tout rien qu'à la façon dont une femme se coiffe ; mais je pressens tout.

Parce que les cheveux ne sont pas un simple attribut dont les femmes s'évertuent à tirer le meilleur parti ; ils ne sont pas seulement leur fierté ou, dans le secret d'une salle de bains, leur tourment au moment de dompter cette masse trop raide ou désespérément bouclée ou affreusement terne et cassante qui leur fait une tête horrible, non, les cheveux sont une vision du monde. Ils sont une grammaire. Ils sont ce qui n'arrête pas de pousser (et de tomber) sans nous demander notre avis et qui disait que plus on a de cheveux sur la tête, moins on en a dans la tête et ainsi faut-il les laisser pousser : on est plus libre de penser. Je crois que c'était Dylan. Lorsqu'il était jeune. Avant qu'il se coupe les cheveux et bref. Les cheveux, c'est *quelque chose*. Pour tous, ils sont la confrontation avec ce qui rebique et se rebelle et fourche et tombe et ne tient pas en place et refuse d'obéir et vise perpétuellement à l'anarchie et, partant, ils sont les forces hirsutes de la nature que la civilisation s'efforce à tout prix de dompter. Ils sont, au niveau individuel de chacun, dans sa salle de bains, *le combat du bien contre le mal.* De l'ordre contre le désordre. Ils nous *survivent.* Ils sont le seul espace laissé à l'appréciation de chacun et, partant, ils sont un espace de liberté individuelle et une démonstration de force individuelle et, pour tout dire, ils sont l'expression d'une idéologie et ce n'est rien de le dire quand une femme change de coiffure comme d'amant ou se coupe les cheveux pour couper court avec son passé et qu'est-ce que cela signifie lorsque chaque époque se reconnaît à la coiffure qu'adoptent les femmes comme on fait allégeance ou comme on porte le chapeau ?

Niveau 8

Car il y a des sociétés perruquées pour gagner en volume et en apparat et obliger tout le monde à répéter ce qu'elles disent comme des perroquets ; des sociétés bouclées, frisées au fer, choucroutées aux bigoudis et parées de rubans ou de perles pour mettre un peu de fantaisie et paraître moins fermées qu'elles ne le sont ; des sociétés nattées, tressées ou relevées en chignon pour plus de sévérité ; et d'autres avec des macarons sur les côtés, une raie au milieu, une mèche sur le front, une frange, par souci du détail, pour concentrer ou détourner l'attention ;

des sociétés tenues par des épingles, des barrettes, du gel, gominées et brillantinées ou artificiellement gonflées afin de prendre de la hauteur et faire croire qu'elles tiennent debout comme par magie ; à moins d'être coupées au bol, coupées court, en brosse, mi-longues, avec un serre-tête en velours vert en gage de moralité, dégradées sur toute la longueur, mises en plis et thermobrossées de toutes les manières possibles pour faire chic, ou bien en bataille pour faire genre, hérissées pour avoir du piquant, dreadlockées pour plus d'exotisme, gondolées de minivagues pour se maintenir à flot, hyperoxydées ou teintes au henné histoire de se donner des couleurs, bien dégagées derrière les oreilles ou encore attachées dans le dos et même carrément rasées ou voilées et ce n'est jamais par hasard. C'est toujours avec l'intention de faire passer un message et maintenant que j'y songe, j'aimerais savoir combien de fois par jour une femme passe une main langoureuse dans ses cheveux et y entremêle machinalement ses doigts et se recoiffe dès qu'elle aperçoit son reflet dans une vitre, oui, je voudrais des *statistiques*. Je voudrais des explications et, par parenthèse, une de plus, non seulement « une mèche de cheveux n'est pas une hypothèse » et M comme *Blanche ou l'oubli*, mais je trouve consternant que personne n'ait jamais formulé une théorie sérieuse de la coiffure. Il existe une théorie des jardins, il existe une théorie du complot, il existe une théorie des cordes et même une théorie de la démarche et, en définitive, il existe d'innombrables théories sur énormément de choses, mais rien de définitif sur la coiffure. Aucune théorie. Ni générale ni restreinte. Le néant. Que je sache. Sauf erreur. Alors que les cheveux sont pour tout le monde un rendez-vous matutinal devant sa glace afin de sceller les retrouvailles avec son propre visage, des fois qu'il aurait disparu pendant la nuit, quels que soient sa nationalité, sa race, sa religion, son sexe, son âge, ses revenus. Alors que Mme Arnoux « défit son peigne ; tous ses cheveux blancs tombèrent. Elle s'en coupa, brutalement, à la racine, une longue mèche. – Gardez-les ! Adieu ! » – et Frédéric de songer, tandis que sort de son existence le Grand Amour de Sa Vie, qu'une mèche de cheveux ne sera plus jamais pour lui « une hypothèse ». Alors que Hildegarde de Bingen (1098-1179) apprenait à ses jolies petites religieuses (qu'elle aimait au passage manualiser avec un crucifix) à se coiffer de « manière *extraordinaire*, en l'honneur de Jésus – pour Lui ». Alors que Diogène rétorqua à un homme chauve qui, dans la foule, l'injuriait : « Je félicite tes cheveux d'avoir quitté une aussi vilaine tête. » Alors que Rodogune, épouse du roi des Parthes (IIe siècle avant J.-C.) se lavait les cheveux lorsqu'on lui annonça que le peuple venait de se soulever : sans prendre le temps d'arranger sa coiffure, elle sauta à cheval et longtemps guerroya, refusant d'arranger ses cheveux (sinon en les attachant avec un simple ruban) tant que les séditieux ne seraient pas matés. Et ainsi fut fait, comme en témoigne le sceau royal des Perses. Et que dire de cette femme (elle était allemande) qui affirmait pouvoir faire *des choses* avec ses cheveux, à commencer par se les attacher pour se sentir femme et, si elle le voulait, elle pouvait aussi se cacher dessous car dessous « il n'y a qu'un visage et rien d'autre ». Alors que les femmes soupçonnées d'avoir couché avec l'occupant furent rasées à la Libération. Et que la première chose que font deux femmes qui se battent, c'est de se crêper le chignon et cela veut tout de même dire quelque chose. Cela en dit long. À quoi songent les philosophes de tous les pays ? Sans parler de Samson et Dalila, faudra-t-il que je perde mes cheveux sans savoir de quoi ils sont la perte ?

Tout ça pour dire que loin de mettre de l'ordre dans ses cheveux, pour ne pas dire dans ses pensées, pour ne pas dire dans sa sexualité, en les vaporisant de laque afin de les maintenir strictement en place ou en leur infligeant une permanente, une coloration platine, un carré cranté ou je ne sais quoi que la loi et l'ordre trouvaient tellement à leur image dans les années 60 – oh ces femmes qui font de leurs cheveux un *casque* ! –, Ali MacGraw apparut à l'écran les cheveux simplement rejetés en arrière, vivant leur vie propre de reflets changeants, de négligences soyeuses, de mèches délurées. Ses cheveux étaient les impressionnistes désertant l'atelier pour installer leur chevalet au grand air. Ils étaient un abandon, une insouciance, une offrande, un pacte social où faire bon vivre, une sonate au baroque, un refus de se plier à des conventions que l'angoisse rend toujours plus stupides et vindicatives et que dire de plus ? *Comment exagérer davantage ?* Vénus moderne émergeant de l'écran comme d'un océan neuf, Ève d'un monde désincarcéré, Lilith pour temps des cerises, révolution plus que sexuelle en marche, jeune femme ni mère ni fille mais résolument orpheline, ça et bien d'autres émotions, *bien d'autres occasions de délier ma langue*, telle était Ali MacGraw en 1972 et, en tous les cas, dans The Getaway, le gamin de douze ans que j'étais ne vit qu'elle. Ne respira qu'elle. Ne but qu'elle des yeux. En resta sans voix.

Sans doute ignorais-je tout des femmes à l'époque (hormis une, sublime fée, mère d'un camarade de classe, dont j'ai parlé ailleurs) et mon ignorance de la vie en général et du cinéma en particulier aggravat-elle mon émotion à la puissance mille ; mais ce que je dois à l'apparition à l'écran de Carol McCoy dans une petite robe grège en polyamide (sûrement du polyamide, déjà du polyamide) échancrée jusqu'au vertige et promettant *à chaque instant* de s'ouvrir *un peu plus*et de dévoiler ses *seins libres* sous l'étoffe, de les dévoiler enfin et, alléluia, d'en révéler la frémissante félicité et l'affolante nudité n'est pas mesurable. Il était né – quoi ? Le *désir* de la liberté. Et ce fut pour la vie. M comme McCoy. Prénom Ali.

Niveau 9

Je le sais aujourd'hui : jamais le gamin de douze ans que j'étais n'eût ressenti le splendide et, chuchotons-le, séminal ébranlement qui le saisit à la vision d'Ali MacGraw si The Getaway n'avait été le premier film « pour adultes » que j'allai voir au cinéma.

Par « adultes », je veux dire que le film était interdit au moins de treize ans et il ne s'agissait pas d'un dessin animé, non, cette fois, c'était de vraies images, avec de vrais acteurs, sur très grand écran. C'était le premier film qui ne m'était pas destiné, dont je n'étais pas le public, pas la cible. Le premier que j'allais voir sans mes parents. En compagnie de mes deux meilleurs copains (qui, eux, avaient treize ans passés et ainsi passai-je en douce le barrage de la caisse). Comme une effraction dans le monde interdit des grandes personnes et je me rappelle encore le tapis rouge du grand escalier du cinéma des Champs-Élysées qu'il fallut descendre presque en silence. Presque religieusement. Comme une lente procession vers on ne savait quelle crypte mystérieuse et vaguement inquiétante. Vers l'inconnu des désirs enfouis en soi. La confrontation avec ses instincts les plus bas, justement. Aller au cinéma, c'était comme aller au bordel. C'était aller au bordel. Ce n'était pas une « sortie » mais, au contraire, entrer dans quelque chose, dans un rituel qui mettait tous les sens en éveil. C'était descendre dans la caverne et se confronter à son mythe. C'est loin tout ça. Ou c'est moi qui suis loin.

Je me rappelle en tout cas le frisson qui me saisit lorsque l'obscurité se fit dans la salle. Ma nervosité sous couvert de coups de coude avec les copains. Cette appréhension au fond de moi qu'il allait se passer quelque chose de grave et d'important. Quelque chose de violent à en juger l'affiche du film (McQueen canardant à tout-va avec un fusil à pompe qui crache le feu *en direction du spectateur*), ce pourquoi mes copains et moi l'avions d'ailleurs choisi. Ce pourquoi nous nous étions installés au premier rang.

Sauf que je ne m'attendais pas au choc sensoriel. Je ne m'attendais pas au son colossal et aux images comme un déluge. Images tellement démesurées. Tellement *crédibles*. Qui ne laissaient aucune échappatoire. Aucun répit. Qui me rabougrirent d'un coup. Me firent tout petit sur mon siège. Une fois plongé dans le noir qui amplifie les peurs, qui est déjà chargé de peurs sans nom et les libère, je pris de plein fouet la puissance de feu du cinéma. Je pris comme une claque son *réalisme* monumental qui surclassait la réalité sur son propre terrain ; car au cinéma, le « réalisme » ne consiste pas à gagner contre le cours du jeu. Pas du tout. Au cinéma, plus c'est violent, plus c'est « réaliste ». Ne parle-t-on pas du « réalisme cru des images » ? Rien à voir avec le football et, question réalisme, faudrait peut-être voir à s'entendre. Enfin bref. Sur l'instant, je me sentis immédiatement submergé. Voici que je ne contrôlais plus rien. Je n'étais pas préparé au choc et je me revois salement crispé sur les accoudoirs, engoncé dans mon fauteuil du premier rang, le cœur battant la chamade. Je me serais enfui s'il n'y avait eu mes deux copains à côté de moi. Carapaté en vitesse si la salle avait été déserte. À tout le moins installé au dernier rang pour prendre un maximum de recul et, entre le grand écran et moi, ménager une salutaire distance de sécurité. Cela me paraît ridicule aujourd'hui, bien sûr, maintenant que je suis devenu familier du cinéma au point de ne plus m'apercevoir de sa violence intrinsèque, au point de réclamer moi aussi cette violence et préférer moi aussi le cinéma aux films, puisque c'est le cinéma qui fait les films et non l'inverse, puisque l'immense majorité des films profitent de la puissance du cinéma pour faire croire qu'ils valent la peine d'être vus et, tiens, je retrouve dans l'un de mes petits carnets cette réflexion que Marx n'a pas écrite et deux points ouvrez les guillemets : « Le cinéma divinise la contradiction qui est le fond de l'être petit-bourgeois entre, d'une part, l'adoration de la puissance qui écrase (le cinéma) et, d'autre part, la sympathie pour ceux qui sont opprimés (les films) » ; mais je n'en étais pas là à l'époque. J'ignorais que les films venaient de bien avant le cinéma et je ne me promenais pas encore avec des petits carnets où noter mes pensées de haut vol et, quoi qu'il en soit, je mentirais en disant que j'en menais large la première fois que j'allais au cinéma. Comment les gens pouvaient-ils supporter ça ? Comment pouvaient-ils *adorer* ça ? Comment leur terreur de voir le train de La Ciotat leur foncer dessus s'était-elle, en seulement deux ou trois générations, muée en désir badin qu'il leur fonce toujours plus frontalement dessus ? Être écrasés dans leur vie ne leur suffisait donc pas ? Leur fallait-il être malmenés encore et encore ? Plein la vue s'en prendre et plein les oreilles s'en prendre toujours davantage ? Et ils payaient pour ça ? Mais quel but poursuivait la civilisation ? Je ne comprenais pas. Quelque chose m'échappait – mais quoi ?

Comment des gens peuvent-ils se jeter dans le vide en étant retenus par un élastique ? Étais-je trop sensible ? Étais-je une femmelette ? Mais Louis B. Mayer, le prestigieux directeur de la Metro-Goldwyn-Mayer, l'un des pères de l'industrie du cinéma, un homme dont on peut supposer qu'il connaissait son affaire et savait de quoi il retournait dans une salle obscure, refusa de produire le premier Disney après avoir visionné une avant-première de Mickey parce qu'il craignait que les femmes enceintes soient *terrifiées* par l'apparition à l'écran d'une souris de trois mètres de haut – et il ne s'agissait pourtant que d'un dessin animé ! Il ne s'agissait que d'une souris de trois mètres de haut.

Alors Ali MacGraw !

Dans le genre souris colossale !

J'avais de quoi être impressionné et, d'instinct, le gamin que j'étais refusa de consentir à cette perte de soi sans garantie de pouvoir en revenir vivant et intègre. D'emblée je résistai à la puissance du cinéma. Voici que, plongé dans le noir, l'écran m'obligeait à le regarder, il me traquait, il faisait de moi ce qu'il voulait et je sentais que je devenais ce que je voyais, je devenais ce que l'écran voulait que je devienne, c'était comme un forceps. *J'étais trop réceptif.* Le gamin que j'étais avait déjà la tête farcie d'images trop grandes pour lui (maman voulant se jeter par la fenêtre, maman tentant de s'ouvrir les veines avec le grand couteau à pain, papa envoyant le gros cendrier en verre au visage de maman et la ratant et la grande vitre du salon de se briser dans un vacarme épouvantable, etc.) et ma coupe était pleine. Pas la peine de m'enfoncer dans le crâne des images carrément *gigantesques*. Des sons toujours plus *tonitruants*. J'avais douze ans et je voulais un monde qui soit à ma taille. Qui soit à taille humaine. Je n'avais pas besoin de violences supplémentaires. Pas besoin de davantage d'hystérie. Pas besoin que des adultes encore plus gigantesques me dominent de toute leur stature et m'infantilisent sur mon siège, faisant de moi le spectateur toujours plus impuissant de leurs turpitudes effrénées. Pas besoin qu'un aryen mesurant dix mètres de large sur cinq de haut me plaque de force au fond de mon siège en me visant avec son gros fusil à pompe qui ridiculisait de toute évidence mon zizi. Je ne voulais pas être *impressionné*. Je ne voulais pas être *halluciné*. Je ne voulais pas être *scotché* sur mon siège. Assez des *chocs* qui vous défoncent et vous déforment et vous anéantissent à la longue, *à force*. Je voulais qu'on me *respecte* et qu'on cesse de me prendre pour *quantité négligeable*. Je voulais rester *lucide*. La situation, à aucun moment, ne *devait* m'échapper et, outre que j'abuse une nouvelle fois des italiques, il n'était pas question que Sega soit plus fort que moi. Je préférais largement l'écran de la télévision. Pas question que j'oublie mon quotidien (comme c'est, paraît-il, l'orgueil de tant de produits culturels) si c'était pour le renforcer à un niveau de fatalité encore plus implacable. J'avais déjà en tête le projet de m'en sortir. De vivre ma vie de Zorro et de ne plus être terrassé par celle des autres. J'en avais assez d'attendre, fût-ce confortablement installé dans un fauteuil avec un esquimau au chocolat à sucer jusqu'au bâton. Assez de lever le nez en l'air comme un chien regarde son maître, comme un petit enfant que grondent ses parents, comme tous les autres spectateurs dans la salle, tous captivés de la même façon, tous prisonniers en même temps et regardant dans une unique direction, hypnotisés pareillement, fondus au noir semblablement dans la masse, pire que des moutons, des vaches en troupeau, des croyants s'agenouillant devant une idole. Assez de faire semblant et de laisser passer mon tour. Je voulais pouvoir me mesurer avec l'Univers et non qu'il me domine. Avec lui rivaliser à armes égales. Le changer si possible. En un combat le plus singulier possible. D'autant que la première scène de The Getaway se passe dans une prison, comme une métaphore de ce que j'éprouvais, la sensation de me trouver moi aussi derrière des barreaux, prisonnier de sons et d'images me retenant captif et quel malaise carcéral sur mon siège du premier rang. Quelle obscure réminiscence de moi contraint de regarder de nouveau à travers une grille ce qui se passait dans la cour de l'école des filles.

Niveau 10

Jusqu'à ce qu'Ali apparaisse à l'écran.

Ali McCoy.

Carol MacGraw.

Dans sa petite robe grège en polyamide (sûrement du polyamide) qui promettait à chaque instant de la dépoitrailler immensément. En toute impunité. Dommage que ce ne fût pour moi seul. J'aurais voulu que tous les spectateurs quittent la salle et qu'ils la quittent *maintenant*. Ali était à moi. Elle était pour moi. Ce jour-là, je sus que mon désir pouvait s'élever jusqu'au carré de l'hypoténuse puisqu'il égalait tout à coup la somme des carrés des longueurs des deux côtés de l'écran mesurant approximativement dix mètres sur cinq. Je sus à ce moment-là ce que c'était que d'entrer tout entier dans l'image si elle était exagérée. Si elle était enchantée. Confronté pour la première fois au changement d'échelle et à ses sortilèges, face au sourire d'Ali MacGraw qui réinventait à lui seul l'horizon, je me revois la proie de sensations féeriques, électrisé des pieds à la tête, littéralement happé par l'écran et, en même temps, en sourdine, en mon for le plus profond, je sais avoir éprouvé pour la première fois l'angoisse de l'inaccessible. Ali MacGraw était trop grande, trop belle, définitivement hors d'atteinte *et le cinéma me l'enseignait.* Il avait beau substituer à mon regard un monde qui semblait s'accorder à mes désirs, il tournait cette substitution à mon désavantage, il la transformait en frustration et plutôt deux fois qu'une. Car une fois entré dans l'image, une fois sautée la grille, il n'y avait personne de l'autre côté, la cour de récréation était vide, elle n'était qu'un trompe-l'œil. Et non seulement mes mains voulaient se tendre vers Ali et ne rencontraient que le vide, mais maintenant que le cinéma avait allumé un grand feu en moi, comment l'éteindre ? Comment reprendre le cours de mon existence avec, désormais tatoué sur la rétine, le poster d'Ali MacGraw me souriant, ôtant son chemisier, prenant une douche, entrouvrant les lèvres, embrassant Steve, s'offrant à lui, passant une main langoureuse dans ses cheveux – et moi alors ?

Où la rejoindre ?

Dans quelle direction diriger mes pas ?

Comment le gamin de douze ans que j'étais pouvait-il encore tolérer les filles de son âge ? Filles tout à coup insipides, moches, tellement *minuscules*, par comparaison. Coiffées n'importe comment et merci du cadeau. Merci au cinéma de déprécier les filles de mon âge et de me désabuser d'elles par avance en leur ôtant tout attrait qui ne soit dérisoire, pâle copie, fadeur sans relief, exsangue d'imagination et, en tous les cas, celle-ci dissociée d'elles. Merci pour ces herbes folles que je sentais pousser et grimper et fleurir dans tous les compartiments de mon être sans avoir la moindre idée du moyen de les contenir lorsque, une fois rallumées dans la salle, les lumières me laissèrent seul aux prises avec cette jungle, cette luxure, ce tumulte pour du beurre. Le mot frustration ici. Existait-il un mode d'emploi ? Comment faisaient les autres ? Comment la réalité (ce qu'on appelle la réalité) ne leur apparaissait-elle pas affreusement déprimante au sortir du cinéma, absolument sordide, morne et lente, si lente, irrémédiablement étriquée et tellement mal filmée ? À l'époque, je n'imaginais pas que l'on puisse aller au cinéma précisément pour échapper à son quotidien. Celui-ci ne me semblait pas si déprimant en ce temps-là (je niais qu'il le fût) ;

ainsi ne cherchais-je pas à l'oublier en allant voir des films qui, pour me faire vivre de folles émotions pendant une heure et trente minutes, me ramenaient ensuite douloureusement sur Terre, m'incitant à retourner au plus vite dans une salle obscure et ainsi de suite. Je n'en étais pas là. Je pensais encore que la réalité ne se résumait pas à ce que j'en connaissais. Je voulais croire qu'elle pouvait être source de folles émotions et se pouvait-il que les films ne soient qu'une parenthèse existentielle se refermant d'elle-même sitôt le générique de fin ? Mais qui pouvait jurer qu'une parenthèse se referme toute seule, j'allais dire cicatrisc ? Quelle était la véritable durée d'un film une fois que les lumières s'étaient rallumées ? Cinq minutes ? Deux jours ? Six mois ? Cinq ans ? Dis un chiffre pour voir. Et si les effets ne se dissipaient jamais ? *Si c'était pour la vie ?*

Pour mon cas personnel, cela dura 2004 - 1972 = 32 ans. Jusqu'à ce fameux 23 juin (32 à l'envers : tiens donc !) où je notai dans mon petit carnet « Rencontre MB ». À la seconde précise de ce mercredi béni de l'an de grâce 2004 où M passa une tête dans mon bureau – « Bonjour, je peux vous déranger ? Je suis M.B., la nouvelle stagiaire du service marketing et je fais le tour des bureaux pour me présenter » *et cetera*.

Moi me levant aussitôt et lui souriant aussitôt.

M'empressant de débarrasser une chaise pour qu'elle s'assoie et lui souriant.

Esquissant le geste de fermer la porte de mon bureau mais me ravisant. La laissant entrebâillée pour qu'il n'y ait pas de malentendu, comme si je pressentais déjà la suite, tout en lui souriant.

Retournant m'installer à mon bureau et lui souriant.

Me carrant dans mon fauteuil comme si j'étais au cinéma et la regardant comme sur un grand écran et ne cessant de lui sourire et, dans mon sourire, il y avait le sourire du collègue de travail qui en accueille un autre et il y avait le sourire que dégainent malgré eux les hommes dès qu'ils se trouvent en présence d'une jolie fille et, plus obscurément, sans que j'en aie conscience, de la façon la plus intime qui soit, il y avait un sourire qui avait 32 ans d'âge et qui m'appartenait depuis que j'avais vu à l'âge de douze ans Ali MacGraw envahir l'écran de mes radars et, par-dessus tous ces sourires, comme les enveloppant dans son aura, immense et secret, il y avait le sourire indicible de la machine à café de marque Illico et cela faisait beaucoup de sourires à la fois.

Cela faisait quatre sourires flottant sur mes lèvres, quatre sourires cardinaux, quatre apôtres du bonheur et ce n'est pas tous les jours que l'on sourit autant.

Surtout que j'oublie un ultime sourire, le cinquième du nom, histoire de compliquer encore les choses, histoire de ne pas m'arrêter au chiffre quatre ; mais ne compte pas sur moi pour vendre tout de suite la mèche. Il te faudra attendre la page 544 du Livre 2 si tu veux en savoir plus.

Niveau 11

De cette première rencontre où M cessa d'être un simple courant d'air dans mon dos, une palpitation dorée m'inoculant par-derrière, une comète pour faire un vœu, un mystérieux bruit de couloir, un miasme chargé de fièvre et un appel à changer de vie en général et à rompre avec S en particulier pour, devant moi, s'incarner en chair et en os sous l'aspect d'une jolie fille – objectivement une *très* jolie fille, d'une symétrie faciale éblouissante –, je garde encore aujourd'hui, dix ans plus tard, certaines impressions très précises, comme saisies dans de l'ambre, comme s'il s'agissait de pierres précieuses à ramasser rien qu'en se baissant et ce filon semblait inépuisable.

Comme si le temps s'était figé ce mercredi 23 juin 2004, aux alentours de seize heures trente. C'est-à-dire tout de suite après que j'étais sorti du cinéma trente-deux ans auparavant ou, pour remonter encore plus loin, tout de suite après la sortie des classes, lorsque j'avais devant moi un peu de temps libre pour jouer dans la cour de récréation avant d'aller à l'étude et, à travers la grille, il m'arrivait alors de regarder les filles qui étaient elles aussi condamnées à rester à l'étude. Ou, dans un autre registre, tout de suite après que j'eus tapé mon mail de rupture à S, *quasiment dans la minute suivante*, sauf que c'était neuf semaines et demie plus tard, oui, mais à peine le temps de cliquer sur la touche Envoi de ma boîte mail et, hop, abracadabra, M parut.

À croire qu'elle n'attendait que ce déclic pour entrer dans ma vie. Attendait que ma voie soit libre et, encore une fois, ce synchronisme me confirme que c'est une seule et même journée que je cherche à reconstituer, une seule et même journée qui, je ne sais comment, s'est retrouvée éparpillée au fil des années, disséminée dans le temps, au point de se dérouler en pointillé, sans que le fil en soit cependant jamais rompu. Car passé, présent et avenir ne font pas la queue leu leu. Il n'y a que l'homme pour tout séparer et compartimenter et croire ensuite qu'ainsi sont les choses. Alors que tout survient à l'heure dite. À son heure propre. À une heure convenue de loin et, en l'occurrence, à une heure qu'il me faut appeler « l'heure M ». En nous s'écrit une histoire qui a tout son temps, une histoire qui n'en démord pas – et cette histoire est celle de notre véritable existence.

De cette première rencontre où M cessa d'être une simple palpitation dorée dans l'air, une comète pour faire un vœu, un mystérieux bruit de couloir, un miasme chargé de fièvre et un appel à changer de vie en général et à rompre avec S en particulier pour, devant moi, s'incarner en chair et en os sous l'aspect d'une jolie fille – objectivement une très jolie fille selon les critères de l'époque, c'est-à-dire plutôt grande, svelte, élancée, mais subjectivement très à mon goût, c'est-à-dire plutôt grande, svelte, souple, élancée et tout à fait veloutée, sans rien de lourd ni d'épais et, en même temps, sans rien de fragile non plus. Rien de trop nerveux ou de potentiellement suicidaire. Non. La pleine santé physique, là, devant moi, dans mon bureau. La bonne humeur du corps et la vigueur allée, avec la grâce. Et noire de jais avec ça, le teint lumineux, frais, éclatant, avec un rien du rose de l'enfance, à la fois délicate et sauvage, à la fois fleur de peau, chair de poule, plante frémissante et, en même temps, le mot pudeur, le mot réserve, le mot dignité, le mot opacité aussi, le mot plaisir enfin : celui de me trouver en présence d'un être qui, dans son maintien, dans le moindre de ses gestes, témoignait d'une subtile éducation qui contrastait si heureusement avec la vulgarité ambiante, au point que j'eus tout de suite l'impression (devenue rare) de me trouver en face d'un être venu d'ailleurs plutôt que des temps présents. *Et cetera.*

Niveau 12

Telles furent mes toutes premières impressions (qui souvent sont les bonnes) et, maintenant que j'y songe, j'ai le souvenir du carré de soleil qui, visible par la fenêtre de mon bureau s'ouvrant à main gauche (à main droite pour M), éblouissait à ce moment-là la façade de l'immeuble d'en face, comme chaque fois qu'il faisait beau temps. D'abord timidement, ce carré de soleil pointait sa truffe, puis son museau, puis sa tête et ses oreilles, puis son être tout entier, chaque jour fidèle au poste, chaque jour à la même heure plus ou moins n petites minutes, en fonction des mouvements conjoints de la Terre et de son étoile ; une fois apparu, il était le soleil à lui tout seul ; il éclaboussait la façade grise et nue de l'immeuble d'en face, splendidement découpé en un quadrilatère parfait, comme une flaque d'or et de lumière, une clarté vivante au sein même de la lumière du jour. D'ici environ une heure (je l'avais chronométré), il aurait disparu, masqué par les bâtiments voisins, ne parvenant plus à se frayer un chemin, avalé par l'ombre, sans pouvoir y échapper. Tel était son destin, chaque jour revécu.

Mais avant de disparaître, il serait devenu moins quadrilatère, plus tangent, bientôt quelconque, finalement losange de plus en plus aigu, comme si une main invisible tirait sur l'un de ses angles pour le déformer, en raison de l'inclinaison des rayons du soleil qui tapaient de biais la façade de l'immeuble d'en face, je le savais pour avoir maintes fois observé cette lente métamorphose du carré de lumière depuis mon bureau, sa magnifique et imparable dissolution géométrique, jusqu'à son complet anéantissement, moi demeurant fasciné à la fenêtre, comme chaque fois que j'assiste à un phénomène dans lequel je me reconnais.

C'était quoi ce carré de lumière ? Expression de quoi ? Je l'ignorais. J'avais l'impression d'une arène. D'un *ring*. Lieu où tout se joue. Lieu de toute dramaturgie. En tout cas, ce carré de soleil était mon copain. Chaque jour nous avions rendez-vous, pourvu que le ciel soit sans nuages. Dès qu'il apparaissait, son éclat m'interpellait du coin de l'œil et je levais alors le nez pour saluer son arrivée, à la façon d'un animal familier surgissant tout à coup sur le seuil d'une porte et pénétrant tranquillement, presque majestueusement, dans la pièce où l'on se trouve, de retour on ne sait d'où – tiens, te voilà toi ! Où te cachais-tu ? Viens voir ici ma jolie, viens que je te caresse mon gros père, tu as faim ? etc.

Si j'avais le temps, il m'arrivait de me lever pour aller à la fenêtre et, un moment qui pouvait s'éterniser, je restais à observer la progression du carré de lumière sur la façade de l'immeuble d'en face, tentant d'en percer les secrets et d'en suivre les péripéties, sans pourtant jamais y parvenir : j'avais beau le fixer intensément, il était plus rapide que moi. C'est tout à coup que je m'apercevais qu'il s'était déplacé de plusieurs centimètres et atteignait maintenant une bande de ciment qui, tel un pansement dans la pierre, était visible sur la façade de l'immeuble et marquait une limite. Je souriais de me faire avoir à chaque fois. Sa lenteur me prenait systématiquement de vitesse ; impossible de le suivre des yeux ; il bougeait sans que je le voie bouger, avant que je le voie bouger et je croyais assister au passage doré du temps. C'était comme un jeu du chat et de la souris entre nous. Ou plutôt, je jouais à « un deux trois Soleil » avec lui et toujours il gagnait. Impossible de le prendre en flagrant délit. C'était toujours imperceptiblement, millimètre par millimètre, comme un soldat rampe dans les fourrés, qu'il parvenait jusqu'à l'extrémité nord de la façade, où il basculait alors lentement dans le vide, à contrecœur, me semblait-il. Comme inexorablement aspiré par un gouffre affreux et glissant peu à peu dans le néant jusqu'à disparaître tout à fait, sans opposer la moindre résistance, *sans un cri* – je ressentais alors un pincement au cœur, un obscur malaise, une indicible angoisse. Chaque jour je le voyais décliner un peu plus, suivre une trajectoire plongeante qui semblait un peu moins élevée que la veille, un peu plus proche d'une ligne horizontale, presque un niveau de la mer, au-dessous duquel il n'aurait, vers la fin de l'été, plus la force de s'élever ; avant de réapparaître l'an prochain, oui, de nouveau il serait là au retour des beaux jours, au plus haut de la façade de l'immeuble d'en face, fier et magnifique, étincelant, au meilleur de sa forme, ressuscitant le rituel que nous partagions ensemble de part et d'autre de la rue, cette étrange cérémonie que je m'inventais et qui me servait de subreptice moyen d'évasion.

Depuis la fenêtre de mon bureau (qu'on ne pouvait ouvrir, encore une saloperie de grille conçue pour toucher uniquement des yeux !), il m'arrivait d'interpeller le petit carré de soleil : d'où viens-tu, murmurais-je, le nez collé à la vitre. Qu'as-tu fabriqué cette nuit avant de revenir ramper sur cette façade pourrie ? Quels voyages autour du monde, quels paysages et aventures et rencontres merveilleuses ? Quelle chasse ? De quel message es-tu porteur ? Pourquoi ne pas te tirer d'ici au lieu de revenir jour après jour ?

L'idée me venait parfois qu'il ne s'agissait peut-être pas du même carré de soleil, mais d'un autre qui, chaque jour que dieu faisait sous couvert de la rotation de la Terre, prenait sa place et, ni vu ni connu, se faisait passer pour le même, rampait pareillement pendant environ une heure sur la façade de l'immeuble d'en face, avant de disparaître à son tour, une fois son numéro achevé, happé par l'ombre, inéluctablement anéanti, donnant ainsi l'illusion que tout était égal, que rien ne changeait, que tout recommençait en permanence, cycliquement. Loin d'être le même condamné à recommencer chaque jour un vain et absurde périple, il s'agirait alors d'une foule de prisonniers s'évadant en douce les uns après les autres et je ne sais pas. Je songe tout à coup que j'aurai soixante ans plus vite que je ne le souhaite et, pour conjurer le sort, mettons que le petit carré de lumière ne mettait pas 60 minutes mais 90 minutes pour vivre sa vie sur la façade de l'immeuble d'en face.

Mais à cet instant précis, alors que M et moi avions entamé une conversation professionnelle, puis moins professionnelle, puis plus confidentielle, sans cesser cependant de nous vouvoyer (voussoyer ?), par pure convention au départ mais, au fil des minutes, prenant l'un et l'autre nos aises à l'intérieur de ce vouvoiement et faisant de lui l'espace de notre rencontre et le lieu de son hypothèse indicible, faisant de lui notre allié, a contrario du tutoiement qui, parce qu'il impose une proximité de pure forme, nie d'emblée la distance qui sépare les êtres et les prive de ce fait de la possibilité de franchir cette distance et, après avoir sauté la grille, de marcher l'un vers l'autre et de se rencontrer en un terrain précisément inconnu, pour ainsi dire hors du temps, en une zone magnifiquement franche, à cet instant précis, dis-je, le carré de soleil était encore cette chose vivante qui, là-bas, à travers la vitre de la fenêtre, de l'autre côté de la rue, sur la façade de l'immeuble d'en face, comme qui dirait de l'autre côté de l'existence, sur son autre rive, rampait doucement sur la pierre vers sa propre dissolution et je ne pouvais m'empêcher de suivre sa progression du coin de l'œil et d'observer comment il grignotait peu à peu l'ombre et comment l'ombre se refermait sur lui après son passage et il y eut un très court instant où, m'arrachant à cette petite hypnose, comme contestant l'oubli qui s'annonçait, je levai les yeux vers M et contemplai son visage et ce fut comme si le carré de lumière s'était posé sur ses lèvres et qu'il l'éblouissait d'un sourire infini, inédit, insoupçonné ; bien plus tard, lorsque M finit par s'en aller, la pénombre avait envahi la pièce depuis un bon moment et je n'avais pas allumé la lampe sur mon bureau, je m'en étais bien gardé, préférant laisser l'obscurité nous envelopper peu à peu comme dans une cape soyeuse et nous isoler du monde et nous unir dans la nuit et son visage m'éclairer comme un plein jour. Comme un bouleversant ralenti. Comme si chaque seconde qui passait ne contenait plus 24 images par seconde, mais 72. Mais 144. Mais un million.

Niveau 13

Je pourrais m'en tenir là. Comme dit Musset, il a « bien peu aimé celui qui se rappelle les premiers instants passés auprès de l'être aimé » et j'aimerais pouvoir en dire autant. Ce serait plus simple. Tout serait plus simple. Je laisserais informulé ce qui fut et chacun s'en trouverait mieux. Chacun y mettrait ses propres informulés et ce serait tout bon pour moi. Des expériences de chacun je ferais mon petit capital, ni vu ni connu.

Sauf que je me rappelle *énormément* de choses de cette première rencontre avec M et quand je dis énormément, cela veut dire ÉNORMÉMENT. Je me rappelle tout. Je me rappelle presque chaque minute des trois heures que, contre toute attente, de la manière la plus fortuite et improvisée et miraculeuse qui soit, comme si elle tombait du ciel, M passa dans mon bureau ce jour-là et peut-être ai-je finalement bien peu aimé M – ou alors Musset se trompe-t-il.

En tous les cas, je me tenais devant elle comme devant un paysage. Le genre de paysage que l'on peut regarder longtemps. Sans bouger. En silence. En le laissant descendre en soi. Jusqu'à ce qu'il cesse d'être un paysage. Jusqu'à ce qu'il perde ses contours et se transforme en autre chose. Révèle tous les paysages qu'il contient, toutes les images qui, contractées en une seule, se détendent alors, se déploient lentement, chacune devenant peu à peu perceptible et se mettant à raconter son histoire, telle l'âme d'un défunt, sa mémoire enfouie. Il faut regarder un certain temps un paysage pour voir ses fantômes et qu'ils vous parlent. Mais il ne faut pas le contempler trop longtemps. Car il existe une durée à partir de laquelle le paysage que l'on a sous les yeux redevient le paysage que l'on a sous les yeux. Il ne bouge plus. Il s'est tu. Comme si lui aussi, nous ayant vu et ayant vu tout ce qu'il y avait à voir, s'était détourné. S'était lassé. L'important n'étant pas ici de devenir mais d'apparaître. D'ouvrir une fenêtre. Puis de la refermer. Les enchantements sont frileux. Ils sont minutés et, dans le cas de M, il dura trois heures.

Trois heures durant à la regarder, à la deviner, à la percevoir, à la pressentir, à l'écouter et je me rappelle sa voix : flûtée par instants, et puis grave, parfois enfantine, avec un léger accent anglais qui me surprit (*Tiens, avais-je songé*).

Je me rappelle sa voix et je me rappelle aussi ses cigarettes : des Morland Special (*C'était quoi comme cigarette ? Je pouvais lui en piquer une ?*).

Je me rappelle la grosse bague en argent sertie d'une pierre noire franchement rébarbative qu'elle portait à l'annulaire de la main gauche (*Elle doit peser à son doigt, avais-je songé. Une bague de famille ? Un cadeau ? De qui ?*). Me rappelle que son attitude, son maintien dégageaient une espèce de sérieux, qui lui était naturel, qui était son *personnage*, au-delà de la situation qui imposait évidemment à une stagiaire nouvellement arrivée de faire bonne impression ; mais je percevais quelque chose de plus joyeux sous sa façade, de plus sauvage (*Une envie de rire ? Une impossibilité de rire ?*).

Me rappelle que j'observais à plusieurs reprises ses longues et belles mains et que des frissons me montaient le long de l'échine. Me rappelle que tout le temps qu'elle resta dans mon bureau, sagement assise sur sa chaise, les jambes croisées, très jeune fille de bonne famille, se tenant bien droite, presque raide (*Elle a fait de la danse ?*), fumant un peu nerveusement ses Morland Special parce qu'à l'époque fumer dans un bureau n'était pas interdit et moi m'emplissant doucement les poumons de sa présence, moi me familiarisant jusqu'à parler peu à peu son langage, mon être se déchirait déjà de façon indicible et je *l'entendais* se déchirer.

Me rappelle qu'elle avait 28 ans (*Oh oh, avais-je songé. Elle est donc à l'âge du grand tournant pour une femme ! C'est l'heure des choix dans sa vie. Le moment où elle commence à savoir dire non pour décider de sa propre vie*).

Me rappelle comme je l'amenai peu à peu à parler d'elle et, à mes investigations, qu'elle offrit une résistance d'abord formelle, puis moins formelle. Me rappelle, alors que la pénombre commençait à envahir la pièce et à nous transformer l'un et l'autre en ombres chinoises s'harmonisant peu à peu dans la même texture et, comme à l'unisson du déclin de la lumière, nous nous étions mis à parler à voix presque basse sans nous en apercevoir, elle dit : « Je n'ai pas l'habitude de me confier comme ça. C'est la première fois. Alors qu'on ne se connaît pas. » (*Et une folle chaleur d'inonder mon ventre.*) Me rappelle son air rêveur lorsqu'elle raconta qu'elle venait de vivre trois ans à Rome après avoir bouclé son cursus universitaire, un master commerce international en poche – un quoi ? (*Oh oh, avais-je songé. Trois ans à Rome : amour italien ? amour déçu ? d'où la bague ?*)

Je me rappelle avoir songé qu'elle avait une vie intérieure. (*C'est évident, avais-je songé. Cela se sent, cela se voit. Elle a une vie intérieure et sa vie intérieure prend toute la place. Si tu la cherches, c'est là qu'elle se trouve.*)

Tout le monde ne possède pas une vie intérieure. Très peu de gens y ont accès. La plupart préfèrent ne pas.

Me rappelle qu'elle détestait son prénom, tellement banal, tellement *british*, tellement quoi ? Elle n'avait pas su dire. (*Oh oh, avais-je songé. Elle est donc bien anglaise. Par son père ? Par sa mère ?*) Je lui demandai si elle avait un deuxième prénom et, oui, c'était celui de sa grand-mère maternelle et moi lui disant alors que nous avons tous des raisons d'en vouloir à nos parents de nous avoir prénommés sans notre consentement et que j'allais réfléchir à un prénom qui lui conviendrait mieux, ce qui la fit sourire et je n'en demandais pas plus.

Me rappelle que je faisais le malin dans l'intention de faire jouer devant moi toute la palette de ses expressions, son répertoire entier, son clavier d'une octave à l'autre, oui, je voulais surprendre tous les paysages de son visage, l'explorer dans toutes ses tessitures, faire jouer son personnage sur tous les tons, tous les airs qu'il contenait et qu'elle tenait en réserve, les grands comme les faux, depuis son air sérieux ou absent et distant ou rêveur ou renfrogné ou attentif, jusqu'à son air de ne pas y toucher, celui à ne pas prendre avec des pincettes, son air supérieur et facilement hautain (*Oh celui-là* !), son air de s'ennuyer ferme pour lequel elle avait un véritable don (*qui m'effondrait*), mais pas davantage que lorsqu'elle prenait un air attendri, enjoué, goguenard, intrigué, narquois, interloqué (*Je l'adorais celui-là*) ou, dans un autre registre, sombre, maussade, gêné, pincé, contrit, et j'en oublie. Je n'eus pas droit à tous ses airs ce jour-là, forcément. Mais je surpris tout de même à l'improviste un air que je crus bien être sournois et, une fois, elle eut l'air bovin, vraiment bovin et c'était l'air qui lui allait évidemment le moins, personne ne se trouve à son avantage lorsqu'il prend cet air-là ; mais cela ne faisait rien, tous ses airs me convenaient, qu'ils soient penchés ou de rien, tout m'allait, toutes ses musiques, rien ne l'enlaidissait (*souligné dix fois*), même si l'air qui valait tous les autres, son grand air selon moi, son plein air selon moi, son air le plus pur fut l'air hilare que je lui arrachai à deux ou trois reprises et mon cœur de bondir dans ma poitrine, de faire mille bonds de cabri lorsqu'elle éclata une fois de rire, éclata franchement de rire, spontanément, sans retenue et pourtant sans aucune vulgarité, sans rien de gras dans son rire, les joues soudain en feu et, dieu, quelles dents elle avait ! Quel éblouissement ! (*Seigneur, quelles dents magnifiques ! avais-je balbutié en moi-même.*)

Me rappelle ses cheveux noués dans le dos en une stricte queue-de-cheval qui, pour autant que je pouvais en juger, auguraient du meilleur lorsqu'ils devaient être lâchés – Ô, cette vision fugace de M la tête sur un oreiller, vision très précise et perforante d'elle les cheveux défaits tandis que je lui parlais de l'organigramme de l'entreprise, je me le rappelle très bien, je parlais à ce moment-là de l'organigramme de l'entreprise à la stagiaire qui, officiellement, se trouvait en face de moi, lorsque cette vision tout à coup. Vision d'elle endormie, décoiffée, tout ébouriffée sur l'oreiller. Vision de vampire. Avec ses cheveux épars, tumultueux, emmêlés, buisson d'herbes folles faisant comme un nid douillet autour de son visage engourdi de sommeil, comme amadoué, l'enlaçant de mille rivières, un delta, lui donnant l'éclat d'une perle enfouie dans l'intimité d'une huître et (*Hou là ! Du calme, avais-je songé. Mollo mon pote ! T'énerve pas comme ça. Reprends-toi ! Tu te crois où ? Sans savoir qu'un jour je verrais M les cheveux défaits sur l'oreiller, encore plus belle et émouvante que dans mon imagination* – voir page 560).

Me rappelle avoir songé à un moment : « Tu as bien fait de quitter S. Comme tu as bien fait ! Oh oui ! Tu la quitterais dix mille fois encore s'il le fallait. Cette rencontre : elle justifie tout. Elle te lave de tout. »

Me rappelle, à la suite de Jean-Michel Espitallier, que « c'est la première fois que j'utilise la lettre M dans un poème et dans ce poème où j'utilise la lettre M pour la deuxième fois, c'est la première fois que j'utilise la lettre M pour la troisième fois, que je l'utilise pour la quatrième fois… »

Me rappelle les *Chants de Maldoror*, que je lus lorsque j'avais quinze ans et ce fut pour la vie. Me rappelle la femelle de requin avec laquelle s'accouple Maldoror, sur la page, j'avais l'impression qu'elle se trouvait devant moi et, battant l'onde avec mes bras, au milieu de la tempête, je m'imaginais m'unir moi aussi avec elle dans « un accouplement long, chaste et hideux ». Ce devait être quelque chose que de s'unir ainsi, pensais-je à l'époque. Je n'arrivais même pas à me représenter la chose et, pourtant, je voyais très bien de quoi il pouvait s'agir et M comme Maldoror. M comme la femelle de requin.

Me rappelle cette lettre d'Héloïse à Abélard, dans laquelle elle lui rappelle leur rencontre : « Sous prétexte d'étudier, nous étions tout entiers à l'amour. » Mais ce n'est peut-être pas une si bonne idée d'invoquer ces amants maudits.

Me rappelle que le coquelicot est une fleur qu'on ne peut pas cueillir car elle meurt tout de suite.

Le coquelicot est un pavot.

Niveau 14

Arrête-moi si je te lasse. N'hésite pas. Car pour ce qui me concerne, je suis loin d'en avoir fini avec cette première rencontre. Loin d'en avoir terminé avec mes souvenirs tellement je me rappelle que je voulais tout savoir d'elle, là, tout de suite, maintenant – et j'en appris en effet beaucoup, j'appris même ce que je ne voulais pas savoir, comme dit la chanson.

Me rappelle, par exemple, qu'il y avait quelque chose de dur en elle, une espèce de brutalité, de violence presque, qui affleurait par moments, comme un refus tout au fond, un blocage, un rejet de tout ce qui pouvait ressembler à – quoi ? Je l'ignorais à ce moment-là. Mais c'était comme une blessure secrète qui lui interdisait toute tendresse, qu'elle vienne d'elle ou d'autrui (*Aïe, avais-je songé*).

Me rappelle cette réplique dans le film Philadelphia Story (G. Cukor, 1940), lorsque Cary Grant dit à Katharine Hepburn qu'elle « ne sera jamais une femme à part entière tant qu'elle ne comprendra pas la faiblesse humaine ».

Me rappelle qu'elle semblait tout le temps sur la défensive. (*Elle sait qu'elle est jolie, avais-je songé. Elle ne le sait que trop. Elle le sait depuis toujours. Gaffe !*) Me rappelle que cela ne me fit pas peur, pas à ce moment-là. Me rappelle avoir songé que sa beauté devait l'encombrer plus qu'elle n'était susceptible d'en jouer ou de s'en prévaloir. Comme disait l'autre (Veronika) : « Comment voulez-vous qu'une fille qui est jolie ne soit pas troublée qu'un type soit gentil avec elle et ne cherche pas à la baiser » – après avoir eu un doute sur son orientation sexuelle, cependant. (*Si ça se trouve, elle est lesbienne, avais-je songé, soudain refroidi. Elle préfère peut-être les filles et il n'y aura rien à faire si c'est le cas, avais-je songé, en me préparant déjà au pire. Chiotte ! Quoi qu'il en soit, elle n'aime pas que tu la regardes franchement. Elle baisse les yeux et se renfrogne chaque fois. Elle n'aime pas qu'un homme la dévisage, l'envisage, la dévore des yeux, etc. Gaffe. Comporte-toi comme si elle n'était pas une jolie fille. Sois malin. Montre-lui que tu t'intéresses à ce qu'elle pense ! Flatte son intelligence. Parle culture. Parle CINÉMA !*)

Me rappelle avoir fini par comprendre, à force de tourner autour de son pot, qu'elle n'en pouvait plus de susciter en permanence les compliments comme les crachats. N'en pouvait plus d'être la fille qui excite la convoitise des hommes jusqu'à les rendre serviles ou hargneux – et avec les femmes c'est encore pire, dit-elle avec une vraie amertume dans la voix. (*Aïe.*) En tous les cas, elle se vivait comme la fille qui n'avait pas d'amies et qui ne pouvait pas en avoir. La fille que les autres filles prenaient en grippe à cause de son physique et elle ne mentait pas : je vis par la suite comment, au service marketing, les autres filles la traitaient, l'ostracisaient, tout de suite méchantes avec elle, désagréables, revêches, toutes soudées et liguées contre sa beauté, au point que M en arrivait à prendre en grippe son physique tellement il dressait un mur entre elle et les autres, la rendait solitaire dans le monde, l'obligeait à faire profil bas partout où elle allait. Comme si sa beauté était un handicap dans ce monde. Une tare. Tellement sa beauté était une gifle à la misère ambiante, voilà, bien dit, bien résumé, après d'autres. (*Bien fait pour la misère ambiante ! avais-je songé. Avant de songer : que serait-elle sans sa beauté ? Qui serait-elle ? Elle-même ne doit pas le savoir. Comme c'est charmant. Comme c'est délicieux. Comme elle est jeune !*)

Quoi d'autre ? Ah si, je me rappelle que, plus tard, deux ans plus tard pour être précis, j'allai voir à sa sortie le film Casino Royale, avec Daniel Craig innovant dans le rôle de James Bond et, dès le lendemain, je retournai le voir dans l'unique but de retranscrire sur l'un de mes petits carnets la scène où 007 rencontre Eva Green pour la première fois, dans un train, et ça donne à peu près ceci, d'après les notes de mon petit carnet griffonnées à toute vitesse dans le noir : *Elle* (radieuse) – Je suis l'argent. *Lui* (grivois) : Une bien jolie somme… *Elle* (méprisante) : On ne peut rien vous cacher. Et à part ça ?… *Lui* (sentencieux) : Votre beauté pose problème. Vous craignez qu'on ne vous prenne pas au sérieux. *Elle* (dédaigneuse) : C'est vrai de toutes les jolies filles qui ont un tant soit peu de cervelle. *Lui* (insistant) : Oui, mais dans votre cas, vous surcompensez en vous habillant de façon un peu trop masculine, ce qui vous rend quelque peu piquante, à dire vrai. Mais paradoxalement, cela vous donne encore moins de chances de vous faire accepter des autres, qui prennent votre manque d'assurance pour de l'arrogance (souligné trois fois) – fin de la scène. Si j'avais vu ce film avant de rencontrer M, j'aurais gagné un temps fou. J'aurais commis moins d'erreurs. J'aurais retenu le terme « surcompenser » et il est fort James Bond. Pas autant qu'un philosophe allemand, mais pas loin.

En tous les cas, j'aurais mieux apprécié le petit haut rouge à épaulettes qu'elle portait ce jour-là, jour béni entre tous, à ce moment-là mon jour béni entre tous. Pour le bas, elle était vêtue d'un jeans taille basse gris souris et, pour le haut, d'une espèce de top rouge en coton (sûrement du coton) à manches courtes et dont les épaulettes cousues à l'intérieur – des épaulettes *comme dans les années 80 !* – mettaient particulièrement en valeur ses bras nus et finement musclés. Les mettaient ostensiblement en valeur, les mettaient *exagérément* en valeur, alors que tout chez elle semblait se tenir sur la réserve. Exprimait la pudeur même. Une pudeur native. Élective. Propice à l'imagination. Follement érotique. Terriblement aphrodisiaque. C'était étrange. Impossible de ne pas admirer ses bras nus et finement musclés et qui ne sait que certaines de nos perceptions ont le don de nous mettre sur la voie de l'autre avant même que nous y songions ?

Ainsi fus-je tout de suite intrigué par le spectacle offert de ses bras nus et finement musclés (*Tiens tiens, avais-je songé*). Tout de suite réceptif au message qu'ils tentaient de faire passer – du genre « je suis forte, je suis costaud, je ne suis pas une faible femme, je ne suis pas seulement une jolie fille, je ne suis même pas une fille, je surcompense à tour de bras ». (*Elle adore nager, avais-je songé tout à coup, avec le sentiment d'avoir mis le doigt sur quelque chose, sans savoir quoi cependant. Elle va régulièrement à la piscine, peut-être chaque matin, pour faire des longueurs, encore et encore, cette discipline-là, cette solitude-là, ce plaisir-là, c'est tout à fait le genre, avais-je songé. L'eau est son élément, plus que l'air ou la terre ou le feu, oui, M comme sirène.*) Et de l'imaginer étirer son corps de tout son long dans l'onde turquoise d'une piscine phosphorescente, nageant lentement, sérieusement, silencieusement, avec volupté, une brasse coulée après l'autre, puis en dos crawlé, enfilant les longueurs, toute seule, dans la piscine déserte, dans l'oubli amniotique le plus azuré et chloré, physiquement restituée à elle-même, faisant enfin corps avec elle-même et avec son environnement, avec sa respiration, avec sa peau et ses muscles, avec une certaine apesanteur de l'être, avec un petit bonnet de bain blanc sur la tête et un maillot une pièce, sûrement une pièce, évidemment une pièce, et noir le maillot, forcément noir, pour affiner encore sa silhouette et ne pas s'exhiber. Ne surtout pas s'exhiber. Rester sobre en toutes circonstances. N'exciter aucune jalousie. Ne pas provoquer la misère ambiante. En tous les cas, elle est sportive, avais-je songé. Femme et virile elle est, comme j'aime. Pas du tout une pauvre petite porcelaine pleurnicharde et hystérique. De toute évidence, elle n'avait manqué de rien dans son enfance, aucune carence alimentaire tellement son corps respirait la vitalité : une jument en pleine forme qui donnait envie de la voir gambader librement dans un pré, faire des cabrioles, se mettre à galoper et ruer des antérieurs, s'ébrouer de joie, se rouler par terre, repartir au triple au galop, crinière au vent – une jument quoi ! Un pur-sang ! (*Pourvu que son cœur soit de même, avais-je songé. Plein de joie et de force et de tendresse. Source de vie plutôt que maladie de l'âme, avais-je songé, et cette pensée comme une dédicace pour ma mère. Comme un ange passant dans mon bureau.*)

Quoi qu'il en soit, elle avait une très haute opinion de ses bras. Elle en tirait visiblement une certaine fierté, là où la plupart des femmes, au contact des hommes et pour peu qu'elles se soucient d'elles à travers eux, pour autant que j'en sache quelque chose, misent plutôt sur leur poitrine ou sur leurs jambes ou sur leur chevelure ou, faute de mieux, sur leur look, faute de mieux sur leur rouge à lèvres, faute de mieux sur leur bonne humeur communicative et leur gentillesse et, en désespoir de cause, sur leur talent pour faire le clown et qu'est-ce que cela signifiait que de parier sur ses bras ? Le premier jour où elle venait travailler, qui plus est ? (*Elle compte sur eux pour circuler dans le monde, avais-je songé. Ils sont ce qui lui donne de l'assurance en public et confiance en elle dans l'existence.*) Car je n'étais pas aveugle, je voyais bien : elle jetait ses bras en pâture de façon intentionnelle et ce n'était pas banal. (*Gaffe ! avais-je songé.*) À moins qu'elle ne se cache derrière ses bras, me rappelle avoir songé. (*Elle focalise exprès sur ses bras afin de détourner l'attention du reste de sa personne qui, de ce fait, échappe à l'examen et peut dès lors circuler incognito, sans risquer d'exciter la convoitise ou de subir la critique, avais-je songé, en plein délire spéculatif, à toute vitesse.*)

Par exemple ses seins, que je me rappelle avoir fixés à ce moment-là, comme on braque soudain une lampe, j'allais dire une banque, de sorte que M s'en rendit compte. Je sais qu'elle s'en rendit compte. Elle détourna aussitôt le regard. Aïe ! Je ne voulais pas… Merde ! Moi relançant immédiatement la conversation, tentant de réparer les dégâts, sans que ni l'un ni l'autre ne soyons dupes, sachant que j'avais vu, que je savais, oui, ses seins : *j'avais les mêmes !* Presque les mêmes tellement les siens étaient minuscules, ridicules, proprement inexistants, moins d'un bonnet A à vue d'œil et aussi peu susceptibles d'être mis en valeur que ses bras et ses épaules pouvaient l'être et pourquoi pas ses bras et ses épaules si ça pouvait lui faire plaisir, la décomplexer, lui regonfler le moral, faute de mieux, avais-je songé toujours spéculant à pleins tubes. Mais c'était par dépit et M comme amazone, avais-je songé en moi-même. (*Dommage qu'elle soit si plate, n'avais-je pu m'empêcher de songer. Une taille de plus ne m'aurait pas déplu. Tant pis. Avoir de petits seins la complexe manifestement, avais-encore songé. Autant qu'un type qui aurait une petite bite ? J'espérais bien que non ; il ne fallait pas exagérer ; ce n'était pas aussi rédhibitoire. Je les aimais déjà ses tout petits seins. Je les embrassais à travers son petit top rouge. Seigneur, j'avais envie, là, tout de suite, dans mon bureau, de les agacer et de les mordiller et de les faire bander. Qu'ils se dressent fièrement de désir. Pointent dans toutes les directions à la fois. Il était fini le temps où je misais la partie contre le tout. Où je découpais l'autre en rondelles pour ne garder que ce qui me plaisait. Je voulais tout de M. Telle qu'elle était. Sans rien changer. Je ne faisais plus le détail. Elle était finie mon ancienne vie. Elle venait de prendre fin il y avait – quoi ? Une demi-heure ? Une heure ?)*

Niveau 15

Que je me rappelle encore. Attends. Ne bouge pas.

Je me rappelle l'avoir questionnée sur tout et n'importe quoi. Avoir négocié tous les passages obligés, les figures imposées. Avoir respecté la procédure. Son signe astrologique (Vierge – *et ne surtout faire aucun commentaire !*) ; ses goûts musicaux (en ce moment : Cat Power, Moby, des chants grégoriens aussi – *hu hu hu !*) ; la première chose qu'elle faisait le matin en se levant (Vous ne le saurez jamais !) ; son type de femme si elle était un homme (Pardon ?) ; le dernier film qu'elle avait vu (Saw, un film gore. Vous l'avez vu ? J'adore les films d'horreur. Mais la plupart sont grotesques. On n'a jamais *vraiment* peur – *oh oh, avais-je tiqué*). Avant d'ajouter, comme ne pouvant s'en empêcher mais regrettant aussitôt cet aveu qui semblait en dire un peu trop long sur elle, ce qui me mit encore plus la puce à l'oreille : « J'aime le sang. »

J'ai fait des recherches. Il paraît que regarder un film d'horreur fait perdre en moyenne 184 calories, d'après une étude de chercheurs de l'université de Westminster ayant estimé les effets physiologiques (accélération du rythme cardiaque, augmentation de la pression artérielle, etc.) de spectateurs assistant à une projection du film Shining (Stanley Kubrick, 1980). M allait-elle voir des films d'horreur pour *garder la ligne* ?

Autre hypothèse : selon Glenn Sparks, de l'université de Purdue, apprécier les films gore, c'est « violer la norme sociale qui condamne la violence, et satisfaire à bon compte un désir de transgression ». Certains neurobiologistes pointent aussi le fait que, dans notre cerveau, les synapses de la peur sont très proches de ceux du plaisir. « L'adrénaline devient ici jouissive, dans la mesure où le spectateur est dans un cadre suffisamment protecteur. » « Avoir sous les yeux la triste preuve de l'extrême fragilité de l'existence rend soudain exaltant le sentiment d'être (encore) en vie, affirme pour sa part le sociologue Luc Boltanski. Le spectateur se dit : cela arrive aux autres mais pas à moi. Ouf. » D'autres chercheurs, enfin, soulignent l'effet cathartique : avoir peur rendrait « plus vivant », permettrait « de se défouler et de se décharger de ses mauvaises humeurs quotidiennes », avant de retourner à sa petite vie. Bien. C'était noté. J'ignorais si M vérifiait l'une ou l'autre de ces hypothèses, mais je comprenais mieux pourquoi les films d'horreur n'ont jamais eu ma préférence.

Niveau 16

Ce n'est que bien plus tard (nous étions alors dans un café, après le boulot, *happy hours,* même si elle n'avait pas beaucoup de temps car elle avait un dîner...) que j'appris que son premier choc cinématographique avait été, deux points ouvrez les guillemets : Dracula.

Elle ne connaissait pas le titre du film et elle ne l'avait jamais su ; mais il avait été le film qui lui avait fait découvrir le cinéma. Elle était tombée dessus un soir où, ses parents étant absents et ses frères en pension, elle s'était installée devant la grande télévision du salon, confortablement pelotonnée sur le canapé avec sa couverture fétiche pour lui tenir chaud, bien tranquille, tout à fait à son aise, enfin seule, en pyjama, avec une cargaison de muffins et un pot de *jelly* à la fraise de chez Hartley's – le pied ! Le sentiment de faire quelque chose d'interdit. D'être la souris qui danse quand les adultes ne sont pas là. Elle avait dix ou onze ans, guère plus, me dit-elle, le regard soudain rêveur – et moi de l'imaginer tout à coup à dix ou onze ans, allongée sur un canapé, en pyjama, pelotonnée dans sa couverture fétiche, en train de regarder Dracula à la télévision tout en se gavant de *jelly* à la fraise et, à cette pensée, j'avais éprouvé une étrange émotion, presque une nostalgie, liée non pas à la vision plus ou moins nabokovienne d'une gamine alanguie sur un canapé mais à celle, purement archéologique, de l'imaginer tout à coup petite fille, d'imaginer la petite fille qu'elle avait été et de prendre conscience qu'elle avait un jour été une petite fille et à quoi ressemblait-elle quand elle avait dix ou onze ans ? La femme qu'elle était devenue transparaissait-elle déjà ou pas du tout ? J'aurais voulu voir des photos pour tenter de remonter le temps, à la recherche de la genèse qui, au bout du compte, l'avait conduite à devenir la jeune femme de 28 ans qui sirotait à cet instant un verre de vin blanc et qui se rappelait maintenant que le film avait été diffusé très tard dans la nuit, alors qu'elle aurait normalement dû être au lit depuis longtemps. Alors qu'elle tombait de sommeil mais voulait rester devant la télé le plus longtemps possible, exprès, parce que veiller si tard lui était interdit et que l'occasion était trop belle, trop rare, dût-elle piquer du nez le lendemain à l'école – mais demain serait un autre jour.

Ainsi était-elle restée jusqu'au bout devant Dracula (quel nom incroyable, au demeurant : Dracula !). Ah, elle oubliait de dire que le film était en noir et blanc. Il s'agissait d'un très vieux film, comme surgi du fond des âges, du fin fond de l'imagination, lorsque le monde ne connaissait pas encore la couleur, peut-être même pas le feu, ce qui lui conférait une aura encore plus trouble et captivante. Probablement ce film datait-il des années 30 ou 40, ou peut-être des années 50, elle ne le savait pas. Il s'agissait peut-être d'un affreux nanar produit par une quelconque télévision étrangère, mais elle n'était pas à l'époque en mesure d'en juger et c'était loin maintenant dans son souvenir. Tout ce qu'elle savait, c'est qu'elle n'avait jamais vu un film comme celui-ci. Elle ignorait qu'il pût exister des films de cette sorte. Des films *d'horreur* ! Pour autant qu'elle se le rappelât, tout se passait la nuit, entre crypte et candélabres, pleine lune éblouissante à travers des branchages et épais brouillard enrobant tout de façon menaçante, équivoque, trouble et contrastée. Dans une ambiance lugubre, pesante, baroque, victorienne à souhait, qui l'avait d'autant plus impressionnée qu'elle était toute seule dans la maison et qu'elle craignait que ses parents ne rentrent à l'improviste et la surprennent et la grondent (la peur était déjà là, augmentant l'effet du film). Surtout qu'elle regardait la télé dans l'obscurité la plus totale du salon, toute pelotonnée dans sa couverture fétiche, baignant dans la lumière sépulcrale du poste et comme happée par elle. Comme si elle faisait partie du monde de Dracula. Comme si elle y était entrée ce soir-là – ou bien c'était lui.

Par la suite, elle avait vu beaucoup de films de Dracula, comme on prolonge une émotion dont on cherche à revivre l'intensité originelle, comme un premier shoot splendide qui exige d'être éprouvé de nouveau et rend finalement addict. Mais jamais elle n'avait retrouvé le délicieux effroi de ses dix ou onze ans. Elle n'avait jamais retrouvé ce film et c'était comme si elle l'avait rêvé. Comme si ce film n'avait jamais existé, ou seulement pour elle. Il était *son* Dracula. Si elle le revoyait aujourd'hui, sûrement le trouverait-elle grotesque. C'était à craindre. Forgé par son impression du moment, si forte que celle-ci avait émulsionné sa mémoire, laquelle l'avait ensuite figée et tirée en grand format, le mythe se briserait en mille morceaux. Peut-être valait-il mieux qu'elle ne le revoie pas. Finalement. Sauf à vouloir sortir de l'enfance, avais-je observé, sans penser à mal cependant. Qu'en pensait-elle ? À son avis ? M avait souri à cette idée. Fait un geste vague de la main. S'était un peu agacée. Parce que j'avais le don de poser des questions bizarres et si c'était parfois rigolo, on se sentait aussi sur la sellette et ce n'était pas très agréable, avait-elle dit en me regardant dans les yeux, avant de fuir mon regard. Moi buvant à ce moment-là ses paroles comme si c'était son sang. Moi grimaçant un sourire en opinant du chef et, fugacement, en focalisant sur ses lèvres, sur leurs mouvements, sur ses *dents* qu'elle découvrait parfois.

Pour autant, elle ne se rappelait pas vraiment de l'intrigue. Elle n'avait pas tout compris. C'était flou dans sa mémoire. Mais elle n'avait pas oublié le *regard* de Dracula. Elle se rappelait très bien ses *yeux* qui apparaissaient à intervalles réguliers en très gros plan, si intenses et expressifs qu'ils semblaient la fixer, elle, la scruter, elle, par-delà l'écran de la télévision, comme si Dracula la perçait à jour, cette sensation-là, tout à fait ridicule, elle le savait bien, mais elle s'était sentie – comment dire ? Ce regard. Elle ne savait pas. Elle s'était sentie *appelée*. Hormis ses yeux, elle ne se rappelait pas le visage de Dracula. Elle l'avait pour ainsi dire effacé de sa mémoire. Tout ce qu'elle pouvait dire, c'est qu'il avait un *certain âge* ! Il n'était pas un jeune premier – ah non ! s'était exclamée M. Quel non-sens de prendre des acteurs à la mode pour jouer le rôle, avait-elle levé les yeux au ciel. C'est vraiment débile ! Dracula ne peut *pas* être jeune ! Il a forcément un *certain âge* puisqu'il est immortel ! Il porte sur ses épaules tout le poids de la vie et de la mort et il n'est pas beau, il n'est pas glamour, il ne peut pas l'être, non non non, il est trop *profond* pour l'être, avait-elle dit avec feu (« profond » ? J'avais plutôt l'impression que c'était Dracula qui avait profondément pénétré en elle. D'un autre côté, je n'allais pas me plaindre : ne venait-elle pas de faire mon portrait tout craché, le côté vampire en moins ? Car pour ce qui était d'avoir un certain âge et d'être profond, je me posais là, indéniablement. Mon âge n'est peut-être pas un problème, m'étais-je secrètement emballé ; au contraire, il était peut-être un *atout*. Hourra ! Fermer la parenthèse).

Sans rien laisser transparaître de mes splendides spéculations, je l'avais fixée avec une intensité que, en manière de plaisanterie, j'avais cherché à rendre la plus draculesque possible (hou hou), tout en lui disant que je comprenais très bien ce qu'elle voulait dire. Moi-même étais accablé de constater combien le cinéma blanchissait la part d'ombre des personnages dont il s'emparait, les rendant bien de cette époque jeune et jolie et – pardon. Pfuit pfuit. Que disait-elle ? Qu'elle s'était sentie comme *hypnotisée* par Dracula. Elle ne savait pas comment expliquer. C'était difficile à décrire. Elle n'avait jamais vu personne qui soit aussi *dense*. Elle n'avait pas imaginé une seconde qu'il s'agissait d'un personnage de fiction et, dès que Dracula apparaissait à l'écran, elle était subjuguée. Et le teint si pâle avec ça. Oh la *pâleur* de Dracula : elle était incroyable ! Elle était terrible. Elle en était tombée tout de suite amoureuse. La pâleur de la nuit ! Et M de me confier (perfidement ?) qu'elle *flashait* spécialement sur les garçons qui avaient le teint très pâle. Sur les filles aussi d'ailleurs. Elle avait toujours envié les peaux très blanches, presque diaphanes, morbides, *elle aurait adoré être livide* (et mon cœur basané de refluer dans ma poitrine, soudain douché. La jalousie de commencer à s'exaspérer en moi. Eh quoi, Dracula était-il mon rival ? Son inconscient de petite fille conspirait-il contre moi ? Parce qu'il en aurait pincé pour un *vampire* ? Pour un *comte* transylvain ? Un *immortel* ? Et plus rien par la suite n'aurait pu l'en faire démordre ? Chiotte !). Quoi qu'il en soit, ce film l'avait d'autant plus impressionnée qu'elle n'avait jamais entendu parler de Dracula, pas une seule fois avant ce soir-là, oui, elle ignorait totalement à l'époque qu'il existait des vampires et cela avait été une espèce de choc. Sur l'instant, elle y avait *cru*. Elle n'y croyait plus aujourd'hui, bien sûr que non, allons donc ! Mais la petite fille en elle avait longtemps cru que des êtres revenaient réellement d'entre les morts pour boire le sang des vivants.

La petite fille encore en elle ? À jamais en elle ?

Elle allait devoir y aller, elle allait être en retard à son dîner, mais je sentais que quelque chose lui brûlait les lèvres. – Quoi ? avais-je demandé (un peu déprimé par ce que je venais d'apprendre). – Je ne sais pas si je peux vous le dire. – Allez… – Vous allez rire de moi. Vous allez me trouver complètement folle. – Mais vous êtes complètement folle ! (Son air faussement outré à ce moment-là et, en même temps, suspicieux, en même temps *inquiet* !) Non, je plaisante. Dites. Allez. Je vous promets de ne pas me moquer. Promis !

Et de me raconter alors qu'une scène du film l'avait surtout – comment dire ? Elle avait rêvé de cette scène par la suite, longtemps, se la repassant en boucle dans sa tête, comme une vision obsédante qui l'effrayait elle-même. Une énigme qui la torturait. Un délice qu'elle n'osait s'avouer. C'était lorsque Dracula surgissait tout à coup dans la chambre de Mina (l'héroïne du film). Venant de la nuit, il se tenait soudain dans l'encadrement de la porte-fenêtre, entrait silencieusement dans la chambre, s'approchait du lit dans lequel dormait Mina et, comme à Guignol, M aurait voulu prévenir Mina pour qu'elle se réveille et puisse s'échapper avant qu'il ne soit trop tard ; mais Mina ne se réveillait pas et Dracula s'approchait tout près de son lit. Son ombre devenait démesurée sur le mur. On la voyait progresser au sol, ramper vers le lit, glisser sur les draps, remonter le long des jambes de Mina, inonder peu à peu son corps d'encre noire, le noyer tout entier dans une flaque de nuit, tandis que Dracula se penchait sur la forme endormie. Approchait tout près son visage de celui de Mina pour se mettre à la scruter, longuement. À la renifler, à la *humer*, les yeux fermés, son visage à quelques centimètres de celui de Mina, comme s'il la caressait infiniment, sans jamais la toucher cependant et c'était si doux à l'écran, si intense, que M m'avait dit avoir été saisie d'une violente émotion à ce moment-là. Son cœur battait à tout rompre à ce moment-là. Ses mains étaient moites. Elle ne savait pas ce qu'elle éprouvait, mais c'était fort, elle avait l'impression d'être soudain en feu. Le souffle court, elle avait observé, impuissante, Dracula s'emplir encore et encore de l'odeur de Mina et approcher ses lèvres si près qu'elles effleuraient celles de Mina, elles les frôlaient avec une douceur si pure et insoutenable que M en tremblait dans sa couverture fétiche. C'était comme si le temps s'était figé. Qu'il était un cri. Lorsque Mina avait brusquement ouvert les yeux. Enfin ! Elle les avait ouverts tout grands, comme si elle avait senti le danger dans son sommeil, perçu la présence maléfique – et c'était Dracula ! Il était là, penché sur elle, juste au-dessus de sa tête, à quelques centimètres de son visage, lui soufflant doucement son haleine dans le cou, expirant son âme maudite sur sa peau ; avant de se redresser un peu et de plonger son regard dans celui de Mina et Mina ne criait pas, elle restait pétrifiée, les yeux écarquillés par la terreur et par quelque chose d'autre, oui, Mina avait peur et, en même temps, elle n'avait pas peur du tout et c'était inconcevable. M ne comprenait pas pourquoi Mina ne cherchait pas à s'enfuir, pourquoi elle demeurait paralysée dans son lit au lieu de repousser Dracula de toutes ses forces, comme si elle était – quoi ? Le mot ensorcelée ici. La sensation qu'elle-même était ensorcelée par ce qu'elle voyait à l'écran. Suspendue aux moindres faits et gestes de Dracula elle était. Lequel, toujours à fleur de peau de Mina, continuait de la captiver des yeux, de respirer son odeur, d'effleurer ses lèvres de façon si proche et imperceptible que M n'en pouvait plus devant la télé. Elle en avait presque eu un spasme. J'allais me moquer d'elle, mais elle avait follement désiré être Mina à ce moment-là, elle s'était vue à sa place et elle s'était vue entrouvrir les lèvres pour que Dracula l'embrasse avec la même douceur imperceptible, comme si elle était entrée dans l'image ou que Dracula était sorti du film pour... pour...

Niveau 17

Elle ne le savait pas.

Elle ne comprenait pas ce qui lui arrivait. Pourquoi elle était maintenant glacée et brûlante à la fois. Proie de sensations exaspérées. Mais
Dracula n'embrassait pas Mina ! Car voici qu'il inclinait la tête pour
enfouir son visage dans le cou de Mina et M en frissonnait de le voir
faire, elle sentait presque son souffle sur sa peau, dans son cou. Et c'est
alors. Que la bouche de Dracula. S'était ouverte. Découvrant. En gros
plan. Dévoilant. En très gros plan. Des dents monstrueuses. Pointues.
Hérissées. Des *crocs* ! Oh cette vision ! Des dents crochues de Dracula.
Des dents... Il n'y avait pas de mots pour décrire ce qu'elle voyait. Elle
n'avait jamais rien vu d'aussi *fascinant*. Elle se rappelait encore le choc
qu'elle avait ressenti à cette vision. La violence de ce choc. Le dégoût
aussi. Mais un dégoût qui n'en était pas un. Pas seulement un. Qui
était aussi une exaltation. Comme une décharge électrique. Dans son
corps. Dans son cerveau. Comme si toute la tension de cette scène et
de l'Univers tout entier s'était concentrée dans cette vision innommable, à laquelle elle ne s'attendait pas du tout, qui l'avait foudroyée
sur place, lorsqu'elle avait dix ou onze ans. Et encore plus lorsque Dracula avait planté ses dents ignobles dans le cou de Mina, la mordant
avec une cruauté inouïe, une suavité effroyable, pour se mettre à boire
son sang, à la vider de son sang, *à la saigner*, aspirant d'un trait tout
son être et M n'avait pu s'empêcher de porter la main à sa gorge, elle
avait senti physiquement que quelque chose la mordait dans le cou
tandis que, par-dessus l'épaule de Dracula, Mina : elle ne criait toujours pas, elle ne se débattait pas, non ! Elle s'offrait tout entière à la
morsure, elle s'abandonnait corps et âme au monstre et son visage
devenait extatique, sa tête basculait en arrière et, les yeux mi-clos, la
bouche ouverte, elle se mettait à gémir, elle poussait d'ineffables soupirs qui se transformaient en râles, comme si elle expirait littéralement,
son corps se soulevant sur le lit, faisant un arc et c'était donc ça : jouir ?
Ça : le plaisir ? Ainsi que la *chose* arrivait ? Pendant son sommeil ?
Comme dans un rêve ? Alors qu'on était pétrifiée de peur. Quand on
était *mordue* ? Elle comprenait maintenant ce que cela voulait dire :
« être mordu ». Comme on dit « en pincer pour quelqu'un ». Mais en
beaucoup mieux. En plus mortel. On était mordu et alors venait
l'extase. Cela le secret ? Cela *l'amour* ? Je pouvais me moquer, mais c'est
ce qu'elle avait imaginé. Désolé. Mille excuses. Alors que si elle voyait
ce film aujourd'hui, elle trouverait les dents de Dracula tout à fait grotesques, absolument hilarantes et, du reste, elle pouffait de rire à

chaque fois qu'elle voyait un pauvre acteur montrer ses crocs en plastique, elle ne pouvait s'empêcher de se bidonner sur son siège tellement c'était ridicule – et probablement nerveux, avais-je eu envie d'ajouter ; mais sur l'instant, la petite fille avait tout gobé. Elle n'avait pas songé une seule seconde qu'il pût s'agir de fausses dents. Elle avait cru que les choses du sexe se passaient de cette manière. À sa décharge, elle n'avait jamais vu de gens faire l'amour, elle n'en avait jusqu'ici aucune *représentation*. À l'époque, elle n'avait droit (avec parcimonie d'ailleurs) qu'aux dessins animés et aux comédies inoffensives qui s'ingéniaient à escamoter l'instant où les choses commençaient à devenir intéressantes, avec force ellipses et fondus au noir qui la laissaient perplexe, inassouvie, désemparée. Il lui manquait à chaque fois des images. Le meilleur se déroulait systématiquement hors champ (et j'avais failli noter cette phrase dans l'un de mes petits carnets tellement elle me semblait traduire une vérité valable à chaque instant).

Mais pas cette fois. Ce coup-ci, c'était du sérieux, c'était explicite, c'était dans le champ. Cette fois, elle avait eu droit à toute la séquence. Elle savait maintenant. Comment on faisait l'amour. Elle avait vu ! Sur mille interrogations qu'elle n'osait se formuler à elle-même, Dracula venait de mettre des images fortes. Des images indélébiles. Comme lorsque, s'écartant de Mina, il se redressa soudain, le regard chaviré, les traits tordus d'une drôle de souffrance, et ses lèvres étaient rouges, elles dégoulinaient de sang, on aurait dit du rouge à lèvres, *on aurait dit une femme* et – ouf !

Je crois avoir à peu près traduit (avec mes mots, en forçant un peu le trait, je l'admets) les émotions que, dans ce café, alors qu'elle était maintenant très en retard pour son dîner, M m'avait avoué avoir ressenties en regardant cette scène devenue, si je comprenais bien, sa scène érotique primitive. Émotions exacerbées, affolées, contradictoires qui avaient allumé un grand feu en elle. Embrasé son imagination. Il avait suffi d'un obscur petit film de Dracula pour lui implanter dans le crâne des images impossibles à oublier. Des images qui lui avaient révélé le sens du mot désir en même temps qu'elles lui donnaient une forme et pas n'importe laquelle. Alors qu'elle avait dix ou onze ans. Alors qu'elle ne savait rien des hormones qui, à son âge, commençaient d'inventer des désirs dans son être et, par la suite, elle avait très souvent songé à cette scène. Elle revoyait tout le temps les dents de Dracula. C'était surtout cette vision qui la hantait. Elle en faisait des cauchemars. Les images l'avaient mordue plus profondément que Dracula et elle éprouvait dans sa chair leur morsure, le venin, l'infection. Mais plus elle tentait de chasser cette vision de son esprit, plus celle-ci l'obsédait et, finalement, plus elle la convoquait et s'en repaissait. C'était infernal. Certains soirs, elle ne pouvait d'ailleurs s'en empêcher : dans son lit, après avoir éteint la lumière, elle fermait les yeux et elle rejouait secrètement pour elle-même *toute* la scène, en s'imaginant à la place de Mina, en s'horrifiant de s'y voir elle-même, en se sentant palpitante à la pensée que Dracula venait, là, tout de suite, de pénétrer dans sa chambre et qu'il s'avançait maintenant dans l'obscurité, s'approchait silencieusement de son lit, se penchait sur elle, se penchait encore plus, se tenait juste au-dessus de son visage et, sur sa peau, elle pouvait sentir son souffle l'effleurer imperceptiblement, elle sentait ses lèvres effleurer imperceptiblement les siennes qu'elle-même effleurait à cet instant du bout des doigts pour donner infiniment chair aux images qui défilaient devant ses yeux et ce simple frôlement du bout des doigts la faisait frissonner tout entière, la mettait dans un état de volupté indescriptible, cela pendant de longues minutes ; avant que, toujours du bout des doigts, elle se mette à caresser son cou, très lentement, très doucement, infiniment. Avant d'enfoncer brusquement ses ongles dans sa peau et de les y enfoncer cruellement d'un coup, de toutes ses forces, comme si c'était Dracula qui la mordait à pleines dents, oh oui, qu'il la morde ! Qu'il enfonce ses dents ignobles dans sa chair et qu'il boive tout son sang ! Qu'il la saigne comme une truie ! Elle mordait ses draps pour s'empêcher de crier. Elle se griffait le cou comme si la peau lui brûlait. C'était atroce. C'était délicieux. Voici qu'elle devenait tout à coup Dracula, malgré elle, de manière forcenée, oui, il y avait toujours un moment où elle cessait d'être Mina pour prendre le rôle de Dracula et cette inversion des rôles lui procurait un plaisir fulgurant. De devenir son bourreau et sa victime la déchirait dans la nuit. Cela ajoutait terriblement à sa confusion. Car elle se sentait honteuse ensuite. Tourmentée. Incrédule. Épuisée. Que lui arrivait-il ? Elle ne se reconnaissait plus elle-même. Elle refusait de croire qu'il s'agissait d'elle. C'était atroce. Ce n'était pas dieu possible !

Cela pendant plusieurs mois.

Pendant presque deux ans, oui, pas la peine de lever les yeux au ciel ! Pas moi ! Elle avait lu mes bouquins ! Bien sûr, c'est pendant cette période, avec cette scène en tête, *en songeant constamment à Dracula,* qu'elle avait commencé à se caresser, frénétiquement même, en utilisant une grosse paire de chaussettes en laine autour de laquelle elle avait eu un jour l'idée d'enrouler une bande velcro pour plus de douceur au début, puis plus de dureté et de rugosité. Plus de sensations. Plus de *scratch*. De férocité et de cruauté et de délices. Eh oui. Pas la peine de la regarder avec cet air ahuri. Dracula avait été son premier amant. Je pouvais ricaner, elle-même en souriait aujourd'hui, mais le Grand Vampire avait été son grand fantasme. Elle se disait qu'elle lui appartenait. Elle *voulait* lui appartenir. En secret, elle était la fiancée de Dracula et, au fil du temps, combien de scénarios n'avait-elle pas imaginés, inventant toutes sortes de variantes à partir de cette scène primitive pour s'offrir dans d'innombrables situations à Dracula et, non, elle n'allait pas me décrire ces scénarios, que je n'y compte pas, elle n'allait pas tout me déballer dans ce café, elle n'avait de toute façon pas le temps, quelle heure était-il ? Oh la vache ! Si tard déjà ! Mais quel que soit le scénario, toujours arrivait le moment – moment décisif, moment sublime, moment qu'elle retardait en pensée le plus possible afin de mieux en savourer l'apothéose – où Dracula découvrait l'ignominie de ses dents. C'était ce moment le plus fort. Le plus excitant. Lorsqu'il retroussait ses lèvres. Comme un homme ouvre sa braguette. Voilà. Je savais tout. Le comte Dracula avait été son prince charmant, s'était-elle esclaffée. Sacré Vlad Tepes. Sacré *Empaleur* ! Mais elle devait y aller maintenant. Elle était vraiment très en retard. Elle allait drôlement se faire *gronder*. Mais qu'est-ce qu'elle y pouvait ? C'est à dix ou onze ans, en regardant un soir en cachette la télévision, qu'elle avait découvert l'érotisme. *L'érotisme du sang* (ce furent ses mots), sans savoir à l'époque ce que cela pouvait signifier ni soupçonner l'impact que cela aurait dans sa vie et n'est-ce pas qu'elle était folle ?

Elle s'était levée et avait vivement enfilé son manteau. M'avait regardé : « Méfiez-vous, je suis une vampire. Vous êtes prévenu… » Son sourire alors ! Ses dents : éblouissantes ! Son regard : étincelant. Mutin. Plein de vie. Inquiet aussi. Comme si elle venait de se soulager d'un grand poids. Ou de me jouer un bon tour. Ou qu'elle craignait d'en avoir trop dit. En sachant qu'elle me laissait sur les bras son divin Dracula et que je me débrouille avec ça. Je ne pourrais pas dire ensuite…

À travers la vitre du café, je l'avais observée presser le pas en direction de la station de métro. Elle ne s'était pas retournée ; mais elle ne se retournait jamais. Elle me laissait toujours la regarder s'en aller, suivre des yeux sa démarche, ses longues jambes, son cul, le sachant. C'était toujours elle qui disparaissait et qui me plantait là. Comme une habitude qui me serrait chaque fois le cœur. Une protection. J'avais aussi remarqué qu'elle ne courait jamais. Même affreusement en retard, elle ne courait pas. Elle voulait bien presser le pas, mais courir : non ! Pas elle ! Comme si courir était à ses yeux dégradant. Une façon indigne de condescendre. Elle refusait d'aller à un rythme qui n'était pas le sien. Sacrée petite princesse dévergondée, avais-je murmuré pour moi seul, en la perdant de vue dans le trafic. Non, tu n'es pas folle. Bien sûr que non. Il faut bien que le désir advienne d'une façon ou d'une autre. Et moi-même, si ça l'intéressait, je pourrais un jour lui parler d'Ali MacGraw.

Avec une bande velcro ?

Niveau 18

J'avais sorti mon petit carnet de ma poche pour y noter, deux points ouvrez les guillemets : « Dracula ! Sans blague ! DRACULA ! Et quoi encore ! Quel sac de nœuds ! (…) Pourquoi m'avoir raconté cette histoire ? (…) Prendre la mesure de cette confidence. La prendre comme une vraie marque de confiance à mon endroit (souligné deux fois). (…) Qui d'autre est au courant ? (…) Le déroulement de cette scène lui a-t-il suggéré le déroulement même de l'amour, la condition de son avènement ? Veut-elle que je débarque une nuit dans sa chambre, vêtu d'une cape noire, elle étant endormie et moi m'approchant silencieusement, me penchant sur elle, etc. Cela son fantasme ? Un viol d'une douceur d'abord ineffable, puis d'une cruauté sauvage ? (…) Veut-elle être mordue ? Jusqu'au sang ? Râpée jusqu'à l'os ? (…) Avait-elle déjà ses règles à dix ou onze ans ou les a-t-elle eues plus tard ? Lui poser la question ? (…) Se sent-elle la fille ou la fiancée de Dracula ? Ou quoi ? (…) C'est toujours dans un contexte "anormal" que le désir surgit. Selon certaines contingences particulières et propices. Dans le cas de M : regarder la télé alors qu'elle n'aurait pas dû, en bravant l'interdit parental, en secret des adultes, en les trahissant, en craignant qu'ils ne la surprennent ; par ailleurs, elle tombait de sommeil et la fatigue désinhibe ; et elle n'avait jamais vu un film d'horreur, c'était la première fois, sans compter le noir & blanc qui dramatise encore plus, etc. Tout cela a contribué à créer un climat intérieur et extérieur tout à fait propice. En d'autres circonstances, elle n'aurait peut-être rien vu de Dracula. Un autre film aurait pu produire exactement le même effet sur elle. Ne pas l'oublier. Ne pas croire qu'elle était vouée à fantasmer sur Dracula. Cela a tenu à des conditions à la fois exceptionnelles et hasardeuses. Comment savoir si on trouve ce qu'on cherche ou si c'est ce qu'on trouve qui nous trouve ? (…) Dracula est l'une des sources d'inspiration de Zorro : tout est lié. (…) Pour M, tous les hommes sont-ils des Dracula en puissance ? Pense-t-elle qu'ils veulent tous boire son sang ? Dracula l'a-t-elle rendue paranoïaque, en représailles de son désir le plus coupable et indicible ? »

J'avais levé les yeux de mon petit carnet, déjà fatigué de moi-même et de mon démon de l'interprétation. J'avais regardé dans la rue et, par inadvertance, j'avais aperçu mon reflet dans la vitre et… mes dents ? J'avais retroussé les lèvres pour découvrir mes incisives de guingois. Agressives. Les dents de ma mère. Au point que je mets machinalement la main devant ma bouche lorsque je ris. M leur trouvait-elle un potentiel érotique ? Contre toute attente ? Cela serait tellement – quoi ? Comme la vie est étrange. Déroutante. Mais je n'allais pas lui poser la question. Je n'allais pas lui demander non plus si elle pensait que pour tuer le monstre, il fallait lui enfoncer un pieu dans le cœur et M comme Mina.

Niveau 19

Nous étions donc dans mon bureau et, pour tout te dire, je me rappelle m'être aventuré aussi loin dans la conversation que je le pouvais, sans jamais cependant dépasser la limite autorisée, me contentant de flirter avec elle, mordant parfois la ligne, que ce soit exprès ou par inadvertance, afin d'enregistrer fugacement ce que je croyais entrevoir de l'autre côté de ses apparences, en son côté intime. C'est loin aujourd'hui, c'était il y a dix ans, mais je me revois chercher à tâtons où s'établissaient ses frontières, à la découverte des contours du territoire qui était le sien, son « nom de pays : le sien », cette étendue que m'offrait son visage.

Me revois découvrir que j'allais parfois trop loin avec les mots là où je pensais avancer en terrain parfaitement neutre (*Oh oh, voici la petite armée en colère qui monte au front et prend position aux commissures de ses lèvres*) ; mais l'instant d'après, elle dédaignait l'hameçon que j'avais lancé, quand j'étais persuadé qu'elle allait le mordre (*Quoi ? Aucune réaction ! songeais-je alors avec stupéfaction*).

Oui, je me revois assiéger sans vergogne sa personnalité de tous les côtés à la fois. L'assiéger sans hésitation, emporté par la curiosité la plus vive, appelons ça la curiosité la plus vive, mais en prenant garde de ne rien briser de ce qui pouvait tout à coup me tomber sous la main, surtout ne rien briser, oh non, reposant chaque chose à la place où je l'avais trouvée pour reprendre ailleurs dans la conversation ma quête de quelque ouverture par où m'introduire en elle à pas de loup, comme un voleur, par son grand portail ou par une petite porte de derrière qui serait restée ouverte, une fenêtre mal fermée, un passage dérobé dans ses yeux de pirate, couleur de tulipe noire et verte ; mais battant en retraite au moindre signe de résistance, au plus petit nuage passant sur son beau visage, la plus légère inflexion de sa voix m'avertissant que la police était en route, les sirènes déjà hurlant dans le lointain et moi faisant aussitôt machine arrière.

Ou plutôt, si tu préfères, si tu veux que je fasse concis : je la sondais comme on sonde un mur, une statue, un bronze, à petits coups frappés de l'index replié sur lui-même, à l'écoute de l'écho en retour, si ça sonnait creux ou plein : ici ? là ? et là ? Toc toc toc. Il y avait quelqu'un ? Et espérant chaque fois qu'elle me dise d'entrer, près de trois heures durant et quel bonheur ce fut ! N'oublie jamais ce bonheur, avais-je songé dans un éclair de lucidité éblouie. Quoi qu'il se passe par la suite, n'oublie pas ce que tu vis en ce moment même. Cette aube dorée. Ce miel chaud dans tes veines. Cette euphorie de nulle part. Cette effervescence sans borne. Cette attirance plus forte que tout. Songe à te rappeler cet éblouissement vécu et éprouvé lorsque les lumières auront toutes été éteintes, si elles doivent s'éteindre. Lorsque le rêve se sera dissipé, si c'est un rêve. Lorsque tout aura été détruit, lorsque tu auras été détruit, si tu dois l'être, et qu'il ne restera plus que cendres et malheurs, aussi certains que le feu les ayant propagés. Rien de ce qui se produira par la suite ne pourra effacer cette rencontre, quoi que ce soit, bien ou mal. Cela n'aura *aucun rapport*. Ces instants sont irréductibles. N'oublie pas de me le rappeler si l'occasion se présente. S'il te plaît.

Quand bien même Julien s'est pendu avec sa ceinture à la poignée de la fenêtre de sa chambre ?

Oui.

Rien n'est plus beau et intense que l'amour naissant.

Niveau 20

Attends. Laisse-moi continuer. Ne m'interromps pas. S'il te plaît.

Je me rappelle que M me révéla ma pauvreté la mienne. Et ma richesse la mienne.

Me rappelle ses narines.

Me rappelle qu'elle aurait pu dire n'importe quoi, cela n'aurait rien changé à ce qui circulait en filigrane des propos que nous échangions et qui étaient devenus un prétexte pour prolonger l'instant, l'éterniser, nous emplir chacun de la présence moléculaire de l'autre.

Me rappelle que son sourire semblait venir de bien plus loin qu'elle et s'adresser à bien plus loin que moi.

Me rappelle avoir cent fois glissé mentalement une main dans ses cheveux, dénoué l'élastique noir qui les tenait attachés dans son dos et m'être imaginé les tirer par-derrière à la racine jusqu'à ce que ploie son corps devant moi, comme on met doucement un cheval à genoux. Me rappelle l'avoir rêvée esclave de mon bonheur. Elle attachée, ligotée, menottée, bandée, écartelée, offerte à ma vue et suspendue à mon désir et désirant l'être. N'ayant pas peur de l'être. Sachant que ce serait moi l'esclave alors. Sachant que liberté et servitude ne vont pas l'un sans l'autre, quand bien même tout est fait pour les séparer et vider ainsi la liberté et la servitude de leur substance.

Me rappelle que Machiavel disait (dans ses *Histoires florentines*), deux points ouvrez les guillemets : « On obtient bien souvent plus vite, à moins de frais et de péril, les choses que l'on désire en paraissant s'en désintéresser qu'en les briguant obstinément par la force », et ainsi dissimulais-je du mieux que je pouvais mon trouble derrière une nonchalance affectée, sans être certain d'y parvenir tout à fait.

Me rappelle que mes souvenirs en disent plus long sur moi que sur M : ils sont *mes* souvenirs de M.

Me rappelle que ses oreilles n'étaient pas percées.

Me rappelle qu'elle sortit soudain un stick de son sac et, d'un geste vif, se lustra les lèvres et… elle avait donc les lèvres sèches ? (*Oh oh, avais-je songé.*) En même temps, ce geste – comment dire ? Pour subreptice qu'il fût, il me causa un malaise. Il me dégoûta. Je détournai le regard. Ce fut sa première faute de goût. Elle se croyait où ? Dans sa salle de bains ? Certains gestes sont des obscénités qui s'ignorent, ils sont des taches de naissance sur la peau de Catherine Deneuve et passer en public un baume sur ses lèvres est de ceux-là. Jamais de rouge à lèvres, pour ce qui me concerne. Jamais de gloss. *Jamais de gras !* Jamais cette *fadeur cosmétique* qui, venue tout droit d'expérimentations animales, donne aux baisers un goût de mort. Les lèvres nues et seulement le velours soyeux des lèvres nues. Le contact physique tel qu'en lui-même. Ce n'est pas négociable

Me rappelle avoir songé qu'elle pouvait se lever tout à coup et me planter là, sans un mot, sans un regard, sur un coup de tête, pour une simple maladresse de ma part, dans un instant de panique : elle en était capable. Elle était du genre à fuir (*La peur est son pays, avais-je songé*) et, à cette pensée, je m'étais senti incroyablement démuni. Mais elle s'était ravisée, elle s'était renfoncée dans sa chaise – peut-être pour éviter le fastidieux devoir de justifier un départ intempestif. Ou parce qu'elle était une stagiaire qui se trouvait dans le bureau d'un petit chef.

Me rappelle m'être demandé (j'avais soudain un doute) si M était ce genre de filles qui se mettent à frétiller dès qu'un homme les regarde. Elles ne peuvent pas s'en empêcher. Un homme pose les yeux sur elles et c'est comme s'il posait les mains sur elles. Un homme les embrasse du regard et, ni une ni deux, elles entrouvrent les lèvres, prennent la pose, écartent les cuisses. Elles se conforment au désir de l'autre. Elles deviennent ce qu'on veut qu'elles soient et elles disparaissent dans cette conformité. Je me rappelle m'être dit que je n'aimerais pas que M – non, pas elle ! Pas *ce* piège. Ce n'était pas moi que je désirais à travers elle, mais son altérité même, que je voulais ensuite plier à mon désir.

Me rappelle qu'elle disait, comme tout le monde aujourd'hui : « Je veux profiter » (de mon stage, des vacances, de la vie, etc.). Profiter ! PROFITER ! Mais bien sûr. Mais comment donc ! C'est tout naturel. « Profiter ne coûte pas plus cher », prétend une publicité pour un voyagiste. Putain de zob ! Mais on profite toujours de quelqu'un ou de quelque chose, c'est-à-dire à ses dépens. Cela signifie tirer un bénéfice ; cela suppose léser l'autre ; rien à voir avec « savourer », par exemple. Ou avec « apprécier ». Chaque fois que j'entends dire (et c'est dix fois par jour !), deux points ouvrez les guillemets : « on en a bien profité », ou bien « allez, profite bien ! », ou, fin du fin, « il faut profiter », je me crispe. Je me cabre intérieurement. Je deviens tout rouge. Je voudrais que ce mot (et le monde qui en a fait son mot d'ordre) disparaisse du dictionnaire. Si quelqu'un m'entend…

Comme tout le monde elle disait aussi : « Je gère » (le boulot, mon temps, mes émotions, etc.). Et moi de grincer pareillement en silence de l'autre côté du bureau, dans la galaxie la mienne, comme des fausses notes vibrant sourdement dans l'air. Des corbeaux s'attroupant au-dessus d'un champ de tournesols.

Il y a vingt ou tente ans, personne ne disait vouloir *profiter* de ses vacances, de la vie, des bonnes choses, etc. Il y a vingt ou trente ans, personne ne disait qu'il *gérait* ses émotions, son temps, etc. On aurait ri de soi si on s'était entendu parler, on se serait donné des gifles. Je le sais : j'y étais. J'ai vu cette évolution du langage, dans la foulée de Dallas. Au niveau individuel de chacun. Dans ma propre bouche aussi, eh oui, hélas, à force de subir moi aussi la pression. De baigner dans le même jus.

L'autre jour, à la supérette du coin, un type a prévenu sa copine, manifestement sa copine : « Tu t'occupes des légumes, moi je gère les yaourts. » *Je gère les yaourts !* Il ne s'est même pas rendu compte de ce qu'il disait. Sa copine non plus. Elle avait compris le message, elle l'avait reçu cinq sur cinq, tout était normal. Comme une certitude de parler la langue d'aujourd'hui. Lorsqu'on devient si contemporain, il est déjà trop tard. On ne peut plus rien refuser. On n'a déjà plus de nom. On est indifférencié. Comme cette époque besogne vite, pas seulement au travers des images, mais également au travers de simples petits mots qui n'ont l'air de rien. Pour ma part, savourer les bonnes choses de la vie n'est pas profiter d'elles. Cela n'a rien à voir. La saveur n'est pas un *profit*. Idem avec apprécier. Goûter. Jouir. Etc. Chacun de ces termes traduit une *nuance*, une *subtilité*, un rapport *personnel*. Ils ne furent pas inventés pour rien ! Mais pourquoi s'embêter si un seul verbe, aussi impersonnel soit-il, précisément parce qu'il est impersonnel, permet de faire l'économie de dix autres qui, comme par magie, se trouvent congédiés, j'allais dire licenciés. Si un seul verbe s'avère d'une rentabilité maximale. Ne permet plus de penser autrement que dans le format voulu. Sachant que la langue préfigure toujours un passage à l'acte. On commence par dire qu'on veut profiter de la vie, on continue en disant qu'on gère sa vie et que dira-t-on ensuite ? Que fera-t-on ensuite ? Quelle est l'étape suivante ?

Mais je n'allais pas la ramener à cet instant. Je n'allais pas encore baver sur cette pauvre époque. Pfuit pfuit. Ah non ! Je ne connaissais M que depuis deux heures et il n'était pas question de tout gâcher en lui montrant mon pire profil. (*Ta gueule Monsieur Gicle, m'étais-je mordu mentalement la langue. Tais-toi ! Ne commence pas à cracher ton petit fiel, pas devant elle, garde-t'en bien, pas MAINTENANT !*) Qui ne sait qu'en certaines circonstances, il doit dissimuler certaines facettes de sa personnalité sous peine de casser l'ambiance et, dans mon cas, je n'allais pas montrer à M que j'étais un type mal dans mon époque comme d'autres sont mal dans leur peau. Je l'étais d'autant plus que je me sentais bien dans ma peau en me sentant mal dans mon époque. Mais non. Je ne la connaissais que depuis deux heures et ce n'était pas si important à cet instant. Ce l'était deux heures auparavant, mais plus maintenant. En tous les cas, je pouvais pour une fois la mettre en veilleuse. Je n'allais pas briser le charme. J'allais garder pour moi que cet appauvrissement de la langue, cet appauvrissement collectivement consenti de la langue, oui, je pouvais *gérer*.

Je ne sais pas,

tu vas dire que c'est une obsession,

tu diras ce que tu veux,

là encore je *gérerai*.

N'empêche !

« Je ne suis pas un dictateur, disait hitler. J'ai seulement *simplifié* la démocratie. »

« Nous ne voulons pas convaincre les gens de nos idées, disait goebbels, nous voulons réduire le vocabulaire de telle façon qu'ils ne puissent plus exprimer que *nos* idées. »

« C'est une belle chose que la destruction des mots, disait pour sa part Syme. Si vous avez un mot comme "bon", quelle nécessité y a-t-il à avoir un mot comme "mauvais" ? "Pasbon" fera aussi bien, mieux même, puisqu'il est l'exact opposé de "bon", ce que "mauvais" n'est pas. Et si l'on désire un mot plus fort que "bon", pas besoin de s'encombrer de mots vagues et inutiles comme "excellent", "splendide", etc. "+bon" englobe le sens de tous ces mots. Et si l'on veut un mot encore plus fort, il y a "++bon". »

Tu vois le topo ?

Tu as lu *1984* ?

Okay, il s'agit d'un roman et les romans ont l'inconvénient d'être des œuvres de *l'imagination*. Ils sont une création de l'esprit humain et, par conséquent, ils n'excèdent pas sa mesure (disait l'autre : G. K. Chesterton). Par ailleurs, s'ils tendent un miroir à la réalité, celle-ci n'est pas forcée de s'y reconnaître. Elle peut toujours arguer qu'il s'agit d'une fiction et, à bon droit, décréter que c'est très exagéré, que c'est tout à fait contestable, que ce n'est pas du tout la réalité : c'est juste de la fiction.

Alors que cet appauvrissement de la langue, il a réellement lieu en ce moment même. Dans la vie de tous les jours. Dans la bouche de chacun. Ce n'est pas un roman. Il a même déjà eu lieu dans un passé pas si lointain et ce ne fut pas non plus une fiction, quand bien même il fut une grande œuvre de l'imagination. Car le IIIe reich a réellement soumis la langue allemande à un « vœu de pauvreté » pendant plus d'une décennie. On le sait parce qu'un homme a, dans son journal, consigné au jour le jour l'émergence de la novlangue nazie, il a consigné son élaboration, sa diffusion et son succès avec une acuité inégalée, une douleur à la fois sincère et objective et cet homme ne s'appelait pas Winston Smith, non, il s'appelait Victor Klemperer et là, tout de suite, si l'auteur de *LTI : la langue du IIIe Reich* (Éd. Pocket) était encore vivant, trouverait-il que l'appauvrissement actuel de la langue réalise mine de rien, de façon plus virale qu'autoritaire, le même vœu de pauvreté ? Marche joyeusement sur les traces du projet nazi ? Fait passer *en douceur* le projet économique dans l'intimité des pensées de chacun, le rendant notoire aussi bien au café que sur l'oreiller, dans les urnes comme dans les supérettes ? Tellement familier que ce projet devient lien social entre les individus. Devient ce qui médiatise les rapports humains. Jusqu'à devenir invétéré. Pleinement envisageable dans les mots, puis dans les consciences et, au bout du compte, fatidique et inéluctable dans la réalité que fabrique justement cette langue. Sans que plus rien puisse s'opposer à elle. Car avec quels mots pourra-t-on alors la contester ? *Dans quelle langue ?*

Sans doute notre niveau individuel des choses n'est-il pas un pur niveau individuel des choses : il est aussi un niveau social des choses que nous avons intériorisées, pour le pire comme le meilleur, je n'ai aucune illusion sur ce point, aucun fantasme d'authenticité ; la question n'a jamais été l'inné contre l'acquis, mais la nature de l'acquis, sa *qualité*. Or, voir son niveau individuel des choses devenir un niveau économique des choses, un niveau qui, des choses et des êtres, ne sait plus les estimer qu'au sens comptable du terme parce que les chiffres ont l'art de donner un tour rationnel et prestigieux à tout ce qui « compte » : c'est vraiment pourri. C'est catastrophique. C'est le pire niveau individuel des choses, proteste mon niveau mémoriel des choses. C'est devenir plus analphabète en son for qu'on ne l'est déjà. Toujours moins capable d'y avoir accès et toujours plus contraint de fournir des efforts insensés pour y avoir accès et

ta gueule Monsieur Gicle !

Pas MAINTENANT !

On était si bien avant que tu…

Oh M, ne me *gère* pas, avais-je songé en mon for, presque un cri. S'il te plaît. Pas ça. Pas toi ! Ne me *calcule* pas. Je ne suis pas un *yaourt* ! N'imagine pas que cet appauvrissement général, parce qu'il a lieu à très grande échelle, équivaut à une espèce d'enrichissement collectif, non non non, cette immense accumulation d'appauvrissements (du langage, mais aussi du temps et de l'espace à force de vitesse et d'images, etc.) n'enrichit personne, nul ne s'enrichit de ce qui l'appauvrit et je ne sais pas si je me fais bien comprendre, j'ai un doute, je me tais.

Niveau 21

Je me rappelle aussi que M disait tout le temps « pipeauter ». « Les gens n'arrêtent pas de pipeauter », « Faut arrêter de pipeauter » etc. Pipeauter était *son* mot, ce n'était pas l'époque qui parlait cette fois par sa bouche, non, ce mot venait d'elle, il était sa propriété et pourquoi ce mot-là ? Pourquoi un tel plaisir à le mettre à toutes les sauces ? Parce qu'il était chantant ? Parce que le bout de la langue fait trois petits bonds le long du palais pour venir, à trois, cogner contre les dents. Pi-po-ter. Était-elle pi le matin, pipi au réveil, pi tout court, rapport constant de la circonstance d'un cercle à son diamètre, pi trois quatorze quinze neuf, pour un mètre soixante-dix environ ? Était-elle po dans son jeans et son petit top rouge à manches courtes, politesse ou potiron, pôle Sud ou police, pot de fer contre pot de terre, là, tout de suite, dans mon bureau ? Était-elle pipo le soir, dans son lit, avant de s'endormir, en rêvant de Dracula, une main attisant le feu entre ses cuisses ? Avait-elle lu *Lolita* ?

Me rappelle qu'elle dit : « Je n'en ai pas l'air comme ça, mais je suis très sensible » et, dans un souffle, d'une voie enrouée qui me trahit malencontreusement, je lui répondis qu'elle en avait l'air au contraire, terriblement l'air – et je murmurai cet aveu comme si je la prenais à cet instant dans mes bras avec une infinie tendresse ; mais j'étais allé trop loin, j'avais été trop explicite, j'avais franchi une limite et l'atmosphère devint tendue dans la pièce. D'un coup, le silence s'installa entre nous. Un silence chargé d'une morne électricité statique, tandis que son visage se fermait, devenait sombre, sinistre, ne m'offrant plus que son profil car elle s'était mise à regarder par la fenêtre en se mordant les lèvres, totalement murée, silex, et pourquoi se renfrognait-elle à ce point ? Qu'avais-je dit ? Mais cela ne faisait rien. Je n'étais pas mécontent de lui avoir fait passer un message. (*Oh oui, ma chérie, comme tu as l'air sensible, avais-je songé en me noyant dans son air buté. Si tu savais. Si tu te voyais ! Ton air sensible.*)

Me rappelle qu'il fallait que je lui fasse passer le test de l'allumette ; mais je n'en avais pas sous la main. Ce serait pour plus tard (voir page 780).

Me rappelle que j'étais incroyablement attentif à tout ce qu'elle disait, au moindre de ses gestes, au plus petit battement de ses cils, comme jamais de toute mon existence je n'avais été à ce point attentif, du latin *attendere*, attendre.

Me rappelle que l'amour est aveugle, dit-on. C'est toujours ce qu'on dit. Mais avant M, j'ignorais qu'il pût l'être de façon si observatrice.

Me rappelle qu'elle était devant moi comme un concept. (*Elle est un concept, avais-je songé. Comme chacun d'entre nous, mais elle plus que les autres.*)

Me rappelle que si je dois verser tous mes instantanés de M au Dossier, tous mes Polaroid et mes clichés en tous genres, il va me falloir des cartons en pagaille. Il va me falloir des wagons.

Me rappelle que Picasso fit trois cent quarante-deux dessins et peintures de Françoise Gilot dans le mois qui suivit leur rencontre et que lors du tournage des Lumières de la ville (1931), Charlie Chaplin obligea son actrice Virginia Cherrill à recommencer trois cent quarante-deux fois le geste où, petite fleuriste des rues aveugle, elle tend un œillet à Charlot sans se douter qu'elle a devant elle un vagabond, une cloche, un gueux (*un œillet de la part d'une aveugle : bien vu ! avais-je songé en visionnant le DVD avec ma fille de 8 ans sur mes genoux*) ; au contraire, elle croit tendre sa fleur à un gros bourge dont elle espère qu'il l'achètera et, par parenthèse, je m'étais gardé d'expliquer à ma fille de 8 ans la symbolique d'une femme qui vend sa fleur dans les rues et fermer la parenthèse. Quoi qu'il en soit, cette erreur sur la personne qui voit l'autre être pris pour plus qu'il n'est, une fleur se transformer en baguette magique et l'amour naître d'une méprise : voilà ce que Chaplin voulait parvenir à filmer ; sauf que Virginia Cherril s'y prenait comme une cruche. Elle ne comprenait rien aux œillets symboles de l'amour pur ni à la cécité comme possibilité de voir au-delà des apparences (notamment sociales), non, elle tendait sa fleur comme on tend l'autre joue, comme on tend le linge sur une corde, comme on tend un piège, un string, le bâton pour se faire battre et, à en croire Chaplin, qui engloutit une bonne partie de sa fortune dans cette scène devenant au fil des prises l'asymptote de tout son cinéma, la malheureuse Virginia fut incapable de tendre, ce qui s'appelle donner, ce qui s'appelle offrir, sa fleur trois cent quarante-deux fois de suite et cela ne se voit pas dans le film, personne ne s'en doute lorsqu'il voit la scène où Charlot rencontre pour la première fois les lumières de sa ville, le cinéma ne peut pas se permettre de montrer tous les films sous le film alors que ces trois cent quarante-deux variations, à elles toutes, forment peut-être le film le plus cinématographique qui soit et M comme le chiffre 342. Tu es prévenue.

Niveau 22

Je me rappelle que, plus tard, bien plus tard, ils ont dit qu'elle était bête. Que c'était *une fille bête*. M comme bête.

Tous l'ont dit. Des femmes et des hommes. Ensemble ou séparément. À demi-mot ou sans détour. Dans mon dos mais également en face. Chacun avec sa petite idée derrière la tête. Ses arrière-pensées les siennes. Sa perspicacité la sienne. Sa jalousie la sienne (en ce qui concernait les femmes). Comme s'ils en savaient long sur la question et qu'il était notoire, depuis Proust et peut-être à cause de lui, que l'on aime les êtres qui ne sont pas pour soi, par définition, en vertu de ces injonctions paradoxales devenues notre lot quotidien. Alors qu'il peut arriver que l'on aime quelqu'un qui soit justement pour soi, exclusivement pour soi, et tel est justement le problème. Comment renoncer dans ces conditions ? C'est impossible. L'aurais-je voulu (ce qui ne fut pas le cas, *not at all* !), nul ne réussit à me persuader que j'avais tort. En mille ans de voyages à l'estomac je suis demeuré avec M tel qu'en moi-même. Tel qu'au premier jour. Comme avant le premier jour. Qu'ils me disent qu'elle était bête n'y pouvait rien changer. Même si ce n'était pas méchant dans leur bouche. C'était plutôt pour m'ouvrir les yeux. Plutôt avec une espèce d'incrédulité de me voir perdre mon temps avec une fille comme elle. Mon temps et autre chose de plus précieux, à leur avis, selon eux, à voir la mine que je tirais depuis des mois. Même s'ils ne la connaissaient pas. Ne l'avaient croisée qu'une ou deux fois. N'avaient pas été une seule seconde *amoureux* d'elle. Ignoraient tout des arrière-plans qui la faisaient exister à mes yeux plus que n'importe quelle autre femme sur Terre et, du reste, aucun d'entre eux n'envisageait de lui consacrer dix, cent, mille, un million, *quatre millions de pages* et, à la fin, Julien s'était suicidé. Mais ils étaient unanimes : le peu qu'ils avaient vu leur avait suffi et c'était tellement surprenant de ma part. Presque décevant. À croire que quelque chose clochait chez moi de plus définitif qu'ils ne le supposaient. Heureusement que toute cette histoire était terminée. Je méritais mieux que cette fille. Ils pouvaient me le dire maintenant. Je n'aurais jamais dû quitter S !

Je me rappelle les avoir regardés. Me rappelle avoir songé qu'il ne suffit pas de trouver ceci ou cela (un individu, un livre, n'importe quoi) complètement nul ou tout à fait génial, encore faudrait-il chercher un minimum. Encore faudrait-il se donner la peine de chercher avant de dire qu'on trouve ceci ou cela nul ou génial, d'un ton qui plus est péremptoire. Alors qu'on n'a rien trouvé du tout puisqu'on n'a même pas cherché. On n'a juste rien à dire ! Sans compter qu'avant de donner son avis, il faudrait raconter toute sa vie, depuis A jusqu'au moment où l'on donne son avis, car tous nos jugements procèdent de notre histoire personnelle. Ils en sont l'émanation. La moindre de nos opinions exprime nos démêlés avec notre biographie et, neuf fois sur dix, n'exprime qu'eux. Ce pourquoi j'avais renoncé à prendre la défense de M et, par voie de conséquence, à prendre ma propre défense et même à prendre la défense d'autre chose de plus indicible, oui, j'avais eu le sentiment et même la certitude que je ne ferais que m'embrouiller et me ridiculiser si je me lançais dans des explications d'autant plus ineptes qu'elles me dépassaient à ce moment-là de la tête et des épaules et, de toute façon, à quoi bon insister si rien de plus tangible que sa bêtise ne leur avait sauté aux yeux lorsqu'ils s'étaient trouvés en présence de M. À tout prendre, mieux valait me taire. Une femme qui est belle a au moins l'esprit d'être belle, disait l'autre. Mais qui lit encore Vauvenargues ? Mieux vaut toujours la boucler. Mieux vaut demeurer injustifié dans un monde injustifiable. C'est ce que je m'étais dit, sachant que, l'eussé-je voulu, je ne m'étais pas senti le courage de les détromper en face et de vive voix. C'était totalement au-dessus de mes forces à ce moment-là ; je m'étais donc contenté de hausser les épaules et, plus que jamais, de hocher la tête et, finalement, j'avais détourné le regard et tourné les talons sans un mot.

Sans leur dire que, à mon niveau individuel des choses hors du commun, c'était réjouissant que M ait à ce point rallié contre elle tous leurs suffrages. C'était le signe que je ne m'étais pas trompé. Ils n'étaient pas à ma place et ils ne savaient pas qui était M pour moi. Depuis quelle intimité la plus enfouie et vitale je lui tendais la main. Quelle corde spécifique elle faisait vibrait dans mon être. Eh quoi ! Eux-mêmes avaient perçu d'instinct qu'elle sortait du lot. Qu'elle n'était ni comme eux ni comme S ni même comme moi. Elle n'était comme personne et leur critique était finalement un éloge qui s'ignorait, quand bien même M était effectivement bête, sûrement, tout comme eux, mais dans son genre à elle. Tout comme moi et comme chacun d'entre nous, mais à son niveau individuel le sien. Je n'étais pas stupide. Je ne la mettais pas sur un piédestal. Je ne l'idéalisais pas. Mes sentiments étaient bien plus subtils et profonds. Ils étaient également salaces. Mais dans son cas, sa bêtise n'était pas la bêtise : elle était *sa* bêtise et, à mes yeux, cela faisait une sacrée différence. Cela donnait à sa bêtise une certaine valeur, oui, sa bêtise témoignait pour elle et non contre elle car elle témoignait de sa vie passée et du réel de chacune de ses expériences vécues et, en tous les cas, elle était la bêtise dont je voulais explorer chacune des lettres, retourner toutes les pierres et cela la distinguait de la commune bêtise, cela la distinguait du reste de l'Univers et, au premier chef, de ceux qui la trouvaient bête comme si rien de plus inouï ne leur avait sauté aux yeux lorsqu'ils s'étaient trouvés en sa présence et, à l'intention de ceux-ci, à l'intention de tous ceux qui s'autorisent bêtement à donner leur avis quand on ne les a pas sonnés, je me rappelle avoir songé que je les remercierais un jour de me donner l'envie de raconter toute l'histoire. Plus tard. Un jour. Peut-être. Si je trouvais les mots. Exprès.

Niveau 23

Me rappelle tant de choses encore. Exprès.

Me rappelle que, de l'autre qui se trouve en face de nous, nous ne voyons que sa surface et nous ne voyons pas la vie qui va avec. Les problèmes qui vont avec. L'histoire qui va avec. On lit Nietzsche, mais on ne songe pas aux souffrances physiques qui furent continuellement les siennes. On le lit dans un état de bonne santé physique et cela fausse tout.

Me rappelle que M me donna une fois du « Monsieur » de la façon la plus charmante qui soit, comme si elle m'accordait un titre, me reconnaissait un ascendant sur elle, comme si elle m'anoblissait et s'inclinait devant moi en me faisant sa plus jolie révérence.

Me rappelle qu'elle ne serait jamais ma nana, ma meuf, ma gonzesse, ma pépée, ma chouchou ou ma louloute : elle serait toujours M et cela voudrait tout dire.

Me rappelle Champollion.

Me rappelle que je calculai que j'avais 16 ans de plus qu'elle et que c'était un problème. C'était UN PUTAIN DE PROBLÈME. Auquel je ne pouvais rien. Putain de merde ! J'aurais 60 ans quand elle en aurait 44 et, dans le lointain, quelque part en moi, la porte d'un frigo claqua, un rideau de fer se baissa, un verre se brisa, l'horizon tomba à genoux. Quelque part, S se mit à ricaner.

Me rappelle que nous savons tout dès la première rencontre. Absolument tout.

Me rappelle avoir entendu un jour à la radio que ce n'est pas parce qu'une chose est passée qu'elle a moins d'existence.

Me rappelle avoir entendu un autre jour à la radio que la réalité n'est que la somme des informations que l'on dispose sur elle. Le type qui parlait au micro avait une belle voix. C'était un astrophysicien. Il expliquait que son métier consistait à accumuler le plus d'informations possible, avec le secret espoir que la prochaine ne cadrerait pas avec les précédentes et cette « aberration » obligerait alors à réinterpréter la réalité dans son ensemble, même si la tentation était forte d'écarter cette information afin de préserver le travail déjà accompli et ainsi naissaient les maux de crâne. Ainsi M naissait-elle à chaque instant devant moi en se modifiant à mesure de chacun de ses faits et gestes, en démentant parfois ce que je croyais avoir compris d'elle et tout était à revoir.

Me rappelle avoir également entendu à la radio une émission sur Emmanuel Levinas et, dans la foulée, je notai dans un de mes petits carnets, deux points ouvrez les guillemets : « Depuis M, je me sens comme le peuple élu. Je veux dire : non le peuple à qui tout revient de droit parce qu'il a été choisi, mais le peuple qui a un surcroît d'obligations envers l'autre (en l'occurrence M), (…) Entre nous, il ne s'agit pas seulement de réciprocité, il ne s'agit pas d'instaurer un dialogue où chacun respecte l'autre et parle d'égal à égal : il s'agit d'entendre son appel et de répondre à son injonction. (…) M n'est pas ma part manquante, elle est mon supplément d'âme et de corps, elle est mon surnuméraire, elle est mon humanité enfin révélée à elle-même. (…) Ne pas chercher à fusionner avec M ni à abolir la distance qui nous sépare ; au contraire, la séparation est la condition de notre relation. Elle est le lieu de la souveraineté de M. (…) Ne pas succomber à l'illusion que M pourrait combler le désir que j'ai d'elle : elle va plutôt creuser mon désir, le creuser toujours davantage, comme ma tombe de vie, jusqu'à m'envoyer au centre de la Terre, peut-être de l'autre côté. (…) » Etc.

Me rappelle qu'il y a deux manières d'entrer dans la mer (surtout en Bretagne, où l'eau dépasse rarement les 16 ou 17° C, soit plus de deux

327

fois moins que la température corporelle) : en courant, pour nier le choc thermique et prendre de vitesse la violence du saisissement et, dans de grandes gerbes et des cris exagérés, par l'élan donné, surmonter ce qui menace justement de refroidir le désir d'aller se baigner ; ou bien très lentement, avec précaution, à tout petits pas, millimètre par millimètre, en minimisant infiniment le choc thermique, d'abord les mollets, puis les cuisses, le bassin, le ventre, hou qu'elle est froide ! Putain, elle est *glacée* ! Jusqu'à apprivoiser l'effraction, apaiser la violence du changement de milieu, se fondre en lui, l'envisager enfin sans plus aucune réticence et se faire à l'idée qu'il va falloir se jeter à l'eau, à un moment ou à un autre y plonger les épaules, puis la tête, puis tout. Nager enfin. Oui, je me rappelle m'être dit que c'est très lentement, infiniment lentement, qu'il me faudrait entrer dans la mer avec M, dans sa mer à elle, M comme mer, en éprouvant millimètre par millimètre le supplice épidermique du saisissement, en affrontant en face l'angoisse du choc émotif qui menace de refroidir l'élan, avant que nous puissions nager ensemble comme des dauphins, dos crawlé et brasse coulée infiniment mêlés. Avec elle, il ne serait pas possible de prendre l'angoisse de vitesse : il faudrait la vivre. Contrairement à l'habitude que j'avais d'aller au plus vite avec les filles que je rencontrais ici où là, dans les bars par exemple. Sachant que je ne veux pas penser à cette fille, blonde, assez grande, que je vis un jour (c'était à Erquy, Côtes-d'Armor) entrer dans l'eau glacée de la mer d'un pas égal et décidé, sans marquer le moindre temps d'arrêt, sans rien ressentir apparemment, pas la moindre sensibilité au changement de milieu, non, cette fille entra dans l'eau glacée d'une façon tranquille et résolue, comme si entrer dans l'eau glacée ou n'y pas entrer ne lui faisait ni chaud ni froid, ne faisait strictement aucune différence et cette fille m'avait fait peur. Son insensibilité au changement de milieu m'avait terrifié. En la regardant, j'avais songé aux prostituées qui, à moitié nues, peuvent rester des heures dans le froid le plus mordant sans paraître en souffrir. Comment faisaient-elles ? Cela me sidérait chaque fois. C'était avant que l'une d'entre elles (Rosen Hicher) n'éclaire ma lanterne : « Au début, on a l'euphorie de l'argent. Du pouvoir. Et puis ça s'inverse. Un processus se met en place. D'abord, on se rend compte qu'on n'a plus froid, qu'on n'a plus chaud, on ne sent plus rien. On est coupé de ses sensations. On est coupé de soi. On est mort. »

Niveau 24

Me rappelle qu'aucun des gestes de M n'était superflu. Comme si elle se contrôlait tout le temps. Ou bien s'économisait. Ou bien quoi ? (Les avaricieux souffrent plus tard de varices, avais-je songé pour détendre ma propre atmosphère.)

Me rappelle avoir songé à un moment : comme j'ai envie d'elle ! (Comme j'ai envie de la prendre dans mes bras ! avais-je songé, presque un cri. Comme j'ai envie de la fourrer ! De la foutre. De la mordre. La lécher. La caresser longuement. Lentement. Chaque parcelle de son corps. Chaque recoin. Comme si j'étais le vent sur sa peau. Et qu'elle frémisse. Soupire. Gémisse. Jouisse. Jouisse encore. Jouisse sans fin. Pisse aussi, sous elle, sur moi, devienne toute liquide. Et prenne ma queue et me branle. Me prenne tout entier. M'enfourne tout entier. Dans sa bouche aussi. Devienne pure salope. Oh oui. Qu'elle écarte les cuisses, m'exhibe sa chatte, la branle vicieusement devant moi, me l'offre en pâture, haletante, trempée, offerte, consentante, à ma merci, se tortillant sur le lit en sa plus belle assomption, s'arquant devant moi, mes doigts possédant sa gorge, pinçant ses tétons, les tordant autant que j'en pinçais pour elle, encore plus même, jusqu'à ce qu'elle crie de plaisir avec la douleur allée et moi avec elle. Moi en elle. Moi sa mort. Moi sa vie. Tout au fond. Jusqu'à devenir fleuve gargouillant dans son océan. Jusqu'à ressortir de l'autre côté. Transfiguré. Tandis que son visage : un animal qui rit. L'incendie même de la vie. Son air le plus : quoi ?)

Du calme.

On n'en était pas là.

Du calme.

Me rappelle qu'Ali MacGraw était « extrêmement directe avec les hommes ».

Me rappelle que je ne tombai pas amoureux de M : je l'étais avant de la rencontrer, je l'étais depuis l'âge de douze ans et je l'étais depuis la scène de la machine à café de marque Illico et, pendant les presque trois heures que dura notre « première fois », je ne fis qu'apprendre à reconnaître cette inconnue, je ne fis que caresser ses contours, ne fis qu'ouvrir le cadeau qui m'était destiné depuis quarante-quatre ans.

Me rappelle que, même en sa présence, elle me ravissait. Elle me comblait. Elle ne me manquait pas car elle était pure présence. Elle était au-delà de mes espérances. Elle était réelle. Elle était inépuisable.

Me rappelle que je captais tous ses signaux, comme un télescope enregistre les infimes variations de fréquences dans le spectre lumineux dévoilant qu'une planète semblable à la Terre tourne autour d'une étoile lointaine, une autre Terre, un exomonde, oui, à des milliards d'années-lumière d'ici, juste de l'autre côté de mon bureau, dans cette autre galaxie me faisant face.

Me rappelle que je parlais très peu de moi, laissant les questions que je posais parler à ma place. Moi préférant rester dans l'ombre, préférant la placer au centre de la lumière, sous le feu de mes projecteurs, ce qui avait l'air de lui plaire bougrement. Ce qui, près de trois heures durant, lui sembla parfaitement légitime. (*Ben tiens, avais-je songé en y repensant plus tard.*)

Me rappelle que son petit top rouge la moulait tellement, comme cousu sur elle, qu'il semblait proclamer à chaque instant qu'elle ne dissimulait rien : ni poitrine, ni arme, ni pensées inavouables et c'était un peu louche ; rien ne disait qu'elle se corsetait tout le temps de cette manière, mais un tel souci de transparence la rendait opaque.

Me rappelle que, dans la rue, lorsque nous nous promenions, elle fendait les regards qui se posaient sur elle et les écartait comme l'autre les marchands du temple.

Me rappelle m'être demandé si elle avait, ici ou bien là, à la cheville ou dans le creux des reins, un petit tatouage, probablement du genre tribal, comme on dit, comme énormément de filles tatouent leur épiderme de nos jours et sacrifient à la mode leur propre peau, lui sacrifient la possibilité même d'apparaître nue, au point qu'une fille sans tatouage sera bientôt une rareté et que la nudité va devenir de plus en plus précieuse et, une pensée incongrue en entraînant une autre, je m'étais demandé si M se rasait la chatte. Comme énormément de filles (et de plus en plus de garçons) se rasent intimement, à croire qu'elles s'envisagent en femme tondue entre leurs cuisses et c'est plutôt pour me déplaire. Comme une collaboration avec l'ennemi par anticipation. Au prétexte d'une meilleure hygiène (alors que c'est tout le contraire) et, sous leurs vêtements, se croire une actrice de porno ? Ce *cinéma*-là ? Cette normalisation-là et cette idéologie-là ? Pour se persuader que, à cet endroit aussi, il n'y a rien à voir non plus. Rien à *imaginer*. Pas la peine de chercher. Elle ne cachait rien du tout. Elle était innocente. Toute nubile. Sans bête tapie dans le feuillage. Aucune animalité. Cliniquement irréprochable. Elle aussi déforestée, à l'image de la planète. Et qui sait ? À la vitesse où vont les choses, verra-t-on bientôt des filles se faire tatouer des poils pubiens à la place de leur véritable toison. Ce serait parfait. L'aboutissement d'un mouvement de fond. D'une socialisation inscrite à même la chair et désormais indélébile. Exit le sexe, vive son simulacre *fashion*. Je crains de voir ça de mon vivant.

Me rappelle qu'il faut que j'achète des boîtes pour le chat avant que la supérette en bas de chez moi ne ferme.

Niveau 25

Je me rappelle tant de choses encore. Désolé. Mille excuses. Mais ce n'est pas tous les jours qu'un *truc* comme ça vous arrive. Cela n'arrive qu'une seule fois dans son existence et, en tous les cas, cela ne m'est arrivé qu'une seule fois dans mon existence, en cinquante années d'existence, un truc *pareil*. Surtout que ce n'est pas toi qui dois vivre *en permanence* avec tous ces souvenirs et, à ce propos, je me rappelle que Julien était encore en vie à ce moment-là. Il ne s'était pas suicidé à ce moment-là et que faisait-il à cet instant précis ? Ce mercredi 23 juin 2004, entre 17 heures et 20 heures ? Tandis que M et moi scellions son sort et faisions des phrases que nous nous sentions obligés de faire alors que j'ai toujours pensé que les gens feraient mieux de coucher d'abord : on verrait ensuite s'ils ont encore quelque chose à se dire. S'ils ont encore *envie* de se parler. Ce serait un bon début. On comprendrait que se retrouver au lit n'est pas le but du voyage. En aucune façon.

Me rappelle, là, tout de suite, maintenant, que MB sont les initiales de Molly Bloom, mais c'est pure coïncidence.

Me rappelle qu'il y avait du Nadja en elle. (« Vois-tu, là-bas, cette fenêtre ? Dans une minute elle va s'éclairer et elle sera rouge. Regarde bien ! » La minute passe. La fenêtre s'éclaire. Il y a, en effet, des rideaux rouges. (« Tout ceci passe peut-être les limites de la crédibilité mais je n'y puis rien, je ne prends pas parti, *je me borne à convenir* », etc.) Oui, il y avait quelque chose de garce chez elle – parce que garce est le commencement du mot garçon et qu'il n'en est que le commencement.

Me rappelle que je vise à l'abstraction et, entre le silence et l'excès de langage, j'ai pris un aller sans retour.

Me rappelle qu'il y eut un temps où je me disais : M viendra tout à l'heure. Elle se couchera sur l'herbe du lit et je serai sauvé. Nous changerons de temps. Ce qu'il y a d'informulé dans ses hanches donnera la main à ce que je sais trop. Que les rêves meurent comme les chevaux :

sur le flanc et dans la paille. Avec leur belle tête soudain trop lourde cherchant une dernière fois à se redresser, retombant comme ploient des tulipes dans un vase, jusqu'à ce que l'affreux frisson qui court sous la peau des rêves ait fini son tour du propriétaire.

Me rappelle que ce n'est pas M que je traquais, mais ce dont elle seule témoigna, qui n'avait pas de nom que je connaisse.

Me rappelle ses narines, mais ça, je l'ai déjà dit.

Niveau 26

Me rappelle que ces trois heures furent l'apogée de mon histoire de M et peut être l'apogée de mon existence, mais sur le moment, je ne le savais pas.

Me rappelle que je voulais qu'elle reconnaisse que j'étais différent de tous ceux qu'elle avait pu connaître jusqu'ici ; que j'étais différent de tous les autres ; ni meilleur ni pire mais *différent*, oui, je voulais qu'elle reconnaisse que j'étais unique et singulier dans mon genre ; que je m'étais donné un mal de chien pour arriver jusqu'à elle et qu'elle n'en doute pas un seul instant ; qu'elle reconnaisse mes efforts pour m'être extrait du commun des mortels et qu'elle me distingue entre tous ; me distingue dans la foule, dans la nuit ; me distingue moi et personne d'autre. Mon narcissisme l'exigeait.

Me rappelle que je ne crois pas en la volonté, ni divine ni tout court. Mais je me rappelle que c'était elle ma créature mythique, celle dont chacun espère la venue. C'est une espérance typiquement humaine. Tout le monde a arpenté les rues ou, les pieds dans l'eau et le pantalon retroussé sur les mollets, marché le long d'une plage en espérant que, petit point à l'horizon avançant vers soi en sens inverse, lui apparaisse la personne qu'ils appellent romantiquement de toutes leurs forces.

Me rappelle de M comme musique. C'est-à-dire que je me rappelle qu'elle était ma Lonely Woman, ma Favorite Thing et mon A Love Supreme. Ma Magdalena, ma Hey Baby (New Rising Sun), ma Hey Baby (It's Cold Outside) et mon Kyrie Eleison. Ma Funny Valentine, ma L.A., Woman et mon Gotham Lullaby. Mon Kyllikki. Ma Sibila Galaica par Montserrat Figueras et mon April in Paris par Billie Holiday. Mon Gloomy Sunday par Billie Holiday. Mon Autumn in New York par Billie Holiday. Mon Stabat Mater de Vivaldi et mon Nisi Dominus du même. Mon Yekermo Sew et mes Éthiopiques (volumes 1, 4 et 24). Ma vie en rose. Mes mots bleus (*ceux qu'on dit avec les yeux*). Tout l'album Pyramid Electric Co. de Jason Molina (pour les jours où on a envie de se pendre – non, pas se pendre, enfin si, enfin bref). Mes Forêts paisibles (*S'ils sont sensibles / s'ils sont sensibles / Fortune, ce n'est pas au prix de tes faveurs*). Mon Ain't No Sunshine et mon Move On Up et mon The Ghetto. Mon Summertime par Louis Armstrong et Ella Fitzgerald. Mon Summertime par Albert Ayler et mon Summertime par Janis Joplin. Ma Pavane pour une infante défunte (transcription pour guitare). Ma Glory Box (*I just want to be a woman*), ma Heart-Shaped Box, ma Souris verte (*trempez-la dans l'eau, trempez-la dans l'huile*), ma Music for a While et mes madrigaux de Monteverdi, tous les madrigaux de Monteverdi, le Lamento della Ninfa par-dessus tout. Ma Marcia Baïla et mon Petit Train et mon C'est comme ça (*Viens près de moi que je te le dise / Ce secret qui me tord le cœur / La la la*). Ma BO de Vampyros Lesbos (surtout pour la pochette du film et la belle Miranda Soledad, trop tôt disparue dans un accident de voiture). Ma Black Magic Woman et ma Samba pa ti et mon Incident at Neshabur. Ma BO de Sweet Sweetback's Baadasssss Song et celle du Lauréat (Hello Mrs Robinson). Celle du Salon de musique aussi (avec les lumières qui s'éteignent à la fin, toutes les chandelles, les lustres, et puis le cheval à la fin). Mon Pierrot lunaire et ma Nuit transfigurée. Mon Wayfaring Pilgrim de Roy Buchanan et mon Tin Pan Alley de Stevie Ray Vaughan. Mon Choral BWV 639 par Alfred Brendel. Tous les chorals de Bach. Et ses cantates aussi. Et ses messes encore. Sa Passion selon saint Matthieu, en priorité. Tout Bach en fait. Et aussi : Ma plus belle histoire d'amour c'est vous (*Elle fut longue la route / Mais je l'ai faite la route / celle-là, qui menait jusqu'à vous*) et mon Film (*Je cherche encore une fille qui voudrait bien de moi ce soir un quart d'heure*) et mon C'est lundi (*envie de pipi*). Mon ancien combattant (*J'ai fait la guerre mondiaux, tout le monde est cadavéré, ta chérie cadavérée, moi-même suis cadavéré*). Mon I Wanna Be Your Dog et mon No Fun, mon Bang Bang (*He shot me down now / I hit the ground*) et mon Bang Bang (*Tous vos désirs me dominent / Tous vos rires tous vos enchantements / Chaque geste / Même inutile / Mêle au désir un affolement*), mon Love Shark (*and everybody's movin', everybody's groovin' baby*) et mes Differents Trains (Part I & II). Ma Suzy Creamcheese et mes 50 vinyles de Franck Zappa (souligné cinquante fois). Ma Music for the Funeral of Queen Mary et mon Bitter Funeral Beer Band avec Don Cherry en guest. Tous mes Don Cherry et ma Truite de Schubert. Ma sonate D959 de Schubert. Tous les trios à cordes de Schubert – mais particulièrement l'Andante con moto du Trio opus 100. Mon « il court il court le furet » (pour ne pas dire « il fourre il fourre le curé ») et mon Au clair de la lune (mais ma chandelle n'est pas morte et, mignonne, fait flamber ton feu) ; mon À la claire fontaine (pourvu que tu ne me refuses pas ton bouton de rose). Mes Rāga de l'aube, du milieu de la journée, du soir, de la saison des pluies, en toute saison (surtout au sarangi). Ma Yasmina, a Black Woman et mon Blasé (*You shot your sperm into me / And never set me free*) et ma Michele ma belle, mon Amado Mio, ma Moon River, mes Variations Goldberg et mon Intégrale Glenn Gould (coffret de 71 CD). Les Variations Goldberg par Glenn Gould. À l'infini. Toute la vie. Ma Place in the Space (*Space is the place, in your face*). Ma Javanaise (*qu'avez-vous vu de l'amour / mon amour*) et ma Lola Rastaquouère (*que sais-tu de l'amour / toi qui n'as pas connu Lola Rastaquouère*). Mon Qui c'est celui-là (*Il a une drôle de tête ce type-là*). Ma Benz et mon Tout n'est pas si facile (*Tout ne fut pas si facile / Et aujourd'hui encore tout n'est pas si facile*). Mon Upper Egypt Lower Egypt (version live), mon Free Jazz et toutes mes musiques « free ».

Absolument toutes.

De A comme Art Ensemble of Chicago à Z comme Kahil El 'Zabar.

La musique free comme l'envers de tout ce qui se passe d'affreux dans le monde. Comme remède et antidote. Comme fête et lyrisme et élite et populaire. Comme transport. Comme réconciliation avec la vie et retrouvailles avec les fresques de la grotte Chauvet (elles aussi sont free). Free comme son nom l'indique. Comme on ne peut pas mieux dire. Comme un moyen de faire le tri entre les vivants et les morts. Entre ceux qui font la grimace dès les premières notes et ceux qui se sentent tout de suite pousser des ailes. On sait alors à qui on a affaire. C'est imparable.

Enfin bref.

M comme mes musiques free. Et M comme Mon Für Alina. Mon Wind Cries Mary et ma Villanova Junction et ma Machine Gun et mon Star Spangled Banner et tout Hendrix, d'ailleurs. Comme ma Marseillaise par Django Reinhardt et mon Hasta Siempre. Comme ma sonate n° 2, opus 35, de Chopin. Et puis Schumann aussi. Mon People United Will Never Be Defeated (« El pueblo unido jamàs serà vencido »). Ma Nation Time. Mon Déjeuner en paix, mon Calypso Frelimo et mon Call It Anything et ma Complete Jack Johnson session et toute la période électrique de Miles Davis, définitivement toute cette période (1968-1975), en boucle, le volume très fort, même sur une île déserte. Mes Chants à penser Gbaya de Centrafrique (vol. 1 & 2), ma Rousserolle effarvatte, mon Einstein on the Beach et mon Photographer, ma Satisfaction (*I can't get no*), mon Goodbye Pork Pie Hat, mon Tri Martolod (live Olympia 1971), mon Paris mai mai mai, ma Lullaby, ma Funeral Party et ma She's Lost Control, ma Lay Lady Lay et ma Girl from the Norh Country. Ma Bottle et mon Me and the Devil. Mes Nuits d'une demoiselle (et M se faisant sucer la friandise, caresser le gardon, béliner le joyau, se faisant laminer l'écrevisse, se faisant gauler la mignardise). Mes albums de Dylan, acoustiques et électriques. Mon Cadeau (*C'est pas la peine de me faire ce cadeau car ce cadeau je l'ai*). Mon Nocturne opus 55 nº 1, mes Trois morceaux en forme de poire et mes Gymnopédies, ma Gavotte, ma Sarabande, plein de rondeaux et d'allemandes et d'arias, ma Tonight's the Night et tout l'album Harvest de Neil Young, tous les Tonight the Night de Neil Youg depuis 40 ans. Mon live at the Apollo, mon I Will Survive (version Cake) et mon Georgia On My Mind, mon Je m'éclate au Sénégal (*et j'irai prendre un bain de minuit / À poil sous la lune*), mon Certain Blacks « Do What They Wanna », mon Personal Jesus, mon Seven Nation Army, ma Personality Crisis, ma Caroline Was a Drop out et ma Lifeboat Party et mon Endicott et tous les live de Kid Creole and The Coconuts et tout devient tellement joyeux, immédiatement radieux. Mon Smells Like Teen Spirit (*I feel stupid and contagious*), mon Salut à toi (*le Voyou slave, la Vache qui rit, salut à toi peuple gitan, salut aussi à Rantanplan, ah ah ah*). Mon Lamento della Ninfa (de nouveau, encore et encore, parfois pendant des heures, dans la nuit, au casque, le volume très fort, jusqu'à en pleurer). Mon Bang on a Can et mes Music for Airport. Mes Sederunt Principes de Pérotin le Grand. Mon Choral nº 5 « Wie soll ich dich empfangen ». Ma Grande Chaconne. Ma Baby Girl par MXPX et mon My Way par Sid Vicious et toutes mes playlists préférées qui disent mieux qu'avec des mots ce que j'aime, aime très précisément, écoute avec joie, d'instinct, sans réfléchir, sans que cela soit hasardeux.

Niveau 27

Car ce ne sont pas juste mes morceaux préférés. Tous ensemble, ils racontent une histoire, ils dessinent une constellation, ils expriment des choix, ils traduisent une quête, ils témoignent d'un désir, d'une aspiration, d'une approbation, de refus aussi (souligné) et on croit penser à tout, mais on oublie ses playlists préférées. On croit qu'elles accompagnent notre existence (pour faire la fête, quand on est triste, etc.) mais c'est notre existence qui les accompagne. C'est nous le bruit de fond de la musique. Notre être est d'abord musical et ma collection de CD et de vinyles : elle est mon lien immatériel avec l'univers, mon lien le plus chaleureux et le plus *historique*. Elle constitue mon message au monde, à l'image du Voyager Golden Record que la NASA embarqua à bord des deux sondes Voyager qui, en 1977, furent envoyées à travers l'espace, avec l'espoir que des extraterrestres les repèrent et reçoivent le message dont elles étaient porteuses – sauf que ce « disque d'or de l'humanité » contient une majorité de musique allemande, ce qui n'est pas mon cas. Les extraterrestres n'écouteront jamais mes playlists et ce dont elles sont porteuses. Tant pis pour eux.

En attendant, j'en sais davantage sur quelqu'un en écoutant ses playlists préférées qu'en l'écoutant lui. Je sais à quoi il a accès et à quoi il n'a pas accès. Je sais s'il a un peu, beaucoup, follement ou pas du tout d'imagination. Je sais son humanité et M comme musique, oui. M comme mes origines de la musique. Comme ma découverte d'émotions nouvelles, un morceau après l'autre, depuis l'âge de dix et quinze ans, jusqu'à aujourd'hui. D'ivresses insoupçonnées. D'élans physiques et spirituels. De réconciliations avec moi-même et avec autrui, par-delà les frontières car, pour ce qui me concerne, j'aime toutes les musiques. Les nègres comme les contrapuntiques. Les lentes et les échevelées. Celles qui dilatent le temps et celles qui transpercent l'espace. Les acoustiques aussi bien que les électriques et il y avait toutes les musiques que j'aime dans M. Toutes les formes musicales, venues de tous les horizons, des plus frustes et frivoles aux plus savantes et métaphysiques. En sa présence, j'avais tout de suite envie de battre du pied et de bouger en rythme et de danser avec mon corps – ou bien de fermer les yeux et de m'élever jusqu'au ciel, tout entier pénétré de mélodie et d'harmonie. C'était, à chaque instant, un transport musical après l'autre. Son entrée dans mon bureau avait déjà été – comment dire ? Du pur Coltrane. C'est ce que je dirais. M entra dans ma vie exactement comme Coltrane attaquait un morceau : avec une telle franchise, une telle évidence, une telle douceur et une telle violence mêlées qu'il emportait le morceau dès la première note, il *excédait* le morceau dès la première note. Il n'attaquait pas seulement un morceau, il entrait tout de suite dans la musique, droit au cœur, sans préliminaires aucuns, au-delà des notes. Coltrane n'avait pas de temps à perdre. Il y avait urgence. Il cherchait à tordre quelque chose. À libérer quelque chose. À briser quelque chose et à créer quelque chose et, avant Coltrane, j'ignorais qu'il pût y avoir, dans *certaine* musique, des amours pour de vrai, des émeutes éclatantes, des poings gantés de noir brandis vers le ciel autant que des mains tendues au premier venu, des fraternités possibles, des sourires qui n'étaient pas des grimaces et des grimaces qui étaient encore des sourires, non, personne ne m'avait dit que la musique pouvait donner un autre rythme au temps social et une nouvelle mélodie aux relations humaines et M comme Coltrane. M comme ma Favorite Things, mon Love Supreme, toutes les musiques dignes de ce nom. M comme l'improvisation qui serait celle de la vie.

M comme blues.

Sachant que je ne veux pas croire que je serais un Blanc qui prendrait plaisir à écouter une musique née de l'oppression des Noirs. Je ne veux pas le croire.

M comme *mon* blues. Mais elle ne le sut jamais. Je n'eus pas l'occasion de lui faire écouter mes morceaux préférés dont beaucoup viennent des années 70, la décennie où tout me fut révélé, le son et l'image, l'image allée, avec le son et le son allée, avec l'image, Ali MacGraw avec Bitches Brew. La décennie où l'électricité *inventa* une nouvelle musique (car l'électricité modifia complètement l'écriture, la production et l'écoute de la musique. C'est toujours la technologie qui révolutionne les arts. En inventant, en 1946, le disque vinyle microsillon LP 33 tours, qui modifia le *format* de diffusion auquel étaient soumis jusqu'ici *tous* les morceaux (30 minutes au lieu de 2 minutes 35 de bonheur), les obscurs ingénieurs de Columbia changèrent davantage la donne que n'importe quel musicien, aussi talentueux soit-il ; c'est la photographie qui fit basculer la peinture dans une nouvelle ère, etc.). Dire que M n'était pas née lorsque tout se joua musicalement pour moi. Dire qu'elle n'eut dans l'oreille que les boîtes à rythmes et les synthés des années 80 et, à l'adolescence, qu'elle flirta et dansa sur des rythmes programmés diffusant une esthétique froide, dépressive, androgyne et cruelle. Dire qu'elle naquit en même temps que le groupe Joy Division (les « divisions de la joie » : beurk). On dit que tout finit par des chansons ; on devrait plutôt se rappeler que toutes les guerres commencent en chanson, la fleur au fusil, surtout celles que l'on perd, la si la sol fa#.

Dire que pour M, James Bond fut Roger Moore ou il ne fut personne ; alors que pour moi, il a toujours été Sean Connery ; tandis que pour ma fille, il est Daniel Craig ou il n'est personne.

Me rappelle que Vladimir Jankélévitch écrivit plus de cinq pages sur la mort pour dire qu'il était impossible d'en dire quoi que ce soit, ni avant, ni pendant, ni après.

Niveau 28

Me rappelle avec émotion la fraction de seconde où elle fit le geste de dénouer ses cheveux et pendant une fraction de seconde je crus qu'elle allait consentir, ne serait-ce que pour les rattacher aussitôt, oui, pendant une fraction seconde me faire cette grâce d'élever ses bras au-dessus de sa tête et, de ce fait, étirer son corps devant moi et me montrer, que je voie, contemple, assiste, accède à cette vision d'elle inédite et privée, d'elle offerte, cambrée, même fugacement, même pendant une fraction de seconde, elle sachant que je n'en perdrais pas une miette, ne sachant que cela ; mais elle suspendit son geste, se contentant de resserrer sa queue-de-cheval, avant d'attraper sur le coin du bureau son paquet de cigarettes et en tirer une Morland Special et moi me penchant pour allumer sa cigarette et nos regards plongèrent l'un dans l'autre pendant une autre fraction de seconde et ce fut pour se noyer ensemble dans la même eau vive et trouble pendant une fraction de seconde.

Ce fut notre premier véritable échange de regards.

Celui qui ouvre les yeux.
Fait une étincelle.

Celui qui rencontre l'autre
et plonge en lui
se noie en lui
se cogne à lui
le fait totalement exister
fend l'armure
en sort ébloui, bouleversé, tremblant.

Le découvre lui et personne d'autre.
Non plus anonyme mais pur mystère. Pure présence au monde. Chargé d'électricité. Chargé d'énigmes. De désirs et d'au-delà du désir : de vérité. Pendant une fraction de seconde.

Avant de détourner le regard, chacun emportant avec soi le choc étourdissant de deux silex venant de faire une étincelle d'où pourrait naître un grand feu. La vision d'une faille venant de s'entrouvrir dans nos univers pour les faire se rencontrer. Et si ?... Elle ? Moi ? En une fraction de seconde, quelque chose surgit entre nous, prit une forme étoilée tout en restant informulé, dont ni elle ni moi n'avions idée jusque-là. Qu'on ne croyait pas *possible*. Dont on ne s'imaginait pas capables et auquel nous ne nous attendions pas du tout. Mais qui eut lieu *à cet instant*. S'alluma réellement. Et chacun de détourner aussitôt le regard, comme brûlé, comme on s'enfuit, comme on emporte un butin.

Mais à cet instant, elle et moi sautâmes la grille invisible qui nous séparait, nous nous unîmes l'un à l'autre, *nous passâmes à travers les barreaux*, comme à la fin du film Profession Reporter (1975). Dans le fameux plan-séquence de la fin. Lorsque la caméra d'Antonioni, depuis la pénombre de la chambre où se meurt Jack Nicholson, s'approche lentement de la grille en fer forgé qui donne de plain-pied sur la rue où se trouve Maria Schneider et la caméra s'en approche tout doucement, infiniment, de façon quasi imperceptible, comme le petit carré de soleil sur la façade de l'immeuble d'en face, en un long et lent travelling avant qui n'en finit plus de franchir l'espace qui mène à la grille, comme aimantée par Maria Schneider qu'on aperçoit au loin à travers les barreaux et pendant près de sept minutes (*sept minutes !*), la caméra s'approche imperceptiblement, s'approche comme on approche les lèvres, avance encore, jusqu'à atteindre l'abord de la grille, les barreaux devant elle, les barreaux qui l'empêchent d'avancer et pourtant la caméra avance toujours, elle avance malgré tout, elle se glisse entre deux barreaux, elle s'avance, avance encore, elle avance toujours... et on ne sait pas comment c'est possible, mais la caméra se retrouve soudain dans la rue. La voici dehors. À l'air libre. De l'autre côté de la grille. Nom de dieu ! Sans le moindre plan de coupe. Sans que la grille s'ouvre au dernier moment pour laisser passer la caméra, non non non, rien de tel, rien de visible ici ! La caméra passe tout simplement à travers la grille, comme un fantôme traverse un mur, sans un heurt, comme par enchantement, comme si c'était possible, *comme s'il n'y avait pas de grille* ! Avec une infinie lenteur elle franchit l'obstacle. Elle dépasse la limite autorisée, l'outrepasse pour se retrouver soudain de l'autre côté, sans que l'on sache à quel moment exactement, comme on passe de vie à trépas et c'est imperceptible, on ne se rend compte de rien à l'écran et, cependant, on ne voit que cela. On suit l'inexorable progression de la caméra et on fait corps avec elle, on s'évade avec elle et on devient soi-même ce lent mouvement de caméra filmant sa propre progression, oui, on devient indiciblement le sujet même de la scène, on devient la fabrication en direct d'une métaphore, alors qu'on attendait bêtement le moment où la caméra allait buter sur les barreaux, l'instant où elle ne pourrait physiquement pas aller plus loin et serait contrainte de stopper, à moins qu'un assistant à quatre pattes n'ouvre la grille en douce pour laisser passer la caméra et dévoiler hors champ que l'illusion est un artifice – mais non ! Pas cette fois ! Quand bien même il s'agit évidemment d'un trucage, la caméra réalise l'impossible à l'écran, elle le rend possible en pensée, elle le rend sensible et dans l'échange de regards qui, entre M et moi, nous transperça l'un et l'autre, il y eut la même traversée des apparences. Le même prodige. L'illusion parfaite que nous pouvions franchir la grille comme si elle n'existait pas, à l'instar de la caméra d'Antonioni ne s'arrêtant pas pour si peu. La caméra ou quel que soit le nom de ce qui veut à tout prix rejoindre l'autre et que rien n'a le pouvoir d'arrêter, rien ne saurait séparer et c'est comme un miracle qui a lieu.

Que M dénoue ses cheveux, là, dans mon bureau, était bien sûr prématuré et la censure remporta cette manche. Mais en son for, elle avait voulu dénouer ses cheveux. Pendant une fraction de seconde, elle en exprima le désir et, pendant une fraction de seconde, je vis son être se dénouer les yeux dans les yeux.

Niveau 29

Me rappelle que si je m'éternise, là, tout de suite, sur le papier, c'est que je suis loin d'en avoir fini avec M. Cette histoire n'est pas réglée, comme on dit d'une facture, j'allais dire fracture.

Me rappelle que, plus tard, bien plus tard, alors que j'habitais au pays de l'amertume, j'observais les couples dans la rue et je ne comprenais pas : comment avaient-ils fait, tous, pour *trouver* quelqu'un ; avant de me rappeler qu'ils n'avaient peut-être pas trouvé *quelqu'un*. Qu'ils étaient peut-être comme ces gens qui disent qu'ils ont trouvé ce film, ce restaurant, ce que je suis en train de raconter super-chouette ou super-nul, alors qu'ils n'ont rien cherché du tout.

Quoi ? J'ai déjà formulé cette idée ? Je me répète ? C'est la preuve que je dis vrai. C'est comme Baudelaire répétant dix fois, cent fois dans ses carnets de Belgique : « Ceux qui sont contre la peine de mort y sont forcément intéressés. » Comme s'il avait trouvé l'une des clés du monde et que lui-même n'en revenait pas.

Me rappelle qu'elle portait des boots en cuir noir à bout très pointu et j'attends encore la théorie qui décrira de façon restreinte et générale la sexualité des femmes en fonction des chaussures à bout rond ou pointu qu'elles portent aux pieds car, pour ma part, j'ai constaté une très nette différence au lit – en faveur de celles qui portent des chaussures à bout rond. Aïe.

Me rappelle que lorsque notre mariage aurait lieu (déjà cette pensée, très vite, parfaitement ridicule, tellement obscène et castratrice, et pourtant comme une obscure évidence, comme une urgence, comme le moyen de m'approprier M et de la garder pour moi seul, de lier son sort au mien et inversement et ainsi pourrais-je reprendre une existence normale), ses casseroles et les miennes feraient un raffut de tous les diables à l'arrière de la voiture.

Me rappelle qu'elle adorait les voitures, elle adorait la vitesse, elle adorait le danger qui va avec la vitesse et elle adorait les voitures qui filent à toute allure et ses yeux brillaient lorsqu'elle me dit qu'elle avait conduit une fois une Porsche Boxster, 265 chevaux sous le capot, 100 km/h en moins de 6 secondes – le pied ! (Alors que je n'ai pas le permis de conduire !) Jaune la Porsche, m'étais-je enquis ? Non. Gris argenté.

Me rappelle que les classes moyennes, par définition, s'interdisent les sommets afin de s'éviter la chute, par peur de tomber plus bas, de tomber du cinquième étage et ce mercredi 23 juin 2004, entre 17 heures et 20 heures, je me rappelle avoir trahi sans regret les principes fondateurs de ma classe sociale. Mais comme disait Macdonald Carey dans L'Ombre d'un doute (Hitchcock, 1943) : « Je suis moi-même de la classe moyenne, cela ne signifie pas que je suis quelqu'un d'ordinaire. »

Me rappelle avoir songé : j'ai dû faire quelque chose de bien pour la rencontrer. Ce n'est pas possible autrement. Mais quoi ? Quand ?

Me rappelle avoir lu un jour que si l'on met un papillon mâle sous une cloche de verre et, à 50 kilomètres de là, si on met un papillon femelle sous une autre cloche de verre et, de façon concertée, qu'on libère les deux papillons en même temps, le papillon mâle se dirige aussitôt dans la direction du papillon femelle. Tellement l'instinct sexuel est puissant. Tellement irrésistible est l'attirance. Ce que nous appelons amour à notre niveau individuel n'est que l'accomplissement sublimé d'un impératif au niveau de l'espèce. Quand nous aimons, nous sommes le jouet d'une nécessité qui n'est pas la nôtre, mais celle de la nature à se perpétuer elle-même. Il était bon que je me rappelle que j'étais un animal au moment même où je me sentais l'homme le plus heureux. Ce n'était pas seulement moi qui aimais. Ce n'était peut-être pas moi du tout. Il n'empêche ! Ce n'est pas tous les jours qu'on ôte la cloche de verre qui nous retient prisonniers et, soudain, voici qu'on sait dans quelle direction aller, voici que, libérés de la cloche, nous jubilons d'être l'esclave d'un but à atteindre, même si cela signifie parcourir au radar, guidé par nul ne sait quoi exactement, une distance phénoménale et semée d'embûches, équivalente à celle de 50 kilomètres pour un papillon.

Me rappelle que M n'était pas gracieuse. Ce qu'elle dégageait n'était pas assez léger, frivole, fluide, enjoué. Il s'agissait d'autre chose. D'une subtilité plus physique. D'une vérité plus fruste et, en même temps, plus spectaculaire. Et cela me vint tout à coup : elle avait de la classe. (*Cette fille a une classe folle, avais-je songé, comme une illumination, comme si je parvenais enfin à mettre un mot, sinon sur elle, du moins sur l'impression qu'elle me faisait*). Car jamais je n'avais employé cette expression auparavant. L'idée ne m'en était jamais venue, d'autant qu'elle semblait une formule toute faite et franchement datée, pure fabrication littéraire ou hollywoodienne. Je me trompais. C'est juste que je n'avais jamais rencontré personne capable de m'inspirer pareille émotion sous le cliché. Que je ne connaissais pas encore cette fille qui... que... ça voulait dire quoi « avoir de la classe » ? Attends. Laisse-moi préciser ma pensée. Laisse-moi aller au bout de mes sensations. *Please*. Ce n'est pas si facile. C'était indéfinissable. Cette fille n'était pas comme les autres : il y avait quelque chose dans ses gestes, dans sa physionomie, dans sa façon de se tenir à la fois droite et légèrement inclinée sur son siège – comment dire ? (*Comment dire ?*) Elle semblait échapper à l'air du temps. Ne rien lui devoir. Il y avait en elle quelque chose d'anachronique. Anachronique. C'est le mot. Ce sentiment-là. À cause de son attitude réservée, sans que cela soit de la timidité ; en raison de l'espèce de gravité qui donnait à son visage une profondeur insaisissable (*Elle ne grimace jamais, avais-je remarqué*) ; de l'éducation qu'elle avait reçue – peut-être trop bien reçue mais néanmoins tellement préférable à son absence. (*Comme si elle venait d'un autre temps plutôt que d'un pays qui me serait étranger, avais-je songé.*) D'une époque révolue. Obsolète. Peut-être le XVIe siècle. L'école de Fontainebleau. Quelque chose dans ce goût-là. (*Elle a quelque chose des Valois, avais-je songé.*) Ce qui était stupide puisque j'appris bientôt qu'elle était anglaise (par sa mère, d'où son accent britannique) et belge par son père, wallonne pour être exact (d'où sa parfaite maîtrise du français), et voici l'occasion de dire que nous évoluons à l'insu de notre plein gré dans des systèmes de références qui nous égarent. Qui font de nous leur jouet et lorsque nous croyons plonger en nous-mêmes, ce sont eux qui nous amènent à leur surface et parlent en notre nom. D'un autre côté, ce n'était pas si stupide si l'on songe que M venait bel et bien de mon plus lointain passé, d'une époque révolue de mon histoire personnelle, de mon XIIe siècle à moi, l'an de grâce 1972 pour être précis, lorsque j'avais vu à l'âge de douze ans Ali MacGraw sur un écran sept ou huit fois plus grand que moi, comme un tableau magnifique.

Je me souviens du mot « paréidolie ». Formé du grec « à côté de » et « forme, apparence ». Soit la prédisposition que possède notre cerveau à reconnaître un animal fabuleux dans la grotte Chauvet ou un profil dans la forme d'un nuage, le Manneken-Pis dans l'ombré d'un droma-daire imprimé sur un paquet de cigarettes, un visage inquiétant à la surface rocheuse de Mars, un chariot dans les étoiles, un Christ dans les macules d'un suaire, une tête de femme dans la disposition de rochers à flanc de falaise ou dans le bruissement des feuilles d'un arbre. Soi-même dans l'ombre qui dévale une colline. À la différence des illu-sions d'optique classiques, qui découlent de lois de la perception com-munes à tous, chacun peut, dans ce qui n'a pas de forme *a priori*, reconnaître celle qui lui correspond personnellement, celle qu'il pro-jette et que lui seul fait naître, sachant que notre perception est, d'après les psychologues, je cite : « altérée par nos attentes et par nos prédis-positions ».

Niveau 30

Je ne me rappelle pas que M eût un grain de beauté sur la joue, juste au-dessus de l'œil, ou plutôt sur le menton, à moins que ce ne soit au-dessus de la lèvre supérieure car aucun grain de beauté n'enlaidissait son visage. (*Oh joie, avais-je songé. Nulle tache de naissance sur sa peau de Catherine Deneuve.*) Car M était elle-même un grain de beauté, un quanta de beauté.

Je me souviens de son visage – comment dire ? Elle n'avait pas un joli minois ou une adorable frimousse, elle n'avait pas des traits ravissants, une charmante physionomie, une belle gueule, une bonne bouille, un port de reine, un profil grec, non, elle avait un *visage*. Du latin *visus*, du grec *prosôpon*, qui signifie offert « à la vue d'autrui ». Un *visage*. Comme s'il s'agissait dans son cas d'un nom propre. Sans qu'aucune expression ne puisse l'embellir ni ne parvienne à le défigurer. Elle pou-vait prendre tous les airs qu'elle voulait, renfrogné ou surpris, triom-phant ou même bovin, son visage demeurait, son visage ne se laissait pas prendre au piège de ses expressions, il apparaissait au-delà de sa syntaxe. Un visage : franc, avenant, ouvert, avenant, frais, avenant, bienfaisant, avenant, c'est ce que je dirais s'il faut que je trouve des attributs. Un visage : sans la moindre restriction. Un visage : intelligent. Le visage de l'intelligence. L'intelligence de la beauté. C'est ce que je dirais. L'intelligence se lisait sur son visage. L'intelligence telle que je la conçois : franche, ouverte, fraîche, avenante, bienfaisante, sensible. Je n'avais jamais vu de visage avant de voir le sien.

Me rappelle que j'aurais 60 ans quand elle en aurait 44 et si je l'ai déjà dit c'est parce que j'y pensais encore. J'y pensais tout le temps. C'était affreux. N'aurait-elle pas pu m'être envoyée un tout petit peu plus tôt ? S'il vous plaît.

Me rappelle que M ignorait que j'avais publié deux livres ; mais les ayant lus plus tard (sans que je lui demande rien), elle me dit qu'elle avait été gênée – comment dire ? Elle trouvait que j'avais une belle écriture (*Une belle écriture ! Ah la saleté ! avais-je grincé des dents*) – mais avais-je songé à ma maman ? Avais-je songé à S et à tous ces gens dont j'étalais au grand jour la vie privée ? (*Pourquoi se range-t-elle d'emblée de leur côté ? avais-je songé. Pourquoi ne se range-t-elle pas d'emblée de mon côté et on discute ensuite ? Pourquoi toujours prendre le parti des autres ? Qu'est-ce que cela signifie ? « Oh, Liza, pourquoi parles-tu soudain comme tout le monde ? Où est passée ta classe ? » se lamentait Chinaski.*)

Me rappelle que je lui révélais que je n'avais pas d'odorat, depuis ma naissance ou presque, le lui révélais au détour d'une phrase, parce que je ne voulais rien lui dissimuler et, sur l'instant, elle ne dit rien. Elle me regarda fixement pendant quelques secondes ; puis baissa les yeux. Elle ne me dit pas ce que les gens me disent tout de suite, spontanément, à savoir que c'est triste de n'avoir pas d'odorat – et je sais qu'ils pensent à ce moment-là aux senteurs qui embaument, ils pensent aux fleurs et à certains parfums très précis, ils pensent au pouvoir mnésique des odeurs qui les ramène en enfance et qui leur restitue ce qui fut et n'est plus, *ils pensent à la puissance érotique des odeurs* et, une pensée en amenant une autre, ils pensent soudain que je dois être sexuellement diminué, ils se disent que c'est finalement AFFREUX de n'avoir pas d'odorat, ils se disent ça – je le *sens*. Dans leur regard, je discerne une pitié qui ne dit pas son nom, une incrédulité embarrassée. Je sais qu'ils réalisent tout à coup le pouvoir fascinant, mystérieux, *animal* que certaines odeurs possèdent sur eux, comme une emprise fabuleuse qu'ils ne peuvent pas s'expliquer et encore moins me communiquer et mieux vaut d'ailleurs qu'ils taisent ce sortilège des odeurs, non seulement parce qu'ils en diraient soudain trop long sur eux, mais par égard pour moi, parce que nul ne s'avise d'évoquer le plaisir qu'il prend à courir devant un paralytique, cela ne se fait pas.

Moi, cela m'amuse de les voir consternés et tenter de se mettre soudain à ma place. S'imaginer tout à coup dépourvus d'odorat, cela doit faire drôle, pensent-ils, c'est comme être enrhumé ? C'est ça ? On ne le croirait pas à me voir, mais quel monde est le mien ? Ils se le demandent tout à coup. À quoi ressemble le monde s'il ne sent plus rien ? Je peux éclairer leur lanterne ? Inodore rime-t-il avec incolore ? C'est comme vivre dans un monde sans couleurs ? Quelque chose comme ça ? Ça fume dans leur tête à ce moment-là. Je devine toutes les idées qui leur passent par l'esprit. Je les *vois*. Et ça ne loupe pas : à force de se mettre à ma place, voici qu'ils hochent la tête et déclarent d'une voix guillerette, probablement pour me redonner le moral, que n'avoir pas d'odorat présente aussi des avantages, ah oui, c'est vrai, je ne sens pas les mauvaises odeurs, moi ; je n'ai pas idée comme cela pue parfois ; j'ai bien de la chance, finalement. Je sais alors que, dans une seconde, ils vont soudain sursauter, ils vont pousser le raisonnement jusqu'au bout et réaliser que je ne peux donc pas sentir l'odeur du gaz ou celle de la maison qui prend feu, oh là là, c'est vraiment embêtant, c'est superdangereux et finalement, même s'ils ne le disent pas, eux préfèrent avoir le sens de l'odorat, finalement, incontestablement. Eux sont bien contents de pouvoir sentir les choses même si elles puent parfois, ils le réalisent maintenant, ils préfèrent mille fois que ce soit moi plutôt qu'eux et cette prise de conscience est magnifique, elle fait plaisir à voir, je suis bien content d'aider mon prochain à mon niveau anosmique des choses et quelle mascarade !

Mais deux ou cinq jours plus tard, les mêmes me demandent si ça ne sent pas bizarre, là, tout de suite, quelque part.

Ils ont oublié que je n'ai pas d'odorat.

Ils s'en fichent.

Ça ne loupe jamais.

Je préférais encore que M reste silencieuse.

C'était aussi bien.

Je n'avais pas envie d'expliquer (encore une fois) que n'avoir pas d'odorat ne me gêne pas tant que ça puisque je ne m'en rends pas compte. Ce n'est pas comme si j'avais perdu la faculté de sentir après l'avoir connue et peut-être l'ignorait-on, mais ce dont nous n'avons ni connaissance ni même l'idée ne saurait nous manquer ; surtout, je n'allais pas expliquer que mon cerveau avait réattribué mes neurones olfactifs à mes autres sens et, ainsi, ma vue, mon ouïe et mon sens du toucher sont-ils plus aiguisés que la normale, au point que je perçois plus intensément certaines choses que ceux qui possèdent cinq sens et, au bout du compte, je ne sais pas qui, d'eux ou de moi, est le plus handicapé. Je ne sais pas ce que j'ai perdu mais je sais ce que j'ai gagné. Sans compter que je ne suis pas l'esclave d'odeurs captivant mon être sans me demander ma permission et ce n'est pas plus mal. On se défend comme on peut. On fait avec ce qu'on a et ce qu'on n'a pas.

Lorsque M leva de nouveau la tête vers moi, ce fut pour dire, deux points ouvrez les guillemets : « Si je comprends bien, les autres possèdent sur vous une information que vous ignorez et il vous manque sur eux une information qu'ils possèdent. C'est un double inconvénient. » Bel esprit d'analyse, songeai-je. Puis elle ajouta : « Si vous voulez, je peux essayer de vous décrire l'odeur qui règne dans votre bureau. Je peux essayer d'être votre nez », et moi de la regarder alors avec attention, de la regarder avec émotion, de me sentir profondément *touché* de ce qu'elle venait de dire, au point d'en avoir presque les larmes aux yeux. Parce que c'était la première fois que quelqu'un – a fortiori une femme – ne retournait pas mon handicap dans tous les sens avant de me le rendre d'un air circonspect ou dégoûté, mais avait spontanément envie de faire un geste dans ma direction et cette sollicitude à mon endroit était si peu habituelle, elle lui était venue si naturellement, elle était tellement – quoi ? Pour dissimuler mon trouble, je regardais au loin derrière elle, croyant voir soudain une biche qui sortait tendrement d'un sous-bois. Ou bien était-ce une hippie qui courait dans un pré en agitant les bras en l'air et en balançant joyeusement ses vêtements dans tous les sens ?

Me rappelle qu'elle disait papa et maman en parlant de ses parents. À 28 ans disait encore papa et maman. *(Chiotte, avais-je songé.)* Car je le redis : M avait 28 ans. L'âge que je préfère chez une femme. À 80 ans (si j'arrive jusque-là), j'aimerais encore les femmes de 28 ans tellement il est l'âge idéal, selon moi. L'âge crucial. Sur tous les plans : intellectuel, sexuel, existentiel. C'est à l'orée de la trentaine qu'une femme devient une femme – ou pas. C'est à cet âge qu'elle a l'occasion d'acquérir sa véritable personnalité. Voici qu'elle sort de l'enfance et n'est pas encore adulte. L'heure de faire des choix est arrivée. Rien n'est encore décidé. Elle a rendez-vous avec son avenir. Sa vie se joue maintenant. Pour des raisons qui tiennent aussi aux lois de l'espèce. Mais Günther Anders le dit mieux que moi : « Historiquement, il existe un bref moment [dans la vie d'une femme] où le charme est encore là et l'indépendance déjà acquise : surgit alors le type de l'esclave libérée, plus excitant que les deux types opposés. » J'avais vigoureusement souligné « le type de l'esclave libérée ».

J'avais songé que j'avais eu de la chance de découvrir le monde dans les années 70. Car en dépit de méfaits incroyables et de niaiseries sans nom que je n'ignore pas (et que nul n'ignore tellement la détestation des années 70 est devenue un lieu commun), elles furent ce bref moment où surgit le type de l'époque libérée. Moment unique, bref, intense, terriblement *excitant*, je m'en rends compte avec le recul. Quand on les a connues, on réalise à quel point ces années-là furent passionnantes. Inventives. Magnifiquement expérimentales au niveau individuel des choses qui devenaient soudain possibles. *Les gens se parlaient*. Après le carcan des années 50, ils avaient envie de vivre. Au risque d'excès destructeurs pour soi ou pour autrui, mais c'est que sortait en vrac et sans retenue une énergie longtemps refoulée. Il faut du temps pour apprivoiser la liberté quand on n'y a jamais goûté. On a tendance à faire n'importe quoi. Quiconque a été jeune le sait bien. C'était avant que le couvercle des années 80 ne se referme sur ce trop-plein d'enthousiasme, brisant l'élan au lieu de le laisser s'épanouir. Par comparaison, les temps présents n'offrent pas moins de méfaits incroyables et de niaiseries sans nom que les années 70 et, à dire vrai, que n'importe quelle époque dans l'histoire – mais l'excitation en moins. La joie d'expérimenter en moins – joie existentielle s'il en est. Les gens ont plutôt envie de mourir de nos jours. Ou de tuer le premier venu. Cela fait une sacrée différence. Le type de l'esclave libérée est un feu de paille et c'est ce qui le rend si attirant, avais-je songé en regardant doucement M.

Me rappelle avoir songé que M n'était pas seulement mon genre : elle était mon style, là, devant moi, incarné. (*Elle est ta prose et ta poésie, avais-je songé, ébloui, intrigué, épaté, soucieux aussi.*)

Niveau 31

Me rappelle de la grotte Chauvet et, devant M, je me sentais neuf de 36 000 ans. Sur son visage, il me semblait voir surgir un animal fabuleux et M comme paroi. M comme paléolithique. Comme jument fantastique, mi-bison mi-rhinocéros laineux.

Me rappelle cette femme, blonde, vêtue d'un grand pull noir et d'une jupe blanche, assise sur une clôture, un grand champ d'herbes hautes devant elle, un paysage de campagne à perte de vue. À l'ouest, un bouquet d'arbres. Des buissons. Le ciel laiteux au-dessus. On ne l'aperçoit pas tout de suite, mais un homme marche dans le champ. Il avance dans les herbes hautes, résolument, quoique sans se presser, en direction de la femme blonde. Toujours assise sur la clôture, celle-ci observe l'homme s'approcher, sans bouger.

L'homme est maintenant à vingt mètres. À dix mètres. Cinq mètres. Il est vêtu d'un costume sombre. Il porte une serviette de cuir noir à la main. Peut-être un médecin de campagne. Lorsqu'il parvient à la clôture, il ne dit pas bonjour ni rien, non, il demande juste à la femme blonde si elle a une cigarette. Ça tombe bien, la femme blonde en a et elle en offre une à l'inconnu. Elle lui allume sa cigarette. L'homme aspire une profonde bouffée. Il vient de faire une longue marche, semble-t-il. On ne sait d'où il vient. Il est juste l'homme qui coupe à travers champs. Son crâne est dégarni, au sommet. Quel que soit son âge (35 ans ? 40 ans ? 45 ans ?), il fait plus vieux. Il recrache la fumée de sa cigarette, qui se dissipe en volutes dans l'air. Sa satisfaction est évidente. Il demande à la femme blonde pourquoi elle a l'air si triste. Il dit ça d'un ton badin, du style : « Alors ma p'tite dame, on est triste ? » Ce disant, il veut lui aussi s'asseoir sur la clôture, à côté de la femme blonde ; mais la clôture ploie et se brise et tous les deux tombent à la renverse, vlan, cul par-dessus chemise ils se retrouvent, les quatre fers en l'air sur le sol ; ils rient. La femme blonde n'a pas eu le temps de dire pourquoi elle avait l'air si triste et on ne saura pas la réponse qu'elle aurait donnée. À la place (mais est-ce à la place ou est-ce la réponse en images ? est-ce une métaphore ?), on la voit se casser la figure parce qu'un type a voulu s'asseoir à côté d'elle et, à eux deux, le poids les a fait tomber à la renverse.

La femme blonde s'est tout de suite relevée mais l'homme reste allongé sur le dos, les bras en croix, face contre ciel ; il rit toujours ; il n'arrête plus de rire. La femme blonde lui demande ce qui le fait tellement rire. Elle se tient les bras croisés sur sa poitrine, après avoir épousseté ses vêtements. S'être retrouvée les quatre fers en l'air ne l'a pas fait rire tant que ça. L'homme répond que c'est un plaisir de se casser la figure en compagnie d'une belle femme et, plus tard, je soulignerais plusieurs fois cette phrase.

Après un silence, toujours allongé sur le dos dans les herbes et les bris de la barrière, l'homme dit qu'il sent des choses étranges, là, maintenant qu'il s'est cassé la figure et se retrouve au ras du sol : racines, buissons, mousse… Il demande à la femme blonde si elle sent, elle aussi ?

Bof. Elle ne semble pas très disposée à écouter les conneries de ce type qui commence maintenant à la barber. Lequel, toujours allongé dans l'herbe les bras en croix et face contre ciel, parle alors des plantes, des arbres, de ce qu'ils savent, de ce qu'ils comprennent... Pas de réponse. Il commence à se relever, sa cravate en vrac. Époussette à son tour ses vêtements. Il dit qu'elle, lui, nous tous, n'avons plus confiance en la nature qui est en nous. Qu'elle, lui, nous tous, ne prenons plus le temps de nous arrêter et de réfléchir. La femme blonde paraît dubitative. L'homme dit qu'elle n'a pas à s'inquiéter. Sous-entendu : à s'inquiéter *de lui*. Il est docteur. Comme si cela devait la rassurer. Comme le laissait supposer sa serviette. Il dit qu'elle devrait venir en ville, ils passeraient du bon temps ensemble.

Mais il est pressé soudain. Sans attendre la réponse de la femme blonde, il ramasse sa serviette de docteur et s'en va vivement par où il est venu, la plantant là, lui, l'homme qui s'en retourne à travers champs, d'un pas décidé, d'un pas requinqué, on le voit s'éloigner, avancer tout droit dans les herbes à grandes enjambées, sans se retourner, cinq mètres, dix mètres, vingt mètres... Il s'enfonce dans les hautes herbes comme il est venu, comme si c'était dans la mer. Lorsque. Devant lui. Sur sa gauche. Un grand buisson. Ses feuilles s'agitent. Ses feuilles se mettent à trembler comme une feuille. Ses branches s'affolent. L'homme s'arrête. Il reste immobile dans les hautes herbes. Surpris. Attentif. Indécis. C'est le vent. Un coup de vent. Un grand coup de vent. Surgi de nulle part. Venu de nulle part. Brusquement le vent s'est levé. Sans prévenir. L'instant d'avant tout était calme, morne, serein et voici que le vent se met à balayer d'un coup la campagne, vouf, couchant les hautes herbes, agitant les branches et toute la nature alentour. Comme une main puissante venant caresser l'espace et secouer les buissons les feuilles les arbres et leurs branches et les hautes herbes. C'est comme une vague immense qui déferle et qui n'en finit plus. Comme un souffle fantastique, surgi tout à coup, descendu du ciel, qui se met à tout affoler. À tout animer. À donner vie à la campagne. À l'insuffler. Voici que la nature elle-même se lève. Se manifeste. Frissonne de tous ses membres. Ce n'est pas seulement une bourrasque : c'est le Vent lui-même. C'est son Souffle. C'est sa Voix. C'est la Preuve de Quelque Chose, c'est l'Annonce de Quelque Chose et je ne sais pas, je me rappelle que M fut dans ma vie ce grand coup de vent qui, lors de la scène que je viens de décrire, vient dévaster de beauté le film Le Miroir d'Andreï Tarkovski (1975) et l'élever jusqu'au mystère et comment avait-il fait ? Pour que le vent se lève au moment où il disait « Action ! » Il n'y avait pas un souffle jusqu'ici, pas un brin d'herbe ne remuait dans toute la campagne ; et d'un coup le vent, ce *vent-ci,* en pleine campagne, balayant la nature à perte de vue. Tarkovski avait-il disposé hors cadre une énorme machine soufflante ? Une machine capable de souffler sur toute la campagne ? Comment était-ce possible ? Lorsque j'avais vu le film, j'avais pensé que le vent s'était de lui-même levé pour ce film. Juste à cet instant. Sans que cela soit prémédité. Comme une Intervention. Un Miracle. Un Signe. Une *Présence.* Ce n'était pas possible autrement. Aucune soufflerie ne pouvait balayer à elle seule tout un paysage à perte de vue et, à l'époque, les effets spéciaux ne numérisaient pas encore la réalité pour lui faire dire ce qu'on veut : il fallait composer avec elle. En tous les cas, j'avais pensé que ce n'était pas écrit. Pas voulu. J'avais *refusé* d'y voir un effet. Saisi d'émotion, j'avais cru à ce grand vent surgi de nulle part, j'avais cru au mystère de ce souffle fantastique, comme je crus au souffle de M et sur mon visage sentis sa rafale, dans mon dos sentis sa bourrasque dès l'instant où elle passa derrière moi à côté de la machine à café de marque Illico comme un souffle de vie affolant à l'improviste la nature qui était moi, l'éveillant et l'ébruitant prodigieusement et M comme mon Miroir.

Niveau 32

Je vois bien que tu n'en peux plus. Je sais que tu *souffres.* Tout ce sucre cristallisé. Ces sentiments à l'eau de rose. Ces phrases énamourées. Ces solipsismes à deux balles. Ce mysticisme sur grand écran. Mais nager dans le bonheur, pour une fois dans sa vie nager dans le ravissement : où le mal ? Accéder au mièvre, au mol, au miel, au désir, à la tendresse, au désir, à la trique : où le problème ? Ce n'est pas dans le malheur que je m'épanouis, désolé, mille excuses, qu'on me laisse au moins ça, qu'on me laisse mes fleurs bleues et M comme ma collection Arlequin.

M comme toutes mes mythologies personnelles, absolument toutes, depuis A comme Ali McGraw jusqu'à Z comme Zorro. Car jamais je n'avais trouvé autant de moi connu et inconnu chez quelqu'un d'autre. Jamais n'avais regardé quelqu'un comme, trois heures durant, je regardai M ce jour-là, sans en avoir l'air. Je veux dire : en cherchant à en croire mes yeux. En cherchant ce qui, chez elle, me tapait à ce point dans l'œil et en tentant de saisir, d'elle, non l'idée mais le visible à travers le moindre de ses détails, le pittoresque le sien, jusqu'à m'approcher au plus près de sa surface et surprendre ici le pictural dans l'image, ailleurs la musique dans l'harmonie, partout le plaisir, comme une expérience de la perception. Comme, par exemple, ces perles d'eau aussi minutieuses qu'incongrues que peignit Delacroix sur la peau d'un damné de sa Barque de Dante ; ou bien ce *couac* aussi euphorique que dissonant, absolument éjaculatoire, au terme d'une furieuse montée orgasmique, du saxophoniste Roland Kirk, ce cri tout à coup dans les enceintes, cette exultation ivre, cette note non écrite et pourtant jouée, ce *désaccord total* à prendre dans le sens le plus large et aigu, à précisément 3 minutes et 55 secondes du morceau Ecclusiastics de Charlie Mingus, comme une sortie en beauté du canon de la beauté, la musique en deçà et au-delà des notes, la restitution du son même, celui-ci libéré de ses fers, pour sceller une nouvelle alliance avec la vie, faire entendre une dissonance qui est celle de l'existence même. Son tragique même. Son allégresse folle. Sa jouissance échappée de la mort et M comme *couac* ! M comme l'autre (Adorno) disait que « Les dissonances effraient l'auditeur, car elles lui parlent de sa propre condition. »

Okay, je vois que tu bayes aux corneilles et t'éventes comme s'il y avait une mauvaise odeur dans la pièce. *Je vois que tu regardes combien de pages encore ?* Et tu te dis : *Mon dieu. Encore tout ça !*

Oui, je sais ce que tu penses. Tu voudrais de l'action, tu voudrais des *péripéties* afin de pouvoir passer à autre chose et pourquoi donc ? Pourquoi veux-tu tout le temps *passer* à autre chose ? À quoi veux-tu passer *exactement* ? Pourquoi fouetter tout le temps ton cocher ? Que crois-tu qu'il se passe à la fin ? Qu'est-ce qui cloche *chez toi* ? Alors qu'elle est là : l'action ; c'est cela : l'action. Qu'est-ce que tu crois ! C'est pourtant simple à comprendre. Et puisque tu insistes, permets-moi de te rappeler que cette éternité de presque trois heures passée en compagnie de M est à l'origine de la mort d'un homme. Sans elle, Julien serait encore en vie à l'heure qu'il est. Il ne se serait pas suicidé. J'aimerais que tu ne l'oublies pas. Cela vaut bien que tu te rappelles avec moi que M aimait surtout les gros livres, peut-être pour reculer le plus longtemps possible le moment où elle devrait de nouveau se poser l'ennuyeuse question de savoir quoi lire à présent. Dans quel amour d'autrui entrer.

Te rappelles aussi avec moi que M aimait aller dans les musées, elle aimait la peinture classique et j'avais songé : elle aime voir la beauté sur les murs, accrochée dans de beaux cadres dorés : pour affronter en face la concurrence ? Converser d'égale à égale ? Rendre hommage à la beauté qui ne meurt pas, ne vieillit pas, ne se fane pas ? (*Avant que l'art moderne ne balaie tout ça, n'évince toute possibilité de comparer, avait songé Monsieur Gicle, qui ne perd jamais une occasion de ramener sa fraise, pfuit pfuit.*)

Te rappelles avec moi que je l'imaginais très bien accrochée aux cimaises, vivant dans un beau cadre doré, parce qu'elle le valait bien.

Te rappelles avec moi ce dialogue d'Audiard dans le film Mélodie en sous-sol (1963) : « Pas la peine de s'extasier sur la mer : elle a toujours été là. »

Te rappelles avec moi que, plus tard, bien plus tard, je lui dis que je parlerais d'elle dans un livre, si j'en écrivais un, rien n'était moins sûr, je n'en voyais présentement pas la nécessité – mais je ne pourrais peut-être pas l'empêcher, lui dis-je. Je ne vous le conseille pas, répondit-elle. Avec un effroi perceptible. Mais ses yeux brillaient. Mais Julien s'est pendu avec la ceinture de son pantalon à la poignée d'une fenêtre.

Te rappelles avec moi que j'avais songé : je ne veux pas que quelqu'un la bouscule dans la rue. Ne veux pas qu'un abruti quelconque lui fasse du mal. Un enfoiré de merde. Jamais. Mais je suis là désormais. Je la défendrai. Elle pourra compter sur moi. Je serai toujours là pour elle.

Te rappelles avec moi que l'amour rouvre toutes nos cicatrices intérieures, il sépare en deux notre mer gelée, libérant les monstres enfouis : voici que nos espoirs les plus ancestraux remontent des abysses.

Te rappelles avec moi que la NASA eut la confirmation que la sonde Viking s'était posée sur Mars dix-huit minutes après que ce fut le cas, le signal radio mettant tout ce temps à parcourir 348 millions de kilomètres dans l'espace, avant de parvenir sur Terre et, maintenant que j'y songe, je me dis que le message de M envoyé à côté de la machine à café de marque Illico mit un temps incroyable à me parvenir, preuve qu'elle était vraiment très très loin. Quand j'y songe, je me souviens que la première photo qu'envoya Viking de la planète Mars montrait... son pied d'atterrissage. Quelle déception ! Tout ça pour ça.

Te rappelles avec moi que l'amour n'est pas possession : il est dépossession. C'est M qui me l'a appris.

Te rappelles avec moi que ce monde est, a été et sera toujours trop imparfait pour que deux êtres puissent s'aimer d'un amour aussi parfait que celui que j'éprouvai pour M.

Te rappelles que Thucydide disait que l'histoire est « une acquisition pour toujours » et, à mon niveau individuel des choses qui marquent à vie, M fut effectivement une acquisition *pour toujours*. Voici que l'histoire devenait un rêve dont je ne voulais plus m'éveiller.

Te rappelles avec moi que sur une photo datant de cette époque : je souris, mais on dirait que je pleure.

Te rappelles avec moi ce feuilleton que je regardais le jeudi après-midi lorsque j'avais une dizaine d'années, lorsqu'il n'y avait pas Zorro à la télé (que faisait-il pendant ce temps ?). Hondo. Les aventures d'un cow-boy taciturne qui portait une super-veste à franges et trimballait d'épisode en épisode sa rugueuse solitude en compagnie d'un chien tout pouilleux qui s'appelait Sam. Hondo ne cherchait jamais la bagarre, mais il était bien le seul. J'aimais bien Hondo. Il était l'une des innombrables déclinaisons de Zorro et lorsque j'allais acheter le pain, le lait, le gruyère râpé qui manquait pour les coquillettes du repas du soir, je chevauchais pareillement Tornado dans les rues (hiiii), mais en sifflant Sam pour qu'il reste à mes côtés. Tu vois le genre.

De Hondo, je ne garde aucun souvenir précis – sauf celui d'une scène qui me marqua. Celle où Hondo va boire un whisky dans un saloon et Sam ne trouve rien de plus malin que d'avachir sa grosse masse hirsute et pouilleuse juste devant la porte du saloon. En plein dans le passage. Ce qui fait que les cow-boys qui rentrent ou sortent du saloon sont contraints d'enjamber Sam, oui, ce salopard tout pouilleux enquiquine tout le monde, même Hondo finit par lui demander de bouger ses fesses et d'aller s'installer ailleurs. Mais Sam ne veut rien savoir. Il se trouve bien là où il est. À rester dans le passage. À faire son pacha. À obliger tout le monde à l'enjamber. Jusqu'à ce qu'un sale type débarque dans le saloon avec toute sa quincaillerie à la ceinture et le sale type, ça l'énerve tout de suite qu'un clebs lui barre le passage, c'est pas un iench tout pourri qui va faire la loi et, ni une ni deux, le sale type entreprend de faire déguerpir Sam, allez, oust, dégage, sale bâtard, damné sac à puces. Et de lui filer un coup de botte, de le cingler avec son chapeau de cow-boy – en vain. Sam refuse de bouger. Il grogne plutôt. Il fait sa tête de cochon, de mule, de lard. Excédé, le sale type sort son colt et s'apprête à tirer sur Sam pour en finir une bonne fois avec ce foutu clebs qui fait chier son monde et, bien forcé, à contre-cœur, en soupirant, Hondo ne peut faire autrement que d'intervenir et très rapidement la situation s'envenime, le ton monte, la poudre finit par parler et le sale type en est quitte pour une balle dans l'épaule ou je ne sais plus où.

Le calme revenu, Hondo paye son whisky et s'apprête à quitter le saloon et, arrivé devant la porte à double battant, il s'arrête devant Sam qui n'a pas bougé un seul de ses poils pouilleux et qui lève maintenant un regard adorable vers son maître qui vient de se battre pour lui alors qu'il buvait tranquillou un verre au comptoir et le petit garçon de dix ans que j'étais s'attendait à ce que Hondo donne une petite tape affectueuse sur la tête de Sam et lui dise « Allez, viens Sam, on se tire d'ici, hop hop » ; mais non, arrivé devant Sam, Hondo lui balance un énorme coup de pompe dans l'arrière-train qui envoie Sam valser à travers la porte du saloon et, le désignant d'un index réprobateur, il lui dit qu'il ne l'a pas volé, ça lui apprendra, *dans quelle langue faut-il le lui dire* et je n'ai jamais oublié cette scène. Ah oui, Hondo m'apprit quelque chose ce jour-là, à moi aussi il donna un énorme coup de pompe et, par la suite, j'ai connu et même fréquenté quelques Sam, certaines bien jolies, qui se mettaient exprès dans le passage et provoquaient des tas d'embêtements et quelle plaie ! Pourvu que M ne soit pas de ce genre pouilleux, me rappelle avoir songé. Car elle en avait la capacité, avais-je songé. Obliger les hommes à se battre pour elle. Vérifier à quel point elle était aimée et que le plus fort l'emporte.

Te rappelles aussi avec moi que 50 % des 25-34 ans placent aujourd'hui l'amour au second rang de leurs priorités, derrière la réussite professionnelle et quel succès pour cette société. Quel triomphe.

Te rappelles surtout que je cherche – que je *veux* –, là, tout de suite, me rappeler de toute mon histoire de M, même si c'est impossible, parce que le temps a passé et parce que je me suis évertué pendant des années à oublier mon histoire de M, pour la surmonter comme on dit, alors qu'il aurait fallu lutter contre cette tendance à l'oubli car elle n'est pas du tout salvatrice. L'oubli n'est jamais la solution et ainsi suis-je contraint de me rappeler aujourd'hui le passé depuis un présent qui s'est édifié sur sa négation.

Te rappelles avec qui j'aurais 60 ans quand elle en aurait 44 et tu en penses quoi ? C'est bien ce que je pense.

Niveau 33

Tu n'en peux vraiment plus. Je sais. *Inutile de me faire de grands signes.* Va faire un tour si tu satures à ce point. Va prendre l'air. Va pisser. Vaque. Pas de problème. Je te préviendrai quand j'en aurais terminé. J'ai encore deux ou trois souvenirs à régler, peut-être quatre, je ne sais plus, la notion du temps m'échappa durant ces presque trois heures et pas une seule fois je ne cherchai à la récupérer – alors ne compte pas sur moi pour que ce soit le cas maintenant.

Je veux dire : la notion commune du temps. La notion étroite du temps. La notion comptable du temps. Je veux dire que pendant toute cette période, ce furent les battements de mon cœur, tantôt précipités lorsque j'apercevais M, tantôt imperceptibles lorsqu'elle n'était pas là (et vice versa), qui se mirent à régler ma montre et toutes les horloges du monde, toutes les cloches des églises. Mon temps était devenu vivant. Fluctuant. Émotif. Il était un continuum. Un tourbillon. Il renouait avec ses origines cosmiques. Encore aujourd'hui, je suis incapable d'associer une date précise à tel ou tel événement marquant de mon histoire de M ; je sais que je l'ai rencontrée au début de l'été 2004, mais cette date ne signifie rien pour moi. Elle n'a aucun sens. C'était M qui battait à présent ma mesure. Elle mon pouls. Elle mon quartz.

Attends.

Nous étions en juin ? Puis en juillet ? Puis en août ? En septembre… Tout le monde y croyait ? Tout le monde suivait le mouvement ? Pas moi. Plus moi. Dans l'état de cristallisation amoureuse dans lequel je me trouvais, nous étions plutôt le 31 juin, le 32 juin, le 35 juin, le 94 juin, le 116 juin, le 637 juin. Le joli mois de juin ne finirait jamais. Il avait ouvert la porte et pas question qu'elle se referme. Hors de question. Je dis 32 juin, 94 juin, 116 juin… mais c'est par commodité. C'est façon de me faire comprendre. Car le temps dans lequel j'évoluais à ce moment-là ne s'égrenait plus. Il n'était plus litanique. Les jours ne se découpaient plus en heures, minutes, semaines, mois, années, périodes – non ! Ils n'étaient plus qu'un seul instant immensément vaste, plein, souverain, oscillant dans toutes les directions, se contractant parfois jusqu'à devenir aussi dur et froid qu'une pierre, s'alanguissant d'autres fois comme un lézard au soleil, une plume dans le vent, au gré de l'intensité du moment, qu'elle soit molle ou océane. Miel ou plomb. Tandis que le temps social emportait les gens toujours plus loin dans la même direction, j'évoluais pour ma part dans une durée sans limite. J'accédais à un temps exclusif. Tachycardique. *Puissant*. Sorti du calendrier grégorien, j'étais entré dans celui de Grégoire allée, avec celui de M. Sans l'avoir prémédité (mais n'avais-je pas toujours rêvé éprouver cette *folie* ?), j'expérimentais pour moi seul une autre dimension temporelle. Découvrais mon temps *libre*. Je n'étais plus poussé un jour après l'autre, comme on mène un troupeau à l'abattoir, sans qu'il comprenne pourquoi, tout à fait bêlement. Le monde ne se refermait plus sournoisement chaque nuit sur mon passage pour renaître faussement au matin, non, il s'agissait d'un espace inédit, d'une nappe de temps qui n'en finissait plus et c'était génial. C'était vertigineux. C'était mon temps privé. Mon temps retrouvé. Mon temps des cerises. Je fixais mentalement des rendez-vous à la date du 78 juin et j'avais hâte de voir si on serait là. J'en rigolais tout seul. Nul lendemain n'existait plus, qu'il chante ou qu'il pleuve. Hier était autant devant que derrière. C'était comme vivre au jour le jour un jour qui n'en finissait plus. Que plus rien ne rythmait artificiellement, ni ne bornait parce qu'il en a été décidé ainsi. Parce que c'est comme ça et pas autrement. Parce que le temps c'est de l'argent. À cause d'une *convention*. Mais ce qui m'arrivait n'était pas conventionnel et je ne voulais plus de lendemain. Je voulais qu'aujourd'hui s'éternise à partir de maintenant. Je voulais prolonger l'instant et, avec M, que cela dure toujours. Ainsi connus-je un temps que je sais avoir été hors du temps. Un temps valant Paradis. Valant Jouvence. Et si ce fut momentané, ce fut aussi pour la vie. Ce fut inestimable. Voici que le temps n'était plus une flèche en plein cœur mais une brèche multicolore. Une émotion sans nom. La traîne d'une fée dont chaque pli cachait une vie entière, chaque froissement les chutes du Niagara ou une comptine. Des rires. Un cri.

Le temps de l'amour.

Enfin bref.

Au point de non-retour où j'en suis, je me rappelle son effroi lorsqu'elle me révéla sa phobie des cafards et, ce disant, elle put à peine prononcer ce mot : cafard. Elle balbutia, ce disant, son visage blêmit, tout son être sembla se révulser, je crus qu'elle allait faire un malaise dans mon bureau, je vis qu'elle faisait un effort fantastique pour ne pas céder à la panique qui s'était s'emparée d'elle à la seule évocation des cafards et ce n'était pas une phobie pour de rire. C'était une vraie phobie. Une phobie pathologique et moi de sauter aussitôt sur l'occasion, moi de m'engouffrer dans cette faille qui venait de s'ouvrir dans son personnage afin de la bousculer un peu et tester ce qu'elle avait dans le ventre et, en vertu de cette cruauté qui appartient au désir, de jouir en sous-main, depuis mon fauteuil, de son air apeuré et il ressemblait donc à ça : son air apeuré. Il manquait à ma collection ! (*Belle prise ! avais-je songé. Tout en me demandant si elle avait entendu parler de cette Indienne : pendant son sommeil, un cafard était entré dans sa narine et il était remonté jusqu'à son cerveau où il avait pris ses quartiers. Mais je n'allais pas lui raconter cette histoire pour voir la tête qu'elle ferait. Je n'allais pas lui faire ce sale coup.)*

Sa phobie nous occupa un bon quart d'heure. Se souvenait-elle, la première fois ? S'était-il passé quelque chose dans son existence à cette période ? Peut-être ses premières... enfin, elle me comprenait... Ou un décès ? Une mésange à bec noir abattue le jour anniversaire de ses huit ans ? Quel rapport avec Dracula ? Et si on essayait les associations libres ? Je vous dis Blanc et vous dites... Bleu. Très bien. Papa ? Odeur... Euh, okay. Cheval ? Horloge... Maison ? Sang . Interdit ? Vitesse... Coiffure ? Serpents... Rêver ? Souffrir... Maman ? Beauté... Femme ? Homme... Homme ? Femme... Corps ? Pied... Une héroïne ? Ophélie... Le sexe ? Joker ! Okay... Hum... Grégoire ? Vous trichez... Cafard ? Pas de réponse... Elle détournant aussitôt le visage, se raidissant immédiatement sur sa chaise, prise d'un tremblement, presque une convulsion, comme si un glaçon lui parcourait l'échine et glaçait ses veines. (*Et si tu la sauvais de sa phobie, avais-je songé avec exaltation, débordant d'émotion et de tendresse. Là, tout de suite, maintenant, si tu devenais son Grand Libérateur ! Oh oui, si tu parvenais à la rendre dépendante de toi de cette manière. À la rendre infiniment reconnaissante !*) Et la porte du frigo qui avait claqué tout à l'heure de se rouvrir. Le rideau de fer de se relever. Le verre de revenir se poser sur la table comme s'il n'était jamais tombé ni ne s'était brisé par terre. L'horizon de se remettre sur ses deux pieds et mon bureau de se transformer en deux temps trois mouvements en cabinet de consultation *Bouillier & Bouillier, psychanalystes à la gomme* et c'est l'occasion de rappeler une nouvelle fois que l'amour est aveugle, c'est ce qu'on dit, c'est toujours ce qu'on dit ; mais j'ignorais jusqu'ici qu'il le fût d'une façon aussi analytique.

Car je ne lâchai pas le morceau. Pendant un bon quart d'heure je forçai M à parler de sa phobie autant qu'elle pouvait en parler et les forces freudiennes et lacaniennes et même hitchcockiennes irriguaient à ce moment-là follement mon cerveau dans l'espoir de l'amener à ouvrir son petit coffre-fort dont le mot cafard était la clé (M comme Marnie) et, au bout du compte, j'appris :

1) qu'elle parvenait à prononcer le mot cafard seulement depuis son retour de Rome (*Tiens donc !*), même si ce n'était pas encore totalement concluant, même si elle n'était pas guérie, loin s'en fallait. Mais elle faisait des progrès. Elle allait *mieux*.

2) que le mot « cafard » se dit « cockroach » en anglais et il fallut que je me pince tellement j'entendis le mot « cock » et en déduisis *aussitôt* que M ne pouvait pas dire bite, queue, zob dans sa langue maternelle sans éprouver un sentiment de totale panique et c'était bien ma chance ! (*Merde ! avais-je songé.*)

3) sans compter que je m'appelais Grégoire et pourvu qu'elle ne fasse aucun rapprochement avec Grégoire Samsa, avais-je songé. Pourvu qu'elle ne m'imagine jamais en cancrelat et m'amalgame à sa phobie à cause de ce cafard de Kafka. (*Ah merci Franz, avais-je songé. Merci beaucoup ! Les écrivains se rendent-ils compte que les prénoms qu'ils choisissent pour leurs personnages peuvent causer d'effroyables dégâts ? Par exemple, fallait-il qu'Hitchcock prénomme Grégoire l'ignoble instigateur de la machination qui, pour dissimuler l'assassinat de son épouse, conduit Scottie à prendre une femme pour une autre dans Vertigo ? Fallait-il que Chesterton nomme Grégoire le seul véritable anarchiste du conseil des anarchistes ? Fallait-il que la Vénus à la fourrure de Sacher Masoch déclare que Séverin s'appellerait désormais Grégoire pour être son esclave ?*) Même si moi seul me sentais ultra-sensuel à cet instant et envisageais de devenir l'esclave attitré de M, jusqu'à me réveiller un matin dans la peau d'une blatte laissant d'innommables traînées de bave au plafond et observant le monde, *observant M*, depuis ce point de vue anarchiste et pourvu que cela ne fût pas une prémonition.

Plus tard, me documentant sur le sujet, je me rappelle avoir appris que les phobies condensent toutes les peurs d'un individu sur un seul et unique objet, ce qui fait que, dans toutes les autres situations de l'existence, l'individu phobique n'a peur de rien ; il s'en fiche ; *il est insensible dans toutes les autres situations de l'existence* ; rien ne l'atteint plus véritablement tellement sa phobie le protège de tout. Il peut entrer dans une eau glacée sans broncher. (*Malin, avais-je songé.*)

Me rappelle que si j'avais su ça à l'époque, j'aurais compris les films d'horreur, son goût pour les vitesses excessives, tout ça, oui, j'aurais compris que M cherchait la peur, elle la cherchait partout – sauf là où elle savait ne pas pouvoir l'affronter, comme si elle cherchait dans la lumière des réverbères ce qu'elle savait avoir perdu dans le noir. (*La peur est son obsession, elle est sa tentation la plus folle et son émotion la plus vive, avais-je songé, conscient de toucher un point sensible chez elle. La peur est son plus gros problème de personnalité et son plus grand frein dans l'existence, oui, la peur est son point fort et son point faible, avais-je spéculé à pleins tubes. La peur est ce qui l'a rendue humaine à ses propres yeux, ahurie, fragile, désespérée, démunie, solitaire et, en même temps, ce qui la rend inhumaine à ses propres yeux, féroce, désabusée, désinvolte, provocante, et cetera. Moi spéculant à pleins tubes un bon moment, en catimini.)*

Moi me demandant si son sport favori consistait à métamorphoser les hommes en cloportes et connaît-on jamais la perversité de ceux que l'on a en face de soi ? Jusqu'où vont leur humanité et leur inhumanité ? Sous l'emprise de quels médicaments ils vous parlent ? Quels traumas infantiles ? Oui, combien de pauvres types s'étaient déjà cassé les dents sur son incomparable sourire ? Combien d'amoureux transis gisaient devant sa porte, génocidés comme des insectes rampants, gazés avec joie, trucidés en masse, sans avoir eu l'ombre d'une chance avec elle. (*Gaffe, avais-je songé en me reculant dans mon fauteuil. À son niveau de phobie individuelle, cette fille est peut-être une nazie. Elle est de la race des Circé. Gaffe ! Mais tu es prévenu. Tu es un homme averti qui en vaut deux maintenant et tu ne diras pas ensuite que tu ne savais pas lorsque tu souffriras deux fois plus.*)

Me rappelle avoir fait par la suite *énormément* de recherches sur les cafards et avoir découvert que lorsqu'on décapite un cafard, il survit jusqu'à sept, huit, neuf et même dix jours sans sa tête – *dix jours !* Avant de mourir finalement de… faim, parce que cette saloperie de bestiole lucifuge ne trouve plus sa bouche pour se nourrir et, apprenant cela, j'avais songé que cela faisait bientôt dix ans que j'avais rencontré M. J'y avais songé avec une certaine angoisse.

Me rappelle que j'oublie le principal. Me rappelle que M unissait tous mes contraires en une seule émotion, à la fois mes sentiments les plus purs et les plus élevés et mes désirs les plus frustes et les plus triviaux, mes audaces et mes peurs, comme si la séparation de l'âme et du corps n'avait jamais été qu'une méchante plaisanterie entretenue sciemment depuis des lustres. Oui, j'échappais grâce à elle, en face d'elle, à la condamnation commune. Je renouais avec le conflit qui, pour être atrocement intérieur, est pure eau vive. Je n'étais plus mutilé, amputé, divisé. Je n'avais plus à prouver mon innocence. Je n'avais plus besoin de choisir entre Ingres ou Delacroix, les Beatles ou les Stones, Apollon ou Dionysos, etc. Car jamais mes sentiments ne l'idéalisèrent ni mes désirs ne l'avilirent ; là où, d'ordinaire, pour pouvoir s'exprimer, les sentiments inhibent les désirs et où, réciproquement, les désirs, pour se donner libre cours, étouffent les sentiments, voici que les uns et les autres cessaient tout à coup de s'exclure ; ils ne se justifiaient plus a contrario ; ils se renforçaient au contraire mutuellement ; ils allaient à leur rencontre au lieu de creuser chacun leur petite tombe d'infini ; *ils ne formaient plus qu'un seul mot* ; j'étais entier. Voilà. M faisait de moi un être entier. L'être auquel plus rien n'était refusé. L'être .qui, à lui-même, était restitué.

Niveau 34

Allez, finissons-en. Je me rappelle, lorsqu'il fallut qu'elle s'en aille – « Je suis très en retard, je vais me faire gronder » (*gronder !?*), avait-elle murmuré en souriant, à regret, dans la pénombre, visiblement à regret, m'envoyant ce signal et moi le recevant comme une flèche d'or en plein cœur. (*Oh son sourire ! Oh ses dents éblouissantes !*)

Je me levai et, après une très légère hésitation chargée de non-dits, comme si l'idée de nous jeter dans les bras l'un de l'autre nous avait tous les deux traversé l'esprit et que cet élan s'était désespérément imposé à nous pendant une microseconde avant que la censure ne remporte cette seconde manche, je me levai, dis-je, et lui tendis la main et à l'idée de toucher sa peau, d'entrer physiquement en contact avec elle et de me trouver si proche de ses sensations, de respirer son aura et de la dominer au point que je n'avais qu'un geste à faire pour la prendre tout entière dans mes bras et l'envelopper comme dans une cape soyeuse (et que ne le fis-je alors !), j'avais songé qu'au moment où je prendrais sa main dans la mienne le courant allait peut-être sauter dans tout le quartier, oh oui, le courant était si bien passé entre nous pendant trois heures qu'au moment d'entrer en contact, toutes les lampes et les enseignes et les réverbères du voisinage allaient peut-être s'éteindre d'un coup et la ville disjoncter et se retrouver plongée dans le noir et un pacte être scellé au plus haut des cieux. (*Elle va peut-être se transformer en grenouille, avais-je songé. Ou moi en crapaud.*)

Mais rien ne se produisit, aucune manifestation particulière, ni dans le quartier ni à Montégut ou au ciel. Nous nous serrâmes la main comme deux adultes consentants, sans émotion perceptible ; il s'agissait juste d'une poignée de main. Plutôt virile, à dire vrai. Franchement virile, même. Afin qu'il n'y ait aucune ambiguïté, nul affect, SURTOUT PAS.

Là, tout de suite, maintenant, je la revois encore franchir la porte de mon bureau, lever son visage vers moi et, avec ce sourire qui semblait venir de bien plus loin qu'elle et s'adresser bien au-delà de moi, me lancer d'un air à la fois enjoué et pudique : « À bientôt » et ce n'était pas une interrogation dans sa bouche, ce n'était pas seulement professionnel ni même une évidence puisqu'elle travaillait maintenant dans la boîte (*tu vas la revoir demain, et après-demain et tous les jours, avais-je balbutié en moi-même, au comble du bonheur*), non, il s'agissait d'une invitation à nous revoir et même d'une promesse qu'elle me faisait, là, tout de suite, sur le seuil de mon bureau, *avant d'aller se faire gronder*, d'un air à la fois enjoué et pudique et tout en sachant qu'il ne fallait pas, je ne devais pas, non, c'était bien trop tôt, j'allais tout fiche par terre, je ne devais surtout pas dévoiler mon jeu, je te l'interdis, oh quel con !, je lui avais demandé du ton le plus merveilleusement anodin ce qu'elle faisait ce week-end et zut : elle était prise, désolé, mille excuses, elle allait pique-niquer dans la forêt de Rambouillet (*Elle va niquer dans la forêt de Grand Bouillier ? C'est ce qu'elle a dit ? avais-je songé, totalement effaré*) et le temps de reprendre mes esprits, le temps de vérifier que mes pieds n'étaient pas devenus un mille-pattes, M disparaissait dans le couloir en direction de la machine à café de marque Illico, là où tout avait commencé entre nous.

Jusqu'à ce qu'elle tourne à droite vers les ascenseurs, je l'avais suivie des yeux en sachant qu'elle devait sentir mon regard dans son dos, elle devait sentir mes yeux l'embrasser avidement dans le cou, embraser infiniment du regard son cou et... elle avait ce déhanché qui n'appartient qu'aux femmes, mais que toutes ne possèdent pas. C'était même, à la regarder s'éloigner, un miracle anatomique que son cou et le déhanché qui était le sien. C'était un pur moment d'érotisme pur, dont j'avais eu plus tôt un fugitif aperçu lorsqu'elle avait tendu le bras pour attraper une cigarette sur le bureau et, au niveau du coude, son avant-bras s'était incroyablement désaxé vers l'extérieur, il était sorti de son axe d'un angle d'au moins 160°, peut-être 150°, alors que cet angle atteint péniblement 170° chez l'homme et je ne sais pas. La vision de son radius se désolidarisant de son cubitus jusqu'à opérer un fantastique mouvement tournant m'avait causé un choc émotif, il m'avait bouleversé, comme l'expression la plus tangible de sa féminité, une vulnérabilité intrinsèque, une somptueuse anomalie, la révélation de quelque chose de cassé en elle, qui donnait envie de la prendre dans ses bras – ou d'amplifier la fracture interne, jusqu'à disloquer complètement ce bras qui se brisait de lui-même lorsqu'il s'étirait dans l'air, comme se brise un bâton que l'on plonge dans l'eau ; mais ce n'était rien à côté de son déhanché. Je n'avais pas encore vu son déhanché. Le sien était un absolu à lui tout seul. Il était un affolement. Il n'était pas un simple déhanché, un pauvre trémoussement que certaines femmes se croient tenues d'amplifier à l'intention des hommes, comme si leur cou était payé pour faire de l'œil aux hommes et leur envoyer des baisers afin d'exciter leur convoitise la plus élémentaire et les réduire à cette convoitise la plus élémentaire, selon l'idée que nombre de femmes se font de l'idée que nombre d'hommes se font d'elles, dans un perpétuel jeu de miroirs rétrécissant et ce n'était pas le cas de M. Elle n'avait pas besoin de forcer sa démarche. Elle était une anti-Marilyn – laquelle, par parenthèse, sciait d'un demi-centimètre le talon droit de ses chaussures afin d'accentuer l'opulence de son déhanché et le rendre toujours plus explicite et spectaculaire et M n'avait pas besoin de ce genre d'artifice. Son déhanché était d'une autre nature. Il était une évocation plus organique. Exprimait une vérité plus intime et essentielle. Une différence plus radicalement féminine, j'allais dire féline. La preuve chaloupée, osseuse, vertigineuse, d'une altérité radicale et fascinante. D'un tic-tac sexuel fabuleux. Oui, c'étaient ses os qui parlaient lorsqu'elle marchait. L'extrémité distale de son fémur pour être précis. L'échancrure intercondylienne, pour être encore plus précis. Sa nature profonde et irréductible, en un mot. Car je me suis documenté sur le sujet tellement je voulais élucider ce mystère que très peu de femmes possèdent naturellement à ce point de perfection évocatrice. Cette merveille anatomique qui n'appartenait pas à M mais qui l'excédait. Ce féminin roulis des choses qui lui faisait comme une traîne, une aura, une madrague dans le couloir. La rendait complice de la marche du temps, jusqu'à toucher au sublime érotisme. Oui, M possédait aussi ce don-là – que je verse religieusement au Dossier.

Niveau 35

Me rappelle que j'aurais dû lui dire, quand j'en avais l'occasion, tant qu'il était encore temps. J'aurais dû lui dire.

Tant de choses.

Trouver les mots.

Lui dire.

Qu'elle me bouleversait. Qu'elle m'emplissait de joie. M'emplissait de fierté. De fierté. Oui. Ce mot-là. Cette sensation-là. J'étais fier d'elle. Voilà. J'étais fier de sa manière d'être, fier de sa beauté, fier de son déhanché, fier d'entrer dans un café avec elle et d'en ressortir une heure ou deux plus tard, fier de parler avec elle, fier qu'elle soit qui elle était, fier qu'elle ne soit pas comme les autres, fier de l'avoir rencontrée et de l'aimer et qu'elle m'aime aussi (car vous m'aimez, aurais-je dû lui dire très tranquillement, comme on énonce une évidence, sans avoir peur qu'à ces mots, elle prenne ses jambes à son cul, comme j'ai toujours eu la conviction qu'elle prendrait ses jambes à son cou si je lui disais que je l'aimais et ainsi me tus-je et il est trop tard à présent).

Mais j'aurais dû me faire confiance et j'aurais dû lui faire confiance, avant qu'il ne soit trop tard. C'est vrai, j'aurais dû la tutoyer. Sache-le. J'aurais dû lui dire qu'elle me rendait incrédule et c'était inespéré. Tu me rends ingénu, aurais-je dû lui dire, et c'est merveilleux. Tu me bouleverses à chaque instant et c'est bouleversant. Tu m'excites en permanence et c'est une euphorie. C'est une douleur aussi. Un délice par-dessus tout. Tant pis si tu me trouves affreusement sentimental, aurais-je dû lui dire de vive voix, de douce voix, mais je suis assez vieux pour ne plus craindre de l'être. Je sais aujourd'hui tout ce que l'on perd à ne pas exprimer ce que l'on ressent, sans crainte du ridicule justement, sachant qu'on est ridicule cependant, puisque les sentiments sont devenus d'épouvantables banalités à force de profanations et de servir de paravent à toutes sortes d'intentions ayant autant à voir avec les sentiments que moi avec un employé de Goldman Sachs. Mais pas cette fois. Pas pour moi. Pas avec toi. Si les sentiments ne mangent pas de pain pour les autres, ils en mangent pour moi. Ils mangent tout mon pain depuis que je t'ai rencontrée. Tu m'as rendu affreusement sentimental, ma chérie, et c'est la première fois de ma vie. C'est un miracle. Cela me rend vivant comme jamais. Cela m'ouvre au miel, au bon, au bien, au doux, au fort. Cela te fait sourire ? Parce que tu ne m'imagines pas en employé de Goldman Sachs ? L'idée même te fait glousser ? C'est bien ! Je veux que tu glousses. Je veux que tu souris. C'est tant mieux si tu ne m'imagines pas en employé de Goldman Sachs. J'espère que c'est tant mieux pour toi aussi. Comprends-le, ma chérie. Aurais-je dû lui dire, quand j'en avais l'occasion. Car il arrive toujours un moment dans son existence où cela n'a plus aucune importance d'enfoncer des portes ouvertes si les *clichés* sont le chemin qui conduit à la félicité, puisque je n'imagine plus aucune félicité sans toi, aurais-je dû lui dire quand il n'était pas encore trop tard. C'est toi la félicité. Parce que la félicité vient de toi, elle fait partie de toi, de nous, même si tu en doutes et que mon empressement t'effraie (mais ce n'est pas un empressement : c'est l'émotion, c'est l'émotion de me sentir si ému à simplement te regarder, l'émotion que quelqu'un comme toi puisse seulement exister sur Terre) ; mais bien sûr mon émotion t'effraie-t-elle ! Elle te coupe l'herbe sous le pied. Elle te prive de franchir de toi-même la distance qui nous sépare, avec tes mots les tiens pour venir jusqu'à moi, de ton propre chef, sans te sentir contrainte par ce que je te dis, inhibée d'avance. Je sais tout cela. Je sais que nous sommes des tortues qui rentrons la tête dans notre carapace au moindre effleurement et toi plus qu'une autre. Tu es une tortue, ma chérie. Je te le dis gentiment. Je ne t'apprends rien. Je t'ai bien observée. Je ne te veux aucun mal. Je ne nage pas en plein délire. Ne crois pas cela. La félicité n'est pas un délire. C'est bien de toi que je parle. À toi que je m'adresse, aurais-je dû lui dire avec des mots simples, d'une voix légère, c'est-à-dire empreinte d'une gravité ne pesant pas davantage qu'une plume, afin qu'elle ne se rétracte pas sitôt dans sa coquille, tant qu'il était encore temps, puisque aimer s'apparente aujourd'hui à une névrose, à une pathologie dont il faudrait à tout prix se garder. Comme si l'amour était la négation de l'autre alors que c'est tout le contraire. C'est totalement l'inverse. L'amour est-il déraisonnable ? Il l'est, oui, mais uniquement au regard de la folie du monde, dont j'ai assez dit ce que j'en pensais page 95, pfuit pfuit.

Je sais aussi la merde à ton cul et la merde à mon cul, aurais-je également dû lui dire, tant qu'elle m'écoutait, en lui prenant la main et, sans la serrer, en la gardant doucement dans la mienne. Je ne refuse pas la merde. Je ne la cherche pas non plus. Mais je n'ai pas peur. N'aie pas peur non plus. Je suis là. Je ne souhaite pas que nous soit épargné une seule merde ou un seul malheur parce que n'importe quelle merde ou malheur qui pourrait nous arriver plaidera encore en notre faveur et dieu en soit loué. Sache-le, ma chérie, j'ai été follement, éperdument, calmement et merveilleusement heureux de te rencontrer. Et je le suis encore, même si tu n'es plus là ; et si tu étais là, je te le dirais en face et toi, tu serais assise en face de moi, ou à côté, ou n'importe où dans la maison, et tu ferais ce que tu as à faire, à la clarté d'une lampe ou à la lumière du jour qui entrerait par la fenêtre et ce serait bien, ce serait infiniment bien, je me sentirais soudain chez moi, enfin à ma place, tel que je me représente mon chez-moi, tel que j'ai toujours rêvé qu'il fût, toujours espéré le trouver, tel qu'il me le faut.

Et Julien ne se serait jamais suicidé ! Il n'aurait eu aucune raison de se passer sa ceinture autour du cou ni de me maudire avec sa merde.

Niveau 36

Tant que j'en suis à imaginer ce que j'aurais dû lui dire tant qu'il était encore temps, avant qu'il ne soit trop tard (et il est trop tard à présent), je retrouve dans l'un de mes petits carnets certaines réflexions notées ici au là, au fil des jours et des semaines et des mois qui, sans m'en rendre compte sur l'instant, donnèrent peu à peu sa substance à mon histoire de M et deux points ouvrez les guillemets : « Si, par extraordinaire, toi et moi, je veux que ce soit par la grâce d'une décision vraiment libre. (…) Je te rencontre et il n'y a pas besoin d'explication. Limpide, l'eau ne s'explique pas. Elle n'en a pas besoin. Il lui suffit de s'écouler, fraîche et vive, par mille petits ruisseaux dévalant les montagnes, depuis les cimes enneigées jusqu'aux fleuves et enfin l'océan, avant de s'évaporer quelque part au large, de monter au ciel et, au sein des nuées, de cristalliser, de se ressourcer elle-même, d'enfler et de se gorger de nouveau, jusqu'à ce qu'entraînée par son poids et l'attraction terrestre, elle retombe sous forme de flocons et enneige les mêmes cimes et ainsi de suite. (…) Depuis toi, tous mes états d'esprit sont ceux de l'eau : à la fois liquide et gazeux et solide. Je suis son cycle tout en un. (…) Je voudrais que la volonté considérable que tu mets à me résister, tu la mettes considérablement à m'approuver. Que la même application que tu mets dans ton travail, tu la mettes à t'occuper de moi, de mon être et de ma queue aussi. (…) Notre amour n'est pas seulement un amour, mais une œuvre qui embellit le monde. (…) Comprends-le ma chérie : tout cela est inséparablement lié, le fait que je t'aime et que je veuille coucher avec toi et tout le reste. Je voudrais être au lit avec toi et parler avec toi et sentir ta chatte se dresser et ma queue mouiller car on ne peut pas séparer les choses et les abstraire l'une de l'autre. Parce que nous ne faisons qu'un et sommes à nous deux une totalité indissoluble. (…) À nous deux, nous démentons ce monde où plus personne ne sait aimer et où plus personne ne veut aimer, sinon en rêve, dans les livres et dans les films. (…) Je suis lié à toi par tout ce qui m'est propre et ancien et nouveau et connu et inconnu : tu es la seule pour qui le verbe aimer convient ; tu le rachètes à toi seule, même si cela ne vaut que pour moi. (…) Je ne veux pas être raisonnable parce que tout ce dont j'ai pu avoir honte dans ma vie a résulté de choix que je voulais alors raisonnables et ce fut à chaque fois une erreur à mon niveau individuel des choses. Le raisonnable, c'est le monde tel qu'il ne va pas et qui détruit toute force en nous, toute joie, toute sensibilité. (…) Ou alors : s'il s'agit d'être raisonnable, être avec toi est le comble du raisonnable. (…) Il s'agit de ta vie, ma chérie. Personne ne mourra à ta place. Pas même moi. (…) En ta présence, je ne cherche pas à me dissimuler. Je suis sorti de mon personnage et j'ose t'apparaître désarmé et vulnérable. Je n'ai pas hésité à perdre mon indépendance, sans restriction, sans garantie. Si t'aimer signifie me perdre, cela ne me semble pas si risqué. Te perdre me perdra bien davantage. Je perdrai tout. Je perdrai la foi (souligné). (…) Te rencontrant, j'ai acquis une confiance qui me faisait défaut jusqu'ici, j'ai renoncé à toute échappatoire, à toute issue, comme je m'en ménageais toujours auparavant, me livrant sans jamais que ce soit totalement, avec toujours une petite porte dérobée par où m'échapper si besoin en était, car j'avais peur d'aimer avant toi, je n'aimais pas avant toi. (…) Pourquoi n'es-tu pas là ? Qu'est-ce que c'est cette connerie ? Que je ne puisse pas t'embrasser là, tout de suite, maintenant. Toi nue et moi à tes côtés. Moi te caressant et commençant à t'exciter. Te branlant doucement. Te liquéfiant peu à peu, avec un doigt, avec deux doigts, avec ma langue, tout en léchant tes tétines, en les mordillant, en les tétant et sentir que tu t'éveilles alors. Que tu commences à mouiller, à te trémousser, à soupirer et moi de prendre ta main pour que tu m'empoignes bien fort et me branles à ton tour tandis que je te branle et en frissonner avec toi. Pourquoi ne suis-je pas en toi, là, tout de suite, maintenant, tout au fond, bien au fond, mon épée de Zorro dans ton fourreau ? Moi au-dessus de toi, non pas affalé (tout à l'heure tu sentiras le poids de mon corps sur le tien, tout à l'heure tu t'enfonceras dans le lit comme si c'était dans la terre même, comme si c'était ta tombe), mais moi te dominant de haut, bien droit, pour t'embrasser toute du regard et moi écartant alors tes cuisses, les ouvrant toutes grandes devant moi, à l'équerre, afin de te contempler ainsi, te posséder ainsi, physiquement et visuellement, tendrement et pornographiquement, avec tes cuisses écartelées à leur maximum et moi voyant ton sexe et voyant le mien entrer et sortir, le voyant disparaître et resurgir, plonger de nouveau, jusqu'à la garde cette fois, jusqu'à t'éventrer, selon un rythme secret, un rythme à la fois lent et puissant, qui nous emporte l'un et l'autre ensemble, tandis que tes petits seins : ils dansent devant mes yeux et je ne résiste pas au plaisir de les englober à pleines mains, de les pétrir, de les dévaster, de pincer leurs mamelons et de les élonger follement, tandis que tu soupires et gémis, tandis que tu as un peu peur de me sentir si loin en toi, si énorme et palpitant en toi et jusqu'où ma queue pourrait-elle aller ? De quoi est-elle capable ? De quoi ne l'est-elle pas ? Que va-t-elle faire de toi ? À quelles extrémités t'entraîner, quels supplices, quels délices ? Tandis que ton visage : défiguré par le plaisir il devient, tordu et méconnaissable et pourtant restitué à lui-même, comme tu es belle ma chérie, je t'aime ma chérie, je te baise mon amour, sens comme je te baise, comme je fais de toi ma pute, comme je t'aime tout au fond, comme je te veux, comme ma bite t'appartient, oh ma gigolette, oh ma chienne, je voudrais que tu meures de plaisir sous mes assauts répétés, je voudrais que tu meures d'être baisée à fond par moi, d'être baisée à mort par moi, comme une folle que tu es, le fou de toi que je suis, l'humanité merveilleuse que nous sommes, quand bien même tu fermes les yeux pour ne plus rien voir ni savoir et ferme les yeux mon ange ! Ferme-les fort ! Ne me regarde pas ! Perds-moi de vue, oublie-moi, plonge dans tes sensations, concentre-toi sur ma queue qui t'emplit et te chauffe et t'inonde, ne sens plus que sa dureté, abandonne-toi à sa méchanceté, à son amour, sens comme elle t'empale, te transperce, te fulgure à chaque coup et ta bouche de s'ouvrir pour chercher l'air, pour expirer sous mes yeux, pour ahaner de plus en plus dans les aigus et ta bouche : je voudrais y fourrer ma queue en même temps que je prends ton sexe, je voudrais avoir mille bites pour te baiser comme tu le mérites et tes yeux de s'ouvrir soudain, de s'agrandir follement, de me fixer avec effroi, oui, dans ta prunelle, il y a maintenant un effroi, un orage majuscule qui t'emporte et t'excède et te naufrage, si loin que cela t'épouvante, si loin que tu crains soudain de devenir folle et de ne plus pouvoir revenir et cette folie dans tes yeux, presque une haine à ce moment-là, le désir de me frapper tellement je te possède et te dépossède en même temps, parce que tu n'en peux plus, parce que je te tue et t'électrocute et que tu m'en veux de te faire jouir, de te retrouver à ma merci, tout entière livrée à moi et cet effroi dans tes yeux, dis-je, il me donne la preuve qui te lie à moi, il fait de moi ton homme, il fait de moi un homme puissant, un homme tout court, il fait de moi ton maître et ton esclave et parvenu à ce point où ta jouissance devient souveraine, où tu franchis le seuil qui voit le délice se confondre avec la torture et s'atomiser au-delà des mots, s'extasier en un cri que tu n'en finis plus d'haleter, je n'hésite plus, je ne me retiens plus, je me libère à mon tour et dans ton plaisir j'enfouis le mien, je fouette mes sangs à ta fournaise et, cravachant en moi-même, je me laisse sombrer et m'ébullitionne, oui, j'accélère ma cadence et, dans tes abysses, je vais chercher mon propre infini et le voici, il vient, je sens monter ma purée, je deviens sa brûlure et je ne la retiens pas, je lâche tout dans un râle, dans un gargouillis incandescent, des millions d'étoiles dans mes veines, oh ma chérie, pourquoi n'es-tu pas là ? (...) Je voudrais gicler entre tes petits seins et étaler mon sperme sur ta peau. Je veux m'enfoncer tout entier en toi, en commençant par la tête. Je veux que tu danses nue dans la chambre avec un serpent et faisant des trucs avec lui. Je veux tout avec toi. Je voudrais, avec toi et par toi, en finir une bonne fois pour toutes avec le sexe. Épuiser le désir lui-même. (…) Plus tard, nous serions paisibles. Apaisés. Allongés sur le lit défait, nous fumerions une cigarette, peut-être en la partageant. À même le goulot de la bouteille boirions l'eau fraîche. Puis nous parlerions. Nous raconterions ceci et cela. Des trucs anodins, ou importants, pour prolonger l'instant, continuer de faire l'amour par d'autres moyens, signe que le désir n'est pas mort, qu'il en redemande, que tout nous comble et rien ne nous rassasie et pourquoi n'es-tu pas là, avec moi ? Pourquoi ne suis-je pas avec toi en ce moment même ? Alors que je te vois te lever pour aller faire pipi et, nue, pleine de grâce, tout échevelée, tu te diriges vivement vers la porte, en faisant des petits bonds de cabri et en dissimulant pudiquement tes fesses avec tes mains et cette vision charmante de toi courant faire pipi, la vision de toi faisant pipi, me monte au cerveau tandis que j'attends que tu reviennes te glisser dans le lit, sachant mon admiration, ma tendresse, ma queue se remettant à frémir et là, tout de suite, maintenant, je pourrais me tripoter mais je préfère que ce soit toi, tes mains, ta bouche, ta langue, ta bave, ta gorge, ce serait mieux. Ce qui n'est pas naturel, c'est que tu ne sois pas là, pour des raisons que je ne m'explique pas. Je connais une partie de ces raisons, mais elles ne tiennent pas la route, pas une seule seconde. Elles sont futiles et vilaines. Que tout cela ne puisse pas être réalisé totalement, vécu librement, éprouvé joyeusement et intensément, tel que je l'envisage et me le représente, ce n'est pas normal. Cela me sidère. M'anéantit. C'est grave et, pourtant, sache-le, ce n'est pas si grave. C'est grave uniquement parce que tu te fais une montagne du sexe, oui, ton refus aggrave tout (souligné deux fois) ; tandis que chaque chose serait à sa place si nous baisions d'amour et comprends-tu, ma chérie ? Ta parcimonie à mon endroit : elle n'a aucun sens (souligné), elle est un crime dans notre cas, elle te ruine plus que moi, elle t'empêche d'avancer dans la vie et puis zut.

Niveau 37

Je n'aurais pas dû lire la lettre que Jana Černá (1928-1981) écrivit à son mari pour lui dire combien elle l'aimait car cette lettre : elle m'a contaminé. Elle m'a ébloui. Elle m'a inspiré. Elle m'a montré le chemin et je ne vais pas faire semblant que ce n'est pas le cas. Au contraire ! Je ne vais pas te mentir. Parce que je t'aime à la façon dont Jana Černá aima l'homme qu'elle aimait, même si Jana est qui elle est et que toi et moi sommes qui nous sommes, même si notre situation n'a rien de commun ni même d'approchant – hélas non ; il n'empêche ! Je t'aime avec la même intensité, avec la même volonté d'être lucide, la même foi sexuelle et amoureuse, le même engagement politique à mon niveau individuel de l'amour que j'ai pour toi et plutôt que de te donner à lire ma version de la lettre de Jana Černá, je vais t'offrir la sienne. Voilà. Ce sera aussi bien. Ce sera bien mieux ! Parce que je veux t'offrir ce qu'il y a de plus beau et de plus intelligent au monde. J'aurais dû le faire bien avant, tant qu'il était encore temps, avant qu'il ne soit trop tard ; mais j'ignorais l'existence de cette lettre, que m'a fait découvrir D (grâce lui soit rendue !), et de toute façon, cette lettre n'a été publiée (par les Éditions La Contre Allée) qu'en 2014. Alors que Jana l'écrivit en 1961 ou 1962 – et que fichent les éditeurs ! Faut-il que les bonnes nouvelles nous parviennent avec cinquante années de retard, contrairement aux mauvaises qui se propagent à la vitesse de la lumière ? N'est-ce pas un tout petit peu exagéré ?

Quoi qu'il en soit, peut-être recevras-tu mieux le message que je cherche à te faire passer s'il ne vient pas de moi. Sachant qu'il viendra aussi de moi puisque je me suis reconnu dans chacune des intentions qu'exprime cette lettre, puisque la lisant, j'ai imaginé que c'était toi qui me l'écrivais et que je te répondais alors sur le même ton et le fait que tout ceci ait été rêvé est (presque) aussi bien car cela reste un présent que je te fais, comme d'autres offrent une bague 18 carats qu'ils ont payée mais nullement taillée et sertie et quelle femme s'en plaint ? Moi, c'est une lettre de 92 carats que je t'offre et tu ne perdras pas au change, je te le garantis. (…) Si cette lettre avait été publiée dix ans plus tôt, au moment où j'en avais l'usage, M aurait peut-être compris. Notre histoire aurait été tout autre. Julien ne se serait jamais suicidé. (…) "L'imagination est une chose que certaines personnes ne peuvent même pas imaginer", a écrit Jana Černá.

Sois-tu que Jana Černá est la fille de la Milena de Kafka ? »

Fermez les guillemets (ouverts page 365, hé oui).

Niveau 38

Attends. Minute. Je retrouve, là, tout de suite, dans mes papiers, un questionnaire, inspiré plus ou moins du questionnaire de Proust, dont je dirais seulement qu'il parut dans la presse. Or, M répondit à chacune des vingt-deux questions qui étaient posées, avec franchise, me sembla-t-il. Aussi honnêtement qu'elle le pouvait, m'assura-t-elle. Pour rigoler aussi. Et parce que je le lui demandais. Ce qui, bien évidemment, faussa quelque peu ses réponses : M savait l'intérêt que j'allais porter à son portrait chinois et il entra dans ses réponses une part de provocation qui ne m'échappa pas ; à son niveau strictement individuel, nombre de ses réponses eussent été différentes si, vingt-deux fois, elle s'était posé en son for la question de savoir qui elle était, dans le secret d'un dialogue intérieur, sans personne d'indiscret pour en prendre connaissance.

Il n'empêche ! C'est façon de lui donner la parole, la sienne de parole, sans mon filigrane pour l'authentifier. Sans mes commentaires pour une fois. C'est façon de la faire exister sans que j'y sois enfin pour rien. Sans plus délirer. Attends, minute, voici les réponses de M telles qu'elle les formula sur l'instant et valables uniquement dans l'état d'esprit qui était le sien lorsqu'elle les rédigea ; mais ce sont ses réponses ; il s'agit de son portrait en vingt-deux réponses ; c'est elle que l'on peut entendre et, avec un peu d'imagination, presque voir, une facette après l'autre. Pour ma part, chacune de ses réponses me la restitue merveilleusement – et douloureusement puisque, à la fin, Julien s'est suicidé. Mais c'est bien elle, diffractée vingt-deux fois. Je lis ses réponses et j'ai l'impression qu'elle se tient devant moi. Je la retrouve telle qu'en elle-même. Ressuscitée bien mieux que ma mémoire en est capable. Non plus saisie dans mon souvenir mais vivante, unique, singulière, irréductible, *hors de moi*. Sur chacune de ses réponses je peux mettre une intonation, une couleur, un paysage, une situation que je vécus avec elle – ou que je ne vécus pas. Chacune de ses réponses exprime une cause ou un effet, dévoile un pan de sa personnalité qui était peut-être la vérité ou peut-être un mensonge, selon ses sensations du moment et, plus largement, l'idée qu'elle se faisait d'elle-même, l'image qu'elle voulait donner, la femme qu'elle croyait être, jusqu'où elle y avait accès ou pas. Dans tous les cas, cela livre certaines explications. Cela jette une certaine lumière sur ce qui se passa par la suite entre nous – ou bien cela épaissit le mystère et brouille encore plus les cartes. Je ne sais pas. Tu verras par toi-même. En attendant, je verse ce questionnaire au Dossier – et plutôt vingt-deux fois qu'une.

1. *Quand êtes-vous déjà morte ?*
Tous les jours depuis l'âge de onze ans.

2. *Qu'est-ce qui vous fait vous lever le matin ?*
Moi-même.

3. *Que sont devenus vos rêves d'enfant ?*
Des cauchemars.

4. Qu'est-ce qui vous distingue des autres ?
À vous de me le dire.

5. Vous manque-t-il quelque chose ?
Apparemment rien (des seins peut-être).

6. Pensez-vous que tout le monde puisse être artiste ?
Surtout pas.

7. D'où venez-vous ?
Vous ne trouverez pas sur une carte.

8. Jugez-vous votre sort enviable ?
Non.

9. À quoi avez-vous renoncé ?
À l'amour.

10. Que faites-vous de votre argent ?
Joker.

11. Quelle tâche ménagère vous rebute le plus ?
Moi-même.

12. Quels sont vos plaisirs favoris ?
Manger quelque chose de très bon très vite. Conduire une voiture puissante.

13. Qu'aimeriez-vous recevoir pour votre anniversaire ?
De la légèreté.

14. Citez trois artistes que vous détestez ?
C'est moi que je déteste.

15. Que défendez-vous ?
La générosité, la fidélité.

16. Qu'êtes-vous capable de refuser ?
Le sexe.

17. Quelle est la partie de votre corps la plus fragile ?
Mon sexe.

18. Qu'avez-vous été capable de faire par amour ?
Y renoncer.

19. Que vous reproche-t-on ?
La beauté.

20. *À quoi vous sert l'art ?*
À rien.

21. *Rédigez votre épitaphe.*
« Viens me retrouver. »

22. *Sous quelle forme aimeriez-vous revenir ?*
Un vampire.

PARTIE VII

« Ce qui me fait rire, c'est l'incroyable
imbroglio que devient parfois la vie
d'un homme.
– Et encore, vous n'avez rien vu. »
FRANZ KAFKA, *Le Château*

Niveau 1

Il est rare que l'on gagne à connaître quelqu'un. Tellement ce que nous apprenons sur son compte le fait irrémédiablement exister *contre* l'idée que nous nous faisons de lui d'après ses apparences qui, tant qu'elles nous éblouissent, nous le font exister à nos yeux sans son consentement, à notre aune, pour notre bon plaisir, jusqu'au moment où, commençant à percevoir la personne *dans* ses apparences, commençant à la sentir remuer et s'agiter et faire de grands gestes au point que nous ne pouvons plus ignorer sa présence dans l'image que notre imagination s'était plu à former, il nous faut soudain déchanter. Il nous faut couper net l'élan qui nous portait vers cette personne que nous avions d'un coup de baguette solipsiste confondue avec le meilleur de nous-mêmes et vers qui nous n'aurions jamais fait un pas si nous ne l'avions justement pas confondue avec le meilleur de nous-mêmes et un fossé se creuse alors, une séparation a lieu et elle a lieu en nous ; un conflit s'instaure et il s'ébruite en nous et de ce conflit nous sortons toujours vaincu et malheureux. Toujours. Car entre nous et l'autre, il nous faut faire un choix que nous ne voulons pas faire. Que nous ne pouvons pas faire. Qu'il nous est impossible de faire parce que dans l'un et l'autre cas nous perdons quelque chose de précieux et

Pour le dire autrement. Je ne pense pas être le seul. Au sortir d'une première rencontre pleine de grâce. Alors qu'on se retrouve à l'arrière d'un taxi qui nous ramène chez nous dans la nuit. Voici qu'on fait le *bilan* de la soirée. On ne peut pas s'en empêcher. On ne s'en prive pas. Une fois seuls, nous commençons indiciblement à peser le pour et le contre. Quand bien même nous venons de rencontrer quelqu'un au sens le plus fort du mot rencontre et du mot quelqu'un et que nous baignons à l'arrière du taxi dans une euphorie douce et rare, qui nous fait sourire tout seuls dans la nuit, nous commençons cependant à le *contester*. C'est plus fort que nous. Nous mettons un instant nos sentiments en veilleuse pour, froidement, examiner la situation au mieux de nos intérêts. Nos fameux intérêts. Nous savons que l'autre nous a plu ; mais nous discernons maintenant ce qui cloche chez lui. Nous commençons à *grimacer* dans le noir. Nous nous rappelons que l'autre est végétarien (c'est un exemple) ; et nous ne sommes pas sûrs d'aimer ça – même si, pour l'instant, nous trouvons cela charmant. Nous nous demandons jusqu'où cela pourrait poser un *problème*. Ou bien l'autre habite à l'autre bout de la ville et ça fait chier. Nous mesurons l'inconvénient qu'il y aura de devoir traverser à chaque fois toute la ville pour se voir. On se sent fatigué d'avance. Il ne pouvait pas habiter plus près ? Merde. On se rappelle aussi ce truc physique. C'est un autre exemple. Sur l'instant on n'a rien dit ; mais on a bien vu et on y songe maintenant avec une certaine répugnance. Ce truc physique : sur tout le corps ? C'est contagieux ? Ça s'opère ? Ça craint. On se sent tout d'un coup moins attiré. Moins enclin. On préférerait ne pas y penser. On s'en veut d'y penser ; mais on y pense bel et bien. On se demande si cela ne sera pas rédhibitoire *un jour*. On se pose la question à l'arrière du taxi en regardant défiler la nuit à travers la vitre. Et cette lutte avec soi-même est déjà une défaite.

Sans parler du reste. Si l'autre gagne correctement sa vie par exemple. C'est un dernier exemple. Parce que ce n'est pas la même histoire s'il est au chômage. Ce ne sont plus les mêmes sentiments, imperceptiblement. Le conte de fées en prend un coup. Malgré soi. Même si on n'en est pas fier. Qui aime l'esprit de boutique chez lui ? Pour ne citer que quelques exemples. Nullement exhaustifs. Tant s'en faut. La liste des grains de sable est infinie. Entre plage et désert. Chacun les siens. Mais ainsi sommes-nous. Une fois seuls, une fois redevenus nous-mêmes, exclusivement nous-mêmes et mesquinement nous-mêmes, nous grimaçons. L'autre a beau nous avoir réjouis, nous nous sentons un peu moins enthousiastes à son endroit (ou au nôtre). Un tantinet refroidis.

À force de mesurer les écarts à l'idéal. De constater les interférences sur la ligne. Cette friture de l'autre. Sans pour autant remettre en cause les délicieux instants passés avec lui. L'attirance éprouvée. L'histoire qui se dessine. Mais la relativisant désormais. Voyant à présent le tableau dans son ensemble et l'accrochant à *son* mur, pour voir s'il rend bien ou pas tant que cela. Le mettant en perspective. Selon l'idée acquise que des espaces infinis peuvent être évoqués dans un espace réduit. Idée démoniaque s'il en est. Si l'on y réfléchit. Et pas seulement à l'arrière d'un taxi.

Mais il est trop tard. Une brèche est ouverte. Nous sommes retombés sur terre (aïe). Et, à l'arrière d'un taxi, nous nous mordons les lèvres. On se ronge un ongle. On grimace malgré soi. En même temps, on se sent soulagé. Obscurément soulagé. Tout au fond de soi. Comme après la lecture d'un bon livre : on se dit qu'il ne s'agit que de littérature. Ouf. Ce que les mots ont remué en nous, cette flamme qu'ils ont allumée et qui pourrait se propager jusqu'à incendier notre existence : nous pouvons l'éteindre. Nous l'éteignons en nous disant qu'il ne s'agit que de littérature. Ouf. On l'a échappé belle. On se dit qu'on pourra lire un autre livre. Mieux vaut peut-être en rester là. C'est sans doute préférable. D'ailleurs tu es arrivé chez toi. Tu payes le taxi. Tout le monde a déjà vécu de tels instants. Je suis prêt à en prendre le pari.

Pour le dire encore autrement : l'amour ne s'aime pas lui-même. Pas toujours. Il nous fait violence. Il nous fatigue d'avance. Comme dit l'autre (Bukowski), il est une surcharge psychique que très peu de gens sont capables de supporter. Dans tous les cas, il nous rend inquiets. Il nous fait très vite broyer du noir. Nous fait pressentir de quel côté le mauvais coup pourrait partir, transformant en cendres ce qui s'annonçait poudre d'or. L'amour a le don de mettre tout de suite le cap au pire tellement il redoute que tout ne soit qu'un rêve. Non qu'il désire son propre anéantissement (le désire-t-il ?), mais parce qu'il sait que si la lune n'a pas rendez-vous avec le soleil, il ne sera plus qu'un astre mort égaré dans la nuit des temps. Il sera l'astre qu'une force gravitationnelle supérieure a arraché de son orbite pour le propulser dans une errance vide, vaine et glacée. Oh oui, l'amour appréhende dès le départ ce qui pourrait lui nuire. Dès le départ il s'effraie du piège immense que cache l'arrivée dans son ciel d'une galaxie aux yeux vert sombre, fût-elle sagement assise juste de l'autre côté de son bureau.

Rien de plus méfiant et suspicieux et apeuré que l'amour.

Pour le dire définitivement autrement : une fois qu'ils se sont reconnus, les amants doivent affronter des *obstacles*. Certains venant d'eux et d'autres placés en travers de leur route. Parce que « l'amour unit ce qui était séparé et il sépare ce qui était uni », comme dit l'autre (Francesco Alberoni). Parce que l'amour est hors la loi. Il brise les lois. C'est même à cela qu'on le reconnaît. Qu'il s'agisse des lois claniques et familiales dans le cas de *Roméo et Juliette*, des lois sacrées du mariage dans *L'Éducation sentimentale* ou *La Princesse de Clèves*, des lois raciales dans Devine qui vient dîner ce soir, des lois sociales dans Goodbye Columbus, des lois sur la protection des mineurs dans *Lolita*, etc. Faute de quoi, les amants ne sont pas réunis. Faute de quoi, il n'y a pas « la possibilité de l'amour impossible » et, concernant M, je ne fus pas long à comprendre de quel impossible serait notre amour. Quels dilemmes se poseraient à nous. Dilemmes au pluriel. Grimaces au pluriel. Eh oui. Hélas. Je ne tombais pas des nues. Je n'étais pas né de la dernière pluie. J'en savais long sur l'amour. Je n'étais pas aveugle. Dès notre première rencontre, je sus l'amour et ce qui s'opposait déjà à lui. Au fil des propos de plus en plus indigo que nous échangions dans mon bureau, tandis que l'obscurité nous enveloppait de plus en plus comme dans une cape soyeuse. À l'instar des histoires qu'on dit d'amour et dieu sait s'il en existe des marmitonnes.

Niveau 2

Un jour, j'ai rencontré une fille dans une chips. Elle avait une façon de passer ses cheveux dans la main soyeuse du bar et je te passe les détails. Elle ressemblait (un peu) à la fille qui, dans une pub à la télé, danse à reculons sur un pot de Nutella. La brune, en pull-over rose et pantalon gris, on ne la voit pas longtemps mais j'ai toujours plaisir à l'apercevoir, j'adore sa silhouette, ses longues jambes, sa façon de bouger, de faire le chat qui feule avec ses bras tout en imitant le *moonwalk* à reculons et je voudrais me « régaler un matin » avec cette fille. J'aimerais drôlement qu'elle « réveille mon enthousiasme » au son de I Want You Back des Jackson Five. Un curieux choix musical au demeurant puisque cette chanson narre la triste histoire d'un type qui a plaqué sa copine et celle-ci convole désormais avec un autre et il voudrait maintenant qu'elle revienne (*I want you back*), il voudrait qu'elle lui donne une seconde chance, (*oh please baby, give me one more chance*) et je ne suis pas sûr d'avoir envie de me réveiller chaque matin en entendant chanter à tue-tête que j'ai laissé filer le train de l'amour et qu'il est trop tard maintenant. Cela me gâcherait l'appétit et à quoi pensent les publicitaires ? Ils sont pervers ou quoi ? Enfin bref.

Je me suis approché de la fille, me suis assis sur un tabouret du bar et j'ai attendu quelques minutes en affectant d'ignorer sa présence. Je sentais les effluves de la pâte à tartiner chocolatée circuler entre nous et cela me paraissait de bon augure ; en lui adressant un sourire (mais sans l'appuyer), j'ai approché la soucoupe de chips qui se trouvait plus près de son verre que du mien afin que nous commencions à partager quelque chose ensemble ; puis j'ai compté jusqu'à deux cents et, prenant mon élan, je me suis tourné vers elle : « Je ne suis pas un personnage de fiction, vous savez. » C'est ce que je lui ai dit. Tout de go. D'une voix enjouée afin de ne pas l'effrayer et, cependant, entrer tout de suite dans le vif du sujet en plaçant la barre un tout petit peu haut car pas la peine de perdre mon temps ni de lui faire perdre le sien.

Et vous ? ai-je enchaîné avec un grand sourire (cette fois très appuyé) pour la mettre en confiance. Vous êtes réelle ? ai-je insisté en sentant toutefois que ce n'était pas une si bonne entrée en matière. C'était *nul* ! Je plaisante, me suis-je repris, quoique sachant que le mal était fait. Ce n'est pas ce que je voulais dire. Heu. On vous a déjà dit que vous ressemblez à la fille qui danse à reculons dans la pub pour Nutella ? Elle est très gracieuse. C'est cela que je voulais dire : nous avons des images dans la tête qui nous empêchent de voir les gens en face de nous, de les connaître vraiment et non, je n'étais pas ivre. J'avais l'air ivre ? Je pouvais m'en aller si elle préférait. Je ne voulais pas l'importuner. Elle n'avait qu'un mot à dire. Je voulais juste savoir qui elle était, sans penser à mal, histoire de passer le temps, parce qu'elle me faisait penser à la fille de la pub et que j'avais très envie de me débarrasser de cette image, si elle voyait ce que je voulais dire.

Dix minutes plus tard, nous avions vidé la soucoupe de chips et j'étais bien content que celles-ci n'entendent pas ce que je m'étais mis à raconter de façon exubérante et même excessive à propos d'une série télévisée anglaise intitulée From There to Here (« D'une vie à l'autre »).

La série racontait l'histoire d'un type, Daniel, la quarantaine, chef d'entreprise et fervent *supporter* de Manchester United mais là n'était pas l'important. Le truc, c'est qu'il menait une double vie avec deux femmes (Claire et Joanne), qu'il aimait autant l'une que l'autre sans pouvoir se résoudre à choisir l'une plutôt que l'autre, l'une au détriment de l'autre et ainsi filait-il le parfait amour au carré. Sans le dire cependant. Dissimulant évidemment qu'il possédait tout en double – femmes, foyers et même enfants –, non par goût mais par nécessité, parce qu'il se doutait bien que les deux femmes de sa vie n'apprécieraient pas qu'il les partage à égalité et, du reste, lui-même ne comprenait pas comment il avait pu se mettre dans pareille situation. Il évitait d'y penser. Il savait seulement qu'il aimait ces deux femmes et qu'il vivait cette situation comme un bonheur plutôt que comme un problème et comprenait-elle ? S'était-elle déjà retrouvée dans ce genre de situation ? Avait-elle déjà aimé deux hommes à la fois ? Elle préférait ne pas ? Bien sûr. La jalousie. Évidemment la jalousie. Et puis l'aspect moral. Je comprenais. De toute façon, tant qu'on n'a pas vécu soi-même les choses, on ne peut pas vraiment juger. Elle avait tout à fait raison. Elle était futée pour quelqu'un qui faisait le *moonwalk* à reculons sur des pots de pâte à tartiner chocolatée.

Arrivait le moment où la vérité éclatait. Bien sûr. Ce ne serait pas drôle sinon. Il s'agissait d'une série télé. Après avoir fait un malaise cardiaque, Daniel se retrouvait à l'hôpital et, à son chevet, les deux femmes de sa vie débarquaient mortes d'inquiétude… pour découvrir avec stupeur l'existence de l'autre et… cela tournait tout de suite au carnage. Bien sûr. Ce ne serait pas drôle sinon. Vous imaginez le choc ? Vous auriez réagi comment ? Mal ? Très mal ? Vous ne savez pas ? Pour leur part, Claire et Joanne l'avaient vraiment mauvaise. Ce n'est rien de le dire. Mais au lieu de se crêper le chignon, ce que les scénaristes auraient pu envisager – car ce sont les scénaristes qui décident, pas les personnages de fiction, *il ne faut jamais l'oublier* ! –, ils, les scénaristes, avaient pris le parti que Claire et Joanne s'alliaient immédiatement pour se retourner contre Daniel et agiter au-dessus de sa tête tous les couteaux du mot trahison, chacune selon son caractère, depuis la colère la plus explosive pour Joanne jusqu'au dégoût le plus méprisant pour Claire et

vous en pensez quoi ? Je veux dire : Claire et Joanne étaient-elles vouées à se comporter de cette façon ? C'était inéluctable ? Il s'agissait pourtant d'une fiction. Il s'agissait d'une *fiction*, oui ou non ? Je veux dire : il ne s'agit pas de la réalité. On parle ici d'un choix scénaristique. On parle de *partis pris*. De décisions prises en amont qui font que les choses se déroulent comme ceci plutôt que comme cela à l'écran et c'est drôle comme on juge les marionnettes et jamais les marionnettistes. Je ne dis pas ça pour vous, mais les scénaristes auraient très bien pu imaginer une autre tournure des événements. Vous comprenez ce que je dis ? Eh quoi : les fictions sont tout de même l'occasion rêvée d'inventer de nouveaux comportements. Pourquoi se priver ? Au lieu de tendre un miroir à la réalité, la fiction pourrait lui tendre la main pour la sortir de ses ornières. Elle n'est pas forcée de la *renforcer*. Qu'est-ce que ça lui coûterait ?

J'étais lancé et, d'une traite, d'une voix que je sentais monter dans les aigus, je martelais que j'en avais marre de ces scénarios qui nous *imposaient* des versions de nous autres dénuées du moindre esprit d'initiative. Comme si nous étions incapables d'agir autrement que sous le coup de l'émotion et la pression des événements. Putain, nous avons un CERVEAU, m'exclamais-je. Putain, j'aimerais que les personnages de fiction nous donnent des idées plutôt qu'ils nous piquent les nôtres et, par exemple, j'aurais adoré que Claire et Joanne ne se conduisent justement pas comme il était si prévisible qu'elles se comportent. J'aurais adoré qu'elles *innovent* ! Que le scénario nous montre qu'il est possible de réagir à un autre niveau individuel des choses, même si nous l'ignorons, parce que personne ne nous dit jamais que nous sommes plus vastes que nous le croyons. Et ne me dites pas que se comporter autrement ne serait pas crédible car les personnages de fiction : ils ne sont pas vraisemblables. Pas une seule seconde. Ils ne sont pas comme vous et moi. Ah non ! m'échauffais-je carrément sur mon tabouret. Par exemple, on dirait qu'ils n'ont jamais lu aucun livre. Vous avez remarqué ? C'est dingue, non ? C'est comme s'ils étaient acculturés. Je vous jure. Rassurez-moi : vous lisez de temps en temps ? Vous tirez certaines informations de vos lectures. Vous n'êtes pas qu'affects. Vous ne faites pas que danser à reculons dans une pub à la télé ? Vous savez quoi ? J'ai souvent envie de dire à un personnage de fiction, comme si j'étais à Guignol : hey, tu fonces dans le mur, mon pote. Gaffe ! T'es con ou quoi ? Tu n'as jamais lu Marx ou Freud ou l'*Odyssée* d'Homère ? Tu es courant que l'homme a marché sur la Lune ? Que les lois physiques ne sont pas les mêmes à des échelles inférieures ? Que la structure de l'ADN a été découverte ? Que la série Dallas a eu lieu ? Etc. Peau de balle ! Les personnages de fiction : ils s'éclairent intellectuellement encore à la bougie, ils en savent foutrement moins que vous et moi sur la vie et sur tout. En définitive, ils nous confortent dans une certaine bêtise, ils nous tirent vers le bas, ils ne veulent pas que nous nous améliorions, ils ne nous *aident* pas ! Par tous, bien sûr que non, mais bon. Vous allez rire, mais je m'imagine parfois rencontrer tel ou tel personnage de fiction dans la vraie vie et je me demande de quoi nous pourrions bien parler. J'ai peur que la conversation ne tourne très vite court. Je vous jure : aussi attachants soient-ils, les personnages de fiction sont franchement sous-informés. Ils ignorent même les innombrables personnages de fiction qui les ont précédés et c'est tout dire. Quand on songe qu'ils ne s'en prennent jamais à l'auteur qui les a créés, comme si dieu devait toujours exister dans la fiction et vous n'êtes pas d'accord ? Vous trouvez que j'exagère ? Vous ne voulez pas danser à reculons pour moi sur le bar ? OK, je n'insiste pas.

N'empêche ! Claire et Joanne : elles auraient pu ouvrir les yeux au lieu de s'ouvrir tout de suite les veines. Elles auraient pu éclater de rire plutôt que – attendez, j'ai noté dans un de mes petits carnets le tombereau de merde qu'elles déversent sur la tête du malheureux Daniel juste après son infarctus et, minute, voilà, j'y suis, je cite : « Tu t'es fichu de nous, espèce d'ENFOIRÉ ! Ah, c'est toujours pareil avec les HOMMES : ils ont une BITE à la place du cerveau. Pas la peine de raconter d'histoires. Tu as voulu te taper deux femmes comme un sale PERVERS ! Mais as-tu pensé aux CONSÉQUENCES ? As-tu pensé à NOUS ? Tu es un SALAUD. Tu n'as pas de CŒUR et ne dis plus un mot maintenant. TAIS-TOI, bon dieu ! Tu en as assez fait ! Ce n'est plus à toi de DÉCIDER ! On se FOUT de ce que tu penses. Tu n'as AUCUNE excuse ! Tu n'es qu'un SALE CONNARD ! Et les enfants ? Tu as pensé aux ENFANTS ! Mais non ! Tu n'as pensé qu'à TOI ! Tu as menti parce que tu es incapable D'AFFRONTER LA RÉALITÉ EN FACE et que tu te moques de faire SOUFFRIR LES AUTRES » et ainsi de suite, pif paf boum sur la tête de Daniel – et sur la tête du téléspectateur aussi, qui sait maintenant ce qui l'attend si d'aventure l'idée lui prend d'aimer deux femmes en même temps. Pif paf boum, le message passe cinq sur cinq. Le téléspectateur *apprend* comment se comporter dans semblable situation. Voici qu'on lui souffle son *texte*. Vous parlez d'une surprise.

Quand bien même Claire et Joanne abattent ici la mésange puisque si Daniel a menti, c'est justement par peur des *conséquences*. Pour les épargner, elles. Pour éviter de les faire souffrir. Ce qui est plutôt une preuve de lucidité et même de sensibilité, selon moi. Quand pensez-vous ? Daniel n'est pas débile : il sait que les femmes sont folles. Car c'est bien connu : les femmes prennent tout mal, elles sont incapables d'avoir du recul, elles réagissent de façon purement émotionnelle et pas la peine de faire cette tête ! Inutile de me fusiller du regard. Je n'y suis pour rien si les femmes ont mauvaise réputation. Si elles se jettent par la fenêtre pour un mot de travers. Tout le monde sait qu'elles sont plus passionnées que réfléchies. Que, pour un rien qui leur déplaît, elles sont capables des pires violences. Je ne sais pas pour vous, mais prévoir ce qui a toutes les chances de se produire, c'est justement ça « affronter la réalité en face ». Ce n'est pas autre chose. Loin de tomber des nues, Daniel ne doute à aucun moment de la réaction épouvantable de Claire et de Joanne s'il leur avait révélé la vérité. En tant que femmes, il ne leur fait pas du tout *confiance*. Ce n'est pas de leur faute, mais Claire et Joanne ne peuvent pas comprendre qu'il puisse les aimer toutes les deux à la fois, elles n'en ont pas les moyens intellectuels et le plus drôle, c'est que Claire et Joanne en sont elles-mêmes si bien convaincues qu'elles se comportent exactement comme Daniel le redoutait : elles pètent immédiatement un plomb en apprenant la vérité, oh oui, elles collent magnifiquement à leurs personnages de folles furieuses, comme si, à force de s'entendre dire qu'elles sont dans l'hystérie, les femmes ne s'envisageaient plus autrement et, pire encore, qu'elles se chargeaient elles-mêmes de démontrer combien elles sont dans l'hystérie et ce n'est pas la peine de faire cette tête, vous dis-je. Je ne parle pas de vous en particulier. Je ne parle pas seulement de ma mère, non, *je parle des scénaristes*. Qui enferment leurs personnages dans des caricatures alors qu'ils pourraient prendre une autre option narrative. Ils pourraient sortir des stéréotypes. Ils pourraient montrer des femmes qui pensent avec leur tête plutôt qu'avec leurs nerfs. *Qu'est-ce qui les en empêche ?* Moi, cela m'intéresserait qu'on fasse de la publicité pour l'intelligence. Sans déconner ! Si cette série s'adressait à des Indiens d'Amazonie, Claire et Joanne ne réagiraient pas du tout de cette façon, elles prendraient les choses en amazone plutôt qu'à l'occidentale, preuve qu'elles ne sont pas fatalement vouées à l'hystérie. Ce pourquoi j'avais imaginé (comme on rêve d'un autre monde et ce ne serait pas du luxe) que Claire et Joanne, au lieu de jouer à – quoi au juste ?

Il faut que vous imaginiez la scène. À l'écran, Claire et Joanne se tiennent debout de part et d'autre du lit dans lequel Daniel est hospitalisé et je passe sur la métaphore du problème de cœur qui l'a terrassé car ce qui frappe à l'écran, c'est qu'il paraît tout petit, quand Claire et Joanne semblent gigantesques. On dirait un gosse et elles des PARENTS se dressant de toute leur stature ! Voici qu'elles ne sont plus elles-mêmes mais les versions autoritaires de Claire et Joanne. Exactement cette façon de se fâcher tout rouge et de gronder l'enfant pris en faute. De jouer soudain un *rôle*, faute de savoir comment se comporter. C'est très étrange (ou ça ne l'est pas du tout), mais en un clin d'œil, Claire et Joanne se sont transformées en terrifiantes figures parentales, comme une seconde nature chez elles n'attendant que cette occasion pour se réveiller. Comme un art d'être cruelles et inflexibles leur venant peut-être de leur enfance, lorsqu'elles se faisaient salement gronder. Mais cette fois, elles tiennent le martinet par le manche et c'est à leur tour de se montrer intraitables. À leur tour de jouer les parents mettant le nez de l'enfant dans son caca et qu'il s'étouffe avec. Pas de quartier ! Daniel l'a bien mérité. Pas la peine de prendre cet air contrit et implorant, pas la peine de faire sa tête de petit canard : il est TROP TARD. Il fallait y penser AVANT ! Pas question de passer l'éponge. Ah non ! Pas cette fois ! Que cela lui serve de LEÇON. Ce qu'il a fait est trop GRAVE ! On a toujours été trop gentil avec lui. On lui faisait confiance et voici comment il remercie ? Ah c'est trop fort ! Qu'est-ce qui nous a fait une engeance pareille ! Qu'avons-nous fait au bon dieu pour mériter pareille ingratitude ! Quand on pense à tous les SACRI-FICES qu'on a faits pour lui ! Ah, qu'il monte immédiatement dans sa chambre et qu'il n'en sorte plus. On ne veut plus le voir ! Hors de notre vue ! Qu'il grandisse à la fin ! Qu'il devienne enfin un HOMME ! Qu'il cesse de nous faire HONTE. Il est temps qu'il sache à quel point il est INDIGNE de l'amour qu'on lui porte. Indigne d'exister. Indigne de tout ! Ah oui, il est temps qu'il sache qui fait la LOI ici. Ça lui apprendra. C'est pour son BIEN. Etc.

Cela vous fait rire ? C'est pourtant ainsi que les choses sont *filmées*. À l'écran, Claire et Joanne s'en paient une super-bonne tranche à ce moment-là. Elles sont au sommet de leur art. Deux vraies reines de la nuit. Elles n'ont rien oublié de ce qu'on leur a appris et on les voit accéder au statut de parents terribles, d'Être suprême, de dieu des Juifs. Fini d'être des victimes. Vive la révolution. C'est à leur tour de terroriser Daniel. De le culpabiliser jusqu'à ce qu'il disparaisse en lui-même et n'ait plus jamais accès à son être sans éprouver un affreux sentiment de honte et cette entreprise de destruction de la personnalité vient de si loin et semble si bien intériorisée que, face aux deux amours de sa vie le vouant aux gémonies, Daniel se met lui-même dans la peau du petit enfant qui s'épouvante de voir ses parents tellement en colère contre lui qu'il redoute de perdre leur amour et ainsi, sanglotant comme un bébé, jure-t-il à Claire et à Joanne qu'il fera tout pour RÉPARER LE MAL QU'IL A CAUSÉ, tout pour obtenir leur PARDON, tout pour qu'elles lui donnent une seconde chance, oh please baby, *I want you back both of you* et, voyant cette scène, j'avais eu envie de vomir. Cela m'avait profondément déprimé.

Je précise que la scène est si bien ficelée à l'écran, tellement bien jouée et *criante de vérité* qu'on se croit dans la vraie vie. Je veux dire : elle renforce la fiction qui structure de façon implicite nos existences et, instinctivement, j'avais rêvé que les choses se passent autrement, comme on rêve d'un monde meilleur et ce ne serait pas du luxe. J'avais imaginé Daniel refuser de jouer les petits garçons et refuser que Claire et Joanne lui parlent comme s'il était un gosse. Il n'était pas un gosse. Elles n'étaient ni son père ni sa mère lui faisant la morale car il avait passé l'âge et elles se prenaient pour qui ? Était-il possible de parler entre adultes consentants et laisser les parents en dehors ? Ô joie si Daniel avait pris le contre-pied des scénaristes et n'avait pas cédé un pouce sur le terrain de la culpabilité. Cela aurait été le début de quelque chose. De même, j'avais imaginé Claire et Joanne, quand bien même elles tomberaient des nues et se sentiraient trahies et mortifiées, refuser de jouer le sale rôle qui leur tendait si bien les bras et sortir d'un schéma à ce point prévisible, tellement inculqué et enfoncé dans les crânes que cette série pouvait le matraquer encore un peu plus sans que nul ne s'en émeuve, comme un fait définitivement acquis.

D'autant que je ne vous ai pas dit, mais Claire et Joanne ne sont pas sans ignorer que Daniel a été adopté à la naissance, ainsi qu'on l'apprend plus tôt dans la série – *mais sans faire le lien*. Vous comprenez ? Les scénaristes ignorent superbement cet aspect de l'histoire qu'ils ont pourtant eux-mêmes jeté en pâture au spectateur ! Ils n'en font rien du tout et, à l'écran, les deux femmes se gardent bien de les rappeler à leurs obligations narratives. Elles préfèrent devenir folles de rage et elles ne s'en privent pas. Comme une volonté délibérée des scénaristes de les laisser dans l'ignorance la plus préjudiciable (et le spectateur par la même occasion). Comme si cela n'avait aucun rapport avec le fait que Daniel aurait pu développer un sentiment duel de l'existence. Qu'il aurait été amené, malgré lui, insensiblement, à nourrir en son for une conception très particulière de la famille, où un seul foyer ne représenterait que la moitié de la vérité et où une autre famille devrait nécessairement se trouver quelque part dans le paysage, quoique officieuse et occultée. Dans son cas, ce n'est pas comme si son existence se fondait sur une unique certitude. Pour lui, la vérité est forcément double et on ne pouvait pas lui demander de faire comme s'il n'avait pas été adopté. De par son histoire familiale, son intégrité exigeait qu'il vive deux existences à la fois et c'est à cette condition qu'il pouvait trouver son équilibre. Se sentir restitué et non plus mutilé. C'était plus fort que lui et, sachant cela, à quoi d'autre pouvaient s'attendre Claire et Joanne ? Pensaient-elles que tout le monde doit se comporter d'une seule et même manière, au mépris de ce qui fonde les uns et les autres ? C'était tout à fait stupide. C'était parfaitement idéologique. Il n'y a pas que la couleur de la peau ou je ne sais quoi d'aussi visible qui nous différencie. C'est nier d'où vient Daniel et ce qui le constitue. Chacun d'entre nous n'est-il pas soumis à certains impératifs psychiques qui lui sont propres et pourrait-on discuter de ce problème *calmement* ? S'il vous plaît ?

Devant le poste de télévision, je peux vous dire que je ne me suis pas gêné pour réécrire dans ma tête toute la scène, oh oui, je me suis plu à imaginer Daniel expliquer tranquillement sa petite singularité existentielle et les conséquences en ayant découlé pour lui et j'ai imaginé Claire et Joanne l'écouter au lieu de lui intimer l'ordre de la boucler (« Tais-toi ! On se fout de ce que tu penses ! »), oui, je les ai imaginées toutes les deux, plutôt que de devenir folles de rage, s'asseoir chacune sur le bord du lit de Daniel et écouter ce qu'il avait à dire et peu à peu comprendre la situation dans son ensemble et, contre toute attente, ne pas en vouloir à cet olibrius de Daniel et même, à la réflexion, trouver logique qu'il ait fondé deux foyers en parallèle et qu'il n'ait pas pu faire autrement que de voir double en amour. Au bout du compte, j'imaginais même Claire et Joanne éclater de rire en constatant que personne n'échappe à ses déterminismes. Elles admettaient que cela leur pendait au nez et qu'elles ne pouvaient pas réellement en tenir rigueur à Daniel, jusqu'à envisager la possibilité qu'ils fondent tous ensemble un ménage à trois et pourquoi pas ? Dans mon esprit, je visualisais très bien la scène. Je jubilais de l'imaginer. Je vous jure. Je voyais les acteurs jouer la scène et continuer de la jouer *le plus sérieusement du monde*. Sans rien changer à leur jeu. Comme dans un Bergman ! Avec la même gravité. La même implication. Le même *réalisme*. Qu'ils restent « criants de vérité » et ne se mettent surtout pas à jouer la comédie, au prétexte que la situation, prenant un tour inhabituel, il faudrait maintenant en rire, il faudrait s'en protéger et la *dénaturer* afin que nul ne prenne au sérieux ce qui se passait, comme si le pathétique était seul digne de vraisemblance et vous en avez marre ? Je vous saoule ? Vous ne pensez pas que toutes les tragédies devraient être jouées comme des comédies et *vice versa* ?

Ou bien, Claire et Joanne quitteraient effectivement Daniel, non à cause de l'homme coupé en deux qu'il était, mais parce que ni l'une ni l'autre n'ayant été adoptées à la naissance, elles trouveraient la situation finalement insupportable au regard de ce qui les fonde elles-mêmes et qui n'était pas moins légitime et déterminant dans leur cas – quoique le fait qu'elles aiment un type né sous X devait mine de rien les concerner personnellement et qu'en pensez-vous ? Pourquoi cette moue dubitative ? Vous pensez que les hommes et les femmes sont indécrottables ?

Vous croyez que c'est anthropologique ? Que l'être humain est incapable d'apprendre de lui-même. Qu'il est trop con et trop obtus pour évoluer et voué à reproduire à l'infini ses erreurs, comme moi-même ne peux pas m'empêcher de fumer ? Je ne sais pas. Vous avez sans doute raison. Tout vous donne raison. En attendant, la scène aurait été bien plus rigolote si elle avait été écrite en ce sens. Elle aurait été *instructive*. L'étau qui nous ratatine en nous-mêmes se serait quelque peu desserré. Cela aurait peut-être donné des idées au lieu d'enfoncer le clou. Cela aurait propagé un antidote plutôt qu'un venin. Mais bon, il ne faut pas rêver, ai-je laissé tomber, en vidant mon verre cul sec parce que j'avais la gorge en feu d'avoir tant parlé. Il s'agissait d'une série qui se voulait inscrite dans la réalité la plus officielle et que les choses se déroulassent autrement, elle aurait perdu en *crédibilité*. Les téléspectateurs ne se seraient pas reconnus dans des personnages si ceux-ci ne se comportaient pas comme on leur a appris à se comporter et c'est ce qui s'appelle un cercle vicieux. Voici que les téléspectateurs auraient crié à la science-fiction. Je veux dire : la science-fiction la vraie. Non celle qui se contente de transposer tel quel notre univers dans un décor futuriste, mais celle qui fait exister un monde qui n'est pas le nôtre car les gens s'y comportent de manière très différente et si elle voulait en savoir plus sur les exomondes qu'on nous cache, elle savait ce qu'il lui restait à faire et – quoi ?

Il fallait qu'elle y aille... Il était tard. Je comprenais. Okay. Ah non, l'addition était pour moi. J'insistais. C'était la moindre des choses. Moi aussi j'étais ravi de l'avoir rencontrée. Cela avait été très agréable. Pour une fille qui dansait à reculons à la télé, je voulais dire. Elle devait vraiment y aller ? Même pas un petit dernier ? En tout cas, c'était gentil de m'avoir écouté jusqu'au bout. Ce n'était pas tout le temps. Mais certains jours, il fallait que je parle à quelqu'un. Certains jours, j'étais *nerveux*. Il ne fallait pas m'en vouloir. Elle venait souvent dans ce bar ? Je lui faisais penser à quelqu'un ? Pas au type qui jouait une courge dans une pub pour des bouillons cubes. J'espérais bien que non. Ah ah ah. Pourtant, je lui aurais bien raconté une autre histoire, tirée celle-là d'un roman de Francis Ryck. L'histoire d'une fille qui se fait violer et, après un bon bain chaud, elle n'y pense plus. Cela n'a aucune espèce d'importance. Cela ne détruit ni son rapport au monde ni son estime d'elle-même. C'est magnifique. Le malheur n'a pas prise sur elle et, pour un personnage de fiction, cette fille se posait là. Elle disait qu'il existait une autre façon d'appréhender les foutues épreuves de la vie. Pour une fois, la fiction s'honorait d'elle-même. C'était comme si cette fille venait d'une autre planète. Il était écrit roman policier sur la couverture, mais pour inventer un personnage si différent de nous autres, à ce point costaud dans sa tête, plus fort que la mort, il s'agissait d'un livre de science-fiction la vraie et – okay, elle devait vraiment y aller. Elle n'en pouvait plus. D'accord. Désolé. Une autre fois. Bien sûr. De toute façon je la reverrai dans la pub à la télé. Je penserai chaque fois à elle, promis ! Ce serait toujours mieux que de penser à du Nutella en l'apercevant dans un bar. Ce n'était pas tous les jours qu'on réussissait à inverser l'ordre des images.

Niveau 3

Je ne redirai pas : je ne suis pas un personnage de fiction. Je ne suis pas un *personnage*. Tous ceux qui s'en fabriquent un – je ne sais pas. Ils existent peut-être davantage dans le regard des autres comme à leurs propres yeux ; mais j'ai tendance à penser qu'on entre dans un rôle comme on entre dans un mur : ça fait des dégâts. On n'en sort pas indemne. On n'en sort peut-être même pas. Je ne sais pas. Je ne veux pas être un personnage. Je lutte pour ne pas en devenir un. Dès notre naissance, on nous force à entrer dans un rôle, parfois au chausse-pied ; mais à force de grandir à l'intérieur d'un personnage, nous finissons par devenir notre propre parasite et – bref.

Je ne suis pas un personnage et, rencontrant M, je savais dans quel monde je vivais. Je ne tombais pas des nues. J'avais vécu certaines expériences amoureuses. J'avais lu *plein* de livres. J'étais au courant d'énormément de choses. Je savais pour Darwin, Marx, Freud, Einstein, Bohr, Crick et Watson, hitler et J.R. Je savais que l'homme avait marché sur la Lune et que vouloir la décrocher était dorénavant une simple figure rhétorique. Je savais cela et d'autres choses encore plus faramineuses. Je n'étais pas que sentiments et émotions. Je *réfléchissais* aussi. J'avais un *cerveau*. J'avais un *passé*. J'étais capable *d'anticiper* certains problèmes à l'aune de ce que j'avais déjà vécu. Je n'avais pas mes yeux dans ma poche et, rencontrant M, je n'allais pas faire l'étonné si je tombais sur un os. Je n'allais pas m'écrier : « Oh, un os ! Ça alors ! Qui l'eût cru ? » Alors que nous sommes constitués de deux cent six os, depuis le minuscule étrier situé dans l'oreille moyenne jusqu'au long fémur caché dans le gras de la cuisse. À un moment donné, on tombe forcément sur un os quand on rencontre quelqu'un. C'est inéluctable.

Et l'os de M, je le vis tout de suite venir. Et plutôt trois fois qu'une. Car dans le temps même où je tombais amoureux d'elle, je sus à quoi je devais m'attendre avec elle, plus ou moins. J'eus une vision assez nette des « épreuves de la vie » à venir. Je compris ceci et cela et encore ceci qu'il me faudrait affronter si je voulais donner une chance à ce que j'imaginais déjà être *notre* histoire de M.

Pas la peine de me faire un dessin.

C'était clair comme de l'eau de roche. C'était imparable. Non seulement j'avais lu énormément de bouquins, mais j'avais vécu des amours avant M et si ces histoires étaient derrière moi à présent, j'avais déduit de ces expériences (je ne dis pas de ces échecs) certaines choses qu'il ne m'était plus possible d'ignorer. Par exemple, j'avais compris qu'il entrait dans l'amour (comme on dit) toutes sortes de choses qui lui sont étrangères et souvent funestes, tels que les névroses, les fantasmes, les angoisses, les lois de l'espèce, la pression sociale, l'époque, etc. Que je le veuille ou non, je disposais d'un certain nombre d'informations et on ne pouvait pas me la faire à l'innocence. J'avais déjà essuyé certains plâtres. Je n'étais pas aussi *sommaire* qu'un personnage de fiction. Je n'avais pas cette chance. J'avais quarante-quatre ans, c'est-à-dire que je n'étais pas un adolescent. Je n'étais plus naïf. Je me connaissais un minimum. Je me leurrais beaucoup moins sur mon compte et sur mes aspirations. C'est-à-dire que je pouvais soutenir mes désirs. Je ne confondais plus l'autre avec moi-même ; au contraire : je savais que l'autre existait et qu'il avait une histoire et que son histoire n'était pas la mienne et quand on sait ce que chacun doit à son histoire, c'est un problème. Même si deux êtres s'aiment absolument, ils ne s'aiment pas dans l'absolu et c'est ça qui fout la merde. Rien n'est donné. Rien n'est fait pour que deux individus s'aiment. C'est même tout le contraire. Tout se ligue en permanence contre les amants. Enseigne-t-on l'amour à l'école ? Pourquoi non ? On apprend bien à lire, à écrire et à compter. On apprend nos ancêtres les Gaulois, les pièces de Molière, les équations du troisième degré et la loi d'Avogadro-Ampère. On apprend aux gosses des trucs très compliqués, vraiment ardus – et rien sur l'amour ? Rien sur ses arcanes ? Sur ses bienfaits et ses méfaits et ses mirages et ses délices ? Rien sur la mort non plus ? Rien sur l'angoisse et comment la supporter ? Rien sur le sexe et les sentiments ? Sur les passions et quoi en faire ? Sur les hommes et les femmes et comment c'est ailleurs ? Comment c'était avant ? Rien ! Nous sortons de l'école complètement incultes des choses de la vie qui nous attendent *et auxquelles nous ne couperons pas*. Nous abordons notre existence dans un état de totale ignorance. Nous savons résoudre un problème de robinets qui fuient, mais confrontés à des émotions qui nous dépassent et qui remuent aussi bien notre boue que notre ciel, confrontés à la jalousie, au dépit, à la frustration, *confrontés au bonheur* : le vide ! Le néant !

Nous séchons lamentablement. Nous voici tout de suite devant un mur. Nous perdons nos nerfs et notre cerveau explose, comme chaque fois qu'il se trouve confronté à une situation qu'il ne reconnaît pas. Face aux difficultés de la vie, nous en sommes réduits à improviser de façon consternante et nous agissons en fonction de notre ignorance au lieu de nous fonder sur une connaissance et le résultat, c'est que nous faisons du boudin neuf fois dix. Nous accumulons les problèmes au lieu de les résoudre. Bon dieu, partir avec deux ou trois notions permettant de se sentir un peu moins démuni à son niveau existentiel des choses, voilà qui ne serait pas du luxe. Cela pourrait sauver le monde.

Mais non ! Pas un mot à l'école. Nada ! Juste une misérable éducation sexuelle qui embarrasse les grands comme les petits. Ce qui fait que chacun se fait des choses de l'amour des idées bien pourries et, par exemple, comment ne pas entendre que l'on tombe amoureux comme on tombe malade, puisque la langue le dit et le répète. Et tomber malade, c'est se sentir mal, c'est avoir mal. C'est tout le contraire d'être heureux et bien portant. Voilà qui donne tout de suite moins envie d'aimer. On sait d'avance que si on tombe amoureux, il faudra se faire soigner au plus vite. *Il faudra lutter contre la maladie.* Malgré soi, on part d'emblée du mauvais pied dans l'amour : pétri de peurs et de réticences. On est prévenu qu'aimer, c'est douloureux. C'est forcément souffrir. C'est, d'une façon ou d'une autre, tomber de haut, déchoir, chuter – ce n'est en aucun s'élever. *Et cetera.* Livré à lui-même, l'amoureux est conduit à commettre erreur sur erreur, parce que personne ne veut que nous soyons heureux par nos propres moyens. Parce que le monde n'y a aucun intérêt, lui qui nous revend nos désirs les plus élémentaires sous la forme de consolations sonnantes et trébuchantes. Pourtant, nul n'imagine être privé d'amour. Pourtant, « Vénus est la loi du monde », disait l'autre (Lucrèce). Le silence qui règne en la matière n'est pas seulement un déni, il est un crime.

Si bien que pour s'aimer, il faut le vouloir. Il le faut sacrément. Il faut surmonter quantité d'obstacles et déjouer quantité de pièges, qui tiennent aussi bien à soi qu'à son inculture, à l'autre, au contexte, aux notions implantées l'air de rien dans le cerveau et à la nature même de l'amour. Ce n'est pas gagné. Et ce ne l'était pas avec M ! Car dès notre première rencontre, j'entrevis nettement les obstacles qu'il nous allait falloir surmonter, tels les trois monstres empêchant Dante d'accéder au sommet de la montagne. Je n'eus aucun doute sur la *nature* de ces obstacles. Ni sur le fait qu'elle et moi allions devoir sauter la grille et quitter nos univers respectifs si nous ne voulions pas que notre rencontre soit un rêve fichu d'avance, mais un conte de fées parvenant à se matérialiser pour notre bonheur.

Il allait falloir être malin.

Et à la fin, Julien s'est suicidé.

Niveau 4

Je ne tombe pas des nues (1). Par exemple. Il y a les filles que l'on trouve jolies et il y a celles qui le sont effectivement et ce ne sont pas forcément les mêmes. Cela dit sans faire injure à quiconque. Mais c'est indéniable : certaines filles sortent *visiblement* du lot. Leur beauté est spectaculaire, elle est éblouissante, elle est cinématographique, c'est ainsi. Ces filles-là ne sont pas comme les autres filles : elles sont un *concept*. Elles sont un rêve. De là que les hommes se retournent sur leur passage, tandis que les femmes ne peuvent s'empêcher de les admirer. De là qu'elles sont réquisitionnées pour faire vendre tout et n'importe quoi. Parce qu'il suffit qu'une « jolie fille » avec des guillemets apparaisse et, l'espace d'un instant, tout jugement semble aboli, au profit d'une muette et rêveuse contemplation – et de quoi les mots sont-ils ici impropres à rendre compte ? De quel temps le cerveau se rend-il aussitôt disponible ? De quel plaisir les yeux sont-ils alors comblés ?

Car telles sont les « jolies filles » avec des guillemets : un plaisir pour les yeux qui, aussi longtemps qu'il dure, sauve de l'ordinaire de la vie en révélant ce qu'il est : ordinaire. Elles disent combien nous appelons beauté tout écart vers le haut à la moyenne, combien nous portons en nous le sentiment de la beauté et le cherchons partout des yeux et, dans son genre, M était une « jolie fille » avec des guillemets. *Cela crevait les yeux.* Elle était le mot joie avec la lettre *l* intercalée au milieu. Je n'exagère pas. Ce n'était pas seulement que je la trouvais la plus jolie fille du monde pour toutes les raisons personnelles que j'aie dites, non, M était *par ailleurs* un concept de jolie fille, elle était *aussi* ce genre de fille avec des guillemets et, de mon point de vue, ce n'était pas une si bonne nouvelle.

Tu crois peut-être que c'était une bonne nouvelle, mais ce n'est pas si simple. Le fait que M soit une « jolie fille » avec des guillemets signifiait certaines choses et en impliquait d'autres. Ce n'était pas neutre. Cela compliquait la situation à mon niveau individuel de cristallisation amoureuse. Cela y mêlait des choses que je ne voulais pas y voir mêler.

Parce que les « jolies filles » avec des guillemets – comment dire ? Sans avoir l'air de – quoi ?

Les « jolies filles », elles causent des soucis. Voilà. C'est dit. Elles attisent les convoitises. Elles attirent les insectes, les rampants comme les volants, et elles le savent. Elles en jouent, même si elles ne pensent pas à mal. Ce sont elles qui ont l'embarras du choix et sans cesse il faut leur prouver notre valeur, sans cesse les mériter. Que l'amour s'en mêle, ce sont des inquiétudes à n'en plus finir et, comme disait l'autre, dont j'ai oublié le nom, probablement un auteur américain, vu le style, et qu'il se fasse connaître s'il reconnaît avoir écrit, deux points ouvrez les guillemets : « Pour un homme, être avec une belle femme est le signe d'une évidente confiance en lui. C'est un signe qu'il envoie à tous les autres mâles des environs. Les hommes qui n'ont pas confiance en eux ne se risquent pas à la beauté. Ils savent qu'ils ne font pas le poids. Ils ne sont pas si bêtes. »

Avoir confiance en soi.

Ah ah ah.

Les « jolies filles » avec des guillemets, elles ne sont pas de la tarte.

Madame Maigret n'est pas une « bombe latino ».

Milady de Winter fait tourner la tête de d'Artagnan avec tous ses guillemets, jusqu'à causer la perte de Constance Bonacieux, qui n'a pour elle que son charme et son cœur.

Je ne suis pas né de la dernière pluie.

Niveau 5

J'étais l'autre jour à la terrasse d'un café (toujours le même…). Des gens passaient devant moi, se croisaient, s'éloignaient et c'était drôle de constater comme leurs corps s'évitaient soigneusement tandis qu'à leurs pieds s'enchevêtraient leurs ombres, celles-ci se marchant dessus et se fondant les unes dans les autres de façon démesurée, le temps de former de fugaces embrassades, d'intenses grimaces ou de noires batailles, vraiment de drôles de chinoiseries au sol, tout un jeu d'ombres mouvant et protéiforme, entre chimères fabuleuses et noirs desseins, où je croyais reconnaître tantôt une toile d'Uccello, tantôt un visage de profil, ailleurs un animal fabuleux mi-cheval mi-rhinocéros laineux et je ne sais quoi encore qui se défaisait aussi vite sur l'asphalte comme si c'étaient des nuages dans le ciel.

Lorsque venant de la droite, à environ trente mètres, surgit du coin de la rue un splendide concept de « jolie fille » avec des guillemets, reconnaissable à son allure, à sa silhouette, à ses vêtements la mettant en valeur, à ses cheveux volant au vent quasiment au ralenti et, par-dessus tout, à son port de tête un peu rigide, un peu *mécanique*, comme enserré dans l'étau de deux guillemets et cette « raideur » : elle est comme la marque de fabrique des « jolies filles » avec des guillemets. Elle est une espèce de cordon sanitaire qu'elles tendent pour tenir à distance le vulgaire et qui les oblige à regarder fixement devant elles, dévoilant la coercition dont elles sont intérieurement la proie. Aucun doute, il s'agissait d'un magnifique spécimen de « jolie fille » avec des guillemets. Intrigué, intéressé, quoique sans arrière-pensée, pour le simple plaisir des yeux, comme on se retient de bouger parce qu'un moineau vient de se poser sur le rebord de sa fenêtre, j'observai ce concept de jolie fille venir dans ma direction et j'appréciai, plus amusé qu'autre chose, la façon qu'elle avait de fendre les regards qui lui faisaient comme une haie d'honneur. Un vrai spectacle de rue.

Un peu gêné de me voir tout à coup obnubilé, je détournai la tête, avec l'intention de me remettre aux premières loges une fois compté jusqu'à cinq, disons cinq, la décence a sa propre notion du temps. Sauf que, regardant à ce moment-là du côté opposé, incroyable ! Venant en sens inverse, une jolie fille venait à son tour d'apparaître. Une deuxième « jolie fille » avec des guillemets ! Non moins remarquable que la précédente et tout aussi conceptuelle et, pendant un instant, je ne sus laquelle regarder. Je connus un vrai flottement perceptif. Un écarquillement des yeux aux limites de l'écarquillement. Comme c'était rigolo ! Deux jolies filles pour le prix d'une ! À l'intérieur des mêmes guillemets. Venant chacune dans la direction de l'autre. Se faisant face et s'avançant résolument l'une vers l'autre sans dévier de leur route, sans possibilité d'esquiver le moment où elles allaient se croiser et qu'allait-il se passer ?

Niveau 6

Car il allait se passer quelque chose. Forcément. Quand bien même chacune faisait comme si de rien n'était, l'une et l'autre conservant un magnifique contrôle de soi et feignant d'être, sinon seule au monde, du moins seule dans la rue, à quoi l'on reconnaît justement les véritables « jolies filles » avec des guillemets : elles ont une telle conscience d'elles-mêmes qu'elles ne laissent rien transparaître, elles ont l'obligation de rester impénétrables sous des dehors les plus fluides et décontractés possibles, oui, tout ce qu'elles font est pour la galerie et jamais elles ne se trahissent en public.

N'empêche ! Il ne faisait aucun doute que chacune avait perçu la menace, la rivale, la lionne conceptuellement ennemie, sa sœur auréolée de guillemets. Bien sûr que c'était la guerre entre elles et, d'où j'étais, je pouvais presque sentir leurs abdominaux se contracter à mesure qu'elles avançaient avec des grâces félines l'une vers l'autre – même si c'était peut-être mes propres abdominaux. En tous les cas, chaque seconde qui passait les rapprochait un peu plus de l'instant fatidique et c'était comme un duel au ralenti, un western spaghetti sous mes yeux, *Il était une fois deux jolies filles*, il ne manquait plus que l'harmonica pour que la séquence soit parfaite. Encore vingt mètres… quinze mètres… Quand bien même moi seul le percevais, la rue s'était figée, comme suspendue, comme crispée sur son siège, plus aucune voiture ne circulait, même les feux n'étaient plus tricolores, le silence tout entier retenait son souffle, j'exagère, oui, mais qu'allait-il se passer lorsqu'elles se croiseraient ? Au moment où elles se toiseraient de face ? Se compareraient de front ? Encore dix mètres. L'une s'effacerait-elle pour laisser passer l'autre (car non seulement le trottoir n'était pas très large, mais chacune avançait royalement au milieu et, sauf à infléchir légèrement leur marche triomphale, elles allaient se rentrer dedans, boum, façon honorable de faire match nul ?). Plus que cinq mètres. Laquelle allait prendre l'initiative ? Abdiquer ? Céder du terrain et reconnaître le concept chez l'autre ? Trois mètres. Laquelle allait sauter la dernière de la voiture en marche, comme dans La Fureur de vivre ? Et si elles tombaient dans les bras l'une de l'autre ? Tout était possible. La tension était à son comble, comme on dit dans les romans. Irrespirable était devenu l'air pollué de Paris. Quelle violence tout à coup ! C'est au couteau qu'elles allaient finalement en découdre. À la baïonnette. Au corps à corps. Trois mètres… deux mètres…

Et puis rien. Peau de balle. Le flop. Sans que je comprenne par quel miracle, toutes deux se croisèrent sans un regard, sans ralentir leur marche, sans cesser de sourire, sans dévier de leurs trajectoires respectives *comme si elles étaient passées chacune à travers le corps de l'autre*. Quelle déception ! D'un trait je vidai mon demi de bière. Tout ça pour ça !

Dépité, passablement consterné de m'être monté tout seul le bourrichon, j'observai alternativement ces deux concepts s'éloigner chacun

392

dans la direction opposée, l'esprit envahi de pensées interlopes, encore sous le coup d'une tension nerveuse qui n'était pas retombée et demeurait inassouvie. De même qu'il arrive qu'on s'attarde dans une soirée alors qu'il ne reste plus que de la viande saoule et on sait alors qu'il ne se passera plus rien qui ne soit sinistre et déprimant et foncièrement désastreux pour soi, je laissai errer mon regard de la fille de droite à la fille de gauche pour le simple plaisir chronométrique de savoir laquelle allait disparaître la première de mon champ de vision lorsque tout à coup.

Niveau 7

Cela faisait quoi ? Vingt bons mètres ? Le temps de compter jusqu'à vingt ? C'est ce que je dirais. En tous les cas, cela faisait un moment qu'elles s'étaient croisées lorsque l'une et l'autre, au même moment, comme si chacune avait compté mentalement jusqu'à vingt et que toutes les deux s'étaient mises à compter *ensemble* jusqu'à vingt, non pas jusqu'à seize ou vingt-trois ou dix-huit, non, jusqu'à vingt très exactement, jusqu'à vingt dans le même tempo, comme un compte à rebours enclenché en même temps chez l'une comme chez l'autre dès l'instant où elles s'étaient croisées, oui, dix-sept, dix-huit, dix-neuf, vingt et top : parvenues à vingt, à cet instant précis, à cette seconde pile, l'une et l'autre se retournèrent d'un même mouvement à jamais gravé en moi pour regarder à quoi ressemblait le cul de sa rivale ! Exactement au même moment. Avec un synchronisme parfait. Selon une chorégraphie millimétrée. Pour juger du cul de sa rivale !

Ô splendeur et misère des « jolies filles » avec des guillemets ! Ô joie et hilarité ! Quand je disais qu'elles sont un concept. Quand j'affirmais qu'elles ne sont pas comme les autres filles. Je ne m'étais pas trompé : leur rencontre devait faire des étincelles. À ceci près que c'est dans le dos qu'elles se fusillèrent du regard. Pan pan. Dans le dos. Pas de face. Et après avoir compté jusqu'à vingt. Ainsi les « jolies filles » avec des guillemets ? À régler leurs comptes par-derrière et à retardement ? Je m'attendais à tout sauf à ça. Ce fut une espèce de révélation. Que l'une et l'autre, au même moment, sans pouvoir s'en empêcher, se soient retournées en même temps. Toutes les deux de la même trempe. Toutes les deux le même modèle de jolie fille. Toutes les deux les mêmes guillemets. Réglées pareillement sur le même timing superbement intériorisé. Dire qu'elles avaient attendu de compter jusqu'à vingt pour se retourner et en avoir le cœur net ; dire qu'elles s'étaient *retenues* tout ce temps et n'avaient pas cessé de penser à ça depuis qu'elles s'étaient croisées en affectant de s'ignorer et cette façon de poignarder l'autre dans le dos : c'est typique du concept de jolie fille, avais-je songé. C'est une autre définition des « jolies filles » avec des guillemets, avais-je songé. Les autres filles poignardent où elles peuvent, elles vous crèvent les yeux ou je ne sais quoi, ça les regarde ; mais les « jolies filles » avec des guillemets : c'est dans le dos qu'elles frappent. *C'est après avoir compté jusqu'à vingt* et voici ma modeste contribution à une meilleure connaissance des « jolies filles » avec des guillemets : elles pensent que la vérité se cache dans l'envers du décor, ce qui est assez piquant pour des êtres qui présentent si bien de face et M comme méfiance ? M comme gaffe à mes arrières, tandis que son beau visage ne laisserait rien transparaître en comptant un, deux, trois, quatre, cinq… ? La bonne nouvelle, c'est que j'étais prévenu : en tant que « jolie fille » avec des guillemets, M risquait de m'assassiner par-derrière, mais après avoir compté jusqu'à vingt. Pas avant. Ce qui me laissait une petite marge de manœuvre. C'était mieux que rien. Cela pouvait me sauver la vie.

Niveau 8

D'après mon expérience, qui vaut ce qu'elle vaut mais pas moins non plus, j'étais également prévenu que les « jolies filles » avec des guillemets : c'est l'amour allée, avec l'argent. Eh oui. Hélas. C'est un souci. C'est dit.

Tout le monde est d'ailleurs au courant.

C'est une chose acquise. C'est ce qui différencie les « jolies filles » avec des guillemets des autres filles. Les autres filles, c'est l'amour allée, avec autre chose. Ce peut être l'intelligence, l'humour, la bonté, la varappe, le pistolet à gaufres ou le ratatine-ordures, les performances au lit – on s'en fiche. Chacun(e) mêle à l'amour ce qu'il ou elle peut. Car toujours il se mêle quelque chose à l'amour, forcément, puisque personne n'aime abstraitement. C'est Pascal qui l'a dit. Blaise Pascal. Il a dit qu'aimer abstraitement était non seulement impossible, mais cela serait *injuste* et, à mon niveau sentimental des choses, cela m'avait bien fait réfléchir d'apprendre que l'amour n'est pas pur sentiment. Que toujours il s'y mêle un *adjuvant*. Qui fait que l'amour précipite et se lève un jour en nous, comme le vent se lève. Comme l'aube se lève. Une pâte lève. Comme on lève une armée. Un lièvre. Un client. C'est fou le nombre de choses que l'amour peut lever en nous et – bref : « Nous n'aimons personne, mais seulement ses qualités *empruntées* » et M comme la Pensée 688 dans l'édition Lafuma (ou 323 dans l'édition Brunschvicg).

Je répète : les « jolies filles » avec des guillemets, c'est l'amour allée, avec l'argent. C'est injuste et réducteur, oui oui oui. Ce ne sont pas des choses à dire, j'en ai conscience. Ce sont des choses vulgaires, pouah. Ce sont des choses qui cassent l'ambiance et, dans les histoires qu'on dit d'amour, ce sont des choses qui brisent le cœur en même temps qu'elles brisent un tabou tellement l'argent est aussi peu représenté dans les histoires qu'on dit d'amour qu'il tient un rôle central dans la réalité (ce qu'on appelle la réalité) ; mais qu'y puis-je : j'ai des *preuves*. Peut-être pas dans cent pour cent des cas mais dans quatre-vingt-dix pour cent des cas. Il suffit de passer par la Côte normande pour s'en convaincre. En passant par la Lorraine, on doit pouvoir s'en convaincre aussi, mais pour ce qui me concerne, c'est en passant par la Côte normande que je fus d'abord convaincu.

Niveau 9

Pour être précis, ce fut sur la route de Cabourg. Direction l'A13. L'ennuyeuse et rectiligne A13. Surtout en 2CV. Surtout avec les valises pour un mois qui alourdissaient tellement la valeureuse Titine qu'elle menaçait de rendre l'âme dans les montées – et d'exploser dans les descentes tant elle vibrait de partout une fois ses deux chevaux pris de vitesse comme on dit pris de boisson ; une fois lancée, Titine semblait inarrêtable, incontrôlable, une vraie fusée (holà, tout doux ! Hiiiiii). Ce devait être les vacances d'été de 1973 ou 1974. En tous les cas, il faisait grand soleil, mon père conduisait, ma mère occupait la place du mort, elle avait préparé des sandwichs et demandait régulièrement si quelqu'un avait soif. À l'arrière, coincé par les sacs, le chat dans son panier (je lui caressais la truffe à travers l'osier) et tout un bric-à-brac qu'on n'avait pu caser dans le coffre, je regardais le paysage défiler par la fenêtre ; j'attendais que ça passe ; je rêvassais ; je somnolais vaguement. Le départ en vacances comme un rituel, la famille française dans toute sa splendeur depuis le Front populaire, c'était comme ça et pas autrement. C'était Cabourg comme chaque été. Cabourg et son casino, Cabourg et son minigolf, Cabourg et son club Mickey, Cabourg Ville fleurie. Le Grand Hôtel de Cabourg. La promenade Marcel Proust de Cabourg et sa lente ellipse le long de la mer. Les dunes de Cabourg, au bout de la promenade Marcel Proust, propices aux aventures diverses et variées au milieu des graminées et des herbes folles battues par le vent, des touffes de fenouil sauvage se hérissant sur fond de dégradés de bleus, de gris, de blancs, de jaunes, de bleus encore, à l'abri des regards, avec des airs de conspirateur et, parfois, de malfaiteur – ô ces émois des jachères.

À l'époque, le Grand Hôtel de Cabourg faisait snack côté plage, avec une vaste terrasse où prendre un verre en regardant la mer et un billard américain qui retenait toute l'attention de l'adolescent que j'étais. Cabourg, où nous passions tout juillet dans une location meublée, jamais la même, toujours la loterie, entre mauvaises surprises et fous rires ; Internet n'existait pas et on ne savait jamais à l'avance sur *quoi* on allait tomber et c'était plutôt joyeux. C'était dépaysant. C'était parfois la douche froide. C'était toujours excitant. Enfin bref. Titine faisait bruyamment de son mieux, on venait de passer Lisieux, l'air commençait subtilement à devenir iodé (j'imagine) – lorsque mon père brisa soudain le silence : « C'est drôle comme dès qu'un type conduit une super-bagnole, il y a une jolie fille à ses côtés. » Un coupé Mercedes venait de nous doubler toute capote rabattue (plus juste serait de dire qu'il nous avait littéralement laissés sur place) et, dans un éclair doré, j'avais moi aussi aperçu la superbe blonde à côté du conducteur dont les cheveux flottaient au vent comme au cinéma. Se tournant vers ma mère, mon père plaisanta : « À ton avis, c'est parce que les jolies filles ont toutes un CAP en mécanique ? »

Du coin de l'œil, je vis ma mère pincer les lèvres. Ce n'était pas bon signe. Je connaissais cette façon de pincer les lèvres. Je savais ce qu'elle *signifiait*. Chiotte ! L'ambiance allait partir en sucette. Chiotte ! Il ne s'agissait pourtant que d'une réflexion en l'air. C'était histoire de causer. C'était les *vacances !* Il y eut un silence chargé de menaces. Pendant lequel ma mère alluma nerveusement une cigarette et se mit à fumer par les oreilles. L'instant d'après, elle voulait sauter de la voiture en marche – non, je plaisante, elle ne se jetait pas *tout le temps* par la fenêtre, c'est moi qui m'angoissais tout seul à l'arrière de la 2CV (combien vite est pris le pli !), non non non, ma mère ne fit rien d'aussi inconséquent, non, elle se contenta de prendre sa voix à couper au couteau et, regardant fixement la route à travers le pare-brise, elle se mit à chercher des crosses, des noises, des poux et je ne sais quoi de teigneux à mon père. Que voulait-il dire *exactement* ? Quel était le *message* ? Qu'il le dise ! Qu'il aille au bout de sa pensée ! Qu'il aille au diable ! Furax elle était soudain. Tout à fait hors d'elle à la place du mort. Ulcérée et fulminante, comme si mon père l'avait personnellement blessée ou qu'il existait entre eux un contentieux que j'ignorais et mon père n'allait pas s'en tirer si facilement. Ah non ! Se rendait-il compte ? Proférer des *horreurs* pareilles. Et devant moi ! Devant *son* fils. Bravo l'éducation ! Bien vu le principe pédagogique consistant à se donner en spectacle devant moi, à m'incriminer comme si c'était aussi de ma faute et, par-dessus tout, à hurler à mes oreilles que je devais me les boucher : cela ne pouvait que m'inciter à les ouvrir toutes grandes. Ce qui était peut-être le but sournoisement recherché – qui sait ?

Mon père eut beau arguer de sa bonne foi, protester qu'il plaisantait et qu'il ne fallait pas lui faire dire ce qu'il n'avait pas dit, oui, il eut beau battre en retraite et se désolidariser de tout ce qu'on pouvait *éventuelle-ment* sous-entendre dans ses propos (« j'assume ce que j'ai dit mais pas ce que tu en fais »), le temps tourna désespérément à l'orage dans la 2CV. À l'arrière, je ne disais rien. Je me faisais tout petit. Je me faisais caméléon parmi les sacs, le bric-à-brac, j'avais envie de rejoindre le chat dans son panier. Je ne comprenais rien à cette tempête dans une 2CV et me gardais bien de moufter. J'attendais que revienne le joli temps des vacances. Je regardais par la fenêtre les voitures nous doubler comme si nous et nos problèmes faisions du surplace et, tiens, n'était-ce pas une Jaguar type E qui, avec cette indifférence qui appartient à la vitesse, venait de nous doubler et s'éloignait déjà telle une comète ? Tiens, la fille à côté du conducteur semblait drôlement jolie avec de longs guillemets blond vénitien. Cela faisait 2 à 0 pour mon papa et, tiens, c'était une idée : tout le reste du trajet, jusqu'à ce qu'on arrive à Cabourg et que l'ambiance se détende peu à peu dans la 2CV à mesure que l'on approchait de la mer, c'est-à-dire pendant une grosse heure, je me donnai pour mission de regarder toutes les super-bagnoles qui, à partir de maintenant, nous doubleraient et d'observer sans rien dire, pour moi-même, à mon niveau individuel d'anthropologie culturelle, le genre de fille qui occupait la place du mort, si elle était moche ou si elle était jolie, histoire d'en avoir le cœur net.

Quelqu'un doute-t-il du résultat de mes investigations sur la route de Cabourg ? Franchement. J'aimerais le savoir. J'aimerais me faire de nouveaux amis. Je compte jusqu'à trois. Un… deux… deux et demi… deux trois quarts… Personne ? Tout le monde est donc au courant que la société des hommes tourne dans un certain sens des aiguilles d'une montre et les jolies filles dans le même sens, les jolies filles comme des trotteuses ? Comment se fait-il que personne ne m'a prévenu ? Pour-quoi ai-je tout le temps l'impression de devoir découvrir par moi-même les vraies choses de la vie, pour m'apercevoir qu'elles ne coïncident pas avec la représentation qu'on m'en a donnée ? Comment font les autres ? Se rappellent-ils le jour et l'endroit où ils ont découvert qu'il se tramait quelque chose de pas catholique entre les jolies filles et les super-bagnoles ? Qu'en ont-ils déduit ? Qu'ont-ils fait de cette information ?

Niveau 10

Pour ma part, je fus déniaisé à l'arrière d'une 2CV, cela ne fait aucun doute. Pour Jacques Mesrine, ce fut dans un hall d'hôtel. Jacques Mesrine, oui, celui-là même. Disons Jacques Mesrine. Je convoque qui je veux dans mon récit (si c'est un récit). Parce que les biographes l'oublient trop souvent, mais après avoir servi sous les drapeaux pendant la guerre d'Algérie et avant de devenir le gangster que l'on sait, Jacques Mesrine travailla quelque temps comme bagagiste dans un grand hôtel parisien. Vêtu d'une blouse grise, il portait des valises à longueur de journée, ce qui est plutôt cocasse si l'on songe qu'il venait de passer quatre années à traquer les porteurs de valises du FLN. Mais une fois la paix venue, il faut bien gagner sa croûte.

Vint le jour qui m'intéresse. Jour à marquer d'une pierre blanche pour celui qui n'était pas encore « l'ennemi public numéro un » car, devant lui, traversant le hall de l'hôtel telle une apparition, une fée platinée, une Vénus en fourrure, mais oui : c'était l'actrice Zsa Zsa Gábor. La blonde et flamboyante Zsa Zsa Gábor. La luxueuse Zsa Zsa Gábor. Élue femme la plus glamour de l'année 1958. Et le petit Jacquot de tomber aussitôt sous le charme de celle qui, cinq années auparavant, avait été sous la direction d'Henri Verneuil l'héroïne d'un film intitulé L'Ennemi public numéro un et je n'invente rien. Tu peux vérifier. Rire aussi. Puisqu'il s'agissait d'une comédie, avec Fernandel dans le rôle de l'ennemi public numéro un. N'empêche. J'ai vu ce film et, à un moment, on voit une bande de malfrats armés jusqu'aux dents attaquer une prison et cela ne te rappelle rien ?

Tu t'en doutes (mais pourquoi n'en doutes-tu pas ?), Zsa Zsa Gábor traversa le hall de l'hôtel sans un regard pour le cœur qui, tout proche, s'énamourait sous une blouse grise. Elle ignora complètement le petit bagagiste qui la buvait des yeux et, ce jour-là, celui qui allait devenir le criminel le plus recherché de France comprit une chose dont il n'avait pas encore perçu combien elle faisait tourner le monde – à savoir qu'il n'avait aucune chance avec une fille de la classe de Zsa Zsa Gábor. Pareil amour lui était *interdit*. Parce qu'il portait une « blouse grise » et pour aucune autre raison. Parce qu'il ne possédait pas de super-bagnole. Pas même le porte-clefs ! Il n'était rien ! Il était une « blouse grise » parmi des milliards d'autres non moins grises et ternes. Quand bien même il eût lancé de folles œillades et, le cœur débordant de miel, le cœur irradiant d'Apollinaire, qu'il se soit mis à faire de grands signes dans le hall, Zsa Zsa Gábor serait pareillement passée devant lui sans le voir, comme s'il n'existait pas, sans même lui dire bonsoir, comme dans la chanson de Jean Sablon. Ce jour-là, Mesrine découvrit qu'être une « blouse grise » était rédhibitoire. C'était, aux yeux d'une Zsa Zsa, ne pas être véritablement humain et peut-être même indigne de l'être. C'était être une bouse grise. Pire : c'était être *invisible*. Les grands senti-ments, les émois sous la blouse, la pureté des intentions, les lettres à Lou : il pouvait se les garder. Tout ce salmigondis ne valait pas tripette comparé à une super-bagnole. « Si tu vis dans l'ombre, tu n'approche-ras jamais le soleil », écrivit plus tard Mesrine, alors qu'il était à Fleury-Mérogis, à l'ombre justement, en se remémorant cette scène, qu'il décrit comme un moment clé de son existence. Un tournant. Une espèce de scène primitive parmi d'autres et, en tous les cas, le début d'une prise de conscience. L'instant où germa dans ses veines le fer-ment d'une révolte qui n'allait plus s'éteindre, oui, c'est à cet instant précis que Mesrine décida de devenir Mesrine le Grand, comme il se surnomme dans son livre. À cet instant précis qu'il fut socialement déniaisé et, tandis que Zsa Zsa Gábor disparaissait vers les ascenseurs dans une rumeur poudrée d'or, qu'il bascula silencieusement dans l'hors la loi si telle était la loi du monde, écrit-il dans un passage que je soulignai vigoureusement lorsque je le lus à sa parution (*L'Instinct de mort*, Éd. Champ Libre, 1984).

Petite cause grands effets. Tout Mesrine à cause d'une Zsa Zsa ! Pas *tout* Mesrine, ni seulement à cause *d'elle*, bien sûr que non, mais un peu tout de même. Sans qu'elle s'en doute. Parce que Mesrine, contrai-rement à nombre de types qui portent une blouse grise et qui s'en font plus ou moins une raison (mais comment font-ils ? Et s'en font-ils vrai-ment une raison ? Au prix de – quoi ?), ne s'accommoda pas de cette frustration ; lui en tira certaines conclusions pour la suite. Sacrée Zsa Zsa ! Cherchez la femme, dit-on. Mais on ne cherche jamais vraiment la femme. On cherche des explications dans la lumière des réverbères et on oublie les Zsa Zsa perdues de l'autre côté de l'amour. On oublie celles qui, les premières, déçurent et « apprirent la vie », comme on dit. Marquèrent au fer. Tout garçon cache une rebuffade initiale *qui a décidé de son avenir*. Les mots indélébiles d'une femme lui ayant dit non et la promesse faite à soi-même qu'on ne l'y reprendrait plus, si c'était comme ça. S'il n'était pas assez *bien* pour la fille, c'est-à-dire pas assez ceci ou cela (riche, beau, gentil, viril, doux et tutti quanti, ce ne sont pas les raisons qui manquent de n'être pas assez bien pour une fille). À l'époque où le cœur est sincère (où la loi de l'espèce s'exprime naïvement), l'individu n'oublie pas la *raison* pour laquelle il fut premiè-rement rejeté, humilié, saccagé : c'est sur elle qu'il fonde ensuite son existence. Il ne peut pas faire autrement. À son niveau individuel des choses, il a retenu la leçon. Elle ne s'effacera plus. Refoulée, elle agira dans l'ombre. Look Mesrine. Look Gatsby. Comme dit l'autre (Kafka), « les femmes ont des relations avec le Château » – spécialement celles avec des guillemets.

Sachant que par Zsa Zsa, j'entends toutes les jolies filles qui savent d'instinct qui regarder et qui éliminer de leur champ de vision. Dans quel carrosse grimper. Qui *aimer*, sans que cela ait rien de personnel. Ou si peu – et voilà bien le problème. Oh mesdemoiselles Zsa Zsa ! Pensez-vous que vos actes s'arrêtent à vos choix ? Savez-vous le monde qui en découle ? Que serait-il advenu si mademoiselle Gábor avait remarqué le petit Jacquot dans sa blouse grise et lui avait souri ? Lui avait donné rendez-vous dans sa chambre ? L'avait embrassé ? S'était donnée à lui et avait joui dans ses bras, le quittant au matin éberlué de la vie. Le plus heureux des hommes. Persuadé qu'aucune barrière ne peut séparer les amants. Que l'avenir ne lui était pas refusé.

Julien ne se serait jamais suicidé.

Niveau 11

Je sais ce que tu vas dire. Nul n'est comptable de ce qu'autrui projette sur lui et Zsa Zsa Gábor pas plus ni moins qu'une autre. Ce n'est pas M qui me contredira. Il ne faut pas inverser les rôles. Si Mesrine cher-cha à devenir une *vedette* dans sa partie, ce n'est pas du tout parce que Zsa Zsa en était une dans la sienne. Allons donc ! Quelle idée ! S'il passa son temps à se déguiser et, toute sa vie, éprouva un plaisir mani-feste à jouer son rôle de gangster devant les caméras, Hollywood n'y fut strictement pour rien. Non non non, Mesrine ne devint pas « l'ennemi public numéro un » parce que Zsa Zsa avait joué dans un film au titre suggestif et comment m'amuser davantage ? Comment ne pas faire le lien entre Mesrine, premier truand à rechercher une célébrité média-tique, et Zsa Zsa Gábor, « première de ces célébrités à être connues *en disproportion avec leur carrière* », selon Wikipédia, qui sait tout sur tout. On n'imagine pas ce qu'un jeune homme peut faire pour impressionner une femme qui l'a ignoré. La dette alors contractée. Mesrine eut l'honnêteté de le reconnaître. Son goût du spectacle et de la notoriété lui vint d'une actrice blond platine croisée dans un palace parisien. Les moyens d'y parvenir lui ayant été inculqués par l'armée française. Chacun fait avec ses moyens du bord.

Soyons clair : Zsa Zsa Gábor est ici une figure de style. Toutes les jolies filles avec des guillemets ne sont pas des Zsa Zsa. Je l'espère sincèrement – et je l'espérais de tout mon cœur en regardant M. Soyons encore plus clair : si Mesrine réussit à tomber la blouse grise pour endosser le rôle de quelqu'un qui ne passerait plus jamais inaperçu, il donna ce faisant raison à Zsa Zsa. Il la conforta dans son idée qu'entre deux hommes, vive celui qui possède une super-bagnole et merde à l'obscur petit bagagiste, oui, qu'il crève le fichu Anonyme, l'Imbécile en blouse grise, l'Incapable d'avoir une super-bagnole, oui, les armes à la main, Mesrine renforça à sa manière audacieuse et brutale la vision des choses qui l'avait pourtant fait souffrir dans le hall de l'hôtel et avec laquelle il s'était promis d'en finir et, désolé, mille excuses, mais loin de changer l'ordre des choses comme il le crut peut-être, *loin de s'y opposer*, Mesrine ne fit que l'amplifier. Il épousa le regard de Zsa Zsa et, en lui-même, il répudia le pauvre type devant lequel une jolie fille pouvait passer sans le voir et ainsi le problème cessa-t-il d'en être un à son niveau individuel des choses qui vous changent un homme. Ainsi devint-il ce que Zsa Zsa avait fait de lui. Au prix de sa vie cependant, preuve qu'il ne suffit pas de sortir de la caverne, même les armes à la main, encore faut-il sortir du mythe, ce dont très peu de gens sont capables. Ce pourquoi j'ai mis si longtemps à trouver des réponses aux questions qui, sur la route de Cabourg, m'avaient assailli – et dieu que cette route de Cabourg fut longue avant que j'en voie le bout. Comme elle fut deux fois difficile et interminable à chaque instant.

Niveau 12

Car en arrivant à Cabourg, il n'y avait pas photo. D'après mon décompte, qui vaut ce qu'il vaut mais pas moins non plus, mon père gagna haut la main (désolé maman). Sachant que j'en vis passer des super-bagnoles sur la route de Cabourg. Du style Triumph TR3 A, Citroën SM, Aston Martin V8, Scimitar GTE, une Lynx Eventer, deux Alpine A310 et même une Mehari verte qui, à l'époque, faisait croire à la savane en pleine ville. Même une DeLorean DMC-12 avec ses portes en « ailes de faucon » s'ouvrant à la verticale comme celles d'un jet. Et une AC Cobra bleu électrique que suivait de près une Porsche 930 jaune et disons ces modèles-ci de super-bagnoles des années 70, merci Internet. Car je n'ai bien sûr gardé aucun souvenir des super-bagnoles qui nous doublèrent ce jour-là, il faudrait être *malade* pour se les rappeler ; mais ce dont je suis sûr, ce dont je me souviens avec une précision photographique, c'est que la fille à côté du conducteur était à chaque fois jolie, pour autant que je pouvais en juger depuis la vitre arrière de la 2CV. Dans quatre-vingt-dix pour cent des cas elles étaient « jolies » avec des guillemets (dans les 10 % restants, le conducteur était seul ou accompagné d'un passager de sexe masculin). Du genre top model ou simili. Bien habillées et les cheveux soyeux. Du genre à sentir bon. À inspirer les plus beaux et nobles sentiments à un adolescent en pleine effervescence hormonale (parce que les jeunes gens nés en pays catholique n'ont d'autres choix que d'envelopper d'une brume d'idéalisme la honte que la religion leur a inculquée de leurs désirs). D'un genre de beauté qui allait du manifeste à l'ostensible et que l'on soit sensible ou non à ce genre de beauté, elles paraissaient de toute façon physiquement au-dessus du lot. Dans quatre-vingt-dix pour cent des cas. Alléluia.

Je sais que certains vont prétendre que tirer une loi générale d'une expérience menée sur une aussi courte distance est parfaitement abusif, pour ne pas dire malhonnête. Mais outre qu'ils ne doivent pas être si nombreux, ils oublient que j'aimerais moi aussi pouvoir objecter à mes propres constatations. Ô combien ! Sauf que les faits sont têtus, comme on dit : dans les super-bagnoles qui nous doublaient, les filles assises à la place de mort étaient pleines de guillemets ; inversement, ce n'était jamais une jolie fille qui était au volant avec, à la place du mort, un vieux beau et, loin de m'en vanter, je me revois garder ces informations secrètes à l'arrière de la 2CV, bien sûr les gardais-je pour moi, inutile de jeter de l'huile sur le feu. D'instinct j'avais compris qu'il s'agissait d'informations qu'il valait mieux ne pas ébruiter et ainsi naissent les secrets de polichinelle. Ainsi le monde prend-il racine en nous et devient-il invétéré. Ainsi naît un fait acquis. Un tabou.

Mais je n'ai pas oublié l'effet que produisit sur moi cette découverte. Je n'ai pas oublié sa saveur et je n'ai pas oublié le bruit, comme un drap que l'on déchire, qui m'ouvrit soudain les yeux sur la route de Cabourg et, par parenthèse, on ne choisit pas son chemin de Damas, on ne choisit pas l'arbre de sa nausée, fermer la parenthèse. Il faut dire que quatre-vingt-dix pour cent : c'était *trop*. Quand bien même j'enfonce aujourd'hui une porte ouverte (mais qui l'a ouverte le premier ?), il y avait de quoi s'interroger. Pressentais-je que ce n'est pas parce qu'une porte est ouverte qu'on ne doit pas y mettre les doigts ou que quelqu'un ne se cache pas derrière ? En tous les cas, à mon niveau de convoitise adolescente pour les jolies filles avec des guillemets, cela fit tilt dans ma tête. Cela fit argh, ouch, brrrr, ziiiiip, beurk et tout un tas d'autres onomatopées trop compliquées à mettre par écrit tellement ces statistiques dévoilaient un aspect de la réalité (ce qu'on appelle la réalité) qui non seulement m'avait jusqu'ici échappé, mais qui ne me semblait pas une bonne nouvelle. *Pas pour moi.* Parce que ces statistiques ne cadraient pas avec ma vision sublimée des jolies filles. Elles étaient comme un coup de poignard, une grimace, un *crève-cœur*. Que fabriquaient les jolies filles dans les super-bagnoles ? M'aurait-on menti ? Walt Disney avait-il tout inventé ? Les princesses s'éveillaient-elles à la vie, non quand on les embrassait de toute son âme, mais pourvu qu'on s'amène en carrosse huit cylindres douze soupapes, à quoi elles reconnaissaient soudain leur prince, yuppie, hello beau prince, en voiture Simone ? Pour le dire de façon marxiste, l'amour dissimulait-il son processus de production et, sans vouloir commander personne, j'aimerais que chacun souligne lentement cette phrase pour lui-même. Alors que l'amour fait tourner le monde, paraît-il, à en croire tant d'éminents personnages, dont j'aimerais soudain connaître la marque de leur bagnole. Dont on ne sait trop s'ils sont plus hypocrites que crétins-baveux ou le contraire et, en tous les cas, moi, je l'ignore. S'ils se payent notre tête ou de mots pour mieux taire qu'il s'agit – comment dire ?

Niveau 13

À l'arrière de la 2CV, je cogitais salement. J'en arrivais à remettre en cause la beauté elle-même : était-elle encore la beauté si elle était à vendre ? Ne donnait-elle pas plutôt des nouvelles de la laideur dans ce cas-là ? S'agissait de prostitution, du latin *prostitutio*, qui signifie « déshonorer une chose par l'usage indigne qu'on en fait » ? À quoi tenait finalement la beauté ? Je me posais anxieusement la question. Quelqu'un pouvait-il me renseigner ? Quelqu'un de crédible, de préférence. Un philosophe, par exemple, allemand si possible. Je me grattais la tête à l'arrière de la 2CV, avec d'autant plus d'embarras que je savais n'avoir, là, tout de suite, à treize ou quatorze ans, les moyens de rien et surtout pas ceux de m'acheter une super-bagnole, ni maintenant ni dans un futur proche. En même temps, comment se passer des jolies filles ? *Qui désirer ?* Devais-je dès l'adolescence renoncer à quatre-vingt-dix pour cent de mes désirs ? Comprends-tu pourquoi je n'ai toujours pas le permis le conduire ?

M était-elle ce genre de « jolies filles » avec des guillemets ? Le genre qui fait que la société telle qu'elle ne va pas n'est pas prête de changer ? Les Zsa Zsa d'amour pouvaient-elles le dire ? Car en attendant qu'elles fixent leur choix sur un modèle de voiture à leur convenance, elles ont beau dire que c'est le monde qui est cynique, c'est elles qui le sont, là, tout de suite, maintenant.

Lorsque Titine entra dans Cabourg, j'étais émotionnellement comme un croisé entrant dans Constantinople, à la fois conquérant d'un monde éploré et avançant à la tête d'un millier de questions sans réponses. La réalité (ce qu'on appelle la réalité) semblait tellement contredire l'idée que je m'en faisais. Elle me posait tout à coup un problème personnel. Elle semblait ne laisser d'autre choix que celui de renoncer aux jolies filles ou de vouer un culte aux super-bagnoles et quel sinistre choix ! À tout prendre, j'aurais largement préféré que M fût une jolie fille *sans guillemets*. Une jolie fille sans guillemets : cela m'allait tout à fait. Cela aurait été l'idéal ! À mon niveau individuel des rêves que s'autorisent les classes moyennes dont je suis un regrettable spécimen. Mais aurait-elle encore été M ? Tandis que Titine se frayait avec peine un chemin sur l'avenue de la Mer envahie par une foule luisante de crème solaire qui feignait de ne s'apercevoir de rien.

Niveau 14

Un jour, j'ai rencontré une call-girl. Très jolie. Avec des guillemets. Je ne suis pas aveugle. On a sympathisé. Ça s'est fait comme ça. Non, nous n'étions pas dans un bar à ce moment-là et aucune lumière ne tamisait nos imperfections, etc. Nous étions… Mais que t'importe ? Tu n'as pas besoin de tout savoir. Cette call-girl m'a dit un truc que j'ai noté dans l'un de mes petits carnets. C'était à propos de ses clients. Elle m'a dit, je cite : « Ce qui me plaît le plus, c'est qu'avec moi, leur temps est compté. Tu comprends (car elle me tutoyait). Que cela dure une heure, une nuit ou un week-end, leur temps est compté avec moi. Ah ah ah. *Leur temps est compté !* ».

Elle me dit d'autres trucs, mais qui m'intéressaient moins. Des trucs du genre : « C'est la meilleure vie que je pouvais espérer. (…) L'amour, c'est une plaie. Les sentiments : ils ne *rapportent* que des ennuis. (…)

Certains me critiquent mais je m'en fiche. J'ai l'habitude. On m'a toujours mal jugée. Depuis toute petite. (...) Au début, c'était pour payer
mes études. (...) Mes origines ? Elles ne sont pas des origines : elles
sont juste un lieu de naissance. Ce n'est pas ce que tu crois. C'est juste
que j'en ai rien à fiche de mes racines. Hasard que tout cela. (...) Non,
mes parents ne savent pas. (...) Les hommes se persuadent qu'ils
viennent de quelque part, qu'ils sont nés pour une bonne raison, mais
ils cherchent seulement à se rassurer. Ils cherchent à se donner de
l'importance – mais quand tu les vois à poil... (...) J'ai mes critères.
Pour moi, il y a les cons et les salopards et ceux-là sont dangereux. Et
puis il y a les autres. Ce n'est pas une histoire d'être français ou noir
ou arabe ou tout ce que tu veux. Faut arrêter avec ces conneries. (...)
Je sais que tu n'aimes pas ce que je fais. Tu ne me juges pas, mais ça te
rend triste. Tu as tort. (...) Aujourd'hui, j'ai plus confiance en moi. J'ai
du pouvoir sur des hommes. C'est moi qui ai le contrôle. (...) Les
hommes ne peuvent plus me niquer gratos à présent. Je me suis fait
niquer pour pas un rond quand j'étais jeune mais c'est fini ce temps-
là. (...) Ce qui m'énerve, ce sont les gens qui défendent les putes mais
qu'est-ce qu'ils diraient si c'était leur gamine ! (...) Avais-je vu un film
qui s'appelle Klute ? Un vieux film des années 70. Avec Jane Fonda
dans le rôle d'une call-girl que traque un psychopathe. Elle tombe
amoureuse de Donald Sutherland et elle ne comprend pas ce qui lui
arrive. C'est la première fois qu'elle éprouve quelque chose pour un
homme. À la fin, elle plaque le métier et s'en va avec Donald Sutherland. J'aime bien ce film. J'aime beaucoup Jane Fonda. Elle ressemble
un peu à ma mère. Ah ah ah ! Jane Fonda avait eu l'oscar pour ce rôle.
Une pute oscarisée : ah ah ah ! (...) Ce qui est drôle, c'est que juste
avant de tourner Klute, Jane Fonda tenait le rôle principal dans On
achève bien les chevaux. Je connaissais ce film ? Cela se passe pendant
la grande dépression des années 30. Pour gagner quelques dollars, des
pauvres participent à un marathon de danse jusqu'à l'extrême limite de
leurs forces et c'est le couple qui s'écroule le dernier qui a gagné. Une
vraie saloperie. À la fin, Jane Fonda n'en peut plus. Cette vie de misère,
ce business de la survie : assez ! À quoi bon continuer ? Elle demande
alors au type avec qui elle danse de faire ce qu'elle n'a pas le courage
de faire. Parce qu'on achève bien les chevaux lorsqu'ils se brisent une
jambe et ne peuvent plus courir, dit-elle. Et le type la suicide dans ses
bras en lui tirant une balle dans la tête. Tu comprends ? Avant de tourner Klute, Jane Fonda était une pauvre fille qui se faisait baiser par la
vie et qui, à la fin, préférait mourir et, dans son film suivant, elle ressuscite dans la peau d'une pute qui rencontre un type bien et avec qui

elle retrouve finalement goût à la vie. Moralité : mieux vaut faire la pute ! Mieux vaut se faire baiser par les hommes que par ce monde ! C'est ma philosophie. Et qui sait ? Je vais peut-être rencontrer un jour mon Donald Sutherland. Ah ah ah (…) »

Plus tard. J'avais découvert. Qu'il existe aujourd'hui des concours. Appelons-ça des concours. Des marathons plutôt. Où des gens (des gens comme Jane Fonda ?). Des gens. Sous l'égide de concessionnaires locaux. Par grappe de dix ou vingt. Ils doivent coller une partie de leur corps (une main, par exemple) sur la carrosserie d'une voiture et celui qui reste dans cette position le plus longtemps possible sans décoller sa main (des juges y veillent) remporte la super-bagnole. Youpi. Ô joie ! On appelle ces concours des « Hands on a Hard Body » (littéralement « mains sur le corps dur »). « Hard Body » étant le petit nom donné aux voitures de type pick-up. À elle seule, l'expression fait froid dans le dos. Elle rappelle le « monstre froid » de Nietzsche. Et s'il n'y avait que la main ! Car dans leurs récentes versions diffusées en direct sur Internet, ces marathons sont devenus des « Kisses on a Hard Body ». Il s'agit cette fois d'embrasser le « corps dur » et de ne pas décoller d'un millimètre les lèvres de l'acier (des juges y veillent) pendant des heures et des heures d'affilée, jusqu'à épuisement. Le baiser de la mort, en quelque sorte. L'amour le plus mécanique et frigorifique. La prochaine fois, ce sera quoi ? Après la main, les lèvres – quoi ? Et pendant combien de temps ? Jusqu'à 87 heures, comme en 1992. Ou jusqu'à devenir fou. Car en 2005, un concurrent abandonna au bout de 48 heures, traversa la rue à pied, entra par effraction dans une armurerie, vola une arme et se tira une balle en pleine tête. On achève toujours bien les chevaux. *On achève toujours bien les chevaux !* Et pas besoin de Grande Dépression. *Pas besoin de Grande Dépression !* Et tu sais quoi ? Alors que ces marathons avaient disparu, ils sont réapparus dans les années 80. *Dans les années 80 !* Et d'où cette brillante tradition ? Du Texas ! *De Dallas et ses environs.*

Enfin bref. Ce sont *leurs* lèvres. Ce ne sont pas les tiennes (voir page 777).

Niveau 15

Ce qu'il y a de bien avec la beauté, c'est qu'elle n'est pas la laideur. J'ai encore l'air d'enfoncer une porte ouverte, mais celle-ci est battante. Car la beauté n'est pas seulement un avantage en soi : elle présente aussi l'avantage d'être ce qu'elle n'est pas et ainsi la beauté est-elle *doublement* avantageuse : pleine de grâce avec les filles comme M, tandis qu'elle est sans pitié avec les filles comme, l'autre jour, il y a quoi ? six, sept mois ? C'est ce que je dirais.

C'était un samedi et je lisais le journal dans un café en mangeant un club-sandwich (pas très bon) et il y avait cette gamine de treize ou quatorze ans qui discutait à une table voisine avec sa copine et, à un moment, cette gamine de treize ou quatorze ans a dit, je l'ai très distinctement entendue dire : « De toute façon, je suis moche. C'est comme ça » et

je ne sais pas

il y avait dans le ton de sa voix

je n'avais pas pu m'empêcher de jeter un regard en coin et c'était vrai : elle était moche. Elle était laide. *Elle n'exagérait pas.* Elle ne jouait pas les jolies filles ou même les filles quelconques qui font des chichis pour qu'on les rassure sur leur compte alors qu'elles savent n'avoir aucune raison réelle et sérieuse de s'inquiéter, non, cette gamine n'avait aucun doute sur son physique, son physique ne lui laissait pas le choix, sa disgrâce était évidente, elle était *repoussante*, et qu'une gamine de treize ou quatorze ans puisse porter sur elle un jugement aussi rédhibitoire : j'en avais eu le cœur serré. Qu'elle puisse avouer aussi franchement, à haute et intelligible voix, à son âge, sans buter sur les mots, qu'elle était moche, aussi moche que certaines sont super-belles, sans se cacher la cruauté de cette vérité, sans chercher d'échappatoire ni même attendre de démenti ou de réconfort, *surtout pas.*

Car elle ne s'attendait visiblement pas à ce que sa copine comprenne ou s'émeuve ou démente, ne serait-ce que pour la forme. *Elle ne le souhaitait pas.* Non. Elle avait dit ça comme on dit « il pleut », parce qu'il pleut en effet à ce moment-là, c'est un fait, inutile de le nier, inutile d'aller pique-niquer sur l'herbe comme prévu ni de croire que la pluie va cesser parce qu'on vient de dire qu'il pleut et, devant mon sandwich (qui ne me donnait plus envie), j'en avais eu le cœur serré qu'une gamine de treize ou quatorze ans ne se fasse aucune illusion sur le fait qu'elle était laide et que ce soit là son fardeau et celui de personne d'autre. Que ce soit sa malédiction, son combat, sa solitude, son *secret* : j'en avais eu des frissons. J'avais senti une espèce de colère monter en moi.

Niveau 16

Parce que cette gamine, bon dieu, elle en savait déjà tellement long sur l'injustice en toutes lettres. Elle avait, à treize ou quatorze ans seulement, une conscience si pure et aiguë de la vie à chier qui était la sienne et de la vie à chier qui allait être la sienne et de la vie à chier en général. Elle ne se racontait pas d'histoires. Ni sur son compte ni sur *tout* ce que signifie le fait d'être moche dans ce monde. Non seulement relativement à elle, rapport à son image, rapport à son estime de soi (oh ce rendez-vous chaque matin devant la glace, cet épouvantable rappel à l'ordre), mais aussi, mais surtout, rapport aux autres et, pour commencer, rapport aux garçons.

Qui osera prétendre le contraire ?

Partie comme elle l'était dans la vie, elle aurait une vie amoureuse, comme tout le monde, mais pas tout à fait comme tout le monde : *elle aurait la vie amoureuse d'une fille moche* et elle pouvait dès à présent prendre les paris : les beaux mecs, les jolis garçons, ceux qui avaient de l'allure et qui lui taperaient dans l'œil, les types sensibles, les types *intelligents*, elle ne devait pas y compter. Elle n'avait *aucune* chance. Elle n'aurait jamais le *choix*. Si elle devait jeter son dévolu, ce serait surtout à la poubelle. Les garçons qui lui plairaient ne la regarderaient même pas. Ils regarderaient par-dessus son épaule. Ils l'éviteraient. Ils feraient d'elle leur *copine,* à qui ils raconteraient leurs déboires avec les filles de leurs rêves et, au fil du temps, elle n'aurait droit qu'aux miettes d'hommes. Voilà. Moche comme elle était, elle devrait même s'estimer heureuse que quelqu'un daigne la sauter, comme si on lui faisait une fleur, pourvu que la lumière soit éteinte et qu'on lui mette un sac en papier sur la tête. Des miettes d'hommes, oui. Qui se croiraient certainement autorisés à la traiter avec désinvolture, avec grossièreté, sans les égards qu'inspire la grâce, sans les affolements qui sont ceux de la beauté, comme s'ils se vengeaient sur elle de son physique et devaient en plus l'amocher parce que moche comme elle l'était déjà, cela ne porterait certainement pas à conséquence. Tant de miettes d'hommes l'attendaient au tournant et quelle chouette perspective ! Tant de types la tromperaient et pourquoi se gêneraient-ils ? À leur place, elle non plus ne prendrait pas de gants. Elle n'aurait rien à dire. Que pourraient-ils d'ailleurs lui trouver ? Pourquoi s'intéresser à elle ? Elle n'était pas stupide. Elle n'était pas aveugle : elle-même ferait la grimace si elle se rencontrait. Elle regarderait dans une autre direction. Comme les autres, elle détournerait le regard. Elle *fuirait*. Sauf qu'elle ne pouvait se fuir elle-même.

Personne ne serait attiré par elle. À moins d'être aussi moche qu'elle et quel couple de rêve ils formeraient ! Dans son cas, les hommes seraient des mouches à merde. Pour s'intéresser à elle, ils ne vaudraient sûrement pas chers. Ils seraient probablement tordus dans leur tête. Malades dans leur slip. Bourrés de complexes et suintant le malaise, comment imaginer le contraire ? Ils la trouveraient juste assez bonne pour se payer sa tête. Pour se payer sur la bête. La trouveraient juste assez conne pour lui jurer qu'ils la trouvaient belle et, l'instant d'après, lui taper dessus et quoi encore ? Que pourrait-elle objecter ? Qu'aurait-elle à offrir ? Jusqu'où la détestation de soi, j'allais dire la défenestration ? Cela faisait des siècles qu'elle ne jouait plus au Monopoly, de crainte de tirer la fameuse carte obligeant à dire tout haut qu'on a gagné le deuxième prix de beauté et cela suffisait d'être la risée de tous. Tant pis pour les cartes de chance ou de communauté. Assez d'humiliations ! Il y avait des jeux auxquels elle ne pouvait plus jouer en société. Et cela n'irait pas s'en arrangeant.

Mais hors de question d'être avilie en plus d'être moche. Comme si c'était de sa faute. Comme si elle avait choisi d'être moche. Comme si cela lui plaisait d'être le dernier choix sur le marché de l'amour, d'être un rebut, un déchet. D'être celle qui n'inspirerait jamais les plus hautes passions. Ne ferait jamais tourner la tête d'un garçon ni n'en rendrait aucun fou de chagrin, encore moins de jalousie, oui, elle serait toute sa vie *spectatrice*, elle serait à jamais celle qui est moche, simplement moche, une fille moche, *ce concept-là*, dans l'indifférence générale, même les handicapés sont mieux considérés. Même les salopards ont droit à un avocat. Même les limaces ont des associations de défense ; tandis que les moches : tout le monde s'en fiche, personne ne les soutient, nul ne s'en donne la peine, cela ne vient à l'esprit de personne, comme si les moches dépareillaient l'humanité et que leur cas était désespéré. Dans le regard de son père n'avait-elle pas perçu une sorte de gêne, un dédain, une offense ; et, dans celui de sa mère, comme un embarras, du dépit, presque de la pitié, les huit lettres du mot fatalité ? Comme si elle était atteinte d'une maladie honteuse – quand bien même son père et sa mère disaient l'aimer ; mais eux aussi étaient déçus. Ils se demandaient comment ils avaient pu mettre au monde une telle horreur. Ils n'en parlaient pas, mais ils étaient inquiets pour son avenir. Ils savaient que personne ne poserait jamais sur leur fille un regard émerveillé, un regard ébloui, un regard de gratitude, la sorte de regard qui enchante l'existence et la sorte de regard dans lequel j'embrassais M depuis qu'elle m'était apparue sur le seuil de mon bureau. Le genre de regard qui vous rend meilleur et qui vous embellit, justement. Ce ne serait pas de sitôt qu'on la regarderait avec *tendresse,* comme l'enlaçant des yeux dans une lumière turquoise, non, elle allait en chier pendant un bon moment, pendant très longtemps se sentir *coupable*, peut-être toute sa vie. Elle allait en baver.

Les profs ne jugeaient-ils pas son travail d'après son physique ? Dans les magasins, ne la servait-on pas la dernière, en rechignant presque ? Au café, combien de fois devait-elle réclamer qu'on lui apporte enfin sa consommation ? Tout le temps des vexations, infimes, répétées, *significatives.* Tout le temps des rappels sournois. Des réticences qui rimaient avec répugnance. Ce serait déjà bien beau si elle parvenait à trouver du boulot, ne serait-ce qu'à la Poste, au centre de tri, en sous-sol, à l'abri des regards, loin des usagers, ce serait déjà bien beau, oui, comme on dit, fichue expression. Comme les Noirs doivent grincer des dents à chaque qu'ils entendent dire qu'on broie du noir, comme s'ils incarnaient le cafard et qu'eux-mêmes en étaient un et, quoi qu'il en soit des doigts d'honneur du langage, aucun doute, cette gamine serait toute sa vie celle qui doit se faire une raison et comment se fait-on une raison ? Souligné un million de fois. Comment y parvient-on, à son niveau individuel des choses mal embarquées depuis la naissance et auxquelles il est impossible d'échapper ? Comment échapper à l'injustice ? Au dégoût et à l'amertume ? À l'envie de tout détruire ? Comment être heureux et en paix ? Comment se réconcilier ? Alors qu'en son for, on n'a pas moins accès à la beauté des choses. On n'y est pas moins sensible. Pas moins désireux d'aimer et d'être aimé. Peut-être plus même.

Niveau 17

Je n'en ai pas la moindre idée et voilà ce qui m'avait ému chez cette gamine de treize ou quatorze ans. Voilà ce que j'avais perçu dans le ton de sa voix : elle avait déjà tout compris, pas la peine de lui faire un dessin, elle prenait déjà ses distances, *elle s'armait dès à présent de courage.* À treize ou quatorze ans. Cela s'entendait au son de sa voix : il était sans réplique. Elle savait qu'elle allait devoir vivre de rapines car des pans entiers de la réalité (ce qu'on appelle la société) lui seraient interdits. Ne voyait-elle pas depuis toujours les gens faire comme si elle était transparente ? Toujours regarder au-delà d'elle, à travers elle. Au mieux, elle serait la confidente de service, celle à qui on peut parler parce que si elle était moche, elle devait être plus intelligente, sachant que pour le reste, il ne fallait pas qu'elle le prenne mal, mais elle ne devait pas y compter. Pas avec elle. *Pas elle.* Désolé. Toujours elle ferait tache. Toujours serait deux fois punie : d'être à la fois le message et la messagère ; or, moins on veut entendre le message et plus on en veut au messager de l'apporter. Jamais elle n'inspirerait le sentiment de la beauté ni ne serait une héroïne, sinon en son for, dans l'obscurité la sienne, loin des regards, un sac en papier sur la tête. Disqualifiée elle était. D'emblée hors jeu. De trop sur Terre. Il n'y avait aucune échappatoire pour les mochetés dans son genre et c'était « comme ça ». Il n'y avait rien à dire. « De toute façon, elle était moche » et toute sa vie elle en serait persuadée. Toute sa vie on le lui rappellerait. Toute sa vie elle en aurait la confirmation en se regardant dans la glace. Souligné trois cent soixante-cinq fois. Toute sa vie serait mal dans sa peau, puisque celle-ci la trahissait. Il n'y avait pas à chercher midi à quatorze heures. Elle devait d'emblée revoir à la baisse *toutes ses prétentions* et, vu son physique, tout ce qu'elle pouvait espérer, c'était de tomber un jour sur un type gentil. Simplement gentil. La gentillesse, ce serait déjà fantastique. Ce serait miraculeux. Sachant qu'il n'existait aucune juridiction connue où elle aurait pu déposer plainte et exiger réparations et, dans la voix de cette gamine, il y avait l'infinie compréhension du sort merdique qui était le sien et il y avait l'infinie signification de cette compréhension merdique, oui, il y avait tout cela dans le ton de sa voix et, en même temps,

cela s'entendait aussi au ton de sa voix : rien n'était encore joué. Le fait qu'elle soit moche ne l'avait pas encore tout à fait vérolée, gangrenée. C'était son *destin* mais ce n'était pas encore tout à fait *son* destin. Cela ne l'avait pas encore modifiée en profondeur, ni en bien ni en mal. Elle n'en était qu'au constat et à ce qu'il avait d'incrédule, sans mesurer encore toutes les conséquences pour la vie. La dureté des autres, elle ne faisait que la découvrir. Sa jeunesse la protégeait encore et sa personnalité ne s'était pas encore enroulée comme du lierre autour du mot injustice. Son moi n'avait pas encore boursouflé comme boursoufle en général le moi des individus qui se sentent rejetés, j'en sais quelque chose. Non, elle n'en était pas encore à tout miser sur son intelligence ou sur quelque autre talent qu'elle pourrait développer afin de se faire malgré tout une petite place au soleil et, à l'autre extrémité du spectre, elle n'en voulait encore à personne, elle n'était pas encore amère ni pleine de ressentiments, elle n'était pas encore révoltée, elle ne cherchait pas encore à se venger, ni sur elle ni sur les autres, elle n'écrivait pas à sa mère comme Janis Joplin le fit à la sienne : « Je suis jeune et moche, alors ne vous gênez pas les mecs : baisez-moi, tirez-moi et tirez-vous. »

Je pouvais me tromper, sûrement me trompais-je, bien sûr ne voyais-je que ce que j'avais envie de voir et bien sûr ne faisais-je que projeter sur cette gamine des sentiments qui n'étaient que les miens ; je n'en étais pas moins persuadé que rien n'était encore joué dans son cas. Je voulais y croire. Cela s'entendait au son de sa voix : elle s'armait dès à présent de courage et j'aurais aimé suivre l'évolution de cette gamine, voir comment elle allait se débrouiller au fil des années, oui, quel chemin allait-elle emprunter qui deviendrait le sien ? Quelle solution allait-elle inventer ? J'aurais aimé le savoir. Car elle allait devoir inventer quelque chose, elle ne pourrait pas en rester au simple constat, elle allait devoir *surcompenser*, oui, cette gamine en viendrait d'une façon ou d'une autre à se désolidariser de son physique comme moi-même me suis désolidarisé de mes sentiments depuis mon histoire de M et, par exemple, elle en viendrait peut-être à s'inventer un genre, un style, un *look* derrière lequel disparaître, afin de détourner l'attention et se rendre invisible en pleine lumière, reprendre le contrôle de son apparence et bluffer son monde, quitte à rendre plus difficile encore le moment de se mettre à nu. Quitte à rendre toujours plus nécessaires les boutiques de fringues et on peut bien parler du marché de la beauté, il s'agit en réalité du marché de la laideur. Par exemple, elle miserait peut-être tout sur les études, sur l'amitié, sur la nourriture ou sur le sexe. Le sexe par exemple. L'abattage sexuel. Pour oublier. Pour se donner en pâture. Pour se donner l'illusion qu'on s'intéressait à elle malgré tout, que des hommes voulaient d'elle, peu importe qui et comment, peu importe le nombre. Ou alors elle deviendrait lesbienne pour aimer chez d'autres femmes cette beauté dont elle avait été privée. Et sans que cela devienne sexuel, que ne voit-on à cet âge des jolies filles avec des guillemets attelées à une fille moche qui reste dans l'ombre, toutes les deux faisant la paire, sans que l'on puisse dire qui a mis le grappin sur l'autre ? Au commencement est le corps, d'où le reste énormément s'ensuit.

Par exemple, elle en viendrait peut-être à revendiquer une « beauté intérieure », comme on s'invente un antidote, comme on hallucine la réalité afin de lui échapper et, au bout du compte, une illusion en entraînant un autre, elle en viendrait peut-être à se convaincre que le problème n'était nullement son physique, mais le fait que si peu de gens sachent qui elle était vraiment, au fond d'elle, derrière ses apparences, jusqu'à se convaincre que peu de gens la méritaient, finalement. Faute d'avoir des yeux pour voir, peu de gens étaient capables de voir son *être véritable*. Ce pourquoi – comment dire ? Dans un de mes petits carnets, j'avais noté, deux points ouvrez les guillemets : « petit a) on croit que les filles moches sont des filles faciles, mais c'est faux, c'est tout le contraire, elles protègent jalousement leur beauté intérieure, elles sont très *regardantes*, très *difficiles*, très *méfiantes*, justement ! ; petit b) les filles moches sont forcées de réfuter ce qui est, au profit de ce qui n'est pas et c'est un problème pour apprentis philosophes allemands ; je garde le petit c) pour moi ; petit d) ne pas oublier que M se posait aussi la question de ses apparences, mais du point de vue de la beauté. »

En sortant du café, je passai exprès devant la gamine pour lui adresser un sourire qu'elle ne comprit pas. Un sourire que, sur l'instant, je croyais venir du meilleur de moi-même ; mais par la suite, ce sourire me fit un peu honte.

Niveau 18

Car M se posait elle aussi la question de son apparence. Bien sûr qu'elle se posait la question de son physique ! M ne voulait pas moins être aimée *pour elle-même,* au-delà de sa beauté, comme si elle était moche comme un pou et peut-être pourrait-elle en parler à cette gamine de treize ou quatorze ans. Des fois que chacune serait « l'être véritable » de l'autre et vois-tu le comique de la situation ? Vois-tu le tragique de ce comique ?

À cette différence que M ne revendiquait aucune « beauté intérieure », au contraire, elle disait qu'elle était laide en dedans, affreuse en son for, quand bien même elle prenait le plus grand soin de son apparence, son « être véritable » était aux antipodes de son image et elle ne plaisantait pas. Elle était très sérieuse. Elle s'échauffait toute seule sur sa chaise (nous étions à ce moment-là dans un café, comme souvent après le boulot et je te le donne en mille : elle ne cessait de passer la main dans ses cheveux comme s'il s'agissait de longues et belles phrases qui, lui sortant toutes soyeuses de la tête, tombaient en cascade sur ses épaules tandis qu'elle disait, je cite : « Si les gens pouvaient voir *qui* je suis vraiment, ils seraient *horrifiés*, ils prendraient leurs jambes à leur cou, ils seraient terriblement déçus car, *dans le fond,* je suis insignifiante, vide, nulle, tout le contraire de mon physique », disait-elle — et je me dépêche de fermer la parenthèse parce que j'allais oublier).

Oh, je pouvais hocher la tête, je pouvais continuer d'émietter stupidement les chips dans la soucoupe, je n'avais aucune idée de la vraie vie des jolies filles. J'ignorais ce qu'elles enduraient, oui, enduraient, désolé, mille excuses ; mais qu'est-ce que je savais des regards qui dégoulinaient sur elle en permanence ? Des regards qui ne se gênaient pas pour la déshabiller et poser la main sur son corps et la lui mettre au cul, que ce soit avec lubricité ou avec dévotion. Oh, cette bave des regards en permanence, ces convoitises de haut en bas, ces curiosités cannibales et ces façons de la réduire en permanence à son physique, comme une assignation à tout le temps paraître et comparaître. Jusqu'à lui donner la nausée, jusqu'à lui donner envie de s'enlaidir et de se défigurer, de se refaire le visage au hachoir, de s'abîmer tout entière, comme on jette le bébé avec l'eau du bain et si cela m'intéressait vraiment, elle pouvait me parler pendant des heures de ses envies qu'on lui crache dessus parfois, qu'on la saccage, qu'on l'enlaidisse plutôt que de continuer à l'admirer avec des yeux de merlan frit. Et cependant, elle prenait extrêmement soin d'elle. Elle aussi misait sur sa beauté, comme les autres, c'était comme un piège qui s'était refermé sur elle. Comme si elle-même n'imaginait plus être autre chose qu'une image faisant fantasmer les autres.

N'empêche ! Elle pouvait me raconter son désir, certains jours, de disparaître sous terre et de reculer toujours plus dans l'obscurité, d'aller se cacher de l'autre côté de la rue, là où personne n'a l'idée de chercher les clés qu'il a perdues. Là où plus personne ne braquerait ses phares sur elle. Où elle serait enfin libre du regard des autres. Libre de n'avoir aucun pouvoir sur personne et de ne plus être un zoo ambulant, un spectacle de foire. Libre de ne plus être sa propre tombe et de s'y voir enfermée vivante. Elle aurait adoré être lesbienne. Il lui semblait que tout aurait été plus simple. Avec les hommes en tout cas. Assurément. Mais les filles n'étaient pas moins déprimantes. Elles étaient encore plus acharnées. Plus vicieuses. Avais-je la moindre idée de son sentiment d'usurpation, des méprises la concernant, des attentes qu'elle suscitait et, en même temps, de ses angoisses de ne pas être à la hauteur de son physique, de ne pas être à la hauteur tout court, de s'en prendre plein la gueule pour pas un rond ? De n'être rien du tout et, en tous les cas, rien d'autre qu'une étincelle s'allumant dans les yeux des hommes et des femmes et ce n'était jamais une étincelle d'intelligence, je pouvais la croire. C'étaient toujours des demandes informulées, des suppliques de loin, des ravissements pour pas un sou. Ou bien des détestations vénéneuses, des jalousies bien senties, des frustrations immédiates et des jugements à vue, comme on tire à vue. *Des insultes à son intelligence.* Des profanations physiques et cérébrales.

Savais-je que l'objet du désir éprouve lui aussi des désirs ? Eh oui ! Il n'est pas une simple surface. Un cœur vibre sous l'image. Un être existe, que personne ne veut voir, si bien qu'il en devient insoutenable. Avais-je une toute petite idée du nombre de fois où, pleine d'enthousiasme et d'élans enjoués, elle était finalement rentrée seule chez elle parce que pas un garçon n'avait osé l'approcher de toute la soirée, parce qu'elle faisait peur à voir, parce que la beauté suscite l'effroi et qu'aucun garçon n'imaginait avoir sa chance avec elle, oui, savais-je que si la beauté attire l'œil, elle écarte les corps, elle mutile les envies et, pour tout dire, savais-je que la beauté est *repoussante* ? Pouvais-je souligner vingt-sept fois cette phrase dans un de mes foutus petits carnets ? Pouvais-je cesser d'émietter ces foutues chips, cela devenait répugnant à la fin. J'en renversais partout. J'avais un problème avec les chips ou quoi ?

Niveau 19

À propos de miettes, savais-je que les seuls garçons qui osaient l'aborder, les seuls qui avaient ce courage, c'était pour l'avilir, c'était pour la piller comme si elle était un butin qu'ils exhibaient ensuite à leurs copains, c'était des *dépeceurs* et dieu qu'elle avait mis du temps à s'en apercevoir. D'elle, ils voyaient uniquement le concept et ils ne voulaient voir que le concept et lorsqu'ils posaient la main sur elle, il y avait toujours un moment où elle sentait leurs mains déçues de découvrir ses seins trop petits ou ses cuisses un peu trop molles, oui, elle sentait leurs mains tiquer tout à coup, s'offusquer sans le dire et cette déception de la main qui vous caresse : je ne me rendais pas compte de la cruauté. C'était comme la mort sur elle. C'était l'assassiner avec sa propre image. Lui dire à chaque instant qu'elle n'était pas parfaite et lui en faire le reproche. Lui dire qu'elle ne valait pas le rêve qu'elle dispensait. Qu'elle valait en réalité que dalle. Qu'elle n'était qu'un bluff. Les jolies filles n'ont que deux choix pour survivre : ou elles font semblant d'être idiotes, ou elles se transforment en monstre glacé et cruel parce que c'est le seul moyen pour qu'on leur *pardonne* leur beauté. La bêtise ou l'insensibilité : voilà à quoi les jolies filles sont condamnées de leur vivant, tel est le châtiment qu'elles méritent parce que c'est trop injuste qu'elles soient belles et plutôt que de jouer les idiotes, M avait senti très tôt qu'elle préférait devenir glacée et cruelle, tant qu'à faire, si elle devait choisir, puisqu'on ne lui laissait pas le choix. Elle s'était découvert de réelles dispositions pour la *frigidité*. Elle pouvait sans problème en donner pour son argent à qui le souhaitait. Je devais le savoir. J'étais prévenu. Je ne dirais pas ensuite que je tombais des nues. C'était sa manière de ne pas décevoir les attentes. Sa façon de rembourser sa dette. De se *venger*. On lui avait tellement dit et répété la chance incroyable qui était la sienne, qu'avec un physique comme le sien, elle n'aurait jamais de problème, toutes les portes lui seraient tout le temps ouvertes et blablabla.

À propos de chance, s'énerva M sur sa chaise, les filles moches ne connaissent pas la leur. Votre gamine de treize ou quatorze ans, les choses ne peuvent que s'arranger dans son cas. Elle sera de moins en moins laide avec l'âge. Sa situation va s'adoucir avec le temps. Au point que cela n'aura plus d'importance un jour. Ce qui ne sera pas mon cas, lâcha M d'une voix qui, soudain, me parut être sa vraie voix. Ce sera tout le contraire dans mon cas. La vieillesse va m'enlaidir et non seulement je vais devenir affreuse, mais personne n'oubliera combien j'étais belle dans le temps, tout le monde me le rappellera d'une façon ou d'une autre et j'imagine déjà l'espèce d'effarement qui, d'ici vingt ou trente ans, pétrifiera votre regard en constatant ce que je suis devenue (*elle avait dit « votre » regard ? Le mien ? Voyait-elle si loin avec moi ? Allions-nous vieillir ensemble ? Alléluia !*) et, bon, mieux valait parler d'autre chose, se redressa d'un coup M sur sa chaise (mais c'était toujours sa vraie voix). Pouvait-on parler d'autre chose ? S'il vous plaît. Connaissais-je l'histoire de l'arbre magnifique, fier et robuste, qui pousse à côté d'un arbre tout pourri, mangé aux mites, même pas bon pour faire du feu ? Des bûcherons arrivent et ils abattent le bel arbre et épargnent l'autre arbre parce qu'il ne vaut pas la peine qu'on s'occupe de lui et on pouvait commander un autre verre de vin ? C'est son père qui lui avait raconté cette histoire quand elle était petite, comme une mise en garde pour plus tard, un message à méditer à son niveau individuel de belle plante avec des guillemets.

Niveau 20

Mais elle ne voulait plus parler de ça. Elle n'espérait pas que je la comprenne. Je n'avais aucune idée de *qui* elle était vraiment et j'étais un idiot si je croyais la connaître, j'étais ridicule de le croire (et ce n'était soudain plus sa vraie voix qui parlait). J'étais, oui, comme tous ces crétins qui se fient aux apparences et, par parenthèse, en aparté, histoire de souffler un peu et de se poser enfin les bonnes questions, qui le premier, a décrété que les apparences sont trompeuses ? Qui, le premier, a jugé que les autres se méprenaient sur son compte et qu'il y avait erreur sur sa personne parce que ses apparences ne lui rendaient pas justice ? Quel était son nom ? Était-il beau dans un monde laid ou laid dans un monde beau ? À son avis ? Le savait-elle ? J'aurais deux mots à lui dire.

Mais M n'en démordait pas. Elle se mordait les lèvres. Il s'agissait d'un point *très* sensible chez elle et elle s'écria sombrement que s'il lui était donné de se débarrasser de ses apparences comme on ôte son pull-over, j'aurais devant moi le portrait de Dorian Gray, voilà, le portrait de Dorian Gray, s'écria-t-elle avec de folles nuances dans la voix. Pas le portrait de Dorian Gray juste après qu'il a été peint, mais le portrait de Dorian Gray *à la fin de sa vie*, le portrait *hideux* de Dorian Gray, le portrait enfermé à double tour au grenier, recouvert d'un drap, dissimulé à la vue de tous tellement la vérité de son être était finalement insoutenable et on ne le croirait pas à la voir, on ne le croirait jamais à la voir – et pourtant si ! Elle n'était ni belle ni lisse ni sage ni gnangnan, non, *elle était tout le contraire,* elle était un *monstre* – et elle avait terminé ? Je pouvais en placer une ? Elle n'avait pas envie d'une *chips* ? Elle ne voulait pas plutôt ôter son pull-over et me montrer ce qu'elle cachait dessous ? Que je juge sur pièces. Qu'elle me dévoile son « être véritable ». Je plaisantais. Je disais ça pour détendre l'atmosphère. Bon dieu, se doutait-elle seulement de *tout* ce que je voyais quand je la regardais ? Jusqu'où *portait* mon regard ? *À quelle étendue* il plongeait ? Je n'avais pas besoin d'aller voir *derrière* ses apparences car elle était tout entière dans ses apparences, elle était *ses* apparences. Son « être véritable » transparaissait. Et il n'était pas laid. Elle se faisait beaucoup trop d'idées sur elle. Elle surestimait drôlement son physique.

Partie VIII

« Ce qui me fait rire, c'est l'incroyable
imbroglio que devient parfois la vie
d'un homme
— Et encore, vous n'avez rien vu. »
Franz Kafka, *Le Château*

Niveau 1

Je ne tombe pas des nues (2).

Sur ces entrefaites.

J'ai toujours rêvé de commencer un paragraphe en disant : « Sur ces entrefaites ». Je ne sais pas pourquoi. Cela me rend bêtement joyeux. J'ai l'impression de retomber en enfance, lorsque je lisais des livres palpitants, avec plein de rebondissements qui ne me laissaient pas respirer. « Sur ces entrefaites ». Quelle merveille langagière. Quelle accélération du temps. Quel art d'enchaîner les figures sur un minuscule pas de danse. Entrefaites vient « d'entre faire », qui signifiait au Moyen Âge « faire dans l'intervalle », ce qui laisse quelque peu songeur et, dans certaine position assise, incite presque à la rêverie. « L'ennemi vint sur l'entrefaite », affabule La Fontaine dans *Le Vieillard et l'Âne*. Tandis que Clément Marot, dans le poème « L'Enfer » publié dans ses *Opuscules,* ouvrage par lui envoyé à ses amis après qu'il l'eut composé en la prison de l'Aigle de Chartres où le sacrilège d'avoir mangé du lard en Carême l'avait jeté en 1526, écrit vigoureusement : « Vous vous voyrrez hors la fubjection des Infernaulx, & de leurs *entrefaictes* : car pour les bons, les Loix ne font point faictes. » Je ne sais pas. Plus personne n'emploie cette expression tant elle rime avec obsolète. C'est comme parler l'esprit d'un

autre siècle. Renouer avec un sentiment festif de l'existence et sur ces entrefaites, dis-je. Sur ces entrefaites (je ne m'en lasse pas !), sur ces entrefaites (quel plaisir nabokovien !), sur ces entrefaites, oui, la porte de mon bureau s'ouvrit brutalement
vlan !
Avec une telle violence s'ouvrit que je sursautai comme un ressort
glong !
Car nous étions encore dans mon bureau à ce moment-là.

Eh oui.

J'ai menti page 360.

Ou plutôt, j'ai anticipé la sortie de M, pour des raisons strictement narratives, afin de te donner l'illusion que l'histoire avançait tellement tu semblais souffrir qu'elle piétine et te voilà bien avancée maintenant.

Autant que je le suis, ai-je envie de dire.

Si cela peut te consoler.

Enfin bref.

Sur ces entrefaites. La porte de mon bureau s'ouvrit avec violence. Pour découvrir dans l'embrasure de la porte un type vêtu d'un épais manteau pied-de-poule et, oui, je ne rêvais pas, il semblait nu sous son manteau pied-de-poule et c'était qui ce zouave ? Il travaillait ici ? Je ne l'avais jamais vu. C'était Halloween ? C'était un attentat terroriste ?

Avant que je puisse faire un geste, l'olibrius s'était avancé et, avisant une chaise dans un coin, il la débarrassa sans ménagement des dossiers qui l'encombraient (lesquels churent en désordre sur la moquette – merci bien) et, toujours sans rien dire, sans s'être aucunement présenté, il souleva d'une main la chaise pour la planter juste devant mon bureau, la planter comme on plante un clou, pile en face de moi, me cachant soudain M qui n'avait pas non plus eu le temps de dire ouf et, pouf, l'olibrius s'assit sur la chaise et se mit à me fixer d'un drôle d'air.

Non mais !

C'était quoi ces façons ?

Il n'allait pas bien dans sa tête. Il ne voyait pas que j'étais en pleine énamoration ?

Il me rappelait cependant quelqu'un – mais impossible de mettre un nom à cet instant.

Il voulait quoi ? Il ne pouvait pas rabattre les pans de son manteau pied-de-poule. C'était vraiment indécent. Ce truc, là, qui pendouillait entre ses cuisses, c'était insupportable.

Ah si. J'y suis. Cela me revient. Il ressemblait à Jules Berry dans Le jour se lève. Mais oui ! Ce manteau pied-de-poule, cet air suffisant, cette façon larvée de s'imposer sans y être invité : c'était Jules Berry dans Le jour se lève ! C'était Valentin le dresseur de chiens et qu'est-ce qu'il fichait là ? Il ne manquait pas d'air. Pourquoi débouler tout à coup dans mon histoire naissante de M et s'interposer entre elle et moi ? Je ne voulais pas de lui dans mon histoire de M, ni maintenant ni plus tard. Je n'avais surtout pas besoin qu'un type comme lui se mêle de nos affaires.

Niveau 2

N'empêche qu'il était là et bien là. Avec sa gueule de faux jeton. Pile devant moi, me cachant M, pas gêné l'enfoiré, avec un aplomb formidable, avec ses couilles à l'air, avant que je puisse esquisser un geste ou protester. (*Mais fais comme chez toi, Jules, avais-je songé. Prends tes aises. Te gêne pas. Que veux-tu ? Parle et tu seras pardonné.*) Mais le Julot ne disait rien. Il se tortillait sur sa chaise, laquelle gémissait sous son poids et un bon moment il resta là, assis, pépère, mielleux, fielleux, les jambes écartées, m'imposant le pitoyable spectacle de ses génitoires pendouillant dans le vide, sans dire un mot, totalement rébarbatif, affreusement pied-de-poule, les bras croisés sur sa poitrine, me cachant M et m'obligeant à me pencher si je voulais renouer le contact avec elle, tendant parfois une main malsaine pour attraper une Morland Special dans le paquet qui était posé sur le coin de mon bureau pour, après l'avoir allumée, se mettre à tirer sur sa cigarette avec des airs maniérés, enfumant copieusement l'atmosphère : un vrai sale type. Un briseur d'ambiance comme il est rare. Le diable en personne.

Le diable sans cornes sur la tête ni pieds fourchus ni trident ni queue, car le diable ressemble plutôt à Jules Berry dans Le jour se lève. Dans ce film, Jules Berry est le mal incarné. Il est le catalogue de tous ses masques. Sa panoplie entière. Tantôt venimeux (« Je n'ai pas d'amour-propre, moi. Alors que toi : tu n'es pas humain. Tu n'as pas de cœur »), tantôt vicelard (« D'accord je suis un menteur. C'est vrai. Je raconte tout le temps des craques. Ça te choque ? Comme tu es conformiste ! »), tantôt impudent (« Mais c'est quoi la vérité ? Ça n'existe pas la vérité. Du vent. Une illusion »), tantôt geignard (« Ah c'est idiot, je me sens tout chose soudain. Je ne me sens pas bien. J'ai des vertiges, dis donc. Je fais un malaise. Mais aide-moi bon dieu ! Tu ne peux pas me refuser ça »), tantôt crapuleux (« Sais-tu que je voulais te tuer tout à l'heure ? Une idée comme ça. J'ai souvent des idées merveilleuses. Mais je ne vais jamais jusqu'au bout. Eh oui, je suis un lâche. Et alors ? Nul n'est parfait »), et puis turpide (« Ah comme je suis dérisoire. Pour un rien j'éclaterais en sanglots, tu le crois ? »), sardonique (« Dégueulasse ? Moi ? Et pourquoi pas après tout ? Ça a ses avantages. T'es pas dégueulasse, toi ? Oh non, t'es honnête, toi. T'es simple. T'es confiant. C'est joli la confiance »), revanchard (« Moi on ne m'aime pas. C'est vrai. Mais je plais, moi. Plaire, tout est là ! »), ne reculant devant aucune perfidie (« Toi et moi, on est pareils. Ça te défrise, hein ? C'est pourtant vrai. Nous sommes tous les mêmes. Tous pourris. Tu crois quoi ? C'est humain après tout ») et c'est à ce moment-là que Gabin, poussé à bout, n'en pouvant plus du cynisme de l'autre et devenant fou de ne pouvoir le réfuter parce que le cynisme est irréfutable, il est pire que la vérité, Gabin, oui, il empoigne un revolver et tire à bout portant sur Jules Berry pour qu'il se taise enfin, qu'il ferme son clapet, qu'il la ferme sa putain de gueule et le voyant chanceler et s'effondrer, constatant, épouvanté, ce qu'il vient de faire, Gabin dit alors d'une voix blanche : « Te voilà bien avancé maintenant. » « Et toi donc », lui rétorque Jules Berry dans une dernière volonté de nuire, un ultime sarcasme, avant de tirer sa révérence. Quelle scène ! Quels acteurs ! Quels dialogues ! Quel dégoût ! Quelle compréhension de l'ignominie la vraie !

Et voici que cette raclure d'homme, ce pitre bifide, cette engeance qui, du mal qui le ronge, fait un mal dévastateur tout ce qu'il touche : voici qu'il se tenait devant moi. Dans mon bureau. En chair et en os. Vlan ! Assis sur une chaise. Pouf ! Massif. Incontournable. Faisant son numéro. Pied-de-poule comme j'ai dit. Les couilles à l'air comme j'ai dit. Ce qui ne semblait nullement troubler M qui, au moment où la porte de mon bureau s'était ouverte avec violence, littéralement ouverte à la volée, à cet instant précis, pile à ce moment-là, oui, me disait qu'elle était riche
très riche
très très riche.
Elle était effectivement l'argent (voir page 301).

Super !
Merveilleux !
Magnifique !

Elle n'était pas seulement
une « jolie fille » avec des guillemets
qu'on pouvait séduire
avec une super-bagnole.

J'avais tout faux.
J'avais l'air malin maintenant.
Quel idiot j'étais !
Je m'inquiétais pour rien.
C'était bien plus grave !
C'était tomber sur un nouvel os que je n'avais pas prévu.
C'était tomber de Charybde en Scylla.
Du monstre qui vomit à celui qui engloutit.

Qui disait qu'il rêvait que chaque nouvelle information démente les précédentes en sa possession pour l'obliger à reconsidérer tout ce qu'il sait ?
J'ai deux mots à lui dire.

Niveau 3

Que les choses soient claires : M était *vraiment* riche. Ou plutôt, rendons à Crésus ce qui lui appartient, sa famille l'était et non pas elle, ce qui, par parenthèse, selon moi, faisait une certaine différence (*Tout n'est peut-être pas perdu, avais-je songé, le cœur morose*), fermer la parenthèse. La famille de sa mère pour être exact, si tu veux tout savoir, oui, la famille de sa mère était *richissime,* genre très vieille aristocratie britannique et M comme *Lady.* Lady M. Genre quatre-vingt-seizième fortune d'Angleterre ou cent trente-troisième fortune, à moins que ce ne fût la trois cent huitième fortune d'Angleterre et peu importe la place et le rang : à partir d'un certain nombre de zéros avant la virgule, les chiffres ne signifient plus rien pour quelqu'un comme moi. D'autant qu'il vaut mieux que je ne sois pas trop précis sur ce chapitre car ces gens-là sont puissants, ces gens-là deviennent chatouilleux dès que l'on parle d'eux et de leur argent – ils ont des *armées* d'avocats. Ils connaissent *énormément* de gens qui, pour leur complaire, se mobiliseraient gentiment pour m'empêcher de m'exprimer. Je dois faire très attention.

Ce que je me rappelle avec une précision qui m'effraie moi-même, c'est l'air mi-figue mi-raisin avec lequel M – parce que je lui demandais à ce moment-là ce qu'elle ferait cet été, pendant ses vacances, des fois qu'elle n'aurait rien de prévu, suivez mon regard –, l'air mi-figue mi-raisin, dis-je, avec lequel M me révéla à quelle classe sociale elle appartenait exactement. (*Ah ça, pour avoir de la classe, elle en a ! avais-je grincé en me donnant mentalement un grand coup de règle en fer sur les doigts*.) Son air mi-figue mi-raisin, c'est ce que je dirais (*Un de plus pour ma collection, avais-je grincé des dents*), même si je n'ai jamais compris le sens exact de cette expression, au demeurant fort obscure.

En tous les cas, M n'avait pas claironné qu'elle était riche mais, au contraire, en étouffant le plus possible dans l'œuf et l'effet et l'impact que ce mot était susceptible de produire sur moi et dont elle savait depuis toujours, depuis toute petite – bien sûr mesurait-elle depuis toute petite l'effet et l'impact que ce simple mot produit sur les gens, comme s'il était le Lucifer latent de tous, d'où son air mi-figue mi-raisin, comme si elle s'excusait par avance et se protégeait par avance et quel drôle de mot que le mot riche. Du francique *riki* (« puissant »), apparu vers l'an 1000 et pas avant (*pas avant ?*). Mot riquiqui, mot ric-rac, mot de cinq lettres, tiens donc, alors qu'il signifie lui aussi tant de choses qui ne se disent pas. Tant de choses informulées. Tant de choses pour tant de gens. Tant de rêves et tant de crimes. Alors qu'il impose immédiatement, sinon le respect, du moins de la considération et oblige malgré soi à se demander à quelle distance on se trouve de lui. Un tout petit mot de rien du tout qui, aussitôt qu'il fit effraction dans notre conversation, à toute volée fit effraction, de façon obscène fit effraction, vêtu d'un manteau pied-de-poule avec ses attributs pendouillant lamentablement entre ses cuisses, brisa le charme qui s'était installé dans mon bureau en me forçant à penser à tout ce que l'argent signifie et implique et broie en ce bas monde et s'il y avait bien une chose à laquelle je n'avais pas du tout envie de penser à ce moment-là, c'était l'argent. S'il y avait une chose dont je n'avais pas envie, c'était de voir l'argent s'inviter dans mon histoire. C'était bien la peine d'avoir envoyé paître une fortune si c'était pour retomber sur une autre encore plus colossale. Après le monde de S, le monde de M ? *Le monde qui accrochait sur les murs de son salon le monde de S ?* Quelle promotion ! Ne pouvait-on pas me laisser en paix ? S'il vous plaît !

Niveau 4

Quand bien même M eut la délicatesse (la prudence ?) de minimiser la *signification* des vacances d'hiver qu'elle passait depuis toute petite dans leur chalet en Suisse et, l'été, c'était en juillet dans leur propriété sur les hauteurs de Nice et le mois d'août dans le domaine familial situé dans les Cornouailles (*où en Cornouailles ? Du côté de Brixham ? Peut-être connaissait-elle Madame Bobby et pouvait-elle me donner de ses nouvelles* – voir page 224. *Ce serait drôle. Ce serait tellement – quoi ?*).

Par la suite, M me révéla que le fameux domaine se situait quelque part entre *La Promenade au phare* de Virginia Woolf et la maison de Daphnée du Maurier et que je me débrouille avec ça. J'étais écrivain, oui ou non ? Elle ne voulut pas en dire plus, comme s'il s'agissait d'un secret de famille qu'elle n'était pas autorisée à divulguer au premier venu, des fois que – quoi ? Je n'insistai pas. Je commençais à percevoir la protection dont s'entourent les gens fortunés. Je comprenais mieux pourquoi M s'entourait de mystères et, plutôt que des réponses, préférait donner des indices. Jouer aux devinettes était un système de défense chez elle. C'était un effet de l'argent. C'était un peu systématique et, à la longue, agaçant.

À propos : que fichait-elle ici ? (*À quoi joue-t-elle ? avais-je songé. Simple stagiaire au service marketing ? Elle se fichait de moi. Et pas seulement de moi.*) Euh, ne pouvait-elle se la couler douce ? Ma question l'agaça. Je la sentis piquée au vif. Vulnérable soudain. Sa voix vibrait. Je croyais quoi ? Qu'elle faisait de la figuration ? Mais elle voulait travailler. Elle aimait travailler. Elle voulait être bonne dans son job. Elle adorait se sentir utile et compétente. C'était d'ailleurs une règle dans la famille. Personne n'était oisif. Pas question. Avant que… Elle ne termina pas sa phrase. Avant que quoi ? Le mariage, les enfants, ce genre de truc, décidé à l'avance, écrit à son intention, sans lui demander son avis ?

Okay. Du calme. J'avais touché un point sensible. Okay. Si les familles transmettent des valeurs d'abord sociales, c'était peut-être encore plus vrai dans le cas de M. Okay. Elle passait donc ses vacances en Cornouailles… Bien bien. C'était une très belle région. Je le savais pour y avoir passé un été dans ma jeunesse. J'avais beaucoup aimé l'endroit… En face de moi, M se détendit quelque peu, soulagée que la conversation n'aille pas plus loin (mais ses joues étaient rouges). Impossible d'y couper, hocha-t-elle la tête. Et de m'expliquer que les enfants (quatre au total) étaient tenus de passer une partie de l'été soit dans la propriété installée sur les hauteurs de Nice, soit dans le domaine familial situé dans les Cornouailles afin que toute la famille se retrouve au complet et, en raison de son stage, elle allait pour la première fois se dérober à la tradition familiale : elle passerait juste quelques jours autour du 15 août dans le domaine des Cornouailles et, si je voulais tout savoir, elle en avait un peu marre de toutes ces traditions familiales. Ça la faisait « carrément chier » (*oh !*) de passer systématiquement toutes ses vacances en famille, que ce soit en Suisse ou sur les hauteurs de Nice ou en Cornouailles, « ras-le-bol » elle en avait. (*Oh oh, avais-je fugacement songé en retrouvant quelque peu le sourire.*)

Cependant, elle avait vingt-huit ans et il était temps qu'elle cherche à s'émanciper.

Cependant, l'espèce de morgue avec laquelle elle avait dit le mot *chier* était un peu trop prononcée, un peu trop manifeste. Elle était une *velléité*. Je voyais clair dans son jeu : elle se donnait des airs d'indépendance *(Son air d'indépendance !),* mais ils témoignaient surtout de son impuissance à l'être. Je n'étais pas né de la dernière pluie. Sans doute la brutalité dans le langage lui donnait-elle l'impression de prendre ses distances avec son milieu, mais pour un bref instant seulement. En parole seulement. Devant moi et devant personne d'autre. C'était plus charmant que crédible. Dans son cas charmant. Parce que c'était elle. Chez n'importe qui d'autre, j'aurais ricané. Je me serais gaussé. Monsieur Gicle aurait bondi de sa boîte. Mais c'était M et je n'allais pas briser ses illusions dès notre première rencontre. Je n'allais pas mettre le doigt dans ses gonds ni la froisser comme un bout de papier. Si parler crûment lui permettait de desserrer l'étau de ses conventions familiales et, à son éducation, de faire un pied de nez, comme une espèce de revanche, un appel d'air, une envie de chercher la bagarre ou de trouver une issue, okay, je n'allais pas m'en mêler. Pas maintenant. *J'y étais peut-être pour quelque chose.* Sans qu'elle le sache encore, j'étais peut-être la force qui lui avait manqué jusqu'ici – mais chut ! Je n'allais pas ramener ma science et, d'un ton péremptoire qui ne plaide jamais en ma faveur, pfuit pfuit, lui dire que non seulement sa vulgarité sonnait faux tellement elle lui était peu naturelle en bouche, mais elle n'était qu'un coup d'épée dans l'eau, elle ne mangeait pas de pain, elle était une révolte de pacotille qui, dans mon bureau, ne portait nullement à conséquence, au contraire. Surtout que le mot chier est l'anagramme du mot riche et c'était ce qui s'appelle rester en terrain connu. (*En même temps, elle a le désir d'être libre ; en même temps, le conflit existe et elle tient à me le faire savoir, avais-je songé, comme on s'accroche à une bouée qu'on sait pourtant crevée.*)

Niveau 5

J'ignore comment d'autres que moi auraient réagi à l'annonce que la fille qui leur était promise depuis l'âge de douze ans était *pleine aux as.*

Ce qu'ils se seraient dit. Auraient pensé. Déduit. Imaginé. À leur niveau individuel des choses. Tout au fond d'eux. Dans leur dernier carré. Là où ils sont les seuls à avoir accès. Comment ils auraient pris la chose : avec des pincettes ou en se frottant les mains ? En se voyant déjà passer leurs vacances d'hiver dans un chalet en Suisse et l'été sur les hauteurs de Nice ou dans les Cornouailles et à eux la belle vie, finis les soucis, vive la dolce vita et le luxe sur un grand pied ? Comment cette information aurait-elle modifié leur attitude ? Leur compréhension de la situation ? La tournure de leurs événements ? Mis le doigt sur leurs complexes, leur sentiment d'infériorité ou d'insécurité, leur appât du gain, leur détestation ou leur vénération de l'argent, leur aversion de n'en avoir pas ou que d'autres en aient et je ne sais quoi encore. Sans parler des salaires des joueurs de football et de tout ce qui tourne autour de l'argent, comme des planètes mortes autour d'un astre mort.

Pour ma part, j'entrevis immédiatement les conséquences *déplorables* de cette révélation. Les implications *désastreuses* dans toutes les directions. Ce qu'elle modifiait à partir de maintenant *entre nous* et, pour commencer, pour donner un aperçu, M n'était pas – mais alors pas du tout ! – telle que je m'étais plu à l'imaginer et que j'avais même obscurément espéré qu'elle fût et cet espoir paraissait bien risible maintenant que je savais qu'elle n'était pas une délicieuse petite Cosette tombée du nid d'affreux Thénardier qui l'auraient martyrisée durant son enfance, non, elle n'était pas une Peau d'Âne foutrement névrosée qui dissimulait un cœur sous sa beauté et ne me demande pas pourquoi, *ne me le demande jamais*, mais j'avoue que je m'étais tout de suite imaginé la sortir de sa mouise, panser ses plaies et la prendre sous mon aile protectrice et cela sous-entendait aussi sur un plan matériel et, soyons juste, soyons honnête, j'imaginais que c'était moi le plus riche de nous deux : n'était-elle pas une simple stagiaire engagée au service marketing alors qu'elle avait 28 ans ? (*Elle doit ramer financièrement, m'étais-je plus ou moins fait la réflexion.*) J'ignorais à ce moment-là que le temps d'écrire cette phrase, sa famille aurait empoché je ne sais combien de dizaines de milliers de livres sterling du seul fait que le système fait fructifier son argent sans qu'elle ait besoin de bouger le petit doigt.

(Tu ferais mieux de te lever et de lui serrer la main et de la congédier en lui souhaitant bonne chance pour son stage, bienvenue dans notre entreprise, c'est une bonne boîte, vous verrez, j'espère que vous vous plairez, n'hésitez pas si vous avez besoin de quoi que ce soit et maintenant : cassez-vous ! Hors de ma vue ! Laissez-moi tranquille, vade retro, par pitié !) C'est ce que j'avais pensé. Et que j'aurais dû dire et faire.

Comme naguère j'aurais dû quitter la salle de cinéma aux premières images de The Getaway. Je n'en serais pas là où j'en suis aujourd'hui. Julien serait probablement encore en vie.

Niveau 6

Surtout que rien de grave n'était arrivé entre nous. Rien de *compromettant*. Je ne l'avais pas violée dans mon bureau ! Il s'agissait seulement d'une prise de contact professionnel, certes intense, disons intense, mais personne ne pourrait jamais dire qu'il s'était passé quoi que ce soit entre elle et moi et encore moins quoi que ce soit de malsain. Jamais. Personne. Ce qui s'était passé n'avait pas excédé le cercle de mes pensées et de mes émotions et, de toute façon, qu'est-ce que cela pouvait bien me faire ? Je savais depuis l'âge de douze ans qu'Ali MacGraw était plus grande que moi, définitivement hors d'atteinte, le cinéma me l'avait enseigné et maintenant que M avait allumé un grand feu en moi, il allait de nouveau falloir que je l'éteigne et heureusement que je ne la connaissais que depuis trois heures : je l'aurais oubliée dès le lendemain. Après une bonne nuit. Une douche. Deux ou trois whiskys. Douze s'il le fallait. Comme j'étais finalement parvenu à oublier Ali MacGraw. L'avait refoulée tout au fond de moi, avec mon mouchoir par-dessus. Et si ce n'était pas le lendemain matin, ce serait le jour d'après. J'avais trente-deux ans devant moi pour l'oublier. Car je connaissais maintenant la fréquence de ses apparitions cométaires dans mon ciel. 1972… 2004… la prochaine fois, ce serait en 2036. Pas d'erreur. J'aurai alors… Non. Mieux valait ne pas penser à l'âge que j'aurai en 2036. Je serai probablement mort à cette date.

Pourtant, je ne pouvais pas lui reprocher cette situation. Les enfants ne sont pas coupables. Ils n'ont pas demandé à naître, ni ici ni ailleurs. Ce n'était pas de sa faute si, en plus d'être jolie avec des guillemets, elle était riche avec des guillemets et je comprenais mieux soudain à quel point elle paraissait tout le temps gênée d'être qui elle était. À quel point elle était renfermée, butée, insaisissable, comme incapable de se livrer. Comme si elle cachait un secret. Mais c'est parce qu'elle était effectivement prisonnière : son physique et son argent avaient dressé entre elle et les autres deux hauts murs derrière lesquels, parfaitement silencieuse, elle était contrainte de se tenir, sans même que l'on soupçonne sa présence. Depuis sa naissance pesaient sur sa tête de splendides déterminismes qui, vus de l'extérieur, faisaient croire qu'elle avait la vie la plus facile et enviable du monde alors que, vus de l'intérieur, ce n'était pas si simple. C'était, à son niveau existentiel des choses, tout le contraire. Elle savait la chance qu'elle avait, on le lui avait assez dit et répété ; cependant, cette chance ne lui semblait pas en être une. Mais qu'elle ne s'avise pas de se plaindre car ce serait l'indécence même. Ce serait pure obscénité. Ne même pas pouvoir protester de son sort est sans doute le pire que puisse éprouver un individu. Ce qui me rappelle Sacha, Lena, Anka et Radan, que je rencontrais à Belgrade en 1993 (et si tu veux savoir ce que je fichais à Belgrade à cette époque, rendez-vous à l'adresse www.ledossierm.fr/06).

En même temps, M serait au travail dès le lendemain. Et le jour d'après. Et encore le surlendemain. J'allais chaque jour la croiser pendant des jours et des semaines et des mois, jusqu'à la fin de son stage. Je saurais à chaque instant qu'elle était là, toute proche, à ma portée – *je ne pourrais pas l'oublier !* Je la verrais aller et venir en permanence, prendre l'ascenseur ou un café à la machine, discuter avec des collègues, jouer à la marelle ou à l'élastique, oui, je devrais vivre en la sachant à quelques mètres de moi, en sentant son aura autour de moi, en respirant le même air qu'elle, en l'observant à la dérobée et en la cherchant avidement du regard tout en affectant de l'ignorer, tout en restant de marbre alors que je sentirais mon cœur s'accélérer follement à sa vue et mon cou se tordre pour mieux l'apercevoir à travers les barreaux d'une grille qui s'appelle l'argent.

Cela promettait.

Mais au moins la reverrais-je.
Demain et tous les autres jours de la semaine.
Je ne voulais pas la perdre.
Je ne savais plus quoi penser.
C'était la MERDE.

Niveau 7

À cet instant, je ne pensais plus rien. Je me sentais maintenant inutile dans mon fauteuil d'orchestre. Contrarié. Contradictoire. Démuni. Véniel. Mesquin. À ne plus savoir ce que je pourrais bien lui offrir désormais. Qu'est-ce qui, venant de moi, pourrait encore lui faire plaisir ? Pourrait l'impressionner favorablement ? Quoi, pour ne pas l'entendre dire d'une voix douce, de cette voix douce qui cherche à masquer la déception, que c'est « l'intention qui compte », afin de ne pas m'embarrasser, après avoir constaté *au premier coup d'œil* la médiocre valeur d'un présent qui m'aurait pourtant coûté la peau des fesses ? Car je comptais bien sûr lui offrir ce que l'argent peut offrir, je n'allais pas me gêner. J'avais même très envie de dépenser sans compter pour elle.

Dire que je n'avais rien soupçonné. Pas une seconde ne m'avait effleuré l'idée que j'avais devant moi une *héritière*, appelons ça une héritière. Les juristes parlent de « nue propriétaire », ce qui est bien plus joli. Mais que n'était-elle tout simplement nue devant moi ! Je sais bien qu'il est fini le temps où les habitants du royaume des fées affichaient un train de vie et un apparat vestimentaire qui en imposaient d'autant, tel le bourgeois au début des temps industriels : à lui seul, son haut-de-forme symbolisait la cheminée d'usine d'où sa classe tirait fortune et profits ; il était l'homme usine et il en était fier. Nul ne devait l'ignorer. Rien de tel aujourd'hui. Désormais, ceux qui se trouvent économiquement au-dessus des autres cultivent l'anonymat. Ils font semblant d'être comme tout le monde, ils ont une peur bleue d'en mettre plein la vue et d'exciter les convoitises. Ils ont compris le message de 1789. Ils ne sont pas fous. Dès qu'ils mettent le nez dehors, ils se fondent fallacieusement dans la foule, prétendant à qui veut l'entendre qu'ils sont comme vous et moi et, par cet horrible mensonge, ils avouent n'avoir plus du tout l'orgueil de leur classe, non, c'est pire, ils donnent le spectacle d'être ce qu'ils ne sont pas *parce qu'ils ont les moyens de se faire passer pour qui ils ne sont pas*, parce qu'ils savent qu'ils ne sont justement pas comme leurs semblables et, au bout du compte, plus personne ne parvient à savoir qui ils sont ni ce qu'ils valent, tant qu'on ne va pas chez eux et qu'on ne regarde pas ce qu'ils ont dans leur assiette, dans quel cadre ils vivent. Lâcher le mot argent dans une assemblée et tout part aussitôt à vau-l'eau. Tout devient laid. Des cornes se mettent très vite à pousser sur les têtes. Les visages deviennent pied-de-poule. Les idées préconçues fusent. Les caractères se révèlent, il n'est que de voir comment cela se passe lors des successions. L'argent est bien plus fort que les liens familiaux. C'est dire sa puissance. L'appartenance à un milieu social n'est pas une simple appartenance : c'est anthropologique. Cela crée des types d'humanités très distincts et spécifiques, selon que l'on se situe en bas ou au sommet de l'échelle sociale. On croit depuis Zola que les pauvres sont les seuls à subir le poids de déterminismes leur traçant un destin toujours plus tragique. Mais les riches ne sont pas moins sinistrement prédestinés. Pour eux, la vie est faite « de diktats et de conventions » dont on peut ressentir personnellement l'oppression au point de vouloir s'en libérer, comme Julia

Roberts brisant d'un geste sublime ses chaînes de perles et de diamants, avant de s'asperger du parfum de luxe pour lequel elle fait la publicité, sans doute grassement payée.

Niveau 8

Il se raconte que lors du tournage du film Pierrot le fou (1965), Jean-Luc Godard délégua à son chef opérateur Raoul Coutard le soin de filmer la scène dans laquelle Jean-Paul Belmondo – pardon, « Ferdinand » – exprime son dédain désespéré de l'argent en faisant brûler une valise pleine de dollars dans le coffre d'une voiture parce que lui-même ne pouvait pas filmer *ça*. C'était trop pour Godard. Quand bien même il s'agissait de faux billets et, du reste, on ne voit pas brûler les billets dans le film : à l'écran, on ne voit brûler que la voiture, qui plus est à une certaine distance. On ne voit que la fumée qui monte vers le ciel en sombres volutes noires et épaisses qui en rappellent analogiquement d'autres et la caméra s'attarde longuement, elle filme pendant près d'une minute cette fumée noire qui enténèbre le bleu du ciel comme un mauvais présage, *comme un souvenir épouvantable*, tandis que Belmondo – pardon, « Ferdinand » – et Anna Karina s'enfuient à travers champs et on dirait un champ de blé, oui, c'est un champ de blé et les deux amants qui pensaient s'être débarrassés de l'argent, voici qu'ils s'enfoncent dans l'argot de l'argent et qu'ils s'y enfoncent jusqu'au cou, jusqu'à devenir bientôt deux points minuscules à l'horizon, sur fond de ciel bleu que dominent de toute leur stature métallique, tels des dieux impavides, d'immenses pylônes haute tension qui leur font comme une monstrueuse haie d'honneur. Ce qui s'appelle se jeter dans la gueule du loup et on voudrait prévenir les amants, on voudrait leur crier comme à Guignol d'aller dans une autre direction, pas par là, non, surtout pas, fuyez dans l'autre direction, dans la direction du champ de Tarkovski, vite !

À la fin, Ferdinand se fait sauter le caisson comme d'autres se pendent avec la ceinture de leur pantalon à la poignée d'une fenêtre.

J'ignore si cette anecdote est vraie ; mais si tel n'est pas le cas, celui qui l'a inventée savait de quoi il retourne lorsqu'il s'agit d'argent, fût-il faux, oui, il savait tout ce qu'il brûle : les doigts pour commencer, et puis les yeux, et puis la cervelle et puis les êtres tout entiers et le monde pour finir. Il savait quelle fumée noire et épaisse se dégage ensuite. Comment, en la matière, la désinvolture ne peut être que de façade tellement l'argent pèse de tout son poids sur les êtres et sur leur existence, rend fou ou haineux, fait crever d'envie ou rend servile, impressionne de toute façon celui qui en a autant que celui qui n'en a pas et maintenant que je savais pour M, maintenant que je découvrais qu'elle n'était pas « M la pauvre petite fleuriste aveugle » mais « M la nue propriétaire de je ne savais combien de millions colossaux », les yeux me sortaient de la tête à la regarder tellement je me sentais soudain pauvre devant elle. Absurdement privé de quelque chose. Comme dépossédé – mais de quoi ?

Dans n'importe quelle autre circonstance, je serais resté à distance, plutôt indifférent, vaguement ironique, peut-être impertinent, ou bien curieux. Je me serais prévalu d'avoir déjà envoyé paître la fortune et, en tous les cas, je ne me serais pas démonté : je me serais balancé d'avant en arrière sur ma chaise, sans rien laisser paraître des sentiments que m'inspire le pouvoir de l'argent, oui, j'aurais fait comme si l'argent n'avait aucune espèce d'importance *dans l'absolu* car, argent ou pas, les gens sont avant tout des êtres humains, n'est-il pas vrai ? Ils aiment, ils souffrent, ils meurent, ils chient et que ce soit dans de la soie ou à la turque sur le palier, le résultat est le même, n'est-il pas vrai ? Oui, mais ôte l'argent à ceux qui en ont et auras-tu les mêmes personnes ? Auront-ils les mêmes sentiments ? La même vision des choses ? Ôte le manque d'argent à ceux qui en manquent etc.

Je ne suis pas né de la dernière pluie.

À partir d'un certain moment, raisonner dans l'absolu est une lâcheté. Ce n'est pas seulement crétin, c'est doublement préjudiciable : d'une part, la question de l'argent disparaît du paysage alors qu'elle continue d'agir dans l'ombre ; d'autre part, que n'invente-t-on pour protéger ce tabou ? Que n'idéalise-t-on pas ! Que ne sentimentalise-t-on ! Que ne surcompense-t-on ? *Que ne regarde-t-on ailleurs !* Oui, que de grands mots à cause d'un seul petit mot que l'on veut taire à tout prix. Chiotte !

Niveau 9

L'argent. Moi et l'argent. Lui et moi. À quelle distance je m'en tiens ? Quelle proximité ? En parler. Bien forcé. Pas le choix. Parce que l'argent, ce n'était pas seulement M. Ce ne sont pas seulement les autres. C'est également soi. Puisque nul ne lui échappe.

L'argent. Pour ce que j'en sais. Pas grand-chose à vrai dire. J'avoue. Lorsqu'il m'est arrivé d'en avoir un peu devant moi (voir page 217), je n'en ai rien fait de particulier. Ni folies ni placements. Rien. Je l'ai dépensé sans trop compter. J'étais soulagé de ne plus avoir le couteau sous la gorge, de régler mes loyers à temps, d'offrir des coups à boire et de ne plus être harcelé par ma banque pour mes « découverts » – oh les mots de l'argent ; pour le reste : aucun désir extraordinaire, nulle joie spéciale, un total manque d'imagination, j'allais dire d'ambition. Une inhibition impeccable. La dilapidation sans même y penser, sans pour autant flamber. Je m'habillais toujours au Monoprix. Cela dura tant qu'il y en eut, moins longtemps que je ne le croyais cependant (l'argent a de petites pattes qui lui permettent de se carapater à toute vitesse). Parce que je suis inculte question pognon, Tout à fait démuni. Je suis méfiant. Je suis *effrayé*. L'argent est pour moi comme l'arsenic : il soulage à petite dose mais il tue à haute dose. Les histoires ne manquent pas qui démontrent la nocivité de l'argent à partir d'un certain seuil. J'enfonce une porte ouverte – mais je suis assez vieux pour ne pas craindre de dire des banalités. De toute façon, qu'y puis-je ? L'argent n'arrive pas à m'intéresser. Je ne possède aucun de ses codes. Je viens d'un milieu ouvrier par ma mère et petit-bourgeois par mon père et mes parents se fichaient d'avoir de l'argent. Volontiers bohèmes, ils préféraient avoir du luxe dans leurs sentiments que dans leurs habits, comme dit l'autre (Balzac). Comme dit encore un autre (D. H. Lawrence, dans une lettre du 15 mai 1912 à Frieda von Richthofen) : « Regarde le poème que je t'ai envoyé – je ne pourrais jamais écrire un tel poème à l'argent. » Ce qui fait qu'en avoir ne me fait pas sauter de joie et en manquer ne me terrorise pas ni ne m'humilie ; que les autres en possèdent ou pas ne les disqualifient pas non plus à mes yeux. Pas a priori. L'argent n'est pas un *critère* pour moi. Je ne fais jamais mes comptes ni ne vérifie aucun ticket de caisse. Je me mépriserais de le faire. *Je m'imagine au-dessus de ça.* Mon temps m'est trop précieux. C'est lui mon or pur. Quoi d'autre ?

Ah si : je n'ai jamais rien fait au nom de l'argent que je désapprouvasse en mon for, alors que je me sens riche de cet imparfait du subjonctif, ce qui fait ricaner dans les chaumières et les palaces. Je ne m'en vante pas cependant : j'ai bien conscience qu'il me manque une case en la matière. Je suis infirme dès qu'il s'agit d'argent. La greffe n'a pas pris. Surtout depuis qu'une petite employée de banque me rétorqua sèchement que « ce n'était pas son problème » si, maintenant qu'elle me retirait chéquier et carte bleue, je ne savais pas comment j'allais faire. Pour payer mon loyer. Pour *manger*. Pour prendre le métro sans frauder, au risque de me prendre une amende que je ne pourrais pas payer et le piège de se refermer sur moi. J'entrerais dans une spirale infernale. C'était donc ça l'argent ? Non, c'était juste le manque d'argent et je ne l'ai jamais oublié. L'argent ne vaut à mes yeux que le prix des *choses*. Pour le reste, il n'a rien éteint en moi. Rien stimulé non plus. Un gueuleton à mille euros m'hallucine à mon niveau digestif des choses. C'est presque le SMIC. Je fais toujours plus ou moins le rapprochement. Même si je suis capable de payer l'addition sans barguigner, en souriant et en n'y pensant plus, je trouve que cela ne les vaut pas. Je songe que c'est un peu trop salé pour un truc que je vais chier deux heures plus tard, aussi bon fût-il en bouche. Ce qui est une façon de penser typique des classes moyennes : toujours entre deux eaux, jamais dans les extrêmes. Mais que je le veuille ou non, hormis un minimum de sécurité, je ne vois pas ce que l'argent peut apporter à l'existence en général et à la mienne en particulier. Je veux dire : cela reste abstrait.

Niveau 10

Alors que je vois bien que tout tourne plus ou moins autour de l'argent. Je ne suis pas aveugle. Mais rien à faire : j'en suis resté à la valeur d'usage de l'argent et non à sa valeur d'échange. Le luxe ? Il me suffit d'avoir le nécessaire. Il me suffit de ne pas penser à l'argent pour me sentir l'esprit léger. Ce qui signifie en avoir selon mes besoins. Je dois avoir en banque de quoi vivre sept ou huit mois sans travailler, guère plus. C'est très bien ainsi. À mon niveau individuel, l'argent se gagne. Il ne fructifie pas. Il ne se planque pas dans un bas de laine planqué sous son matelas. Il ne se met pas de côté (sinon un peu chaque mois, pour ma fille, lorsqu'elle sera grande). Le transfert de Ronaldo au Real Madrid pour 94 millions d'euros, je ne le comprends pas. Les 15 millions d'euros pour une statue de cire d'hitler en prière ou les 12 millions d'euros atteints par un requin exposé dans du formol, fût-il intitulé (oh la pompe des mots pour amorcer les ventes !) « The Physical Impossibility of Death in the Mind of Someone Living » : ils me dépassent. Je ne suis pas choqué : je ne comprends pas. Je pressens, derrière les chiffres, un monde occulte auquel je n'ai pas accès. D'ailleurs, je ne comprends pas pourquoi l'argent excite tant de gens. Je trouve curieux qu'il fasse marcher le monde à sa baguette. Soit source de tant de méfaits et d'espoirs. Un truc m'échappe ici. Qu'on puisse tuer pour du pognon ? Cela m'éberlue. Ce n'est que du pognon. Il ne s'agit que d'une marchandise conçue pour en évaluer d'autres. C'est dire combien je n'y comprends rien. Anosmique comme je suis, l'argent n'a réellement aucune odeur pour moi. Si avoir un toit, se nourrir et se vêtir, bénéficier de l'eau chaude et de l'électricité n'était pas payant, je me baladerais dans la vie les mains dans les poches. Je suis adepte de la sobriété heureuse d'Épicure. Je considère ce que je possède, sans chercher à comparer avec les autres, me préservant ainsi de la jalousie, de la frustration, du mimétisme, du malheur. Hormis m'acheter certains produits culturels (vive le livre de poche !), boire des coups, faire plaisir ici et me faire plaisir là, ne pas me priver, je ne dépense rien. Non par avarice, je ne suis même pas avare, pas que je sache, pas pour les grosses sommes en tout cas – car j'ai remarqué chez moi une visqueuse petite propension à renâcler devant une salière à 3,50 euros. Quoi ? Trois euros cinquante pour une putain de salière ! Mais c'est du *vol* ! Il m'arrive alors de chouraver la salière...

Hormis ce symptôme qui, de façon incongrue, révèle que mon rapport à l'argent n'est pas aussi désinvesti que je me l'imagine (il y a donc des trucs pour lesquels je ne suis pas prêt à payer, comme pour une faute que je n'aurais pas commise), hormis cela qui me déplaît, dis-je – et le fait que chaque fois que j'ai eu de l'argent j'ai été malade. Je m'en rends compte maintenant que j'y réfléchis. C'est très bizarre. Dès que j'ai une petite rentrée d'argent, j'ai un pépin de santé. Ça ne loupe pas. Pas un truc grave, non, mais généralement douloureux et potentiellement embêtant. Et je dois me faire soigner. C'est comme si j'avais soudain le droit d'être malade. Ou que tomber malade était chez moi un *luxe*. Tandis que je suis en bonne santé si je n'ai pas un sou devant moi. À tout le moins, je me débrouille pour rester en bonne santé. Un vrai truc de pauvre. C'est énervant. Vraiment dommage. Car au lieu d'être dépensée utilement ou joyeusement, une partie du pognon passe dans des examens, des soins, des médicaments. Parfois tout le pognon, jusqu'à ce que je revienne à mon ancienne situation. Je préférerais largement m'acheter des tonnes de carambars. Je connais quelqu'un qui, à la moindre rentrée d'argent, s'offre un cadeau et j'aimerais moi aussi conjurer le mauvais sort de l'argent en me faisant plaisir plutôt qu'en devant me faire soigner. Autre hypothèse : latent jusqu'ici, le mal se déclenche dès lors que j'ai les moyens de me soigner. Ce serait la possibilité de la guérison qui rendrait possible la maladie. L'argent jouerait ici le rôle d'élément déclencheur. Ou alors, c'est l'argent qui me rend malade. L'argent me rend-il malade ? Je ne sais pas. Quel qu'il soit, il y a cependant un lien entre ma situation financière et mon état de santé. Voilà qui ne me donne pas envie d'être riche. Je n'aime pas être malade.

Hormis cela (qui n'est finalement pas rien), j'ai très peu de pulsions d'achat. Peut-être parce que j'ai calqué mes désirs sur mes revenus, ce qui ne serait pas une bonne nouvelle. Il me semble que je ne me prive de rien, mais il s'agit peut-être d'une illusion. C'est peut-être mon peu d'argent qui tient les cordons de mes désirs. Jusqu'à reformuler mes rêves à son aune plus qu'au mien. Quoi qu'il en soit, j'ai raté le coche de la consommation. Pour moi, l'argent se conjugue au futur. J'ai intégré jusqu'à la moelle cette phrase infiniment répétée dans mon enfance : « Tu pourras te l'offrir quand tu auras les sous. » Pas avant. Autrement dit, il faut avoir l'argent pour se payer un truc. Ainsi suis-je toujours locataire à cinquante ans et mèche. Parce que je ne conçois pas de m'acheter un bien si je ne possède pas l'intégralité de la somme qui en est demandée. Pour moi, c'est donnant-donnant et rien d'autre. Par ailleurs, je n'attends pas d'héritage. Je ne possède aucun patrimoine. N'ai aucun emprunt sur le dos. Jamais contracté de crédit *de toute mon existence*. Toujours je me suis débrouillé pour vivre selon mes moyens, ni plus ni moins, quels qu'ils fussent. Hors de question de devoir de l'argent à qui que ce soit. Hors de question de dépendre de quiconque. Nul ne peut m'acheter. Je ne suis pas à vendre. Et je m'en fais une *gloire* ! Tel est mon credo. Je ne veux rien devoir à personne. Ni argent ni rien. Je ne veux AUCUNE DETTE. En aucun cas vivre au crochet d'un tiers, que celui-ci soit une personne physique ou morale. Je sais bien que Panurge prétend que faire des dettes est l'assurance de vivre longtemps car vos créanciers feront tout pour vous garder en bonne santé (à condition toutefois de s'endetter suffisamment et quel est le seuil ?) ; mais je ne suis pas un mouton. Je suis au courant que les nations comme les individus ont pris l'habitude de dépenser l'argent qu'ils n'ont pas et où en est-on aujourd'hui ? Je suis archaïque question pognon. J'ai loupé un épisode. Dès l'âge de dix-huit ans j'étais indépendant financièrement et je n'ai jamais varié de cette ligne. Vivre au-dessus de mes moyens ? J'en suis capable intellectuellement et sentimentalement, mais pas financièrement. Vivre à crédit : c'est non. C'est bête, mais c'est ainsi. Je n'attends ni n'espère financièrement d'aide de personne et c'est pour moi le commencement du mot liberté. C'est aussi parce que je ne crois pas que quelqu'un puisse m'aider, ni mes parents ni ma famille ne l'ayant jamais fait – il est plutôt arrivé que ce soit l'inverse. C'est surtout un handicap : ceux qui possèdent le plus ne sont-ils pas ceux qui façonnent le monde à leur aune ? Des études ne montrent-elles pas que les couples se forment en fonction du patrimoine que les tourtereaux apportent dans la corbeille ? La culture n'est-elle pas depuis toujours celle des classes dites supérieures, qui imposent leur vision argentée des choses comme si elle était à la fois naturelle et universelle ? Même s'il y a parfois un vilain petit canard, cela ne sort pas de la famille. C'est pas vrai ?

Niveau 11

Je n'ai pas fini. Tu voulais savoir, tant pis pour toi. À toi de me dire si je devrais me faire soigner. Parce que l'argent : il n'arrive pas à m'intéresser. Il m'ennuie. Peut-être parce que l'argent était surtout une source d'ennuis pour mes parents. À la maison, nous en avions trop peu pour épargner et juste assez pour le dépenser, trop peu pour ne pas devoir travailler et juste assez pour partir à la mer un mois d'été ; trop peu pour croire que l'argent puisse régler tous les problèmes et enchanter l'existence et juste assez pour aller au restaurant les jours fastes ; trop peu pour ne pas connaître certaines fins de mois difficiles et juste assez pour en rire jusqu'au premier du mois suivant ; trop peu pour l'aimer et juste assez pour le mépriser. À la maison, l'argent, c'était une corde raide, c'était un embarras, c'était du luxe de temps en temps et ce n'était pas du luxe d'autres fois. C'était toujours au jour le jour. Ça allait et ça venait et pas la peine d'en faire une jaunisse, j'allais dire une saucisse. Ce n'était que de l'argent. C'était une contrainte venue du monde extérieur. Compter ses sous ? Il faut en manquer terriblement ou en avoir énormément et ce n'était pas notre cas. La comptabilité ne faisait pas partie des mœurs familiales. Nous n'étions pas des épiciers. Ma mère tenait les cordons de la bourse et je détestais cette expression pour sa connotation sexuelle. Alors qu'il devait poster le chèque pour les impôts, mon père « oublia » l'enveloppe au fond d'une poche, lui aussi semblait souffrir d'une « phobie administrative », même si l'expression n'existait pas à l'époque (cette phobie existe donc...) et, trois ans plus tard, ma mère s'arracha les cheveux lorsque l'administration fiscale leur tomba dessus, sans pitié aucune ; il leur fallut dix années pour, chichement, mensualité après mensualité, remonter la pente. Je ne l'ai pas oublié.

Pour autant, ma mère ne se jeta pas par la fenêtre pour si peu. Elle ne s'est jamais jetée par la fenêtre pour une histoire d'argent. Elle libellait les chèques pour les impôts : « Mon cher Trésor... » Elle aimait raconter l'histoire de Surcouf fait prisonnier par les Anglais. Une fois ligoté au mât, l'amiral anglais vient narguer le fier corsaire : « Ah ah, raille-t-il, avec ce fair-play que les Britanniques ont inventé pour les autres peuples. Vous autres Français, vous vous battez pour de l'argent alors que nous autres Anglais, nous nous battons pour l'honneur. À quoi Surcouf, tout ligoté au mat qu'il est, répond : On se bat toujours pour ce qu'on n'a pas. » Et toc ! On a beau être ligoté, cela ne signifie pas qu'on est vaincu.

Ainsi était ma mère. Pleine de gloire. Se sublimant elle-même lorsqu'elle se prenait pour Surcouf. Il lui arrivait alors de grimper sur une chaise et, rouge d'exaltation, follement lyrique, d'agiter au-dessus de sa tête un torchon comme si c'était le drapeau noir et, pour son plaisir et le nôtre, elle rugissait littéralement qu'on « se bat toujours pour ce qu'on n'a pas ! » et je croyais voir claquer au vent, quoique menaçant dangereusement l'ampoule du plafonnier, tous les rêves corsaires allée, avec l'ivresse pirate. Quand, mélangeant tout sans rien mélanger cependant, elle n'était pas Gavroche s'époumonant devant la mitraille « Et s'il n'en reste qu'un je serai celui-là ! », ma mère était Surcouf dans la cuisine, juchée sur une chaise comme si c'était sur ses grands chevaux. Ses yeux lançaient des éclairs. Ses narines dilatées défiaient l'oppresseur quel qu'il soit. Grandiose elle était dans ces moments. Hugolienne-née. Louise Michel en diable. Son exaltation de petite fille courant les séances de la Comédie-Française la submergeait comme aux premiers jours. Elle était merveilleuse lorsqu'elle ne se jetait pas par la fenêtre. Elle envoyait chaque année de l'argent à la Croix-Rouge, ce qui avait le don de m'énerver : – À cause de gens comme toi, l'État se défausse de ses responsabilités, grinçais-je. Tes dons, ils financent ni plus ni moins la pauvreté. – Je ne comprends rien à ce que tu racontes, répondait ma mère. J'aide les pauvres, où est le mal ? C'est à eux que je pense. Lorsqu'on lui proposa un jour de prendre deux chatons d'une portée (elle adorait les chats et il y eut toujours *des* chats à la maison), elle choisit le plus joli *et* le plus moche. Elle prit aussi celui dont personne ne voulait et elle le chérit plus que l'autre. Si notre famille avait été riche à millions, je ne doute pas que c'est l'argent qu'elle aurait jeté par les fenêtres. Elle ne se serait pas gênée. J'aurais largement préféré.

Qu'est-ce que je disais ? Ah oui ! Si mes parents m'ont appris bien des choses, des bonnes et des mauvaises, ils ne m'ont pas appris l'argent. Ils m'ont fait cigale plus que fourmi. Ce dont je les remercie – et leur en veux parfois. C'est tout de même une lacune préjudiciable dans le monde tel qu'il ne jure que par l'argent, surtout depuis Dallas. Sans parler de La Fontaine. Alors que l'argent est très intelligent puisqu'il parvient à faire croire qu'il vaut plus que lui-même. Alors que l'immense majorité des gens *croit* en lui. Parce que l'argent est un dieu *visible* dont les manifestations sont immédiatement perceptibles, contrairement aux divinités invisibles ayant longtemps enrhumé les peuples. Il se pourrait alors que la passion de l'argent soit une revanche contre l'occulte. Soit un acquis des Lumières. Un culte plus éclairé que ceux l'ayant précédé.

Pour ma part, l'argent est beaucoup trop spirituel pour moi. Je crois qu'il existe une croyance en l'argent et ma croyance s'arrête là. Je sais que l'épopée de l'argent est récente (environ cinq siècles) et qu'elle s'achèvera un jour car ce que la culture fabrique ne saurait durer éternellement. En attendant, je ne me suis jamais demandé, voyant des gamins jouer en riant sur un ponton de fortune, où l'on pouvait acheter des billets pour être heureux. L'argent et moi, cela fait finalement deux. Nous ne sommes pas mariés ensemble. Pas faits l'un pour l'autre. Il ne me comprend pas plus que je le comprends, dans les deux sens du verbe comprendre. Je ne possède pas sa *culture*. À quoi il oblige et contraint : très peu pour moi. Comment il prend possession des êtres et les rend durs, insensibles, avides, obnubilés, inquiets, près de leurs sous plus que de n'importe qui d'autre : très peu pour moi. Sa façon de brouiller les cartes en transformant le laid en beau, le vieux en jeune, la loyauté en trahison, la petitesse en grandeur, tout en son contraire depuis au moins Timon d'Athènes : très peu pour moi. Comment il élève ou rabaisse à lui seul les individus et troque leur personnalité contre la sienne, tandis que du lien à autrui il fait son exclusif et son fiduciaire : très peu pour moi.

Son incroyable *manque d'imagination* : très peu pour moi.

Car l'argent substitue à nos désirs un monde qui s'accorde uniquement aux siens, épargnant ainsi l'effort de trouver un but qui soit le nôtre et des envies qui nous soient propres et que l'argent ne soit pas, mais alors vraiment pas, ma motivation dans la vie, voilà qui témoigne d'une certaine imagination. Que l'argent résolve tout dans son sens : j'y suis tout à fait opposé. Quand bien même les différences de races, de sexes, de religions ou d'opinions à l'origine de tant de conflits barbares s'effacent lorsqu'on arrive à la caisse (rien de plus libéral qu'un commerçant, pourvu que le client ait des pépettes), la servitude économique dans laquelle il tient son monde : je n'en veux pas. Sachant que la servitude dans laquelle tient le manque d'argent : c'est non. J'espère ne plus jamais être forcé de vivre dans la rue, si cela s'appelle vivre – non, cela ne s'appelle pas vivre ! Cela s'appelle le froid. Cela s'appelle ne jamais pouvoir dormir sur ses deux oreilles, jamais être tranquille, tout le temps sur le qui-vive, tout le temps vulnérable. Du reste, je mentirais en disant que, parvenu au mitan de ma vie comme dit l'autre, je ne commence pas à m'inquiéter de mon avenir. Je vois se profiler une retraite minable. Je me vois vieux et pauvre, démuni et malade sans pouvoir me soigner correctement, viré de mon appartement faute de pouvoir payer le loyer et où irais-je alors ? Que vais-je devenir ? Quelle merde ! Tout ça pour dire que je n'étais pas né de la dernière pluie, oh non, je savais à peu près où je me situais par rapport à l'argent. À quelle distance respectueuse sans être moi-même respectueux je me tenais. Mais il s'agissait de M. Il s'agissait de celle que j'attendais depuis quarante-quatre ans. Il s'agissait de celle *qui ne se représenterait pas avant 32 ans* et, dans mon bureau, devant M comme millions colossaux, voici que je me sentais – comment dire ? Quel est le mot déjà ?

Niveau 12

Ici, je supprime un passage, que tu liras ou non, à l'adresse habituelle www.ledossierm.fr/07, dans lequel j'évoque mon copain Hank Chinaski ne parvenant pas à bander pour une fille de la haute : *il ne bande pas pour le pognon !* Dans *La Contrevie*, de Philip Roth, c'est une faucon israélienne qui cause la débandade de Zuckerman et ils sont forts ces écrivains américains pour dire ce qui censure le désir ou l'excite. Au-delà de la pulsion sexuelle qui ne fait pas toujours le détail, savoir pour *quoi* on bande et pour quoi on *ne* bande *pas* est une étape cruciale dans la vie d'un homme. C'est un moment éthique incomparable. Etc.

Ce que je veux dire, c'est qu'en découvrant de quel monde M faisait partie, je ne savais plus très bien où j'en étais avec elle, ni qui j'étais moi-même. *J'avais perdu le fil de mes sentiments.* Comme si un mur pied-de-poule s'était dressé entre elle et moi. Qu'un fossé s'était creusé entre nous, qui allait maintenant en s'élargissant à chaque pelletée de mots que M prononçait et ce fossé creusait notre tombe (*ce fossé creuse ta tombe, avais-je songé totalement déprimé*). Car il ne s'agissait pas d'un fossé que l'on peut simplement enjamber ou combler. Ce n'était pas de cette sorte de fossé qu'il s'agissait, mais d'un fossé plus insondable et revêche, d'un fossé invisible, impalpable, *un fossé à la fois dans nos têtes et au-dessus de nos têtes et en dehors de nos têtes* et si les chiffres ne mentaient pas, ce fossé s'approfondissait et s'élargissait toujours plus de minute en minute. À l'image de l'expansion de l'Univers qui pousse les galaxies à s'écarter, il était le vecteur d'une expansion sociale éloignant inexorablement les êtres d'en haut de ceux d'en bas. Les éloignant bien davantage que si mille océans les séparaient physiquement et, dans mon bureau, alors que le carré de lumière sur le mur de l'immeuble d'en face n'était plus qu'un lointain souvenir, un pâle chromo délavé, ce fossé disait que M et moi ne faisions pas partie du même monde. Nous étions plus étrangers l'un à l'autre que si elle était une Indienne d'Amazonie et moi un Esquimau. Cela allait bien plus loin qu'une simple question d'argent. Ce n'était pas une affaire de nombre de zéros avant la virgule, cela se saurait s'il ne s'agissait que de cela, non, il s'agissait d'une question de *culture*. D'une question de *vision du monde* et d'une question de *point de vue*. Comme si M voyait les êtres et les choses depuis le sommet d'une montagne tandis que je les voyais depuis la plaine et parce que nos deux points de vue sur les choses et les êtres n'étaient pas les mêmes, ces êtres et ces choses n'étaient plus les mêmes êtres ni les mêmes choses à nos yeux et ils n'étaient plus les mêmes êtres ni les mêmes choses tout court, même si je n'en savais rien.

N'en savais, à dire vrai, rien du tout.

Comme disait l'autre (Francis Scott Fitzgerald), « Il faudrait commencer par faire un sort à tous les mensonges que les pauvres colportent sur les riches et *que les riches colportent sur eux-mêmes* (c'est moi qui souligne). Car ceux-ci ont élevé une muraille si extravagante que lorsque nous ouvrons un livre sur les riches, nous nous préparons instinctivement à pénétrer dans un monde irréel. Même les observateurs intelligents et passionnés de la comédie humaine ont fait du pays des riches un territoire aussi peu réel que le royaume des fées » – par exemple, le monde de Dallas.

Et Fitzgerald poursuit courageusement, au début de sa nouvelle « Le Garçon riche » : « Laissez-moi vous parler des riches. Ils sont différents de vous et moi. Ils possèdent et jouissent tôt dans la vie, ce qui n'est pas sans effet sur eux ; cela les rend tendres là où nous nous endurcissons, cyniques là où nous sommes confiants, d'une manière difficile à comprendre lorsqu'on n'est pas né riche. Ils pensent, au plus profond d'eux-mêmes, qu'ils valent mieux que nous (oh oui, avais-je souligné), parce que nous avons dû découvrir par nous-mêmes les compensations et les lieux de refuge qu'offre l'existence (bof, avais-je souligné). Surtout, ils pensent que le monde leur appartient parce que le monde leur appartient effectivement, alors que nous pensons tout l'inverse parce que notre situation est effectivement tout l'inverse. Nous naissons avec un sentiment d'infériorité qui nous oblige à justifier sans cesse notre existence et à sans cesse nous battre pour exister car rien ne nous est donné, alors que les riches souffrent d'un complexe de supériorité qui fait qu'ils se croient spontanément tout permis et même lorsqu'ils s'aventurent très avant dans notre monde ou qu'ils tombent plus bas que nous, ils continuent à croire qu'ils sont meilleurs que nous. Ils sont *très* différents. Je ne vois pas d'autre moyen de décrire le jeune Anson Hunter que de le regarder comme un étranger et de m'en tenir strictement à mon point de vue. *Si j'accepte le sien un seul instant, je suis perdu* (c'est moi qui souligne). »

Concernant M, jusqu'où était-elle différente sans que cela se voie ? À quel point pensait-elle valoir plus que moi ? Jusqu'où devais-je la regarder comme une *étrangère* et me perdre moi-même si j'acceptais un seul instant son point de vue ?

Devais-je m'attendre à ce qu'elle tienne des propos semblables à ceux tenus un jour par la jeune héritière de la soixante-neuvième fortune de France, à savoir, je cite : « Je viens de l'école de la vie. » Vlan. La soixante-neuvième fortune de France. *L'école de la vie.* Sans rire. Ce qui est vrai dans un sens, mais pas commun. Il faudrait ici s'entendre sur le mot vie. Et sur le mot école. Faudrait voir à ne pas raconter d'histoire ni à s'en raconter. On pourrait croire à un abus, à un vol, à une gêne, à un malaise profond.

À savoir, je cite : « Même si la vie a plus d'importance, c'est dans la fiction que je m'épanouis. (…) Je ne suis jamais habitée par un personnage : je suis habitée par moi-même. (…) Je m'intéresse à la vérité qui se distingue de la réalité. (…) Je suis excessive dans ma façon de ressentir le monde. (…) Je suis inapte à la vie domestique. Le temps me pèse. Je n'arrive pas à organiser mes journées. Je me réveille et je me sens bonne à rien. »

Ce n'est pas tous les jours que l'on possède des informations de première main sur ce que pensent ceux qui résident au royaume des fées et sur les difficultés qu'ils rencontrent au jour le jour. Les contradictions qui les torturent. La bêtise qui leur est propre.

Devais-je m'attendre avec M à pareil sentiment d'être bonne à rien chaque matin au réveil et, en même temps, à ce qu'elle ne soit habitée que par elle-même ? À ce qu'elle ne s'épanouisse que dans la fiction, même si la vie avait plus d'importance ? À ce qu'elle choisisse la vérité, pourvu que celle-ci se distingue de la réalité ? À ce qu'elle ressente trop vivement le monde – mais lequel ?

Waouh.

Je n'étais plus très sûr de savoir à quoi m'attendre avec elle.

Si elle était bien celle que j'attendais depuis 32 ans.

On ne s'était pas trompé d'adresse en me livrant ce cadeau ?

Qui ça « on » ?

Qui était cette fille ? Qu'avait-elle dans le crâne ?

Comment entrer en contact ?

Je craignais maintenant le pire.

Je ne tombais pas des nues.

Je songeais à My Fair Lady, avec Rex Harrison qui prendrait en main le destin, non d'une pauvre fille des rues, mais d'une princesse du royaume des fées, parce qu'il aurait fait le pari qu'il n'était « pas de pauvre petite larve informe » qui ne puisse être sauvée de ses déterminismes et restituée à elle-même.

Je songeais que, *depuis toujours*, les romans mettent en scène des personnages qui, s'ils sont riches, représentent des types humains, alors que s'ils sont pauvres, on a aussitôt affaire à des cas sociaux et voici encore deux poids et deux mesures qui donnent envie d'éclater de rire. Ou de balancer des pans entiers de sa bibliothèque par la fenêtre, c'est au choix.

Je songeais que les gens applaudissent à qui possède *fortune gloire et beauté* et que moi je regarde *qui* a fortune gloire et beauté.

Je songeais à *Martin Eden*. Grand livre de ma jeunesse. Grand livre tout court. Martin Eden. Amoureux de Ruth Morse et M comme Morse. M comme un langage codé. M comme une fille de la haute et Martin comme le prolo de service qui, pour conquérir Ruth et se montrer digne d'elle, digne de ses mœurs pleines de grâce et digne de son monde fleuron des autres, décide de se cultiver et de s'élever au-dessus de sa grossièreté native, de s'élever au-dessus de sa condition pourrie et d'en finir avec son inculture crasse, d'en finir avec ses pensées empreintes de mesquinerie atavique et avec ses manières brutales et bornées, consacrant ses jours et ses nuits à l'étude afin de rattraper son retard, cravachant tant qu'il le peut pour se mettre au diapason d'un monde se prévalant à chaque instant de la beauté, de la culture intellectuelle et de l'amour – en vain. Aux yeux de Ruth et de sa famille, bouseux il est et bouseux il reste. Socialement, il ne fait pas le poids. *Il n'apporte rien.* C'est indélébile. Ce n'est pas de sa faute, mais il y a quelque chose qu'il ne peut pas comprendre, auquel il n'aura jamais accès, sa belle vitalité n'est finalement qu'une force de travail sur le marché de l'amour et, à la fin, Ruth fait comprendre à Martin qu'il peut retourner d'où il vient, désolée, elle lui préfère « la morale de son milieu, même si elle l'aime ». À la fin, Martin réalise que ces gens qu'ils croyaient si cultivés et tellement supérieurs, ils sont *tout le contraire* et lisant *Martin Eden* lorsque j'avais une quinzaine d'années, j'avais retenu la leçon. Ce livre m'avait ouvert les yeux, il m'avait appris énormément de choses, il m'avait *vacciné.*

Qui dit vaccin dit maladie.

Mais laquelle ?

Je n'en avais pas la moindre idée et, devant M, je me sentais maintenant largué.

Là, tout de suite, je ne savais que faire ni que dire.

La femme qui se tenait juste de l'autre côté de mon bureau, qui se trouvait à portée de main, dont je pouvais sentir le souffle, voici qu'une paroi invisible me séparait tout à coup d'elle. Une espèce de vitre incassable dont on oublie facilement la présence car on ne la voit pas, avant de se cogner dedans tête baissée et c'est encore mieux si on court à ce moment-là – BLAM ! Mais que dis-je une vitre ? Un gouffre, un mur, une distance vertigineuse, un non-dit incroyable, la fatalité même des rapports sociaux. Deux prisonniers au parloir du monde : voilà ce que nous étions soudain. Chiotte ! M n'était plus seulement M : elle représentait aussi un type d'humanité dont je ne savais rien. Ce qui s'appelle rien et ce qui s'appelle fichtre rien. Sinon qu'il se trouvait aux antipodes du mien. J'étais brusquement confronté à une ignorance dont je découvrais l'étendue et la profondeur et M comme l'inconnu social, en plus de tout le reste. Jamais je ne m'étais trouvé dans pareille situation. Car je ne savais pas ce que cela faisait d'être riche « pour de vrai ». Riche au jour le jour, depuis sa naissance et même bien avant. Je ne le savais pas du tout. Je ne m'étais même jamais posé la question avant M. Et pour me la poser soudain, pour être contraint de me la poser, je découvrais que j'étais incapable d'y répondre. C'était au-delà de mon entendement. Je ne pouvais pas imaginer ce que cela faisait que d'avoir passé depuis sa naissance ses vacances d'hiver dans un chalet en Suisse et, l'été, dans une propriété sur les hauteurs de Nice ou dans un domaine situé dans les Cornouailles. Quel effet aurait produit sur ma personnalité ce genre d'existence ? Quels bienfaits ? Quels méfaits ? Sachant que cette vie me serait apparue la vie normale par excellence, la vie la plus ordinaire qui soit, puisqu'elle aurait constitué l'ordinaire de mon quotidien. Bon dieu, que pouvais-je partager avec quelqu'un qui n'avait jamais connu de fins de mois difficiles et qui ne savait même pas ce que cela signifiait, ne pouvait à aucun moment se représenter la chose, *pas même en imagination*. Et qui pouvait dire si ce manque d'imagination était une bonne chose ou pas ?

Tout ce que je savais, c'était l'ampleur de mon ignorance. Laquelle, pour en avoir soudain la connaissance, constituait finalement une espèce de savoir.

Au moins, je savais ce que je ne savais pas.

Par exemple

Niveau 13

Par exemple, je ne sais pas si, contrairement à ce que j'ai souvent entendu dire, les riches ne haïssent pas les pauvres bien davantage que ceux-ci les haïssent parce qu'ils ont beaucoup plus de raisons de les haïr et, petit a) le dégoût physique et cérébral, immédiat, viscéral ; petit b) le fait que les pauvres sont un mauvais souvenir (les riches ne l'ont pas toujours été : ils le sont devenus un jour – au prix de quelle violence ? Chut !) et, petit c) ils sont un mauvais pressentiment (celui de devenir ou redevenir pauvres). C'est-à-dire que les pauvres sont un spectre et, pour couronner le tout, petit d) ils sont une angoisse : celle de les voir prendre un jour les armes et pourquoi ne le font-ils pas ? Alors qu'ils sont tellement nombreux et qu'ils ont autant de raisons qu'ils sont nombreux ! Veulent-ils jouer avec nos nerfs ? Veulent-ils, à la menace, ajouter la cruauté d'une insupportable attente ? Quand frapperont-ils ? Qu'ils le disent à la fin ! Mais quels salauds ces pauvres ! Quels pervers d'agiter une odieuse épée de Damoclès ! La police est-elle assez armée ? L'armée se tient-elle prête ? À leur place, cela ferait longtemps qu'on aurait fait la révolution pour échapper à des conditions de vie aussi minables qu'injustes et quelles lopettes finalement les pauvres ! Comme ils sont faibles et lâches. Ils ne méritent décidément que le mépris, ils sont vraiment de pauvres merdes ;

je ne sais pas non plus comment on aime quand on est riche, ni qui ; de quoi on rit, ni de *qui* ; je ne sais pas la limite à partir de laquelle on sait qu'on est riche car il existe une limite qui sépare le monde des riches et le monde des pauvres et les uns et les autres le savent, chacun sait très bien à quel monde il appartient, personne n'a aucun doute sur qui baise qui ; je ne sais pas ce que cela fait de sentir que les gens vous apprécient pour votre argent et vous envient, vous admirent et vous jalousent pour votre argent, vous convoitent, vous soudoient, vous lèchent les bottes et le cul et s'avilissent si bien devant vous qu'ils vous haïssent autant qu'ils se haïssent eux-mêmes et jusqu'à quel point cette haine ? Jusqu'à enlever vos enfants ? Jusqu'à promener votre tête au bout d'une pique ? Non, je ne sais pas ce que cela fait de vivre en permanence dans la détestation, le soupçon et l'angoisse qu'on vous confonde avec votre argent, même s'il n'est pas dit que vous-même sachiez très bien en quoi vous vous distinguez de votre argent : à quel moment ? ;

ne sais pas la vision que l'on a de l'humanité lorsqu'on la considère depuis un tas d'or et si elle est déprimante, méprisante ou – quoi ? ; ne sais pas si les riches sont plus intelligents que la moyenne, ce pourquoi il est normal et légitime qu'ils soient riches, mais je sais, d'après de récents travaux en neurologie, que la pauvreté affecte le développement cérébral, au point qu'un individu pas plus con qu'un autre à la naissance le devient à la longue pour des raisons strictement économiques ; ne sais pas à quel point « parler de grisbi, ça bloque les méninges », comme dit Dany Carrel dans Le Pacha (1968).

Attends. Je ne sais rien des problèmes des riches car j'ai toujours eu des problèmes de pauvres. Attends. Je ne sais pas de quoi on se prive quand on a les moyens de ne se priver de rien et de quoi on est privé aussi ; je ne sais pas non plus s'ils se fichent de nous ceux qui, parvenant à s'élever jusqu'au sommet, s'aperçoivent soudain que la pauvreté était une richesse qu'ils ont perdue et que ne redeviennent-ils pauvres alors ; ne sais pas non plus de qui se fiche celui qui affirma que s'il était si riche, c'était « génétique » (et non parce qu'il était né dans un milieu si aisé que pour l'aider à démarrer dans la vie, son père lui avait donné un million de dollars) ; ne sais pas pourquoi j'éprouve tout à coup une certaine gêne à parler des riches, comme si cela me désignait moi plutôt qu'eux, alors que je n'éprouve aucune honte à parler des pauvres, à croire qu'ils sont du domaine public et qu'avec eux, tout le monde peut en prendre à son aise ; ne sais pas jusqu'où on se persuade soi-même que ceux qui n'ont pas d'argent se comporteraient de façon bien plus ignominieuse s'ils se retrouvaient à notre place et plutôt nous qu'eux, finalement ; ne sais pas si les riches croient en l'enfer et au paradis autres que fiscaux.

Je ne sais pas ce que l'argent achète et ce qu'il n'achète pas ; je ne sais pas quel bonheur fait l'argent car je ne connais que l'argent que l'on gagne pour subvenir à ses besoins et je ne vois aucun bonheur dans cet argent-là ; je ne sais pas si ceux qui ont de l'argent regardent ceux qui n'en ont pas comme ceux qui en ont un peu regardent ceux qui n'en ont pas du tout : avec pitié et compassion tant qu'ils restent à bonne distance, mais avec peur et dégoût dès qu'ils s'approchent d'un peu trop près ; je ne sais pas si le sang des riches est bleu, mais je sais que celui des pauvres peut couler sans problème dans les veines des riches depuis que des sociétés spécialisées achètent à vil prix le plasma des uns pour le revendre au prix fort aux autres, preuve qu'il n'existe pas d'incompatibilité hématique entre les classes sociales et que cette vérité est même source d'un lucratif business.

Je ne sais pas, comme le dit Steve McQueen dans L'Affaire Thomas Crown (1968), si ceux qui possèdent tout ne cherchent qu'une seule chose : « éprouver des émotions parce que tous leurs besoins sont satisfaits » ; ne sais pas si c'est vrai que celui qui a de l'argent, il n'aura pas l'amour, car il ne peut pas tout avoir, il ne faut pas pousser, faut être un peu raisonnable mon ami, dixit Arletty au banquier qui possède son cul alors que son cœur appartient aux Enfants du paradis.

Je ne sais pas davantage ce que cela me ferait d'être toujours le méchant de l'histoire, l'infâme, le cupide, l'hypocrite, le parfait salaud, l'odieux personnage, celui par qui tous les maux du monde arrivent dans les films ou les livres et si, à force d'être stigmatisé, je pourrais le supporter longtemps – ou si, par réaction, je n'aurais pas envie de coller à cette mauvaise réputation, exprès ; ne sais pas si les enfants se demandent d'où vient la fortune de leur famille, sur le dos de qui elle se constitua, par quelle violence originelle, à l'instar des plus grands musées qui doivent leurs prestigieuses collections aux spoliations et aux pillages perpétrés lors de conquêtes militaires, et ces enfants croient-ils aux contes qu'on leur raconte – par exemple, que Rockefeller devint milliardaire en ramassant un trombone après l'autre dans la rue, ainsi qu'on me le raconta lorsque j'étais enfant et *je le crus longtemps*. En même temps, les plus grandes fortunes du monde – celles-là mêmes qui se targuent qu'on ne peut pas la leur faire à l'envers car ce sont elles qui entubent les autres – gobèrent (avec des étoiles dans les yeux, comme si elles voyaient la Vierge) « la fable du fonds d'investissement » de Bernard Madoff qui leur promettait des intérêts aussi fabuleux que *magiques*, parce qu'elles n'imaginaient pas que quelqu'un de leur milieu, quelqu'un de leur caste, pût les trahir et les ruiner et les escroquer comme de vulgaires gogos et quelle poilade ! Je ne sais pas si l'appât du gain rend con et aveugle, mais Bernard Madoff n'en a pas douté une seule seconde et venant d'un milliardaire, voilà une information qui vaut son pesant de cacahouètes (en l'occurrence, soixante-cinq milliards de dollars).

Je ne sais pas, lorsqu'on est fils ou fille de la fortune, ce que cela fait d'habiter des endroits si vastes que tous les membres d'une même famille se trouvent éloignés les uns des autres d'une distance qui est celle de l'argent ; je ne sais pas si les gens riches meurent à la fin ou s'ils pensent que leur argent devrait, là aussi, les placer au-dessus du lot commun ; ne sais pas si ceux qui sont pleins aux as « souffrent d'une maladie du cœur que seul l'or peut guérir », ainsi que l'écrivit le roi Montézuma à Cortés The Killer, à qui il demandait pourquoi celui-ci avait tant besoin d'or et si cela justifiait qu'il anéantisse son peuple.

Je m'arrête là. Stop ! Mon ignorance en ce qui concerne l'argent est bien trop vaste. Elle est trop *crasse*. Je m'en rends bien compte, une phrase après l'autre. Ce pourquoi je vais tout reprendre à zéro, faire le point, allez au bout de mon inculture et tout poster à l'adresse habituelle (www.ledossierm.fr/08), hop, ni vu ni connu, c'est préférable. C'est salutaire. Pour la suite de mon récit, je veux dire. Si c'en est, ce dont je doute de plus en plus.

Niveau 14

Surtout après avoir relu la Lettre LXXXVII de Sénèque à Lucilius, bel exemple de la façon dont un homme riche (Sénèque) essaye de s'en tirer à son niveau individuel des choses et, deux points ouvrez les guillemets : « Est-ce la richesse qui souille l'homme riche, ou lui qui rend la richesse immonde ? »

Vaste question.

À propos : te rappelles-tu la question 10 du questionnaire de la page 371. (« Que faites-vous de votre argent ? ») Qu'avait répondu M ? Tu as oublié ? C'était bien la peine… Elle avait répondu : « Joker. » Tout s'éclaire n'est-ce pas ! Comme moi, tu as cru qu'elle se défaussait et que c'était un peu piteux ; mais ce n'était qu'une partie de la vérité. Car ce disant, elle abattait aussi une carte qui, dans n'importe quel jeu, *vaut toutes les autres*. Elle disait qu'elle avait un joker dans sa manche. Elle disait la vérité. Quelle petite maligne !

Cela me rappelle un souvenir. J'avais onze ans. Mon super-pote de l'époque, Philou, avec qui je jouais au rugby, se trouvait être le fils d'un ponte d'une grosse firme internationale. Cela ne se voyait pas. Nul ne pouvait soupçonner que Philou habitait un 600 m² avenue Marceau, à deux pas de la place de l'Étoile. Et le sachant, cela ne changeait rien. À cette époque, les gosses se fichaient bien de leurs origines sociales, tant que celles-ci ne les rattrapaient pas – ce qui n'est plus le cas depuis les années 80 et la discrimination par les marques dès le berceau.

Mais voici le souvenir. Un soir que Philou m'avait invité à dormir chez lui et que tous les deux faisions la tambouille dans la cuisine (laquelle faisait trois fois la taille de la chambre que mon frère et moi partagions), son paternel débarqua à l'improviste, tout content de pouvoir dire bonjour à son fiston (qu'il ne voyait pas souvent tellement il travaillait dur et tard). Philou me présenta. Le père resta un moment avec nous, à grignoter un morceau. Il avait une bonne tête. Il était super-bronzé. Il ôta sa veste qu'il mit sur le dossier de sa chaise, desserra le nœud de sa cravate, retroussa ses manches et s'attabla avec nous. Il fit semblant de s'intéresser à moi. Sûrement était-il content de rencontrer un copain de son fils et saisissait-il l'occasion de se faire une opinion sur ses fréquentations. En plus de montrer à son rejeton qu'il s'intéressait à sa vie. Mais peut-être aurait-il préféré que je ne sois pas là, afin que tous les deux profitent pour une fois d'un moment d'intimité. Ou bien il était justement content de ne pas se retrouver seul avec son fils. Qui sait ?

En tout cas, l'ambiance était détendue. Vraiment sympa. C'est cool d'avoir un père comme ça, pensais-je. Je veux dire : un père qui discute avec son fils, comme ça, pour le plaisir de discuter, de façon adulte, sans personne à l'horizon susceptible de se jeter par la fenêtre. Sans être particulièrement impressionné, je me tenais bien poli. J'avais conscience d'être en présence d'un *parent*. Je tenais à faire bonne impression. À montrer que j'étais bien élevé. De la conversation qui, autour d'un plat de pâtes, s'engagea entre nous, je n'ai gardé aucun souvenir. Ce qui fait que je ne peux dire aujourd'hui par quels tours et détours le père de Philou en vint à déclarer, deux points ouvrez les guillemets : « L'argent rend libre. » Et moi de lui répondre du tac au tac : « Oui, mais vous n'êtes pas libre de votre argent. » Texto. Du haut de mes onze ans. C'est exactement ce que je répondis. Sans penser à mal. Sans réfléchir. De façon spontanée. (J'étais vif à l'époque, j'étais *bon* à l'oral.) Parce que cela me semblait logique. On n'est pas libre de ce qui nous rend libres. C'était évident dans mon esprit. C'était purement mathématique. Cela n'allait pas plus loin. *Ce n'était pas social.* Pas de quoi en faire un fromage et jamais je ne me serais rappelé cette scène si le père de Philou ne m'avait alors regardé d'une drôle de manière. Une manière très étrange.

À la fois intense et curieuse. Tout en gardant le silence, un vague sourire aux lèvres. Comment dire ? Il me regardait comme s'il pensait soudain à quelque chose. Comme s'il découvrait ma présence dans la pièce. Comme si je n'étais pas seulement le copain de son fils mais quelqu'un que lui, le père de mon meilleur ami, lui, le ponte d'une grosse firme internationale, trouvait tout à coup digne *d'intérêt*. Je ne sais pas. Ce que j'avais dit ne l'avait pas froissé, pas du tout. Il ne me regardait pas non plus d'un air mi-amusé mi-condescendant, comme si j'étais un mioche qui ne comprenait rien à rien et à qui les parents, probablement communistes, avaient déjà bourré le mou, non, il me regardait avec *attention*, il me regardait avec le plus *grand sérieux*, non pas avec suspicion, mais avec une gravité qui était à la fois perplexe et bienveillante et je ne sais pas. Ce regard qu'il posa sur moi : il me fit *exister*. Voilà. Sous ce regard, j'eus l'impression de ne pas être seulement un gosse de onze ans mais d'exister pour de vrai, pour moi-même, d'être soudain digne d'être écouté et, sur l'instant, ce fut un sentiment fantastique. Je me sentis grandi. À la fois flatté et bouleversé. Au point de baisser les yeux, rouge d'un plaisir tout nouveau pour moi. Je le sais aujourd'hui, ce regard fut très important à mon niveau individuel des choses, au point qu'il se grava dans ma mémoire – la preuve. Je compris (sans me le formuler aussi clairement) que je venais de dire quelque chose qui me dépassait, qui était peut-être important, ce pourquoi je n'ai jamais oublié ce regard, ni ce qui l'avait motivé.

C'est l'une des très rares fois où j'ai eu un contact *personnel* avec quelqu'un habitant « le royaume des fées ».

J'avais onze ans.

Cela se passait dans une cuisine, autour d'un plat de nouilles. À la bonne franquette.

À propos de nourriture, il faut que je donne à manger au chat. Lui ne va pas rester stoïque très longtemps à crier famine. Il ne s'appelle pas Sénèque (mais Paco).

Et tant que j'y suis : comment se termine Goodbye Columbus ? Selon toi. Le fils d'ouvrier Neil Klugman finit-il par épouser la riche étudiante Brenda Patimkin (voir page 276) ? Le film se termine-t-il bien ? Mal ? L'amour triomphe-t-il à la fin ? À ton avis ?

Pour Ruth Morse, j'ai vendu la mèche. Martin Eden peut aller se rhabiller. Le pire étant lorsqu'il la retrouve à la toute fin. Alors qu'il est devenu un écrivain non seulement célèbre mais très riche, Ruth vient le voir « parce que son cœur l'y pousse, parce que... parce que j'avais besoin de venir ». « Parce que votre mère me considère maintenant comme un parti tout à fait convenable », lui rétorque Martin. Ruth fait signe que oui. – Et pourtant, je ne suis pas un parti plus convenable que le jour où elle vous a obligée à rompre nos fiançailles, dit-il, pensif. Je n'ai pas changé. Je suis le même Martin Eden. Ne le sentez-vous pas ? Comment se fait-il que votre amour actuel soit si fort, quand votre amour autrefois a été assez faible pour me renier ? – Oh ! Martin, comme vous êtes cruel ! – Aujourd'hui, poursuit Martin, votre amour est assez grand, et je ne peux m'empêcher d'en conclure qu'il a grandi en raison de la faveur du public qui a consacré mon talent. Tout ça, je le crains, n'est pas très flatteur pour moi. Mais ce qui est pire, c'est que cela me fait douter de l'Amour...

Douter de l'Amour.
Cela le pire.

Gatsby le magnifique fait la même expérience : il se débrouille pour devenir riche afin de se hisser au niveau social de son amour de jeunesse et, finalement, cela se passe mal.

Je ne suis pas né de la dernière pluie.

Allez, une page de publicité, histoire d'aller faire pipi.

On se retrouve tout de suite après.

Niveau 15

J'ai déjà parlé de cette publicité (voir page 174).

À l'époque de M, elle passait tout le temps à la télévision.

Elle fut massivement diffusée entre 2004 et 2006.

Il faut dire que le spot était réussi ; il remporta d'ailleurs le prix de la meilleure réalisation publicitaire.

Conçu par l'agence V, il dure exactement 40 secondes et s'intitule « La Vie ».

La Vie.

En quarante secondes chrono, pas une de plus.

La Vie, selon la Banque Populaire.

À comparer avec La Vie que peignit Picasso, montrant Casagemas regardant sombrement sur la droite une femme qui tient un bébé dans ses bras et ce bébé ouvrira plus tard un compte à la Banque Populaire.

Dans la fiche technique du spot, on trouve le nom du réalisateur (T. R.), la date du lancement de la campagne (18 avril 2004), le budget (3,3 millions d'euros), la stratégie média (« une première vague de 120 spots sur TF1, France 2, France 3, France 5 et Canal +, avec une pression importante en prime time »), sans oublier le concept du spot, résumé sous forme d'un synopsis figurant à la rubrique « Visuel ». Il s'agit, est-il écrit, de montrer « l'enchaînement des grandes étapes jalonnant la vie d'un homme : de sa petite enfance à sa vie de père de famille en passant par l'école, le mariage… »

Je suis sûr que tu connais ce spot.

Il a été vu par des millions de gens.

Tu peux le visionner à l'adresse www.ledossierm.fr/09.

Le premier plan s'ouvre sur le regard à la fois écarquillé et émerveillé d'un bébé, dans la prunelle duquel la caméra zoome pour explorer l'existence qui l'attend, tandis qu'on entend les premières notes de Free de Stevie Wonder, réorchestrée à plein tube pour l'occasion. Puis c'est parti. Une succession de saynètes s'enchaînent à toute allure, légendées par la voix chaude et virile d'un type qui, pour chaque grande étape décrivant depuis le berceau le fabuleux destin qui attend tout futur client de la Banque Populaire, énonce, deux points ouvrez les guillemets : « Maman… papa… les gens… moi… l'école… les filles… l'école… les amis… les filles… le travail… La Fille… l'amour… la vie… » Suit le slogan de la Banque Populaire, tandis que Stevie Wonder exulte qu'il est *free*.

Ce spot a été massivement diffusé pendant plus de deux années, puis de façon épisodique. Peut-être fredonnes-tu d'ailleurs en ce moment même *I'm free*. Peut-être revois-tu les images. Il faut dire que la réalisation est d'une efficacité redoutable, comme on dit : choix des saynètes (« les filles » qui s'ébattent dans les bois en ôtant joyeusement leurs sous-vêtements), casting imparable (« La Fille », parfaitement blonde et ravissante), détails suggestifs et excitants pour mieux susciter l'attente (sa petite culotte que commence à baisser « La Fille », mais *pas* jusqu'au bout), tube hyperconnu de la soul music, allant crescendo pour finir en apothéose (en trottant déjà dans les têtes, la musique comme un cheval de Troie capitalisant d'heureux souvenirs pour mieux en implanter un nouveau), nervosité du montage qui fait se succéder 40 plans en 40 secondes (la vie sans temps mort) : tout est soigneusement orchestré, impeccablement mis en scène pour un maximum « d'émotion » et le spectateur s'y laisse prendre. Il ne quitte pas l'écran des yeux. Il a envie de revoir le moment où « les filles » s'égaient joyeusement dans les bois en balançant leurs sous-vêtements dans tous les sens comme une pure incarnation seventies de la liberté ; de revoir le moment où « La Fille » commence à baisser sa petite culotte sans aller jusqu'au bout ; de revoir toute la séquence pour voir ce qu'il n'a pas bien vu, oui, tout va si vite qu'il a envie de revoir et de revoir encore pour parvenir à voir enfin.

Moi de même. Chaque fois que passait ce spot, j'avais plaisir à le regarder jusqu'au bout. Je restais scotché devant la télé et, pendant 40 secondes, je demeurais rêveur. C'était plus fort que moi. Publicité ou pas, j'étais captivé. Pendant 40 secondes, il me semblait – quoi ? Tu dirais quoi ? Qu'est-ce qui me plaisait tant ? D'où mon « émotion » ?

Le mot mélancolie ici.

C'est ce que je dirais. Je crois que c'est le mot. Sous ses dehors formatés, ce spot offre la vision d'une vie simple et heureuse, enfin réussie de bout en bout. Il substitue à l'existence telle qu'elle est pitoyablement vécue la nostalgie de ce qu'elle pourrait être si le monde était harmonieux, si les gens étaient beaux, si tout marchait comme sur des roulettes, si l'idéal capitaliste avait été réalisé. Pendant 40 secondes chrono, c'est comme renouer avec un très vieux rêve, une illusion existentielle défunte, où les couples ne s'engueulent plus ni ne se séparent ou se jettent par la fenêtre. Où l'amour, c'est simple, c'est évident, c'est heureux, c'est écrit, c'est pour la vie entière. Où « La Fille » ne vieillit pas ni son homme ne la trompe. – ou elle. Où le bonheur règne sans que la mort, la maladie, les frustrations et les saloperies ne viennent l'assombrir. Où la société est tellement bien faite que la vie est un chemin de roses conduisant sans épines jusqu'à la fleur de l'âge, mais pas une seconde de plus. Car passé quarante ans, ce n'est plus la vie. Ce n'est plus la *cible*. Le rêve commercial se dissipe comme éclate une bulle de savon. Okay. C'est le jeu. C'est une publicité.

Mais à dix secondes de la fin. Il y a ce petit truc. Dont je m'aperçus soudain en regardant pour la énième fois cette publicité qui marchait sur moi aussi, comme on dit d'une armée qu'elle marche sur l'ennemi. Elle ne me laissait pas insensible. Sa vision épurée, accélérée, tissée d'eau de rose agissait d'autant plus sur mon subconscient que je venais moi aussi de rencontrer « La Fille » et rêvais maintenant d'avenir avec elle, d'un endroit avec elle, d'un bonheur tout chaud avec elle, d'un album de famille qui serait le nôtre, d'un compte en banque que nous pourrions avoir en commun à la Banque Populaire. Mais c'était avant de voir ce truc. Comme une image pornographique glissée dans un conte de fées. Quelque chose de subliminal, de fugace, de trop rapide pour que je puisse l'identifier sur l'instant mais qui me fit sursauter, tiquer, un truc bizarre, anormal, trois fois rien et c'était quoi ? Je n'étais pas sûr d'avoir bien vu. Je guettai la prochaine diffusion du spot et je n'eus pas longtemps à attendre.

C'est au moment où « la vie » franchit son ultime palier : après avoir vécu une enfance idyllique, une adolescence délurée et une entrée réussie dans la vie active, le héros a rencontré « La Fille » et, une seconde plus tard, ils sont mariés, une seconde plus tard, madame est enceinte, une seconde plus tard, elle et lui veulent fonder un foyer et s'installer là où il ferait bon vivre et, à travers des branchages, voici qu'une belle propriété apparaît à l'écran tandis qu'au premier plan un panneau indique « À vendre » et l'œil fait évidemment le rapprochement (cette magnifique propriété est à vendre). Mais l'oreille aussi ! Car en même temps que le panneau « À vendre » surgit à l'écran, on entend la voix grave, envoûtante, qui légende les saynètes dire : « La Vie ». Le spectateur lit « à vendre » et il entend « la vie ». Et son cerveau fait le lien. Le spectateur ne s'en rend pas compte, mais il reçoit cinq sur cinq le message qu'on vient de lui faire passer en douce. À partir des informations visuelles et auditives qui viennent de lui parvenir de façon séparée, il reconstitue de lui-même la séquence, sans avoir les mots pour la dire ni même se la formuler, non, c'est en deçà du langage qu'il intègre que ce n'est pas seulement la maison qui est à vendre : c'est la vie qui est à vendre. Youpi. *La vie est à vendre.* Hourra. La sienne de vie aussi. Il n'y a pas de raison. Voici qu'elle pourrait trouver preneur. Elle vient de trouver un acheteur. Elle vaut maintenant quelque chose ! Bingo ! On ne le lui aurait pas dit, le téléspectateur ne l'aurait jamais su. Il n'y a vu que du feu. Son cerveau a fait le boulot tout seul. On vient d'implanter dans son esprit un slogan qui ne figure nulle part dans le synopsis. *Un slogan qui l'offusquerait si on le lui soumettait !* Il ne le sait pas, mais l'agence V a réussi à infiltrer son niveau individuel des choses pour le retourner contre lui. Elle a passé outre son jugement critique, se jouant de ses défenses, ni vu ni connu ! Elle lui a mis une petite idée bien venimeuse en tête sans qu'il en ait conscience ; et cette petite idée va faire son chemin dans ses synapses, jusqu'à orienter la vision qu'il a du monde. Car c'est lui qui porte le message désormais, comme un hôte indésirable, une espèce de virus, un malware, d'autant plus sournois qu'il demeure insoupçonné. Après une campagne militaire de deux ans pendant lesquels ce spot fut massivement diffusé, nul doute que le spectateur n'y résiste pas. La vie est à vendre, finit-il par se dire, comme si c'était lui qui pensait ça. Ma vie est une marchandise et pourront se la payer ceux qui en ont les moyens ou qui auront fait un emprunt à la Banque Populaire. Tel est le message dans le message. La bête dans la jungle.

Des millions de gens ont vu cette publicité. Et l'ont vu à d'innombrables reprises.

Celui qui a eu l'idée géniale de manipuler le son et l'image : il est content de lui ? Il est fier ? Il se croit super-malin ? Il est satisfait de l'évolution de la société ? Il a des gosses et leur vie ne durera pas plus que 40 secondes ? C'est quoi : son niveau individuel des choses ? C'est quoi : son temps de cerveau humain disponible ?

Niveau 17

Cela me fait songer que j'ai assisté un jour à une performance à l'Ircam. L'*Institut de recherche et coordination acoustique/musique*. C'était en 1997. Dans le petit amphithéâtre situé en sous-sol à Beaubourg. C'était bien avant de rencontrer M. Je fréquentais à l'époque celle que j'appellerai ici Lili et, par parenthèse (cela fait longtemps que je n'en ai pas ouvert une), peut-être une vie sentimentale bien remplie est-elle une vie où l'on parvient à mettre un nom et un visage sur chacune des lettres de l'alphabet et même si je suis loin d'avoir rempli mon abécédaire amoureux, j'avais rendez-vous ce soir-là avec la lettre qui précède d'un seul rang la lettre M pour une petite sortie culturelle et, en l'occurrence, Lili m'avait invité à assister à cette performance à l'Ircam et pourquoi pas ? Je n'étais jamais allé à l'Ircam. Et nous pourrions aller souper ensuite dans un petit restaurant que je connaissais dans le quartier, avant d'aller chez elle puisqu'elle habitait à deux pas.

Mais j'étais arrivé en retard et Lili avait déjà gagné sa place. Je savais que mon billet m'attendait à l'accueil ; inutile qu'elle manque le début de la performance par ma faute, au risque de m'en faire grief. Lili avait le don de prendre les choses comme elles venaient – et si les choses ne venaient pas, elle ne s'en formalisait pas. J'aimais cette souplesse chez elle. Cela évitait les reproches et les acrimonies qui vous gâchent ensuite la soirée, fermer la parenthèse, j'allais oublier de la fermer.

Juste le temps de repérer Lili au cinquième ou au sixième rang sur la droite et de déranger les gens pour atteindre mon siège – pardon, excusez-moi, oups, désolé madame, c'était vos seins ? – que le noir se faisait dans la salle et, à peine installé dans mon fauteuil, une fois mon manteau ôté avec force contorsions et retrouvant peu à peu un rythme de respiration normal, j'avais cherché la main de Lili pour l'embrasser du bout des lèvres en guise de bonjour et le plus naturellement du monde, parce que je ne savais pas quoi faire de sa main ni comment la lui rendre maintenant que je la tenais, j'avais posé sa main sur mon sexe pour qu'elle sente combien j'étais content de la voir et, en tous les cas, combien j'allais le devenir dès qu'elle activerait un tant soit peu ses doigts, ce qu'elle fit avec une bonne humeur, une discrétion et une efficacité qui me mirent aussitôt dans les meilleures dispositions pour assister à cette performance de l'Ircam à propos de laquelle je nourrissais autant de curiosité que de crainte – surtout si la chose devait s'éterniser, à l'instar de nombre de spectacles vivants qui poussent aujourd'hui le sadisme à durer des quatre ou six d'heures d'affilée et c'est trop pour moi. Je ne tiens plus en place sur mon siège. Mon dos et mon fessier souffrent trop. Au moins lit-on un livre confortablement installé dans un fauteuil ou couché dans son lit et s'il tire en longueur (hum hum), on peut toujours le poser, corner la page et le reprendre plus tard. Ou pas. Aucune raison de s'infliger des souffrances supplémentaires.

En attendant, c'était cool. Lili avait nonchalamment disposé son foulard sur mes genoux pour carrément m'empoigner dans le noir tout en regardant fixement la scène afin de donner le change et j'aimais bien Lili. J'ai toujours aimé les femmes qui, *sans y mêler l'amour,* ne négocient pas le plaisir qu'on peut partager à deux car elles ne sont pas si nombreuses celles qui prennent et qui donnent parce qu'elles savent que c'est réciproque et aucun homme ne regrette d'avoir connu dans sa vie une femme comme Lili et tant pis si, ce soir-là, elle était en pantalon, ce qui m'empêchait de lui rendre les frissons qu'elle me procurait. Tant pis si les femmes comme Lili s'en vont un jour avec un homme qu'elles aiment et se marient avec lui et font des enfants, avant de se tourner peut-être vers la spiritualité et le yoga, tirant ainsi un trait définitif sur leur passé déluré et, en l'occurrence, sur les hommes sans avenir bien défini dans mon genre.

Côté cour et côté jardin de la scène se tenaient dans l'ombre des musiciens – quatre côté cour et cinq côté jardin, à moins que ce ne fût l'inverse, peu importe. Certains jouaient du hautbois, d'autres de la flûte traversière, du violoncelle aussi, des percussions, je ne sais plus, je ne faisais pas très attention, la main de Lili m'accaparait davantage et même après que les musiciens eurent entamé une pièce qui me parut bien lugubre (mais sûrement cette musique ne visait-elle en aucune façon à la narration et tout jugement hérité d'anciens temps devait-il s'avérer ici inapproprié), cela ne découragea nullement les ondes qui se diffusaient dans ma moelle épinière de répandre leurs douces et chaleureuses harmoniques dans tout mon organisme. J'étais dans les meilleures conditions possibles pour accéder à une esthétique nouvelle, aussi rébarbative m'apparut-elle à la première écoute. Faire deux choses en même temps crée toujours chez moi une tension délicieuse parce que l'une et l'autre s'alimentent, jusqu'à culminer en un point qu'aucune n'est en mesure d'atteindre seule. Comme de se faire sucer en conduisant vite sur l'autoroute.

Faisant face au public, trois types étaient positionnés à l'avant-scène et je les observais comme au travers d'un pare-brise. Séparés des musiciens, ils se tenaient debout, immobiles, installés derrière de grands pupitres qui ne laissaient voir que leur tête et le haut de leur buste, l'un en bras de chemise et les deux autres vêtus d'un simple pull-over – de super-costumes de scène ! On voyait qu'on était à l'Ircam, on voyait qu'on n'était pas là pour les paillettes, c'était du

sérieux, ça ne rigolait visiblement pas et cela faisait plaisir à voir (surtout à cet instant où tout m'apparaissait du point de vue du plaisir et de l'existence considérée comme une félicité épinière).

Niveau 18

Pour le moment, les trois types ne faisaient rien. Disparaissant dans la pénombre qui enveloppait le plateau comme dans une cape soyeuse, ils se tenaient derrière leur pupitre, immobiles, attendant on ne savait quoi – que cessent la musique et ses âpres accents percussifs ? Nul doute qu'ils étaient les *performers*. Parfois, l'un d'eux feuilletait sur son

457

pupitre ce qui semblait être des papiers (une partition ?) qu'éclairait une petite diode ajustable grâce à un support flexible et longiligne à l'embout duquel, perceptible depuis le public, un mince pinceau de lumière diffusait comme une comète scintillant dans le lointain. En même temps, un moniteur devait être dissimulé dans les pupitres car une luminosité bleutée caractéristique éclairait les visages par en dessous. Les trois types commandaient-ils numériquement les musiciens ? Étaient-ils des chefs d'orchestre d'un nouveau genre ? S'agissait-il d'ailleurs, côté cour et côté jardin, de véritables musiciens qui jouaient dans l'ombre ou de robots électroniques ayant l'apparence de musiciens ? Je me posais la question. Je me posais toutes sortes de questions. Tout était possible. Bon dieu, *j'étais à l'Ircam !* Dans le monde inconnu et merveilleux de l'*Institut de recherche et coordination acoustique/musique.* Là où la musique se vit comme une expérience du son. Tandis que mon sexe faisait des petits sauts de carpe.

– Ce sont les poètes, me souffla à l'oreille Lili qui, au passage, en profita pour accentuer perfidement la pression de sa main. Les trois types devant : ce sont *les* poètes. – Ah bon ? Les poètes ! Okay. Chouette. Je hochai la tête dans le noir, le cerveau papillonnant d'endorphines. Je n'avais aucune idée de ce dont parlait Lili. Elle m'avait convié à cette performance sans me dire de quoi il retournait et je lui avais fait confiance les yeux fermés. À l'accueil, la fille m'avait bien donné un programme lorsque je m'étais présenté tout essoufflé pour récupérer mon billet ; mais je n'avais pas eu le temps de le consulter et, tentant d'y jeter maintenant un œil (façon, aussi, de lutter contre un débordement que je sentais venir), je renonçai tellement on n'y voyait goutte, d'autant que c'était écrit en caractères minuscules et, qui plus est, sur *plusieurs pages* ! Tant de bavardage pour expliquer une œuvre contemporaine : était-ce vraiment nécessaire ? Qui a envie de lire ça *avant* ? Pour une notice de machine à laver quinze programmes avec départ différé et variable anticalcaire, je ne dis pas. Mais de la musique ?

Niveau 19

Lorsque les musiciens s'interrompirent d'un coup, tous ensemble cessèrent de jouer, comme on claque une porte, vlan. S'ensuivit un long silence qui, de façon solennelle, devait encore être de la musique. Le truc allait démarrer. J'écarquillai les yeux. Le type qui se trouvait le plus à gauche – je veux dire : le poète de gauche – se mit à bouger. Il se redressa et, prenant son inspiration, il commença à déclamer un texte au micro, au moment même où, dans son dos et installé en hauteur, un grand écran s'éclairait soudain, pour afficher un texte dont je ne fus pas long à comprendre qu'il s'agissait du texte que déclamait au micro le poète qui venait de prendre la parole – ou plutôt qu'il lisait, comme je le réalisai bien vite. En résumé, le poète lisait à voix haute un texte que le public pouvait suivre des yeux sur un écran, comme des sous-titres, sauf qu'ils étaient en hauteur et dans la même langue et quel intérêt ? Pourquoi ce redoublement de l'ouïe par la vue ? J'avais du mal à saisir la subtilité. Mais ce n'était pas très grave. Je bandais fort agréablement au milieu de gens qui ne se doutaient de rien tandis qu'un poète sur une scène lisait un texte (une poésie ?) que je pouvais lire sur un écran au cas où j'aurais eu des problèmes d'audition et où était le problème ? S'il y avait des sourds ou des malentendants dans l'assistance, ils avaient bien fait de venir. Les aveugles non plus ne devaient pas regretter d'être venus. Personne n'était oublié, tout le monde en avait pour son argent et je trouvais plutôt sympathique de se soucier de ceux dont notre société fait si peu cas parce qu'ils souffrent d'un handicap, même si, à mon niveau d'individu ne souffrant d'aucun problème particulier de vue ou d'audition, cela me faisait une belle jambe.

Mais pas de problème. Il n'y avait aucun problème. Ce devait être une œuvre de charité poétique d'avant-garde. Cela me rappelait le bandeau qui, à la télévision, avait annoncé la mort de Pompidou. Je m'y connaissais en trucs qui défilaient en bas ou même en haut de l'écran. J'avais vu beaucoup mieux dans le genre effraction de la réalité. De la part de l'Ircam, je m'attendais cependant à plus *retors*. Je regrettais que Lili ne portât ni jupe ni robe qui m'aurait permis d'immiscer une main lutine. J'avais à ce moment-là très envie de la caresser, etc. Il n'y avait pas de raison pour que je sois le seul à profiter du spectacle. Approchant le plus discrètement que je le pouvais le programme de mon visage, je parvins à déchiffrer ce que je cherchais : la performance durait une heure et dix minutes. Il ne devait plus rester que cinquante-cinq minutes avant la fin. Peut-être cinquante-quatre. Tout allait bien.

Au bout d'un moment, disons cinq minutes, moins peut-être, le poète du milieu prit le relais du poète de gauche pour lire à son tour un texte qui, là encore, s'afficha simultanément dans son dos. Le même texte, rigoureusement le même, au mot près, à la virgule près. Puis le poète de droite entra dans la ronde et, cinq minutes plus tard, selon une durée qui devait être précisément calculée tant elle semblait métronomique, le poète de gauche reprit la parole et ainsi de suite, l'un après l'autre, chacun son tour, toutes les cinq minutes environ, tandis que s'affichait à chaque fois dans leur dos le texte qu'ils lisaient à haute voix, rigoureusement le même texte, au mot près, à la virgule près. Texte que je suivais à l'écran en même temps que je l'entendais comme si mes yeux avaient des oreilles et vice versa et là résidait peut-être *l'audace* de cette performance : doter les oreilles du public du sens de la vue et doter leurs yeux du sens de l'ouïe et pourquoi pas ? Toute expérience sensorielle est bonne à prendre et quand bien même cette volonté de stimuler toujours plus le spectateur suggère un monde épuisé et frigide, j'optai finalement pour lire les textes qui s'affichaient à l'écran, puisque tel semblait le défi proposé au spectateur. Parce que je ne savais pas où poser mon regard alors que mes oreilles n'avaient pas ce problème. Sans compter que les trois poètes offraient un spectacle dénué du moindre intérêt : ils lisaient leur texte avec une laborieuse application, sans effet de manche ni conviction particulière, aucun talent de conteur, chacun masqué en partie par son pupitre et qu'ils soient là ou pas semblait n'avoir finalement aucune espèce d'importance. Que le public soit là non plus d'ailleurs et, dès lors, autant lire ce qui défilait sur l'écran, autant focaliser là où il se passait un petit quelque chose. Là où, au moins, il y avait un minimum d'animation.

Niveau 20

Lorsque tout à coup – comment dire ? Comme si une image pornographique s'était glissée dans les 24 images/seconde d'un dessin animé de Walt Disney, quelque chose comme ça, de subliminal, de fugace, de trop rapide pour que je puisse l'identifier sur l'instant mais qui me fit malgré moi sursauter, un truc bizarre, anormal et c'était quoi ? C'était où ?

Tout semblait à présent redevenu normal et je doutais qu'il se soit produit quoi que ce soit. Ce devait être moi. J'avais dû me tromper. C'était peut-être la main de Lili. Peut-être ma moelle épinière. Un effet des endorphines. Mais non ! Voici que *la chose* se produisit de nouveau, là, juste sous mes yeux, juste à mes oreilles, je n'avais pas rêvé, pas du tout : le poète du milieu avait dit un mot tandis qu'un autre s'affichait à l'écran. Il avait dit « Il s'appelait Julien. Je *veux* dire son nom » alors qu'il était affiché à l'écran « Il s'appelait Julien. Je *peux* dire son nom ». Rien de grave a priori. Mais j'avais vu et j'avais entendu. Je n'avais pas rêvé. Comme une minuscule tache sur la peau de Catherine Deneuve.

Un infime dérapage dans l'ordre des choses. Une comète pour faire vœu. Une ombre traversant un mur. Cette sensation-là. Qu'il venait de se passer quelque chose que je ne m'expliquais pas mais qu'il était préférable de garder pour moi. Qu'aurais-je d'ailleurs pu dire ? Cela ne portait pas vraiment à conséquence.

Sauf que cela continua. Car l'instant d'après, l'écran affichait « C'est le moins que je puisse faire » tandis que le poète du milieu articulait avec aplomb, comme si de rien n'était, comme s'il s'agissait rigoureusement du même texte, au mot près, à la virgule près : « C'est le moins qui bat le fer » et je débloquais ou il était en train de se passer quelque chose, là, tout de suite, à cet instant précis, quelque chose – quoi au juste ?

Je ne pouvais le dire tellement j'étais captivé, soudain mobilisé, en état d'alerte maximale. Quand bien même les poètes demeuraient imperturbables et que personne dans l'assistance semblait n'avoir rien remarqué. Car nul n'avait bronché. Aucun frisson dans la salle. Autour de moi, les visages exprimaient la même impassibilité mi-concentrée mi-assoupie. Même la main de Lili n'avait pas tressailli : je l'aurais senti. Et lorsque, vingt ou trente secondes plus tard, alors que plus rien ne s'était manifesté sur la scène au point que je commençais à croire que tout était rentré dans l'ordre, le poète du milieu articula à haute et intelligible voix « un soir où j'étais seul chez moi et dans un drôle d'état » et, dans le même temps, simultanément, je lus sur l'écran : « un noir qui était seul sans toi et ça faisait tout drôle », oui, même durant cet instant de pure folie, la main de Lili ne tressaillit pas. Elle continua de me caresser comme si tout était normal. Comme si tout continuait comme avant. Comme si elle n'avait rien vu ni rien entendu. Et tout autour régnait la même impassibilité. Aucun frisson. Je n'en revenais pas. Je ne comprenais pas. Pourquoi personne ne réagissait-il ? Pourquoi les gens vont-ils au spectacle ? Ça ne leur faisait rien de lire que « Julien s'était pendu avec la ceinture de son pantalon » et d'entendre, comme si c'était rigoureusement le même texte au mot près, à la virgule près, « Le pendu ceinturait maintenant le pantalon de l'été ».

Il s'agissait d'anagrammes ou quoi ?

Niveau 21

Bien sûr, ce ne sont pas ces phrases-ci que prononça le poète du milieu et encore moins ces phrases-là qui s'affichèrent simultanément dans son dos. Ce serait trop bizarre si c'était le cas. Vraiment trop beau.

Évoquer le suicide de Julien dès 1997, soit huit ans avant ! À l'Ircam qui plus est ! Non. Il ne faut pas exagérer. Sauf que je ne me rappelle pas un traître mot des textes qui, ce soir-là, donnèrent sa substance à la performance se déroulant dans le petit amphithéâtre situé en sous-sol à Beaubourg et j'en suis donc réduit à improviser avec mes moyens du bord. Mais l'idée est là. *La magie est là.* Imperceptiblement, les textes que lisaient à voix haute les poètes cessèrent de coïncider rigoureusement avec les textes qu'affichait l'écran dans leur dos. Alors que les textes et les images coïncidaient rigoureusement jusqu'ici, au mot près, à la virgule près, voici qu'ils ne coïncidaient plus rigoureusement. Ils coïncidaient de moins en moins. Ils prenaient des libertés considérables, jusqu'à ne plus coïncider *du tout.* Des décalages se créaient, qui ouvraient tout grands les bras à l'imprévu. Des écartèlements se produisaient, qui m'hallucinaient sur place. Tout s'entrechoquait et s'éparpillait et ce chaos était merveilleux ! Je ne sais pas. J'étais perdu. C'était fou ! Car entre ce que voyaient mes yeux et ce qu'entendaient mes oreilles : quel sens choisir ? Lequel détenait la vérité ? La vue ou l'ouïe ? L'ouïe ou la vue ? En lequel *croire* désormais ? Je ne savais plus où donner de la tête. Voici que mes yeux *contredisaient* mes oreilles et je n'en croyais plus mes yeux ni mes oreilles, justement. C'était du jamais vu et du jamais entendu dans mon cas. C'était comme marcher dans la rue et voir son ombre au sol se mettre à courir dans une autre direction. Tout prenait l'aspect d'un délire. Il me semblait accéder à ce dérèglement des sens dont parlait l'autre et, comme prévu, je me retrouvai dans l'inconnu. En plein dedans. J'y étais enfin. J'étais hilare.

Car ce qui se passait sur la scène était d'abord du plus haut comique. Comment dire ? Comme un homme se casse la figure dans la rue et son corps, soudain grotesque et désarticulé, dévoile le pantin en lui, voici que la réalité (ce qu'on appelle la réalité) se cassait devant moi la figure et, tout à fait démantibulée, vraiment grotesque, elle dévoilait son pantin et quelle rigolade ! Quelle révélation ! Il avait suffi qu'une dissociation s'opère pour que la vérité éclate de rire. Pour que l'unité sacrée du monde révèle qu'elle n'était qu'une unité de façade et que le réel (appelons ça le réel) fasse effraction dans l'ordre fictif des choses pour se manifester dans toute son absurdité et cette allégresse était d'autant plus hilarante que la performance continuait de façon imperturbable, comme si tout était parfaitement normal. Comme si l'Univers n'était pas en train de s'effondrer sur lui-même. Oh seigneur ! Il s'était donc trouvé quelqu'un à l'Ircam, il s'était trouvé des *poètes* pour réussir l'exploit de mettre en scène la schizophrénie du monde et élucider sa cacophonie. Pour faire sentir son principe de séparation absolue entre tout ce qui existe et tout ce qui est, jusqu'à ce que plus rien ne coïncide avec rien ni ne puisse être relié ensemble, *si ce n'est précisément par ce principe de séparation* et quelle euphorie de voir ce principe battu sur son propre terrain. De le voir se vautrer en pleine lumière. Bon dieu, j'avais l'impression de retrouver une liberté de mouvement et de pensée. J'avais l'impression que, là, devant moi, sur la scène, se tenait ma propre dissociation intérieure et quel bonheur ! Je n'avais pas besoin de monter sur scène pour m'y voir enfin. Je ne tenais plus en place dans mon fauteuil. J'étais au bord d'éjaculer. J'avais envie d'applaudir à tout rompre. De me lever et d'exulter. Enfin j'accédais à une œuvre *contemporaine*. Qui disait la maladie au lieu d'en être le symptôme ou le remède pire que le mal. Qui rouvrait la plaie au lieu de la bander toujours plus serré, avec nous cousus dedans. Je ne sais pas. C'était *jouissif* ! Là, tout de suite, entre la vue et l'ouïe, j'éprouvais l'allégresse qu'elle était retrouvée – quoi ? La vérité de l'existence, dont nous savons bien au fond que nous l'avons perdue et que nous n'y avons plus accès, oui, nous savons tous combien nous ne parvenons plus à coïncider avec nous-mêmes ni avec rien, mais sans pouvoir le dire cependant, parce que nous sommes tant coupés de nous-mêmes et tant liés par cette mutilation que nous n'avons pas les mots pour le dire. Oh oui, elle était là : la poésie d'aujourd'hui. Elle était là : la tragédie des temps présents. Merci. Oh merci.

À mes côtés, Lili ne se doutait de rien. Ni de mon euphorie, ni de ma jubilation. Je me rappelle avoir pris sa main à un moment donné et l'avoir gardée serrée dans la mienne afin de l'empêcher de continuer son petit jeu salace qui, désormais, m'insupportait et m'exaspérait, m'empêchait de me concentrer et de saisir toute la beauté de l'instant et de jouir pour une fois au-dessus de la ceinture. Tout le temps que dura encore la performance, je me tins fébrilement penché en avant, jusqu'à presque grimper sur la tête du spectateur assis devant moi dont je percevais l'agacement que je lui souffle si fort dans le cou ; mais je m'en fichais tellement je ne voulais pas en perdre une miette. Tellement je ne me sentais plus de joie et dans un état d'exaltation qui me mettait les sangs en feu et me réconciliait tout à coup avec la beauté vibrante, idiote et infinie de l'existence et, plus tard, lorsque la performance fut terminée et que les poètes s'en furent allés après avoir sommairement salué, moi applaudissant longuement, à tout rompre, tout sourire, béat et ravi, jusqu'à rester le seul à applaudir, debout, encore et encore, tandis que les gens descendaient les travées en me jetant des regards furtifs et gênés, Lili et moi nous rendîmes au cocktail qui était organisé dans une annexe du petit amphithéâtre situé au sous-sol de Beaubourg et je marchais sur l'eau, je tutoyais les cimes. Je jubilais des pieds à la tête. Comme si venait de m'être révélé un passage secret à travers la perfection close. Et avec lui la possibilité de continuer de vivre.

Étant parvenu à me faire servir deux verres de vin rouge au buffet (il fallait que je boive au plus vite quelque chose pour soutenir l'ébriété qui s'était emparée de moi), je retrouvai Lili en grande conversation avec un type qu'elle semblait connaître et, sans souci des convenances, faisant fi des mondanités, je m'immisçais aussitôt dans leur conversation pour disserter avec fougue sur ce que j'avais vu et entendu, tenter de mettre des mots sur *l'importance* de ce qui venait de se passer ce soir-là et avaient-ils perçu comme moi ? Compris comme moi ? L'écart grandissant entre soi et soi. Entre soi et les autres. Entre les mots et les choses. Entre la nuit et le jour. Le rouge et le noir. L'être et le néant. Le propre et le sale. La vérité et le mensonge. Les riches et les pauvres. Les hommes et les femmes. Zorro et Don Diego. Papa et maman et patati et patata. L'ordre et le désordre, sans possibilité de les accorder. La vie et la mort, sans possibilité de leur échapper. Etc. Le message était pourtant très clair : plus personne ne pouvait en croire ses yeux ni ses oreilles dans ce monde et nous venions d'assister à *l'avènement d'une nouvelle esthétique* et n'étaient-ils pas d'accord ? C'était comme la collision de deux particules et, de l'énergie de ce choc, assister à la création d'une troisième particule jusqu'ici imaginée mais jamais observée. Viva l'Ircam ! Je tenais à ce qu'ils partagent mon enthousiasme. J'y tenais absolument. Il fallait que nous fêtions ça tous ensemble, sachant qu'il m'était de toute façon impossible de garder pour moi l'immense allégresse qui gonflait ma poitrine, comme si j'étais branché sur une bonbonne d'hélium, toutes vannes ouvertes. Cette source de joie devait couler à flots. Inonder immédiatement le monde et les temps à venir.

Sauf que plus j'avançais béatement en terrain découvert et plus Lili et l'autre type me regardaient d'un œil torve. Je les sentais rétifs. Embarrassés. Comme si j'étais une crotte sur le trottoir qu'il valait mieux éviter. Le type surtout. Mon enthousiasme l'agaçait visiblement ; il ne partageait pas du tout mon euphorie et son regard m'évitait derrière ses lunettes ; il affichait même une mine de plus en plus rébarbative et comprenant que je me heurtais à un mur, je lui demandai sèchement son avis, qu'il se lance s'il n'était pas d'accord, allez, j'étais curieux de savoir ce que lui avait vu et entendu, avait-il mieux à proposer ? J'étais tout ouïe, poil au kiki.

Prenant une longue inspiration comme si me parler lui coûtait énormément, le type m'expliqua alors, sans toutefois me regarder, comme si j'étais translucide à ses yeux, que si les textes ne coïncidaient pas, c'était en raison d'un bug informatique qui avait perturbé leur affichage à l'écran et la performance (qui, m'expliqua Lili par la suite, consistait à générer en direct des textes par ordinateur à partir du corpus poétique de chacun des trois poètes, ce qui fait que ceux-ci découvraient sur leur moniteur des poésies qui auraient pu être les leurs, sauf qu'elles étaient élaborées par un logiciel mis au point à l'Ircam et pourquoi pas ? Je ne suis contre *aucune* expérience esthétique, même celles qui ne laissent aucune trace en nous), oui, la performance, disait le type avec un dédain qui ne m'échappait pas, ne s'était pas du tout déroulée comme prévu à cause de ce bug informatique, elle avait même tourné au *fiasco total*, c'était un *échec complet*, à cause du bug informatique et, d'ailleurs, les poètes étaient *furieux* et si je voulais bien maintenant l'excuser… Et ce sale type de nous planter là, Lili et moi, comme si nous étions deux nains de jardin.

Merde alors ! *Les poètes étaient furieux ?!* J'allais rattraper cet empaffé et lui dire ma façon de penser, lui dire qu'il se trompait, lui rappeler que dans les années 20, certains trouvaient plus stimulant d'aller au spectacle sans savoir de quoi il s'agissait tandis que d'autres, trente ans plus tard, se promenaient dans Bruxelles avec le plan de Londres à la main afin de déjouer tous les lieux communs et, bon dieu, c'était lui qui boguait dans sa tête, lui qui n'avait rien vu de ce qui avait réellement eu lieu, même si ce n'était pas ce qui était prévu et peut-être parce que cela n'était pas prévu, précisément pour cette raison. Combien de grandes découvertes l'avaient-elles été sans que la volonté s'en mêle, à condition de respecter le hasard et ce dont il est porteur ? Même Dallas avait été inopiné ! Quelle buse ce type ! La grotte de Lascaux avait été découverte par inadvertance. Le principe d'Archimède par accident. La pénicilline par négligence. L'Amérique par erreur. C'est en apercevant dans son atelier l'un de ses tableaux à l'envers que Kandinsky avait eu la révélation que « l'objet nuisait à sa peinture » et ainsi avait-il inventé l'art abstrait. Putain ! Il connaissait le mot sérendipité, qui exprime « l'art de prêter attention à ce qui surprend et d'en imaginer une interprétation pertinente » ? Il fallait le dire dans quelle langue ? Dans l'état d'exaltation formidable dans lequel je me trouvais, un état vraiment bizarre, tout à fait énervé, j'avais envie de gifler quelqu'un et, au hasard, ce serait ce type à lunettes – lorsque Lili me tira par la manche pour m'entraîner à l'écart. – Tu es complètement MALADE, me dit-elle, tout à fait furieuse. Qu'est-ce qui te prend ? Calme-toi, bon dieu. Arrête de faire ton Hulk ! (*mon Hulk ?!*). Sais-tu à qui tu viens de parler ? Il s'agit du directeur de l'Ircam ! (LE DIRECTEUR DE L'IRCAM !). Tu piges ? Bon dieu, il faut toujours que tu te fasses remarquer. Tu es vraiment pénible. Tu fais *chier* à la fin ! – Ah, fis-je. Okay. Désolé. Mille excuses. Tirons-nous d'ici. Mais en moi-même, je gardai précieusement la vérité hilare de ce que j'avais vu et entendu ce soir-là dans le petit amphithéâtre situé au sous-sol de Beaubourg et que cette vérité hilare fut advenue à la faveur de circonstances fortuites et inattendues m'apparut une chance de plus : elle m'appartenait puisque nul autre que moi n'en voulait.

Niveau 22

Lorsque tout à coup – *comment dire ?* Comme si une image pornographique s'était glissée dans les 24 images/seconde d'un film de Walt Disney, quelque chose comme ça, de subliminal, de fugace, de trop rapide pour que je puisse l'identifier sur l'instant mais qui me fit sursauter sur ma chaise, bondir, un truc bizarre, anormal, comme une minuscule décharge électrique, trois fois rien, alors que M se tenait devant moi, dans cette autre galaxie me faisant face, et c'était quoi ? C'était où ? Tout semblait redevenu normal et je doutais finalement qu'il se soit produit quoi que ce soit. Ce devait être moi. J'avais dû me tromper. Ce devait être ma moelle épinière. Mais non ! Voici que *la chose* venait de se reproduire, là, juste sous mes yeux, sur ses lèvres, oui, pas d'erreur, c'était sur ses lèvres : les lèvres de M.

Cela n'avait duré qu'une seconde mais sa bouche – comment dire ? Sa bouche s'était tordue en un rictus insensé, proprement bestial, la lèvre supérieure retroussée, en biais, torve, lubrique, salace, d'une trivialité absolue, je ne sais comment dire, cela n'avait duré qu'une seconde, mais c'était absolument SEXUEL. C'était éblouissant. Totalement obscène. D'une lubricité affolante. À couper le souffle. Comme si une bête sauvage, un animal fabuleux, avait soudain surgi des sous-bois de M pour bondir sur ses lèvres et s'immobiliser sur le gazon rosé de ses lèvres, miraculeusement aventurée à découvert, le temps de regarder à droite, à gauche, de me fixer d'un œil noir et brillant, de me fixer *bestialement*, avant de disparaître d'un bond dans les taillis, aussi vite qu'elle était apparue. Exactement cette impression. D'avoir vu un animal immense surgir tout à coup de la paroi de ses lèvres, comme à la grotte Chauvet. Cette émotion-là. Venue de la préhistoire. Ce choc. D'avoir, pendant une fraction de seconde, assisté à un prodige de la nature. Comme une biche, un matin d'hiver, à travers le givre des carreaux, qu'on verrait subitement surgir en lisière de son jardin, frémissante, inquiète, souveraine, on en a le souffle coupé. On reste pétrifié, saisi d'émotion, émerveillé par l'apparition, au bord de retrouvailles sans nom. On ne bouge plus, on regarde de tous ses yeux, on se les frotte, on veut suspendre l'instant, on veut que le miracle s'éternise, on ne veut pas faire peur à la beauté venue de la forêt ni qu'elle s'enfuie et disparaisse.

Sauf qu'il ne s'agissait pas d'une biche. Pas du tout. Il s'agissait d'une *bête féroce*. À la fois fauve et immonde. Mi-goule mi-rhinocéros laineux. Je ne sais pas. C'était la *bête dans sa jungle*, voilà, c'était la bête dans sa jungle, là, sur ses lèvres ! (*C'est la bête dans sa jungle, avais-je balbutié en moi-même, totalement électrisé.*) La bête dans sa jungle. La bête en elle. Surgie du fin fond de sa forêt, par-delà les barbelés, échappée de l'asile, le vice à l'état brut, la tentation nymphomane, je ne sais pas. C'était son *appel noir de la chair* qui, à cet instant, contredisait immensément son personnage de jeune fille si bien rangée. Ne coïncidait plus du tout avec l'image que M donnait d'elle et plus rien ne semblait soudain coïncider. Plus rien n'avait de sens. Ou plutôt tout prenait un sens nouveau. Mais oui ! C'était sa bête qu'elle retenait prisonnière dans l'élastique de ses cheveux retenus en une rigide et impeccable queue-de-cheval, des fois qu'une de ses mèches s'enflammerait et révélerait le brasier en elle. C'était sa bête qu'elle enfouissait à l'intersection de ses jambes sagement croisées, comme muselée de chasteté par avance. Encore sa bête qu'elle comprimait de toutes ses forces dans son petit top rouge qui semblait cousu sur elle dans l'intention de prouver qu'elle ne dissimulait rien et mon œil ! J'avais vu ! J'avais percé son secret. J'avais vu sa faille. J'avais vu sa *fente*. Oh oui, sur ses lèvres parfumées, j'avais vu la fille de joie en elle. *J'avais vu la pute en elle*, j'avais vu la grande cochonne, la lionne en chaleur, ses désirs d'à quatre pattes et de par-derrière et en pleine nature, au fond des bois, dans le fumier des feuilles mortes, sous une pluie battante, ou bien dans un bouge, à même les rognures et la vaisselle sale, avec des dégénérés brutaux et velus la prenant à plusieurs comme une truie, la maltraitant dans leur dialecte avec fureur, qu'elle couine et s'anéantisse enfin, devienne sainte et martyre. J'avais vu l'ivrognesse assoiffée d'écartèlements, l'inassouvie charnelle de toute éternité, bon dieu, j'avais vu la sorcière en elle, la folle, madame et ses rêves d'extases, de vagues perpétuelles et telluriques, de fusées qui l'épinglent, comme dans la chanson, j'avais vu sa *bête de sexe*. Voilà. Cela que je veux dire. J'avais vu la bête de sexe qui la torturait en son for, au fond d'elle. La bête de sexe qu'elle ne pouvait révéler à quiconque, même au plus proche de ses proches, et encore moins vivre au grand jour, surtout dans son milieu et avec son éducation. La bête de sexe qu'elle ne s'avouait peut-être même pas à elle-même. Sûrement pas. Mais qu'elle savait être là, au fond d'elle, à fleur de peau, *au bord des lèvres*, toute tordue et grimaçante à force d'être réprimée, démesurément enflée à force d'être censurée, oui, cette bête de sexe dans ses veines, cette pureté pornographique, cet incendie insatiable dans son ventre. Qu'elle devait tenter d'éteindre en permanence. Avec lequel elle devait batailler de toutes ses forces, oh oui, cela devait lui lacérer les nerfs, la vriller et la torturer et l'épuiser et même l'épouvanter de sentir bouillonner dans son sang ce soleil immensément noir de la chair, oh oui, *j'avais vu son combat intérieur*. Ce qui s'appelle voir, au-delà de ses apparences avec des guillemets, au-delà de son héritage à millions et au-delà de cette dis-cipline qu'elle imposait férocement à son corps et qui était en fait l'expression d'un *besoin* de discipline. Vu de manière extatique, pendant une seconde éblouissante, oui, je l'avais vue dans sa nudité la plus crue, vue à m'en brûler les yeux, bon dieu, j'avais vu le démon dans l'ange, j'avais vu le carnivore de sa plante, sa tentation de la mort et son refus d'y succomber et sa prière d'être malgré tout exaucée et elle ne mentait pas : elle aimait le sang, la soif du sang la déchirait, le goût du sang lui était d'un seul coup monté aux lèvres *en ma présence* et cela changeait tout. Cela bouleversait tout. (*Oh, je boirai ta pisse dans le bénitier de mes mains et je te laverai ensuite : ton visage, ton cou, tes seins, chaque partie de ton corps, avec ta pisse, comme un baptême monstrueux, comme un sacre ruisselant, avais-je rugi en moi-même, totalement en feu, ému aux larmes, pris de vampirisme, Dracula de son prénom.*)

Niveau 23

Cette vision obscène, tordue, bestiale de M : elle mourra avec moi. *Elle me survivra !* Mais sur l'instant, dans mon bureau, elle était trop vaste, trop inattendue, trop effrayante, trop brûlante. J'étais incapable de réfléchir, de penser, d'organiser mes émotions. J'étais fournaise. J'étais terreur. J'étais au bord de me jeter sur M. Là, tout de suite, dans mon bureau, sur mon lieu de travail ! De la violer. Ou de me prosterner. De la saigner comme une reine. Ou que ce soit elle. De l'écarteler et de lui faire subir tous les supplices pour que sa bête sorte et meure et hurle et m'appartienne. Qu'elle *m'aime*. J'avais envie de lui prendre la main avec une infinie tendresse. De pleurer dans ses larmes. Et qu'elle pleure dans les miennes et je ne savais plus où j'en étais. J'avais la sensation de voler en éclats. Mes pensées grondaient d'affolement, totalement électrocutées, comme des singes secouant avec rage les barreaux de leur cage dans les sous-sols d'un laboratoire. Bon dieu, j'avais démasqué sur ses lèvres ce qui me désespérait moi-même. Mon émotion la plus pure et la plus dépravée à mon niveau individuel d'exaspération de tout et M comme ma sœur humaine qui devant moi souriait maintenant normalement. Sans rien soupçonner de ce qu'elle venait de m'avouer – oh chérie ! Oh mon amour noir de jais ! Oh mon *vice* ! Encore aujourd'hui, je demeure suspendu aux lèvres de M et à ce rictus insensé qui, pendant une seconde d'éternité, la transfigura pour dévoiler en pleine lumière l'enfer dont elle était la promesse affolée et c'est avec une infinie solennité que j'enveloppe les lèvres de M dans du papier de soie et les verse au Dossier, juste à côté du suicide de Julien et de tout ce qui mérite de passer à la postérité.

Avec beaucoup de lenteur, comme si mes gestes pesaient des tonnes, afin de gagner du temps et de reprendre mes esprits tandis que, en face de moi, dans cette autre galaxie me faisant face, M avait repris son apparence humaine et que plus rien ne se manifestait sur ses lèvres hormis le souvenir que j'en avais et qui ne les quittait plus, j'avais écrasé ma cigarette dans le cendrier posé sur le bureau. J'avais mis un temps fou à l'écraser. Le cendrier était plein et, des yeux, j'avais cherché la poubelle. Je ne me rappelais plus où elle se trouvait. Ah si, sur ma droite, sous le bureau. Je m'étais penché et j'avais vidé le cendrier, en le tapotant sur le rebord de la poubelle ; mais sur le fond ovoïde et translucide, la cendre conglutinait. Elle restait collée. Elle dessinait dans le cendrier une forme noire et étrange, comme une espèce de test de Rorschach aux allures de centaure. Ou d'araignée. Ou plutôt : on aurait dit le plan de la grotte Chauvet vue d'en haut. Cette vision pariétale, ancestrale, utérine, à cet instant.

Avec une lenteur inépuisable, j'avais reposé le cendrier sur le bureau, à égale distance de la main de M et de la mienne et nos regards s'étaient croisés tandis que je me rencognais dans mon fauteuil et je n'avais pu soutenir le sien. Tellement j'avais peur de retrouver au fond de ses yeux ce que j'avais surpris sur ses lèvres. Ou qu'elle lise dans les miens l'ivresse d'absolu qu'elle y avait déposée, comme au fond de ces petites tasses chinoises qui dévoilent une vignette érotique lorsqu'elles sont remplies d'alcool de riz et cette vision s'évanouit à mesure que l'on boit la tasse. L'enchantement tient tant qu'on ne vide pas sa coupe. Pourvu qu'on ne boive pas l'alcool. Paradoxalement, la vision disparaît à mesure qu'on s'enivre et la même chose au fond des yeux de M, mais à la puissance milliardième. Oh ses grands yeux vert sombre. L'immense sous-bois. Cette fille est une enfant, avais-je songé. (*Cette fille est la nuit, avais-je songé.*)

C'est drôle : il y a peu, j'ai pour la première fois relu *Martin Eden* (il le fallait !). Et quelle surprise de découvrir que le héros de Jack London tombe amoureux de Ruth comme M le jour où, mangeant en sa compagnie de « grosses cerises noires et luisantes », un peu de jus de cerise tache les lèvres de Ruth et Martin voit quelque chose à cet instant. « À la vue de cette tache sur les lèvres de Ruth, son être s'affola. À cet instant, Ruth devint femme à ses yeux. Elle cessa d'être divine, inaccessible, d'essence supérieure, l'image même de la civilisation. Elle était femme après tout, femme tout entière et cette révélation l'abasourdit. L'audace de cette pensée le fit trembler, mais son âme chantait joyeusement. Il faillit la prendre dans ses bras. En un instant, il se retrouva de l'autre côté de l'abîme. » Voilà. Il suffit d'une petite tache de cerise sur les lèvres, ou d'un pli fabuleux aux commissures, d'une ombre atroce et voluptueuse, pour que la vie bascule. Ou d'avoir lu un livre qui vous a marqué dans votre jeunesse – au point de garder obscurément cette scène en mémoire et de se débrouiller plus tard pour vivre ce qu'on a lu ? Je ne sais pas. Sur l'instant, il ne s'agissait que de moi et de M. Je le jure. Mais qui suis-je et qui était-elle ?

Partie IX

Niveau 1

Je ne tombe pas des nues (3). Cette femme est toutes les femmes en une, avais-je songé. Elle est mon obscur objet du désir, avais-je songé, encore sous le coup de l'émotion, totalement ébranlé, en cherchant à m'agripper à quelque chose de solide. Elle est Conchita 1 et Conchita 2 en songeant au film de Buñuel et… Quoi ?… Que disait-elle ?

— Je suis fiancée.

— Pardon ?

(Elle a dit quoi ?)

Que dites-vous.

Fiancée ?

C'est bien ça ?

Ce mot-là ?

Vous êtes *fiancée* ?

En sept lettres ?

Sans rire.

Vous avez un fiancé ?

Vous êtes fiancée.

C'est officiel.

Il ne manquait plus que ça !

Ici le troisième obstacle.

(C'est complet, avais-je songé. Alors là, c'est le mégabouquet ! MB comme mégabouquet. Pourquoi moi ?)

Mais elle me faisait marcher. C'était pour m'énerver. Pour m'exciter. Me tester et m'éprouver.

Ne voulait-on me laisser aucun espoir ?

J'étais censé faire quoi maintenant ? Provoquer l'autre en duel ? En lui laissant le choix des armes ? C'était qui d'ailleurs ? Je le connaissais ? Qu'aurait fait Chinaski à ma place ? Et Zorro ?

Bien sûr qu'elle n'était pas libre !

Pas une fille comme elle.

Quelle idée !

Cela eût été trop beau.

Niveau 2

Cela voulait dire quoi : fiancée ? Comme S qui m'appelait tout le temps son fiancé ? Allons bon ! Qui avait inventé un mot pareil ? Quel abruti ? Son nom ! Je veux son nom ! Avais-je déjà été fiancé une seule fois ? *Of course not !* Jamais de ma vie ! Elle *n'était pas* fiancée. Ce n'était pas possible. C'était de l'acharnement pur et simple. Elle ne pouvait pas me faire ça. Pas maintenant. Pas maintenant que j'avais vu. Que j'aimais tout chez elle. Tout en elle. Tout d'elle. La belle et la bête. *(Elle en aime un autre, avais-je songé. Seigneur dieu, elle en aime un autre. Elle en aime un autre. Elle en aime un autre. Elle en aime un autre. Oh non ! Pitié ! Elle jouit dans les bras d'un autre. Oh non ! ELLE EN SUCE UN AUTRE !)*

Mais elle me faisait marcher. C'était obligé. Il ne pouvait en être autrement. De toute façon, la bague qu'il lui avait offerte était à CHIER (voir page 296) ! Allons, elle pouvait me l'avouer. Elle bluffait. Elle ne l'aimait pas vraiment. Elle pouvait me le dire. *(Elle en aime un autre !)* Elle l'aimait avant de me rencontrer, mais c'était avant. Maintenant qu'elle m'avait rencontré, elle ne pouvait plus l'aimer ! *(Elle couche avec un autre !)* Bon dieu, ce n'était pas la peine de passer une main langoureuse dans ses cheveux si c'était pour m'annoncer un truc pareil. *(Elle a du plaisir avec un autre !)* Ce n'était pas la peine d'avoir gardé le meilleur pour ma fin. Je ne marchais pas. Ah non ! Je n'étais pas d'accord. C'était trop laid pour être vrai. *(Elle jouit et en fait jouir un autre !)* Cela ne suffisait donc pas qu'elle soit jolie avec des guillemets et qu'elle soit riche à millions : il fallait cet obstacle *en plus* ? *(Elle défait le soir ses cheveux pour un autre !)* À toutes les lois qui compliquaient déjà la « possibilité de l'amour impossible », fallait-il encore ajouter les lois sacrées du mariage ? *(Elle dort avec un autre !)* En rajouter toujours plus énormément dans la surenchère ? *(Elle se réveille dans les bras d'un autre !)* Voulait-on ma peau, à la fin ? Mon sang ? Mon âme ? *(Elle prend son petit déjeuner avec un autre !)* Étais-je un pantin à qui on faisait miroiter le bonheur pour mieux le lui ôter au dernier moment ? *(Elle sort de la douche devant un autre !)* Était-ce pure cruauté à mon endroit ? Vrai sadisme ? *(Elle est heureuse avec un autre !)* Avait-on décidé de me désespérer jusqu'à ce que j'en crève de tristesse et d'amertume et qui ça « on » ? Qu'il se montre s'il l'osait ! *(Elle rit avec un autre !)* En haut lieu, voulait-on mettre à toute force des bâtons dans ma roue de la fortune et que je me pende là, tout de suite, maintenant ? *(Elle respire l'air d'un autre !)* Pourquoi moi ? *(C'est à un autre qu'elle parle et se confie !)* Pourquoi ? *(Elle en aime un autre ! C'est cuit !)*

Le mariage était prévu au printemps prochain. Dans dix mois. *(Dis-moi que tu n'es pas fiancée. Dis-moi que tu ne l'aimes pas ! Dis-moi que j'ai encore une chance. Dis-moi que tout ceci est encore un putain de Truman Show à la con !)* Ah bon ? Au printemps prochain ? Si vite ? Ah. Okay. Bravo, trouvai-je la force d'articuler. C'est chouette, la félicitai-je d'une voix mourante. Tous mes compliments, me repris-je d'une voix diaboliquement enjouée. Comme je ne souhaite à personne de dire à ce point le contraire de ce qu'il pense.

Comme Lon Chaney, à la toute fin de The Unknown, un film muet de 1927, réalisé par Tod Browning. Lon Chaney, dis-je. Après qu'il s'est fait amputer des deux bras car Celle qui l'aime ne supporte pas qu'un homme la prenne dans ses bras. Elle ne le supporte d'aucun homme. C'est sa phobie à elle. Ce sont les surprises de l'amour. On ne sait jamais qui on aime avant de le découvrir – et il est trop tard ensuite ! Confronté au problème de Celle qu'il aime, Lon fait sien son problème. C'est à lui de le régler si elle ne le peut pas. Pas le choix. Sa peur à elle dresse entre eux un obstacle qu'elle ne peut pas surmonter ; et si elle ne le peut pas, si c'est ainsi, puisqu'elle est Celle qu'il aime. Lon se dit. Il se dit. Qu'il n'a qu'à se faire amputer des deux bras et tout roulera ensuite comme sur des roulettes. Celle qui l'aime n'aura plus peur. Elle ne craindra plus qu'il l'embrasse, du verbe prendre dans les bras. Elle sera tout entière à lui. Se dit-il. Logique. Bien raisonné.

Confronté à un obstacle, l'homme qui aime prend les choses à bras-le-corps, si j'ose dire. Il taille dans le vif. Il ne mégote pas. Il est un homme oui ou non ? Il aime oui ou non ? C'est quoi des bras, finalement ? C'est très surfait. On peut faire énormément de choses sans les bras. Pas de bras pas de chocolat, dit-on. On dit n'importe quoi. C'est sans les bras que Lon aura le chocolat. Il faut se méfier des formules toutes faites. Si les bras sont le problème, couic ! Si c'est ce prix qu'exige l'amour, pas d'hésitation. Il l'aime à ce point !

Et Lon se fait amputer des deux bras. Ni une ni deux. Ou plutôt et un et deux. L'opération se passe à merveille. Que crois-tu qu'il arrive alors ?

Lorsqu'il revient auprès de Celle qu'il aime, tout auréolé de son sacri-fice, tel un saint et un martyr et un héros, croyant toucher au but et s'attendant à être accueilli à bras ouverts, que voit-il ? Qu'est-ce ? Oh non ! Ce n'est pas vrai ! Ce n'est pas dieu possible ! C'est un cauche-mar ! Par tous les saints ! Mais quelle horreur ! Car devant lui. Celle qu'il aime. Il la trouve dans les bras d'un autre. VLAN ! Tandis qu'il se faisait amputer des deux bras, elle, de son côté, tombait dans les bras d'un autre. VLAN ! S'étant cassé la figure, une espèce de monsieur Muscle l'avait rattrapée in extremis et, dans les bras de son sauveur, voici qu'elle avait éprouvé pour la première fois la chaleur humaine de deux bras l'enlaçant et l'aimant et la protégeant et sa peur que deux bras se referment sur elle comme les barreaux d'une prison s'évanouit à ce moment-là comme par enchantement. En une fraction de seconde, il ne resta plus rien de son aversion. Sa peur s'était envolée et Lon, cher Lon, pourquoi faire cette tête ? N'était-il pas heureux pour elle ? N'était-il pas fou de joie qu'elle soit libérée de sa phobie ? N'était-ce pas formidable ?

Mais si, bien sûr qu'il était heureux, bien sûr que Lon était fou de joie pour elle, quelle question ! Et devant Celle qu'il aime que l'autre enlace à ce moment-là sous son nez et, lovée dans ses bras, Celle qu'il aime lui sourit alors de toutes ses dents, follement heureuse, tellement soulagée, Lon Chaney se met à rire, à rire, à rire, à rire, à rire, à rire, à rire, à rire, à rire, à rire, à RIRE

On le voit devenir *fou* de joie à l'écran.
En très gros plan.
Il voudrait tendre les bras au ciel mais il n'a plus de bras à tendre.
Poum poum akoum kniaialu.
Mais elle était fausse, ma chère !
C'est son instant de stupeur à lui.

C'est ma façon de dire que les bras m'en tombaient qu'elle soit fiancée et bientôt mariée et tout. En plus de tout le reste.

Niveau 3

C'est peut-être une manœuvre pour tenir les hommes à distance, avais-je songé, parce qu'il fallait bien que je songe quelque chose, comme un cheval secoue le mors qui lui scie la bouche. Parce que les grands moulins de notre pensée ne s'arrêtent jamais et font feu de tout bois à chaque instant. J'étais d'ailleurs à deux doigts de sortir mon petit carnet pour me mettre à écrire furieusement TOUT ce qui me passait à cet instant par la tête. Oui, il fallait bien que je m'accroche à une branche pour ne pas couler à pic et me répandre comme une flaque sous mon bureau et, miracle de l'existence, branche il y eut – comment dire ?

Ce fut dans la façon dont elle m'annonça son mariage. C'était. Bizarre. Comme si. Elle ne se sentait pas réellement concernée. Comme si. Elle parlait de quelqu'un d'autre. Avec désinvolture qui plus est. D'un ton pas convaincu. D'un ton presque. Désabusé. Presque. Amer. Presque. *Triste*. Sans me regarder. En regardant par la fenêtre. Au loin. Comme si quelque chose la tirait par la manche, tout là-bas, de l'autre côté de la vitre, en direction du petit carré de soleil qui n'était plus à cet instant qu'une flaque noire. Une zone d'ombre en elle. (*Elle ne l'aime pas, elle ne veut pas se marier, c'est ÉVIDENT, avais-je songé en un éclair et mon cœur de battre de nouveau, de recommencer à battre follement.*) Quelque chose clochait en tous les cas. Rien ne se déroulait normalement avec cette. Fille. Elle aurait dû m'annoncer son mariage, sinon en poussant des cris de joie, du moins avec un perceptible enthousiasme. Avec une certaine excitation. En rosissant légèrement. Pas d'un ton si morne et contraint. (*Elle n'est pas encore mariée, avais-je songé. Elle n'est pas encore mariée ! Elle ne veut pas se marier !*)

PEUT-ÊTRE QUE CELA SE PASSE MAL AU LIT ENTRE EUX !

Mais qu'allais-je imaginer ? Allons bon ! Arrête de te faire des idées, me donnais-je mentalement de grandes baffes dans la gueule. Tu passes juste un bon moment dans ton bureau avec Melle de Chartres qui t'annonce qu'elle va se marier avec le prince de Clèves et le mariage aura évidemment lieu, avais-je songé. Tintin pour Nemours, avais-je songé. (*Sauve-toi, avais-je songé. Cours, malheureux enfant.*) Vrai qu'elle avait l'âge. 28 ans. Il était temps. Cela faisait partie de son programme. C'étaient des choses qui se faisaient dans son milieu. Dans les autres milieux aussi, mais particulièrement dans le sien, où le mariage est vécu comme une fusion-acquisition destinée à faire fructifier un patrimoine. Même si je n'en sais rien et parle ici sans savoir, de nouveau sans savoir, de nouveau par ouï-dire et mieux vaut que je retire ce que je viens de dire, merci une nouvelle fois d'en tenir compte.

Son fiancé se trouvait actuellement à Zürich. Il réglait ses affaires avant de la rejoindre à Paris. Il n'arrêtait pas de faire la navette entre Paris et Zürich. (*Oh oh, il n'est donc pas tout le temps là ! Il la délaisse déjà !*) Il était franco-suisse. Il avait monté une boîte de conseil dans l'agro-alimentaire ou un truc dans le genre. Je n'écoutais pas vraiment. L'idée était de délocaliser une partie de son entreprise de Zürich à Londres, où tous deux comptaient ensuite s'installer, au plus près de la famille de M. Il était très occupé en ce moment. (*Ah bon ?*) C'était un garçon plein d'avenir et de ressources. Il s'est fait lui-même, dit M avec je ne sais quoi dans la voix. (De l'envie ? De la fierté ? De la dérision ?) Je crus comprendre que les parents de M l'adoraient. Il leur paraissait le *gendre idéal*. Le père de M l'aidait financièrement. Il se prénommait M lui aussi. Vous allez devenir des *M&M's*, n'avais-je pu m'empêcher de plaisanter. M t'avait interdit de te moquer. Fait mine de te donner une tape lorsque tu t'étais moqué malgré tout. Pour dissimuler que

Lorsqu'ils tombent amoureux l'un de l'autre, Roméo et Juliette ne savent pas que leurs familles sont ennemies. Ils l'ignorent tout à fait. Ils ne le conçoivent même pas. Ils s'aiment, parce que c'est elle et parce que c'est lui, au premier regard. Le reste ne compte pas. Le reste n'existe pas encore. Ils sont avant le langage, avant les lois, avant la faute. Quand bien même j'en connais qui ne croient pas du tout que Roméo et Juliette tombent innocemment amoureux : ce serait parce qu'ils sont l'un et l'autre les rejetons de deux familles ennemies que les amants de Vérone sont attirés l'un par vers l'autre, précisément pour cette raison, sans se douter qu'ils sont le jouet de forces obscures et familiales – lesquelles n'ont bien sûr rien à voir avec un type nommé William Shakespeare. Okay. Toujours d'amers esprits, suspicieux par vice et tirant de ce vice le sentiment pachydermique qu'ils en savent plus long que tout le monde (on ne la leur fait pas, à eux !), s'amusent à réécrire l'histoire à partir de la fin, ce qui est la garantie de retomber tautologiquement sur ses pattes et de n'être jamais surpris, de n'avoir plus jamais peur. Mais en attendant qu'il me soit démontré que j'aurais fait mon malheur en parfaite connaissance inconsciente des choses, je tiens à verser au Dossier que je n'imaginais pas que se dresserait entre M et moi un tel mur, fait de tant de briques. À sa vue, je ne soupçonnai pas une seule seconde que M était riche à millions et qu'elle était fiancée. Je n'imaginais pas une telle fatalité. Je ne voulais pas *ça*. Je le jure. Mon inconscient ne pouvait être aussi retors et j'aimerais que tu gardes présente à l'esprit l'innocence émerveillée qui fut initialement la mienne et que tu te la rappelles jusqu'à la fin de mon histoire de M. Que tu te rappelles Juliette s'écriant : « S'il est marié, mon tombeau, je le crains, sera mon lit de noces » et moi dans le rôle de Juliette. Moi suppliant M : « Renie ton père, refuse ton nom ! C'est seulement ta classe qui est mon ennemi. » Et elle de me combler : « Ne m'appelle plus qu'amour et je serai rebaptisée. »

M comme Roméo et Juliette.

Dans l'un de mes petits carnets, je retrouve cette citation, que je notai un jour à la volée, à toutes fins utiles, pour me la rappeler et ne pas oublier que, deux points ouvrez les guillemets : « Nous ne connaissons pas l'avenir. Tout le monde agit en vue de l'avenir et personne ne sait ce qu'il sera. Personne ne sait ce qui va arriver, simplement parce qu'il y a tant de choses qui dépendent d'une énorme quantité de facteurs variables, c'est-à-dire du hasard. Pourtant, si l'on regarde l'histoire, rétrospectivement, on peut dire que l'histoire est logique. Comment est-ce possible ? Comment est-il possible, après coup, qu'il semble que les choses n'aient pas pu se passer autrement ? La réalité a un impact si puissant que nous sommes incapables d'envisager une variété infinie de possibilités » (Hannah Arendt, documentaire « Un certain regard », 1974).

Moi, j'envisageais à ce moment-là une infinité de possibles avec M. Je n'envisageais que cela. Je misais là-dessus.

Et à la fin Julien s'est pendu avec la ceinture de son pantalon à la poignée d'une fenêtre.

Il paraît que ça s'appelle une fenêtre. Il paraît que ça s'appelle une ceinture et un pantalon. Quels mots ! Je m'en rends compte maintenant.

Niveau 4

C'est un souvenir de son enfance. Il ne m'appartient pas mais je le raconte quand même car il fait partie de mon histoire de M et, de toute manière, on ne perd pas plus son âme quand on parle de soi que lorsqu'on vous prend en photo. À condition que ce soit avec tendresse. Bref. M avait onze ans. C'était l'été, là-bas, en Cornouailles. C'est à ce moment qu'elle est morte (voir page 370).

Avec son père et ses frères, ils avaient sorti la grande échelle pour tailler la glycine qui commençait d'envahir la toiture du pavillon de chasse (*un pavillon de chasse !*) qui se trouvait dans le parc (*un parc !*). C'était comme un jeu. Une façon joyeuse d'occuper le dimanche et de souder la famille autour du père, absent la plupart du temps. Ils étaient allés chercher la grande échelle dans la remise du jardinier et ils l'avaient transportée à bout de bras, les frères devant et elle derrière, le père à la commande, j'imaginais très bien la scène. Ensemble, ils avaient dressé la grande échelle contre la façade du pavillon de chasse et M s'était précipitée pour grimper la première aux barreaux de l'échelle. Parvenue tout en haut, elle avait regardé ses frères en bas. Elle entendait son père qui lui disait de faire attention.

Et elle s'était laissé tomber du haut de l'échelle.

Comme un sac s'était laissé tomber.
Sans prévenir.
Sans un cri.
Comme un sac.

Une chute d'environ trois mètres.

Cela avait été plus fort qu'elle. Comme une impulsion. Une *décision*.
Elle n'avait pas glissé.
Ce n'était pas un accident.
Elle s'était simplement laissé tomber de haut.
Comme un sac.
Comme on tombe malade.
Ou amoureux.
Sans un cri.
Sans prévenir.

Pour voir si quelqu'un la rattraperait et la prendrait dans ses bras ? Un inconnu, un monsieur Muscle ?

Qui la sauverait in extremis, elle aussi ?

M comme voltigeuse ?

Elle avait atterri dans un massif de roses, au beau milieu du massif, en plein dedans, j'imaginais très bien la scène.

Elle se rappelait encore les épines, les griffures sur ses bras et ses jambes et son visage, le sang qui ruisselait, son père qui s'était précipité et qui l'avait prise dans ses bras, emportée à toute vitesse à travers le parc, en direction de la maison, il criait, il appelait de toutes ses forces sa mère, elle se rappelait les cris de son père, elle se rappelait combien il la serrait fort dans ses bras.

Le goût de son sang sur sa peau, les griffures des épines : elle se les rappelait aussi.

Mais pas sa chute. Pas son bras doublement fracturé. Pas la douleur, comme si son corps ne voulait rien savoir. Comme si elle ne ressentait physiquement rien et, qu'une fois tombée de haut, elle était devenue physiquement insensible. Elle se revoyait tout en haut de la grande échelle, sur le dernier barreau, elle revoyait ses frères en bas, son père en bas qui lui criait de faire attention ; et c'était tout. Un blanc. Un trou noir.

Niveau 5

Elle ne savait pas pourquoi elle avait fait ça. L'idée de se laisser tomber comme un sac lui avait traversé l'esprit et elle n'y avait pas résisté. C'était aussi simple que cela. Aussi compliqué. Ce n'était pas qu'elle avait été saisie de vertige. Ce n'était pas ça. Elle ne savait pas. Elle se rappelait qu'elle avait regardé le ciel, le soleil qui éblouissait, le parc, le vert si beau de la nature, ses frères et son père à ses pieds, elle était si haute à cet instant. Elle avait regardé la glycine et, sous les grappes épaisses et fleuries, les lianes noueuses qui rampaient et s'enchevêtraient tout du long. Elle n'imaginait pas une telle vigueur sous la glycine. Ni un tel parfum. Elle ne savait pas. Elle ne se rappelait pas. Elle avait juste pensé qu'elle devait se laisser tomber. Elle s'était dit : Laisse-toi tomber. Vas-y. Et elle l'avait fait. Elle s'était laissé tomber. Comme un sac. Sans un cri. Elle ne savait pas pourquoi elle me racontait ça. (*Pourquoi une gamine de onze ans se laisserait-elle tomber comme un sac du haut d'une grande échelle ? avais-je songé, la gorge nouée. Sous les yeux de son père et de ses frères. À leurs pieds. Pourquoi ferait-elle ça ? Le devait-elle ?)* – Et vous avez atterri dans un massif de roses, avais-je articulé, la gorge nouée. Les roses : là où naissent les filles. Là où elles finissent aussi. Ah ah ah. Si j'avais été à votre place, j'imagine que je serais tombé dans les choux. La gorge nouée.

« Depuis ce jour, mes parents me croient folle. Ils me protègent. Ils me surveillent. Ils prétendent que c'était un accident, mais ils ont peur que je recommence. Ils se méfient de mes réactions. Ils savent qu'il y a un truc qui cloche chez moi. Même si on n'en parle jamais à la maison, je suis celle qui s'est jetée du haut d'une échelle lorsqu'elle avait onze ans et ce "coup de folie" pèse sur moi, comme une malédiction qui angoisse tout le monde et moi la première. Car je ne sais pas ce qui m'a pris de me jeter du haut de l'échelle. Je ne le sais vraiment pas. C'est comme ça. »

Avant d'ajouter : « Je ne m'en sortirais pas sans mon fiancé. Vous comprenez ? Je tiens debout grâce à lui. Je ne me laisse plus tomber grâce à lui. Je m'accroche aux barreaux de l'échelle. (Un silence.) Vous ne pouvez pas comprendre. (Un silence.) Ça le tuerait si je le quittais. Il a tellement fait pour… Il est tellement… (Un silence.) Enfin bref (d'une voix s'efforçant de sourire). Tout a basculé pour moi ce jour-là. À onze ans. Vous allez trouver ça ridicule, mais je croyais que j'étais un ange. *J'étais un ange à cette époque !* Et puis je suis tombée de haut, je ne sais pas, j'étais persuadée que j'allais voler et je ne me suis pas envolée. Pas du tout. Je suis devenue mortelle ce jour-là. Tout est devenu tellement affreux à partir de là. »

Niveau 6

Ce « coup de folie » de M lorsqu'elle avait onze ans : je ne l'avais pas pris à la légère. Non plus qu'elle m'en eût fait l'aveu, comme un geste vrai dans ma direction. (*Elle se confie à moi, avais-je songé, la gorge nouée. Elle me fait confiance !*)

Mais il y avait autre chose. Comme si elle ruminait tout à coup. Dans le silence qui avait suivi. Moi la couvant du regard, la gorge nouée, tandis qu'elle fixait maintenant ses mains ramenées devant elle. (*Elle regrette de s'être ouverte à toi, avais-je songé, la gorge nouée.*) Cela que je m'étais dit. Que le souvenir de son « coup de folie » revenait la hanter. Avant de me dire qu'il n'y avait pas si loin du passé au présent. Mais oui ! Son « coup de folie » ne lui était peut-être pas revenu fortuitement en mémoire, mais en écho de ce qu'elle vivait en ce moment même. Comme une incitation à faire le rapprochement. Parce qu'elle se trouvait avec moi depuis maintenant trois heures et ce n'était pas normal. Depuis trois heures elle grimpait mine de rien les barreaux d'une échelle et elle venait de se rendre compte de ce que cela pouvait signifier. Que fichait-elle dans mon bureau ? Elle aurait dû être rentrée depuis des lustres. Elle aurait dû prévenir son fiancé de son retard et elle ne l'avait pas fait. Elle n'allait pas – quoi ? (*Comme lorsqu'elle avait onze ans ? avais-je songé, la gorge nouée, le cœur battant.*) Cela qu'elle se disait peut-être, sans cesser de fixer ses mains, avec une sombre obstination. Que la petite fille de onze ans venait de refaire surface, là, dans mon bureau, sans prévenir, peut-être dès l'instant où elle m'avait vu et qu'elle s'était assise en face de moi, à moins que ce ne fût lorsqu'elle était passée devant la machine à café de marque Illico deux mois plus tôt, oui, cette hypothèse, comme si pour elle aussi une obscure machination s'était enclenchée, jusqu'à la ramener au sommet de son échelle, à l'instant précis où une force inconnue s'était emparée d'elle, comme un cri en elle, un démon en elle, une voix si puissante et impérieuse qu'elle n'avait pu faire autrement que de lui obéir, avec l'envie de plus en plus intense de se laisser tomber de haut et ce serait cette fois dans mes bras ? (*Ce sera cette fois dans mes bras, avais-je songé, la gorge nouée, tout près d'ouvrir déjà les bras.*)

L'envie de devenir enfin un ange ?

Cela que j'avais songé.

En me demandant ce qu'elle avait laissé tomber en se laissant tomber comme un sac ? Elle ? Ou son faux-semblant ? M comme sac ? Pour ne plus en être un ? Et ma mère ? Du haut du cinquième étage ? Qu'avaient donc les filles à vouloir se jeter dans le vide ? Quelle prison était la leur ? Quel donjon dont elles voulaient s'évader ?

Mais M n'était pas ma mère. Cela n'avait rien à voir ! Ah non ! Pas *ça* !

Cela que j'avais songé, à toute vitesse, la gorge nouée, tandis que M restait silencieuse, fixant ses deux mains ramenées sur ses genoux.

Qu'en ma présence, au fil de ce qui devenait de plus en plus sensible et manifeste entre nous, M avait la sensation hirsute de se tenir au bord d'une tentation à laquelle, pour le pire, elle avait déjà succombé. À l'orée de cette folie, pure dévastation, qui avait été celle de la petite fille de onze ans qu'elle avait été et qu'elle ne devait plus être, dont elle ne voulait plus entendre parler, que plus personne ne voulait qu'elle soit, pas même elle. Avec laquelle elle avait dû prendre ses distances pour s'en tenir à chaque instant éloignée d'exactement trois mètres, contrainte et forcée de se méfier d'elle, n'ayant plus aucune confiance dans ses propres impulsions et ainsi devenons-nous la moitié de nous-mêmes, demi-portions coupées en deux et vivant des moitiés d'existence comme si elles valaient pour le tout. (*Son « coup de folie » est la seule preuve concrète de son existence, avais-je songé, la gorge nouée. Il doit la terrifier, mais elle doit le chérir, comme l'unique exploit qu'elle sait avoir accompli un jour. Comme le moment où elle osa. Le moment où elle devint le centre d'attention de tout le monde et en avait-elle déduit qu'il fallait qu'elle se laisse tomber dans le vide pour qu'on l'aime ? Qu'hormis cela, elle était vouée au froid et au néant ?*)

Pourtant, n'était-elle pas fiancée ? N'allait-elle pas se marier ? Tout n'était-il pas parfait dans son meilleur des demi-mondes possibles ? Que lui arrivait-il ? N'était-ce pas ce qu'elle voulait ? Le voulait-elle ? Qui ça : elle ? Pourquoi maintenant ? Mais parce que c'était maintenant ou jamais, justement ! Une fois mariée, il serait trop tard. Il était encore temps. Elle n'avait pas encore dit oui. (*Elle n'a pas encore dit oui ! avais-je songé, la gorge nouée, la tête en feu.*) Elle se tenait à cet instant au seuil de sa vie d'adulte, sur le dernier barreau de son enfance, au sommet de cette échelle de Jacob qu'on avait dressée pour elle, son existence à ses pieds, son mariage droit devant, bientôt les enfants, son destin comme un programme écrit à l'avance, une vie sur mesure, cousue sur elle de fil blanc. Cela qu'elle voulait ? Vraiment ?

Ou bien se jeter dans le vide, se jeter à l'eau, se jeter dans la vie qui serait la sienne ? Balancer son sac ? Le bazarder ? Qu'il craque enfin ? Qu'elle naisse alors ? Cette aspiration-là ?

Car il y avait la petite fille de onze ans. Il y avait qu'elle s'était laissé tomber un jour de haut, sans un cri. Il y avait qu'elle avait voulu prendre son envol ! Il y avait la beauté trop vaste du monde. Cela ne signifiait donc rien ? La petite fille était-elle morte ce jour-là, ses ailes brisées ? Ne pouvait-elle ressusciter ? Devrait-elle toute sa vie rester dans le rang ? (*Va-t-elle encore trahir les siens et tout détruire et finir sur les roses ? avais-je songé, la gorge nouée, le cœur haletant.*) Il n'en était pas question ! Je croyais l'entendre se dire : Il n'en est pas question. C'est NON ! Ce cri en elle.

Niveau 7

Et comme par hasard elle me rencontrait ! Voici qu'il se produisait dans son existence, à ce moment précisément charnière de son existence, quelque chose qui n'était pas prévu et qui ne devait pas se produire. Que M ne voulait surtout pas qu'il se produise ! Cela que je m'étais dit, comme si j'étais dans sa tête, au cœur de ses pensées, dans les lignes tourmentées de sa main qu'elle continuait de fixer obstinément, sans garantie que ce soit le cas, bien sûr que non. Sauf que je n'étais pas aveugle. Je voyais bien le conflit en elle. Je comprenais l'enjeu qui, à travers moi, était exclusivement le sien. (*Moi ou un autre, là n'est pas l'important, avais-je songé, la gorge nouée. Ce qui compte, c'est le moment ! Je suis celui qui va la forcer à prendre une décision, je suis son kairos, je suis le fléau de sa balance, je ne suis pas l'un des plateaux !*) À cet instant, je la regardais avec émotion fixer toujours ses mains, le visage crispé, douloureux et moi me perdant dans ses méandres. Allait-elle arracher la glycine comme on le lui demandait depuis l'âge de onze ans, comme s'il s'agissait de ses mauvaises pensées, comme un sacrifice valant consentement – ou allait-elle de nouveau se laisser tomber de haut ? Se jeter encore une fois dans le vide, pour ne pas dire à mon cou, comme un sac, sans un cri, au risque de se briser les os ? Dans quelle langue faudrait-il qu'elle le dise cette fois ?

On allait-elle me laisser tomber et ce serait tout un ?

Qui avait coupé la glycine à l'époque ?

Ou bien devrait-elle se taire à jamais ? (*Cela dont il est question, avais-je songé, la gorge nouée. Je suis sa dernière chance. Je suis son choix de vie !*) Sachant que ce n'est pas facile : le choix d'une vie. C'est extrêmement difficile d'inverser le cours des choses. C'est une responsabilité insupportable : on ne peut plus s'en prendre ensuite qu'à soi-même. Surtout que ce serait cette fois les yeux ouverts. Non dans l'impulsion et l'informulé qui avaient été les siens à l'âge de onze ans, mais en affrontant en face ce qui lui avait échappé sur l'instant, jusqu'à en dévoiler possiblement la trame, le fil de mort supposé, à moins que ce ne soit une approbation de la vie au risque de la perdre. Que sont nos existences, sinon l'exploration circulaire, lors de rendez-vous épisodiques, d'événements qui ont premièrement défié notre entendement et, deuxièmement furent si brutaux que cette brutalité nous dissimule la vérité dont ils sont porteurs et il nous faut ensuite retraverser cette brutalité pour découvrir ce que nous avons loupé à cause d'elle, comme un diamant possède d'innombrables facettes, comme l'invention du cubisme. Vous savez, avais-je articulé, en affectant le ton de la plaisanterie, exprès, pour renouer le contact avec elle et la sortir du silence obstiné de ses mains, cela ne me paraît pas absurde que quelqu'un se situant tout en haut de l'échelle sociale cherche à en dégringoler, même à onze ans. Surtout à onze ans. Ce n'est pas si grave. Il y a d'autres moyens, pfuit pfuit… (Il est fréquent que Monsieur Gicle parle par ma bouche quand je ne sais pas quoi dire.)

M n'avait rien répondu. Elle avait détourné le regard de ses mains pour le porter au loin, quelque part sur le mur derrière moi. Là où elle voyait peut-être le fantôme d'une petite fille de onze ans lui faire de grands gestes. (*Oh mon amour, laisse-toi tomber de haut, dans mes bras, que je t'emporte à perdre haleine, avais-je eu envie de lui crier, la gorge nouée. Cela la voix, la force, le cri de la vie ! Cela que tu veux, au fond de toi, je le sais !*) Oh oui, écoute ton cœur plutôt que ta raison. Ne me laisse pas tomber, moi ! Sois une héroïne de Racine plutôt que de Corneille. Laisse-moi devenir ton échelle de Jacob. Oh mon démon de l'analogie ! Mais tais-toi donc ! Laisse-moi tranquille ! Tiens-toi sage à la fin. Ferme ta putain de gueule ! (*Laisse-la tranquille ! avais-je gémi en moi-même, la gorge nouée.*)

Niveau 8

Tel fut le contexte lorsque je rencontrai M.

Tu sais tout.

Je ne t'ai rien caché.

Qu'aurais-tu fait à ma place ?

Il n'y a pas très longtemps (six mois je dirais), j'ai rencontré un bar dans une fille. Ses cheveux tamisaient langoureusement le comptoir tandis que la façon qu'avait la soucoupe de voler dans la lumière me semblait de très bon augure et tu vas rire : cette chips ressemblait vaguement à la Jeune Fille à la mandoline que peignit Picasso dix ans après le suicide de son copain Casagemas – la mandoline en moins. Pour le reste, la même impression cubiste. La sensation de la voir sous toutes ses facettes alors que je la regardais en face. En tout cas, la conversation s'engagea très vite entre nous et, en écho des pages qui précèdent, je racontai à cette jeune fille que j'avais travaillé un jour sur le court-métrage d'un copain. Eh oui. J'avais tâté du cinéma. Elle était impressionnée, pas vrai ? (Hé hé.) En tout cas, ce copain m'avait nommé « conseiller artistique auprès de la production ». Cela ne voulait rien dire, surtout vu le budget de ladite production, mais il voulait mon avis sur les scènes qu'il filmait, il voulait pouvoir discuter *en toute franchise* de son film avec quelqu'un de *confiance* (à défaut de le payer). Okay, avais-je dit. Cela m'amusait de donner mon avis (sans blague). J'étais flatté, je n'avais jamais assisté à un tournage et j'avais pris mon rôle très au sérieux. Miss Mandoline devait savoir que je faisais tout très sérieusement, surtout si c'est rigolo. En même temps, le tournage ne devait durer que trois jours, quatre au maximum. Il faut dire que l'intrigue était assez mince. Citant Barthes, Derrida et Plotin (connaissait-elle Plotin ?), un jeune homme parlait de l'impossibilité de l'amour à une jeune fille autour d'une tasse de thé et, à la fin, la jeune fille ôtait son chandail et montrait ses seins (au demeurant ravissants) à la caméra. C'était tout. C'était censé être profond. Intense. Chaque plan avait la solennité de la Vérité. Chaque dialogue était de l'Or pur. C'était juste chiant à mourir. Sans rire ! C'était effroyablement français, à la fois bavard et prétentieux et j'étais de plus en plus gêné de me retrouver embringué dans cette galère. J'avais fini par comprendre que mon copain concupiscait depuis longtemps la jeune actrice et qu'il n'avait trouvé que ce projet de court-métrage pour qu'elle lui montre ses seins et plus si affinités. Il lui faisait littéralement son cinéma, sans pouvoir l'avouer cependant, et je comprenais mieux que le jeune homme du film en soit réduit à citer Barthes, Derrida et Plotin pour exprimer son désir à la jeune actrice. Surtout, d'être prisonnier de son mensonge contraignait mon copain à rendre celui-ci toujours plus impérieux, jusqu'à revendiquer une « exigence cinématographique » qui, pour impressionner tout le monde, me laissait plutôt perplexe, en plus de compliquer salement les choses au moment de tourner une scène puisque le véritable projet n'était *pas* de faire un court-métrage. Elle voyait le topo ? Je me demandais ce que je fichais là. Quels conseils pouvais-je bien donner ? Le problème venait des conditions psychiques de production et rien n'allait selon moi. Les plans se tournaient dans un silence solennel, religieux, morbide, à croire que le sort du monde se jouait à chaque fois que mon copain disait « moteur » et qu'un micromètre de pellicule était impressionné (et pour être impressionnée, je ne doutais pas que la pellicule l'était). Tandis que pour chaque plan, la mise en place technique donnait lieu à d'interminables tergiversations et je n'en revenais pas du temps que cela prenait. C'était comme assister au concert d'un guitariste qui n'en finirait plus d'accorder sa mandoline sans jamais jouer un seul morceau. J'étais sûr qu'elle voyait ce que je voulais dire (clin d'œil).

Mais quoi ! C'était un copain et comment l'aider ? Vu la façon dont les choses tournaient (Moteur !), je le voyais courir à la catastrophe. Ou alors je ne comprenais rien au cinéma. C'était possible. Je ne le niais pas. Je marchais finalement sur des œufs. Après tout, c'était *son* court-métrage. Ainsi se passa la première journée de tournage. En attendant de retrouver un peu plus tard la jeune actrice à qui il voulait préciser certains détails purement cinématographiques, lui et moi allâmes boire un verre dans un café voisin. Alors ? fit-il en se laissant tomber lourde-ment sur la banquette. Son visage épuisé, tout imprégné de sa haute mission artistique et, en même temps, l'insatisfaction nerveuse qui se lisait dans ses yeux m'incitèrent immédiatement à la prudence. Cepen-dant, une petite idée m'était venue dans la journée. Je fis donc ce qu'il attendait de moi. J'avais bien l'intention d'honorer sa confiance.

Si j'ai bien compris, lui dis-je d'une voix que je voulais *très* encoura-geante, toute la tension dramatique tient dans le face-à-face du jeune homme avec la jeune fille et, si j'ai bien compris, tu filmes l'un en champ et l'autre en contrechamp, selon que l'un ou l'autre prend la parole, c'est bien ça ? Okay. Et si tu profitais justement de ce va-et-vient ? Si tu changeais le *contexte* ! Je vis les sourcils du copain se fron-cer. Mais oui, continuai-je plein d'enthousiasme, pas peu fier d'avoir trouvé un moyen qui, me semblait-il, pouvait sauver le court-métrage du naufrage. Que fait l'un lorsque la caméra filme l'autre ? Y as-tu pensé ? Il y a là un point aveugle qui interpelle. Un hors-champ fabu-leux. Tout est toujours dans le hors-champ. Tu le sais mieux que moi. Trois points de suspension. En tout cas, j'ai bien regardé le cadre et je me dis que ce qui serait rigolo, ce qui produirait une *excitation* à l'écran, ce serait de modifier à chaque fois, de façon subreptice, un minuscule élément du décor qui se trouve à l'arrière-plan. Tu com-prends ? Au début, tu filmes la fille en plan américain et, derrière elle, on aperçoit ce bouquet de tulipes blanches qui est posé sur le buffet et, au mur, il y a l'affiche d'Antonioni que tu aimes tant et je sais bien que c'est fait exprès. Mais imagine : lorsque la caméra revient sur la fille, au lieu de dix tulipes, il n'y en a plus que huit. Ou bien elles ne sont plus blanches. Ou bien il s'agit maintenant de lisianthus. Ou bien c'est le vase : il est en grès au lieu d'être en verre. Tu vois le truc ? Tu changes le décor. TU CHANGES LE DÉCOR. Tu piges le truc ? Un peu comme un jeu des sept erreurs. Je ne sais pas. En tout cas, il faudrait que cela soit très discret. Presque imperceptible. Fait de façon extrême-ment sérieuse. Sans rien expliquer. Surtout pas. Il s'agit que le specta-teur perçoive qu'il se passe quelque chose *dans le fond*, mais sans pouvoir identifier quoi exactement. Et idem en ce qui concerne le garçon. Évidemment. Ce pourrait même aller crescendo : ce n'est qu'à la fin que le spectateur prendrait conscience que le monde dans lequel le garçon et la fille vivaient jusqu'ici a complètement changé au fur et à mesure que la situation évoluait entre eux. *Ils ont changé le monde.* Ils ne lui appartiennent pas. Tu peux même imaginer que chaque changement dans le fond exprime les sentiments indicibles qu'éprouvent chacun de son côté le garçon et la fille, par quels états émotifs ils passent l'un et l'autre, le chemin qu'ils font chacun intérieurement, tout ce qu'ils ne peuvent pas dire mais qu'on pourrait justement *voir.* C'est du cinéma oui ou non ? Au moment où la fille ôte son chandail, tu pourrais par exemple envisager une affiche de corrida à la place de l'affiche d'Antonioni. Ou bien la photo des camps de la mort. Oh oui, ce qui se passe dans le fond pourrait exprimer l'hostilité du monde. Comment il *grimace* dès que l'amour s'empare de deux êtres. T'en penses quoi ? Ce serait génial, non ? Cela mettrait un peu de vie, non ?

Mon copain me dit que c'était mieux si je ne revenais pas le lendemain.

Niveau 9

Plus tard, je me revois dans la rue, rentrant à pied chez moi, évidemment à pied, pour faire durer le plaisir, le respirer à fond et m'en emplir les poumons. Savourer l'euphorie. Elle n'est pas encore mariée ! Elle est *très loin* d'être mariée ! C'est ce que je me dis. J'ai rencontré *quelqu'un* et là, tout de suite, dans la rue de Vaugirard qui me ramène chez moi, rien ni personne ne peut m'ôter cette certitude radieuse. J'ai rencontré quelqu'un et j'ai envie de le crier sur les toits. J'ai envie de crier qu'il s'agit d'une fille qui s'appelle M comme M comme M comme merci mon dieu. Comme je vous salue Marie pleine de grâce. Comme Montjoie. Comme elle me manque déjà. Je veux la revoir. Au plus vite. Dès lundi prochain, et puis mardi, et puis tous les autres jours de ma vie, oui, je veux la voir *tout le temps* à partir d'aujourd'hui, à partir de maintenant, je ne me lasserai jamais de la regarder, jamais, jamais, jamais, jamais, même lorsqu'elle sera vieille et moche et malade et triste et M comme ma nouvelle adresse. M comme l'invention originelle du manque. Comme mon nouveau chez-moi. Mon *sweet home* et mon *sweet lord* et mon *sweet sweetback*. Je ne veux pas qu'elle disparaisse comme la première fois, en s'évaporant dans un couloir, en traversant les murs, en filant telle une comète avant que mon vœu ne s'exauce. Je ne veux pas qu'un générique de fin fasse s'évanouir le miracle, tandis que les lumières se rallument dans la salle, me laissant vide et démuni, hagard, désespéré, comme si tout n'était qu'un rêve. Il n'en est pas question. Pas cette fois. L'éblouissement qui m'avait scotché dans mon fauteuil trente-deux ans plus tôt, la minuscule brûlure qui me poignarda mystérieusement dans le dos deux mois auparavant, je les ressens à présent dans mon ventre, mes pieds, mes cheveux, mes ongles, mon cerveau. Comme si M m'avait tailladé les veines. Y avait jeté un mystère, du vent, des rires d'enfants, la haute mer, des quartiers chauds, un lac, une clairière, les équations de la physique quantique, toute la flore terrestre, une jungle, la joie et la tristesse du monde mêlées, des cloches, ding dong. J'ai envie d'éclater de rire. Tout rit aux éclats en moi. Il y a trois heures je ne savais pas qu'elle existait ; et voici que la vie ou je ne sais quoi de céleste vient de me l'envoyer. À moi nommément.

Dans la rue, je m'imagine marcher à côté d'elle. Je ne marche pas : je danse. Je virevolte en traversant la chaussée, en esquivant les voitures. Olé ! Je la tiens en pensée par la taille. Je sens sa taille dans le creux de ma main. Elle valse dans mes bras. Elle gigue dans mes bras. Elle gavotte. Elle polka. Elle farandole. Je suis la danse des abeilles à moi tout seul. J'indique au monde la source du plus beau nectar. M comme miel. Je suis ridicule et je le sais. Je délire et j'en suis conscient ; mais je m'en fiche. Je ne fais de mal à personne (souligné six fois). La folie qui me submerge est trop joyeuse. Rare et précieuse. Pourquoi la dissimuler ? Je n'en reviens pas de l'avoir rencontrée. MB ! D'où sort-elle ? D'où viens-tu ? *The most beautiful sound I ever heard / Maria Maria Mariaaaaaaaaaa*. Je chante la chanson de West Side Story. Malgré moi chante : *I've just met a girl named Mariiiaaaa*. D'abord tout bas, puis franchement, à tue-tête, dix fois le refrain, rue de Vaugirard. Dix fois la chanson de la plus haute tour : « Il est venu il est venu / Le temps tant attendu / le temps dont s'éprendre. » Un couple se retourne sur mon passage. Je leur chante au visage en faisant des claquettes avec les doigts : *Mariaaaaaaaaaa !* Que fait-elle en ce moment ? À cet instant précis ? Putain de fiancé ! J'imagine M contrainte de s'enfermer dans la salle de bains et, devant la glace, souriant infiniment à son reflet, se trouver enfin belle à ses yeux et se mettre à chanter en même temps que moi, en chœur, en canon : *I feel pretty / Oh, so pretty / It's alarming how pretty I feel / The city should give me its key* et je suis d'accord, un million de fois d'accord ! Paris devrait lui remettre ses clefs, toutes ses clés, le trousseau complet. La réalité a enfin cessé d'être une illusion monotone. Une punition exemplaire. J'ai touché mon jackpot. Je suis pure comédie musicale et M comme *Un Américain à*

Paris. M comme Minnelli. Je voudrais qu'il pleuve soudain, à verse, pour m'offrir à la pluie, les bras en croix, le visage cinglé de larmes drues et chaudes et aveuglantes. J'ai envie de sauter dans les flaques. À pieds joints. Jusqu'au cou. D'éclabousser l'Univers de joie. Oh ma petite Anglaise à Paris. *I'm singing in the rain / What a glorious feeling / I'm happy again. Mariaaaaaaaaaa ! Dee-ah dee-ah dee-ah.* Mais il n'y a pas de flaque. Je croise deux filles, bras dessus bras dessous, toutes mignonnes, toutes jeunettes, enjouées, décolletées. Des gazelles de la nuit. Des filles d'Orient, deuxième ou troisième génération comme on dit aujourd'hui. Elles me regardent en pouffant. Je leur tire une grande révérence. Bonsoir mesdemoiselles ! Mes hommages du soir… Leurs yeux sont des invitations délurées. En d'autres circonstances… Mais je leur dis bye en leur envoyant des baisers d'adieu comme mille fleurs de pissenlit. Avec une jubilation qui m'étonne moi-même. Qui m'enchante aussitôt. Comme une preuve *à mes propres yeux*. La preuve que j'ai trouvé. Que je ne cherche plus. Je sais. J'ai compris. J'aime tout le monde à travers M désormais. J'ai rencontré Celle qui que quoi donc où, Celle où est donc ornicar, ça marche dans les deux sens, oh oui, ma quête est terminée. La beauté vient d'entrer dans ma vie et ce n'est pas pour faire semblant. Ce n'est pas pour de rire. Ce n'est plus sur un écran, aussi grand soit-il. Le pressentiment que, deux mois plus tôt, j'avais éprouvé à côté de la machine à café de marque Illico s'est transmué en une certitude hilare, une allégresse vibrante, je la sens dans mes fibres, comme le gage d'une étreinte nouvelle dans l'existence. Je ne m'explique pas ce qui m'arrive. Je sais seulement que cela m'arrive. Une évidence radieuse. Et cette évidence ne m'effraie pas. Malgré tout ce que je sais. Malgré tout ce qu'elle a dit et tout ce que j'ai vu, cru voir, ignoré avoir vu, supputé et déliré. Malgré toutes les difficultés. Les empêchements. Les hic et les couacs. Les obstacles dressés. Les épreuves attendues. Mes peurs et mes incapacités. L'amour et ses infinis à la portée des caniches. Les Zsa Zsa Gàbor avec leurs guillemets et les fiancés pourris dans les parages et les millions colossaux mon cul. Je ne veux pas me méfier. Pas *ricaner*. Pas cette fois. J'ai oublié le passé et l'avenir, ils n'ont d'ailleurs jamais été que des obstacles placés exprès sur ma route. Des prisons dans ma tête destinées à me faire tenir tranquille. Oui, je peux renier toutes mes expériences et ce qu'elles ont prétendu m'enseigner : la peur, l'indifférence, la dureté, le sarcasme, les calculs, le double langage, l'intelligence des ectoplasmes. Elles n'ont abouti qu'à me rétrécir dans mon être et à m'endormir dans une existence au rabais. À m'insensibiliser des pieds à la tête. Je me sens neuf. Je suis neuf de toute éternité. Je suis libre ! Je suis le sel de la Terre. Je suis la chaleur humaine à moi tout seul. Je suis élégie. Je suis heureux ! Je suis béni. Il a suffi que M surgisse pour me le rappeler. Pour me réveiller. J'ai cessé d'être l'Homme qui dort. Son apparition me le crie aux oreilles. Rien n'est insurmontable. Toutes les séparations sont fausses. Le bien et le mal. La vie et la mort. Le vrai et le faux. Le couteau et la plaie. Ma gauche et ma droite. Mon âge et le sien. La lutte des classes et la guerre des sexes. Zorro et Don Diego de la Vega. Le poids des névroses. Les sept jours de la semaine. Son mariage et toutes les conventions qui nous découpent en rondelles. Foutaises ! *Bullshit !* M est irréductible à ce qui la détermine. La singularité se moque des concepts. Elle est leur antidote. J'y crois. Je veux y croire. Je suis désormais l'Homme qui sourit au tout-venant et qui, en son for, ne cherche plus ce qui cloche dans le monde mais ce qui l'embellit et je souligne joyeusement cette phrase avec des feutres de toutes les couleurs. J'ai cessé d'être l'Homme qui se cache derrière lui-même : je suis désormais l'Homme en plein jour. Je suis le plein jour. La pleine mer. Le grand soleil. Le vaste ciel. Je suis musique. Je parle la langue des étoiles. Je suis pur. Débarrassé de toute arrière-pensée. J'accède à mon premier niveau individuel des choses. Le tout premier. Celui cristallisé au fond de moi comme un diamant. Celui qui n'a ni centre ni circonférence. C'est la toute première fois en ce qui me concerne. La toute première fois *à ce point*. La toute première fois que je me sens *innocent*. Je suis innocent. Je l'ai toujours été. On avait juste oublié de me le dire. Il n'y a pas de sensation fausse. Ma mère n'a jamais tenté de se suicider, ce n'était qu'un mauvais rêve. C'est du passé et mon passé est derrière moi, il ne bouge plus, il ne me tire plus en arrière. Je suis au présent désormais. Je viens d'embarquer pour Cythère et c'est déjà Cythère. Cela me semble incroyablement à portée de main. Le vent gonfle mes voiles comme des oriflammes. Il m'emporte. Il m'envole. Je sens en moi la force d'enjamber toutes les montagnes de la supercherie sociale et sentimentale. De les balayer. Les gifler à deux mains. Le monde ne saurait m'évacuer de ce que j'éprouve à cet instant précis. Ici refluent son pouvoir et ses lois. Il ne peut rien contre ce qui a lieu, là, maintenant, tout de suite, dans cette rue de Vaugirard qui me ramène chez moi, en cette nuit douce et humide du mois de juin de l'an de grâce 2004. Qu'il ne s'en avise d'ailleurs pas ! Il n'y a de réel que M et moi. De sublime que cette distance qui, par-dessus les toits et les immeubles, par-dessus tout ce qui se dresse et complote dans l'ombre, nous unit désormais et nous lie malgré tout, comme un sortilège sacré. Le reste ne compte pas. Tout pourrait donc recommencer ? Et en mieux, dirait-on. En mieux s'il vous plaît. Il n'était donc pas trop tard ? Ce n'est pas trop tôt.

Je ferais bien une pause, là, de quelques lignes.

Niveau 10

Dire que cinq heures auparavant, je ne connaissais pas M !

Cinq heures auparavant, j'ignorais son existence et jusqu'à la possibilité de son existence.

Quel vertige !

Quelle lapalissade !

Quel changement dans ma vie !

Malgré moi, je venais de passer à un autre niveau des choses et il y avait, dans cette révélation, dans cette prise de conscience – je ne sais pas.

Rentré chez moi, j'étais resté un bon moment silencieux, comme si j'observais un morceau de sucre fondre dans un verre d'eau.

Cinq heures auparavant, je n'étais pas le même homme.

Cinq heures auparavant, cela semblait maintenant la préhistoire. Un temps révolu qui avait à peine eu lieu.

Cinq heures auparavant, cela n'avait aucune importance.

Cinq heures auparavant, tout allait bien pour moi.

Je ne manquais de rien.

J'avais 44 ans et je connaissais une période faste, comme tout le monde en connaît parfois dans son existence : voici qu'on a l'impression que tout nous sourit. On se sent en harmonie avec soi-même, plein de sève, rayonnant, conquérant, affûté, compréhensif, libéré de vieilles chaînes. Des choses, on voit le bon côté. Aux gens, on leur fait grâce. La mesquinerie ne nous atteint plus. La bêtise ne nous offusque plus. Même si tout n'est pas rose dans l'Univers, ce n'est plus l'important. On se sent de taille. On a le sentiment puissant de faire partie intégrante de la vie et, à ce titre, on ne se retourne plus contre elle. On fait corps avec elle. On se sent au monde, prêt à le défendre, et c'est une espèce de mystère. C'est le meilleur qu'un individu puisse connaître à son niveau individuel des choses et j'étais cet individu cinq heures avant de rencontrer M.

J'étais un homme dont l'existence était entrée dans un cycle fastueux et, comme un couronnement, je rencontrais M.

Car jamais je n'avais connu une telle approbation de la vie jusque dans le quotidien et cette embellie m'épatait moi-même. Comme au sortir d'une longue maladie, la santé m'était venue tout sourire. Et tout ce qui m'arrivait était à l'avenant. Comme marqué du sceau solaire de la chance. J'avais publié deux livres qui avaient rencontré un certain succès et dont je n'avais pas à rougir. Au contraire : pour la première fois, je me sentais fier de moi, fier de ce que j'avais accompli et c'était un sentiment précieux, inédit dans mon cas, rare et inestimable. C'est un sentiment qu'on ne peut s'accorder qu'à soi-même ; personne ne peut vous rendre fier à votre place, succès ou pas.

Par ailleurs, j'avais une petite fille et je la regardais grandir avec émotion. J'avais passé l'épreuve de la paternité avec plus de plaisir que je ne m'y attendais. Être père ne m'avait pas rendu fou. Ne m'avait pas incité à régler sur le dos d'une gamine, au prétexte qu'elle possédait mes gènes, certains défauts venus de mes origines. Je n'y avais pas vu non plus l'occasion d'exercer sur sa molle psyché pouvoir et domination faute d'avoir la moindre autorité partout ailleurs. Je me sentais bêtement aimant et responsable de cette enfant qui m'avait fait découvrir un amour d'une espèce inconnue, de l'espèce inconditionnelle, auquel je ne m'attendais aucunement. Je me sentais plutôt redevable envers ce petit être d'avoir ouvert en moi une porte non seulement close jusqu'ici, mais insoupçonnée. Peut-être les gens qui ne veulent pas d'enfants s'imaginent qu'ils ne mourront jamais, mais j'avais découvert que faire un enfant était une expérience existentielle incomparable. Il fallait avoir vécu ça au moins une fois dans sa vie. Une fois, c'était bien. Car il y a infiniment plus de raisons de ne pas faire d'enfants que d'en faire. En attendant, ma fille m'avait, sans le savoir, ouvert les yeux : je ne demandais plus l'inconditionnel à des femmes qui ne pouvaient me l'offrir.

Chaque chose semblait enfin à sa place.

Niveau 11

Par-dessus tout, pour autant que, là, tout de suite, maintenant, je ne me vois pas plus beau que je ne l'étais cinq heures avant de rencontrer M, j'en avais fini avec certains maléfices du passé. J'en étais convaincu. J'avais réglé mes passifs, remboursé mes dettes, j'avais atteint quelque chose qui ressemblait à l'âge adulte. Non parce que j'aurais porté un costume-cravate (au contraire ai-je envie de dire : tous les gens en uniforme sont des enfants qui s'effraient de l'être) mais comme une évolution personnelle et intérieure. C'était joyeux. Il y avait quelque chose d'astral dans ce cycle qui s'était amorcé dans mon existence et dont l'apparition de M semblait être dans le droit fil en même temps qu'elle marquait une rupture, un bond qualitatif, un saut encore plus haut. J'avais la sensation d'avoir brisé mes chaînes – je croyais même les avoir brisées toutes. En tout cas, j'avais enterré mes démons et qu'ils reposent en paix, qu'on n'en parle plus, moi le premier. Cela m'avait pris quarante ans. Pour démêler ma pelote. Pour devenir une *personne*. Mais j'avais persévéré en mon être et voici que j'étais récompensé. Voici que, depuis deux ans environ, le monde s'offrait enfin à moi, sans plus aucune restriction ni arrière-pensées. Du jamais vu ! Une espèce de miracle. Auquel je ne m'attendais pas ; mais qui avait eu lieu. Avait lieu. D'un seul coup l'existence m'apparaissait ce bien souverain dont j'avais entendu parler dans des livres (et nulle part ailleurs, c'est à noter). Sans l'avoir voulu, je me sentais en pleine possession de mes moyens au moment de rencontrer M et c'est une pièce que je tiens à verser au Dossier. Je veux qu'il soit consigné que je me sentais plein d'allant cinq heures avant de rencontrer M. Retiens, oui, que cinq heures avant M, j'étais gai pinson. J'étais au meilleur de mon être. J'avais pris mon élan le plus vital. Le temps était devenu mon ami. Je tenais une forme hilare. Comme si j'avais remporté mon procès. Touché le pactole. Rien de grave ne pouvait plus m'arriver, croyais-je alors. J'en avais assez vu, assez bavé, comme on dit, avec une certaine complaisance, puisque bien pire arrive à d'autres, puisqu'il y a toujours quelque obscénité à se plaindre d'indigestion quand tant de gens crèvent la dalle ; mais pour chacun, ce qui lui arrive est un absolu ; chacun est sa propre échelle de mesure et aussi minime soit l'enfer qu'il a traversé, il est tout l'enfer à ses yeux.

Enfin bref.

Tel était mon sentiment cinq heures auparavant.

Même la mort, à laquelle je n'échapperais pas plus qu'un autre, me semblait avoir reculé dans l'ombre. Son spectre me laissait enfin tranquille. L'avenir m'appartenait ! Jamais mon existence ne m'était apparue à ce point bienveillante. À ce point mienne. Je l'avais conquise et elle ne m'avait pas vaincu. Mes efforts n'avaient pas été vains. Les choses avaient finalement bien tourné pour moi. J'avais bien fait de ne céder sur rien. Bien fait de rompre avec S !

Sans doute avais-je eu de la chance, il en faut pour s'inventer un chemin, mais j'avais fini par rembourser mes dettes, qu'elles soient familiales ou autres. J'étais sorti de la forêt. J'étais libre tout à coup et des truites frétillaient dans mes veines. Mon sang était vivier. Un grand vent. Pour rien au monde je n'aurais voulu revenir cinq ou dix ans ou même vingt ans en arrière. Surtout pas ! Quand bien même j'avais perdu un certain nombre d'illusions en route ; mais s'il s'agissait d'illusions, à quoi bon les pleurer ? Cela signifiait qu'elles étaient illusoires. Tandis que celles qui résistaient devaient valoir quelque chose. Faire le tri avait du bon. J'avais 44 ans et j'étais devenu un grand garçon. On ne m'abusait plus aussi facilement qu'avant. Je commettais beaucoup moins d'erreur d'appréciation. J'avais plus ou moins fait le vide autour de moi, je m'étais débarrassé des encombrants et cela avait sacrément dégagé mon horizon. J'étais beaucoup plus sûr de moi à présent. J'avais retrouvé la confiance et un pas dans la bonne direction en entraînant un autre, je prenais désormais les choses du bon côté, avec le sourire, avec légèreté, sans désinvolture cependant. J'étais sans sarcasme. Même la mère de ma fille : malgré ses efforts, elle n'avait pas réussi à m'enlaidir. Par ailleurs, j'avais un bon boulot. Plutôt bien payé. J'étais financièrement à l'abri du besoin et même relativement à l'aise. Tout à fait autonome et libre de dépenser sans compter, sans commettre de folies cependant ; mais les folies qui viennent de l'argent ne m'ont jamais fait rêver : je sais qu'elles viennent de l'argent. De même, si j'avais du succès, il ne me montait pas à la tête. Ce n'était pas de ce monde que j'attendais le plus de reconnaissance – mais de M, je le savais à présent. Quoi qu'il en soit, je n'étais pas dans la misère. Je ne connaissais plus aucune misère. Pas même sexuelle. C'était même plutôt l'inverse. Hormis S, qui m'avait brièvement remis sur les bras des scrupules dont je ne voulais plus, j'allais joyeusement de rencontre en rencontre, parfois à la suite, parfois en même temps, au hasard des rencontres justement, sans dissimuler aucunement que mon désir était multiple et que j'aimais séduire, j'aimais les aventures, j'aimais le sexe, j'aimais être célibataire. Je ne voulais plus mentir sur mon compte. Plus jamais me cacher.

C'était avant que Julien…

Niveau 12

Par-dessus tout, j'étais libre. Contrairement à M, je n'avais personne dans mon existence. J'avais rompu avec S et je pouvais disposer de mon temps, de mon corps, de mes faits et gestes, comme bon me semblait. Pour la première fois de mon existence, je n'avais de comptes à rendre à personne, ni parents, ni femme ; il n'y avait que ma fille qui me tenait à cœur et le chat dont j'avais à m'occuper et il se fichait bien de mes agissements, tant que je le nourrissais et vidais sa caisse. Eh quoi, j'avais vécu trois fois en couple et je pouvais souffler un peu. Je ne voulais plus tomber entre les griffes de qui que ce soit. J'avais dû admettre que la vie à deux n'était pas pour moi. Il s'agissait d'un fantasme. Cela ressemblait à une agonie volontaire. Cela cachait une volonté de nuire. Une peur de la solitude. Un alibi pour ne pas vivre sa vie. Un mur dressé pour se protéger de ses propres désirs. Une façon de ne pas se connaître soi-même. Une punition. Une existence sous surveillance. Une mainmise sur son imaginaire. Une permanente culpabilité. Assez ! Je ne voulais plus dépendre de personne. Je ne voulais plus obéir à des conventions qui figeaient les lois de l'espèce. J'en étais arrivé à penser que se mettre en couple, c'était ne plus croire qu'on s'aime. Comme ceux qui prient ne croient pas en dieu car s'ils étaient dans Sa Lumière, ils n'auraient pas besoin de Le prier. Assez ! Pour la première fois de ma vie, je pouvais m'occuper de moi. Je pouvais être un tout petit peu égoïste – car pour les types dans mon genre, l'égoïsme est une conquête de chaque instant, tandis que c'est l'altruisme qui est un chemin pour d'autres. Les types dans mon genre doivent lutter en permanence pour se soustraire à l'influence des autres tellement ils ont peur qu'ils se jettent par la fenêtre. Ils ont trop de neurones miroirs. En tous les cas, je n'avais plus à me battre pour grappiller des miettes de liberté. J'étais libre – c'est-à-dire que j'avais réduit au minimum les contraintes qui, venues de l'extérieur, pesaient sur mon existence, jusqu'à la ratatiner sur place. Je pouvais déployer mon imaginaire sans faire souffrir quiconque. Je pouvais sortir le soir si je le voulais ; ou rester lire chez moi si je le voulais. Regarder ce que je voulais à la télévision. Ne voir personne si je le voulais. Manger à l'heure qui me convenait. Sans souci des règles ni pression aucune. J'allais à mon rythme. C'est moi qui décidais de ce dont j'avais envie ou pas. Moi qui rompais ma monotonie à ma façon. C'était mon temps et mon usage du temps. J'étais bien mieux tout seul. La solitude voulue est la plus enchanteresse. À chaque instant j'étais responsable de moi et seulement de moi. J'étais décisionnaire de chacun de mes mouvements. Sans attaches ni entraves. Ne devant justifier mes faits et gestes à nul autre que moi. C'était inappréciable. C'était fantastique !

Je n'avais plus à dissimuler.

N'avais plus honte puisque plus personne ne pouvait me faire honte de mon comportement. Plus personne ne pouvait me reprocher qui j'étais et qui je n'étais pas. Je n'avais plus à me conformer à la personne qu'on aurait voulu que je sois, au rôle que j'aurais dû jouer, aux responsabilités censées être les miennes. Dorénavant, la franchise me tenait lieu d'arme absolue et, contre toute attente, cette attitude me valait plutôt des bonnes fortunes, comme on dit. J'étais l'homme qui aimait les femmes sans les vouloir à sa botte, à sa pogne, à sa merci, sinon le temps d'une nuit ou deux. J'étais l'homme qui mettait la guerre des sexes entre parenthèses et, surprise, je découvrais qu'il existait des femmes qui, comme moi, ne cherchaient pas l'exclusivité, mais des félicités à vivre et à expérimenter, fussent-elles momentanées, sans les enténébrer d'affects aussi diaboliques que la possession, la jalousie, la dissimulation, la cruauté, la culpabilité, le jugement, etc. Des femmes qui, comme moi, étaient seules et savaient se tenir debout dans leur solitude. Avaient rompu leurs amarres. Avaient un passé et s'en étaient sorties vivantes, plus autonomes, à la fois plus dures et plus fragiles, plus humaines en fin de compte. Des femmes qui avaient fait l'expérience de la mort dans leur être et qui, généreuses par nature, ne se trompaient plus d'ennemi désormais. Des femmes qui avaient trop longtemps, parfois trop douloureusement, vécu à l'ombre d'un autre pour ne pas avoir envie de respirer à pleins poumons sans regarder au lendemain. Des femmes qui, à un moment de leur existence, se félicitaient de rencontrer un type dans mon genre, un type qui ne leur cassait pas les pieds, qui jouait franc jeu, qui les appréciait pour ce qu'elles étaient, sans rien exiger que certains moments passés ensemble, une lubricité joyeusement partagée, sans jamais faire de *drames* et, à les entendre, elles ne rencontraient pas tant de types dans mon genre qu'elles pouvaient aimer sans que l'amour s'en mêle, sans que cela soit le moins du monde paradoxal car c'était aussi de l'amour, mais hors des sentiers battus. Hors des idées pourries qui collent aux basques comme un boulet. En sorte, je leur faisais des vacances. Nous nous rencontrions du côté officieux de l'existence, du côté du présent, dans une durée informulable, une gratuité chèrement acquise. Ça leur faisait un bien fou. Et à moi donc ! Voici que ce n'était plus l'avenir qui indexait le présent en l'écrasant sous son poids, mais le présent qui donnait son sens à l'avenir en le fabriquant au jour le jour et cela changeait tout. Voici que je vivais à quarante ans la débauche que je n'avais pas connue à l'adolescence. Je rattrapais mon retard avec qui me plaisait et qui voulait. Cela durait tendrement et sexuellement le temps que cela durait, personne ne calculait. Quelle période faste ! Je ne manquais effectivement de rien cinq heures avant de rencontrer M ! J'étais à mon summum. J'avais encore des cheveux sur la tête. Je vivais l'euphorie mâle, sans excès ni restrictions. Depuis maintenant deux ans, ma vie était la mienne et non celle que mes parents, la société ou je ne sais qui auraient écrite à mon intention, sans me demander mon avis. J'avais deux ou trois ans d'âge adulte lorsque je rencontrai M et si ce n'était pas le paradis sur terre, cela y ressemblait à mon niveau individuel des choses. J'avais officiellement 44 ans et il n'était pas si tard. Physiquement, je pétais le feu. Hormis une capacité respiratoire diminuée par un tabagisme forcené, mon seul véritable vice.

En sorte, une deuxième chance m'était accordée. Une nouvelle naissance. Et je comptais bien ne pas louper le coche. Je m'habillais déjà plus légèrement. Portais des chaussures plus souples, au lieu de gros godillots : je n'avais plus peur de m'envoler. Peu importait la laideur ambiante. Elle ne me démoralisait plus. Elle n'avait plus ce pouvoir. J'étais désormais un homme en marche. J'avais tous les as dans ma manche. Sans blague. Cela m'arrivait à moi. À moi personnellement. Cette joie échue. Cette aube allègre. Ce sentiment enivrant de m'être réconcilié et d'être en accord avec le meilleur des choses et des êtres. À bas l'enfer sur Terre ! Et le plus beau de la vie semblait à venir lorsque M avait fait irruption dans mon bureau. Comme une apothéose. Devant moi les possibles à perte de vue. C'était il y a cinq heures. C'était une sensation magnifique. Je ne doutais de rien. Je me sentais tranquillement invincible. Je croyais à l'innocence de l'avenir. J'étais devenu mon propre type d'esclave libéré. À quarante ans et mèche. Avec dix ans de retard sur les filles. Les filles ont toujours dix ans d'avance sur les garçons. C'est biologique. Ce qui fait que j'en étais plus ou moins au même point qu'en était M dans sa vie. En dépit de notre différence d'âge, nous étions magnifiquement synchrones. Nous nous retrouvions tous les deux au même carrefour de vie. Sauf qu'elle entrait dans son tunnel tandis que je venais de sortir du mien. Je peux même dire que je pouvais la voir au bout du tunnel. Je voyais sa silhouette se découper en contre-jour, tout là-bas, à l'entrée du tunnel. Il ne lui restait plus qu'à avancer vers moi. Qu'à franchir son ombre.

Qu'à se libérer de ses chaînes. Ce qui est plus facile à dire qu'à faire. Je ne l'ignorais pas. Je savais qu'il n'y a pas que les individus qui se rencontrent : il y a le temps dans lequel ils évoluent, là où ils en sont dans leur existence, à leur niveau de trajectoire personnelle. Plus qu'eux-mêmes, c'est le temps qui unit les êtres et c'est peu dire que M et moi étions en décalage. Nous étions sur la même ligne, mais l'un et l'autre aux antipodes. Entre nous : le tunnel qui, à son niveau individuel des choses, fait passer de l'ombre à la lumière.

Quoi qu'il en soit, je veux qu'il soit versé au Dossier les conditions initiales qui étaient les miennes au moment de rencontrer M. Sachant que dans un système chaotique, une modification infime des conditions initiales peut entraîner des résultats imprévisibles sur le long terme.

Je veux qu'il soit établi devant huissier que, cinq heures auparavant — que dis-je cinq heures : cinq secondes avant de rencontrer M, je ne la connaissais pas et j'étais parfaitement heureux.

Je n'imaginais pas que dix-huit mois plus tard, Julien se pendrait avec la ceinture de son pantalon à la poignée de la fenêtre de sa chambre.

Partie X

« Il y a sept stades dans l'amour. »
STENDHAL, *De l'amour*

Niveau 1

Autant le dire tout de suite : les parents de M m'ont finalement accepté bien mieux que je n'osais l'espérer.

Les barrières sociales ne sont pas si infranchissables que cela.

Son père – comment dire ? Je ne le dis pas. C'est son père. Il lit peut-être ces lignes en ce moment. Avec une armée d'avocats par-dessus son épaule. *Hello Daddy-in-Law !*

Sa mère fut charmante. L'aristocratie britannique, mais en toute simplicité. En pantalon de toile écru et chapeau de paille pour se protéger du soleil lorsque je la vis pour la première fois. Curieusement, je lui trouvais un faux air de S, sous son chapeau de paille. (Te rappelles-tu S ?) Cela se passait dans leur domaine des Cornouailles. Lors du week-end du 15 août. Il faisait grand beau temps. Une rencontre très proto-colaire, sous des dehors décontractés. Des gens vraiment très cool, tout à fait sympathiques, comme vous et moi, avec deux bras et deux jambes. Ah ah ah.

Leur domaine des Cornouailles ? Comme tu peux l'imaginer. Comme je me l'imaginais ; mais en mieux car apprécié de visu, expérimenté à mon niveau individuel, respiré par mes narines, foulé de mes pieds (quoique douloureusement car je m'étais offert de nouvelles chaussures pour faire bonne impression et ce n'était pas une bonne idée).

Devant la propriété – en fait, un *manor* datant de la fin du XVIIIᵉ siècle, avec façade un peu austère en brique rouge et tourelle flanquante côté ouest – le gazon vert anglais faisait comme une grande nappe dressée pour pique-niquer. Des arceaux de croquet étaient plantés dans une partie ombragée. Des cyprès en bordure. Dans des vasques en pierre : d'éblouissants massifs de narcisses bleu électrique. Plus loin vers l'est, de vieux et beaux érables. Un saule magnifique, s'épanouissant en gerbes immenses qui retombaient sans fin, comme un feu d'artifice arrêté sur image. Côté sud, une « haie de Cornouailles », comme j'appris qu'on appelle ces talus habillés de pierres qui érigent comme un piédestal pour, ici un prunellier, là un buisson d'aubépine, ailleurs du houx qui, aux dires de M qui s'amusaient beaucoup à me faire le tour du propriétaire, cache sous ses airs bienveillants un « cœur de pierre » (un message ?). Et voici des rhododendrons, des magnolias, des camélias, même un palmier et des plantes tropicales dont j'ai oublié le nom. Tant pis. Pas grave. C'était la fête aux couleurs à chaque instant. C'était vraiment *beautiful. Very nice.* Quel parc ! Que d'espace ! Quel Éden ! Quelle chance elle avait ! J'adorais les jardins. Ce n'est pas pour me vanter, mais les jardins sont comme les livres. Ils sont des livres ouverts. Ils sont l'expression d'une utopie. D'un savoir. D'une volonté et d'un désir et d'une spiritualité expérimentée. Au commencement Adam et Ève n'étaient-ils pas en paradis au jardin d'Éden ? Orée, seuil et passage. Jeu cyclique avec l'éphémère. Aventure des formes dans l'espace. Dialectique de l'ordre et du chaos. Intériorité déployée au grand air. Les jardins sont la culture qui fait avec la nature et non contre elle. Ils sont le laboratoire du bonheur sur Terre. Une fête des sens où la vue, l'odorat, l'ouïe, le toucher et même le goût subliment leurs différences, comme les cinq doigts font la main et non un seul ou deux. Ils sont une parcelle du monde qui le contient tout entier. Un art du temps qui compose avec lui. La métamorphose enchantée du vivant. L'invention d'une histoire, oui, les fleurs et les plantes sont des mots et vice versa, oui, les jardins sont un *récit* et ils sont le meilleur de l'homme allée, avec la nature et je n'avais encore rien vu.

Cela son *jardin secret* ?

Niveau 2

Après avoir longé un petit étang à la surface duquel flottaient des millions de lentilles d'eau comme des brassées de confettis qu'un joyeux fêtard aurait jetés à tout-va, M me conduisit par la main jusqu'à la grande allée des charmes, *The Big Elms Alley*, me dit-elle avec emphase tout en me faisant un clin d'œil, qu'avait conçue son arrière-grand-père et fleuron du domaine. Véritable chef-d'œuvre d'art topiaire réputé dans toute l'Angleterre, me confia M les yeux brillants, émue malgré elle par la beauté solennelle de la grande allée des charmes, presque en extase, comme si elle décelait, là, devant nous, matérialisée immensément, une harmonie inépuisable, un enchantement indicible, intime, au-delà du bien et du mal, débarrassé de la moindre agressivité et cependant puissant, d'un air que je peux dire transporté (*son air transporté*). De cet air qui, par parenthèse, avait ébloui Bob Evans (tout juste nommé directeur de la Paramount pour redresser la firme et producteur de films bientôt célèbres : Le Parrain, Chinatown, Marathon Man…, ce qui lui valut le surnom de Big M), lorsque Ali MacGraw était venue pour la première fois dans sa maison de Beverly Hills. Dans son autobiographie filmée, il dit, deux points ouvrez les guillemets : « Cet enfant qui aimait le pouvoir des fleurs eut bientôt le pouvoir sur toutes les fleurs du jardin. » Ce soir-là, Ali sauta tout habillée dans la piscine. Peu après, Evans l'épousait et l'imposait dans Love Story (avant qu'elle le quitte pour Steve McQueen). Il ne manquait plus que M saute tout habillée dans les lentilles d'eau et tout serait parfait.

Mes impressions sur la Big Elms Alley ? Sur le parc ? Sur le domaine ? Very impressive j'étais (*mais pourquoi pensais-je à cet instant au cadavre dissimulé dans les fourrés dans le film Blow-Up ?*). It was so beautiful… so grandiose… tellement nice… (*C'était qui l'actrice dans Blow-Up ?*) I was sous le charme… really… it was incredible… (*Jeanne Moreau ? Non, ça, c'était dans La Nuit, qu'Antonioni avait tourné cinq ans plus tôt. La scène du parc dans Blow-Up reprenant d'ailleurs la scène du parc dans La Nuit pour la prolonger, pour l'explorer, pour la réfuter, pour en faire le point de départ d'une nouvelle histoire et pourquoi pensais-je à cet instant que le couple de La Nuit se résolvait dans Blow-Up ? Quel rapport avec M et moi ?*) Je n'y connaissais rien en art topiaire, euh, mais j'avais l'impression d'un jardin à l'anglaise (ses « perspectives atmosphériques », ses points de vue à l'improviste), sauf qu'il lorgnerait par endroits sur les jardins à la française (sa géométrie évidente, ses coins discrets) et j'avais bon ou j'avais tout faux ? J'avais gagné le droit d'emmêler mes doigts dans la forêt de ses cheveux pour, doucement, amener le jardin de ses lèvres jusqu'aux miennes ? (*Et si un cadavre, quelque part dans les fourrés, pour de vrai ? Au fond de l'étang, sous les lentilles d'eau, noyé dans les confettis ?*)

C'était Vanessa Redgrave, l'actrice dans Blow-Up.

J'allais dire Patricia.

J'avais mal aux pieds.

Il y avait aussi des chevaux dans un pré. Tout là-bas. M tendit le bras vers l'ouest. Son cheval ? C'était celui qui se tenait près de la clôture. Le voyais-je ? Une jument en fait, alezane, avec une étoile sur le front mais je ne pouvais pas l'apercevoir d'ici. *Jolly Mon.* C'était son nom, joli nom, et c'était donc ça : le monde de M. Le monde de l'argent. Sa surface en tout cas. Son jardin, son *décor* et, après notre petite promenade dans le parc (*Notre promenade dans le parc !* répétait en moi une petite voix qui s'ingéniait à répéter tout ce qui m'arrivait, comme un oiseau moqueur), nous avions rejoint les autres pour le rituel du thé et, dans le petit salon très victorien où le thé était servi, l'ambiance était parfaite, *so british*, vaguement surnaturelle cependant, comme si le temps s'étirait et flatulait (c'est le mot qui me vient, quoi qu'il signifie ici), avec l'étrange sensation que l'éclairage bavait légèrement sur les bords, les proportions comme imperceptiblement déformées, un peu molles, cette sensation-là, curieuse mais pas désagréable, pas de quoi m'inquiéter.

Surtout que les parents de M étaient délicieux. Ils faisaient tout pour me mettre à mon aise. Pas un mot, pas une allusion, pas un *reproche* concernant l'ex-fiancé ! Silence radio sur celui qui, il n'y avait pas si longtemps, passait pour être le *gendre idéal*. Qu'était-il devenu, à propos ? Je l'ignorais. Bon débarras. Désolé camarade. Mais tout était allé si vite. Comme dans un rêve.

La mère de M ressemblait à Petula Clark. Son père ? M tenait de lui le front et les yeux et pourquoi n'étais-je pas surpris ?

Par parenthèse, j'ai observé que les amours les plus intenses que j'ai connues dans ma vie s'entendaient *très* mal avec leur père ; tandis que mes amours les plus durables ne s'entendaient pas avec leur mère. J'imagine que cela doit dire quelque chose. Fermer la parenthèse.

Niveau 3

Les quelques amis de la famille qui avaient été conviés à prendre le thé étaient également parfaits. Ils étaient tous vêtus de la même façon. À l'anglaise. Il ne leur manquait que le chapeau melon. Comme s'ils sortaient d'un tableau de Magritte. J'avais du mal à fixer leurs visages.

J'avais l'impression qu'ils n'avaient pas de visage. En même temps, tous se montraient affables avec moi. D'une parfaite aménité. Ils parlaient un français impeccable qui me rendait d'autant plus honteux de mon anglais. L'un après l'autre, ils vinrent échanger quelques mots avec moi. Avec mission de me jauger discrètement, je n'en doutais pas une seconde. Je me tenais sur mes gardes. L'un d'eux me dit que pour sortir de la crise, il fallait sortir de l'Europe, il fallait toujours sortir son canard, n'étais-je pas d'accord ? Pardon ? Sortir son canard ? Son *duck* ? J'avais dû mal comprendre. *I'm sorry, my english is a pity.* Il me donna une petite tape sur l'épaule. Il souriait bizarrement.

Plus tard, un autre convive, la soixantaine tellement impeccable qu'il semblait une caricature de John Steed, vint discuter rugby avec moi. M avait dû révéler mon faible pour ce sport. (Qu'avait-elle raconté *d'autre* à sa famille ? Que leur avait-elle *dit* à mon sujet ? Que ne leur avait-elle *pas* dit ?) Ah, les trois-quarts français, dit-il avec l'intention manifeste de m'être agréable. Avec la somptueuse diction d'un journaliste de la BBC. Les Blanco, les Castagnède. Il connaissait les noms. Les anciennes gloires du « french flair », lorsque celui-ci n'était pas encore une nostalgie. J'étais vaguement mal à l'aise tout à coup. De sacrés joueurs, dit-il. Quand vos trois-quarts portaient la balle, ils portaient le danger, ajouta-t-il. Vous comprenez ? Ils ne portaient pas seulement la balle, *ils portaient le danger,* insista-t-il (un message à mon intention ? Une mise en garde ?). Tout pouvait se produire avec eux. On ne savait jamais *à l'avance* ce qu'ils allaient inventer. Neuf fois sur dix cela ratait, heureusement pour nous ; mais une fois sur dix, votre utopie *française* triomphait et voilà pourquoi vous battre était si plaisant, me dit-il avec un sourire qui me parut passablement carnassier ; mais perdre contre vous n'était jamais tout à fait perdre, se reprit-il. C'était presque un honneur. Comprenez-vous ce que je dis ? Do you understand what I am talking about ? Nous autres Anglais, nous ne savons pas être imprévisibles. Nous détestons ça. *We hate that !* Vous autres Français, vous jouez contre la loi alors que nous autres Anglais, nous jouons avec la loi. (Une autre mise en garde ? Il cherchait quoi ? La bagarre ? J'avais l'impression que Jeanne d'Arc n'était pas très loin. Surcouf non plus.) Mais c'est nous qui sommes devenus champion du monde, isn't it ? God Save the Queen ! Il leva son verre et je fis de même.

Plus tard, un chien passa. Je l'avais déjà vu quelque part, mais impossible de me rappeler où et quand. Je discutais à ce moment-là avec l'un des frères de M. Le plus âgé. Lui aussi venait me sonder. Il était en mission pour la famille. Okay. Il voulait savoir ce que je pensais de la nature humaine. La – quoi ? *The human nature* ? Glup. Selon moi, l'homme était-il bon par nature et la société corruptrice par nature ? Ou bien l'homme était-il naturellement malfaisant et heureusement que la société y mettait bon ordre ? Euh. Je sentais le piège. Je sentais le terrain glissant. Je voyais qu'il voulait me pousser à la faute. Je dansais d'un pied sur l'autre. Euh. J'avouais mon ignorance sur un sujet aussi compliqué. Euh. C'était quoi *son* problème ? Okay, lui dis-je, d'un ton plus affirmé, en élevant soudain la voix. Okay ! In my opinion, s'il voulait le savoir, ce que je trouvais funny, ce n'étaient pas les gens qui postulaient que l'homme est bon par nature, mais ceux qui ricanaient qu'il puisse l'être *et on dirait que cela leur fait plaisir*. C'est comme s'ils justifiaient par anticipation toutes les saloperies que l'homme peut faire et peut-être se justifient-ils eux-mêmes. Yes, ce sont des petits marrants, ceux-là. De gros malins. Ils ont tout compris. S'ils postulent que l'homme est mauvais, c'est parce que ça les arrange. C'est parce qu'ils ont *intérêt* à ce que l'homme soit foncièrement méchant et le résultat des courses, c'est quoi ? C'est un monde un peu meilleur ou un monde un peu plus pourri ? À son avis ? interrogeai-je le frangibus en le fixant droit dans les yeux. Listen, me radoucis-je aussitôt, s'il voulait le savoir, *in my opinion*, la nature humaine, oui, eh bien, elle était pur primesaut. Voilà. Telle était la nature humaine. « Moi j'ai le primesaut », me revois-je lui dire – et dire avec emphase, jusqu'à presque renverser sur son habit le verre que je tenais à la main. En prenant l'accent anglais : « praï-mi-so ». C'était ridicule. C'était bizarre. Que m'arrivait-il ?

Lui me regardait en plissant les yeux. Il avait une bonne trentaine d'années. Un visage déplaisant. Tout lisse. Avec, aux coins des lèvres, un sale petit pli véreux. C'était dingue comme il *ne* ressemblait *pas* à M. Physiquement, on ne pouvait pas soupçonner qu'ils étaient frère et sœur, c'était *inimaginable* et, pendant une fraction de seconde, l'idée me traversa qu'il y avait peut-être un secret de famille sous roche. La mère de M avait peut-être *fauté*. M n'était peut-être pas la fille de son père. Ou bien c'était son frère. Dont la joue s'ornait d'un affreux grain de beauté : gros, noir et duveteux, on aurait dit une mygale et j'en avais froid dans le dos rien qu'à la regarder. Je croyais la voir bouger et c'était une épouvante. Lui affectait de ne pas s'en apercevoir. Peut-être ne comprenait-il pas un traître mot de ce que je disais. Me désignant mes chaussures, il me dit : « Attention, votre lacet est cassé. » (Be careful, your shoelace is broken.) Quel rapport ? Encore une menace ? Ils commençaient tous à m'agacer avec leurs sous-entendus. Je sentais de plus en plus peser sur mes épaules le « poids des conventions ». Je me sentais comme un explorateur contraint de se plier aux usages d'une peuplade étrange et primitive. Je ne sais pas. Je n'étais pas tranquille. Je redoutais de plus en plus l'embuscade. Il s'agissait peut-être d'anthropophages.

S'ensuivit une conversation (un monologue devrais-je plutôt dire), au cours de laquelle je tentai d'expliquer le mot primesaut. Ce n'était pas gagné. Je savais qu'il n'existait aucun équivalent de ce mot en anglais et j'aurais mieux fait de m'abstenir. J'étais tout à fait impuissant à traduire dans une langue que je ne maîtrisais aucunement ce qui apparte nait en propre à la langue française. C'était frustrant. Mais j'insistais. Cela me semblait important à ce moment-là. Je voulais faire passer un message. Comment dire ? Je tenais le mot « primesaut » d'Arsène Lupin himself. Did he know Arsène Lupin ? demandai-je au frangin. The « gentleman cambrioleur » ? Gentleman, cela devait sonner à ses oreilles... Did he ever read *L'Aiguille creuse* ? A famous good book, in my opinion. Very popular in France. Anyway. At the end of the book (à la page 203 s'il voulait le savoir), in a dramatical ending scène, Arsène Lupin explique qu'il a the « primesaut » et pas les autres. Not the other people. Juste him. Le « primesaut » : voilà qui makes the différence between him and everybody else. Voilà d'où il tire his power. His intrépidité. Lui a la joie. The joy. Did he understand the word « intrepidity » ? Anyway. All the people are always too much serious. People don't have « the smile ». Le sourire. When I read, heu, read, yes, this passage in this book, I was thirteen years old and j'avais retenu the word « primesaut ». Il m'avait tout de suite ébloui. As a sunshine. J'en étais immédiatement tombé amoureux, like fall in love, euh, fell in love et par la suite, je ne m'étais jamais privé de glisser le mot primesaut in the conversations. I tried the most possible I can de faire vivre le mot « primesaut » in the world, as now ! Pour que ce mot ne se perde pas. To lose not this word anymore. Qu'il rayonne et rallie les esprits à sa cause. Continue d'enchanter l'existence. Demeure source de coups d'éclat mémorables. Did he understand or he didn't care what I'm saying ? C'était un vrai grain de beauté qu'il avait sur la joue ? Il n'avait jamais songé à se le faire ôter ? Je pouvais le lui arracher ?

Je passe ici ma désastreuse tentative d'expliquer en anglais que, dans ce livre, Arsène Lupin affrontait Sherlock Holmes et Rouletabille, rebaptisés ici Herlock Sholmes et l'élève Beautrelet. C'est-à-dire que Maurice Leblanc avait mis en scène ses deux rivaux littéraires du moment pour démontrer qu'ils ne faisaient pas le poids ; pour une seule et unique raison : *eux n'avaient pas le primesaut !* Tout génial qu'il était, Holmes demeurait déductif, alors que le cœur a ses raisons que la raison ignore ; tandis que Lupin n'avait pas besoin de regarder par le bon bout de la lorgnette : il avait le primesaut, qui unit in a same way la raison et l'intuition, l'audace allée, avec l'intelligence et ainsi était-il stronger than his two rivaux et le frangibus voulait-il que je répète ou c'était too much pour lui ? À son avis, Lupin était-il plus fort que le chevalier Dupin ou que le père Brown, voire le docteur Invraisemblable, lesquels, au primesaut, mêlaient la poésie ? J'aimerais voir réunis tous ses superhéros pour une même enquête. Okay. En attendant de voir ça, the most important thing in my opinion, c'est que de mettre si ouvertement la pâtée à Conan Doyle et à Gaston Leroux was de la part of Maurice Leblanc faire montre d'un sacré primesaut littéraire. It was a splendid déclaration of war par livres interposés and, okay, sorry, ce n'était pas si important finalement. J'abandonnais. Je n'en pouvais plus de baragouiner petit nègre.

En même temps, je n'étais pas mécontent de moi. À l'intérieur du système de contraintes dans lequel je ne pouvais faire autrement que d'évoluer depuis que j'avais mis les pieds en Cornouailles (et qu'il n'était pas question que j'affronte de front : il s'agissait tout de même de la famille de M !), j'avais trouvé le moyen de faire passer mon message sans user de la moindre violence, en parlant pour ainsi dire la langue de l'ennemi.

Mais la tête me tournait soudain. Levant les yeux, je les baissai aussitôt : la tête du frère de M – comment dire ? Son grain de beauté avait changé de place. Il n'était plus sur sa joue mais sur son nez. Au bout de son nez. C'était affreux. Je n'arrivais plus à le regarder en face. Avait-on versé en douce quelque chose dans ma tasse de thé ? Je déglutis et me mis à regarder mes mains comme si elles étaient soudain trois. Mieux valait que je me taise. Je devais me calmer. Fallait que j'arrête de boire du thé. Je jetai un coup d'œil périphérique par-dessus l'épaule du frérot, à la recherche de M, qu'elle me tire de ce pétrin – et vite ! Lui me regardait en hochant la tête et, l'hallucinant du coin de l'œil, j'avais l'impression que son grain de beauté allait tomber par terre comme un confetti, comme une goutte de plomb fondu, comme une lentille d'eau qui allait ensuite se mettre à courir sur le tapis dévoilant qu'elle était une araignée. Il plissait toujours les yeux, m'observant en silence avec cet air de politesse qui a quelque chose de vénéneux ou de venimeux, je ne sais plus comment on dit. De façon franchement dubitative, quoique sans animosité, plutôt avec cette commisération que l'on éprouve pour les pauvres types que l'on sait irrécupérables et je me rappelle que tous les deux hochâmes la tête un bon moment, sans pouvoir nous arrêter ni déterminer lequel devait le premier mettre un terme à cette embarrassante situation.

Encore plus tard, je refis le lacet de ma chaussure. Il s'était effectivement cassé. Il cassa de nouveau. Cela m'énerva. Il fallut que je saute deux œillets pour parvenir à le renouer. Saleté de lacet ! Des chaussures toutes neuves ! Déjà qu'elles me faisaient un mal de chien.

À propos de chien : je me rappelle maintenant où j'avais déjà vu celui que je vis passer : il s'agissait de Sam (voir page 353).

Niveau 4

Hormis mon lacet et ma petite hallucination concernant le grain de beauté du frangin, tout se passait finalement on ne peut mieux. J'étais globalement satisfait de ma prestation. Je n'avais, jusqu'ici, commis aucun véritable impair. J'étais même surpris de me sentir à ce point à mon aise. Il me semblait que j'évoluais avec grâce dans cet environnement luxueux et vénérable. Je me sentais *presque* dans mon élément, comme familier des lieux, ce n'était finalement pas si compliqué de se trouver dans le monde de M, pas de quoi en faire un fromage. Je n'avais même pas à chercher à me montrer à mon avantage : *j'étais à mon avantage*. Je buvais une tasse de thé sans en renverser une goutte, assis bien droit dans un grand fauteuil en cuir noir, la fesse à peine posée, lapant mon breuvage avec un nuage de lait à toutes petites gorgées, de l'extrême bout des lèvres, limite le petit doigt en l'air, comme si j'avais bu toute ma vie dans de la porcelaine et pas n'importe quelle porcelaine. Il s'agissait à l'évidence d'un service précieux en porcelaine d'os (« bone china »), chaque tasse étant ornée de délicats motifs floraux dans le plus pur style Royal Albert (j'ai fait des recherches après coup) et vraisemblablement chaque tasse était-elle signée et même numérotée – mais je n'allais pas renverser la mienne pour le vérifier, ah ah ah, comme j'étais drôle ! Comme tout ceci était cool, zen, relax. Tout se passait décidément à merveille. Pourvu que mon lacet tînt le coup et que ma tasse, pour une raison ou pour une autre, parce que je l'aurais jetée de toutes mes forces contre un mur, ne se brisât pas et, avec elle, l'ambiance subtile et distinguée qui flottait dans le petit salon très victorien dans lequel l'auguste société s'était rassemblée pour la cérémonie du thé. Car je m'agaçais cependant que M n'ait pas davantage souci de moi et de mes efforts pour lui faire honneur. Elle semblait étrangement m'éviter et c'était peut-être un rituel. Dans son monde, peut-être les amants devaient-ils feindre de ne pas se connaître. Précisément parce que tout le monde était au courant. Rien ne semblait naturel mais obéir à certains codes bien précis qui m'échappaient. Tout est bizarre ici, songeais-je en dégustant mon Earl Grey (*It is an Earl Grey, isn't it ? Very delicious !*).

Les muffins, surtout, étaient divins. Ils étaient fantastiques ! Tantôt simplement sucrés, tantôt avec des pépites de chocolat, la mère de M en avait cuisiné de ses propres mains une douzaine (ce qui, au demeurant, me parut chiche vu la bonne vingtaine d'invités : il n'y en aurait pas pour tout le monde et c'était peut-être voulu, une manière de faire comprendre à certains qu'ils étaient en disgrâce ou un truc dans le genre – mais je m'abstins de poser la question. Cela ne me regardait pas). Comme s'il s'agissait d'un rituel dont tous devaient percevoir la signification, la mère de M me présenta elle-même l'assiette pour que je goûte l'un de *ses* muffins et c'était de sa part un signe manifeste de bienvenue, un honneur qu'elle me faisait, une espèce d'intronisation, une façon de faire comprendre à tous qu'elle m'accueillait dans la famille et que j'en faisais désormais partie. Conscient de la solennité de cette marque d'attention, je la complimentai chaleureusement sur ses talents de cuisinière : *Your muffins are so wonderful, Madame. You're a great coocker, euh, you're cooking wonderfully, Miss !* Ce disant, j'eus l'affreuse sensation d'avoir prononcé quelque chose qui avait à voir avec le mot « cock », j'avais un doute soudain, ce fut un moment de grande tension, tout ne tenait qu'à un fil.

Concernant les muffins, mon enthousiasme n'était pas feint. Ils n'étaient pas un autre nom pour respounchous. Pas du tout. J'adore les muffins, j'ai toujours adoré les muffins et ceux de la mère de M étaient les plus *tasty* que j'aie jamais goûtés, ils étaient les plus joliment roulés que j'aie jamais vus, vraiment divins ils étaient, et moelleux, fondants, sublimes, etc. Ainsi ne me fis-je pas prier lorsque la petite domestique sri lankaise (qui avait pris le relais de la mère de M pour assurer le service) me présenta de nouveau l'assiette de muffins. Je comptai qu'il en restait quatre. Deux au sucre et deux aux pépites de chocolat. Seulement quatre. Les quatre derniers. Que je fis tous glisser dans la soucoupe de ma tasse de thé. Hop hop hop et hop. L'un après l'autre je raflai les quatre derniers muffins et n'en laissai aucun dans l'assiette. Pas une miette. Pas gêné le gars ! « Mais que fais-tu ? m'effrayai-je moi-même. Ça va pas la tête ? Veux-tu bien remettre les muffins dans l'assiette ! Que vont penser les autres ! Oh Seigneur ! » Mais il était trop tard : j'avais raflé les quatre muffins jusqu'au dernier, hop hop hop et hop, tous les muffins pour bibi et tant pis pour les autres, moi d'abord pour une fois, n'en déplaise, rien à foutre ! Parents de M ou pas, j'en avais trop envie, ces muffins étaient FANTASTIQUES, ils m'étaient DESTINÉS, quand bien même j'avais conscience que ce ne sont pas des choses qui se font et, au contraire, qu'il s'agit de choses qui ne se font pas et ma voisine de gauche (vieille lady s'il en est, toute de rose vêtue comme un bonbon) en avait également conscience. Elle n'en revenait pas que j'aie raflé tous les muffins sous son nez. Elle en restait baba. *Shocking* elle était. *Absolutely* offusquée. Comment avais-je osé ? Car elle aussi voulait un muffin. Elle voulait *son* muffin ! God-damned, elle s'en étouffait d'indignation de pareille muflerie. Elle était au bord de manger son chapeau, avec les deux oiseaux roses qui l'ornaient sur le côté. Allons mamie, me penchai-je vers elle. Faites pas cette tête ! *Do you know Jacques Lacan ? The very famous french psychanalyst ?* Eh bien, c'est ce qu'il appelle "accéder à son désir", *to access to his desire.* Comprenait-elle *to access to his desire ?* Avait-elle déjà essayé ? Eh bien, *it was my turn to access to my desire.* Eh oui. *Sorry* mamie. Mille excuses la vioque. Ce n'était pas sorcier à comprendre. Ce n'était pas négociable. C'était ma fête aujourd'hui (*It's me the king today*), lui dis-je en boulottant sous son nez un premier muffin. Miam. Quel délice ! Je ne lui disais que ça…

Les mots sortaient de ma bouche comme s'ils venaient de plus loin que moi. En même temps, cela ne me ressemblait pas. Quelque chose clochait – mais quoi ? La vieille affectait à présent l'indifférence. Je voyais bien qu'elle ruminait et hésitait sur la conduite à tenir. Finalement, elle sourit. Oh, dit-elle en arrondissant ses vieilles lèvres dont le rose à lèvres croûtait et débordait à la fois, si je comprends bien, jeune homme, votre désir est de tout prendre pour vous et de ne rien laisser aux autres. Eh bien, permettez-moi de vous dire que c'est un désir de merde. Cela qu'elle dit. Texto. Un « désir de merde ». *A desire to shit.* Cette vieille morue. Wow ! Elle me cassait les pieds à la fin. Elle n'allait pas faire toute cette histoire pour un muffin ! Saleté de chaussures. Ne comprenait-elle pas ce qui se passait ? Okay, j'allais lui expliquer. Je pouvais tout expliquer. Mais j'eus beau ouvrir la bouche, aucun son n'en sortit. Je n'arrivais plus à parler. J'étais devenu muet et je me sentis tout à coup affreusement angoissé. En pleine panique. Je cherchai M des yeux mais ne l'aperçus nulle part, soudain elle avait disparu, soudain je ne fus plus dans le petit salon victorien mais sur un étroit chemin de landes, dans un paysage sauvage de hurlevents, sous un ciel lugubre, avec l'ombre de grands elms se profilant à l'horizon et, devant moi, la petite domestique sri lankaise m'ouvrait la voie et elle était pieds nus, ses cheveux étaient dénoués et ils flottaient au vent et elle m'encourageait à aller de l'avant, elle me disait : « *Come on, come on*, ce n'est pas ici que vous accéderez à votre désir et, en tous les cas, pas avec un lacet cassé, regardez votre lacet : il est cassé ! Il ne ressemble plus à rien. Comme vous êtes drôle ! Vous ressemblez à une fourmi. Mais venez, que je vous dis. *Come on. Quick quick.* N'ayez pas peur. *Don't be afraid.* Nous allons à l'étang. Je veux vous montrer les confettis. Je vais vous révéler un secret. Mais il faut d'abord que vous ôtiez toutes ces fourmis de votre jambe » – et c'était vrai : ma jambe était couverte de fourmis rouges et c'est à ce moment-là que je me réveillai le cœur battant, des picotements fourmillant dans ma jambe parce qu'elle avait pris une mauvaise position pendant mon sommeil et se trouvait maintenant ankylosée et M comme Muffins. Bien obligé. *Les Muffins*, voilà le titre d'un livre que j'aimerais écrire. Mais pourquoi des muffins ? C'est quoi les muffins ? C'était quoi cette fixation dans mon rêve ? Je l'ignore. Il existe bien un morceau de Frank Zappa qui s'intitule Muffin Man (*Girl you thought he was a man / But he was a muffin...* « La fille pensait qu'il était un homme / mais il était un muffin ») ; mais cela me semble franchement tiré par les cheveux. Cela n'a aucun sens. Je ne vois pas ce que Zappa vient faire dans le tableau.

Niveau 5

Ôte-moi d'un doute : tu n'as tout de même pas cru que les choses s'étaient passées ainsi ? Que j'étais allé en Cornouailles et que j'avais mangé tous les muffins de la mère de M sans en laisser aucun ! Tu ne l'as pas cru sérieusement ! Rassure-moi ! Tu sais bien que rien ne s'est passé comme je l'espérais. *À aucun moment.* J'ai raconté ce rêve (que je notai à l'époque dans un de mes petits carnets et peu importe sa signification, peu importe le message que mon inconscient chercha à me faire passer au travers de muffins et autre lacet cassé, je m'en fiche) pour gagner du temps. Pour ne pas feindre ici un suspens qui n'a pas lieu d'être. Qui n'a plus lieu de l'être. Tout le monde a bien compris que cette histoire se termine mal. Je veux dire : de façon nullement heureuse *pour moi*. Et pour Julien également, je ne l'oublie pas, *je ne l'oublie pas une seule seconde.*

Même si, sur l'instant… oh oui, il s'en est fallu d'un cheveu, d'un poil, d'un cil que la situation ne tourne en ma faveur et rien que d'y songer, il me monte des entrailles un atroce gargouillis intérieur. Il me vient des envies de procès, d'accusations publiques, de plaintes déposées en bonne et due forme et tu comprendras pourquoi page 819 (si tu arrives jusque-là). Oui, je voulais que payent les responsables, je voulais qu'ils reconnaissent le tort qu'ils m'avaient fait et sachent que, après que M eut quitté mon bureau (et avant de rentrer à pied chez moi), j'étais retourné m'asseoir à mon poste de travail et, après avoir allumé une nouvelle cigarette, j'étais resté un long moment immobile. Je regardais par la fenêtre la nuit et son soleil. J'avais l'impression d'avoir désormais un secret, un magnifique secret, le plus beau des secrets et la façade de l'immeuble d'en face ne ressemblait plus à *ma* façade de l'immeuble d'en face : elle était redevenue une banale façade d'immeuble. J'avais trouvé mieux comme carré de lumière dans le monde. Mieux comme moyen d'évasion et c'était un premier effet de M.

J'avais chaud. On crevait de chaud dans mon bureau et je m'étais levé pour entrouvrir la fenêtre, qu'une butée empêchait d'ouvrir en grand. Tout était calme dehors. Silencieux. Rouge et bleu. J'avais respiré l'air de la nuit à pleins poumons. Au loin la rumeur du périphérique intérieur et extérieur. Dans ma poitrine aussi, comme un grondement, un sourd gémissement, une lente angoisse. Un deuxième effet de M. D'une pichenette j'avais propulsé mon mégot dans le vide. Dix mètres plus bas, il avait atterri sur le capot d'une voiture en stationnement, provoquant une petite gerbe d'étincelles au moment de l'impact. Je visais pourtant le panneau « Stationnement interdit sauf week-ends et jours fériés » installé de l'autre côté de la rue. Heureusement qu'une mésange à bec noir ne passait pas par là. J'avais songé qu'il était trop tard pour acheter des boîtes pour le chat. Tant pis. Il attendrait. Chacun son tour. J'avais bien attendu trente-deux ans. Je n'étais pas pressé de rentrer chez moi. J'étais resté à fixer le point rouge de mon mégot qui scintillait sur le capot de la voiture, jusqu'à ce qu'il cesse d'émettre la moindre lueur, guettant son dernier souffle de vie.

Retournant m'asseoir à mon bureau, j'avais allumé la lampe. J'avais envie d'allumer tout ce qu'il était possible d'allumer. Tout embraser. Fiat lux. C'était un désir nouveau en moi. Un troisième effet de M, plutôt pyromane. Les autres bureaux étaient à présent vides. Les locaux déserts. Tout le monde était rentré chez soi. La petite armée de Maliens qui faisaient le ménage dans le bâtiment devait avoir commencé son boulot. Ils devaient être au sixième étage en ce moment. Lorsqu'ils auraient fini de vider les poubelles et de passer l'aspirateur, ils s'attaqueraient au niveau inférieur, et ainsi de suite, en descendant toujours plus bas, en se dirigeant toujours plus vers la sortie.

J'avais des fourmis dans tout le corps.

Je m'étais relevé pour ramasser les dossiers que l'autre affreux avait balancés sur la moquette lorsqu'il avait pris une chaise pour faire son malin entre nous. Quelle caricature celui-là ! Avec son manteau pied-de-poule et ses couilles à l'air. J'te jure. Quel pitre ! Enfin bref. Le quotidien du jour traînait sur le haut de la pile. J'avais remis les pages en ordre. L'avais vaguement feuilleté, laissant errer mon regard sur les gros titres ; mais j'étais incapable de me concentrer sur les affaires du monde. Elles ne me concernaient plus. J'avais trouvé mieux pour occuper mon esprit. Mieux pour m'inquiéter de mon sort. Un quatrième effet de M.

Au dos du journal, c'était la page des horoscopes. Je m'étais penché. Simple curiosité. Avais cherché ce que les astres me prédisaient. Concernant les Cancer, je lus, deux points ouvrez les guillemets : « Vous allez faire une rencontre qui pourrait changer votre vie. » (*Nan ! Sans blague ! avais-je sursauté, le cœur battant, au bord d'éclater de rire et, en même temps, troublé, fébrile, tout à fait exalté.*) Ça alors ! Mû par une irrésistible intuition, j'avais cherché les Vierge : « Vous serez amoureux, passionné, mais peut-être pas de votre partenaire. »

« *Peut-être pas de votre partenaire !* »

PEUT-ÊTRE PAS DE VOTRE PARTENAIRE !

C'est ce qui était écrit.

Nom de dieu !

Exit le fiancé !

Hourra !

Voilà ce que les astres prédisaient à M.

Voilà aussi pourquoi Julien s'est suicidé !

Il serait encore en vie si la fille chargée de la rubrique astrologique avait écrit autre chose ce jour-là.

Je sais aujourd'hui qu'il ne s'agit pas d'une fille mais d'un logiciel.

Je l'ignorais à l'époque.

C'est à partir de là, dès cet instant, que j'avais commencé à lire chaque jour mon horoscope. Jusqu'au suicide de Julien.

Car à cet instant, j'avais cru ce que disaient les astres. J'avais bondi sur mes pieds, totalement électrifié. Je m'étais ébouriffé les cheveux. Frotté mes yeux. M'étais pincé. M'étais mis à improviser une gigue dans mon bureau. À danser le branlou. J'avais lancé à moi tout seul une ola qui avait fait le tour du monde.

Nom d'une pipe !

Les dieux m'envoyaient un signe ! Ils me bénissaient. Ils étaient à fond de mon côté !

Mon histoire de M n'était pas une simple histoire d'amour. Il ne s'agissait pas seulement d'elle et de moi. Des puissances supérieures étaient à l'œuvre. Cela nous dépassait tous les deux. C'était au-delà du commun. C'était…

Je n'avais pas de mots.

Je suffoquais.

Je riais et croyais devenir fou.

C'était complètement *dingue* !

On ne me croirait jamais.

Quelle importance !

Je savais ce qu'il en était désormais. Je savais que M et moi, c'était extraordinaire. C'était d'un autre ordre.

Dix fois je lus et relus nos deux horoscopes.

Je n'en revenais toujours pas.

Jamais auparavant je n'avais eu l'idée de vérifier quoi que ce soit dans des prédictions astrologiques. Cela me semblait la dernière des stupidités (voir page 109). Mais pas à cet instant précis. *Plus jamais à partir de maintenant !* J'en faisais le serment, là, dans mon bureau – et je l'ai tenu jusqu'au suicide de Julien ! J'avoue. De ce jour, je n'ai plus cessé de consulter quotidiennement mon horoscope et celui de M. C'est devenu une espèce de drogue. J'étais entré dans un cercle enchanté et, à partir de cette minute, tout m'est apparu astral. Tellement je fus frappé au cœur. Tellement prodigieux fut le choc que je ressentis alors.

Comme une pure décharge d'adrénaline. Un concentré de fou bonheur. Comment avais-je pu passer quarante-quatre années à côté d'une telle source céleste d'informations ? Je n'en croyais pas mes yeux. J'avais vérifié la date du journal. Aucun doute. Je ne me trompais pas. De nouveau j'avais relu nos deux horoscopes. J'étais en nage. Je voyais des points blancs danser devant mes yeux. M devait savoir. Il faudrait que je lui montre. C'était une preuve ! Ce n'était pas moi qui inventais. J'avais déchiré la page du journal. L'avais pliée en quatre et mise précieusement dans ma poche. Comme mon laissez-passer pour Cythère. Comme l'origami d'un fol espoir qui me fait doucement rire aujourd'hui. Très doucement.

Niveau 6

Un jour, j'ai raconté l'histoire de Donald Crowhurst. L'effroyable histoire de Donald Crowhurst. J'étais dans une cape soyeuse. Le bar passait une chips langoureuse dans mes cheveux tandis que la malchance de Donald Crowhurst pardonnait ses fautes à la femme qui feignait de m'écouter avec ses seins tamisés. Elle ressemblait vaguement à... Non. Ce petit jeu ne m'amuse plus. Assez que les gens ne ressemblent pas à eux-mêmes. Je préfère me concentrer sur Donald Crowhurst. Connaissait-elle Donald Crowhurst ? Qu'elle me le dise. Pas la peine de l'ennuyer. On pouvait parler politique si elle préférait. Non ? Okay. Cela se passait en 1968, lors de la première course à la voile en solitaire autour du monde. Elle aimait naviguer ? Don s'était engagé à bord d'un trimaran de son invention. La course devait durer à peu près dix mois... et...

... voilà comment Donald Crowhurst est entré dans l'histoire, conclus-je en vidant d'un trait mon verre. Effroyable, n'est-ce pas ? Elle ne voulait pas qu'on aille maintenant à Cayman Brac ? Ce serait rigolo. Allez. Un peu de fantaisie. J'étais sérieux ce disant. Comme on l'est quand on sait que l'autre dira non. Qu'elle eût dit oui, je me serais pris au mot. Je l'aurais emmenée à Cayman Brac, une petite île de la mer des Caraïbes. Je n'eus pas à le faire. Ouf.

Ayant fini de raconter cette histoire qui ne m'appartenait pas, j'étais resté silencieux. Avec un sale goût dans la bouche. Un goût de cendre. Un désastreux sentiment d'amertume. Je n'aurais pas dû raconter cette histoire. Pas comme ça. Entre deux verres, deux chips, deux regards langoureux. En me servant de cette histoire pour séduire une fille dans un bar. Parce que j'avais vu quelques jours auparavant un documentaire consacré à Donald Crowhurst et, depuis lors, je n'arrêtais plus de penser à Donald Crowhurst, à son histoire, à sa femme aussi, à son fils, à son meilleur ami, Ron Winspear, qui disait vouloir donner une sépulture à son ami, lui donner au moins ça, une sépulture, pour que l'âme de Don n'erre pas sans fin dans l'oubli et l'opprobre, j'allais dire l'âme de Julien. J'aimerais avoir un tel ami. Je ne suis pas sûr d'en avoir un aussi fidèle. Qui, lorsque j'aurai disparu de la surface de la Terre, se battra pour réhabiliter ma mémoire. Des fois qu'il le faudrait.

À cette fille rencontrée dans un bar, je n'avais fait que raconter le meilleur de ce documentaire, le plus croustillant, le plus superficiel aussi, c'était lamentable. C'était terriblement désinvolte. L'histoire de Donald Crowhurst méritait mieux. Infiniment mieux. Ne m'avait-elle pas conduit jusqu'à mes propres eaux profondes ? Je croyais même y avoir décelé – je ne sais pas. Il y avait des parallèles avec mon histoire de M. Je ne sais pas. J'avais fait des recherches. Trouvé de nouvelles informations. Constitué un dossier dans le Dossier. Comment dire ? Sans être confidentielle, cette histoire n'était connue que de ceux qui la connaissaient et ils n'étaient finalement pas si nombreux. Alors qu'elle devrait être enseignée dans les écoles. Étudiée à l'université. Faire l'objet de mémoires érudits. Tellement elle présentait de facettes, toutes plus miroitantes et abyssales les unes que les autres et, pour ce qui me concerne, il m'était venu une interprétation. Un peu différente. Un peu personnelle. Comment dire ? Je ne me rappelle plus si nous allâmes ensuite chez cette fille rencontrée dans un bar ou si la nuit se termina chez moi, ou encore à l'hôtel, à moins qu'il n'y eut pas de nuit ensuite ; mais j'imagine que ce n'était pas chez moi car, à tout prendre, je lui aurais passé ce documentaire, autant qu'elle le voie et se fasse sa propre idée et il s'agit de Deep Water, réalisé par Louise Osmond et Jerry Rothwell, sorti en salle en 2006, version DVD et Blu-Ray en 2007, distribué par Pathé. Je donne ces détails afin que tu ailles y voir par toi-même et… la suite plus tard.

La suite page 75 du Livre 2.

Niveau 7

Vous voulez bien me tuer ?

C'est M qui parle.

Qui murmure à ton oreille.

Vous voulez bien me tuer.

Dans un souffle.

Tu es penché sur elle. À quelques centimètres de son visage. Elle te regarde dans les yeux. Avec une intensité déchirée. Tu viens de l'embrasser pour la première fois. De l'embrasser vraiment. Elle aussi. Aussi avidement que toi. Aussi tendrement. (*Ô ses lèvres, ô sa langue !*)

Vous voulez bien me tuer ?

Tu dis qu'elle ne sait pas ce qu'elle dit. Elle ne veut pas mourir. Elle veut vivre au contraire. C'est évident. C'est plutôt toi qui voudrais mourir.

Toi qui as le sentiment de mourir de vivre à cet instant.

Tu as dit ça sans réfléchir. Tu le regrettes déjà. Comme si tu venais de la trahir. Ou d'avouer un secret que toi-même ignorais et qui pourrait maintenant te poursuivre. Tu aurais dû demeurer silencieux. Ou la prendre au mot. La serrer encore plus fort dans tes bras. Encore plus doucement. En tous les cas, ne pas faire comme s'il s'agissait d'un tragique de pacotille. D'un aveu de midinette. D'une métaphore sexuelle facile. Ne pas avoir peur toi-même de ce qu'elle vient de dire et de ce que cela peut signifier ou impliquer.

Trop tard. Elle te repousse, s'écarte de toi, délaisse l'étreinte. Elle se lève. Remet ses vêtements en ordre. Lisse ses cheveux en arrière avant de les attacher dans le dos avec son élastique pour former son agaçante queue-de-cheval, qu'elle achève de serrer en tirant un coup sec sur la masse de ses cheveux séparée en deux. Tu regardes ta main droite. La marque que ses dents ont laissée tout à l'heure. Tu ne peux plus bouger le petit doigt. Il est paralysé. Tellement elle t'a mordu fort. Jusqu'au nerf.

Cela ne devait pas tourner comme ça. Pas du tout.

Comme s'est vite refermé le ciel qui s'était entrouvert.

Pourquoi a-t-il fallu que tu tombes sur une fille comme elle ? Tellement : quoi ?

Alors que tout pourrait être si simple. Tout est simple en ce qui te concerne.

Tu la regardes. Elle évite de te regarder. Elle s'en va vraiment. (*Oh non, pas ça ! Pas ces enfantillages !*) Elle *s'enfuit*. Elle s'excuse. Elle ne sait pas ce qui lui est passé par la tête. Elle ne pensait pas ce qu'elle disait. Elle ne devrait pas être ici. Elle n'aurait pas dû venir. C'était une erreur. C'était ridicule. Elle est épuisée. Il vaut mieux qu'elle s'en aille. Il vaut mieux que vous ne vous voyiez plus.

D'une voix minuscule.

Elle aussi est dépassée par ce qui vous arrive depuis que vous vous êtes rencontrés. La veille, elle t'a envoyé ce texto, comme un cri : « Mais que m'avez-vous fait ? Je ne me reconnais plus. Vous êtes le diable. » Tout de suite les grands mots.

Mais tu avais compris ce qu'elle voulait dire. Tu éprouvais la même chose de ton côté. Quelle folie !

Tu l'observes reboutonner le haut de sa robe. Ses mains tremblent. Tu ne cherches pas à la prendre dans tes bras. Tu sais que ce serait inutile. Tu es fatigué, toi aussi.

Tu n'en peux plus.

Cette tension entre vous. Cet affolement. En permanence. Tu voudrais redevenir toi-même. Qu'elle s'en aille ! Bon vent ! Elle n'est qu'une emmerdeuse.

Qu'elle reste ! Ne parte pas !

S'il te plaît.

Mais ta voix s'étrangle dans ta gorge.

Mais elle enfile déjà sa veste en cuir. Déplace, dans son geste, sans s'en apercevoir, un cadre qui se trouve au mur. Le cadre de traviole maintenant. Comme tout. Ta vie. Le monde.

Mais ses talons résonnent déjà dans l'escalier. Ils se confondent avec les battements de ton cœur. Et tandis qu'ils diminuent et finissent par disparaître dans la nuit, tu crains que tout ne s'arrête aussi dans ta poitrine. À cet instant cela te semble possible. Mais non. Tu respires encore. Tu allumes une cigarette. Tu entends encore ses pas dans ta cage thoracique comme s'ils allaient désormais donner son rythme cardiaque à ta vie. Tu te dis que ce n'est pas sans risque. Tu souris dans le noir. Tu regardes le cadre du tableau qui, sur le mur, se trouve maintenant légèrement de traviole. N'est plus d'équerre. Qu'elle a déplacé dans sa précipitation. Comme tout ceci est grotesque. Pathétique. Tu abhorres cette situation. Tu ne sais pas quoi faire. Il faudrait que tu trouves le moyen. De ne plus l'aimer.

Ce qu'on appelle l'amour, c'est l'exil. C'est l'ennemi. C'est l'infini à la portée des caniches, disait l'autre. C'est donner ce qu'on n'a pas à quelqu'un qui n'en veut pas, disait un autre. C'est une sorte de préjugé et j'en ai suffisamment comme ça, disait un troisième. C'est quand on commence à agir contre son intérêt, renchérissait un quatrième. C'est le seul domaine, avec celui de la douleur, où il est encore possible de se perdre, disait un cinquième. Et cetera. Tu étais prévenu. Tu ne peux pas dire que tu n'étais pas prévenu.

L'amour, c'est ce qui ne se vit pas. L'amour, c'est juste l'invivable vécu.

Tu restes allongé, les yeux fermés. Tu attends que s'estompe la douleur dans ton bas-ventre. Ce feu inassouvi de tes gonades.

Tu rouvres les yeux. Tu regardes se consumer le bout incandescent de ta cigarette. Tu te sens perdu. D'elle, tu acceptes tout et n'importe quoi. Surtout n'importe quoi. Tu fais n'importe quoi. Tout le contraire de ce qu'il faudrait faire. Tu es hors de toi. En permanence dans un état de tension, de fébrilité, de niaiserie... En permanence l'impression de te liquéfier et de t'éparpiller et d'être traversé de zéphyrs, de blizzards, de ne rien faire comme il le faudrait, d'être maladroit comme pas permis, timide et stupide et insuffisant. De commettre impair sur impair. D'être tout le temps à côté de la plaque et de ne rien maîtriser, absolument rien. Ta boussole comme démagnétisée. Le nord partout et nulle part. Ton sens de l'orientation : aboli. Ce qui ne se produit que si l'on se trouve au pôle. Lorsqu'on se situe au point exact de convergence de toutes les forces magnétiques.

Jamais tu ne t'es senti à ce point dépossédé de tout et, en même temps, possédé par tu ne sais quoi depuis que tu la connais : parce que tu te trouves au plus près d'une vérité qui serait un mensonge – ou le contraire ?

Niveau 8

Chaque jour je monte au troisième étage faire un tour au service marketing. Plusieurs fois par jour. Sous un prétexte ou un autre. Pour un oui ou pour un non. Dans le seul espoir de l'apercevoir. Lui adresser un sourire. Respirer le même air qu'elle. Lui offrir un café à la machine de marque Illico. Puis je redescends travailler. Puis tu sors fumer une cigarette au pied du bâtiment. Puis je vais m'allonger sur un banc dans un square voisin tellement sa présence me suffoque.

Cela pendant des heures, des jours. Des *semaines*.

À l'espérer. À l'attendre. À guetter ses réactions. À interpréter la moindre de ses attitudes. La plus petite expression de son visage. Si ses cheveux sont noués ou pas. Si elle porte tels vêtements ou d'autres. De telle couleur ou de telle autre. Jupe ou robe ou pantalon. À me nourrir de sourires volés, de regards en coin, de visions caressées et de gestes suspendus, de subite rougeur l'empourprant à ma vue, de mine rébarbative l'assombrissant à ta vue. Sans cesse le chaud et le froid. Son trouble tout le temps perceptible et la résistance à ce trouble non moins perceptible.

À cause de sa situation. De son damné fiancé.

C'est ce que tu imagines.

Des heures, des jours et des semaines à lui donner rendez-vous après le boulot et à maudire ses prétextes. À respecter ses silences. À sauter de joie lorsqu'elle consent. À retenir mes élans vers elle, mes envies de l'enlacer, mes désirs de liberté à deux.

À déployer des trésors de patience sans jamais baisser les bras. À refuser de croire que cela pourrait se finir avant que d'avoir commencé. Ne pouvant de toute façon faire autrement que de l'appeler de toutes mes forces et, en sa présence, marchant sur des œufs. Ne la harcelant pas, surtout pas, mais la provoquant, l'amusant, faisant ce qu'il faut pour qu'elle accepte de prendre un verre après le boulot. Et puis un autre. Qu'elle trouve un moyen de s'échapper. Ose faire un pas dans ta direction. Moi tentant de la persuader qu'il vaut mieux vivre que s'en empêcher, mais parfaitement conscient que sortir avec toi la met au pied du mur. Vaut trahison en ce qui la concerne. La rapproche d'une flamme qui pourrait consumer toute son existence. Ce pourquoi chacun de nos rendez-vous n'en fut que plus précieux à mes yeux. Tandis qu'ils prenaient pour elle des allures de fin du monde. Rendez-vous évidemment secrets. Donnés en cachette. En soirée. Après le travail. *Happy hours*.

Moi toujours en avance et la voyant chaque fois arriver de loin et éprouvant chaque fois un choc dans la poitrine de la voir s'avancer vers toi, très droite, sans se presser, sublime, cruelle, ses écouteurs sur les oreilles, l'air sombre au début, soucieuse, comme à reculons ; avant qu'un sourire ne s'esquisse sur ses lèvres à mesure qu'elle s'approche, sans qu'elle puisse s'en empêcher. Comme si elle entrait dans l'eau et, la trouvant d'abord glacée, répugnant à se mouiller et près de rebrousser chemin, elle se rendait compte à ma vue combien l'eau est bonne finalement, vraiment délicieuse, jusqu'à lui donner l'envie de nager pendant des heures, jusqu'à traverser l'océan aller et retour, il suffisait juste qu'elle se jette à l'eau pour réaliser qu'elle voulait maintenant nager tout son saoul. Nos escapades, prévues pour durer le temps d'un verre en catimini, se prolongeaient tard dans la nuit.

Moi la laissant entrer dans l'eau toute seule. Faisant un peu le mariole. Afin de minimiser le drame qui, à l'arrière-plan, affleurait et menaçait de la faire fuir à chaque instant. M'évertuant à inventer un temps qui soit le nôtre. Exclusivement le nôtre. Tandis que nous partons au hasard dans la ville. Au cœur de la douceur estivale. Dans les rues roses et dorées de Paris au soleil couchant. Puis vertes et bleues et violettes à mesure des lumières de la nuit. Nous promenant sans but défini, en une pure dérive nocturne. N'allant pas au cinéma ni ne cherchant quelle exposition, quel spectacle, quel divertissement, non, ne nous demandant jamais ce que nous pourrions bien faire ce soir car nous voir était faire quelque chose. C'était ça : faire quelque chose. Il n'y avait pas mieux. Rien ne pouvait rivaliser. Il nous suffisait d'être ensemble dans la ville, dans la nuit, comme dans un rêve. (« Regarde cette fenêtre : elle va devenir rouge dans un instant ! »)

Nous parlons. Nous parlons tout le temps, mais le moins possible de nous et de l'avenir, même en prenant des gants. Assis sur un banc, dans un jardin public dont il nous arrive de sauter les grilles, par jeu, pour sauter au moins quelque chose. À elle je raconte mes émois de cour de récréation. Ou bien nous nous installons à la terrasse d'un café. Ou tout au fond, dans un bar de nuit. Devant un verre de vin rouge. Et puis deux. Et trois. En fumant un nombre incalculable de cigarettes. En évitant les lieux où s'agglutinent les touristes, chahutent les jeunes, rôdent les méchants, s'attroupeautent les foules. En recherchant les paysages les plus propices et chaleureux. (« Moi, je buvais, crispé comme un extravagant / Dans son œil, ciel livide où germe l'ouragan / La douceur qui fascine et le plaisir qui tue. »)

Ou bien nous nous taisons et c'est encore nous parler. C'est nous parler en mieux. Nos mains se caressant, d'abord furtivement, puis nos lèvres, parfois. (« C'était peut-être la seule au monde / Dont le cœur au mien répondait / Qui venant dans ma nuit profonde / D'un seul regard l'éclairait. ») C'est surtout éviter d'agiter le couteau sans lame sur le manche duquel est gravé le nom de son fiancé et qu'elle sort à chaque fois que tu la presses d'un peu trop près. « Je suis fidèle » : voilà ce qu'elle dit, comme on s'accroche aux branches, comme on agite le drapeau blanc, comme on égrène son chapelet, comme on retient son chapeau que le vent emporte et je n'insiste pas, tu n'insistes jamais. (*Elle ne dit pas qu'elle l'aime, elle ne le dit jamais !*)

Ce n'était de toute façon pas son fiancé le problème, il ne le fut jamais en ce qui me concerne, pas vraiment, il ne le fut que l'espace d'une nuit (voir page 702), non. M n'était pas mon désir œdipien de ravir à un homme sa femme. Non. Le problème : c'était le choix qu'elle ferait. Son choix et rien d'autre. Une seule fois elle vint chez moi.

Laissant au mur un cadre légèrement de traviole.

Je ne le remis pas d'équerre.

J'en étais incapable.

Niveau 9

Que se passait-il en 1976 ? Lorsqu'elle naquit. Au moment où M sortit du ventre de sa mère et fit son apparition sur Terre. J'avais seize ans. Entre août et septembre 1976. Je me le demande, là, tout de suite, par parenthèse, comme une pièce du puzzle que je pourrais verser au Dossier, une de plus, il ne me faut rien négliger.

Qui se souvient de l'année 1976 ? Ce serait 1977 ou 1975, cela ferait-il une différence ? 1976... 1976... Je dirais, là, tout de suite, de mémoire : Giscard et Barre et le choc pétrolier et c'est à peu près tout. Rien de folichon. Rien d'émouvant. Toujours la même pauvreté en marche. L'histoire de France telle qu'elle n'est ni faite ni à faire. Je dirais aussi la défaite de Saint-Étienne contre le Bayern Munich à cause des poteaux carrés, je crois que c'était en 1976. Et la canicule. Bien sûr la canicule de 76 comme on dit la guerre de 40. Évidemment la canicule et M comme un phénomène météorologique exceptionnel ? M comme grosse chaleur.

Attends.

C'étaient aussi les émeutes de Soweto, oui, en 1976, les émeutes de Soweto, j'avais manifesté à l'époque.

Quel rapport avec M ?

Quoi d'autre ?

C'est en 1976 que le Detroit Jazz Composers Ltd enregistra au Super Disc Sound Studio de Detroit un morceau intitulé Song for « M », lors d'une session réunissant pas moins de soixante musiciens de la ville, pour un album mémorable de « free spirituals », intitulé Hastings St. Jazz Experience.

C'est en 1976 que Véronique Sanson donna un concert à l'Olympia et j'adorais Véronique Sanson. J'étais amoureux d'elle. Sur la pochette de son album Le Maudit (M le maudit et « ta douleur efface ta faute »), elle était belle et blonde comme ma mère. Aussi intense qu'elle. Elle était son idéalisation frémissante. Elle était la seule chanteuse française qui avait du chien, du rythme, une voix et une énergie à faire valoir, des mélodies et une existence à faire entendre. Des désirs de voir le loup et des désespoirs de l'avoir vu qui la rendaient terriblement humaine, excessivement émouvante, là où toutes les autres chanteuses pleurnichaient des sentiments et rêvaient d'amours à la guimauve.

Quoi encore ?

Ah oui, j'ai entendu cette nuit à la radio (merci mes insomnies !) une émission sur le cinéma en date du 14 mars 1976, à la fin de laquelle Jean-Marie Straub affirme d'une voix tonitruante, irrésistible et pleine de fureur, que « l'art, ça consiste à faire le contraire du tapage de l'industrie culturelle, *laquelle ne vise qu'à rendre les gens sourds et aveugles*. L'art, dit-il avec son accent prolo du Nord, ça consiste à établir des rapports entre ce qu'on voit et ce qu'on entend et à faire des expériences qui se recoupent. Ça consiste *à mettre la vie à feu*. C'est-à-dire à apprendre à voir la vie – et la société aussi. Et l'histoire ».

Quoi d'autre ?

Ah si ! En mars 1976, c'était le passage à l'heure d'été et M comme mon passage à l'heure de l'été ? Youpi ! En avril, un reportage montrant, du côté de Terre-Neuve, des dizaines de bébés phoques égorgés et dépecés vivant par des types œuvrant à la solde de marchands de fourrure suscitait l'indignation de Brigitte Bardot qui, aussitôt, s'engagea pour la cause animale et vive les BB phoques ! Trois mois plus tard, en juillet 1976, Christian Ranucci était décapité vivant dans la cour de la prison des Baumettes, après avoir été reconnu coupable de l'assassinat d'une petite fille de 7 ans retrouvée égorgée et défigurée à Peypin (Bouches-du-Rhône). Le même mois, la sonde Viking se posait sur Mars. Une première ! Mars, ce vieux rêve de l'humanité de trouver une vie ailleurs et ce ne serait pas du luxe. M comme Mars.

En 1976 sortait le film de Wim Wenders Au fil du temps. Avec la Coccinelle qui fonce dans l'eau au début. J'avais adoré. Cette année fut aussi celle de L'Empire des sens, mais je vis le film d'Oshima des années plus tard. C'est drôle de faire maintenant le rapprochement. Car la joie sexuelle et l'errance dans le temps : c'est rare au cinéma. C'est extrêmement rare et les associer ensemble : voilà qui donnerait un super-film. Le film *idéal* et M comme « L'empire des sens au fil du temps ». Ou « L'empire du temps au fil des sens ». À la fin, M pourrait elle aussi errer pendant des jours le long de la frontière allemande « avec ce qu'elle avait tranché. Et ceux qui l'arrêtèrent furent frappés de voir qu'elle rayonnait de bonheur ».

À la place de L'Empire des sens, je vis à l'époque le film Network. Une fable en trois temps de Sidney Lumet sur la télévision. Premier temps : trouver un gus dénonçant avec virulence le système à l'antenne, ce qui dope immédiatement l'audience ; deuxième temps : une fois le gus devenu une star médiatique, faire pression sur lui pour qu'il retourne sa veste et mette toute sa verve à défendre le système ; troisième temps : l'audience ayant baissé puisque le gus est rentré dans le rang, le faire assassiner en direct pour faire remonter l'audience. Moralité : on ne compte plus les gus parvenus au pouvoir et, à la fin, c'est le spectacle qui gagne. À l'époque, le cinéma avait des messages à faire passer.

C'est aussi en août 1976, vers les 5 heures du matin, que Claude Lelouch prit tous les risques à bord d'une Mercedes 450 SL, fonçant dans les rues de Paris à tombeau ouvert depuis la porte Dauphine jusqu'au parvis du Sacré-Cœur en un seul plan séquence de 8 minutes et 39 secondes réalisé pied au plancher et sans trucage afin de démontrer que rien n'arrête celui qui a rendez-vous avec la femme qu'il aime : ni feux rouges, ni sens interdits, ni limitations de vitesse, ni rues barrées, ni la crainte de renverser un motard ou de tuer un piéton, de s'envoyer dans le décor, de mourir, rien. Pas même la connerie la plus bravache.

C'est le 20 juin 1976 que le footballeur tchécoslovaque Antonín Panenka, en finale du championnat d'Europe de football, tira de façon si audacieuse et insolente l'ultime penalty qui apporta à son équipe un titre historique que le nom en est resté. Ce n'est pas rien d'inventer un geste dans le sport et M comme une façon audacieuse de me ridiculiser ?

Dans Wikipédia, ils disent que Mao est mort cette année-là et, bien sûr, Mao venait de mourir, j'avais complètement oublié, je pensais que c'était plus tard. Ou avant. Ce fut aussi la première campagne anti-tabac. Et la première guerre du Liban. Et Jimmy Carter élu aux USA. L'URSS de Brejnev, les Hutus au pouvoir au Burundi (*au Burundi ?*), Chirac fondant le RPR, les débuts du Concorde (et le passage au temps supersonique), le premier tirage du Loto et M comme 1 chance sur 13 millions de gagner 64 millions d'anciens francs pour 1 franc ?

Quoi encore ? Qui pourrait avoir un lien avec M ? Qui aurait signalé son apparition sur Terre ? J'ai tout oublié. J'avais 16 ans. Ce qui se passait à ce moment-là ne m'a finalement pas laissé de grands souvenirs. Tout fut emporté dans le flux.

Sur Wikipédia, on peut lire que Queneau mourut en 1976. Et Agatha Christie, Ulrike Meinhof, Jean Gabin, Heidegger (qui révéla au monde qu'on pouvait être philosophe et nazi, ce que je n'aurais jamais cru avant lui et ils sont forts ces philosophes allemands, il n'y a pas à dire), Fritz Lang, Calder, Man Ray, Benjamin Britten, Max Ernst, Luchino Visconti, Howard Hugues et ça fait beaucoup de monde, ça fait du beau linge, une sacrée compression de personnel, une putain de réduction des effectifs. En contrepartie, appelons ça une contrepartie, naquirent en 1976 Antonio Banderas, Nicolas Escudé, Patrick Vieira, Ellen MacArthur, Delfynn Delage, Diane Kruger, Audrey Tautou, Ronaldo, Virginie Ledoyen, Booba et cela la relève ? Uniquement des sportifs et des gens de l'industrie du spectacle ? Plus un seul écrivain ni philosophe, fût-il allemand ? Cela ressemble à une passation de pouvoirs. À un foutu changement d'époque. 1976 année charnière ? M comme le début de quelque chose et la fin de quelque chose ?

C'est en 1976 que Francis Bacon peignit le portrait de Michel Leiris. Giacometti aussi fit son portrait. Et Picasso. Dans *Ce que m'ont dit les peintures de Francis Bacon*, Leiris écrit, deux points ouvrez les guillemets : « Essayer de transcrire une présence vivante et de la transcrire comme telle, c'est chercher à la fixer, sans la fixer. Car la fixer, c'est la tuer. Aussi, l'œuvre, pour aboutie qu'elle soit, ne peut-elle que revêtir une allure jaillissante ou hagarde d'esquisse. L'artiste se devant de la traiter non comme une œuvre finie, réussie, achevée, mais comme l'objet d'une entreprise toujours à recommencer. Il s'agit, ici, moins de perfectionner, que de tenter encore sa chance. »

Tenter encore ma chance.

Niveau 10

J'avais 16 ans en 1976. Les ordinateurs personnels n'existaient pas à l'époque ; Internet n'existait pas ; les téléphones portables n'existaient pas ; mais on avait tout de même le droit d'exister et un dimanche après-midi, l'un de ces dimanches après-midi où, livré à moi-même tandis que mes parents font la sieste et mes copains leurs devoirs, j'erre dans les rues, en traînant des pieds, d'un air bravache et soucieux. Je me fonds dans l'animation dominicale de la ville pour me donner l'illusion d'avoir moi aussi un but, des envies et les moyens de les assouvir, une existence à faire valoir. Les mains dans les poches, j'arpente mon ignorance du monde, à la recherche d'une aventure qui tromperait l'ennui, la solitude et l'exaspération de me sentir à l'écart de tout (Internet n'existait pas à l'époque). En quête d'une connerie à faire pour me sentir l'égal de tout ce qui bouge et bruisse autour de moi. Mettre du piment dans ma vie. Ressentir quelque chose.

Lorsqu'au drugstore Publicis, à la devanture de la librairie « ouverte le dimanche jusqu'à 22 heures », un livre. Dont le titre – comment dire ? Comme si m'étaient révélés dans un même mouvement le nom de mes tourments et le moyen d'y remédier. Le livre s'intitule *Histoire de la sexualité* et l'auteur est un certain Michel Foucault. Je n'ai jamais entendu parler de ce Michel Foucault, mais nul doute que son livre est la clé de tous ces mystères que je n'ose à peine me formuler. Peut-être des images illustrent-elles merveilleusement le propos. J'imagine déjà plein de photos. De filles super à poil. J'en frémis d'avance en poussant la porte de la librairie. Il me faut ce livre. J'ai trouvé mon aventure du jour.

Mais impossible de l'acheter. Je n'ai pas un sou en poche. Les livres coûtent cher. Merde. Quelle honte si je me fais prendre avec, caché sous mon blouson, l'aveu écrit noir sur blanc de mes turpitudes. Ce sera double peine. Je ne supporterai pas le regard, les petits sourires, sûrement les réflexions si je me fais pincer. *Je ne le supporterai pas du tout.* Sans parler des flics ensuite. Et mes parents pour finir. « Ben mon cochon ! Petit salopard ! Ah ah ah ! Si tu as des problèmes, tu sais que tu peux nous en parler ! »

Merde.

L'est où, le vigile ?

Je ne l'aperçois pas tandis que je fais mine de lire les quatrièmes de couverture qui me tombent sous la main et, tous les sens aux aguets, tripote et feuillette un *maximum* de livres sur la table des nouveautés, à l'exception du seul qui m'intéresse dont je n'ose encore m'approcher, même si j'ai parfaitement reconnu sa couverture, là, juste sur ma droite, au coin de la table, à trois heures.

Du calme.

Ne pas me précipiter. La jouer fine. Attendre qu'il y ait du monde dans la librairie. Attendre que la fille à la caisse soit occupée avec un client. Agir au milieu des gens plutôt qu'à l'abri des regards, là où on pourrait justement se demander ce que tu fabriques. Profiter du nombre. Contrôler les battements de ton cœur. L'innocence juvénile de ton visage. Avoir des gestes parfaitement anodins. Cela surtout. Ne pas te comporter comme un voleur. Surtout pas. Agir au grand jour. Au flan. Une fois, quelqu'un t'a vu mettre tranquillement un disque dans ton sac comme s'il t'appartenait et il n'en a pas cru ses yeux, *il a cru s'être trompé tellement tu agissais à découvert*, oui, prendre le livre et, dans le même mouvement, sans rien brusquer qui pourrait éveiller l'attention, sans provoquer le moindre déplacement d'air intempestif qui donnerait aussitôt l'alarme, glisser le livre le plus naturellement du monde sous ton blouson, au vu et au su de tous, comme si tu cherchais quelque chose dans tes poches, comme si ce livre était le tien, voilà, c'est fait.

Une seconde.

Deux secondes.

Trois secondes sans respirer.

Mais rien ne se produit, personne n'a rien remarqué, la librairie toujours aussi paisible, les clients à leurs achats, la fille à la caisse occupée avec le même client, seulement les battements fous de ton cœur et c'est une émotion qu'on ne trouve pas sur Internet. On ne transgresse aucune loi sur Internet qui donne l'émotion de la transgresser.

Rester encore un moment à feuilleter et à tripoter quelques livres. En te dirigeant l'air de rien vers la sortie. Parfaitement nonchalant, sans te presser. Passer devant la fille à la caisse en même temps qu'un client auquel tu tiens poliment la porte et te retrouver dehors : il n'existait pas non plus de portillon électronique à l'époque et c'était une chouette époque pour qui voulait s'instruire sans en avoir les moyens.

Devant la librairie, marquer un léger temps d'arrêt, comme si tu hésitais sur la direction à prendre, te demandais ce que tu allais faire maintenant, par cet ennuyeux dimanche après-midi – et rien. Aucun sifflet dans ton dos. Nulle main s'abattant lourdement sur ton épaule. Personne ne se dressant subitement devant toi ou te plaquant violemment au sol, un genou enfoncé entre tes omoplates jusqu'à la suffocation et, à tes oreilles, une sale voix éructant : Bouge pas, ma petite chatte ! Montre-moi ce que tu caches sous ton blouson. Oh oh. Mais qu'est-ce que je vois là ? T'as pas honte, sale bougnoule ? Et cetera. Avant de me passer les menottes et de m'emmener au poste, au trou, à Fleury ou à la Santé, vers une horde de Pithécantropus ouvrant déjà la braguette de leur combinaison orange. Non, rien ni personne dans mon dos, aucun sifflet à mes oreilles. Rien. Pas cette fois. Une autre fois, oui, mais pas ce jour-là. M'en aller alors en fredonnant « C'est une maison bleue la si la sol fa# ». Tourner paisiblement dans la première rue à gauche et me mettre à courir.

Courir.

En 1976, il n'existait pas non plus de digicodes pour empêcher les gens de pénétrer dans les immeubles (mais quel but poursuit exactement la civilisation ?) et c'est après m'être réfugié dans une cage d'escalier que j'osai enfin considérer mon butin. *Histoire de la sexualité*. Par Michel Foucault. Yes ! Superbe couverture blanche. Collection « NRF ». Hé hé ! Voyons voir.

Mais j'ai beau feuilleter les pages, pas une photo. Aucune fille à poil. Rien. Nib. Que dalle. Pas même un dessin ! C'est quoi ce bouquin ? Quelle arnaque ! C'est qui ce Michel Foucault ? Dire que j'ai pris tous les risques ! Que j'ai risqué la honte de ma vie ! Merde alors ! Vive Internet ! Je retourne le livre dans tous les sens. Je lis quelques lignes au hasard. Je laisse tomber. Du pur charabia. Trop compliqué pour moi. Trop loin de mes attentes.

À l'intérieur, coincé entre les pages, il y a un encart. Annonçant que ce livre est en fait le premier d'une trilogie à venir. C'est écrit : *Histoire de la sexualité. 1/ La volonté de savoir 2/ L'usage des plaisirs (volume à paraître) 3/ Le souci de soi (volume à paraître)*.

Je referme le livre.

Je viens de comprendre quelque chose. C'est comme un déclic. Comment dire ? Là, devant moi, écrit noir sur blanc : il s'agit de mon avenir. Il s'agit de mon programme pour la vie. *Il s'agit de ma table des matières*. J'en ai l'immédiate conviction. C'est un éblouissement. Je sais tout à coup où j'en suis dans mon existence et ce qui, de moi, reste à paraître. J'en suis encore à la volonté de savoir, c'est évident, aucun doute, je ne serais pas accroupi dans cette cage d'escalier si tel n'était pas le cas. Mais viendra « l'usage de mes plaisirs » et vivement ce jour-là ! Quand ce jour-là ? Puis j'aurai le souci de moi-même *mais pas avant* ! Il me faudra d'abord assouvir ma volonté de savoir puis épuiser l'usage de mes plaisirs et alors je pourrais me soucier de mézigue. C'est lumineux. Chaque chose en son temps, toutes bien séparées, quasiment étanches, les unes à la suite des autres. Comme j'ai bien fait de voler ce livre.

Si Internet avait existé, je n'aurais jamais fait cette découverte qui, sur moi, eut un retentissement *considérable*. Je n'aurais jamais su ce qui m'attendait. Je n'aurais jamais rompu avec S. Julien ne serait pas mort non plus mais on ne peut pas tout avoir. En tous les cas, j'aurais cherché fébrilement sur Internet des photos de filles à poil *et je les aurais trouvées* – fin de l'histoire. Ma curiosité *immédiatement* assouvie, je n'aurais pas cherché plus loin. J'en serais resté là. Sans savoir où exactement. Sans pouvoir me situer dans le temps et l'espace, ignorant mes propres coordonnées et, de ce fait, voué à l'errance, voué à tourner en rond dans l'obscurité de la vie et je ne plaisante pas. Je suis très sérieux quand je dis que, de ce jour de 1976, de ce vol dans cette librairie qui était « ouverte le dimanche jusqu'à 22 heures », je connus ma carte au trésor et je sus m'y repérer et je suis encore plus sérieux quand je dis que M est née de ce jour-là. De ce vol-ci. Née le jour que j'appelle le Jour de ma table des matières. Au moment où j'étais dans cette cage d'escalier, à la seconde précise où, en position accroupie, sursautant au moindre bruit suspect, mon destin m'apparut soudain noir sur blanc. Où je sus que viendrait un jour l'usage de mes plaisirs et qui prouvera le contraire ? Il faut bien que M me vienne de quelque part et M comme mon deuxième volume dans l'existence. Comme un livre à paraître bientôt. M comme mon usage des plaisirs.

Dire que ce livre me donna plus que ce qu'il me promettait est un euphémisme. Il calma sur l'heure mes impatiences adolescentes. Il mit des mots sur mes désarrois. Il m'apprit qu'un jour viendrait *mon* histoire de la sexualité et je reçus le message cinq sur cinq. Je peux même dire que j'en ai accusé réception pendant des années. M en est la preuve. Son apparition me le confirme. J'avais cravaché vingt-huit années pour terminer le premier volume de mon existence, ce dont deux livres avaient témoigné ; puis M était entrée dans ma vie. Elle avait pu *paraître*, inaugurant un nouvel âge de ma vie et il ferait beau voir maintenant que quelqu'un me démontre que M ne fut pas mise au monde pour qu'advienne le jour radieux qui m'était promis et que s'ouvre enfin dans mon existence le chapitre tant attendu, intitulé « L'usage des plaisirs » et voici encore une pièce à verser au Dossier et, cette fois, il s'agit d'un livre, même si ce n'est pas celui d'un philosophe allemand.

Sans Michel Foucault, j'aurais peut-être mené de front ma volonté de savoir et mon usage des plaisirs. J'aurais gagné énormément de temps. Chiotte !

Aujourd'hui, je sais que j'en suis au « souci de moi ».

Je vis présentement mon troisième et dernier tome.

Après, il n'y aura plus rien.

Ma trilogie sera terminée.

Une seule fois M vint chez moi.

Niveau 11

C'est une expérience étrange que celle de surprendre son reflet dans une glace tandis que : quoi ? On drague, on flirte, on cherche à séduire, on baratine, on montre son meilleur profil, on est amoureux ? Tu vois ce que je veux dire.

Cette tête qu'on fait tout à coup, ces regards alanguis qu'on lance, toutes ces poses étudiées et ces mimiques, ces stigmates, ces anecdotes triées sur le volet pour se faire mousser : on ne se reconnaît pas soi-même. On est du plus haut comique. On est à vomir. On est consterné de voir toutes les ficelles que l'on tire comme si on devenait une marionnette entre ses propres mains et comment l'autre peut-il se laisser prendre à semblable subterfuge ? Faut-il qu'il soit consentant dans ces moments-là. Faut-il que tout le monde joue la même comédie pour ne s'apercevoir de rien.

Je ne voulais pas jouer la comédie avec M. Pas avec elle. Pas cette fois. Je ne voulais pas faire le beau en sa présence. (« Oh le bon toutou ! Viens chercher ! Susucre. Wouarf wouarf. Non, pas mordre ! Vilain toutou ! Oh la sale bête ! Oh la saleté ! Couché ! J'ai dit : couché ! ») Tous ces jeux pitoyables, préprogrammés, cousus de fil blanc entre un homme et une femme : ils m'ont toujours déprimé. Et encore plus avec M. Avec elle, je ne voulais aucune simagrée. Surtout pas. Je détestais l'idée d'avoir des arrière-pensées. C'était non ! Mes meilleurs profils, mes risettes et mes mimiques, mes regards parfaitement étudiés et mes anecdotes triées sur le volet pour me faire mousser, tous mes trucs et astuces appris et peaufinés au fil des rencontres et des échecs et dont je sais aujourd'hui ceux qui me mettent en valeur et ceux qu'il est *crucial* que j'occulte si je veux parvenir à mes fins : c'était non. Chacun sait de quoi je parle. Nul n'ignore ce qu'il dissimule pour se faire bien voir : ses mauvaises odeurs et sa merde au cul, ses petits bouts coincés entre les dents, ses peurs, ses incapacités, ses déroutes, enfin bref.

Tout ce bataclan de la séduction : c'était non ! Pas avec M ! Jamais avec elle ! D'instinct je déposai mes armes à ses pieds et abandonnai toute protection. Tout faux-semblant. (*Oh quel con ! me prenais-je intérieurement la tête à deux mains.*) D'instinct je récusai mes artifices, tout ce qui m'avantageait comme s'il fallait que je m'avantage et pas de ces subterfuges avec elle : ils eussent avili mes intentions (souligné dix fois). *Je ne la draguais pas.* Je ne cherchais pas à la *baiser*. Je voulais qu'elle m'aime et non la séduire. Non pas la conquérir mais qu'elle me voie et m'apprécie tel que je suis, pour ce que je suis – le beau et le laid mêlés –, et non tel que je parais pour circuler sans trop d'ennuis dans le monde. (*Oh le con !*) Je voulais qu'elle m'aime tout entier, si ce mot signifie quelque chose – et cela signifiait aimer aussi celui que je cache et tiens enfermé à double tour en moi-même et ne montre jamais à personne, n'expose jamais à la lumière ni à l'air libre : mon Lennie Small à moi, qui voudrait tout le temps toucher des jolies choses, des choses douces, et qui caresse des souris mortes quand il ne trouve rien de mieux ; mon Bartleby à moi, qui préfère systématiquement ne pas ; ma Helen Keller à moi, qui n'entend plus, ne voit plus et ne parle pas depuis sa naissance et attend depuis toujours qu'une Anne Bancroft lui prenne la main et l'approche d'une pompe à eau et, miracle en Alabama, le monde extérieur se mettrait alors, se mettrait enfin, à ruisseler entre ses doigts, oui, dis-je, cet être en moi qui, en moi, n'a pas de véritable nom ni même de nom qui soit à lui, je voulais que M le connaisse aussi et le reconnaisse. Quand bien même il s'agissait d'un immonde pot de rillettes abandonné *depuis toujours* dans un réfrigérateur désespérément vide et moisi, ce pourquoi je dois tout le temps paraître.

Dans La Dolce Vita, il s'agit d'une énorme raie, immonde, flasque et déjà pourrissante dans le formol du monde, échouée sur la plage ; dans mon cas, c'est un immonde morceau de rillettes enfermé dans un réfrigérateur vide et moisi. Je ne peux pas mieux dire. Je *vois* ce pot de rillettes ! Je vois sa pourriture. Je la *connais*. Je pourrais le *peindre*. Je pourrais en faire le titre d'un livre tellement je sens sa présence derrière mes apparences, son immobilité dans le noir, sa terreur. Le dégoût qu'il inspire.

Parfois, sans trop y croire, parce que je n'en peux plus, j'entrouvre la porte de mon réfrigérateur à une femme rencontrée dans un bar, tandis qu'une douce lumière tamisée, etc. Sait-on jamais. Des fois que. Un miracle. Le mot humanité ici. Enfin bref. Mon pot de rillettes voit donc la porte s'entrouvrir, la lumière l'éblouit, il cligne des yeux, il n'a pas l'habitude, c'est comme une douleur, une lame d'acier dans ses yeux, c'est qu'il est quasiment aveugle à force de vivre dans le noir et, par parenthèse, s'il me faut donner un nom à mon pot de rillettes, je l'appelle en mon for Nicole Caver. À cause de cavernicole. De *caverna* (caverne) et *colere* (habiter). Soit tout organisme vivant qui ne voit jamais la lumière du jour parce qu'il vit sous terre, dans l'obscurité d'une grotte, d'un souterrain, d'un *bas-fond*. Prisonniers du noir, les êtres cavernicoles n'ont plus d'yeux : la peau a fini par se coudre, scellant leurs paupières à jamais. Tandis que leur peau est décolorée. Livide. Tout leur être a subi d'étranges modifications évolutives pour pouvoir subsister dans l'obscurité la plus totale. Ils sont en général plus gros. Ils sont très laids et, quand je songe à la vie des êtres cavernicoles, j'ai le cœur serré. Un jour, j'écrirai un livre sur Nicole Caver. Il s'intitulera *Nicole Caver*. Tout simplement. Sous-titré : « Écrits du frigo ». Je ferai de Nicole une icône, une leçon, un clone, l'anagramme de la souffrance même. Le monde saura qu'elle existe. Il saura qu'avant de pourrir dans un frigo, elle était toute rillettes. Je lui dois bien ça. Je m'aperçois soudain qu'avec Monsieur Gicle, Nicole fait la paire. Si lui est ma source de colère, elle est ma source d'angoisse. Et ni l'un ni l'autre n'ont le droit d'exister au grand jour. Heureusement que je suis là.

Par parenthèse, découvrir, au détour d'une phrase, que je cache une Nicole Caver, après avoir découvert que je cachais un Monsieur Gicle et, *l'un dans l'autre*, que je ne me confonds avec aucun des deux : voilà qui m'ouvre les yeux. Voici que je découvre peu à peu ma *tribu*. Mon peuple de l'ombre. Mon prolétariat personnel. Mes lumpen identités. L'un après l'autre, mes personnages me font signe. Osent sortir du bois. C'est, je crois, une bonne nouvelle. Le signe que je fais des progrès. Que je descends réellement en moi-même. Maintenant, si Monsieur Gicle m'est apparu comme une figure du capitaine Haddock, dois-je voir en Nicole Caver une figure de la Castafiore, mais en négatif ? Nicole étant aussi blême et muette que la Castafiore est haute en couleur et bruyante ? C'est une hypothèse intéressante. Auquel cas, dois-je m'attendre à voir surgir Milou, les Dupont-Dupond, le professeur Tournesol – mais transférés dans mon monde ? Ayant subi les métamorphoses qui sont les miennes ? Suis-je Tintin *à ma façon* ? Fermer la parenthèse.

En attendant, voici qu'un rai de lumière, voici qu'un visage se penche, un visage qui semble humain et… la porte du réfrigérateur se referme aussitôt. Bam ! Encore une fois au nez de Nicole. BAM ! Et c'est reparti pour le noir le plus complet, le froid le plus réfrigérant, la peur sans recours, la solitude glaciale et infinie, le dégoût encore plus dégoûtant et, conscient de ce qui vient de se passer, instruit de l'effroi qu'inspire décidément Nicole, je redeviens illico qui je ne suis pas exactement, oui, je me dépêche de reprendre une apparence soi-disant humaine, je réintègre mon armure et lui colle à la peau comme si elle était un gilet de sauvetage.

Je ne suis pas surpris cependant. Personne n'a envie de prendre dans ses bras un truc aussi immonde pourrissant depuis des lustres dans un frigo aux allures d'affreux cercueil et qui, en plus, s'appelle Nicole (ou Coline – autre anagramme). Tout le monde a plutôt envie de balancer immédiatement une horreur pareille à la poubelle (sauf que c'est impossible) et ce que je veux dire, c'est que je n'allais pas refermer la porte de son frigo si M me dévoilait son immonde pot de rillettes, le sien. Je la laisserais même grande ouverte. Que respire un peu son être intérieur tout recroquevillé, avili, asséché, ratatiné, interdit d'exister. Qu'il s'aère. Qu'il voie la lumière. Se réchauffe un peu les os. Sorte du froid. Commence à faire confiance. Oui, je voulais ouvrir son frigo et lui ouvrir le mien, comme on ouvre son cœur et il n'était pas question que je triche. *(Oh le triple con !)*

Niveau 12

L'eussé-je voulu, j'aurais été de toute façon incapable de mentir. Car je ne pouvais rien dissimuler en sa présence. En sa présence, je souffrais trop. Je souffrais ? Aucun doute ! Je *souffrais de joie*. Au point que des larmes me venaient parfois en sa présence et je ne les retenais pas. *(Oh le gros con !)* Des larmes venues de tellement loin, des larmes de réconciliation avec moi-même et avec la vie – et je ne baissais pas les yeux ! Mon être se déchirait de part en part en sa présence, comme s'il s'ouvrait à son propre hymen, le mot hymen ici, oui, le mot hémorragie, comme si je me vidais de mon sang en sa présence, qu'elle m'ouvrait les veines. Jamais je n'avais connu pareille émotion. Jamais bonheur si atroce. Jamais je n'avais été aussi *sincère* (et plus jamais je ne le serais à ce point et, de toute façon, je ne le veux plus tellement j'étais dans un état qui, même pour moi, était trop bizarre, me rendait beaucoup trop vulnérable, à vif m'exposait corps et âme).

Comment dire ?

Pour la toute première fois de mon existence, à quarante-quatre ans, mon cœur s'épanchait, voilà, mon cœur s'épanchait. Enfin il se déflorait (et ceux qui ricanent là, tout de suite, maintenant, peuvent crever la gueule ouverte). Voilà pourquoi il m'était impossible de traiter M comme une *conquête*. Impossible de la *draguer*. Impossible de lui faire mon *numéro* et de lui sortir le *grand jeu*. C'eût été misérable de jeter mes lignes dans ses yeux vert sombre et, avec une patience toute technique, mouliner doucement, tout doucement, à petits coups de poignet subtils et maîtrisés, jusqu'à ramener sur ma rive une belle truite ou une mignonne petite ablette et, une fois mes hameçons décrochés avec soin pour ne pas écorcher la jolie petite gueule, soit rejeter ma prise à l'eau (trop d'arêtes…), soit l'enfermer dans mon petit panier pour la cuisiner à la maison et tant pis si ma ligne cassait, tant pis si je rentrais bredouille : il ne s'agissait que de pêche ! Il y avait tant de poissons dans la mer.

Mais pas avec M. Je me serais méprisé et je l'aurais méprisée si elle s'était laissé prendre à mes lignes. Je préférais abattre devant elle mes cartes. Remiser toutes mes cannes à pêche. Arracher pour la toute première fois mon masque de fer et qu'elle me dise si j'avais un visage. Je voulais prendre ce risque. (*Oh le misérable con !*) Traverser l'image où je feins de me trouver si beau pour apparaître devant elle tel que je suis, sans préjuger du résultat, sans plus aucune protection, nul déguisement qui puisse se faire passer pour moi. (*Mais quel con !*) Je voulais lui ouvrir toute grande la porte de mon frigo et voir sa réaction et pourvu que… (*Oh le con fini !*) Oui, je voulais ne rien lui cacher et surtout pas mon portrait de Dorian Gray. Ma tache de naissance sur la peau de Catherine Deneuve. Mon déguisement de Diego de la Vega. Mes défauts d'origine. Comment dire ? Je voulais que ce soit en toute connaissance de cause que M saute de joie sur ma rive. Voilà : je voulais qu'elle s'élance vers moi de son propre élan, qui que je sois. Je ne voulais la prendre dans aucun filet qui ne fût moi tout entier, je ne voulais pas lui mentir (*oh le pauvre con !*), je voulais qu'elle me prenne dans ses bras, je voulais que ce soit réel, je ne voulais pas qu'elle tombe dans mon panneau mais qu'elle se donne à moi comme on s'offre à la pluie, je voulais tant de choses. (*Mais quel sale con !*)

Je ne voulais pas la posséder par un endroit ou un autre : je voulais la posséder *elle*.

Une seule fois elle vint chez moi.

M comme ma féminité révélée. Ma féminité retrouvée. Comme la possibilité de devenir un homme, un vrai, un entier.

Niveau 13

Au poker, on dit d'un joueur qu'il est *drawing dead* lorsque, quoi qu'il fasse, qu'importe les cartes qui pourraient encore sortir et améliorer éventuellement son jeu, quand bien même il pousserait tous ses jetons pour mettre l'autre au tapis et, par cette manœuvre hardie, rafler la mise parce qu'il possède à ce moment-là un bon jeu ou, au contraire, faire coucher son adversaire parce qu'il n'a justement pas un bon jeu, oui, qu'importe la stratégie retenue, on dit d'un joueur qu'il est *drawing dead* lorsqu'il ne peut pas gagner *quoi qu'il fasse*.

Parce qu'il ignore à ce moment-là que son adversaire a touché dès le départ, de la manière la plus mirobolante qui soit, un jeu qui ne peut plus être battu par la suite car c'est le meilleur jeu possible que l'on puisse former avec les cartes qui non seulement sont sur la table, mais qui pourraient ensuite être tirées. Il ne le sait pas, mais son adversaire le domine *dans tous les cas de figure*, même s'il a en main un jeu très fort et qu'il l'améliore par la suite.

Il ne le sait pas, mais *il a perdu la partie alors même qu'il spécule sur ses chances de gagner*.

Quoi qu'il fasse, il est *déjà* mort, son tirage est *mort*, il est « drawing dead ».

Rien ne peut le sauver.

Et lorsque les jeux sont finalement découverts, révélant au grand jour l'affreuse vérité, le joueur qui s'aperçoit qu'il était *drawing dead* ne peut s'empêcher de hocher la tête et de se mordre les lèvres tandis que son être s'effondre en lui-même et qu'une vague d'amertume le submerge de réaliser qu'il était dans l'erreur depuis le début. Il n'avait *aucune* chance de remporter la partie. Les dés étaient pipés depuis le départ, comme ils le sont pour tant de gens depuis leur naissance, sans même qu'ils le soupçonnent, tandis qu'ils spéculent sur leurs chances de gagner. Tous ses efforts, cogitations, calculs et autres manœuvres pour bien jouer la partie apparaissent soudain pour ce qu'ils étaient depuis le début : grotesques. Totalement vains. Dérisoires de bout en bout. Tous ces plans échafaudés par-devers soi pour mener sa barque dans le monde : lamentables ! Son jeu ne valait, dès le départ, pas tripette ; ses espoirs de ramasser un bon paquet étaient pure chimère. Sa confiance en soi et dans ses possibilités rien moins que risibles et lui-même se sent maintenant risible d'avoir échafaudé ce qui n'était qu'un mythe et il n'y a rien à ajouter. Il n'y a rien à dire.

C'est *sans réplique*.

Il n'y a qu'à se mordre très fort les lèvres et à compter les jetons qu'il reste encore devant soi, s'il en reste, parce qu'il n'y a rien d'autre à faire à cet instant que de mesurer l'ampleur de ses pertes et, ce faisant, de contenir en soi le sentiment qu'on s'est fait avoir sur toute la ligne et ce sentiment se prolonge bien au-delà du poker. Ses harmoniques se mettent à carillonner dans tous les compartiments de notre existence, depuis nos premiers vagissements jusqu'à cette partie de poker, depuis qu'on a perdu ses clefs dans le noir jusqu'au moment où l'on a cru les avoir retrouvées dans la lumière des cartes, oui, il ne reste plus qu'à faire bonne figure et à hocher la tête et à se mordre les lèvres jusqu'au sang parce qu'on réalise à la fin de la partie qu'on n'est pas posthume, non, on était anthume et ce que je veux dire

Attends. Minute. Je retrouve, là, tout de suite, maintenant, les sms que M m'envoya et voilà une façon de dire ce que je veux dire. Une façon de lui donner pour une fois la parole et de restituer ses mots les siens. Son visage le sien. Sans mon filigrane pour l'authentifier. Sans mes commentaires pour une fois. Attends, minute, voici les sms de M, voici la vérité telle qu'elle ne m'appartient pas, les notes d'un souterrain qui ne fut pas le mien, quelque chose comme ça. Quelque chose d'objectif en tout cas, puisque ma subjectivité n'y prend nulle part. Quelque chose de factuel. De tangible. D'irréfutable. Qui eut lieu, fut écrit, envoyé, réceptionné et qui prouve que M ne fut pas une chimère. Ne fut pas *seulement* le produit de mon imagination.

Elle ne fut pas un bluff !

Julien n'est pas mort pour *rien*.

Attends, minute, ces sms de M : je les verse tous au Dossier, voilà, je tente ce coup de poker, comment pourraient-ils la trahir ? Comment la réalité (ce qu'on appelle la réalité) pourrait-elle témoigner contre elle ? C'est impossible et si j'ai tort, tant pis, tant pis, tant pis. J'ai pris le parti depuis le début de tout dire dans les limites du raisonnable qui est le mien. Car il y a des choses qui passent mal à l'écrit. Des choses qui ne sont pas végétariennes, si tu vois ce que je veux dire. Mais en la matière, je ne vois pas en quoi ces limites seraient atteintes. Et ces sms sont aussi ma propriété, ils sont les cartes contre lesquelles j'ai joué et, bref, je ne vais pas reculer maintenant pour mieux sauter et, bref, advienne que pourra et que me poursuivent toute ma vie des armées d'avocats s'ils doivent me poursuivre, j'en prends le risque et, deux points ouvrez les guillemets :

« C'était un moment très agréable. Merci. Mais vous connaissez ma situation... » (25 juin, 11:14). « Il ne vaut mieux pas » (29 juin, 18:36). « Merci pour le soutien au boulot » (29 juin, 18:39). « Vous vous faites beaucoup trop d'idées à mon sujet » (3 juillet, 16:14). « J'ai peur que ce ne soit opportun car d'ici là je serai passée devant le maire » (3 juillet, 17:18). « Non » (3 juillet, 18:54). « Tenons donc ce cap... » (3 juillet, 22:37). « C'était cool. Vraiment » (5 juillet, 23:55). « Pardonnez-moi et surtout perdez patience ! » (5 juillet, 01:11). « Tant pis pour vous » (5 juillet, 01:16). « Vous savez comment Abélard a fini... » (5 juillet, 01:55). « Je vous imagine très bien dire ça à toutes les filles... » (6 juillet, 12:27). « Oh lalala, je suis sûre que vous avez des maîtresses dans tous les coins, monsieur l'écrivain. Et je plains celles qui vous aiment » (6 juillet, 12:50). « Ne parlons pas des absents, s'il vous plaît » (6 juillet, 12:59). « Je parlais de mes seins » (6 juillet, 13:06). « "Je ne suis pas un numéro" : c'est de votre époque, non... » (6 juillet, 13:14). « L'orgueil, c'est ce qui me protège des homes comme vous. De toute façon, plus les gens ont une bonne image de moi et plus ils me renvoient une mauvaise image de moi... (ok pour déj, mais rapide. Réu à 14h) » (6 juillet, 13:27). « "Hommes" pas "homes", bien sûr ! Funny... » (6 juillet, 13:30). « Life is a perpetual preparation for something that never happens » (6 juillet, 19:02). « Pas mal. Mais vous pouvez faire mieux. J'attends plus subtil de votre part (mais n'espérez rien en retour) » (6 juillet, 19:12). « Nous nous reverrons peut-être un jour sur la route de Madison » (6 juillet, 21:17). « Je vous incomprends très bien » (6 juillet, 21:22). « J'ai super envie d'aller voir Saw au cinéma. Vous venez avec moi ? C'est l'histoire de 2 types qui sont enchaînés dans une cave et le premier qui tue l'autre sera libre. Il paraît que c'est vraiment gore. Avec mutilations et tout. YES ! » (6 juillet, 21:30). « Même la plus jolie fille ne peut donner ce qu'elle n'a pas » (6 juillet, 21:54). « De toute façon, j'ai l'érotisme d'une palourde » (6 juillet, 21:41). « Fantôme vous êtes, fantôme vous resterez »

(6 juillet, 22:32). « Vous savez bien que vos dents me plaisent. Dracula for ever » (6 juillet, 22:40). « Je ne vais certainement pas vous parler de mes fantasmes » (6 juillet, 23:02). « Vous n'êtes pas un assez bon parti pour moi. Vous n'avez aucune chance avec mes parents ;-) » (6 juillet, 23:14). « Je me vois plutôt dans le rôle de l'Ange bleu : vous voulez bien faire le coq pour moi ? Allez. Soyez sympa ! Cocorico » (6 juillet, 23:35). « Meurtre dans un jardin anglais ? » (6 juillet, 23:47). « Pas libre » (7 juillet, 16:18). « Essayez donc de me faire une offre qui m'intéresse et me garantisse une discrétion sans faille » (7 juillet, 18:02). « Monsieur et Madame Dissoir ont un fils... » (7 juillet, 18:45). « Cherchez encore ! » (7 juillet, 18:54). « Vous me décevez » (7 juillet, 18:58). « Alain ! » (7 juillet, 19:05). « À lundi soir !!! Il faut vraiment tout vous expliquer ! » (7 juillet, 19:06). « Je n'avais pas pensé à Amar. (c'est vraiment un prénom ? So, un point pour vous) » (7 juillet, 19:13). « Je porte un jogging et une vieille chemise d'homme. Désolée » (7 juillet, 23:06). « Mais vous n'avez pas d'odorat !!! Cela me rend triste, vous savez » (7 juillet, 23:11). « Tout cela n'est qu'une plaisanterie et le mieux serait qu'on reste dans ce registre... » (8 juillet, 18:56). « ? ? ? ? ? » (8 juillet, 19:03). « Cancer : armez-vous de patience, les girouettes ont la tête qui tourne. Vierge : la nouveauté vous stimule... » (8 juillet, 21:34). « Vous êtes mes Vacances Romaines. Mais l'été prendra fin » (8 juillet, 22:01). « Suis en train d'acheter des sets de table rue... de l'abbé Grégoire ! » (9 juillet, 15:21). « Dans mon monde, les hommes peuvent discuter tout un repas s'il vaut mieux porter des derbys ou des richelieus avec un costume bleu de chez Kiton » (9 juillet, 15:29). « Un costume chic se reconnaît à sa boutonnière : le bouton n'est pas cousu !!!! » (9 juillet, 15:36). « Et la grande classe, c'est d'envoyer une veste au pressing où l'on ôte les boutons avant et où on les recoud ensuite à la main pour que le tissu reste impeccable. Ça vous en bouche un coin ☺ » (9 juillet, 15:37). « La réponse est OUI, mon cher abbé » (9 juillet, 22:08). « Vous allez rire : j'ai conduit une BMW ce soir... Groovy ! » (11 juillet, 01:41). « Si je m'écoutais, je vous embrasserais. Mais je ne m'écoute jamais... » (11 juillet, 01:58). « Une fois dans les toilettes d'un grand hôtel. Il y a longtemps » (11 juillet, 02:19). « Avec un mec rencontré au bar d'hôtel (super moche, mais c'était mieux comme ça, sa Rolex était monstrueuse !). Sauf que je n'ai pas pu aller jusqu'au bout. Ne me demandez pas pourquoi » (11 juillet, 02:24). « Just hand-job » (11 juillet, 02:36). « Les partouzes sont les relations sociales des classes moyennes ☺ » (11 juillet, 02:40). « Vous n'avez aucune idée de quoi je suis capable ! » (11 juillet, 02:51). « Une fille qui va se marier

se doit d'être un minimum experte. C'est le secret des unions réussies, my dear ! Sur ce, dodo… » (11 juillet, 03:11). « Actuellement, je danse. Super concert ! » (13 juillet, 22:12). « Actuellement, je vomis » (14 juillet, 00:56). « Je pense à vous. Je ne devrais pas » (14 juillet, 01:20). « Vous me faites du bien. Et du mal » (14 juillet, 01:37). « Comment dois-je le prendre ? » (14 juillet, 01:52). « Ce sera donc le mot de la fin, vous aurez tenu trois semaines, c'est un beau score, les autres ne durent jamais aussi longtemps, cela aurait pu durer trois semaines encore mais cela ne m'amuse plus » (14 juillet, 02:22). « Vous gâchez tout » (14 juillet, 02:36). « De toute façon je suis irrécupérable. Je n'ai que des défauts. Je ne suis même pas un garçon, c'est dire ! « (14 juillet, 02:45). « Vous ne comprenez rien. Fuck U ». (14 juillet, 02:59). « Feu d'artifice ! » (14 juillet, 00:11). « Terrasse d'un appart au Trocadéro. Vue sublime. Et tout et tout. Je trinque à votre santé » (14 juillet 00:17) « J'ai pensé à vous en me réveillant. Troublant. » (15 juillet, 14:11). « Je ne rêve jamais en temps normal » (15 juillet, 15:04). « Pas vue pas prise « (15 juillet, 15:38). « Je m'ennuie ! » (15 juillet, 17:19). « Avec ce genre de type, je me sens toujours comme un chat devant un oiseau : sans pitié ! ». (15 juillet, 17:27). « Cela dit sans méchanceté » (15 juillet, 17:27). « lol » (15 juillet, 17:43). « Dîner familial. Corvée ! Il va falloir que j'accroche un sourire à mes lèvres alors que tout le monde m'a fait chier aujourd'hui. TOUT LE MONDE » (15 juillet, 18:51). « Vous m'avez fait rire ce matin avec votre chemise à fleurs. Parfaitement ridicule ! Je tiendrai ma promesse : en robe demain ! Je n'ai qu'une parole, vous le savez bien… » (16 juillet, 14:48). « C'est super GÉNIAL ! Comment avez-vous fait ça ??? Suis trop contente ! Si vous pouviez me voir : je trépigne de joie dans mon bureau. Je trépigne toujours quand je suis heureuse et là, je fais des bonds ÉNORMES, ils me croient tous folle « (16 juillet, 15:32). « J'essaie… » (16 juillet, 18:01). « Désolée de ce silence, mais plein de choses à faire. Mariage mariage… Vous vous rappelez ? » (19 juillet, 13:25). « Je ne vous ai rien laissé espérer. Jamais ! » (19 juillet, 14:08). « À vous de voir. Je m'en fiche. Nous prenons tous la réalité pour nos désirs… » (19 juillet, 14:13). « Je peux vous inviter à la cérémonie, si vous voulez… » (19 juillet, 14:22). « Je vous l'interdis ! Je ne plaisante pas ! » (19 juillet, 14:29). « Vous me faites rire. On ne sait jamais vraiment sur quel pied danser avec vous. C'est comme si vous marchiez pieds nus dans la vie. Vous avez de la chance » (19 juillet, 14:37). « Allez, encore un moment d'hilarité que je vous offre (c'est ma nature) » (19 juillet, 14:58). « Café dans 10 min ? » (19 juillet, 15:03). « Vous ne saisissez pas toutes mes intentions »

(19 juillet, 15:29). « C'était quitte ou double : c'est quitte... »
(19 juillet, 15:59). « Décidément, vous n'avez plus d'humour »
(19 juillet, 16:47). « Un peu de votre sang pour me requinquer ?
Chiche » (19 juillet, 17:23). « Vous savez bien que je ne suis pas
humaine » (19 juillet, 17:28). « Contente de voir que vous avez
retrouvé votre humour » (19 juillet, 17:42). « Ni fleurs ni couronnes »
(19 juillet, 17:51). « Je me couche le soir en étant quelqu'un et je me
réveille le matin en étant la même personne : déprimant ! » (19 juillet,
18:01). « Les gens, ils sont comme les pubs pour les produits laitiers :
ils disent qu'ils ont été fabriqués avec du bon lait de vache, dans le respect des traditions, alors qu'ils SAVENT que leurs produits sont fabriqués à la chaîne dans des usines pourries avec des ouvriers sous-payés,
etc. Eh bien, dites-vous que je suis un produit laitier » (19 juillet,
18:16). « Pas libre » (19 juillet, 18:27). « Vous ne m'ennuyez jamais.
Vous êtes très fort... » (19 juillet, 22:21). « Vous avez vu le film Fanta-
sia chez les ploucs ? » (19 juillet, 22:36). « Moi aussi, j'aime les fins
heureuses » (19 juillet, 22:45). « Au risque de vous décevoir, je n'en
utilise pas : chez moi tout est 100 % naturel ! » (19 juillet, 23:15).
« L'amour-propre ? Ce concept n'existe pas en anglais, donc ça ne me
concerne pas ! » (19 juillet, 23:26). « Vous pipeautez grave ! »
(19 juillet, 23:26). « Okay. Amusez-vous bien. J'espère qu'elle est
jolie... (je vous déteste !) » (19 juillet, 23:26). « Ça ne me regarde pas.
Vous êtes libre » (19 juillet, 23:31). « Rien de fracassant, le bureau
comme chaque jour, et vous ? On mange ? Me sens super joyeuse
aujourd'hui. Au point d'avoir envie de vous (voir) » (20 juillet, 13:29).
« Votre horoscope est magnifique : veinard. (Rdv dans 10 min) »
(20 juillet, 13:48). « Vous appelle tout à l'heure (au fait, comment va
votre fille ? Mieux, j'espère) » (20 juillet, 15:55). « Restons amis, vous
voulez bien » (20 juillet, 21:29). « Vous pouvez vous moquer, mais
c'est dommage, d'autant que cela annule notre rendez-vous... »
(20 juillet, 22:00). « Désolée mais l'orgasme ne passe pas... »
(20 juillet, 23:03). « Vous confirme pour demain. Mais rien de sûr »
(20 juillet, 23:17). « When & where ? » (21 juillet, 13:14). « Il y a vraiment des trucs bizarres qui se passent : je viens de recevoir le sms que
je vous avais envoyé À VOUS ! Et je n'arrête pas de faire des lapsus.
Dans ce sms, j'avais écrit "je pense que ça me plaira" alors que je voulais dire "je pense que ça vous plaira". Pourtant je me suis relue PLU-
SIEURS FOIS ! » (21 juillet, 22:08). « Je vois que vous êtes en forme
aujourd'hui, Grégoire. Moi, plutôt triste. Une vague de tristesse. Je ne
sais pas pourquoi » (21 juillet, 22:16). « Non, rien à voir avec vous. Of
course » (21 juillet, 22:29). « Je dors très mal. Je fais des rêves alors

que, en théorie, je ne rêve jamais ! » (21 juillet, 22:36). « Vantez-vous !
C'est bien votre genre ! » (21 juillet, 22:45). « Vous l'aurez voulu.
C'était donc la nuit dernière et j'arrivais au bureau vêtue de cuir noir,
tout le monde voulait me parler et moi, j'ouvrais les tiroirs des bureaux
de toutes les filles du marketing et je les renversais par terre en criant
"rendez-moi ma règle", "qu'avez-vous fait de ma règle". J'étais furieuse
et super angoissée. Puis j'allais dans votre bureau, mais la porte était
fermée et vous n'étiez pas là » (21 juillet, 23:13). « Un peu facile
comme interprétation, non ? On en reparlera. Faut que je dorme.
Boulot très tôt demain matin. Byc. Kiss ? » (21 juillet, 00:14). « Il y
avait du monde lorsque vous avez appelé... » (22 juillet, 10:08).
« D'accord pour un clope ? » (22 juillet, 11:29). « Ok. Machine à café
dans 10 min » (22 juillet, 11:46). « Vous faites la tête ? » (22 juillet,
11:58). « Ok, cantine. Même heure as usual » (22 juillet, 12:15). « Mes
lèvres sont sexe ! ? C'est français ? C'est un compliment ? ! Surveillez
votre langage, monsieur l'abbé » (22 juillet, 21:41). « Dans l'ascenseur,
je sais si vous êtes dans les locaux : je sens votre odeur à des kilomètres !
C'est très... perturbant » (22 juillet, 21:52). « Vous ne pouvez pas
comprendre, vous ne sentez rien... » (22 juillet 21:55). « Je somatise à
mort. Vous avez jeté sur moi un mauvais sort » (22 juillet, 22:05). « J'ai
la tête qui tourne, beaucoup, beaucoup trop, et je n'ai rien bu ! »
(22 juillet, 22:17). « Incroyable : encore un rêve la nuit dernière. Mais
vous n'étiez pas dedans. Vous n'êtes pas tout le temps dans mes rêves ☺
» (22 juillet, 22:29). « Je n'en reviens pas que mon inconscient se
manifeste à ce point... J'ai l'impression de me fissurer » (22 juillet,
22:38). « Plutôt mon côté belge je dirais. Pour compenser l'accent
anglais » (22 juillet, 22:43). « Oui oui. Et parano, phobique, narcissique, hystérique, frigide, neurasthénique, névrosée et névropathe
(mais pas végétarienne, pas encore...). I'm a freak show ! Un vrai
cadeau je vous dis ! Passez votre chemin » (22 juillet, 22:49). « Je voulais dire "frivole", pas frigide, oups » (22 juillet, 22:52). « Je déteste les
végétariens. Quand j'en croise un, je lui dis : "Comme hitler ?" »
(22 juillet, 23:01). « Vous êtes le premier qui me prend au sérieux.
C'est vraiment nouveau pour moi. J'ai l'impression d'être réelle avec
vous et ça me fait peur » (22 juillet, 23:12). « Vous l'aurez voulu. Je
vous envoie un mail... » (22 juillet, 23:18). « Ça se passait pendant la
"journée de réflexion" prévue au service marketing (elle va réellement
avoir lieu jeudi). Tout le monde est déjà réuni dans une salle de cinéma
où doit se tenir la "réflexion" et j'arrive en retard. Je croise le N+2, qui
me dit : "le big boss veut te rencontrer, j'ai l'impression qu'il a une
bonne nouvelle à t'annoncer." Je me dirige alors vers un terrain de

football. Sauf qu'il n'y a pas de lignes blanches au sol ni même de buts, pourtant c'est un terrain de football. Sur un banc de jardin en bois blanc, le big boss m'attend : en fait, c'est une femme, mais je ne suis pas surprise. Tailleur-jupe rouge, de dos elle ressemble à une de mes tantes. Elle s'appelle Magda-Louise Loos (je ne sais pas d'où je sors ce nom, mais il y a bien deux o). Je la connais. Je m'assieds, je remarque soudain que je porte une grande robe noire fendue sur toute la longueur par-devant et je me sens très gênée. Le soleil me tape dans les yeux. Elle pose une main sur mon épaule. Derrière, je sais que les collègues me regardent et font des commentaires, rigolent, etc. Et là, elle me dit : "nous avons un ami commun et il n'est pas content." "Pourquoi ?" "Vous allez trop loin, il y a des choses qui ne doivent pas être salies." Elle va répéter le même genre de phrases pendant de longues minutes, sans jamais donner de détails. "Je ne comprends pas de quoi il s'agit. Il est vrai qu'à une époque il y a eu un malentendu mais j'étais jeune et j'ai été punie." "Il n'est toujours pas content." "Vraiment, ça m'étonne, je lui ai parlé récemment, et il n'a aucune raison de ne pas me faire confiance. Je n'ai jamais révélé quoi que ce soit qui l'expose (l'explose ? je ne suis plus sûre…)." Elle a toujours sa main sur mon épaule. Je veux lui demander quelque chose, mais au lieu de ça, je me mets à faire pipi, l'urine coule le long de mes jambes, dans mes chaussures, ça n'arrête pas de couler, une vraie inondation et… je me suis réveillée. J'attends vos commentaires ! Je ne doute pas qu'il y a matière… » (mail, 22 juillet, 23:32). « J'ai lu » (22 juillet, 00:12). « Je n'aime pas les psys. Freud se félicitant d'apporter la peste aux Américains : un type comme ça, on a plutôt envie de le renvoyer d'où il vient à coups de pied dans le c… » (22 juillet, 00:15). « J'ai trop de conscience. L'honnêteté est mon vice » (22 juillet, 00:26). « La plus grande partie de mon existence est secrète et l'a toujours été » (22 juillet, 00:31). « Je crois qu'il sait la chance qu'il a. Il a intérêt ! » (22 juillet, 00:38). « J'aimerais parfois m'échapper comme la fumée des maisons. Mais je ne peux pas » (22 juillet, 00:45). « Je suis lâche, vous le savez mieux que personne » (22 juillet, 01:12). « L'espace gâché, c'est n'importe quel espace affublé d'art » (22 juillet, 01:25). « Non, Warhol » (22 juillet, 01:35). « En ce moment, sur mon lit. Pas très vêtue… » (22 juillet, 01:47). « Le foin qui dépasse de la charrette ? ? ? ? ? Ça veut dire quoi ? » (22 juillet, 01:55). « Morte de rire ! On dit vraiment ça ? Vous êtes fou. Mais rien à craindre de ce côté… » (22 juillet, 01:59). « Certainement pas. Même pas en rêve » (22 juillet, 02:03). « Ou en rêve justement ! Seulement en rêve ! » (22 juillet,

02:04). « Mummm. Oooohhh. Yesssss. Fuckmefuckmefuckmefuckme » (22 juillet, 02:09). « mdr » (22 juillet, 02:14). « Vous me faites rire ! J'adore… » (22 juillet, 02:17). « Ma maman m'a toujours dit de me méfier des séducteurs et ma maman a toujours raison » (22 juillet, 02:24). « Elle est très belle » (22 juillet, 02:39). « Les sentiments, ça va, ça vient, ça gicle et ça devient tout mou et je perdrais ma réputation pour ça ? » (22 juillet, 02:44). « Ce que je n'ai pas connu n'existe pas et vous me parlez de trucs qui sont de votre époque, pas de la mienne (eh oui, z'êtes vieux…) » (22 juillet, 02:59). « J'ai oublié de vous dire que j'ai encore fait un rêve la nuit dernière – plutôt un cauchemar : des vampires me poursuivaient, mais à chaque fois qu'ils cherchaient à me mordre dans le cou, ils se cassaient les dents. Marrant » (22 juillet, 03:10). « Vos citations vous ressemblent : elles sont toujours bien roulées » (22 juillet, 03:16). « J'en ai une pour vous : "Le malheur est que parfois des souhaits s'accomplissent, afin que se perpétue le supplice de l'espérance." (Yourcenar) » (22 juillet, 03:28). « Trop claquée. Déjà que je vais ENCORE avoir une mine affreuse demain » (22 juillet, 03:38). « À vous aussi » (22 juillet, 03:46) « Soirée libre si ça vous tente » (23 juillet, 18:55). « Ok. En bas dans 10 min » (23 juillet, 19:12). « Je suis désolée pour cette nuit. Je crois que c'était une erreur » (24 juillet, 11:52). « Non, je sèche les cours aujourd'hui. Mieux vaut » (24 juillet, 12:08). « Je préfère pas. De toute façon je ne me rappelle pas vraiment ce qui s'est passé. Bon, je vous laisse maintenant » (24 juillet, 12:22). « Retour au boulot demain… » (25 juillet, 22:32). « J'aime me plonger dans les choses. Par exemple, je me projette parfois dans une fleur qui se trouve dans un bouquet et j'essaie de voir en elle et de voir le monde à travers elle et de faner avec elle si c'était possible (mais il faudrait rester longtemps à la regarder). Sur ce, good nite Grégoire » (25 juillet, 22:50). « Eh oui, l'amour est parent de Bohème » (25 juillet, 22:59). « C'est au-delà de mes forces, pardon » (25 juillet, 23:05). « Mais comment donc ! » (26 juillet, 23:18). « Je vous embrasserais bien. J'aime vos lèvres » (26 juillet, 23:59). « Pardon. J'ai bu trop et je dis n'importe quoi. Oubliez tout ce que je vous ai dit tout à l'heure. Ce n'est pas du tout ce que je pense. Et vous voulez bien détruire tous mes sms. Je me sentirais mieux. S'il vous plaît. C'est important pour moi. » (26 juillet, 01:08). « Vous savez bien que c'est impossible. Il faut vous le dire comment ? Vous n'avez pas encore compris ! » (26 juillet, 01:28). « Eh oui, je suis une pro du déni. C'est dans l'ADN de ma classe sociale » (26 juillet, 01:46). « C'est votre problème, pas le mien. Maintenant je coupe » (26 juillet, 01:59) « Tout va bien puisque je suis au boulot » (28 juillet, 11:55). « C'était un

signe… » (28 juillet, 12:19). « Vous m'épuisez. Et vous avez tout faux »
(28 juillet, 15:11). « Ce n'est pas la peine de devenir agressif »
(28 juillet, 16:14). « De toute façon mon fiancé rentre demain »
(26 juillet, 18:32). « Que faites-vous ce soir ? J'ai envie de vous
voir… » (27 juillet, 17:30).

Etc.

Pendant des jours et des semaines et des jours et des semaines et des
mois.

Niveau 14

Ce que je veux dire avec tous ses sms – sachant que je publie uniquement ceux que je reçus lors de notre mois de juillet 2004 car ils se suffisent à eux seuls –, c'est qu'on croit peut-être que j'étais *drawing dead*
avec elle. Je suis sûr que c'est ce que tu penses. Que j'étais *drawing dead*
avec cette fille et comment ne le voyais-je pas ? Il fallait avoir de la
merde dans les yeux. Être sourd comme un pot. Je n'avais dès le départ
aucune chance avec cette fille, bien trop d'obstacles se dressaient entre
elle et moi et foutu d'avance c'était, encore une histoire d'amour
impossible, air connu, et blablabla. Autant zapper sur une autre chaîne.

Ô hommes (et femmes) de peu de foi ! Je vous tourne le dos. Je vous
méprise. Je vous comprends. Je fus parfois comme vous. Car moi aussi
j'ai cru que je m'exagérais mon importance aux yeux de M et que je
nageais en plein délire, inventais tout. Que moi seul imaginais avoir
mes chances alors que je n'en aurais eu aucune depuis le début. Que je
ne faisais qu'échafauder un mythe qui était voué à tomber en poussière
au moment où M retournerait ses cartes et ce n'était plus qu'une question de temps avant que je ne me mette à hocher la tête et à me mordre
les lèvres jusqu'au sang tandis que mon être s'effondrerait en moi-
même. Oui, moi comme eux, j'ai envisagé le fait que M soit à des
années-lumière d'éprouver pour moi ce que j'éprouvais pour elle et, de
mes sentiments, que je faisais tout un cirque, un foin, un plat qui
m'empêchait de voir la réalité en face (ce qu'on appelle la réalité), me
dissimulant que j'étais en pleine cristallisation, en pleine hallucination,
en pleine – quoi ?

Solitude ?

Délire ?

Pourquoi l'aimais-je ?

Pourquoi *elle* ?

C'était absurde. C'était débile.

Je voyais bien qu'elle me faisait marcher. Je n'étais pas aveugle. Je ne tombais pas de la dernière pluie. Cette histoire ne valait pas un clou. Alors quoi ?

C'était quoi mon problème ?

Tu auras la clé de l'énigme à la page 516 du Livre 2.

Pas avant.

En attendant

L'aimais-je parce qu'elle ne m'aimait pas ? Précisément pour cette raison ? Je me posais moi-même la question. Je sais que tu te la poses aussi. Je sais ce que tu penses. Avoue ! Tu crois que je l'aimais parce qu'il s'agissait d'un amour impossible, comme on dit. Parce que cette fille n'était pas pour moi, justement. Parce qu'elle était fiancée, qu'elle était trop jeune et que j'étais trop âgé, qu'elle était ~~conne~~ insupportable, et puis l'argent. Et puis tout. Ses guillemets. Qui j'étais (pas son genre). Qui je n'étais pas (assez bien pour elle). Tu te dis que je la trouvais d'autant plus désirable qu'elle se refusait à moi et me faisait tourner en bourrique. Comme tant de gens foncent tête baissée dans leur mur en désirant ce qu'ils ne peuvent pas avoir et en le désirant d'autant plus désespérément qu'ils peuvent d'autant moins obtenir ce qu'ils désirent et qui n'est, finalement, que leur désir d'impossible. Leur désir de *souffrir*. C'est ce que tu penses ou je me trompe ?

Pour ma part, j'en étais là aussi de mes réflexions.

Je me méfiais de mes arcanes.

Je n'étais pas aveugle. Je n'étais pas un personnage de fiction. J'avais un cerveau. Je réfléchissais à la situation – et pas qu'un peu ! J'étudiais tous les cas de figure.

Par exemple.

Étais-je, à l'insu de mon plein gré, la proie d'une chimère, d'une baudruche, d'une illusion que je ne tenais pas à dissiper et qu'il n'était pas question que je dissipe, surtout pas, des fois que ce serait moi la chimère, moi la baudruche, moi l'illusion ?

Étais-je la proie d'une volupté purement célibataire ? Rejouais-je, dans la lumière d'un réverbère que j'appelais M, mon angoisse d'être rejeté

– et cette angoisse depuis toujours. Mon sentiment d'exclusion – et ce sentiment épuisant. Mes élans primordiaux à jamais contrariés. Certain manque inconsolable, comme tout le monde, rien d'exceptionnel, mais source d'une intranquillité sans fin. Sans oublier, à la tête, cette cicatrice en forme d'épée impossible à sortir de son fourreau tellement elle est fichée dans mon cerveau et, de ce fait, tout juste bonne à gratter et à gratter encore, à gratter toujours dans l'espoir que cessent enfin les fourmis dans ma tête et s'il ne s'agissait que de cela avec M ? S'il ne s'agissait que de me gratter et de tourner en rond autour d'un réverbère ?

S'il ne s'agissait que de masochisme : autant laisser tomber ! Autant couper court *au plus vite* et aller consulter, prendre une douche froide, me gaver de hamburgers, faire des mots fléchés géants, regarder Joséphine ange gardien sur TF1, jouer à Candy Crush et quoi d'autre ? M'intéresser à n'importe quelle fille voulant bien de moi pour la nuit – et qu'elle décanille au matin, qu'elle prenne ses cliques et ses claques sitôt l'affaire pesée et emballée ! Une fille avec une opulente poitrine de préférence, une poitrine *énorme* si possible, s'il vous plaît, pour qu'il n'y ait aucune confusion palpable avec M.

Je ne voulais pas me leurrer. Je ne voulais pas que M paye mes pots cassés. Je voulais la protéger de moi si j'étais en pleine hallucination. Je ne voulais pas investir le meilleur de mon être dans une entreprise pourrie qui me mettrait à la fin sur le flanc et dans la paille, en liquidation judiciaire, en demeure de déposer mon bilan, pour dire les choses dans une langue que tout le monde parle et comprend aujourd'hui.

Mais comment savoir ? Comment être sûr ? Peut-être, oui, n'aimais-je chez M que l'impossibilité de M et rien d'autre. L'impossibilité de M et non la possibilité de M. Peut-être me complaisais-je. Peut-être ne voulais-je *surtout pas* que M succombe. Peut-être étais-je l'un de ces grands malades dont il faut à tout prix se garder. Car on a beau leur expliquer qu'on n'est pas la bonne personne et qu'ils se trompent du tout au tout sur notre compte, on a beau leur dire et répéter qu'on ne les aime pas et qu'on est fiancé et qu'on n'est pas du même monde et qu'ils sont trop âgés, bientôt cacochymes, d'abord doucement pour ne pas les blesser, puis de plus en plus fermement et, finalement, on a beau leur crier au visage de nous foutre la PAIX : rien à faire.

Ils ne nous croient pas.

Ils sont persuadés que vous mentez. Ils sont persuadés de savoir mieux que l'autre a qu'il ressent et plus vous leur résistez, plus ils se nourrissent de votre résistance, plus elle leur confirme que vous les aimez, sauf que vous ne le savez pas encore. Sauf que vous avez peur ou un truc du genre. Oui, plus vous tentez de leur faire comprendre qu'ils ont tout faux et plus ces grands malades s'excitent, insistent, sont convaincus d'être encore plus dans le vrai. Plus vous leur dites non et plus ils entendent oui. Plus cela leur donne des ailes, des idées, des émotions. Plus ils cherchent dans votre lumière ce qu'ils ont perdu dans le noir et plus ils en redemandent encore et encore. Au plus haut des cieux ils veulent souffrir toujours davantage et se répandre devant vous, ramper et baver et s'enfoncer des clous et s'en payer une bonne tranche d'infini sur votre dos et impossible de leur faire entendre raison : ils vous ont mis le grappin dessus et ils ne vous lâchent plus. C'est trop tard. Vous êtes leur proie. Vous pouvez avoir PEUR. Cela ne peut que mal finir. Dans la terreur et la violence et je ne voulais pas de ça avec M. Hors de question ! Je ne voulais pas la saccager, ni moi. Je ne voulais pas la faire souffrir si ses sentiments n'étaient pas réciproques et, là, tout de suite, maintenant, elle ne voulait pas qu'on prenne un verre après le boulot ? Please ? Elle ne pouvait pas se libérer ce soir ? On était vendredi et il faisait si doux, si chaud. *Please*. Juste un verre. Avant qu'elle ne rentre chez elle et ne se fasse gronder. Promis. Je ne l'embêterais pas. Je me tiendrais bien sage. *Please*. Je connaissais un bar qui venait d'ouvrir, un endroit tranquille, vraiment agréable, avec un immense aquarium, il suffisait de traverser la Seine, allez, *please*, mademoiselle M, encore un effort pour être révolutionnaire.

Comme disait l'autre (Marilyn Monroe), « C'est toujours celui qui aime qui attend l'autre. » Et Marilyn savait de quoi elle parlait puisqu'elle était *constamment* en retard.

Niveau 15

Nous étions à ce moment-là rue Tronchet. Venant de la rue Vignon, anciennement rue de la Ferme, nous dirigeant doucement vers la rive gauche après avoir quitté le bar trop bondé à notre goût, trop bruyant, trop clinquant, pas du tout propice, finalement.

Nous allions doucement, tendrement, en direction de la Madeleine et, de là, vers la place de la Concorde, l'Obélisque, la Seine qui se la coule douce, le pont qui fut construit avec les pierres de la Bastille.

Nous étions rue Tronchet, déserte à cette heure, juste la circulation, les vitrines des boutiques de luxe, les halls d'hôtels trois ou quatre étoiles qui me donnaient l'envie de pousser leurs portes vitrées et de demander la plus belle chambre pour y conduire M par la main et nous ne sortirions plus de la plus belle chambre, jamais plus, pas avant le lendemain en tout cas, vivant dans cette plus belle chambre la vie qui vaut la joie d'être vécue – et cette rue Tronchet, oui, cette rue Tronchet... cette rue Tronchet...

Ce n'est que bien plus tard que j'ai réalisé que Frédéric attend Mme Arnoux rue Tronchet. Dans cette rue Tronchet et pas une autre. Le nom de cette rue m'avait fait sourire lorsque j'avais lu *L'Éducation sentimentale*. Je m'étais demandé si Flaubert l'avait choisie exprès. Pour faire entendre le graveleux sous les sentiments et ainsi unir ce qui semblait séparé, dire sans dire, de façon toute bourgeoise ; mais Mme Arnoux ne vient pas.

Elle ne vient pas se faire...

Et cette attente de Frédéric rue Tronchet

Cet amour de Flaubert pour Elisa Schlésinger

Amour de toute une vie

Attente de toute une vie

Condensée en sept heures

« Dès onze heures il sortit... deux heures enfin sonnèrent... Il vit quatre heures à sa montre... Cinq heures arrivèrent ! Cinq heures et demie ! Six heures ! Le gaz s'allumait. Mme Arnoux n'était pas venue. »

Sept heures

Toute une éternité

À se faire une joie, s'exciter, trépigner, à s'impatienter, s'inquiéter, tourner en rond, ne pas comprendre, imaginer des choses, redouter le pire, espérer encore, refuser d'y croire, ne plus y croire, baisser la tête, comprendre enfin, admettre.

Cette attente, oui. Je croyais y reconnaître la mienne depuis que j'avais rencontré M.

Et cette amertume de Frédéric rue Tronchet. Cette amertume pour le reste de sa vie que Mme Arnoux ne soit pas venue au rendez-vous de la rue Tronchet (« Sans même avoir la force de la maudire... Il se jura de n'avoir plus même un désir... »).

Pour une coïncidence, c'en était une ! La même rue ! Ou ce ne fut pas une coïncidence. Car qui peut dire ce qui guide nos pas lorsqu'on erre sans but défini ? En évitant les lieux communs ? À moins qu'il ne se soit agi d'un avertissement : va savoir !

Ce rendez-vous manqué de Frédéric rue Tronchet, son rêve anéanti de conduire Mme Arnoux à l'hôtel et de quel hôtel s'agissait-il lorsque Flaubert écrivit cette scène ? L'hôtel Masséna ? L'hôtel Opal Best Western Premier ? L'hôtel Tronchet ? Ces noms-là aujourd'hui. Mais peu importe. Nous n'étions pas le 22 février 1848 et le peuple ne se soulevait pas ce soir-là (« Ah, on casse quelques bourgeois, dit tranquillement Frédéric »).

Surtout, Mme Arnoux était avec moi. *Elle était venue !* C'était elle à mes côtés, en bien plus jeune cependant, ondulant sur le trottoir, vêtue de son habituel jean gris et, ce soir-là, d'une chemise de soie couleur lilas qui donnait envie de déboutonner lentement chacun de ses boutons, l'un après l'autre, jusqu'à l'offrande nue.

Dans cette rue Tronchet, rêvait-elle elle aussi tout éveillée à « quelque chose d'indéterminé, de considérable néanmoins, avec, sans savoir pourquoi, la peur d'être vue » ?

Le sachant très bien en réalité : et si son fiancé, par le pire des hasards, nous surprenait ensemble. Ou quelqu'une de ses connaissances. Qui se dépêcherait de colporter la nouvelle. Trop heureuse de. M y pensait tout le temps. Tout le temps redoutait. Je sentais bien. (*Quel prétexte a-t-elle inventé pour s'échapper ce soir, songeais-je. Quel mensonge ? Et de savoir qu'elle mentait me causait tristesse et colère.*)

Parfois, elle se figeait dans la rue, croyant avoir aperçu – et puis non. Ouf. Elle suggérait cependant que nous allions dans une autre direction, faisant de nos déambulations dans Paris, non la plus belle des dérives ni le plus intense des temps illicites, mais un déplaisant jeu de cache-cache qui n'osait pas dire son nom et auquel je consentais si c'était le prix pour rester en sa compagnie, quoique rongeant mon frein et empli d'une morne grisaille de voir rabaisser au rang de petit drame bourgeois ce qui, de mon point de vue, s'élevait tellement plus haut. Pour cette raison, avec une joie mauvaise, je rêvais parfois qu'une « mauvaise rencontre » révèle notre secret au grand jour. Que la vérité éclate. Qu'elle nous sorte enfin d'un mensonge qui nous salissait et d'un anonymat qui m'apparaissait de plus en plus un déni ; mais ce n'était pas moi qui étais fiancé et qui devais me marier. Pas moi qui étais déchiré entre deux hommes et qui devais faire le choix d'une vie et me trouvais au bord du précipice.

Quoi qu'il en soit, nous ne croisâmes pas son fiancé rue Tronchet. Ni personne qu'elle connaissait. Et nul maudit petit chien, acharné contre Mme Arnoux, ne se mit à mordiller le bas de ses jeans et à aboyer, aboyer, aboyer, jusqu'à ce que ses aboiements deviennent la sonnerie de son téléphone portable la prévenant d'un drame chez elle – par exemple, son petit frère venait de convulser, il avait « vomi quelque chose d'étrange qui ressemblait à un tube de parchemin » et elle devait rentrer immédiatement, séance tenante, de toute urgence, il le fallait, oui oui oui, maintenant, tout de suite, sans perdre une minute, alors qu'elle arpentait juste à cet instant les contours d'une liberté à laquelle elle pensait n'avoir pas droit. Alors que je l'avais sentie ce soir-là détendue, légère, enjouée, vibrante, au bord de s'abandonner, presque heureuse, presque amoureuse, comme si elle avait pris une décision en son for le plus intérieur et, de l'avoir prise, qu'elle se sentait soulagée – et voici que le monde l'aurait rappelée à son devoir précisément à cet instant, comme par hasard, comme une punition divine sanctionnant sa conduite, comme les romans font tout de même bien mal les choses. Ils se plaisent à enfoncer le clou. Ils ne peuvent, à la fin, s'empêcher de délivrer un message. À la fin, l'auteur doit faire un choix (l'amour triomphe-t-il ou pas ? l'assassin est-il arrêté ou pas ?) et ce choix est *toujours* moral. Quel que soit ce choix. Même si l'assassin s'en sort, cela reste un choix moral. C'est l'ennui avec les romans. C'est le problème de fond. Ils ne peuvent pas fiche la paix aux gens (dont je fais partie).

Ce qui ne veut pas dire qu'un maudit petit chien ne s'acharnait pas intérieurement contre M, mordant son âme et gémissant dans sa poitrine, sans que rien transparaisse. Ni qu'un enfant ne convulsait tout au fond d'elle, « vomissant quelque chose d'étrange qui ressemblait à un tube de parchemin » et réclamant séance tenante toute son attention, au détriment de celle qu'elle s'accordait pour une fois à travers moi, oui, ce sentiment de culpabilité en elle, cette détresse respiratoire en elle, peut-être – mais comment savoir ce qui, invisible, inaudible, tremble et convulse et aboie et gémit chez l'autre, à son niveau le plus enfoui des choses ? Le préoccupe au plus profond de lui-même, sans qu'il l'avoue ? Parce qu'il est honnête mais que la vie ne l'est pas.

Rue Tronchet, dis-je.

Le Miracle de la rue Tronchet.

Niveau 16

Car Flaubert ou pas. C'est dans cette rue Tronchet. Que M. Soudain. S'arrêta. Se tourna vers moi. Et sans rien dire. Sans prévenir. Comme au ralenti. En fermant les yeux. Passa ses deux bras autour de mon cou et m'enlaça. M'enlaça totalement. M'enlaça moi. Ses deux bras autour de mon cou. En une étreinte irrésistible. Une volonté de me prendre tout entier. Sans se pendre à mon cou cependant, non, son étreinte n'avait rien *de tragique*, rien de forcené ni d'hystérique, non, elle était un don, elle était une approbation, elle était un infini. Il s'agissait d'une offrande. D'une joie enfin délivrée, d'un consentement qui savait sa propre signification et qui savait *toutes* ses conséquences, oui, enfin elle venait à moi, enfin s'abandonnait, de sa propre initiative, dans un élan qui venait du plus loin, une tendresse qu'elle ne pouvait cette fois censurer et qu'elle ne voulait plus censurer, plus jamais peut-être, comme on rend les armes, en un geste que j'espérais tellement d'elle, que j'attendais désespérément depuis toujours, depuis l'âge de douze ans au moins, qui valait mieux que toutes les chambres d'hôtel, valait mieux que tout. Qu'elle me reconnaisse par-delà ses peurs et ses calculs, qu'elle me reconnaisse enfin et me le fasse savoir, je n'ai pas honte de le dire : des larmes m'en vinrent aux yeux, des larmes *jaillirent* de mes yeux et inondèrent mon visage tandis que je serrais dans mes bras son corps chaud et fluide qui ne faisait plus qu'un avec le mien, elle en moi et moi en elle, tous les deux amalgamés, fondus ensemble, enfouis l'un dans l'autre, éperdus, avec une telle tendresse, une telle ferveur, ô ce spasme de bonheur que je connus ! Ce pardon de toutes mes fautes passées, présentes et à venir. Plus jamais ma vie ne serait une anecdote. Elle commençait là – quoi ? Mon étreinte de l'existence. Dans cette rue Tronchet.

Un temps que je ne saurais dire, que je ne veux surtout pas chercher à mesurer, nous restâmes enlacés, moi les yeux fermés, mon visage noyé dans ses cheveux, mon cœur tambourinant le sien, tous les deux palpitant à l'unisson. Frissonnants et bouleversés. Je sentais son souffle dans mon cou. À mon oreille sa voix murmurait quelque chose. Sa voix si basse et minuscule… – Quoi ? Que dis-tu ? soufflai-je d'une voix étranglée par l'émotion. Je ne comprends pas… Elle murmurant de nouveau, articulant dans un souffle :
Je vous aime

Répétant dans un souffle :
Je vous aime
Souligné un milliard de fois

JE VOUS AIME

Oh ma chérie.
Oh mon amour.
Si tu savais.

Mais son corps de se dérober tout à coup. Son corps. Je ne compris pas tout de suite. Son corps. Il devint mou et flasque entre mes bras. Il ne tenait plus. Debout. Sa tête. Elle bascula en arrière. Affreusement molle et pantelante. Sous moi, je la sentis s'affaisser tout entière, chanceler, ne plus tenir sur ses jambes, glisser le long de mon torse, s'effondrer infiniment sur lui-même et moi de chercher à la retenir, d'accompagner sa chute, mais ne pouvant l'enrayer, la prolongeant en fait, le plus doucement que je pouvais, jusqu'à plonger à mon tour dans ce vertige, tandis que M se répandait comme une flaque sur le sol, les yeux révulsés, les bras en croix, livide. Sur le trottoir de la rue Tronchet. Morte ? Cette terreur-là pendant une fraction de seconde. Le mot panique. L'angoisse la plus affreuse. Le mot arrêt du cœur. Parce qu'elle m'avait dit je vous aime. Parce qu'elle venait de m'ouvrir son cœur. Et son cœur n'y avait pas résisté ? Il avait lâché ? Seigneur. Ce n'était pas possible. Pas ça ! Mais non ! Ce n'était pas possible. Elle était juste évanouie. Sans que ce soit juste. Elle faisait un malaise. Voilà. Ce n'était qu'un malaise. Du calme ! Quel malaise ? De quelle nature ? Pourquoi ? Elle avait dit : Je vous aime – et elle avait perdu connaissance. Pfuit. Elle était tombée dans les vapes. Comme un sac. Comme du haut de son échelle. Comme si c'était trop pour elle. Comme on s'absente. Comme on s'enfuit. Coupe court. Comme on ne veut plus rien savoir. Comme on a tout dit. Comme on monte au ciel.

« Je n'en ai pas l'air, mais je suis très sensible », disait-elle.

Ah la vache ! Ah la petite futée ! M'avouer qu'elle m'aimait, me l'avouer enfin, et disparaître illico. Me laisser tout seul, en plan, avec, sur les bras, son amour plutôt qu'elle. À croire que c'était désormais mon problème. Qu'elle avait fait sa part du boulot et que je me débrouille maintenant du reste. Ce qui se passerait ensuite ne la concernait plus. C'était à moi de jouer. À son réveil, elle serait – où ? Au paradis ? En enfer. Elle verrait bien. Ce n'était pas à elle de décider. Elle ne le pouvait pas. Elle était allée au bout de ses forces. Au bout d'elle-même. Elle ne pouvait faire davantage. Comprenais-je ?

Okay.

Si c'était ainsi.

Si elle était la Belle au bois dormant.

Si j'étais le tombeur de madame.

Okay.

Tout m'allait.

Maintenant qu'elle m'aimait.

Elle l'avait dit, oui ou non ?

Elle l'avait dit !

Et qu'elle le dise

cela voulait dire qu'elle m'aimait.

Ce n'était pas du bluff.

Niveau 17

Après ? J'avais tenté de la ranimer. L'avais secouée. Doucement. Puis plus fort. Et puis une gifle. Seigneur ! Et une deuxième. Sans résultat. J'avais pensé : marques sur son visage. J'avais pensé : on va croire. On va peut-être m'*accuser*. Merde ! Tout était ma faute. Merde ! Réveille-toi ! Allez ! Bordel ! Tu peux le faire. Reviens !

Mais rien à faire. *Elle ne bougeait plus.* Restait morte sur le trottoir. Livide. Les bras en croix. Ses bras : inertes. Son visage : figé, exsangue, terriblement livide. Son air le plus : inexpressif (il figure en bonne place dans ma collection).

Les pompiers. Vite les pompiers. Au secours ! Vite ! À l'aide !

Les pompiers ou le Samu ? Merde. Le 15 ou le 18 ?

J'avais composé le 18.

On verrait bien.

Vive les téléphones portables !

Merde. Vite ! Bordel ! Magnez-vous !

L'attente de Frédéric rue Tronchet.

La Malédiction de la rue Tronchet.

Un type s'était approché. Dégage ! J'avais crié : DÉGAGE ! J'avais hurlé. La louve et son petit. Le type s'était éloigné. Les pompiers étaient arrivés. Six sept minutes plus tard. Je ne sais pas trop. Un temps fou. À ce moment-là, j'avais posé la tête de M sur mes genoux. Ma main sur son front. Après avoir doucement incliné son corps sur le côté, comme il est recommandé. Qu'elle n'avale pas sa langue. Oh non, pas sa langue ! Pas l'avaler. Je caressais son front. Sa joue. L'arête de son nez.

Qu'est-ce qu'ils foutaient, nom de dieu !

Elle était glacée. Brûlante. Plus qu'exsangue. Toute verte et grise. Mais elle respirait. *Elle respirait !* Son beau visage. Ses paupières closes. Ses pommettes. Ses lèvres. J'avais effleuré le velours de ses lèvres. Le cœur serré. Oh ma chérie. Ses lèvres. Si molles. Si belles. Offertes. J'avais entrouvert ses lèvres. Découvert ses dents. Immiscé mon index. Un peu. Encore un peu plus. Dans sa bouche. En tremblant. En ayant l'impression de mourir sur place. Oh ma belle endormie. Oh la bête dans ma jungle. Quel salopard j'étais ! La sirène des pompiers à ce moment-là. Ouf. J'avais fait le 15 ou le 18 ? Je ne le sais plus aujourd'hui. C'est malin. C'est bien la peine.

La lumière du gyrophare dans la rue Tronchet.

Ce raffut des couleurs dans la nuit Tronchet. Ces flashs bleus dans tous les sens. L'effervescence tout à coup. La brutalité. Comme dans un film policier. Et la couleur rouge de l'estafette des pompiers. Écarlate. Comme ça, le sang ne doit pas laisser de traces. Avais-je songé. Les pompiers. Casqués. Bottés. Harnachés. Rutilants. Des valises à chaque bras. Des bouteilles d'oxygène. Tout un attirail. Une armée de pompiers s'était empressée. Au chevet de l'enfant malade en elle. La plupart très jeunes. À peine du poil au menton. J'avais grimacé intérieurement : ils s'y connaissaient vraiment ? Ils allaient la sauver ? Ils étaient compétents ? À leur âge ? Ils n'en avaient pas l'air. Ils avaient plutôt l'air d'exécuter des gestes appris par cœur dont ils ignoraient la signification. De suivre un protocole sans le comprendre. Sans se soucier de M. Laquelle ne bougeait toujours pas. M comme morte sur le trottoir. Sans vie. Tellement livide. C'était affreux. Elle ne voulait pas revenir à elle. Pas revenir à nous. Elle se trouvait bien là où elle était. Dans ses vapes à elle. Malgré le chlorure de sodium passé sous ses narines. Sa tension prise. Son cœur ausculté. Tous ces gestes qui la traitaient comme de la viande. Un masque à oxygène plaqué sur sa bouche. Moi à l'écart. Tenu à l'écart.

— Elle a pris quelque chose ?
— Juste un verre de vin.
— Rien d'autre ? Vous êtes sûr ? Aucune substance ? (*Regard insistant, regard soupçonneux.*)
— Seulement un verre de vin. Elle a quoi ?
— On va l'emmener à l'hôpital.
— Elle a quoi ?
— Vous êtes qui ?
— Un ami (*Je suis celui qu'elle aime, connard ! Je suis celui qu'elle a pris dans ses bras et à qui elle a murmuré à l'oreille : Je vous aime ! C'est ma femme, connard. C'EST MA FEMME ! Tu piges, espèce d'abruti !*)
— Vous pouvez me donner son nom ? Elle a des papiers ? Une carte de la Sécurité sociale ?
— Elle a quoi ? C'est grave ?
— Elle est dans le coma. On l'emmène à l'hôpital.

Le mot coma.

Et si elle ne se réveillait jamais ?
Ma Belle au bois dormant.
Rue Tronchet.
Quelle merde !
Mais il se passait quoi ?
C'était quoi ce truc ?
Je faisais quoi maintenant ?

Alors qu'elle m'aimait.
Elle l'avait dit, oui ou non ?
Elle l'avait dit !
Elle l'avait dit et hop.
Pfuit.
Elle s'était effondrée.
Elle s'était laissé tomber
Comme un sac
Comme au sommet de son échelle
lorsqu'elle avait onze ans.
Comme si elle était montée trop haut

Son démon de onze ans.
Là, dans la rue Tronchet

Le même désir
de se laisser tomber comme un sac.
Ce vertige de nouveau.
Ce retour en enfance.
Ce retour de l'enfance.
Pour voir si tu allais la rattraper ?
Si tu allais l'emporter dans tes bras à travers la vie ?
Cet espoir-là ?
Ce désespoir-là ?
Merde alors !

Niveau 18

Les urgences de l'Hôtel-Dieu. Pas l'hôtel dont je rêvais. Certes non ! Pas celui où tu voulais conduire M par la main. Pas la suite nuptiale. On ne peut pas dire. Non. Le service de réanimation de l'Hôtel-Dieu (quel nom, seigneur). M embarquée à toute vitesse dès notre arrivée aux urgences. Prise en charge, comme on dit. Disparaissant je ne sais où. Dans les entrailles du monstre. Toujours inconsciente. Dans un lit à roulettes avec, de part et d'autre, les montants en fer relevés. Une couverture de survie sur elle. La couleur dorée de la couverture de survie. Clinquante. Comme des guirlandes de Noël. Et puis plus rien. Plus personne.

L'attente de Frédéric à l'Hôtel-Dieu.

M admise à onze heures quarante du soir… Minuit trente sonna… Je vis deux heures à ma montre… Trois heures arrivèrent… Trois heures et demie… Quatre heures… Quatre heures et vingt minutes… Elle n'était toujours pas réveillée. Elle était toujours dans le coma. M comme limbes.

Cette attente-là.

Cette inquiétude.

Aux urgences de l'Hôtel-Dieu. À ne rien faire. À me poser mille questions. À m'angoisser. À contenir mon excitation. (*Elle a dit qu'elle m'aimait ! Elle te l'a dit, oui ou non ? Et pfuit ! La preuve par pfuit.*)

À me demander si je devais prévenir quelqu'un de sa famille. Son fiancé ? Mais je n'avais pas son téléphone. Et de toute façon c'était entre elle et moi. C'était entre nous. C'était notre histoire.

De toute façon, ce n'était pas grave. C'était impossible. Pas *maintenant*. Pas un si beau jour. Et si c'était grave malgré tout ? Si c'était ? Je ne sais pas. Un problème au cerveau ? Une rupture d'anévrisme ? Une pourriture génétique se manifestant tout à coup ? Une espèce de maladie orpheline passée jusqu'ici inaperçue ? Et se déclarant tout à coup. Justement ce jour si beau !

Ainsi de suite pendant des heures.

À rester assis sans rien faire, puis debout pour me dégourdir les jambes. À me ronger les sangs. À être pris de brusque fou rire. À déambuler ici et là, histoire d'accompagner la marche du temps et de me mettre à son diapason, tanguer en même temps que le bateau afin d'éviter le mal de mer ; puis me rasseyant et restant amorphe sur une chaise en plastique. Avant de me relever d'un bond et de passer les portes vitrées pour sortir un instant dans la cour, respirer la nuit, prendre tout l'air qui passait comme on prend le large, allumer une cigarette et l'écraser après trois ou quatre bouffées de peur de rater l'interne de garde. S'il avait la bonne idée de réapparaître pour me donner enfin des nouvelles. Mais non. Et ainsi de suite à n'en plus finir. Cette attente-là. L'attente de Frédéric à ma manière.

Cette attente-là. Inutile d'en parler. Cette injonction de la durée : non. La dégradation lamentable des hôpitaux : je n'en parle pas non plus. Ces heures passées dans l'envers hospitalier des choses : je ne veux pas en parler. Les gens qui arrivent sur un brancard, ceux qui arrivent seuls et souffrent et grimacent en attendant qu'un médecin les voie : je n'en parle pas. L'humanité amochée, accidentée, hagarde, édentée, ivre morte, pouilleuse, violentée et violente, le bras en écharpe, le visage en sang, avec des tubes dans le nez, un déambulateur pour marcher, une sonde pour pisser, avachie dans un fauteuil roulant, avilie en public, réduite à rien dans un coin, l'air vaincu, l'air éperdu, parfois hurlant dans le service des urgences de l'Hôtel-Dieu : non, je n'en parle pas. Les vieux alités dans les couloirs, parqués dans les couloirs parce qu'il n'y a plus de place, leur visage comme un masque de cire grise, leurs yeux clos, la bouche ouverte, une main pendouillant, incongrue, anonyme, inerte, à travers les barreaux du lit, comme décharnée de leur corps, comme ne lui appartenant déjà plus, leur vie derrière eux et attendant la mort, n'attendant rien d'autre que la mort, gisant tout seuls dans leur couloir de la mort, absolument seuls, sans personne à leur côté, sans personne pour leur tenir la main ou leur jeter ne serait-ce qu'un regard comme on donnerait une couverture : je n'en parle pas.

Les parents d'un gosse de sept ans brûlé à je ne sais combien de degrés amené en catastrophe : je n'en parle pas. Le gosse brûlé à je ne sais combien de degrés : je ne peux pas en parler. Les cris d'un homme examiné quelque part par un médecin et ses cris cessant brusquement, comme dans un lieu de torture : je n'en parle pas. L'infirmière massant un bref instant la nuque d'une de ses collègues et l'érotisme involontaire de ce geste, ce qu'il signifiait de fatigues accumulées et de solidarité instinctive : je n'en parle pas. Une autre infirmière, dans la cour, faisant nerveusement les cent pas, ayant de toute évidence une dispute sentimentale au téléphone et cela ne semblait pas s'arranger : je n'en parle pas. Les regards curieux, interrogateurs, à chaque fois que quelqu'un arrive aux urgences (il a quoi celui-là ? Aïe, ça a l'air grave) : je n'en parle pas. Les discussions entre eux des aides-soignants antillais, tous grands et costauds : je n'en parle pas. Les odeurs sans nom et tout ce qu'on peut en dire, tout ce qu'elles expriment et charrient et refoulent et soulèvent comme malaises, soulèvent comme cœur : je n'en parle évidemment pas puisque je n'ai pas d'odorat. Cette communauté des gens attendant leur tour, seuls ou accompagnés, seuls de toute façon, avec leur angoisse comme unique compagne, leur douleur comme unique sensation, en attendant le verdict du médecin : je n'en parle pas. La couleur des murs : je n'en parle pas. La couleur des minutes et des heures au service des urgences de l'Hôtel-Dieu : je n'en parle pas, non, la patience des patients, cette patience-là, cette inertie vide et crispée, repliée sur elle-même, morfondue, je n'en parle pas car tout le monde l'a connue un jour ou la connaîtra. Les milliers de drames déformant à la longue le skaï usé des banquettes, comme on creuse une fosse : je n'en parle pas. Les conversations de sourds, interminables, fastidieuses, exaspérées, absurdes, sordides au moment d'expliquer son cas à l'accueil ou de remplir la paperasse : je n'en parle pas. Une petite dame en savates et peignoir bleu miteux, ses cheveux blancs en pétard, épars, tout emmêlés, voulant prendre l'ascenseur pour s'en aller (« Je veux partir, laissez-moi rentrer chez moi ») et doucement mais fermement ramenée dans sa chambre : je n'en parle pas. Les visages et ce qu'ils signifient en attendant d'être pris en charge : je n'en parle pas. Une Africaine se mettant à pleurer et une autre se mettant en colère : je n'en parle pas. Les visages et ce qu'ils signifient une fois le verdict tombé après la consultation : je n'en parle pas. Le monde, la foule, la faune, la populace à la même sordide enseigne : je n'en parle pas. Les quatre jeunes merdeux, en uniforme griffé des banlieues, caricatures sociales et fiers de l'être, commençant à faire régner une sourde terreur parce qu'on ne s'occupait pas en priorité de leur copain qui s'était tordu la cheville : je n'en parle pas. La jeune (et jolie) médecin qui leur tint tête : je n'en parle pas. Sa bravoure et les insultes qu'elle reçut : je n'en parle pas. Les quatre merdeux finissant par se barrer en balançant un fauteuil de handicapé dans une vitre, leur copain clopinant à la traîne : je n'en parle pas. Le moment de répit, comme une trêve, aux alentours de quatre heures du matin, le combat cessant un instant faute de victimes, le quota de souffrances momentanément atteint pour la nuit : je n'en parle pas. Le clodo bourré, crasseux, cuvant et ronflant, grognant parfois tout seul, affalé sur une rangée de fauteuils, le corps tordu à chevaucher les accoudoirs des fauteuils, son pantalon descendu sur ses genoux et dévoilant des fesses informes et merdeuses : je n'en parle pas. La décrépitude des corps, lente agonie programmée, défaite intime percluse de douleurs et d'angoisses et de solitudes, scandale qui me guette et qui aura raison de moi, m'humiliera un jour plus ou moins prochain d'une façon ou d'une autre, m'humiliera de toute façon, cette mort abjecte au bout du tunnel qui ne me demandera à aucun moment mon avis et qui volera tout ce que j'ai et tout ce que je suis et fus et pourrais encore être et qui ne laissera rien de moi, strictement rien, au point que je ne sais plus si je dois mépriser la vie d'être un corps périssable ou, au contraire, la trouver infiniment précieuse pour cette même raison : je n'en parle pas.

Ceux qui, devant l'écran de leur ordinateur, entendent fixer un « objectif de rentabilité » aux hôpitaux et vivement qu'ils aient un cancer : je n'en parle pas.

Niveau 19

Elle va bien. Elle est *stabilisée*. Elle a repris connaissance. Mais elle va rester en observation.

C'est l'interne de garde qui parle.

Enfin des nouvelles !

Elle est très faible, continue l'interne de garde. Les prises de sang n'ont rien révélé d'anormal. Un taux d'alcoolémie sans plus. Il faudra faire des examens complémentaires. Ce n'est pas normal. Ses constantes sont très basses. Elle doit s'alimenter. On l'a mise sous perfusion. Elle n'avait vraiment rien pris ? Un verre de vin ? C'est bien ça (*en consultant ses fiches*) ? Vous êtes sûr ? Pas d'autre substance (*regard soupçonneux*) ? C'est bizarre. Ça ressemble pourtant à un coma éthylique. Vous pouvez me raconter ce qui s'est passé exactement ? Mais calmez-vous, monsieur. Vous me semblez bien énervé. Vous-même n'avez rien pris ? Aucune substance ? Il vaudrait mieux le dire (*regard encore plus soupçonneux*). Très bien. Mais calmez-vous. Tout va bien. Elle a ri dans son coma.

— *Pardon ?*

— Oui, elle a éclaté de rire tandis qu'elle était inconsciente. Tout va bien, je vous dis. On la garde en observation. Je vous préviens quand vous pourrez la voir. Ne vous inquiétez pas. Tout va bien.

Bien sûr que tout va bien ! Bien sûr qu'elle a éclaté de rire tandis qu'elle était inconsciente ! Évidemment ! La joie trop forte ! La joie la plus forte ! Comment pourrait-il en être autrement ? Comment dire ? Comment lui dire ? À cet interne de garde. La vie est un rire ! Comment ne pas le lui hurler au visage ? À ce messager des dieux. Avec sa blouse blanche ouverte. Les stylos-billes qui dépassent de sa poche. Le stéthoscope pendouillant autour de son cou. Tout l'attirail de l'autorité. Ses sourcils impressionnants. Exceptionnellement broussailleux. Les sourcils visiblement une chose importante dans sa vie. Oui, comment lui expliquer qu'il n'y a pas besoin de substance. Quand l'émotion devient si pure, si intense, si concentrée et profonde que la conscience peut n'y pas résister et, submergée de dopamine, s'en trouver temporairement abolie ? Comprend-il ? Ou n'est-il qu'un gros con en blouse blanche avec de faux sourcils ? Je ne pense pas avoir formulé tout haut cette dernière réflexion. L'interne de garde aurait tiqué. Il aurait réagi ! Au lieu de continuer de gribouiller je ne sais quoi sur une feuille de soins. Moi n'en pouvant plus devant lui. Ne tenant plus en place. Bouillant sur place. Ayant toutes les peines du monde à me contenir. À ne pas éclater de rire devant lui. À ne pas exploser de rire moi aussi. À l'unisson d'elle. Mon être suffoqué d'allégresse à ce moment-là. Ne pensant qu'à une chose : Elle va bien ! Elle va bien ! ELLE RIT ! Elle aussi est ASTRALE ! (*Elle t'aime, elle a dit qu'elle t'aimait ! Elle te l'a dit !*) Conscient cependant que mon attitude n'échappe pas à l'interne de garde. Cette jubilation dans mes veines : elle lui paraît déplacée. Suspecte en ces lieux hospitaliers. Au plus haut point. Quelle substance ? Ah ah ah. Mais pas besoin de substances, mon pote ! *C'est l'amour la substance.* Il n'en existe aucune autre qui fasse autant d'effet. Il suffit de voir dans quel état de manque il peut mettre ! Il pouvait bien chercher dans sa table de classification des valeurs toxicologiques, il ne trouverait rien qui fasse entendre des chœurs aussi célestes au plus profond de soi. Des cordes et des cuivres et des cymbales comme je les entends follement à cet instant. Une messe en si au-delà de la messe en si à mon niveau le plus universel des choses. *Maria Maria, the most beautiful sound I ever heard, Maria Mariaaa Mariaaaaa.*

Une demi-heure plus tard je suis autorisé à la voir. Je suis à son chevet. Elle sourit dans la pénombre. Ses cheveux sont dénoués et moussent sur l'oreiller. Elle est nue sous une blouse verte qui ferme dans le dos. Merveilleuse et vivante. L'humanité en chair et en os. C'est Ingrid Bergman dans Les Enchaînés d'Hitchcock. Ingrid Bergman qui se meurt dans son lit, empoisonnée par Sebastian et sa mère. Lorsque Cary Grant vient la sauver. Elle met ses bras autour de son cou. Elle l'enlace tout entier. Elle dit : « Vous m'aimez… Vous m'aimez… C'est donc vrai… Dites-le encore… Ça me tient éveillée… » Son visage alors, à l'écran. Exactement celui de M à cet instant. Exactement cette expression. (*Oh cet air transfiguré ! Oh, M comme Ingrid Bergman dans cette scène. Son air « déchaîné » !*) Oh chérie. Je suis là maintenant. Tu n'as plus rien à craindre. Je viens te sauver.

Je prends sa main. Son épaule est dénudée. Sa peau. Ce satin. Elle dit que son fiancé va venir la chercher. Elle a demandé qu'on le prévienne. Il le fallait. *Il était fou d'inquiétude !* Il ne va pas tarder. Il va arriver d'un instant à l'autre. Tu dois t'en aller. *Maintenant !* Mais tout va bien. Tout va bien. Elle te sourit. Encore très pâle. Son épaule. Sa peau. Ce satin. Ses doigts pressent ta main. Tu lui souris. Son épaule. Sa peau. Ce satin. Tu déposes un baiser sur ses doigts. Sa peau : froide. Tu t'en vas. Le cœur en miettes. Comment dire ? Tu n'es plus toi-même. Tu es. Tu passes en second. Voilà. Tu es la deuxième personne du singulier. Tu n'es rien d'autre. La deuxième personne du singulier et non la première personne du singulier. *La Deuxième Personne du singulier* : cela ferait un bon titre de livre. Ou un très mauvais. Tu ne sais pas. Tu ne sais plus. (Il t'était également venu un autre titre, mais je l'ai oublié.)

Elle ne t'a pas dit qu'elle t'aimait. Elle ne te l'a pas dit une deuxième fois.

Niveau 20

Mais elle riait.

ELLE RIAIT !

Elle aussi était ASTRALE !

Comment dire ?

J'avais dix-sept ans à l'époque.

Je n'osais me l'avouer et m'interdisais même à l'époque de le penser, mais je m'ennuyais comme un rat mort en compagnie de copains qui, avachis par terre, rebelles en diable, tandis que des foulards mauves jetés sur les abat-jour tamisaient l'ambiance, fumaient joint sur joint et, en fonction de nos maigres rentrées d'argent, sniffaient rail sur rail, comme un rituel sacré, en écoutant Tangerine Dream, Uriah Heep, Genesis ou Careful with That Axe Eugene, avec le cri à la fin, le grand cri, à plein volume. En discutant pendant des heures pour savoir si Frank Zappa était meilleur guitariste que John McLaughlin, Larry Coryell ou Paco de Lucía. Et moi comme eux à l'époque (même si je m'intéressais plus à la musique qu'aux musiciens). En imaginant que les drogues m'ouvriraient toutes grandes les portes de la perception. Mais cela ne marchait pas trop dans mon cas. Je ne me sentais pas devenir plus créatif. Je cherchais à devenir plus conscient et j'obtenais toujours plus d'inconscience. Je comatais allègrement comme les autres, comme une loque.

Avant de m'effondrer un jour en pleine rue, vlan !

C'était une nuit et, à force de trop tirer sur la corde, je me sentis mal, je fus pris d'un immense vertige, tout se mit à tournoyer devant mes yeux et je partis malgré moi en arrière, je partis en avant, tandis que les lumières s'éteignaient dans mon cerveau, dans la rue, partout. En un clin d'œil je tournai de l'œil, je déconnectai tout à fait. Tombai comme une masse à la renverse en faisant pschitt, mon crâne tapant le sol, glong. Avant même de comprendre ce qui m'arrivait, je gisais au sol, étendu de tout mon long, étendu pour le compte, le KO total. Complètement raide j'étais, overdosé des pieds à la tête, dans tous les sens du mot collapsus – et, pendant un temps miraculeux, je connus alors une splendide sortie de mon corps.

Je vécus ce qu'on appelle une *expérience de mort imminente*.

Je ne plaisante pas.

Je me vis m'élever au-dessus de moi d'une distance d'environ un mètre, c'est ce que je dirais, un bon mètre, oui, je vis que j'avais quitté mon enveloppe corporelle et si je ne vis pas le moment où je quittais mon corps, je sus que je me trouvais tout à coup au-dessus de lui, flottant à présent comme une plume dans l'éther de la nuit tandis que, sans les voir, j'entendais les copains qui s'inquiétaient autour de ma défroque. Qui paniquaient de me voir allongé par terre en pleine rue sans plus bouger, totalement inerte, les yeux révulsés, les lèvres bleues, le visage blanc, gris, vert, exsangue, effrayant à ce qu'ils me racontèrent par la suite, oui, je les entendais ne pas savoir quoi faire et ne rien faire du tout. Je les entendais très distinctement vouloir se barrer et me laisser dans cet état car je n'avais pas l'air bien du tout, je ne respirais plus, oh putain : j'avais clamsé ! Oh la merde ! Fallait planquer la dope. Vite ! Chargés comme ils l'étaient eux aussi, les flics allaient les coffrer s'ils les appelaient et ce serait la prison, le QHS, Amidou dégrafant déjà son ceinturon – Hou là là. Oh le super bad trip ! Mieux valait foutre le camp et se tirer en vitesse et moi de leur hurler que je n'étais pas mort, pas du tout, eh oh, j'étais toujours là, eh oh, ils n'allaient pas me laisser dans cet état, eh oh, ils étaient cons ou quoi ? Bande de salauds ! EH OH !

Mais aucun son ne sortait de mes lèvres. J'avais quitté mon corps et celui-ci demeurait inanimé sur le trottoir, sans plus donner signe de vie, raide mort dans la rue, tout à fait paralysé, n'ayant plus rien à voir avec moi, presque froid déjà. Il n'était plus qu'un cadavre allongé par terre, un tas d'os et de frusques amoncelés comme des ordures dans la rue, un monceau d'excréments et c'était très curieux. C'était génial de me trouver tout à coup hors de moi, au-dessus de moi, une expérience vraiment fantastique. Un état incroyablement bizarre. Je me marrais tout seul d'être et de n'être plus en même temps ; je ne pouvais m'empêcher de rigoler de tout ce pataquès ; jamais je n'avais été aussi HILARE. Bon dieu, je demeurais lucide tout en étant inconscient, bon dieu, j'étais vivant et j'étais mort à la fois, j'étais *mort de rire*, j'étais le chat de Schrödinger, bon dieu, je possédais un être astral et cet être astral riait, il était pris de fou rire, il n'en pouvait plus de se bidonner de rire, il était l'hilarité même détachée de mon corps et se situant au-dessus de lui, oui, il était mon âme faite euphorie et l'âme existait donc pour de vrai. La mienne existait pour de bon. J'avais une âme et j'avais un corps et celui-ci pouvait bien crever sur le trottoir, mon âme persévérait, mon âme ne lui devait rien, mon âme ne se confondait pas avec moi, elle ne se réduisait pas à qui je semblais être dans la vie, non, elle pouvait échapper à tous mes déterminismes comme à toutes mes utopies, elle était ma véritable nature *humaine* soudain révélée, enfin échappée de ma biographie, enfin libérée de mon individualité et, présentement, elle éclatait de rire, *elle éclatait de rire* et quelle révélation ! Il paraît que je riais à ma naissance et bien sûr que je riais ! J'en riais encore ! Je rirais toujours ! J'en fus convaincu ce jour-là. J'avais toujours imaginé venir de bien plus loin que mes parents et quelle confirmation ! J'étais passé de l'autre côté du miroir, j'étais *immatériel*, j'étais évanescent, j'étais incorporel, j'étais je ne savais quoi, mais c'était indéniable. On pouvait sortir de soi et je savais comment c'était quand on était hors de soi, quand on n'était plus soi et qu'on renouait avec son immatérialité, j'allais dire immortalité et, bon, je voulais bien revenir maintenant. Je n'avais pas besoin d'en savoir davantage. J'en avais assez vu et assez entendu, assez ri, j'avais besoin de réintégrer mon corps car, sans lui, je ne pourrais pas raconter ce que je venais de vivre, je ne pourrais pas apporter la bonne nouvelle au monde, je ne pourrais jamais révéler que *l'humanité* existait en toute indépendance, qu'un *JE* majuscule rigolait magnifiquement en nous et, oui, sans mon corps, je ne pouvais finalement pas faire grand-chose et ce fut une autre révélation. Une espèce d'angoisse soudain. Sans cesser de me marrer cependant. Mais ce serait terrible de rester éternellement à l'extérieur de moi, exilé à vie dans l'indicible et l'inconcret, ce serait aussi terrible que d'être condamné à faire corps avec qui *je* n'étais pas exactement parce que personne ne nous dit que nous sommes aussi astralement au monde – EH OH !

Mais j'aurais aussi bien pu crever dans cette rue, les copains n'auraient pas appelé les secours. Ils n'appelèrent pas les secours ! Ils me laissèrent en vrac dans le caniveau, sans bouger le petit doigt, par peur des flics et des conséquences, en s'engueulant presque tellement ils étaient flippés. Ah les cons ! Comme ils étaient drôles ! Comme je me poilais astralement à les entendre. Cela me prit une bonne heure, paraît-il, avant que je revienne à moi et que mon âme daigne réintégrer mon corps pour lui redonner vie et l'insuffler de nouveau. Ouf. De ce jour, je cessai les drogues, les séances d'abrutissement collectif, les foulards mauves sur les abat-jour, les discussions débiles sur le meilleur guitariste du monde. Cela ne m'intéressait plus tout à coup. Je me disais que la prochaine fois, je ne réintégrerais peut-être pas mon corps. Pour l'éternité resterais une âme errante. J'avais trouvé mes limites. J'ai toujours su qu'il y avait des limites à ne pas dépasser. D'instinct. Que je les excède et je serais perdu à jamais. Il ne faut pas tenter le diable. Il me suffisait de m'être rencontré moi-même dans la joie la plus astrale et allègre et M riait elle aussi.

Bien sûr qu'elle riait tandis que son corps ne réagissait plus.

Nous rions dès que nous échappons à notre personnage et M comme mon *âme* sœur.

L'Hôtel-Dieu. Pousser la porte vitrée. M'en aller tête basse. M'en aller je ne sais comment. Je ne sais où.

Dehors l'air est vif. La nuit commence à se disloquer vers l'est. L'est dans cette direction ? Le sud par-là ? Okay. Tu marches lentement en traversant le parvis de Notre-Dame. Allumes une cigarette. Un SDF affalé par terre. Endormi. Des cartons rabattus sur lui. Des types bourrés plus loin. Six ou sept. Vague menace. Ils t'interpellent à distance. – *Eh pédé !* – *Viens me sucer, Blanche-Neige !* Rires gras. Sales cons. Bandes de lâches. Le monde comme il met tout de suite dans l'ambiance. Rappelle immédiatement à l'ordre. Donne fissa envie de rentrer la tête dans les épaules. Sur ta gauche, Notre-Dame, immense, impassible, indifférente. Sur fond de ciel mauve et noir. D'aube aux ongles turquoise.

Quelle nuit !

La pensée te traverse d'attendre son fiancé, voir de quoi il a l'air, lui parler peut-être, mettre les choses au point, crever l'abcès, une bonne fois pour toutes.

Et puis non. Tu n'es pas en état. Pas maintenant. M ne le voudrait pas. Ce n'est pas le moment. Ce n'est pas lui le problème. Elle t'aime. Elle te l'a dit. Elle va le lui dire. Ce n'est plus qu'une question de temps. Tu n'as pas à t'en mêler. C'est à elle de le lui dire. De trouver les mots. Putain de mots.

Joie joie joie.

Mais tu as peur que le mensonge ne se referme sur la vérité. Que le réel qui a eu lieu tout à l'heure rue Tronchet ne résiste pas au rêve dont nous sommes prisonniers à chaque instant.

Tu hésites à rentrer à pied. L'est tard. C'est le matin. Cela fait une trotte. Et puis si. À pied. Pour faire durer. Savourer. Te calmer aussi. Tenter d'y voir clair. Comprendre ce qui se passe. Mettre des mots. Raccorder entre eux les événements que tu viens de vivre. Leur donner si possible un sens. Elle t'aime, elle te l'a dit. Elle l'a dit, oui ou non ? Et de quelle manière ! Et voici qu'elle te chasse à son réveil. Voici que son fiancé était *mort d'inquiétude* ? Sans blague ! Et moi donc ! Chiotte ! Tu ne sais pas. Tout s'entrechoque. Tu ne sais plus. Tant d'émotions. Dans tous les sens. À ce point démesurées qu'elles t'épouvantent. Tu as peur de devenir fou tout à coup. Tout à fait fou. De voler en éclats dans tous les sens tandis que l'aube se lève, lumineuse et incertaine. Toi traversant le parvis de Notre-Dame, puis la Seine, tu allais dire la Saigne, avant de remonter la rue Saint-Jacques et, à droite, ce sera le boulevard Saint-Germain. Quel délire tout de même ! Tu ne tiendras pas longtemps à ce rythme. C'est sûr. C'est trop. M comme too much. C'est en permanence les montagnes russes avec elle. Le super grand huit. Un coup tout en haut et un coup au plus bas, à toute allure, à une vitesse folle, sans jamais pouvoir dire avec certitude si c'est oui ou si c'est non car c'est tout le temps à la fois oui et à la fois non avec elle, c'est tout le temps la carotte *et* le bâton, à chaque instant le mal de mer, systématiquement des chocs dans la poitrine, des caresses et des coups de hache, et ce que je veux dire, là où je voulais en venir page 543 et que je tiens à verser séance tenante au Dossier, à verser les deux mains jointes, c'est que je n'étais pas *drawing dead*.

Je ne l'étais pas du tout.

Je ne délirais pas ni ne spéculais vainement sur mes chances.
La partie n'était pas jouée d'avance. En aucun cas ! Je venais d'en avoir la preuve rue Tronchet !

Dans cette rue Tronchet où M avait mis ses bras autour de mon cou et m'avait enlacé et sous ses seins parfumés son cœur battait comme un fou et oui elle avait dit oui je veux bien oui tout son être avait dit oui, il l'avait dit, il me l'avait murmuré à l'oreille et il l'avait répété à mon oreille et oui elle m'aimait, oui elle l'avait dit, elle avait dit yes, dans un souffle et cela avait été son dernier souffle, comme si c'était ses dernières volontés, oui j'avais toutes mes chances avec elle.

OUI.

Je n'étais pas *drawing dead* !

TOUT LE CONTRAIRE.

Mon jeu qui paraissait si faible au départ, mes chances si minces que moi-même ne pariais pas un kopeck dessus.

Et voilà !

Elle m'aimait !

La si la sol fa#

Mais je le savais !

Les astres l'avaient dit.

Enfin la foudre, l'infini, l'azur et le topaze.

Pourquoi ce soir en particulier ? Que s'était-il passé pour qu'elle s'élance vers toi et te dise oui, à cet instant, oui, rue Tronchet ? Je ne comprenais rien à cette fille. Je ne comprenais rien à cette partie. Mais je ne rêvais pas, *je ne me faisais pas un film*. Je ne souffrais pas d'hallucinations. Je ne spéculais pas dans le vide ni ne souffrais pour rien et je le savais à présent. J'en avais pour la vie la certitude radieuse et, non, Julien ne s'est pas suicidé pour rien.

Qu'il le sache.

C'est bien la possibilité de M qui me tenait debout. La possibilité de M et non l'impossibilité de M et la preuve rue Tronchet.

Pas n'importe quelle preuve : la plus émouvante des preuves. La plus décisive des preuves. La plus *audible* et la plus *organique* des preuves. La plus hystérique à ce qu'il paraît. Comme on me l'a dit plus tard, soufflé à l'oreille, ce mot-là, le mot hystérie. Cette façon-là de parler. De *diagnostiquer*. De médicaliser le moindre de nos comportements comme s'ils étaient des maladies. M'en fiche. Je n'y crois pas. Je ne veux pas y croire. Tandis que je remonte le boulevard Saint-Germain, merveilleusement désert à cette heure. Des voitures de temps en temps, en lentes glissades, comme des péniches. Très peu de bruit. L'ambiance très douce. Juillet à Paris. Paris à l'aube. L'été aux premières lueurs. L'air ambiant d'une telle tendresse. Le mot « Story » à la devanture d'un magasin de chaussures. Le soleil à l'est. Le West Side Story par là, au sud. Ma direction. Mes pensées totalement en vrac, tous les événements de la soirée se bousculant dans ma tête, tourbillonnant, ma *Nuit de juillet*.

Épuisé je suis. Nerveusement lessivé. Et, en même temps : pétillant, ébloui de l'intérieur. En même temps : hagard, tout à fait vulnérable, pas titubant mais presque.

Niveau 22

Son fiancé était fou d'inquiétude. Cette phrase comme une grimace. Cette inquiétude dans sa voix à elle, tellement perceptible, encore palpable au moment de traverser le carrefour de l'Odéon pour couper par la rue Danton, la petite rue Danton, me sentant à ce moment-là – comment dire ? Comme à égale distance de la vie et de la mort, le soleil à l'est, je ne sais plus très bien où j'en suis, je suis ivre, de fatigue et de tout. Le sud dans cette direction. Le mot hystérie. Ce mot-là. Peuh. Deux taxis coup sur coup ; leur loupiote : « occupé » ; le second avec une publicité sur ses portières et le mot Luciline passant sur le boulevard, le mot Luciline disparaissant aussi vite, le mot Luciline comme un clin d'œil. Elle a dit qu'elle m'aimait, elle l'a dit, oui ou non ? Elle l'a dit comme Madame de Clèves avouait à son mari que son amour pour Nemours n'aurait pas de suite ? Putain, les sourcils de l'interne de garde : ils étaient vraiment exagérés ! Comme une grosse moustache, mais au-dessus des yeux. Drôle de confusion. Pour prouver quoi ? Son côté sourcilleux ? Le prouver à qui ? Le mot hystérie, ce mot-là, du grec utérus : pourquoi me le souffler à l'oreille ? Quel était le problème rue Tronchet ? *What's in a bird ?* Je n'en voyais pour ma part aucun rue Danton. Il faut bien que nos émotions exultent de temps à autre, quel que soit l'orifice, on ne peut pas tout le temps rester zen, cool, relax, jamais un mot plus haut que l'autre, jamais une émotion vécue plus qu'une autre, toujours sage comme des images, toujours raisonnable comme un rosaire, comme si tout était tout le temps normal, tout était égal, rien ne devoir nous affecter ni nous faire bondir ou s'évanouir, surtout pas, « on en a marre de votre calme et de vos conneries », disait l'autre (Burroughs) et ça veut dire quoi : hystérique ?

Déjà qu'ils disaient qu'elle était bête, tous l'ont dit et maintenant : hystérique. Quoi la prochaine fois ? Comment dit-on : Je t'aime ? Je ne sais pas. Je n'ai jamais su. Je sais seulement que j'avance dans l'aube d'un jour nouveau et cette aube d'un jour nouveau guide mes pas vers la place Saint-Sulpice, le soleil à l'est, la fontaine Saint-Sulpice au milieu de la place, avec ses quatre évêques aux quatre coins cardinaux, leurs statues dans des niches : représentant Bossuet et qui d'autre déjà ? Bossuet à l'ouest, tournant le dos à l'église, si je me le rappelle bien. Bossuet ou Fénelon ? Fénelon ! Évidemment Fénelon. Fénelon le banni. Le quiétisme. Tout ça. Madame Guyon. Madame je ne sais plus quoi de La Motte de son vrai nom. Qui prônait l'abandon à la providence divine. Le total abandon. Voulait libérer l'âme de son instinct propriétaire. Si je me souviens bien. Rien à voir avec M. Tout le contraire de M. M si soucieuse de garder le contrôle. Éduquée à mort pour ne jamais s'abandonner. Et pfuit. Comme une conséquence logique. Comme elle était émouvante à l'hôpital ! Si fragile dans sa blouse verte ouverte dans le dos, tellement démunie, ses cheveux défaits, son visage pâle et lisse, ses lèvres exsangues. Et pourtant radieuse. Éblouissante dans la pénombre. Son épaule. Sa peau. Ce satin. *Il était mort d'inquiétude.* Sans blague ! Et moi donc ! Et moi alors ? Cette place Saint-Sulpice : taches jaunes, rougeoiements, deux vélos attachés ensemble à un banc avec le même antivol bleu. Passe un autobus 63. Il est vide. Passe un car de police. Il fait lentement le tour de la place. Une camionnette Citroën vert pomme mal garée. Un homme en chemisette bleue sort d'un immeuble et regarde la place comme s'il ne la reconnaissait pas. Passe un 96. Une femme à l'arrière. Son visage collé à la vitre. Je pourrais continuer comme ça longtemps. Reprendre les choses là où Perec les laissa. Tentative d'épuisement, en effet. Même si, plutôt que la place Saint-Sulpice, j'aurais préféré la rue Tronchet. Épuiser un lieu où il se passe au moins quelque chose. « Un couple. Ils s'enlacent. La femme tombe évanouie. » Un lieu comme Alep. « Passe une petite fille. Une bombe explose. À la place de la petite fille : une flaque brune au sol. »

Des pigeons sur le terre-plein. L'un d'eux poursuit une femelle. Laquelle le fait courir. Elle s'enfuit devant lui ou le mène par le bout du nez ?

L'est 6:12 à mon téléphone portable. Pas de message en attente. *Il* a dû arriver à l'hôpital. Ils doivent être *ensemble* à l'heure qu'il est. Cette douceur dans l'air cependant. J'aimerais avoir de l'odorat. J'aimerais tellement. Le soleil à l'est. Encore un bon bout de chemin avant d'arriver chez moi. N'en suis qu'à la moitié. À peine à la moitié. Chiotte. Comme un coup de barre maintenant. L'envie de dormir et de ne plus penser à rien. Elle a dit qu'elle m'aimait. Elle l'a dit, oui ou non ? Et pfuit. Le mot hystérie, ce mot-là : mais tout le monde est hystérique aujourd'hui ! Les gens pètent un boulon au moindre truc qui se passe, ils n'ont plus aucun recul, plus aucun *discernement*, ils n'en ont plus les moyens. Le plus infime événement déclenche des réactions émotionnelles totalement disproportionnées, absolument inappropriées. L'époque est complètement hystérique. Même les coiffures sont hystériques. Même au plus haut niveau de l'État. Bon dieu, on peut se faire trucider en pleine rue pour un regard de travers. Naguère, avant Dallas, un simple coup de pied au cul était le comble de l'humiliation. On n'en est plus là. Les cours de la Bourse s'effondrent à cause de simples rumeurs. Quel rapport avec M ? Murmurer « Je vous aime » et s'évanouir aussitôt : voilà qui me paraît plutôt approprié. Voilà qui m'apparaît *un minimum*. Comment dit-on : Je t'aime ? Comme on dit « passe-moi le beurre » ? Comme on *gère* ses émotions ? Saleté d'époque ! S'il s'agit de dire que la vie est bonne à enfermer sitôt qu'elle se manifeste vivement, c'est réussi. Alors que la raison est une émotion comme une autre et je devrais noter cette idée dans l'un de mes petits carnets. Bzzzz. C'est mon portable. Il vibre ! Vite. C'est un sms. *J'ai un sms !* Vite ! Chut ! M ? Oh oui ! Mais non ! Il s'agit d'une alerte de l'AFP. « Le seuil des 3 millions de chômeurs franchi en France. » Bien. C'est sûr que le monde ne tourne pas autour de ma petite personne. Il le devrait pourtant. Il ne sait pas ce qu'il perd.

Niveau 23

Rue Bonaparte. Un groupe de fêtards. Joyeux. La mine défaite. Les yeux exorbités. Luisants d'alcool. Les filles : bras dessus bras dessous. Éméchées. Rigolotes. Prêtes à faire des folies. Moment où les derniers clients se retrouvent à la rue. Sans savoir que faire. Aller où ? Tout le monde voudrait que ça ne s'arrête jamais. Le mot hystérie : mais j'en redemande des hystéries aussi somptueuses ! Des « Je vous aime » qui vous envoient aussitôt au tapis. Je voudrais tout le temps des émotions si intenses que la raison déconnecte. Que le corps, cessant de fonctionner comme s'il était une machine et non un être vivant, accède à sa propre parole, libérant tout ce que la société oblige à refouler et à enfermer en soi. L'auvent rouge du café du Métro, angle rue de Rennes : le vent lui donne de petites claques, on croirait une main invisible l'agitant par-derrière.

J'aurais dû prendre un taxi. C'est plus facile de prendre un taxi que de prendre une décision. Elle a dit qu'elle m'aimait. Elle l'a dit ! Je n'ai pas rêvé ! Encore un SDF, endormi près d'une grille d'aération du métro. Une couverture écossaise sur lui. Toute neuve la couverture. Une flaque sous lui : vin ? vomi ? pisse ? On dit sans domicile fixe mais le plus souvent ils trouvent un endroit et ils n'en bougent plus. J'en sais quelque chose. J'ai moi-même eu *mon* paillasson. Ce paillasson : je l'aimais. Il était mon seul refuge. Je rêvais qu'il soit tapis volant et qu'il m'emporte loin, très loin, par-dessus tout, par-delà les immeubles et la ville et le monde et ma vie. Un jour il a disparu. Message reçu. On ne voulait plus de moi sur le palier. J'ai déménagé. Cherché ailleurs un autre domicile fixe. Un autre paillasson. Une autre carpette où me coucher comme un chien. De nouveau un taxi. Taxi Bleu. Sa loupiote : occupé. Pourtant il est vide. Le mot hystérie. Combien de fois ne me suis-je pas entendu dire : « Mais vous délirez monsieur Bouillier, vous pétez un câble monsieur Bouillier, vous devriez prendre un peu de recul monsieur Bouillier » et quel câble ? Quel recul ? Jusqu'à quelle distance approximativement ? Quand tant d'injustices répétées, de crimes organisés sous nos yeux, de laideurs accumulées, de bêtise rayonnante – eh quoi ? C'est moi qui vous énerve *maintenant* ? C'est contre moi que vous pétez *enfin* un câble ? Oh les vicemierdeux ! Oh les sales petits crèvetêtards ! Du calme. Je n'en pleux plus. Vivement mon plit. Si je pouvais plaquer des poids et pop, dans mon paldaquin. En bougeant mon népif. Comme Elizabeth Montgomery dans Ma portière bien-aimée. Ma *sorcière* bien-aimée. Hum. M comme ma sorcière bien-aimée. Cette vision d'elle à l'hôpital, quasiment nue. Son épaule. Sa peau. Ce satin. Je n'avais qu'à tendre la main, je n'avais qu'à soulever le drap, me glisser contre elle, la serrer contre moi, passer mes doigts sous la blouse, épouser la forme de son corps, épouser son corps, l'épouser tout entière. Et rester là. Toute la vie. À son chevet. Cela aurait été si simple. La rue du Vieux-Colombier. Le théâtre sur ma gauche. Salut à toi, le Momo. Salut à toi, l'Artaud. Une affiche derrière la vitre : « Britannicus, derniers jours ». Le soleil à l'est. Le métro Sèvres-Babylone maintenant. Ses grilles : à demi ouvertes. Elle a dit qu'elle m'aimait. *Il était mort d'inquiétude :* pauvre chéri ! Sait-il la chance qu'il a ? Bien sûr qu'il le sait. Il doit le savoir. Certaines circonstances réclament que nous devenions résolument hystériques, voilà, je le dis comme je le pense. Il faudra que je note encore ça dans un de mes petits carnets. Il importe que nous devenions tout à fait hystériques *en certaines circonstances.* Pour démontrer à notre petit niveau individuel que nous ne sommes pas une saloperie de dictature réprimant en nous toute manifestation non autorisée et, venant vers moi, voici une petite dame toute menue. Toute grise. Cinquante ans ou plus, ou moins, difficile à dire, les rides quand elles sont celles de la fatigue. Celles de la violence économique. Elle marche vite, à tout petits pas très rapides, elle *trotte*, c'est le mot, des baskets blanches, un sac en plastique à la main, un sac Tati. Marocaine je dirais, allant faire le ménage dans une boutique je dirais ; elle me croise sans me regarder. Sa nuit à elle ? Aucune idée ! Je vous aime ! Ce n'est pas seulement qu'elle l'a dit, c'est qu'elle m'aime. Je le réalise soudain. Elle m'aime. Elle l'a dit *parce qu'*elle m'aime. Et hop, dans les vapes. Je comprends maintenant. Elle était tout entière dans cet aveu et il ne lui est plus rien resté pour elle. Pfuit. Carrefour Raspail : une affiche pour la reprise du film Et l'homme créa la femme. Avec cette accroche en bandeau *Créez la vôtre !* Ah ah ah. Nicole Kidman sur l'affiche, en grand, l'index devant sa bouche, pour dire chut – chut quoi ? Qu'est-ce qu'il ne faut pas dire ? Quand bien même je ne supporte pas, mais alors pas du tout, celles et ceux qui hystérisent au quart de tour, tonitrulent à tout bout de champ, réagissent en permanence de façon émotionnellement inappropriée et impossible de discuter avec eux, inutile de gâcher sa salive, ils font autant pitié que ceux et celles qui, zen d'abord, cool toujours, laxativent en toutes circonstances du haut de leur raisoncule, comme des gnasses mesquinisant la vie dès qu'elle remue et, hum, bon, je suis vraiment vanné, en totale roue libre, vite la rue de Sèvres, l'interminable rue de Sèvres, le sud tout droit, le sud tout au bout, *il était mort d'inquiétude* : et moi alors ? Et moi donc ! Le mot hystérie, poil au zizi, je veux dire : il m'est déjà arrivé de péter un plomb (*péter un plomb !*) en certaines circonstances. En au moins deux circonstances, pour autant qu'il m'en souvienne. Trois peut-être. Deux et demie. Peu importe. Ce n'est pas si facile de s'exfoutre du moule quand on en peuberlue plus et, en tous les cas, ce n'est pas si facile pour moi et j'aimerais davantage d'hystérie de ma part, j'aimerais *énormément* d'hystérie de ma part, je voudrais moi aussi exprimer tout mon amour et m'évanouir aussitôt dit, tomber dans les vapes à la seconde même, direct au paradis, avant de me réveiller comme une fleur dans une petite blouse verte ouverte dans le dos avec M tout sourire au-dessus de moi, veillant sur moi, plus jamais seul. Je devrais retourner à l'Hôtel-Dieu. Crever l'abcès. Advienne que pourra. Pourquoi rentrer chez toi ? Ta place est là-bas. Ta place est auprès d'elle ! Tu devrais l'enlever ! Voilà. À l'ancienne. Au culot. Avec un hélicoptère. Cela qu'elle attend peut-être. Espère. Que tu décides à sa place. Pourquoi n'y crois-tu pas toi-même ? Pourquoi es-tu certain que ce n'est pas ce qu'elle veut ? Tu débarquerais en hélicoptère et elle ne voudrait pas monter et tu aurais l'air malin. Tout deviendrait grotesque. Tu n'aimerais pas avoir des sourcils monstrueux. Les sourcils de l'interne de garde : voilà l'hystérie. Elle a ri dans ses vapes ! Elle a éclaté de rire tandis qu'elle était inconsciente. *C'est extrêmement bon signe !* Une partie d'elle est heureuse, une partie d'elle est clairement ton allié. La partie la moins consciente, la partie la plus précieuse.

Pas de sms sur mon portable.

Métro Duroc. Un graffiti sur une colonne sèche, inscrit au pochoir : *I'll die for you. Thanks.* Qui a tracé ce graffiti ? Homme ou femme ? Fait quoi à cet instant ? Et M ? Dans quel état en ce moment même ? Comment dit-on : Je t'aime ? Comment pourrait-elle se taire ? Ils rompent en ce moment même ? Elle lui dit tout ? Elle ose ? Le mot scandale à partir de maintenant ? Je suis là chérie. Je suis avec toi. Si tu savais.

Pourquoi n'y crois-tu pas ?

Interminable rue de Sèvres. Cela ne prendra-t-il jamais fin ? J'espère que non ! Le soleil à l'est. Le mot hystérie. Alors que les publicités recommandent à longueur de spot de « craquer » pour tel ou tel produit et sans doute chacun n'est-il autorisé à perdre le contrôle de soi que pour consommer et que dis-je autoriser : il s'agit d'une injonction. L'hôpital Necker maintenant. Les Enfants malades. D'un hosto l'autre. Là que M aurait dû être conduite aux urgences. Plus qu'une borne avant d'être à la maison. Dans un quart d'heure chez moi. Foutue traversée de Paris. Ulysse sur le retour. Ulysse ras-le-bol. Mal partout. Mal aux pieds. Soif. Un peu froid maintenant. La fatigue. Une ambulance attend en double file, les feux allumés : hep taxi ! Rue Lecourbe. Enfin la rue Lecourbe. De plus en plus de gens maintenant, comme s'ils s'étaient passé le mot. Leur hâte de prendre le métro, direction Boulot, changer à Dodo, leurs regards dans le vague, leurs visages flous. 7:24 à mon téléphone portable. Pas de sms. Prendre une demi-RTT. Impossible d'aller bosser aujourd'hui. Toujours pas de sms, ils doivent discuter en ce moment, ne pas y penser, ne pas penser à ça, ne pas penser qu'il lui tient la main et elle... Ce qu'elle peut bien lui. Ne pas y penser ! Cette intimité la leur : non ! Elle a dit qu'elle t'aimait. Parce qu'elle t'aime. C'est toi qu'elle aime. S'accrocher à cette certitude. Rien d'hystérique là-dedans. J'aimerais savoir qui a décrété que prendre les choses à cœur était pathologique ? Qui a séparé la mer en deux ? Le monde s'en porte-t-il mieux ? Ne pas penser à. Se contrôler soi-même signifie-t-il contrôler le cours des choses ? Cela se saurait si c'était le cas et le mot hystérie : dieu que l'on invente de ces mots pour nous nuire et nous faire honte et ces mots-là sont comme des armes en vente libre : n'importe quel abruti ayant peur de son ombre peut vous les coller sous le nez et presser la détente si bon lui chante et quelle nuit de juillet ! Ma nuit de juillet. La rue Moblet enfin ! *Ma* rue Moblet. Pas trop tôt. Il était temps. On ne fait pas de Moblette sans casser des bleus. Mon immeuble : juste là. Mon lit : dans cinq minutes. Quelqu'un à sa fenêtre ? Un type chauve et torse nu ? Non ! Ouf. Les choses ont évolué depuis la page 315 du Livre 2. Oui, je sais, le Livre 2 n'a pas encore eu lieu. Et alors ? Je n'en suis plus à ça près. Assez de formalisme ! En attendant, qu'est-elle devenue : la fille en short et blouse blanche ? Dans le genre hystérique. Pas faux. Le soleil toujours à l'est, mais plus haut dans le ciel à présent. Vert et jaune et bleu pétrole le ciel. Encore une belle journée en perspective. Encore une date à cocher d'une croix blanche. Dormir. Boire un coup avant. Trop soif. Un whisky peut-être. Ou deux. Faim aussi.

Maintenant. Un bon steak. Un chateaubriand. Miam. Que d'émotions tout de même en si peu de temps ! Que d'émotions depuis la scène de la machine à café de marque Illico. Il faut bien que nos émotions exultent de temps à autre, il faut bien occuper son esprit en marchant, sachant que c'est surtout lui qui s'occupe de nous et j'y songe tout à coup : le chat devait avoir drôlement faim. *Il devait être mort de faim.* Sacré minou. L'a pas la vie facile avec moi. Lui tellement zen, cool, relax. Jamais un miaou plus haut que l'autre. Ce que je peux être injuste parfois. Comment dit-on : Je t'aime ? Dormir.

Partie XI

« Je sentis le bandeau qu'on m'ôtait des yeux et
ne vis point celui qu'on y mettait. »
Dominique Vivant Denon, *Point de lendemain*

Niveau 1

Comment dit-on : Je t'aime ?

Je ne sais pas pour les autres.

Se souviennent-ils le jour, la minute, la seconde, la fois où ils ont dit Je t'aime ?

Comment était-ce ?

Réussi ou ? Avec le sentiment de n'avoir rien dit tellement ces mots ont trempé dans d'innombrables combines et on en a une conscience claire et affreuse au moment de dire véritablement Je t'aime. Précisément à ce moment-là. Ce pourquoi on peut refuser de le dire. Le refuser absolument. Par pure honnêteté. Parce qu'il s'agit de mots sacrés. Ou alors, s'y risquant malgré tout, en mettant tout son amour dans l'intonation de sa voix et dans l'intensité de son regard, dans l'espoir de dissimuler le faux du langage – il faudrait des mots neufs. Il faudrait refonder le langage. Pour que, disant Je t'aime, on dise Je t'aime et pas autre chose. Pour que, disant Je t'aime, l'autre n'entende pas autre chose qui, en sous-main, n'aurait rien à voir avec l'amour. Comme certains disent Je t'aime et cela signifie « sexe ». D'autres disent Je t'aime parce qu'ils en ont plein la bouche de dire Je t'aime et peu importe si l'autre s'y laisse prendre. Sans parler de ceux qui disent Je t'aime pour couper court et donner à l'autre ces mots suprêmes qu'il ne sera jamais las d'entendre et qu'on n'en parle plus, on mange quoi ce soir ? Y a quoi à la télé ?

Ceux-là ne comptent pas. Ceux-là font de la politique. Ceux-là donnent à l'autre sa pitance d'amour.

Je ne parle pas non plus de ceux qui réclament qu'on les aime : ceux-là exigent d'être aimés avant que d'aimer, toi d'abord et moi ensuite et ceux-là ne sont que des épiciers. Non. Je parle de ceux qui, au moment où ils l'éprouvent et parce qu'ils l'éprouvent, tentent de dire ce qu'ils ressentent d'unique dans une langue qui est à tout le monde, avec des mots qui ne sont à personne. En tentant de faire passer la pureté de leurs sentiments dans l'impureté de la langue. En tentant de renouer avec l'invention du langage, oui, l'invention du langage. Car à quoi bon avoir inventé des mots si ce ne fut *d'abord* pour parvenir à dire quelque chose d'aussi indicible que : Je t'aime ? Pour, sans les mains, tendre la main et exprimer ce qui, tout au fond de soi, s'élance vers l'autre et cherche à s'étendre à l'infini, exige d'éclater au grand jour, comme une force impossible à contenir, une lumière devant éclairer le monde, le meilleur de soi-même sans lequel l'homme n'aurait jamais trouvé l'énergie de se dresser sur ses deux jambes et de cesser de se prendre pour un singe, etc. Croit-on que le langage a été inventé pour dire « bonjour bonsoir », « on mange quoi à midi ? », « y a quoi à la télé ce soir », « ne mets pas tes coudes sur la table », « allez l'OM » ? Laisse-moi rire ! C'est parce qu'il y a un indicible, par définition, que nous ne pouvons pas garder pour nous et qu'il nous faut pourtant partager et pour aucune autre raison et voilà une nouvelle théorie du langage qui me plaît bien.

Voilà pourquoi M s'évanouit, selon moi.

Parce que, dès l'instant où elle murmura à mon oreille Je vous aime, il se fit un grand vide en elle. Un grand vide en lieu et place du meilleur d'elle-même, dont elle fit à ce moment-là le plein des mots qu'elle murmura à mon oreille, sans rien garder pour elle, strictement rien ; et ce grand vide la happa tout entière, ce grand vide, comme un trou d'air, l'effondra immédiatement sur elle-même et quoi de plus compréhensible ? Que croit-on qu'il se passe lorsqu'on dit Je t'aime pour de vrai ? Du plus profond de son âme ?

Parvenu à ce stade, j'aimerais qu'un génial inventeur mette au point une norme de compression littéraire, à l'instar de celles dont bénéficient les images (jpeg, tiff…), les vidéos (mpeg, wmv, amv…) ou les sons (mp3, ac3…) ; car il n'y a pas de raison pour que les textes ne profitent pas eux aussi d'un progrès technique partout à l'œuvre qui, même en supprimant des harmoniques qui font la différence, permettrait d'alléger ce que nous avons à dire et, dans mon cas, ce ne serait pas du luxe.

Je serais plus à l'aise pour parler du jour où ma mère m'appela au téléphone pour me dire qu'elle m'aimait.

Oui. Encore ma mère. Je sais. À qui le dis-tu !

Heureusement qu'on n'a qu'une mère.

Sachant que, là encore, je parle des conséquences à mon niveau invi-duel des choses.

Et que je ne parle pas de la femme : je parle de ma mère.

Saisis-tu la nuance ?

Elle est pour moi cruciale.

Je pardonne tout à la femme mais rien à ma mère.

Comme à la fin du film 1900 (Bertolucci, 1976 – en 1976, tiens donc…) : lorsque les paysans jugent leur salopard de patron lors d'un grand procès improvisé dans la cour de la ferme et Depardieu court follement de l'un à l'autre pour prévenir chacun que c'est le patron qu'ils doivent juger, le patron et non l'homme, pas de blague les gars. PAS DE BLAGUE CAMARADES ! Qu'il hurle en les interpellant tous. Ne commettons pas l'erreur, qu'il hurle. Ne confondons pas tout. C'est le patron qu'il faut condamner à mort, pas le bonhomme. Surtout pas le bonhomme !

Niveau 2

Cette précision faite, je me sens plus à l'aise pour parler du jour où ma mère m'appela au téléphone pour me dire qu'elle m'aimait.

Elle venait d'avaler une boîte de Lexomil mélangée à de l'alcool et, avant de mourir, au moment de mourir, elle tenait à ce que je sache combien elle m'aimait. Elle tenait à me le dire de vive voix. Au moment de quitter cette terre de malheur. Que j'en sois bien convaincu, après tant d'autres fois. N'en ai vraiment aucun doute.

Comment dit-on Je t'aime ?

Comme on fait ses adieux ?

Moi aux cent coups à l'autre bout du fil. Totalement affolé. Tandis que sa voix partait dans les limbes. Faiblissait affreusement. Sa voix bourrée de Lexomil. Que j'entendais tituber dans le combiné. Buter sur les mots. Se vautrer de tout son long dans le creux de mon oreille. Devenir pâteuse et de plus en plus molle et pantelante dans le creux de mon oreille. De plus en plus faible et imperceptible. De plus en plus minuscule. Infime filet de voix. Simple souffle. Absence de souffle. Silence. Maman ? Allô ?

ALLÔ !

Elle expirait au téléphone. Moi devenant fou à l'autre bout du fil. Moi volant en éclats. Ne sachant plus. Que faire. Comment ? La sauver ? Je m'arrachais les yeux. Je me cognais la tête contre le mur. Comment pouvait-elle me faire ça ? Comment la sauver ? Mais qu'elle crève et qu'on n'en parle plus ! *Comment la sauver ?* Souligné un million de fois. Mon crâne explosait à l'autre bout du fil, mon être se disloquait tout entier à l'autre bout du fil car. D'un côté. Je devais impérativement alerter les pompiers et vite qu'ils foncent à la maison, vite qu'ils montent les cinq étages et défoncent la porte et lui enfournent des tubes dans la gorge pour la faire vomir et pourvu qu'ils arrivent à temps, pourvu qu'il ne soit pas déjà trop tard et. D'un autre côté. *En même temps.* Il fallait que je reste en ligne pour l'obliger à parler, la forcer à rester consciente, qu'elle ne cesse surtout pas de me dire qu'elle m'aimait encore et encore, qu'elle m'aimait à mort, qu'elle m'aimait à en crever, pourvu qu'elle reste éveillée et ne sombre dans des vapes d'où elle ne ressortirait peut-être jamais. Par ma faute. À cause de moi. Parce que je n'aurais pas appelé assez vite les pompiers ? Ou parce que je ne l'aurais pas maintenue éveillée ? Parce que, l'un dans l'autre, je n'aurais pas pris la bonne décision. Je l'aurais abandonnée. Parce que je ne l'aimais pas assez et n'aurais pas été capable de la sauver, ma mère, *ma maman*, oui, comment dit-on : Je t'aime ?

Pas comme ça ! m'étais-je écrié en moi-même ce jour-là et ce cri ne m'a plus quitté. Depuis ce jour-là, plus personne ne peut me dire Je t'aime sans qu'aussitôt je serre les poings, grince des dents, gémisse tout au fond de moi, me *blinde*. Qui que ce soit. C'est devenu une très mauvaise idée dans mon cas. La pire chose à me dire. Ce qui ne facilite pas les relations amoureuses. Tellement je me crispe dès qu'on me dit : Je t'aime. Deviens granit. Bloc de glace. Boule de feu. Sirène hurlant dans la nuit. Deviens pin-pon. Tellement je songe « tentative de suicide »,

« menace de mort », chantage et oppression, et veux raccrocher aussi sec, couper court et appeler les pompiers, vite les pompiers. Tellement me dire Je t'aime ressuscite une situation que je ne veux à aucun prix revivre, jamais, une fois suffit, cette fois-là fut de trop. Cette angoisse-ci fut trop folle. Même si de l'eau a passé sous les ponts, comme on dit. Mais rien n'y fait. Me dire Je t'aime est devenu un élément déclencheur de peur et d'hostilité, alors que cela devrait déclencher *tout l'inverse*. Quoique je fasse, l'affolement est toujours là, la colère toujours là, le désespoir bien présent, le sentiment d'être pris dans une contradiction impossible à résoudre s'est ancré en moi et, avec lui, la terreur la plus indicible. L'envie la plus furieuse de raccrocher immédiatement le combiné et de couper court si quelqu'un s'avise de me dire qu'il m'aime. Sachant que je ne *peux* pas raccrocher et le stress est si profond et insécable que je cherche alors des yeux un téléphone de libre pour appeler en même temps les pompiers, vite les pompiers, je ne plaisante pas. J'ai l'air de plaisanter : mais non. Ou je n'en ai pas l'air du tout. Je ne sais pas.

Alors que je veux bien qu'on m'aime et aimerais évidemment me l'entendre dire – mais pas si dire Je t'aime, loin de combler de bonheur, produit l'effet exactement inverse. Produit un sentiment d'insécurité et un sentiment de panique et un sentiment d'impuissance et une dissociation affolée, un réflexe pavlovien de rejet et cela fait tout de même beaucoup d'embarras à la fois. Cela fait de moi un être – comment dire ? Ce n'est pas facile d'identifier ses propres modalités, c'est *extrêmement* difficile d'identifier ses propres modalités et par « modalités » j'entends

Attends.

Je poste ici un passage à l'adresse habituelle www.ledossierm.fr/10, dans lequel il est question :

petit 1) d'une fille rencontrée dans un bar qui ressemblait étrangement à la fille qui, dans la pub pour Yoplait, le soir dans son petit lit, d'une voix indéfinissable, à la fois mouillée et rugueuse, niaiseuse et troublante, confie amoureusement à son pot de yaourt qu'il « a changé sa vie » et de quelle vie parle-t-elle ? Elle regarde son pot de yaourt comme je regardais M et de voir ça fiche tout de même un coup ;

petit 2) des mères qui accordent tendresse et amour à leur enfant lorsqu'il est malade et les gosses ne sont pas si stupides pour ne pas se rappeler plus tard qu'ils peuvent obtenir tendresse et amour *si et seulement si* ils sont au plus mal, *pourvu qu'ils* soient au trente-sixième dessous, *même s'ils n'en éprouvent aucun plaisir* – c'est ce qui s'appelle une « modalité » ;

petit 3) des paralytiques que personne n'a l'idée de pousser dans des escaliers (à moins d'être sadique), alors que nos paralysies psychiques, nos « problèmes qui ne se voient pas au premier coup d'œil » comme je les appelle : rien à fiche. Personne ne les prend en compte. Alors que chacun souffre de « problèmes qui ne se voient pas au premier coup d'œil » parce qu'il lui est arrivé ceci ou cela qui a salement laissé des traces en lui. Alors que les « problèmes qui ne se voient pas au premier coup d'œil » (chouette titre de livre au demeurant) contrôlent des pans entiers de notre personnalité et, partant, de notre existence et, partant, du monde entier. Il se trouve que les gens (dont j'essaie de ne pas faire partie) font comme si leurs problèmes qui ne se voient pas au premier coup d'œil n'existaient pas. Ils refusent de mesurer *l'étendue* des dégâts. Même après qu'on a fait l'effort de leur raconter ce qui nous est salement arrivé afin qu'ils sachent dans quel escalier il serait bon qu'ils évitent de nous pousser, ils nous écoutent bien gentiment, ils compatissent, ils font waouh, beurk, argh, snif, ils disent « oh mon pauvre » ou « oh ma pauvre », il leur arrive même de nous prendre dans leurs bras et... ils se croient quittes. L'instant d'après, ils nous parlent comme si notre mère ne nous avait pas forcé à l'écouter se suicider au téléphone. L'instant d'après, ils nous disent qu'ils nous aiment. Vlan. Sans ménagement. Sans précaution aucune. Sans rire. Ils n'ont rien capté. Ils n'ont pas du tout percuté. Ils ne font pas le lien entre la cause et l'effet. Je le sais. J'ai des preuves. Parce que les gens prennent ce qu'ils voient de l'autre mais pas ce qu'ils ne voient pas de lui.

Ils ne prennent pas *son histoire* !

Qui n'est pas seulement son histoire personnelle, mais également son histoire *sociale*.

Demande à un Noir. Il sait que la couleur de sa peau peut être un problème qui se voit au premier coup d'œil (le racisme) ; mais elle est *aussi* un problème qui ne se voit pas au premier coup d'œil (l'esclavage). Lui sait qu'il doit vivre avec ce déni. Et tant d'autres problèmes ne se voient pas au premier coup d'œil chez tellement de gens.

Et ça, ça c'est un putain de problème.

Niveau 3

Cela pour t'expliquer que ma mère me dit et me répéta Je t'aime au téléphone après avoir avalé un tube entier de Lexomil à cause de, à la suite de, parce qu'elle fut violée à l'âge de huit ans, voilà, c'est dit.

Vois-tu le lien de cause à effet ?

Mesures-tu *l'étendue* des dégâts ?

Saisis-tu le problème qui, chez elle, ne se voyait pas au premier coup d'œil ?

Car ma mère a été violée lorsqu'elle avait huit ans.

À huit ans un homme l'agressa sexuellement.

C'est elle qui me l'a révélé un jour, plus tard, bien plus tard, alors que le mal était fait, après que j'ai publié mon premier livre et elle avait très mal pris ce que j'avais écrit sur elle. Elle était mortifiée des horreurs que j'avais pu raconter sur son compte, au point qu'elle et mon père envisagèrent de m'intenter un procès. Pour diffamation. Pour m'apprendre l'ingratitude. Sauf que cela aurait fait de la publicité au livre. Sauf que tout ce que je racontais était vrai, je n'avais rien *inventé* et même s'ils ne l'auraient jamais écrit comme ça (mais qu'ils écrivent !), j'avais finalement eu de la chance qu'ils laissent tomber.

C'est moi qui avais de la chance.

J'avais vu l'étendue des dégâts de mon livre ; j'aurais aimé que la réciproque fût vraie.

Tant pis.

Mais un soir (nous avions alors quasiment cessé de nous voir), ma mère m'avait lu un poème qu'elle avait écrit lorsqu'elle était adolescente. Un poème dans lequel elle racontait le viol d'une petite fille de huit ans et cette petite fille de huit ans était elle. Ce viol était le sien et je ne connais pas les détails, je ne sais pas jusqu'où ma mère, ma *maman*, fut violée, le poème ne racontait aucun détail et elle-même ne m'a révélé aucun détail, elle ne pouvait absolument pas raconter les détails et, à mon niveau de sauvegarde individuelle, j'avoue n'avoir pas insisté. Je ne tenais pas spécialement à connaître les détails. Je l'aurais écoutée si elle avait raconté les détails ; mais elle ne le voulut pas. Elle ne le pouvait pas. C'était aussi bien. Je préférais ça, tout compte fait. Il s'agissait de ma mère. Il s'agit de ma *maman*.

Cela aurait changé quoi de connaître les détails ? Le mal était fait, le mal était devenu irrémédiable et il ne recélait aucun mystère, nulle issue, rien de fascinant. *Il s'agissait de malheur et de rien d'autre* et, pour ce qui me concerne, si tu veux le savoir, je n'ai plus aucune curiosité pour le malheur, plus aucun goût pour le malheur, absolument plus aucun. Je lui accorde un minimum d'attention. Je ne lui donne pas *ça*. Je ne me donne même plus la peine de faire semblant. Je me contente de fermer les yeux un bref instant et de les rouvrir aussitôt sans même faire waouh, beurk, argh, snif. Ce qui est fait est fait, personne n'y peut plus rien, ma mère a été violée lorsqu'elle avait huit ans – *et alors ?*

Et *maintenant ?*

C'est maintenant qui m'intéresse.

C'est l'étendue des dégâts qui m'inquiète.

Ce sont les problèmes qui découlent des horreurs et des abominations de l'existence qui me soucient. Les angoisses éventuellement pour la vie, les angoisses évidemment pour la vie à cause de, parce que, à la suite des horreurs et des abominations de l'existence : ce sont elles que je prends extrêmement au sérieux. Elles qui *m'émeuvent*. Parce qu'elles témoignent pour nous et elles témoignent contre les horreurs et les abominations qui nous sont arrivées. Parce qu'elles disent le courage à son niveau individuel des choses abominées en soi, le désastre à surmonter à chaque instant, le problème qui ne se voit pas au premier coup d'œil à se coltiner en permanence et le sourire à réinventer en permanence, le combat obscur et solitaire pour que les ceci et les cela qui nous sont salement arrivés ne nous enterrent pas vivants et voilà l'important : un viol n'est pas seulement un sale moment à passer. C'est beaucoup plus qu'un sale moment à passer car ce sont surtout des répercussions pour la vie et je crois être assez bien placé pour le dire. Pas aussi bien placé que ma maman mais tout de même assez bien placé et, en tous les cas, la violence faite à ma mère : elle m'est aussi retombée sur la gueule. J'en paye également le prix à mon niveau individuel des choses. De même les violences faites à toutes les femmes, et puis aux Noirs, aux Arabes, à n'importe qui finalement, toutes les violences en définitive. Car celles-ci ne restent pas lettre morte. Elles ne sont pas seulement l'affaire de celles et de ceux qui les subissent. Non. Elles sont la pédagogie noire de la société tout entière et, pour ma part, je n'imagine pas aujourd'hui d'autre combat contre le mal que le combat contre le mal que le mal engendre. Telle est ma philosophie.

Je ne savais pas quoi dire lorsque ma mère me révéla qu'elle avait été violée à l'âge de huit ans, ma mère, *ma maman*, agressée sexuellement à l'âge de huit ans, alors qu'elle n'était qu'une gamine, alors qu'elle était une toute petite fille, *elle avait huit ans* et, ce disant, ma mère, *ma maman* avait éclaté en sanglots – non, c'est faux, elle n'avait pas éclaté en sanglots, c'est moi qui éclatais intérieurement en sanglots à ce moment-là en songeant à ce qui lui était arrivé *et à toutes les conséquences qui s'en étaient suivies*. Les conséquences pour elle, les conséquences pour *toute* sa vie, jusqu'à avaler des tubes entiers de Lexomil ou s'ouvrir les veines et même se jeter parfois par la fenêtre ; mais les conséquences pour moi aussi, pour moi subséquemment, à mon tout petit niveau individuel et, in fine, les conséquences pour Julien aussi, par ricochet, par extension, ce que j'appelle *l'étendue* des dégâts.

Ma mère, *ma maman*, aurait peut-être voulu éclater en sanglots à ce moment-là, mais elle ne le pouvait pas. Il était trop tard. Elle n'avait plus aucune pitié pour elle, absolument plus aucune pitié, sauf lorsqu'elle écoutait Billie Holiday. Elle adorait Billie Holiday. Elle pleurait en écoutant Billie Holiday. Laquelle fut violée à treize ans par un voisin (avec la complicité de sa mère, plus ou moins) et, un an plus tard, à quatorze ans, elle était « call-girl » dans un bordel. Quand on aime quelqu'un, on prend la personne et on croit ne prendre qu'elle. On ne veut qu'elle. Sauf qu'on prend aussi toute son *histoire*. On prend ses problèmes qui ne se voient pas au premier coup d'œil et on les prend parfois comme un coup de massue. Comme un fardeau pour la vie. Une plaie qui jamais ne se refermera. On ne les a pas vus venir et si on avait su... Mais il est trop tard et relis maintenant tout ce que j'ai pu dire de ma mère. Absolument tout. Depuis le début. J'aurais préféré être au courant depuis le début. Ô combien. J'aurais compris certaines choses. Salopard de violeur d'enfant. Salopard de violeur. Salopard de merde. Salopard tout court. Salopard.

Ma mère, *ma maman*, aurait peut-être voulu éclater en sanglots à ce moment-là, mais elle ne le pouvait pas. Il était trop tard. Elle n'avait plus aucune pitié pour elle, absolument plus aucune pitié, comme l'homme qui l'avait violée n'avait eu pour elle aucune pitié et elle ne pouvait pas m'en dire plus, elle ne pouvait en dire davantage, sinon qu'*il* était mort à présent, *il* était mort depuis très longtemps, m'avait-elle dit en regardant sombrement ses mains et je ne sais pas. Je l'avais prise dans mes bras et je lui avais dit que je l'aimais et comment dit-on : Je t'aime ?

Pas comme ça non plus, avais-je murmuré en moi-même tout en serrant ma mère, ma *maman*, dans mes bras. Non, pas comme ça. Pas comme quelqu'un chez qui on a retourné l'amour en son contraire et quelqu'un chez qui on a retourné l'amour contre lui et pas comme quelqu'un chez qui les choses ont été à ce point anéanties qu'il n'a plus de mots pour les dire et les problèmes qui ne se voient pas au premier coup d'œil : ils se transmettent de génération en génération. Le mal se propage à travers nous. Il n'a plus de cesse et

par la suite

le passé conspire contre nous

LE PASSÉ CONSPIRE CONTRE NOUS

par la suite

j'avais noté ceci dans un de mes petits carnets : Il faudra que je dise un jour que 95 % des souvenirs concernant ma mère ne restituent que 5 % d'elle, parce que les souvenirs les plus dévastateurs ont pris toute la place, occultant les autres, qui furent pourtant bien plus chaleureux. Comme le journal télévisé fait de 5 % de ce qui a lieu réellement 95 % de son temps d'antenne, faussant tout. C'est foncièrement injuste. Je le sais. Dans 95 % des cas, ma mère fut là pour moi. Je savais pouvoir compter sur elle. Hyène est ma mémoire. Il importe que cela figure aussi au Dossier.

Puis j'avais noté, en abusant des capitales et des majuscules, deux points ouvrez les guillemets : « Ce qui nous DÉMOLIT intérieurement, ce qui nous démolit TOTALEMENT ET ABSOLUMENT, c'est que personne ne se soit jamais excusé auprès de nous de ce qu'il nous a fait. NOUS NE RECEVONS JAMAIS D'EXCUSES DE PERSONNE ! Pas une seule. De personne. JAMAIS ! Qu'est-ce que cela leur aurait coûté de s'excuser ? Est-ce trop demandé ? Nous ne demandons pourtant pas la Lune. Nous ne demandons pas RÉPARATION. Nous ne réclamons aucune condamnation. Il est trop tard ! Le MAL EST FAIT. Tandis qu'ils ne savaient pas ce qu'ils faisaient. Pas *réellement*. C'est évident. C'EST LEUR PROBLÈME. Mais par la suite, ils auraient pu s'excuser. Juste s'excuser. D'abord s'excuser. SIMPLEMENT RECONNAITRE CE QU'ILS AVAIENT FAIT. Mais non ! AUCUNE EXCUSE ! JAMAIS ! DE PERSONNE ! Les nazis se sont-ils excusés ? Les staliniens se sont-ils excusés ? J. R s'est-il excusé ? Alors que ce serait un MINIMUM. Ce serait un DÉBUT. Ma mère aurait accepté des excuses. Elle avait assez de cœur pour cela. Moi-même aurais accepté ses excuses. Je les aurais acceptées SANS RESTRICTION. J'en aurais pleuré, comme une bulle de douleur se crève et, dans mes larmes, il y aurait eu l'aube de temps nouveaux, il y aurait L'ESPOIR. (Pourvu que les excuses soient SINCÈRES et non de pure forme, cela va sans dire, cela va mieux en le disant). Cela m'aurait SAUVÉ. Cela m'aurait LIBÉRÉ. Et elle aussi peut-être. Au lieu de quoi, nous restons prisonniers du tort qu'on nous a fait. NOUS EN CREVONS DEBOUT D'AMERTUME. Nous ne trouvons plus jamais le REPOS. Faute d'excuses, nous sommes comme des morts privés de sépultures. Nous sommes des fantômes veillant notre propre cadavre. À VIE NOUS DEVENONS LES GARDIENS DU MAL QU'ON NOUS A FAIT. À vie sommes condamnés à ce que l'absence d'excuse fait de nous. C'est-à-dire des êtres durs, hargneux, MÉFIANTS et APEURÉS. Des êtres tourmentés, incapables de trouver la paix, assoiffés d'oubli, incapables d'aller de l'avant, incapables de vivre et de mourir. Incapables de nous réconcilier. INCAPABLES DE DIRE JE T'AIME et de nous L'ENTENDRE DIRE. Sans grincer des dents. Sans prendre nos jambes à notre cou. Sans – quoi ? Pardon Julien. »

Niveau 4

Je viens d'entendre à la radio que l'État allemand, juste après la débâcle du IIIe reich, dédommageait ses ressortissants de retour de captivité sur la base de 5 marks par jour passé dans un camp de prisonniers ou de concentration, pourvu que la personne puisse justifier de ses dates d'entrée et de sortie dans un camp, afin d'estimer au plus juste le préjudice subi.

5 marks pour chaque journée passée dans un camp de concentration.

5 marks, mais pas une excuse digne de ce nom.

Niveau 5

Comment dit-on : Je t'aime ?

J'insiste. Je pose et repose la question. Dit-on Je t'aime pour dire Je t'aime ou pour *ne pas* dire quelque chose ? Comme un exorcisme ? Comme un exutoire ? Comme un rachat ? Comme ma mère me dit qu'elle m'aimait au téléphone après avoir avalé une boîte de Lexomil car un homme l'avait violée alors qu'elle n'était qu'une toute petite fille, elle-même me l'a révélé un jour, plus tard, bien plus tard, ma maman, alors que le mal était fait, oui, ma maman m'a lu le poème qu'elle avait écrit, dans lequel elle racontait le viol d'une petite fille de huit ans et cette petite fille de huit ans était elle, ce viol était le sien et ce que je veux dire, ce que je cherche à dire, c'est quel était mon horoscope le jour où ma mère m'appela au téléphone après avoir avalé un tube entier de Lexomil ? Et quel était *son* horoscope ce jour-là ? *Quel était son horoscope le jour où elle fut violée ?* « La vie vous sourit, souriez-lui » ? « Vous allez faire une rencontre qui pourrait s'avérer déterminante » ? « Profitez de cette journée pour avancer dans vos projets » ? « Mangez des légumes verts » ? Bon. Ce n'est pas ce que je cherche à dire. Pas du tout.

Comment dit-on : Je t'aime ? Finissons-en. Ou ne finissons pas. On sait bien que le combat ne prendra jamais fin. Depuis le suicide de Julien, je cherche à gagner en imperfection plutôt qu'en perfection et je sais pourquoi. Cela fait vingt-cinq ans que, d'une main, je suis pendu au téléphone sans pouvoir raccrocher le combiné tandis que, de mon autre main, j'appelle les secours et, oui, je sais que tout ce que je raconte pourra être et sera utilisé contre moi devant un tribunal et si je n'ai pas d'avocat, il m'en sera commis un d'office et *pendu* au téléphone, cela veut bien dire ce que cela veut dire. Cela veut tout dire dans mon cas : comment dit-on : Je t'aime ?

En joignant quel geste à la parole ? En joignant un geste qui s'accorde à la parole ou en joignant un geste qui contredit la parole ? Tout est là. Tout est dans le geste. Mais oui ! Dans le geste joint à la parole et non seulement dans la parole elle-même. Tout est dans le *joint* ! Mais oui. C'est évident. Je ne le comprends que maintenant. Je comprends tout maintenant. Tout est dans le joint ! Pas le joint qu'on roule et qu'on fume, non, je veux parler de la sorte de joint qui raccorde deux tuyaux entre eux afin qu'ils communiquent ensemble et, dans le même temps, qu'ils ne communiquent pas avec l'extérieur, que ce soit dans un sens (fuite) ou dans l'autre sens (intrusion). Ce qu'on appelle l'étanchéité et, à mon niveau de tuyauterie personnelle, j'ignore s'il s'agit d'un joint torique ou quadrilobe, d'un joint en silicone, en céramique, à chicanes ou à lèvres racleuses maintenues en pression (*des lèvres racleuses !*) comme j'ai découvert qu'il existe des joints de toutes sortes en faisant des recherches et même des joints à lèvres racleuses, mais c'est tellement évident tout à coup. Tellement *gros*, comme le nez au milieu de la figure. Comment ne m'en suis-je pas aperçu plus tôt ?

Comment ne me suis-je rendu compte de RIEN ?

Fallait-il que les mots me mettent les points sur les i ? Moi qui croyais que je cherchais à dire quelque chose – mais c'étaient les mots qui cherchaient à me dire quelque chose. Souligné dix fois. Eux qui voulaient me tuyauter. Eux qui m'ont guidé jusqu'ici pour que j'ouvre les yeux et fasse *enfin* le rapprochement entre M s'évanouissant après m'avoir murmuré à l'oreille Je vous aime et, vingt-cinq ans plus tôt, ma mère me disant Je t'aime dans le combiné du téléphone après avoir avalé un tube entier de Lexomil et vois-tu le joint ?

Vois-tu la scène de la rue Tronchet *à la lumière du suicide de ma mère au téléphone ?*

Vois-tu la bête tapie dans la roche ?

Niveau 6

Je ferais bien une pause, là, tout de suite, maintenant. Histoire de souffler un peu. Marquer le coup. Fumer une cigarette. Boire un verre. Ou deux. Ou trois. À la santé de la surface des choses. Dire que je ne me suis rendu compte de rien ! Ni dans la rue Tronchet ni plus tard. Pendant toutes ces années où j'ai précieusement gardé en moi le souvenir de ce qui s'était passé rue Tronchet. Où je me suis raconté la belle histoire du type qui croit embarquer pour Cythère alors qu'il ne fait que repasser par sa case départ et, par la suite, combien de fois ne me suis-je fait la réflexion que je me serais sauvé de cette histoire si M ne m'avait pas murmuré à l'oreille qu'elle m'aimait. Ah oui ! J'aurais fini par comprendre qu'elle ne m'aimait pas *puisqu'elle ne me l'aurait jamais dit*. Je me serais arraché le cœur, mais je me serais repris en main. Je n'aurais pas insisté. Je l'aurais laissée tranquille. Je me serais préservé. Je me serais *enfui*. Je le jure ! Oh le diabolique pouvoir des mots ! Si seulement la scène de la rue Tronchet n'avait pas eu lieu, Julien ne serait pas mort. Je le dis avec force. En revanche, je n'aurais jamais su. Jamais découvert. Comment dire ? Si M ne s'était pas évanouie juste après m'avoir déclaré sa flamme, elle n'aurait jamais mis le feu à mon âme comme à des hectares de maquis en plein été, elle ne m'aurait jamais enchaîné à elle de façon fabuleuse et elle ne m'aurait jamais passé des menottes enchantées dont je découvre seulement maintenant de quel acier elles étaient trempées. Dont je réalise tout à coup qu'elles furent, à mon niveau individuel des choses devenues une de mes modalités les plus invétérées, l'instrument par lequel je fus libéré d'icelle.

Car crois-moi ou pas, ce n'est que là, tout de suite, à force de phrases les unes après les autres, que je réalise, comprends, prends conscience. Comme si ce que je disais savait quelque chose que j'ignorais avant que je ne le formule. Jusqu'ici, je n'avais rien soupçonné. Jusqu'ici, j'avais vécu comme une fleur bleue. En prenant les choses comme elles viennent, en les prenant bien ou mal mais en les prenant pour argent comptant, sans me poser la moindre question, sans identifier les apparences, sans regarder en arrière mais, au contraire, en regardant tout le temps devant moi, tout le temps en direction de la lumière, comme tout le monde vit sa vie comme une petite fleur bleue attirée par la lumière et, nom de dieu, si je m'attendais à ça ! On croirait un canular. Un nouvel épisode de mon Truman Show. Sans rire. Cela m'apparaît tellement extravagant. Cela m'apparaît une telle *perfection*, oui, M murmurant qu'elle m'aimait et s'évanouissant dans mes bras, devenant molle et pantelante dans le creux de mon oreille, devenant de plus en plus faible et imperceptible rue Tronchet, de plus en plus filet de voix, simple souffle, absence de souffle, silence, allô, *ALLÔ ?* Vite les pompiers, tout de suite les pompiers, *dans les deux cas les pompiers*, dans le cas de M comme dans le cas de ma mère et quelle – quoi ?

Je n'ai pas de mot.

Coïncidence ? C'est trop peu dire. Similitude ? C'est évident. Prolongement ? Je chauffe. Reprise ? Je brûle. Absolution ? On y est ! C'est ce que je dirais. Le mot absolution. Ce mot-là. Oui. L'évanouissement de M rue Tronchet comme l'absolution du suicide de ma mère au téléphone. Quelque chose dans le genre. À vingt-cinq années de distance. À mon niveau d'incrédulité personnelle. Sans l'avoir prémédité. Sans le soupçonner à aucun moment. Tout ceci eut lieu hors de ma portée. À croire que les événements s'arrangent entre eux et qu'ils mènent la danse comme dansent les souris quand le chat n'est pas là. À croire que la vie a le pouvoir de réparer ce qu'elle-même a défait, fût-ce à vingt-cinq années de distance et mieux vaut tard que jamais, comme on dit. Nom de dieu.

Que dois-je comprendre de l'un des pires moments de mon existence ressuscité en l'un des moments les plus heureux de mon existence ?

Car ce que je vécus rue Tronchet fut pour moi aussi intense et bénéfique que le suicide de ma mère au téléphone avait été intense et maléfique et quel est le message ? Faut-il atteindre un niveau d'intensité *au moins égal* pour que s'inverse le cours des choses ? Transmuer de nouveau l'or qui fut changé en plomb ? Je ne sais pas. M comme : le feu par le feu ? Comme : théurgie ? Comme : quoi ? Peux-tu me le dire ? Peux-tu passer une main langoureuse dans tes cheveux ? À quoi tout cela rime-t-il ? La réalité se trouve-t-elle de l'autre côté de mon esprit ou est-ce moi qui la convoque ? Je ne sais pas. Je voudrais dormir. Ai-je retrouvé dans la lumière de la rue Tronchet ce que j'avais perdu vingt-cinq ans plus tôt à l'autre bout du fil ? D'une façon ou d'une autre, on finirait donc par récupérer ses clés ? Cette idée me plaît beaucoup. Elle m'enchante.

Je ne sais pas.

Je ne sais même pas ce que M cherchait exactement à me dire lorsqu'elle murmura Je vous aime dans le creux de mon oreille. Si elle voulait dire Je vous aime ou si elle voulait dire autre chose. Si elle voulait dire quelque chose qu'elle ne pouvait pas dire avant de s'évanouir dans mes bras, comme ma mère me dit qu'elle m'aimait et cela voulait dire tout à fait autre chose. Si, me disant Je vous aime, elle retourna lentement vers la lumière l'instant où, petite fille, elle s'était laissé tomber comme un sac du haut d'une échelle. C'est une hypothèse. Que je ne pourrais jamais ni confirmer ni infirmer. Tant pis. Pas grave. Suicide de ma mère ou pas, le Miracle de la rue Tronchet gardera toujours pour moi son aura. À jamais il restera le jour où la malédiction qui me frappait fut levée car dans cette rue Tronchet, pour la première fois depuis vingt-cinq ans, *pour la toute première fois de ma vie*, j'entendis les mots Je t'aime et je pus entendre les mots Je t'aime sans serrer aussitôt des poings ni grincer des dents ni gémir intérieurement, oui, je reçus et je pus recevoir sans être immédiatement sur la défensive ces mots que le cœur n'est, je le confirme aujourd'hui, jamais las d'entendre et comme du miel versé dans le creux de mon oreille, comme on ouvre des volets et on laisse entrer le soleil dans la chambre et, frappé d'éblouissement, on reste accoudé à la fenêtre à s'emplir d'air les poumons et à sentir la caresse du soleil sur son visage, comme lavé de la nuit, comme une réconciliation qu'on n'espérait plus, je peux dire qu'elle fut retrouvée dans la rue Tronchet – quoi ? La joie d'être aimé et de me l'entendre dire.

Comme la vie est ~~ridicule~~ fabuleuse !

Niveau 7

J'ignore si le prix du mètre carré va maintenant grimper en flèche dans la rue Tronchet. Ce serait drôle. Vraiment comique. À mon avis justifié. En attendant, que ceux qui résident dans cette paisible petite rue du huitième arrondissement de Paris ne m'en veuillent pas de troubler leur tranquillité, mais je verse séance tenante la rue Tronchet au Dossier, toute la rue Tronchet, hop, avec ses hôtels trois et quatre étoiles, ses boutiques de luxe et ses immeubles et tout ce qu'ils contiennent, gens et choses, pas de chichis, tellement cette rue Tronchet m'appartient, tellement il me faut la réquisitionner pour les besoins de mon enquête afin que soit élucidé une bonne fois pour toutes de quoi M fut pour moi le signe. Ce pourquoi je m'épris *autant* d'elle et ne pus faire autrement que de m'éprendre autant d'elle et, à la fin, Julien s'est pendu avec la ceinture de son pantalon. Car ce n'est pas tous les jours que l'on rencontre quelqu'un qui concentre sur sa personne tant d'émotions qui nous sont propres. Quelqu'un qui fait sauter nos verrous. C'est une chance inestimable de trouver quelqu'un qui joue notre partition sur son clavier. Cela qu'on appelle l'amour ? Qui aurait cru, à ma place, que M ne lui était pas *destinée* ?

Pour le dire autrement (et n'y plus revenir, promis), on appelle triangle (en géométrie euclidienne) toute figure plane formée par trois points (appelés sommets) qui, une fois reliés entre eux par trois segments (appelés côtés), délimitent un domaine du plan appelé *intérieur* et, si je compte bien, entre M comme Annonciation (près de la machine à café de marque Illico) et M comme Réincarnation (d'Ali MacGraw) et M comme Absolution (du suicide de ma mère au téléphone), cela fait trois sommets qui, une fois reliés entre eux, délimitèrent le plan intérieur d'un triangle qui était peut-être rectangle ou isocèle, scalène ou ambligone, mais plus sûrement des Bermudes, là où je disparus tout à coup de mes radars. Là où présent et passé se trouvèrent miraculeusement triangulés et *l'invisible dans le visible*, l'invisible dont le visible est tissé, voilà ce qu'il faut démêler si on veut avoir une vision complète du puzzle. Et tu sais quoi ? Non, rien. Je préfère me taire.

Horoscope pour la journée du 27 juillet 2004, jour de la sainte rue Tronchet (à verser également au Dossier) :
Cancer : « Vous vous dispersez. Fixez-vous des objectifs clairs et précis et le succès sera au rendez-vous. »
Vierge : « Les relations avec l'être aimé se révèlent pleines de surprises. Attention à ne pas en faire trop. »

Moi, son *être aimé* dorénavant ?
Elle, en faire *trop* ?
Allons donc…

PARTIE XII

« Ils voulaient un monde de rêve et ils en ont
eu un. »
HAROLD SEARLES, *L'Effort pour rendre l'autre fou*

Niveau 1

Faire mal, physiquement mal, faire souffrir physiquement l'autre, le mordre jusqu'au sang, le fouetter, le brûler en faisant couler des gouttes de cire chaude sur sa peau, serrer des cordes jusqu'à ankyloser savamment ses membres : ce n'est pas vouloir faire mal à l'autre ou l'avilir, ce n'est pas vouloir tirer un plaisir de sa souffrance ou de son avilissement – c'est tout le contraire. C'est, dans la plus stricte intimité, les yeux dans les yeux, l'amener à consentir à ce à quoi il ne consentirait jamais tout seul. Ce à quoi il ne consentirait jamais de lui-même. *Ce à quoi il consent uniquement parce que c'est vous.*

Vous et personne d'autre.

Oui, c'est le pousser dans son dernier retranchement et, les yeux embués de larmes, sachant ce que l'on inflige à l'autre et ce savoir-là est sacré, il n'y a pas plus sacré que ce savoir-là, connaître que l'on est celui que l'autre a choisi pour accéder à ce point de consentement où le mot consentement cesse d'en être un. Ou consentir signifie enfin quelque chose et fait sens. Ou consentir laisse une marque, un bleu, l'empreinte de dents, des sensations visibles et durables ; alors que la tendresse, la douceur, les *câlins* : aucune signification ! Aucun *engagement !* Nulle trace. Du tout-venant. Du simple bien-être. Le désir moyenné par le consensus. Agréable au demeurant. Très plaisant. Vraiment confortable et réconfortant. Je ne dis pas. Mais pas beaucoup plus qu'une sieste au soleil. Pas beaucoup plus qu'un bon bain moussant ou que la première gorgée de bière. Pas beaucoup plus qu'un chat ronronnant auprès du feu et je ne suis pas un chat. Je ne suis pas un putain d'animal domestique. Alors que faire mal, physiquement mal, *oser* faire souffrir physiquement l'autre et *oser* souffrir physiquement par l'autre, en le regardant dans les yeux, c'est pénétrer au plus loin de l'inconnu en soi. C'est éprouver l'autre et s'éprouver soi-même. C'est éprouver la valeur de son approbation et posséder une échelle des valeurs de son approbation. C'est éprouver sa foi et c'est : être dieu pour l'autre. Car dieu éprouve ceux qu'il aime, c'est bien connu, et, par parenthèse, rien de plus ridicule et de désastreux que les lieux dits SM, ces réunions dans des endroits très privés aux pseudo-ambiances moyenâgeuses, ces « donjons » en toc où des gens font étalage d'ustensiles dernier cri, défilent pour la galerie et se pincent pour se convaincre qu'ils ne se livrent pas à une sinistre parodie lorsqu'ils transforment en spectacle une quête qui ne peut concerner que deux êtres et eux deux exclusivement, eux deux dans la plus stricte intimité, sans le moindre public ni grand prêtre encagoulé et bristol super-classieux obtenu grâce au parrainage d'un « initié » et je pensais à cela, j'avais ces pensées bizarres, extrêmement bizarres, le jour où M refusa d'aller prendre un verre avec moi parce que j'avais pris froid. J'avais un rhume en plein été. J'avais dû attraper un virus dans la nuit et je me sentais fiévreux, rien de grave, cela allait passer, un bon grog, une bonne suée pendant la nuit et hop ; mais elle ne voulait pas que je lui refile un microbe. Elle ne voulait même pas que je m'approche d'elle. On se verrait une autre fois. Quand j'irais mieux. Son approbation pour moi n'allait pas jusque-là. *Un rhume !*

Une seule fois elle vint chez moi.

Niveau 2

Vêtue, sous une veste en cuir, d'une petite robe dans les tons bleus et crèmes, voile de crêpe soyeux sur une doublure visible par transparence, avec des motifs floraux imprimés, sûrement griffée mais je n'y connais rien. Peut-être le style Royal Albert. Son côté porcelaine, oui. En tous les cas une robe légère, fluide, *presque* transparente, s'évasant en corolle au niveau des genoux, le vice fait textile, tenu par deux fines bretelles laissant de façon très perverse ses épaules nues, ses bras si joliment musclés mis en valeur *as usual*, mais érotisés encore plus qu'à l'accoutumée, sans parler du tendre dessin de ses petits seins libres sous l'étoffe, le mot mousseline ici, même s'il s'agissait de crêpe, je ne sais pas, peu importe, elle disant sur le pas de ma porte : Vous voyez que j'en suis capable ! Son visage radieux sur le pas de ma porte. Son air espiègle (*son air espiègle !*). Tandis qu'elle fait un tour sur elle-même sur le palier pour faire voler sa robe autour de ses jambes : merci la vie ! La mienne pourrait s'achever à cet instant : que pourrait-elle m'offrir de plus prometteur ?

D'un ton faussement blasé, j'avais simplement dit : Pas mal. Pas mal du tout. Mais elle devait lire sur mon visage le triomphe qui était le sien, tous les sifflets admiratifs que lui lançaient mes regards, la gratitude que m'inspirait le fait qu'elle se soit faite jolie (en plus d'être belle) et, plus que cela, qu'elle ait eu *envie* de se faire jolie pour venir dans mon humble logis et, plus que cela encore, l'intention que je croyais deviner en filigrane de sa tenue, le message dont les fines bretelles de sa robe étaient porteuses, non seulement explicitement mais implicitement (combien de temps pour choisir cette robe en particulier ? Combien d'essayages devant sa glace ? Quelles tenues écartées après les avoir enfilées, sachant qu'elle venait chez moi pour la première fois et qu'elle était fiancée, bientôt mariée ? Avait-elle déjà porté cette robe et, si oui, pour quelle occasion ? Ou bien l'étrennait-elle pour moi ? Quelles délibérations subtiles, complexes arbitrages, procès intentés à son image, estimations fines de l'effet produit, avant de faire ce choix vestimentaire qui, je ne savais par quel prodige, parvenait à l'habiller autant qu'à la dénuder. M'envoyait le message qu'entre la chèvre et le chou, elle avait décidé que ce serait plutôt le chou, ce message-là à mon intention, ce soir-là où elle vint enfin chez moi, ce plaisir pour mes yeux de se voir si belle en mon miroir).

Je m'étais effacé pour la laisser entrer. Ses pieds avaient foulé mon paillasson et, en un éclair, j'avais eu la révélation de ce qu'est véritablement un paillasson : non pas un truc où essuyer ses pieds tout crottés, mais un *pubis*. Il s'agit d'une toison placée, comme de juste, devant la porte d'entrée. C'est sexuel ! Ça alors ! Home sweet home. Ah ah ah. Mais pas le temps de noter cette découverte dans l'un de mes petits carnets. En passant devant moi, M m'avait tendu une bouteille de champagne emballée dans du papier de soie et, emballées également dans du papier de soie, deux grandes coupes de champagne (elle pensait décidément à tout ! Elle ne voulait pas boire dans n'importe quelle coupe. Pas dans celles où d'autres lèvres auraient trempé leurs lèvres ? D'autres femmes ?).

Je lui dis d'aller s'installer au salon. De faire comme chez elle. Moi filant dans la cuisine pour déboucher la bouteille. Rincer les coupes et les disposer sur un plateau. Lorsque sa voix m'était parvenue depuis le salon :

— Alors, c'est ce soir qu'on baise ?... (un temps)... Je plaisante... (encore un temps)... Vous savez que je suis fidèle.

— C'est un syllogisme ? avais-je crié depuis la cuisine.

Pas de réponse.

— Vous savez que je vous aime, avais-je crié depuis la cuisine, sur le même ton enjoué de la plaisanterie et de la provocation. Mais c'était dit.

Niveau 3

Lorsque je la rejoins, elle se tient devant la bibliothèque et, dans ses mains, elle examine la boîte, souvenir lointain d'une tombola gagnée en province un 14 Juillet, du pistolet Gamo P 800 que je range sur une étagère, hors de portée de ma fille. Il fallait avoir l'œil pour la repérer. Moi-même avais oublié sa présence. Elle dit : J'aime les armes. Sans me demander l'autorisation (je note), elle ouvre la boîte, empoigne le P 800, le soupèse, le fait sauter dans sa main, le trouve lourd, vise devant elle en fermant un œil. Je lui dis qu'il ne s'agit que d'un pistolet à compression manuelle. On dirait un Luger allemand, en plus gros, mais il tire de simples plombs. De calibre 4,5, indique la petite boîte ronde en fer qui contient les munitions. Des plombs « diabolos perforants », est-il écrit. Pas de quoi tuer un buffle. Mais sans doute suffisant pour abattre une mésange en plein vol.

Elle aimerait essayer. Elle adore les armes à feu. Elle en porterait une en permanence si elle le pouvait. Le premier qui l'emmerderait, putain, comme elle la lui collerait sous le nez. Elle lui fourrerait le canon dans la bouche et elle l'obligerait à se mettre à genoux et il ferait moins le malin soudain. Le gros connard. Elle le ferait ramper devant elle. Qu'il fasse sous lui de trouille. Qu'il en chie dans son froc. *Qu'il lui suce la bite !* Comme Demi Moore dans G.I. Jane. Elle rit. Elle s'y voit très bien. Le crâne rasé. Tenant en joue le premier gros connard venu. Lui apprenant le respect. Lui apprenant l'humiliation. Elle aimerait sentir ce pouvoir. Connaître cette sensation. En jouir une fois dans sa vie. Moment où la peur changerait enfin de camp.

Je grimace intérieurement. Me sens vaguement mal à l'aise. Elle ne voudrait pas poser ce jouet ridicule et penser à des choses plus agréables, venir s'asseoir avec moi sur le canapé et boire une coupe de cet excellent champagne qu'elle a apporté, et puis une deuxième coupe, et une troisième, et advienne ensuite tendrement ce qui doit sexuellement advenir et nous pourrions alors avancer dans notre histoire au lieu de faire indéfiniment du surplace. Passer enfin aux choses sérieuses. À tout le moins sortir du cercle infernal des impatiences et reprendre une existence à peu près normale, elle à mes côtés plutôt qu'occupant tout mon horizon. Occupant depuis des jours et des semaines toutes mes pensées et mettant mes nerfs à vif, m'obligeant à devenir je ne sais qui en lieu et place de qui je suis (qui que je sois).

Mais elle a déjà armé le P 800 en faisant basculer le canon et en le verrouillant d'un mouvement sec du poignet. Ôté le cran de sûreté. Des yeux cherche déjà une cible. Elle dit : Vous êtes décidément plein de surprises. Ses yeux brillent d'excitation. Comme un retour en enfance. Le plaisir de l'interdit. Il n'est pas question que je la déçoive. Il ne peut en être question. Pas le jour où elle vient chez moi pour la première fois. J'aurais l'air de quoi ?

Une cible ? J'attrape un bouquin au hasard sur l'étagère, c'est un livre de poche, *La Source sacrée*, de Henry James. Parfait. Excellent choix pour exercer son adresse au tir. J'aime *tout* Henry James. J'aime sa délicatesse, son intelligence, sa légèreté, ses histoires de fantômes et ses énigmes sur l'art. Sa bonté. Offrir l'un de ces livres en holocauste avait du sens. Bien plus que de prendre un livre que je n'aurais pas aimé : ceux-là ne méritaient pas que M les prenne pour cible. À elle je voulais sacrifier ce que j'aimais le plus, en un potlatch le plus potlatch, car c'était elle que j'aimais le plus.

Sur la couverture, un tableau figure une scène de genre, à l'évidence datée du XIXᵉ siècle. Des fois que le lecteur douterait du genre de livre qu'il va lire. Histoire d'accentuer le charme d'antan. Cette finesse de trait à jamais perdue, comme si l'horrible XXᵉ siècle n'avait jamais eu lieu. Que Dallas n'avait pas eu lieu.

La scène montre, en plein air, dans un jardin pâle et nu, un couple assis de dos sur un banc. Un homme et une femme. Ils se tiennent à une certaine distance l'un de l'autre, comme séparés par un vide, un froid, une absence, un mur. Impression d'un malaise entre eux. D'une tristesse. On dirait que l'homme dit quelque chose à la femme qui la peine. Qu'il lui annonce qu'il la quitte. Lui explique ses raisons. Elle l'écoutant, tête baissée, muette, résignée. Exactement ce genre d'attitude. À l'arrière-plan, leur faisant face, une large et haute haie étire une morne horizontale verte et, derrière la haie, à peine visible, caché au regard, on aperçoit le trait bleu de la mer et, au-dessus, le ciel très haut, laiteux, presque incolore. Un chien est assis par terre, à côté de l'homme, tout prêt de ses basques, genre griffon, avec de longs poils ; il regarde vers l'extérieur du tableau, comme s'il apercevait au loin quelque chose qui l'intrigue. À moins qu'il ne laisse le couple à sa douleur, détournant la tête par pudeur, attendant patiemment que son maître en ait terminé. Il symbolise peut-être l'envie de s'en aller de l'homme. Le fait que celui-ci soit déjà sur le départ. En tout cas, il est *de son côté*. Il regarde dans la direction opposée à la femme. Laquelle, à l'autre bout du banc, se tient un peu voûtée, vêtue d'une robe d'époque, bouffante, toute de satin blanc argenté, avec des rubans noirs et des plissés. Posée à plat sur ses genoux, une ombrelle *fermée*. Dont le fer pointe horizontalement vers l'homme, comme un doigt accusateur ou le canon d'une arme. Cette ombrelle symbolise peut-être l'état d'esprit de la femme. Trahit son ressentiment intérieur. Porte-parole muet de la femme comme le chien l'est de l'homme, l'ombrelle fait écho à la canne que l'homme tient posée sur son épaule gauche, de façon négligente, son pommeau traçant une verticale qui pointe vers le ciel, quoique son extrémité fasse un coude en direction de la femme. La désire-t-il, finalement ? Est-ce elle qui ne veut pas, finalement ? Ou ne peut pas ? Dialogue muet des objets. Difficile à interpréter. Surtout que s'ils pointent vers le haut ou tracent une horizontale, ce peut être pour des raisons purement picturales.

Au dos du livre, il est indiqué que le tableau est d'Eyre Crowe et s'intitule The Bench by the Sea. Il est précisé qu'il s'agit d'un détail. Peut-être le tableau raconte-t-il une tout autre histoire lorsqu'on le voit dans son intégralité. Je n'avais jamais prêté attention à cette couverture avant de la zinzinuler avec un Gamo calibre 4,5. Sur l'instant, elle sembla me rappeler quelque chose, mais impossible d'identifier ce dont il s'agissait. C'était très ténu. Une infime vibration.

Quel rapport avec *La Source sacrée* ? Pour autant qu'il m'en souvenait, ce livre ne racontait pas une rupture. Plutôt tout le contraire. Je lis les premières lignes de la quatrième de couverture : « Le narrateur, lors d'une élégante partie de campagne, est frappé par deux phénomènes symétriques : l'embellissement spectaculaire d'une femme autrefois laide ; et l'intelligence nouvelle d'un bellâtre naguère stupide. Pour la première, l'explication est facile : elle a épousé un homme de vingt ans son cadet, dont elle absorbe la jeunesse. Mais quelle est la femme cachée dont le bellâtre absorbe l'esprit ? » Ou comment l'amour trans-figure les êtres, non seulement aux yeux de quelqu'un, mais réellement, objectivement, physiquement et spirituellement.

Qu'est-ce que, de M à moi et de moi à elle, chacun pourrait *absorber* de l'autre, jusqu'à la plus pure transsubstantiation ?

Sa beauté allait-elle me rendre laid ?

Machinalement, je feuillette le livre et tombe sur une ligne cochée dans la marge, comme je coche toujours les lignes dans la marge, page 35 : « Le narrateur est fou. » Je souris. Referme le livre.

Pardon Henry, désolé James. J'espère que tu me pardonnes. J'espère que tu comprends que c'est pour la bonne cause. Pardon mademoi-selle, pardon monsieur. De vous tirer dans le dos. Alors que, assis face à la mer sur un banc, vous semblez avoir des choses graves à vous dire. Ce n'est pas très classe. Mais au moins ne sentirez-vous rien. Ce sera sans douleur. Et puis, vous n'existez pas vraiment.

Niveau 4

J'ai à peine disposé *La Source sacrée* sur le sol, en appui contre le mur, sa couverture bien visible, que, à l'autre bout de la pièce, à environ six mètres, six mètres cinquante (il faudra que je mesure), M se tient déjà en position de tir, les jambes écartées, le dos bien droit, les épaules un peu en arrière, le P 800 tenu à deux mains, à bout de bras, comme dans les films, comme Harry Callaghan, alors que je suis encore dans sa ligne de mire. Eh, gaffe ! Me tirez pas dessus ! Puis, en mon for, après m'être vivement écarté et plaqué contre le mur (et je l'eusse poussé si je l'avais pu) : Bordel de dieu ! Tout ceci pourrait *très* mal finir, ai-je l'affreux pressentiment. Cela pourrait de nouveau finir à l'hôpital et cette fois ce sera moi. Pan dans l'œil ! Un plomb diabolo perforant ! Chiotte ! Les choses se passeront-elles un jour comme je le souhaite ? Dans le luxe, *le calme* et la volupté ?

En même temps, le spectacle qu'elle m'offre : j'évite de la regarder telle-ment j'en tremble, frémis, gémis. Tellement elle me brûle les yeux. On dirait une James Bond Girl. On dirait Modesty Blaise. Avec sa petite robe tenue par deux fines bretelles. Son corps tout entier exposé. Offert à ma concupiscence. Son dos bien droit, arqué en arrière, les épaules en avant. Ses jambes écartées, juste ce qu'il faut, juste assez pour ouvrir un passage, suggérer la félicité, me laisser l'imaginer. Ses seins vibrant sous l'étoffe, ses seins au zénith. Tous deux pointant d'excitation vers *La Source sacrée*. L'un et l'autre bandant fièrement sans qu'elle s'en soucie. N'ayant pas l'air de se rendre compte de l'effet qu'elle produit sur moi. S'en fichant, à cet instant. Ne faisant plus attention à elle, pour une fois. Bien trop à son affaire, à cet instant. Tout entière à son excitation de tirer au pistolet sur la *Source sacrée*. Tout entière exaltée. J'aperçois l'aisselle de son bras gauche et sa délicatesse me bouleverse. Une huître dans son écrin. *Une fine de claire*. Le sexe d'une vierge. J'ai fugacement la vision d'elle en train de se raser sous les bras dans l'intimité de sa salle de bains. D'elle vérifiant du bout des doigts l'ineffable sensibilité de la peau à cet endroit et toutes les petites ondes dorées et nerveuses qui doivent la parcourir alors : il me semble les ressentir moi-même à cet instant. J'aimerais qu'elle se rase les aisselles devant moi. J'aimerais tant de choses. Je voudrais tout. Je voudrais qu'elle laisse pousser ses poils, devienne préhistorique, cesse de se soucier de son image pour devenir femme comme au premier jour et, sous ses aisselles, m'offrir la vision ombrée, veloutée, mystérieuse et allusive, doucement frisottée, un peu drue cependant, sûrement odorante (oh, ma damnée anosmie !), d'un pubis suggérant de façon scandaleuse au-dessus de la ceinture celui qu'elle dissimule en dessous.

Lorsque la détonation retentit dans toute la pièce. BANG ! Un bruit assourdissant. Fantastique. BANG ! Qui rebondit contre les murs sans trouver la sortie. BANG ! À réveiller toute la rue. Merde. Si je m'attendais. Quel boucan ! BANG ! Ce n'est pourtant pas le moment d'alerter la populace. Qu'on pense qu'un crime, qu'un *attentat*… Qu'un voisin appelle la police où je ne sais quoi. Pour une fois que nous sommes chez moi, elle et moi à l'abri du monde, enfin isolés des autres. Pas question que qui quoi ce soit vienne tout gâcher. Ah non ! Elle-même est éberluée par le vacarme qui n'en finit plus de résonner dans la pièce. BANG !

Je me suis approché de *La Source sacrée*. Elle n'a rien ! Aucune fuite. Le couple assis de dos sur le banc est indemne. Pas une égratignure. Le chien non plus n'est pas blessé. La couverture intacte. Nulle trace d'impact. *La Source sacrée* l'est demeurée. Tu t'en sors bien, Henry ! T'as eu chaud aux fesses, mon petit père.

Elle a tiré où ? Sur une mésange qui passait par là ? Je ne vois rien. Le plomb doit pourtant se trouver quelque part. M m'a rejoint. Elle cherche avec moi. Tous les deux à quatre pattes. À tâtons. Nos mains évitent de se frôler et cet évitement est déjà nous frôler. Tous les deux pouffant de rire. Tous les deux excités par la situation. Tirer au pistolet dans son salon : voilà le secret des soirées réussies ! M ne regrette pas d'être venue. Elle est aux anges. Vraiment ravie. Elle ne tient plus en place. Elle trépigne de joie. Mais il est où, ce fichu plomb ? Dans mon dos, je sens M toute proche, presque à touche-touche ; je sens son regard sur ma nuque (oh Martin Eden !) ; je sens son haleine dans mon cou ; je sens qu'elle me souffle dans le cou comme si elle soufflait sur une plume. Doucement. Longuement. Je ne bouge pas. Tout se fige dans la pièce. J'ai la sensation d'être touché par la grâce. C'est comme un lent baiser, une caresse d'infini, un souffle de vie. Le vent même de Tarkowski. Sa façon de me dire merci. D'être *gentille*. C'est comme si elle était Dracula soufflant son haleine dans le cou de Mina, expirant son âme sur la peau de sa victime. Je ferme les yeux. Les rouvre. Me remets en quête du plomb comme si de rien n'était. Il doit pourtant être quelque part ! M s'est redressée. Elle est certaine d'avoir mis dans le mille. Elle n'a pas pu manquer la Source sacrée. Impossible ! Elle n'est pas si nulle. Elle tenait le couple assis de dos dans sa ligne de mire. *Elle tenait la fille en joue.*

La fille et pas le garçon.

En déduire quelque chose ?

Le plomb se trouve à trente bons centimètres de *La Source sacrée*. À onze heures exactement. À plus de trente centimètres du livre ! J'extrais du mur le plomb avec mon ongle. Ça laisse un joli petit trou. Sacré tir ! *Nice shot !* Constatant le trou dans le mur, M fait : Oups. Elle est désolée. *Sorry.* Mais ne peut s'empêcher de rigoler. Moi aussi. Elle dit : Encore ! Encore ! Elle dit : Je vais y arriver ! Elle dit : C'est trop cool ! En trépignant sur place. En battant des mains. En me sautant au cou (ou tout comme). Une vraie gosse. Dix ans d'âge mental. Ses joues sont toutes roses. En feu. Ses seins, je ne veux même pas en parler. Je ne veux plus poser le regard sur eux. Oh merveille ! Elle est heureuse. Elle est heureuse. Grâce à moi.

Niveau 5

Deux heures plus tard, le mur est criblé d'impacts, nos oreilles bourdonnent, BANG BANG BANG. Mais nous nous en fichons. Nous sommes habitués. Dans un coin, plusieurs livres s'empilent en vrac, déchiquetés, troués de part en part, M ayant fait de rapides progrès et jubilant de ses performances, exultant à chaque fois qu'elle fait mouche, comme si elle était la plus grande fan de sa propre équipe. Moi lui donnant la réplique, m'appliquant à lui montrer que je sais *très bien* tirer, que je suis un excellent *tireur*, des fois qu'elle en douterait et qu'il y aurait un lien subliminal, un aspect métaphorique ; quoi qu'il en soit, je nous revois faire des cartons comme à la foire, elle et moi nous refilant le Gamo à tour de rôle pour jouer au plus grand tireur de l'Ouest, à celui qui met dans le mille le premier, moi Billy the Kid et elle Calamity Jane, moi corsant l'affaire à mesure de nos exploits – et le chien : vous pouvez toucher sa tête ? Et l'ombrelle : vous pouvez l'atteindre ? Et la canne : vous pouvez la dégommer ? Et le tir à la hanche : on essaie ? Et m'embrasser : vous voulez bien ?

Cette dernière question ne dépassant évidemment pas le stade de mes pensées, grand stade s'il en est, stade carrément olympique, mais le cœur y était infiniment. Oh oui, embrasse-moi, mon amour ! Kiss me darling. Tire-moi dessus ! Oblige-moi à dégainer ! Prends-moi pour cible plutôt que ces livres, pauvres livres, malheureux bouquins exécutés sur place, plombés par la mitraille, fusillés par notre peloton. Moi remplaçant ceux tombés au feu par d'autres choisis pour leurs couvertures stimulantes ou, de façon plus obscure, pour leur contenu : L'autoportrait effaré de Delacroix illustrant *Le Horla* de Maupassant dans l'édition du livre de poche ; *La Peau de chagrin* de Balzac en Folio ; le dessin à la plume de Gourmelin en couverture de *La Métamorphose* de Kafka, pour voir si M allait sursauter (voir page 358) ; la photo sombre et déprimante d'un homme immobile dans le crépuscule d'une ville sur la jaquette d'*Un homme qui dort* de Perec ; le ridicule dessin digne d'un roman-photo montrant Catherine et Heathcliff dans l'édition de 1965 des *Hauts de Hurlevent* et non ! Pas ce livre ! Désolé. Pas cette édition qui me fit découvrir la sauvagerie des sentiments ; non plus le fac-similé du *Petit Traité de l'amour des femmes pour les sots* publié de façon anonyme en 1788, parce que lorsque j'achetai ce livre, j'avais cru qu'il s'agissait du Petit Traité de l'amour des femmes à l'intention des sots alors qu'il s'agit du Petit Traité de l'amour que les femmes ont le mauvais goût d'éprouver pour les sots ; etc. Mais d'autres livres passèrent à la casserole, beaucoup d'autres, en fonction du visuel de couverture, moi raffinant de plus en plus mes choix et, contre le mur, allant jusqu'à disposer avec un soin pervers les deux livres que j'avais publiés et moi de tirer le premier sur eux, de les truffer de plombs, les dégommant l'un et l'autre et les passant chacun par les armes, BANG, BANG, BANG – et je ne les loupai pas ! Je dois dire que je remportai tous mes duels, à chaque fois dans le mille du premier coup, même au tir à la hanche et ce qui est fait n'est plus à faire, il faut un jour régler son compte à son passé, l'envoyer une bonne fois pour toutes six pieds sous terre. BANG !

Niveau 6

Des plombs s'éparpillent maintenant aux quatre coins de la pièce. On shoote dedans à chaque pas. Ça crisse sous les pieds. Nos oreilles vibrent, ivres des détonations, d'autant plus que j'ai fermé portes et fenêtres pour éviter les problèmes de voisinage et, dans l'espace devenu hermétique, les murs font caisse de résonance. Les doubles rideaux de la fenêtre ont failli brûler à cause d'une cigarette et, sur le mur, comme une flamme de suie, une grande trace noire en forme de vulve calcinée s'élance maintenant jusqu'au plafond. Le parquet est devenu une pataugeoire d'eau et de champagne mêlés parce que, dans un moment d'intense exaltation, après avoir réalisé cinq cartons de suite sur *La Prisonnière*, c'était son premier *strike*, comme par hasard *La Prisonnière*, avais-je songé à l'affût du moindre signe pouvant s'interpréter en ma faveur, M eut un élan vers moi, un élan de joie pure et indicible, *un élan d'amoureuse* – qu'elle coupa aussitôt comme si elle se rappelait tout à coup mon nom et se rappelait tout à coup le sien, se rappelait qu'elle était fiancée et se rappelait aussitôt à l'ordre et, pendant une fraction de seconde, elle resta comiquement dans une indécision pleine de tourments, proie d'ineffables contradictions, ne sachant quel parti prendre, si elle devait retourner en prison ou profiter de sa permission d'un soir, sachant qu'elle était allée de toute façon trop loin pour reculer et, en même temps, qu'elle ne pouvait avancer plus avant sans s'exposer ouvertement et, pour sortir de cette impasse, elle ne trouva rien de mieux que de me jeter sa coupe de champagne au visage, splash, vlan, super, youpi, *very funny* !

Ce fut sa manière de faire un geste vers moi.

Malgré la censure et à cause d'elle.

Sa manière de déverser sur moi son trop-plein d'amour. Ah ah ah. Okay. Je voyais le genre. Je voyais la sale gosse. Je voyais la provocation. Si elle voulait jouer à ça, j'étais son homme, j'étais son homme de toute façon ; si elle voulait qu'on se tire les cheveux, pas de problème, il m'en restait encore suffisamment sur le crâne ; si c'était le chemin des écoliers qui conduisait jusqu'à elle, je prendrais le chemin des écoliers, tout m'allait, il serait toujours temps de devenir des grandes personnes, tous les moyens sont bons pour surmonter l'angoisse lorsqu'elle est le masque affolé du désir et, après une demi-seconde d'hésitation, je lui jetai moi aussi ma coupe au visage. Nananère. Ce qui la suffoqua. La fit éclater de rire. La rendit étincelante de beauté. Bastard ! s'écria-t-elle. C'est pas du jeu. Les mecs ne répondent *jamais* dans ces cas-là, dit-elle en s'essuyant le visage, hilare, en lissant ses cheveux dégoulinants de champagne, en léchant ses doigts et en les léchant à pleine bouche (oh merveille !). D'ordinaire, les mecs (*les mecs !*) me respectent tellement que je peux tout me permettre avec eux, dit-elle en éventant sa robe qui collait sa peau, dévoilait sa peau, dévoilait l'aréole très brune de ses seins et leurs mamelons au sommet de leur art (oh merveille !). Regardez dans quel état vous m'avez mise, regardez ma robe, regarder mon Givenchic (elle dit Givenchic). Moi affichant une mine narquoise pour dissimuler que je crains d'être allé trop loin et qu'elle ne soit réellement fâchée. Qu'elle m'en veuille pour sa robe Givenchic. Vous savez, les hommes que je connais sont désespérants. Ils sont tellement serviles avec moi, ils sont si *gentils*, vous les verriez, *ils se mettent à ramper*. Ils me passent tous mes caprices et je déteste ça. *Je déteste la gentillesse et tout ce qu'elle cache*, ça me donne envie de les humilier, ça me met tellement en colère que je peux devenir très cruelle, dit-elle en s'essuyant carrément les mains sur mon pantalon. Ça me plaît que vous ne soyez pas comme eux (moi faisant ouf !). Ça me plaît que vous ne vous laissiez pas faire. *J'aime qu'on me résiste*, dit-elle en tentant de remettre de l'ordre dans ses vêtements. Dans son monde infiniment supérieur au mien, je venais de marquer des points. Autrement dit.

Niveau 7

À la lumière du suicide de Julien, je me rends compte combien ces enfantillages paraissent futiles et dérisoires, presque accablants ; à la lumière du suicide de Julien, tout perd de toute façon de son charme ; mais sur l'instant, M et moi étions joyeux. Nous étions électriques. Nous étions légers. Une autre lumière que celle du suicide de Julien nous éclairait et elle ne nous éclairait pas moins de l'intérieur ; pour ne pas nous comporter gravement et dignement comme, disons Roméo et Juliette, disons Frédéric et Mme Arnoux ou bien Nemours et la princesse de Clèves, nous n'étions pas moins vrais. Nos sentiments, pour n'être pas littéraires, n'en étaient pas moins profonds et, entre nous, l'intensité n'en était pas moins forte et émouvante et, quoi qu'il en soit, enfantillages il y eut et je ne vais pas le dissimuler.

J'aurais d'ailleurs aimé qu'une caméra immortalisât la scène. En tant que pièce *à conviction* à verser au Dossier. Une de plus. À l'écran, on me verrait tenter d'allumer une cigarette avec un briquet mouillé et, dans mon dos, les cheveux encore dégoulinants, on verrait M s'emparer de la bouteille de champagne et me la verser tout à trac sur la tête, m'asperger littéralement à flots tout en poussant des cris de cour de récréation. Moi criant à l'unisson. Moi tentant aussitôt de lui arracher la bouteille des mains et lui montrant très vite qui de nous deux était le plus fort. Qui était l'homme et qui était la femme. Oh oui, moi lui faisant immédiatement sentir ma poigne et, bien que M eût une sacrée force (*Wow, elle a une sacrée force dans les bras, avais-je songé*), lui faisant sentir ma force sans que cela paraisse me demander le moindre effort, *sans cesser de rire et sans déchirer sa robe et sans lui faire aucun mal*, cela l'important, cela dont il était question, tandis que nous luttions farouchement pour la maîtrise de la bouteille de champagne qui, au passage, arrosait partout, dégueulassait tout, éclaboussait dans toutes les directions ; mais peu importait : ainsi nos corps s'éprouvaient-ils en toute impunité et se frottaient-ils enfin l'un contre l'autre, s'empoignaient-ils et s'enlaçaient-ils, se respiraient, s'haletaient et s'amalgamaient et, comme un retour aux lois primitives de la nature (vois-tu les lois primitives de la nature à l'écran ?), il ne m'échappait pas que dame femelle s'assurait ainsi de la vigueur de monsieur mâle afin d'estimer s'il était digne d'être son vainqueur ; ainsi M obtenait-elle des informations sur mes aptitudes à la protéger dans la jungle et, au bout du compte, ma supériorité physique, loin de la rabaisser, était désirée, elle semblait nécessaire, elle était une sorte de test génétique que M me faisait passer en douce et dont notre pugilat, sous ses dehors puérils et ingénus, était à la fois l'enjeu et le stratagème. Pourvu qu'elle soit vaincue *comme elle le souhaitait* et, ainsi triomphante, les rôles seraient clairement établis selon l'idée qu'elle s'en faisait. Chacun à sa place, masculin et féminin parfaitement définis, chacun moitié de l'autre et les vaches seront bien gardées, l'Univers bien droit sur son axe et dans le genre message archaïque et totalement dénué d'imagination, M me faisait passer celui qui est le plus immémorial d'entre tous. Celui qui, sauf erreur de ma part, remonte à la Genèse, chapitre 3, verset 6. *So what ?* Il serait toujours temps pour nous d'ouvrir les yeux et, connaissant soudain notre nudité, nous vêtir de feuilles de vigne pour devenir des êtres civilisés. Devenir contemporains comme tout le monde et revendiquer, à l'instar de n'importe quel individu normalement évolué, l'égalité entre les sexes, même si les sous-titres donneraient à lire le contraire.

Surtout que, vaincue, M le fut. Haut la main. Faut pas déconner non plus ! À l'écran, les images (si images il y avait eu) ne laissent aucun doute. Car après lui avoir tordu les poignets pour lui arracher des mains la bouteille de champagne, on me voit la lui verser toute sur la tête et la doucher de pied en cape jusqu'à la dernière goutte, elle poussant de grands cris suraigus et riant et se débattant et se tortillant dans tous les sens tandis que mes bras l'enserrent et la maîtrisent fermement, tandis que mes mains courent le long de son corps et la pétrissent et, pour rigoler, la pelotent sans vergogne et si on regarde bien, on voit que je bande comme un âne, oui, comme un âne je bande, c'est très visible, même si c'est pour rigoler et, toujours pour rigoler, on me voit l'embrasser et me mettre à lécher le champagne qui dégouline sur sa peau, oui, pour rigoler et uniquement pour rigoler, je lèche ses bras et ses épaules, je lèche sa robe et son cou et, toujours pour rigoler, mes mains s'enivrent de ses formes et commencent à la dévêtir et on voit qu'elle se laisse faire, on voit nettement que je deviens de plus en plus animal et lubrique et que tout commence à dégénérer, on voit que des poils et des crocs et une grande queue fourchue me poussent et on voit très bien à l'écran que M feint de se débattre et, toujours riant, toujours pour rigoler, qu'elle s'abandonne peu à peu à la furie de mes caresses qui, sous couvert de chatouilles, se font toujours plus précises et empressées, toujours plus explicites et, pour rigoler franchement, voici que je saisis M par les hanches et d'un seul élan, tel un centaure, un satyre, la hisse sur le rebord de la cheminée et, pour rigoler encore plus, bien sûr que c'est pour rigoler, j'écarte toutes grandes ses cuisses et, n'en pouvant plus de rire, rigolant comme un bossu, je plonge sous sa robe et mon visage se fraye un passage vers son antre profonde et, bon dieu, j'allais savoir si elle aimait qu'on lui résiste ou si son aspiration profonde n'était pas plutôt d'être dominée. Bon dieu, elle était trempée, bon dieu, elle ruisselait et, bon dieu, elle portait un string et il pleurait des rivières entre ses cuisses et, par parenthèse, il me semblait bien qu'elle était rasée, oui, j'avais deviné juste (voir page 330), comme c'était rigolo. Comme on rigolait follement tous les deux, comme on était faits l'un pour l'autre, quand bien même je l'entendais tout là-haut qui disait non, à travers une espèce de brouillard l'entendai dire non, s'il vous plaît, non, ne faites pas ça, sans blague ? Elle voulait rigoler ! Je sentais son corps défaillir et s'ouvrir comme une fleur brûlante, je l'entendais soupirer et haleter et presque gémir et j'entendais la faire jouir là, tout de suite, maintenant, sur le rebord de la cheminée, oh mon amour, c'était juste histoire de rigoler, oh mon

amour, j'allais te baiser maintenant, oh oui, j'étais Pénia, pris de pignerie, comme dit Socrate dans *Le Banquet*, oh oui, j'étais le mendiant qui allait enfanter d'Éros, oh oui, mon amour, ma pute, *I'm gonna fuck U baby, I'm gonna fuck U so hard*, oh oui, c'était maintenant, j'étais sa bête en rut et elle allait même me sucer pour rigoler et je la pénétrerais ensuite doucement, suavement, religieusement, et puis je la pénétrerais au plus profond, durement, vicieusement, jusqu'à la garde, moi tout entier en elle, elle m'accueillant tout entier en elle, tous les deux ne faisant plus qu'un, faisant moins qu'un, tous les deux dissous et vaporisés en rythme et chevauchant le temps, tourbillonnant sans fin dans l'éther, *bitch oh ma bitch*, mon ange, mon adorée, ma fantastique salope, jamais je n'avais autant rigolé de ma vie et là, tout de suite, maintenant, le temps d'ouvrir ma braguette et de libérer ma méchanceté toute dure et palpitante, elle et moi allions nous unir pour un instant d'éternité sur le rebord de la cheminée et transformer nos deux existences en une merveilleuse rigolade, devenir l'un envers l'autre éternellement reconnaissants, éternellement heureux, et plus nos joies seraient nouvelles et partagées, plus la ferveur nous prendrait de les prolonger et le dégoût ne viendrait jamais et non, s'il vous plaît, Grégoire, non, ne faites pas ça, s'il vous plaît,
NON !

S'IL VOUS PLAÎT !

Souligné je ne sais combien de fois.

Dans quelle langue fallait-il me le dire ?

Niveau 8

Je veux bien que tu coupes la caméra. Mieux vaut. Finalement. Ce n'était pas une si bonne idée. Bien sûr, dans un film – je veux dire : un vrai film, avec un vrai scénario, *avec de vrais acteurs*, pas ce film douteux qui se fait passer pour mon existence, pas ce *navet* –, M se serait laissé faire. Elle aurait succombé à mes caresses. Elle aurait accédé à son désir et elle se serait abandonnée sur le rebord de la cheminée – oh combien ! La passion l'aurait submergée sur le rebord de la cheminée et elle aurait plaqué avec ferveur ses deux mains sur ma tête pour encore plus de sensations entre ses cuisses, elle se serait cambrée à l'extrême pour s'offrir à la houle formidable du plaisir et elle serait devenue folle de joie sur le rebord de la cheminée, tout son corps serait devenu électrique, tout son être aurait gémi, crépité, ahané, proie de soubresauts voltaïques, oui, elle aurait mordu ses lèvres et secoué la tête, échevelé ses cheveux, sa main aurait tâtonné le long du mur à la recherche d'un impossible appui, comme cherchant l'air, comme cherchant de l'aide, avant que, toutes griffes dehors, elle ne se mette à labourer mes épaules, mon dos, m'arrachant d'un geste ivre ma chemise et, par-dessus nos râles et nos halètements, se mêlant à eux pour les emporter au plus haut des cieux, une horde de violons seraient devenus célestes et, dans leur sillage, tout serait devenu symphonique sur le rebord de la cheminée, absolument tout, tandis que secouée de spasmes fascinants, M aurait sauvagement rejeté son visage en arrière et, en gros plan, son visage serait devenu extatique, il aurait été bouleversant, défiguré de joie, à la fois hirsute et exorbité, au comble du bonheur le plus féminin, sa bête dans la jungle enfin libérée, enfin lâchée dans la nature, jusqu'à ce que, juste avant un langoureux et indicible fondu au noir, dans un gémissement sublime, elle jouisse puissamment sur le rebord de la cheminée, dans un cri déchiré, élevant l'art de la simulation cinématographique au rang d'une vérité qui m'a toujours laissé perplexe. Qui, dès l'instant où je vis pour la première fois deux acteurs s'embrasser avec passion à l'écran, m'a toujours vaguement inquiété : que serait un baiser véritable par comparaison ? Comment rivaliser ? Qui ne sait que le cinéma met la vie au défi de s'inventer un nouveau chemin, comme la photographie mit la peinture au pied du mur : ou bien elle mourait en persistant à représenter en « moins bien » la réalité (ce qu'on appelle la réalité), ou bien elle renonçait à ses anciennes prérogatives pour aller là où la photographie ne pourrait pas la suivre – par exemple Pollock. Par exemple Bacon. Ce tournant-là également en nous. Historique. Cette *crise*.

S'IL VOUS PLAÎT !

Okay. Pas de panique. Tout doux. Calmos. C'était pour rigoler. Toi pas crier. Toi pas appeler la police. Toi pas avoir peur. Moi m'en aller. Moi plus toucher femme. Moi partir dans la montagne et m'enfermer dans monastère. Moi me couper couilles et regarder match de foot à la télé bien tranquillement. Moi prier dieu et lui demander pardon. Quel était le problème ? Je l'ignorais. Je ne voulais pas le savoir. Je ne le pouvais pas. J'avais des étoiles devant les yeux. Je soufflais comme un bœuf. J'étais gluant de champagne. J'avais son goût dans la bouche. Chaque cellule de mon corps était en fusion et j'essayais de les rassembler comme je pouvais. J'essayais de les convaincre que la fête était finie, oust, s'il vous plaît mesdemoiselles, un peu de tenue, un peu de

retenue, j'allais arranger la situation, je leur revaudrais ça, elles pouvaient me croire, promis, juré. À deux mains s'il le fallait. Mais plus
tard. Elles devaient comprendre…

Cause toujours ! Mes gonades étaient en feu. Elles étaient furieuses,
vachardes, hargneuses d'avoir été excitées pour rien, prêtes à descendre
dans la rue avec des pancartes, prêtes à tirer dans le tas avec le P 800
et, encore aujourd'hui, il m'arrive de les entendre hululer à la Lune certaines nuits, je les surprends à tourner en rond dans mon lit comme
des fauves dans leur cage, *j'en ai vu pleurer certaines* et, en tous les cas,
elles n'ont jamais digéré cette fausse joie, elles sont restées inassouvies
et incrédules de ce qui ne se passa pas ce jour là sur le rebord de la chemi
née, affolées, séditieuses, orphelines d'un bonheur qui n'eut pas lieu
alors qu'il semblait si proche et cela fait bientôt dix ans maintenant.
Dix interminables années. Ce qui est un peu excessif selon moi. Il ne
s'agit que de gonades, après tout. Enfin bref. Tu l'as compris : je ne
commis pas l'irréparable sur le rebord de la cheminée. Gentleman je
fus. Tout à fait self-control. Pour qui me prends-tu ? Je ne suis pas cette
sorte d'homme. Je déteste qu'on me résiste. C'est-à-dire que cela me
fait débander. Cela ne m'excite pas ! Que croyais-tu ? N'as-tu pas
compris que je l'aimais ? Abuser d'elle aurait été abuser de moi. Cela
aurait été abuser plus que de moi. S'IL VOUS PLAÎT ! Non seulement
je ne commis pas l'irrémédiable, mais je me retirai *immédiatement* de
sous les jupes de M, comme électrocuté, et, affichant un sourire crispé,
courbé en deux, le bas-ventre détruit et entrevoyant déjà avec épouvante les conséquences de ce qui venait de se produire et, en même
temps, de ne pas se produire, je me dépêchai d'allumer une cigarette
(saloperie de briquet mouillé !).

Niveau 9

Mais j'aurais dû. Je le sais aujourd'hui. Oh oui. Ô combien ! J'aurais
dû. Je peux le dire. Maintenant que l'eau a coulé sous les ponts, char-
riant le suicide de Julien. J'aurais dû un million de fois. Prendre Mademoiselle Qui Jouait Avec Mon Feu Sur Le Rebord De La Cheminée.
Fuck la courtoisie et les après vous madame, mais vous en êtes un autre
monsieur et prout ma chère. Vive Ovide ! Con que je suis. J'aurais dû.
La fourrer comme il se devait. Comme il le fallait, et qu'on n'en parle
plus de ces histoires de sexe. Qu'elles ne soient plus l'horizon barrant
notre horizon. Bon dieu, n'avais-je pas vu sur ses lèvres la bête qu'elle
cachait dans sa jungle, la bête qu'elle rêvait de libérer, sa bête de sexe ?

Bon dieu, ne m'avait-elle pas dit qu'elle m'aimait ? L'avait-elle dit, oui ou non ? Et le dire était déjà consentir. Elle s'était même évanouie. Cela se passait rue Tronchet. Ce n'était pas comme si elle ne m'aimait pas. Je répète : *ce n'était pas comme si elle ne m'aimait pas*. Auquel cas, j'aurais compris qu'elle se refuse, j'en aurais été dépité comme je fus dépité sur l'instant, mais son refus ne m'aurait pas entamé, il ne m'aurait pas dévoré la cervelle comme elle le fut à cet instant. N'était-elle pas venue chez moi dans une petite robe affriolante ? N'était-elle pas venue *en string* ? Seule. Sur le coup des dix heures du soir. Avec une bouteille de champagne. Avec toute la nuit devant elle, ainsi qu'elle me l'avait fait comprendre au téléphone en gloussant nerveusement – ô perfide ! Que croyait-elle qu'il *ne* devait pas arriver ? Sans compter qu'elle avait déclenché des chamailleries qui ressemblaient à s'y méprendre à d'enfantins préliminaires. Elle avait voulu tout éclabousser, tout gicler, tout émulsionner. Alors quoi ? Pourquoi non ? Que s'était-il passé ? Doukipudonktan ? À quoi jouait-elle ? Se refuser in extremis était-il *son* plaisir ? Une perversité qu'on lui avait enseignée dans les écoles de jeunes filles de bonne famille ? S'agissait-il d'un nouveau test ? D'un truc tantrique ?

Quelle poisse.

J'avais déjà entendu des filles me dire NON et, sans jamais insister, mon désir n'aimant que les soumissions consenties et celles qui, avec moi, devant moi, grâce à moi, voulaient devenir esclaves du bonheur, j'avais fini par apprendre lesquelles disaient NON et lesquelles feignaient de dire NON. Lesquelles vous haïssent et lesquelles vous adorent en utilisant le même mot. Rien de tel cette fois. S'IL VOUS PLAÎT ! Il y avait dans le ton de sa voix – comment dire ? C'était un souffle plus qu'un cri. Une supplique plus qu'une véhémence. Elle ne me demandait pas de la laisser tranquille, elle ne me l'ordonnait pas, elle ne me rejetait pas non plus comme si je l'eusse dégoûté ou parce qu'elle aurait joué au chat et à la souris avec moi, parce qu'elle aurait cherché à faire monter les enchères, non, elle me suppliait, elle m'implorait à genoux, comme une grâce, comme à bout de forces, à bout de nerfs, elle me *conjurait* de lui laisser la vie sauve, s'il vous plaît, *please*, c'était trop pour elle, beaucoup trop, elle en mourrait si jamais – et d'ici à ce qu'elle s'évanouisse de nouveau : une fois suffisait ! Elle n'allait pas me faire le coup de disparaître à chaque fois et vite les pompiers. Hors de question.

Était-ce la peur ? Était-ce son fiancé ? Bien sûr la peur. Terrible la peur. Du sexe. Ou plutôt de la *chair*. Bien sûr la *chair*. Autrement plus terrifiante que le sexe. La Chair. Avec tout ce qu'elle signifie, implique, suggère, bouleverse. Ce à quoi elle engage. Cette vérité de la chair. Sa nudité. Cet affolement en surface du plus profond de soi. *Quand on aime.* Quand le Verbe se fait Chair.

Bien sûr son fiancé. Forcément son fiancé. L'infidélité. La trahison. Les larmes. Les cris. La jalousie. La culpabilité. Le mariage foutu en l'air. La cérémonie annulée. Le scandale. L'énorme scandale. La famille aux cent coups. Les représailles de la famille. Hou là là.

Quoi d'autre ?

Peu importe !

Dans un de mes petits carnets, j'ai recopié un jour ce passage tiré de *Martin Eden* : « Jusqu'à ce jour, la force physique lui était apparue comme une chose brutale et vulgaire. Son idéal de beauté masculine avait toujours été tout de grâce et de finesse. Cependant son désir persistait. "Allons, penche-toi vers lui, lui criait une petite voix intérieure. Pose tes deux mains sur sa nuque puisque tu en as tellement envie !" La hardiesse de cette pensée faillit la faire crier. En vain elle fit appel à sa propre culture, à son raffinement, *opposant tout ce qu'elle valait à tout ce qu'il ne valait pas.* »

Quoi d'autre ?

Quel imbécile !

Car j'aurais dû : être sans pitié. Tant pis si elle tombait dans les vapes. *Tant pis pour elle.* Oh oui ! J'aurais dû. Ne pas l'écouter ni lui obéir. Balayer ses peurs et envoyer paître veau, vache, cochon, convenances, famille et fiancé. Déchirer son string avec mes dents. J'aurais dû. Sacrebleu. Nom d'un chien ! L'un de nous aurait au moins pris son plaisir plutôt qu'aucun ! Nom d'une pipe ! Il s'agissait d'une occasion unique (et unique elle le fut, en effet, eh oui, hélas). J'aurais dû. Ah oui. Écrire l'histoire au lieu d'être son jouet. Faire le mal pour un bien, ne serait-ce que pour compenser les innombrables désastres commis au nom du bien. J'aurais dû. Sanctifier la vie. Accéder à mon désir, comme dit l'autre. Dévorer à pleine bouche son muffin, si tu te rappelles de la page 508. M'en repaître et plutôt un million de fois. Je n'en serais pas là où j'en suis aujourd'hui (voué au malheur éternel). Elle ne serait pas mariée avec un autre à l'heure qu'il est. Et Julien serait encore vivant.

Julien serait encore en vie. Souligné cent cinquante fois. Ce qui, à mon niveau d'appréciation personnelle, fait tout de même trois bonnes raisons, trois *fucking* bonnes raisons de me faire chaque matin des grimaces devant la glace. De me les mordre sévère. De regretter – quoi ? Un viol ? Mais comment donc ! Allons-y Alonzo ! J'imagine déjà l'acte d'accusation. Les plaidoiries. Les armées d'avocats réclamant la peine maximale. Le jury populaire me condamnant. La réprobation générale, unanime, compulsive. Les réseaux soi-disant sociaux en folie. Les ligues féministes en furie. Les gros titres dans les journaux (« La riche héritière accuse l'écrivain de viol »). Les témoignages confraternels (« Cela ne m'étonne pas vu ce qu'il écrit »), les débats soi-disant de fond (« La littérature est-elle au-dessus des lois ? »), les messages de lectrices peut-être (« J'aimerais que vous me preniez comme une chienne sur le rebord d'une cheminée. Ci-joint ma photo »). *Et cetera*.

Quand bien même, à mon niveau de compréhension globale de la situation, je ne crois pas une seule seconde qu'il y aurait eu viol. Ni de près ni de loin. En aucune façon et à aucun moment ! Mais quelle importance désormais ? Ce qui n'a pas eu lieu ne peut m'être légalement reproché. Ce que nous ne faisons pas n'est *jamais* répréhensible aux yeux de la loi et voilà un vide juridique qui, pour m'arranger, ô combien, n'en est pas moins bien étrange, fort curieux, quand tant de crimes et d'horreurs et de saloperies se produisent justement faute que personne ne fasse rien à un moment donné et je ne sais pas.

Je suis énervé.

Je me sens hyperfrustré.

J'ai très envie de gicler.

Je ne sais pas.

Je pense à M comme Munich 1938.

À propos de ne rien faire quand il le faudrait.

Quand on le devrait.

Niveau 10

Je pense au capitaine Kimball R. Richmond. Qui, en mai 1945, libéra le camp tchécoslovaque de Falkenau. À la tête de la division américaine Big Red One. Et le capitaine Kimball R. Richmond. Il n'en revint pas. Pas seulement des horreurs du camp de Falkenau. Mais du fait que les premières maisons du village de Falkenau se trouvaient à quelques mètres seulement du mur d'enceinte du camp de Falkenau. Elles se trouvaient à portée de voix. Mais les habitants du village de Falkenau. Lorsque le capitaine Kimball R. Richmond les interrogea. Ils prétendirent qu'ils ne savaient pas ce qui se passait dans le camp de Falkenau qui se trouvait pourtant juste sous leur nez. Ils n'en avaient pas la moindre idée. Ils ignoraient les horreurs qui s'y commettaient depuis des années. Ils ne les avaient jamais soupçonnées. La fumée, l'odeur pestilentielle, les cris, les rafales de mitraillettes, les convois ? Non, ils n'avaient rien vu, rien entendu, rien senti. S'ils avaient su, ah, pour sûr, évidemment, il croyait quoi, le capitaine Kimball R. Richmond ? Ils n'étaient pas des monstres. Ils n'étaient que de paisibles villageois. Ils étaient de bonnes personnes. Ils ne savaient pas. Ils n'étaient au courant de rien. Non non non. « On ne sentait aucune odeur particulière, on ne savait pas, on ne se doutait pas », répondit le banquier le plus important du village de Falkenau, comme s'il parlait au nom de tous, vêtu d'un chaud et luxueux manteau gris. « On tombe des nues d'apprendre ce qui se passait si près de chez nous », confirmèrent les autres villageois, notables ou petites gens comme on dit, tous parfaitement étonnés, ne comprenant pas ce qu'on leur reprochait tout à coup. Pourquoi on s'en prenait à eux. *Ils n'avaient rien fait.*

Okay, dit le capitaine Kimball R. Richmond. S'ils le prenaient sur ce ton. Okay. Mesdames et messieurs du village de Falkenau. Okay. Si c'était ainsi. Okay.

OKAY !

À ses hommes, le capitaine Kimball R. Richmond ordonna qu'ils rassemblent manu militari toutes ces bonnes gens du bon village de Falkenau qui prétendaient n'avoir rien su de l'immonde saloperie qui se déroulait à même pas cent mètres de leurs habitations, juste sous leurs fenêtres. N'avoir jamais rien vu ni rien entendu, jamais senti l'odeur pestilentielle qui se dégageait du camp de Falkenau alors qu'elle empuantissait l'air à des centaines de mètres à la ronde, alors qu'elle était une véritable infection absolument perceptible *depuis des années* – même pour ceux qui étaient anosmiques ! Car c'était au-delà d'avoir le nez bouché. Bien au-delà.

Ils voulaient vraiment aller sur ce terrain ?

Sachant que le problème n'était pas qu'ils n'aient rien fait pendant toutes ces années – qu'auraient-ils pu faire ? Nul ne peut le dire. Ils n'étaient pas des soldats. Le problème, c'était le déni. C'était que tous plaidaient l'ignorance la plus totale et, ce faisant, plaidaient l'innocence, alors qu'il était impossible qu'ils aient pu ignorer ce qui se passait juste sous leur nez. Alors que le seul fait de nier l'évidence était reconnaître qu'ils se sentaient coupables et qu'ils l'étaient donc, au moins à leurs yeux et aux yeux de ceux qui, des années durant, avaient été assassinés dans le camp tout proche de Falkenau ; il s'agissait d'un *aveu* et de sa propre autorité, le capitaine Kimball R. Richmond réunit toutes les braves gens du village de Falkenau, tous les hommes et toutes les femmes qui mentaient de façon aussi grotesque et éhontée à propos de ce qui se passait depuis des années juste sous leurs fenêtres, à même pas cent mètres de leurs habitations et, de sa propre autorité, pour des raisons logistiques aussi, le capitaine Richmond obligea ces bons notables et ces petites gens à sortir un à un les dizaines de cadavres que les nazis avaient assassinés et jetés dans des fosses comme on jette des ordures et qui, tel un immense tas d'immondices dégageant une odeur pestilentielle, s'empilaient les uns sur les autres et pourrissaient à l'air libre, depuis un temps innommable.

Cela fait, toujours de sa propre autorité, le capitaine Richmond obligea ces bons notables et ces petites gens à aligner côte à côte tous les cadavres de façon aussi digne que possible, en rang d'oignons, sous le regard de tous les prisonniers libérés du camp de Falkenau qui les regardaient faire en silence, afin que chaque corps soit restitué à lui-même et non plus amoncelé en un immense tas d'immondices et, cela fait, le capitaine Richmond, de sa propre autorité, obligea les bonnes gens du village de Falkenau, le banquier en tête, ainsi que chaque homme et chaque femme qui avait vécu des années en paix à côté de massacres se déroulant quotidiennement à portée de voix, oui, le capitaine Richmond leur demanda à tous de déposer chaque corps exhumé des charniers de Falkenau sur des draps blancs qui étaient les draps blancs que les habitants du village de Fakelnau durent aller chercher dans leurs propres armoires et qui étaient les draps blancs dans lesquels ils dormaient chaque nuit sur leurs deux oreilles depuis des années et, cela fait, le capitaine Richmond, toujours de sa propre initiative, obligea chaque habitant de la ville de Falkenau à habiller chaque cadavre avec les habits dont ces bonnes gens se vêtaient chaque jour pour aller à la messe, boire et manger midi et soir, discuter de choses et d'autres, rire de choses et d'autres, se soucier de choses et d'autres mais surtout pas de ce qui se passait à moins de cent mètres de leurs habitations et, cela fait, de sa propre autorité, le capitaine Richmond obligea la population du village de Falkenau à transporter dans des charrettes les cadavres jusqu'au cimetière de la ville de Falkenau et, par cette procession macabre et solennelle à travers la ville de Falkenau, chaque villageois put voir qu'il se passait des choses à moins d'une centaine de mètres de son habitation, chacun en eut la preuve passant sous sa fenêtre, et, cela fait, une fois que plus personne ne put plus nier ni prétendre ignorer ce qui pouvait se passer sous son nez, le capitaine Kimball R. Richmond obligea ces bonnes gens de la ville de Falkenau à enterrer dans le cimetière de la ville de Falkenau les cadavres du camp de Falkenau et à recouvrir chaque corps d'un drap de Falkenau afin qu'ils soient tous enterrés comme des êtres humains et que ce soit eux, les gens de Falkenau, les notables comme les petites gens, le banquier en tête, qui les enterrent, eux et personne d'autre, à la sueur de leur propre front, dans leur propre cimetière, à côté des membres décédés de leurs propres familles, comme s'ils en faisaient partie, pour leur apprendre à mentir de façon aussi grotesque et éhontée sur ce qui s'était passé d'innommable pendant des années, là, juste sous leurs fenêtres, ainsi que le filma avec une petite caméra 16 mm Bell & Howell à manivelle que sa mère lui avait fait parvenir le soldat Samuel Fuller dans ce qu'il définit lui-même comme étant « un film d'amateur, mais les tueries étaient l'œuvre de professionnels ».

Qui sera un jour comptable de ce qui devant être fait pour empêcher le pire, ne le fut pas (dis-je le cœur empli de pestilence) ? Combien de notables et de petites gens de Falkenau de par le monde *mentent-ils* sur ce qu'ils savent pourtant très bien se passer juste sous leur nez ? Sur ce qu'ils ne peuvent ignorer et qu'ils n'ignorent effectivement pas. Il devrait exister des milliers de capitaine Richmond quand il existe des millions de notables et de petites gens de Falkenau, dis-je le cœur amoncelé en un tas d'horribles frustrations sexuelles. Dis-je en pensant à Homs et à Alep et tout ça. En pensant à ce que disait l'autre (Sven Lindqvist) : « Vous en savez déjà suffisamment. Moi aussi. Ce ne sont pas les informations qui nous font défaut. Ce qui nous manque, c'est le courage de comprendre ce que nous savons et d'en tirer les conséquences. » Il aurait pu ajouter : « Ce dont certains meurent et, à la fin, dont nous mourrons tous, c'est de vivre dans le déni et, par tous les moyens, les plus lâches comme les plus honorables, d'y vivre très bien. »

Niveau 11

Pourquoi M se refusa-t-elle à moi ce soir-là ?

Pourquoi une femme se refuse-t-elle au dernier moment à un homme ?

POURQUOI ?

J'ai fait un petit sondage autour de moi. Un de plus. Voir page 111. Lui aussi vaut ce qu'il vaut, ni plus ni moins ; mais au vu des réponses qui m'ont été faites, réponses de toutes sortes, réponses incroyablement disparates, réponses – comment dire ? À toi de le dire ! Moi, je sèche. Je ne sais pas quoi en penser. Pas dans l'état dans lequel M me mit. Ce pourquoi je poste toutes ces réponses en ligne, à l'adresse habituelle (www.ledossierm.fr/11), à la façon d'un petit test à faire chez soi, à tête reposée mais l'esprit concentré, en convoquant honnêtement ses souvenirs, à la fin d'une soirée entre amis, par exemple, après avoir tiré au pistolet dans son salon – je ne dis que cela ! Afin que rien ne se perde. Pour avoir un aperçu de ce que veut dire une femme lorsqu'elle dit non. Pour savoir ce que cache ce petit mot de trois lettres et libérer tous les mots qu'il contient. Pour que chacun admette qu'une femme peut avoir énormément de raisons de se refuser à un homme, quoi que valent ces raisons ; et si une femme découvre qu'elle s'est un jour refusée à un homme pour une raison que mon petit sondage ignore, qu'elle n'hésite pas à contacter mon éditeur, qui fera suivre.

En attendant. Je sais aujourd'hui ce que m'a coûté le fait de n'avoir pas baisé M sur le rebord de la cheminée – et je dis baiser exprès, je ne veux pas prendre de gants, pas faire le jeu de la censure. Je dis baiser parce que c'est beau de baiser quand on s'aime. C'est le plus beau. Je dis baiser pour souligner le côté organique de la chose, en souvenir de la sourde douleur qui, dans mon bas-ventre, gosilla (du verbe s'égosiller) un bon moment après que je me fus écarté de la cheminée tandis que M se rajustait et, entre nous, il y avait soudain le même vide, le même froid, la même absence, le même mur qu'entre l'homme et la femme du tableau illustrant la couverture de *La Source sacrée*. Impression du même malaise entre nous. Que la source sacrée venait de se tarir. M comme Manon des sources.

Aujourd'hui, je sais *toutes* les conséquences pour la suite et je sais, à la lumière du suicide de Julien, que j'aurais dû forcer la décision sur le rebord de la cheminée, j'aurais dû foutrager M comme il le fallait. Franchir son Rubicon en deux mots afin que « le sort en soit jeté ». Ah oui, j'aurais dû lui farcir la dobrade et lui succuber la gloutine et lui goriller l'arcuvette et plutôt mille fois qu'une ! J'aurais dû lui dégonder amoureusement la gentefente et lui poêler ardemment la mimolette jusqu'à ce que les poils lui rebroussaillent ! Bon dieu, ce fut une tragique erreur que de céder devant elle, ce fut une faiblesse coupable que d'adouber sa volonté comme si sa volonté était sacro-sainte et d'où le serait-elle ? Je pose amèrement la question. Parce que notre volonté – comment dire ? Il arrive qu'elle soit l'expression d'une hostilité envers soi-même. J'en sais quelque chose ! Combien de fois ai-je surpris ma volonté conspirer contre moi ? Des millions de fois ! Elle m'assurait que je voulais ceci et que je ne voulais pas cela ; mais c'était faux. C'étaient des craques. C'était pour me nuire – et qui peut certifier que M n'était pas dans le même cas ?

Le doute était permis (dis-je le cœur de nouveau rongé par l'amertume). Comme dit si bien l'autre (Imre Kertész), il est désormais naturel que nos contre-instincts se substituent à nos instincts et comprends-tu ce que cela signifie, implique, suggère ? *Madre de dios*, bougre d'âne, rat pourri que je suis, fieffé amoureux transi qui se fit tout petit devant une poupée qui dit maman quand on la touche comme si se faire tout petit devant une poupée qui dit maman quand on la touche était une preuve d'amour et quelle faribidole ! Quel amour de la servitude volontaire en réalité – et j'en profite ici pour dire que m'ont toujours énervé ceux qui jouent les gros bras dans le monde alors qu'ils sont des carpettes, des chiffes, des loches devant leur petite femme toute-puissante et je dirais même plus : sais-tu comment John Lennon appelait Yoko Ono dans l'intimité ? Il l'appelait « maman », le grand John appelait celle qu'il aimait « maman » dans l'intimité et *Imagine all the people*. Ah ah ah ! Cela fiche un choc d'apprendre des trucs pareils, dis-je le cœur suintant d'amertume. Bachi-bouzouk de tonnerre de Brest, crétin des Alpes que je suis, raclure de bidet, c'est mon instinct que j'aurais dû écouter plutôt que les contre-instincts de M ! C'est à l'idée que j'allais l'honorer de la plus belle des manières (et non la déshonorer de la pire des façons) que j'aurais dû me fier. Je savais que j'étais du côté du Bien à ce moment-là, j'étais dans le Vrai à ce moment-là et M le savait aussi bien que moi, elle le savait mieux que moi, elle le savait peut-être trop bien, en dépit de ses réticences et à cause de ses réticences justement, sachant que son string était trempé et qu'elle avait murmuré Je vous aime dans le creux de mon oreille et ce n'était pas comme si elle ne m'aimait pas, voilà, c'est dit. Pardon Julien. Nous faisons des choix et ils nous poursuivent toute notre existence. Il suffit d'un instant où l'on baisse sa garde pour que les catastrophes s'enchaînent. On ne couche pas un jeu gagnant : c'est mépriser la partie qui se joue et, en l'occurrence, ce fut mépriser l'amour que de ne pas le faire sur le rebord de ma cheminée, fût-ce pour rigoler, au commencement pour rigoler, dis-je avec des sanglots d'amertume dans les yeux. Qui ne sait que c'est le plus névrosé qui l'emporte toujours ? Pourquoi est-ce *toujours* la personne qui a froid qui oblige trente collègues à suffoquer dans des bureaux surchauffés ?

Niveau 12

Dire que je refreinai mes ardeurs *comme si elles étaient coupables*. Dire que je ne fus même pas furieux sur l'instant. Ne protestai aucunement. Nulle hargne envers M. Pas même pour lui jeter mon dépit à la face. Non, j'acceptai mon sort. Je m'alignai contre-instinctivement sur son refus comme s'il était légitime, conforme, logique, de droit divin. Je me retirai presto de sous ses jupes et bonne figure je fis. Amoureux je restai. Toujours aussi ému par cette fille, cette foutue Nitouche à qui on avait sans doute appris qu'on ne devait la toucher qu'avec les yeux et qui me mettait au supplice à force de ne rien assumer et M comme enracinée en moi. Pas grave, ce n'est pas grave, me persuadais-je (en me composant une apparence présentable). Ce n'est que partie remise, me persuadais-je (saloperie de briquet mouillé !). Nous avons toute la vie pour faire des galifioles. Ce n'est pas si important et, en tous les cas, cela l'est beaucoup moins pour moi que pour elle, oui, ma misère est *depuis toujours* sentimentale plus que sexuelle, songeais-je (en parvenant à allumer enfin une cigarette et en aspirant aussitôt une immense et profonde bouffée). Quoi qu'il en soit, elle ne pourra pas dire que je suis un sale type. Un gros bourrinard. Le genre de type qui cherche à tirer son coup et merci bonsoir. Au moins sait-elle maintenant que je la respecte à défaut de l'honorer et que mes intentions sont nobles, mes intentions sont pacifiques, oui, elle sait qu'elle n'a qu'un mot à dire pour dompter ma bête et, dans son monde effroyablement plus vertueux que le mien, je devais avoir marqué des points ; dans son monde totalement écaillé par la peur, ma frustration devait être un *minimum*, avais-je songé en l'aidant à descendre doucement de la cheminée. Elle chancelant en reprenant pied sur le sol. Étant un peu sonnée. Ne se sentant pas très bien. La tête lui tournait. Il fallait qu'elle s'assoie. Oh, j'avais déchiré sa robe, là, sur le côté ! Son beau Givenchic. Tant pis. Pas grave. Ce n'était qu'une robe. Euh. *Elle était désolée...* Tout cela allait trop vite pour elle... Comprenais-je ?... Elle ne pouvait... pas... Son fi... C'était... *Il ne fallait pas lui en vouloir.* Mais c'était au-dessus de ses forces. C'était... Ce n'était pas à cause de moi. Euh. Elle pouvait avoir un verre d'eau ? Mais bien sûr ! Tout de suite. Aucun problème. Euh. C'était moi qui *m'excusais.* Je ne voulais pas qu'elle croit. Surtout pas. Qu'elle s'imagine. Oh non ! Je n'étais pas du tout. Enfin. Euh. Chiotte !

Dans un de mes petits carnets, je retrouve cette citation, notée à l'époque et qui me crève le cœur aujourd'hui : « Il vaut mieux être impétueux que circonspect ; car la fortune est femme : pour la tenir soumise, il faut la traiter avec rudesse ; elle cède plutôt aux hommes qui usent de violence qu'à ceux qui agissent froidement : aussi est-elle toujours amie des jeunes gens, qui sont moins réservés, plus hardis et avec plus d'audace la commandent » (Machiavel, *Le Prince*, chapitre 25).

Me sentir vieux, soudain.

Niveau 13

En même temps. Ce ne fut pas uniquement par respect que je me retins à temps, in extremis, la braguette à moitié ouverte et ma méchanceté palpitant furieusement. Non plus par amour (quoi que ce mot signifie) ou parce que je suis un être civilisé qui ne violenterait jamais une femme sans son consentement. Non. Ce qui m'arrêta, c'est que je ne voulais pas prendre M de force.

Je ne voulais pas la *prendre* tout court.

Je voulais qu'elle se *donne*.

Saisis-tu la nuance ?

Je voulais qu'elle s'offre à moi, comme un don qu'elle se ferait à elle-même. C'est une possession plus entière, plus décisive et vaniteuse que je convoitais. Plus miraculeuse surtout. Je voulais qu'elle-même m'ouvre les portes de son palais, qu'elle-même fasse sauter ses verrous et les fasse sauter pour moi, parce que c'était moi. Je voulais arriver en terrain conquis et non profaner son pays et je voulais qu'elle m'accueille comme son libérateur, comme son héros, comme son maître et son amant et son ami, dans le luxe, le calme et la volupté. *Je voulais la réciprocité des désirs* ! L'amour courtois, au sens le plus médiéval du terme. C'est-à-dire que je voulais qu'à « la guerre des sexes elle mette fin en m'accordant sa chair et son anneau », comme le chantait au XIe siècle un poète du fin'amor (Guillaume d'Aquitaine). Je voulais follement qu'elle m'aime et l'amour ne se force pas. Je voulais qu'elle soit ma femelle au jardin d'acacia et qu'elle soit en même temps ma dame de cœur et, par-dessus tout, je ne voulais pas qu'elle dise non en me laissant le soin d'entendre oui, comme si elle s'en remettait à moi de ses propres désirs et refusait d'y prendre la moindre part, refusait toute responsabilité et s'arrangeait pour se disculper de ce qui pouvait arriver, préférant à la vérité qui était la sienne le confort que je la lui extorque et pas de ça avec moi ! *Pas elle !* Je voulais qu'elle dise oui et qu'elle le dise distinctement. Dise oui de tout son cœur en plus de le dire avec son corps. Dise oui sur ses seins parfumés, oui les yeux grands ouverts, oui comme dans la rue Tronchet, en me regardant cette fois en face, sans plus s'évanouir cette fois ni se dérober d'aucune manière mais, au contraire, qu'elle dise oui en me souriant de toutes ses dents, oui en étant heureuse de le dire, oui en pleine conscience plutôt qu'en perdant connaissance, oui en gémissant, en jouissant, avec les lèvres gonflées d'amour, oui, avec un grand o, un grand u et un grand i – on a des prétentions faramineuses quand on est amoureux. (Quand je disais que notre volonté conspire contre nous. Quand je parlais tout à l'heure des modalités qui sont les miennes.)

Comme disait l'autre (Romain Gary, dans une lettre du 14 avril 1938 adressée à Christel Söderlund) : « Je sais que tu es égoïste et que tu m'aimes dans la mesure où ça te fait plaisir, mais je voudrais savoir si c'est quelque chose de plus fort que toi, si tu peux, vraiment, tout quitter pour être à moi, ou s'il s'agit seulement de ce genre d'amour dérisoire et charmant auquel "il est agréable de céder de temps à autre", comme Goethe ne l'a pas écrit. »

Si M m'aimait uniquement selon son bon plaisir, un coup je dis oui un coup je dis non, cela ne m'intéressait pas.

Qu'elle se dérobe sur le rebord de la cheminée ne fut pas seulement une frustration sexuelle : ce fut d'abord une déception sentimentale.

Elle se sentait mieux ? Elle m'en voulait ? Je la dégoûtais maintenant ? Elle ne voulait plus me parler ? Elle voulait s'en aller ?

Voulait-elle un autre verre d'eau ? Une cigarette ? Un ratatine-ordures ? Un atomixer ? Du Dunlopillo ? (Oh Gudule !)

Elle voulait s'étendre un instant ? Elle voulait une serviette pour se sécher les cheveux ? Elle était toute pâle. L'air pas bien du tout (*son air pas bien du tout !*). Ses cheveux comme blancs soudain. Elle voulait que je mette un peu de musique ? Quelque chose de doux. De calme. De luxueux. Les Stooges par exemple ? I wanna be your god – euh, your dog, sorry. La plaisanterie ne la fit même pas sourire.

Elle semblait à cet instant uniquement soucieuse de remettre de l'ordre dans sa toilette, sans me regarder. En évitant de me regarder. Peut-être ne connaissait-elle pas les Stooges. Pour ma part, je me sentais complètement démuni. Ne savais que faire ni dire. Comment lui être agréable ? Comment enchaîner et renouer avec elle ? Nous étions tous les deux dans le creux de la vague. Quel fiasco soudain ! Voilà ce que c'est que de refuser la lumière : on se retrouve tout de suite plongé dans le noir. Pourvu que tout ne tourne pas eau de boudin, songeais-je en serrant les poings et les mâchoires.

Pour échapper au malaise, je me frayais un passage à travers la vision fugacement apocalyptique du salon pour aller brancher la chaîne hi-fi qui se trouvait dans la pièce à côté. Quand on songe que « stooges » veut dire « larbins » en français, criai-je depuis l'autre pièce. En France, on a Les Forbans, mais ce n'est pas le même genre. Vous connaissez l'histoire de Surcouf fait prisonnier par un amiral anglais ? Elle se trouve page 437. Ohé, vous êtes toujours là ? Vous m'entendez ? *You're still alive ?*

Niveau 14

Bon dieu, elle commençait à me courir sur le haricot, la donzelle. Elle n'allait pas *me péter les couilles* longtemps. Dans le genre pénible. Le genre fatigant. Toujours des vapeurs. Toujours des « attention fragile, objet d'art, à manipuler avec précaution » ! Toujours à faire son Arletty. Toujours des étoiles et des petits oiseaux zinzinulant pour rien. Des sauts dans le vide du haut des échelles. Même du rebord d'une cheminée ! Vrai que ce n'était pas très malin : l'installer *en hauteur*. C'était tenter le diable ! Okay. Mais je ne peux pas penser à tout. Je ne peux pas être responsable de tout à chaque instant. Et moi, alors ? Quand mon tour ? Quand quelqu'un aux petits soins avec moi ? Un geste dans ma direction ? Pour une fois dans *ma* direction et M comme mijaurée, ah oui ! M comme petite nature. Comme chigliteuse de première. Faut dire ce qui est, marmonnais-je tout bas en commençant à chercher dans la pile de CD celui qui pourrait convenir à la situation. Adoucir entre nous les mœurs. (Chet Baker, l'album There Will Never Be Another You ? « Les plus belles romances du piano romantique », avec, dans l'ordre, La Lettre à Élise, Jeux interdits, Rhapsody in Blue, Only You, Candle in the Wind, etc. ?). Mieux valait, à cet instant, de la musique facile.

Mais M comme la moutarde qui me montait finalement au nez. Là, soudain, comme un contrecoup. Une moutarde extra-forte, super-dijonnée. Tandis que j'étais dans la pièce d'à côté et qu'entre nous un gros mur dressait maintenant une salutaire séparation, me rendant invisible à ses yeux. Me laissant libre de marmonner dans ma barbe sans qu'elle le voie ni le sache. Tandis que je faisais hargneusement défiler les CD entre mes doigts à la recherche d'une solution musicale au problème nullement musical qui se posait maintenant entre nous, tout en expectorant de rageurs argh, waouh et autres snif et me vidant silencieusement de ce qui faisait boule dans ma gorge et me tordait les nerfs. Si cela n'avait tenu qu'à moi (mais qu'est-ce qui tient à moi ? Qu'est-ce qui a une seule fois dans ma vie tenu à moi ? Qui tient à moi finalement ?), je lui aurais crié depuis l'autre pièce ma façon de penser. Je lui aurais balancé mon paquet le sien. Ce que j'avais à ce moment-là sur le cœur autant que sur l'estomac et même plus bas. Ma frustration la mienne. Ma déception et sa cruauté. Histoire que cette déplorable situation ne m'inspire pas plus tard une théorie de l'existence que moi-même finirais par gober.

Surtout que tout le monde baisait aujourd'hui ! Bon dieu, tout le monde s'éclatait au pieu de nos jours. Elle n'était peut-être pas au courant, on lui avait peut-être dissimulé la vérité dans son chalet en Suisse et, en août, dans son domaine des Cornouailles, on lui avait peut-être appris qu'on ne doit coucher qu'avec les yeux, mais tout le monde s'envoyait en l'air de nos jours. Il fallait le lui dire dans quelle langue ? Elle voulait écouter quoi ? (It's Raining Men ? Press My Button (Ring My Bell) ? Sexual Healing ? What's New Pussycat ?). Tout le monde s'accouple aujourd'hui dès le premier soir – ou lors du deuxième rendez-vous pour ceux qui veulent se donner bon genre, mais certainement pas après des jours et des semaines comme c'était le cas pour nous ! Comme si nous étions au XIXᵉ siècle ou revenus à l'amour courtois et quoi encore ! Tout le monde cherche à jouir de nos jours, youpla boum et houba choupette. Tout le monde coïte à tire-larigot ! (I Put a Spell on You ? Like a Virgin ? Constipation Blues ?) Vous m'entendez ? Do you hear me ? Le sexe a une excellente image de nos jours. Souligné trente-trois fois. Et si les moins chanceux d'entre nous ne prennent leur pied que les années bissextiles, baiser n'est en tous les cas plus un problème moral aujourd'hui. (Stairway to Heaven ? I Can't Get no Satisfaction ? Light my Fire ?) Ce n'est plus un tabou ni un péché dans nos contrées. Ce n'est plus sale. Do you hear me, saperlotte de cruche : CE N'EST PLUS SALE ! Le corps n'est plus l'abominable vêtement de l'âme, il n'est plus son tabernacle, bordel de chiotte ! Ce n'est pas cela la Source sacrée ! Vous vous fourrez le doigt dans l'œil. Vous vous gourez de trou. On ne va plus en enfer pour si peu. Ce n'est même plus une revendication, crottin de zob. (Putain, c'était dans quel album de Zappa cette chanson qui dit : « What's the ugliest / part of your body /

Some say your nose / Some say your toes / But I think it's your mind / I think it's your miiiiiiinnd.) Putain, la part la plus dégoûtante de votre corps, c'est votre esprit. C'est votre ESPRIT ! Ce n'est pas moi qui le dis, c'est FRANK ZAPPA ! Putain, baiser est désormais super fun, cool, relax. C'est à présent permis. C'est recommandé. Une façon comme une autre de lier socialement connaissance. Et je dirais même plus : baiser est devenu impératif ! (Céline Dion ? Quoi ? J'avais un CD de Céline Dion ! ? D'où ? Quelle horreur !) Bon, je sais ce que vous allez dire : à force de voir le sexe s'étaler partout, il perd toute signification, il perd de son attrait, il devient totalement inoffensif et, au train où vont les choses, il risque même de perdre tout son charme pour n'inspirer plus que du dégoût, okay, je suis au courant. (The Torture Never Stops ? Glory Box ? Little Red Corvette ? Fecal Matter ?) Et ce dégoût pour le sexe ne sera pas moral, pas cette fois, non, il sera le dégoût qui vient de la satiété et de l'ostensible, comme c'est le destin de toutes les marchandises de devenir viles et périssables, je sais tout cela. (Sex Machine ? Rape Me ? O Superman ? Tiens, Laurie Anderson. Ça fait un bail…) Après des siècles de comités de censure et de discours moralisateurs, on peut même dire que la société va sans doute réaliser, grâce à un relâchement spectaculaire des mœurs, son rêve de se débarrasser de la seule aventure humaine qui échappe à son contrôle et dont la dépense lui apparaît scandaleusement improductive et vous comprenez ce que je raconte ? Vous voulez bien me passer l'un de mes petits carnets ? (I Want You (She's So Heavy) ? Whole Lotta Love ?) Mais on n'en est pas encore là, ma jolie ! La chape ne s'est pas encore totalement refermée. (Tutty Frutti ? Les Sex Pistols ? Tombeau pour M. de Sainte-Colombe ?) Le retour à la morale est en marche, les prudes (qui n'ont que le sexe en tête) sont de retour et ils sont fous furieux, oh oui, le XXIe siècle s'annonce méchamment spirituel, il s'annonce sexuellement hyperrépressif, les temps promettent de redevenir sacrément puritains, bien plus qu'ils ne l'étaient il y a vingt ans, je le sais, j'y étais. J'ai vu comment le sexe est devenu performatif et idéologique. Mais ce n'est pas encore le cas partout. Ce n'est pas le cas *rue Moblet !* Vous entendez ce que je dis ? Rue Moblet, chacun conserve une relative marge de manœuvre pour faire ce qui lui plaît. (Our Bizarre Relationship ? My Guitar Wants To Kill Your Mama ? Penis Dimension ?) Alors je vous le dis tout net : dans ce contexte, dans l'euphorie sexuelle qui règne désormais plus à la télé qu'en acte, vous auriez pu vous abandonner sur le rebord de la cheminée, merduche, vous auriez pu me faire cette fleur, qu'est-ce que cela vous coûtait ? (We Free, par Alexandre Saada et son collectif ? Yma Sumac ? I Say a

Little Prayer ?) Vous savez quoi ? Vous vous arrêtez à L'IMAGE DE L'AMOUR ! Mais l'image de l'amour, c'est la mort de l'amour ? Okay. Je sais que c'est le dépit qui parle par ma bouche, mais pour une fois que l'époque m'est vaguement favorable, vous auriez pu faire preuve d'un peu de SOUPLESSE. Être un peu COMPRÉHENSIVE. Être un tantinet GENTILLE. Vous oublier vous-même un tout petit peu. Vous montrer un tout petit peu câline, un minimum conciliante, je ne sais pas, être des nôtres en tirant un coup avec moi comme les autres, personne ne vous en aurait voulu, le ciel ne vous serait pas tombé sur la tête, vous n'auriez pas été lapidée, vous m'écoutez toujours ? Vous m'aimez oui ou non ? Vous me l'avez dit ou pas ? (La musique du Mépris ? Les Nuits d'une demoiselle ? Charles Trenet ?) Tiens, Charles Trenet. Vous aimez Charles Trenet ? Oh, je vous parle ! Y a de la joie : ça vous dit quelque chose ? Je t'attendrai à la porte du garage : vous captez les paroles ? Vous voulez pas chanter avec moi : « Je tâte André à la porte du garage. » Non ? C'est quoi le problème avec la porte de votre garage ? Elle ne s'ouvre que de l'intérieur ? Merde, faut savoir faire des compromis de temps en temps. C'est moi qui vous le dis. Vous m'écoutez ? Je suis sûr qu'on a dû vous appendre à faire des compromis dans vos écoles de jeunes filles en Suisse. Crotemerdre ! Trouduculus ! Vous savez quoi ? Nous avons un problème d'éducation vous et moi. Nous n'avons pas du tout le même point de vue sur les choses, les êtres, l'amour physique et cérébral, comme dit l'autre. Je ne sais pas si vous avez été à l'école de la vie, mais faut arrêter de vous épanouir dans la fiction. Ça suffit d'être habitée uniquement par vous-même. Intéressez-vous un peu à la vérité qui vient de la réalité. Putain, je sais que nous n'avons pas été élevés de la même manière, mais voyez où nous en sommes : c'est une CATASTROPHE ! Alors que tout aurait pu être si simple. Absolument naturel ! (Dead River de Lydia Lunch ? Suck My Left One des Bikini Kill ? Shut Your Face de Bratmobile ?) Bon dieu, nul n'ignore aujourd'hui les ravages d'une éducation corsetée. Ces ravages sont extrêmement bien documentés. Vous m'écoutez ? La frustration sexuelle a salement façonné le monde à partir du XIXe siècle et, quelques générations plus tard, ce ne fut pas joli à voir. Le monde était à feu et à sang. Raison pour laquelle ce type d'éducation a été abandonné au profit d'une éducation décorsetée, dont, je vous le concède, nul ne peut dire encore les ravages qu'elle cause, il est encore un trop tôt. Comme d'habitude, les méfaits du passé occultent toute réflexion sur les méfaits du présent. Okay. Mais en attendant, la reine Victoria est morte ! En attendant, je ne voue pas un culte au sexe, moi. Je n'en fais pas une MONTAGNE (Jean Ferrat ?). En attendant, vous n'êtes pas la grotte Chauvet interdite au public pour éviter qu'elle se dégrade. Votre chatte n'est pas un trésor de l'humanité. Elle n'a pas 36 000 ans, dieu merci ! Bon dieu, faut ouvrir les yeux, ma petite dame. Il faut changer d'échelle. À quoi bon vous être laissé tomber comme un sac si c'était pour en arriver là ! (Le Procédé Guimard Delaunay ?) Bon dieu, « quand on pense que Joan baise / Qu'Antony couine / Qu'Antoine pinait / Que Pierre Laval ». Bon dieu, des jours et des semaines pour entrer dans l'eau, juste y mettre un orteil : c'est tout de même un peu excessif, non ? Plus personne ne tergiverse à ce point. La mer est chauffée aujourd'hui ! Saperlotte, je sais bien qu'on ne se jette pas à l'eau sans se mouiller un peu – mais tout de même. Je ne vous demande pas d'entrer dans l'adultère jusqu'aux épaules. On n'en est pas là. Vous n'êtes pas ENCORE mariée ! On a tout notre temps. Ce n'est encore que le petit bain. C'est juste le pédiluve. Et puis, personne n'aurait été obligé de savoir. Cela aurait été notre secret. Tout au plus risquiez-vous de prendre un peu, beaucoup, passionnément ou pas de plaisir du tout et l'intérêt de ce genre d'information ne me paraît pas négligeable. Surtout si on projette de passer devant le maire et le curé. Je dis ça pour vous. Je vous le dis en ami. Je dis ça en mémoire de Julien. Sans votre refus, il serait encore en vie ! Vous percutez ? Vous mesurez LES CONSÉQUENCES ? À votre place, j'aurais fait moins de manières. Je n'aurais pas HÉSITÉ. J'aurais voulu en avoir le cœur net, ah oui, c'était tout de même l'occasion rêvée d'enterrer avec panache votre vie de jeune fille. Cela aurait eu de la gueule ! (Gossip ? CocoRosie ? Tulla Larsen ?) Bon dieu, l'univers est clairement constitué de petites cordes qui vibrent et vous, vous jouez les saintes nitouches ? Et puis quoi : on est en 2004, on est à peine trois ans après les attentats du 11-Septembre et elle comprenait ce que cela signifiait ? Elle réalisait un peu LA SITUATION ? Nous ne sommes plus en sécurité nulle part ! Nous sommes exposés à chaque instant. Il est fini le temps des certitudes. Exit l'insouciance (Le curé de Camaret ? Il court il court le furet ?) Même dans son chalet en suisse elle n'était plus en sécurité. Plus personne ne l'était. Elle pouvait m'en croire ! Le chaos nous avait rattrapés et il n'allait plus nous lâcher. Cela allait empirer ! Vous m'entendez ? Elle se tenait un peu au courant de ce qui se passait ? Et ce n'était que le début. On n'avait encore rien vu ! D'ici peu, un tsunami dévasterait l'Asie, faisant 250 000 morts : que disait-elle de ça ? Elle voyait la mort frapper par terre, par mer ou par les airs ? À cause des hommes ou à cause de la nature ? Nous étions cernés ! On allait en chier pendant très longtemps. N'importe qui pouvait à tout moment faire sauter la tour Eiffel et celle-ci s'effondrer de tout son long, braoum, avant de s'écrouler pile sur la rue Moblet, SPLASH ! Elle pouvait me croire : tout est envisageable désormais. Le pire est devenu certain. La menace est partout. Les zombies sont à nos portes. Ils sont entrés dans Paris. L'un par Issy, l'autre par Ivry. Un virus est en train de dévaster la planète. *Nous vivons nos derniers instants*. La civilisation s'écroule et vous vous refusez à moi ? On croit rêver ! Il faut nous serrer les coudes, ma petite dame. Il faut nous tenir chaud les uns les autres. Que croyez-vous ? Ouvrez les yeux bon dieu ! Les fous criminels sont partout à présent. Ils sont armés de couteaux, de machettes, d'armes automatiques. David Vincent les a vus ! Le cauchemar a commencé. Le pire est à venir. La guerre est en marche. De partout elle pousse et tire et veut semer la mort. Les ventes d'armes battent des records. En France, elles sont passées ces quatre dernières années de 4 milliards à 45 milliards d'euros et ce n'est pas pour rien. Ce n'est pas pour garder son flingue dans sa culotte. La poudre va parler. Elle va parler comme jamais ! Les braguettes vont immensément s'ouvrir. Ça va gicler dans tous les coins ! C'est une certitude. La boucherie s'annonce et elle sera effroyable. Et nous sommes en première ligne puisque ce sont les populations civiles qui trinquent aujourd'hui. Nous sommes seuls au monde à présent. Il suffit d'aller au cinéma pour s'en rendre compte : les films nous montrent aujourd'hui que la catastrophe a eu lieu et qu'il nous faut nous débrouiller par nos propres moyens. Il s'agit maintenant de *survivre* dans un monde devenu totalement *hostile*. Comprenez-vous ? Nous sommes tous des NAUFRAGÉS. Des SURVIVANTS. Des Robinson livrés à eux-mêmes. Le dernier carré de l'humanité. Dieu est mort, la planète crève, les ressources sont épuisées, les hommes s'entretuent pour se sentir un tout petit peu exister, n'importe quel droit commun peut se croire un soldat de dieu tant il est vrai que chacun a tendance à sublimer sa merde : mais dans quel monde vivez-vous ? Il y a assez de vierges au ciel pour ne pas en rajouter sur Terre ! Vous m'entendez ? Je suis trop long ? Mais je veux mon neveu ! J'ai *mes* raisons et elles commencement toutes par la lettre M ! Vous le faites exprès ou quoi ? Ça vous plaît que des mecs se mettent à tirer sur tout ce qui bouge à l'arme lourde ? Vous pensez que ces types sont sexuellement épanouis ? Vous ne vous dites pas qu'ils feraient mieux de se trouver une copine et de tirer leur coup avec leur petit zizi ? Vous vous prenez pour qui ? Pour Lysistrata ? (Einstein on the Beach ? Les Quatre Saisons de Vivaldi ? Laura Desville ?) Bon dieu, il n'y a plus de temps à perdre si nous voulons être heureux. CHAQUE MINUTE COMPTE. Chaque seconde est une seconde de vie arrachée à la mort qui vient. Ce n'est pas comme si nous avions toute la vie devant nous. Nous n'avons plus toute la vie devant nous. Nous n'avons plus de futur qui vaille la peine. Il est trop tard. L'Occident n'en finit plus de s'effondrer sur lui-même comme les tours jumelles dans un fracas pestilentiel, dans un panache de fumée qui recouvre tout, un brouillard épouvantable et merde à la fin ! Merde merde merde et merde ! Ô misère. Misère du monde. Elle s'en fichait peut-être, mais chacun d'entre nous était concerné, elle était concernée. (Dominique Grange ? La Java des bons enfants ?) Ô misère de ma vie. Misère de moi. Regardez dans quel état vous me mettez ! Ouvrez les yeux bon sang ! Le monde s'écroule et nous ne nous aimons même pas ? Allez dire ça à d'autres ! (Le Livre de la Jungle ?) Ah oui, qu'est-ce qu'on attend pour être heureux ! Qu'est-ce que vous attendez, VOUS ? Alors qu'il en faut peu pour être heureux. Vraiment très peu pour être heureux. Vous attendez quoi ? Je suis là ! Je suis tout à vous. Je vous aime ! Vous m'entendez ? D'une minute à l'autre nous pouvons vous et moi être pulvérisés et, dans un moment pareil, vous faites quoi ? Vous pleurez votre mère parce que je m'approche d'un peu trop près de votre miglou. Vous vous accrochez à votre petit moi apeuré alors que L'UNIVERS PART EN COUILLE ! Alors que des gens se présentent avec un caddy empli à ras bord à des caisses où il est indiqué « moins de dix articles » et comment voulez-vous que cette société s'en sorte ? Nous sommes fichus ! Savez-vous que la qualité du sperme a chuté de 32 % en vingt-cinq ans et qu'elle diminue chaque année au rythme de 1,9 % ? Vous rendez-vous compte de ce que cela signifie ? Connaissez-vous le lac Apopka ? Vous avez lu la page 201 ? D'ici peu, je ne pourrais plus gicler. Notre espèce est menacée d'extinction. Au train où l'eau potable saturée en substances organochlorées émascule toute vie sur Terre, le projet politique de nous rendre tous asexués et impuissants aura été accompli. Savez-vous que de plus en plus de gens prônent l'abstinence sexuelle comme on devance l'appel ? Me dites pas que vous êtes comme eux ! Ne me dites que vous croyez vous aussi au sexe émasculé ! Que vous allez prendre le VOILE ! Par pitié ! Mesurez-vous que d'ici dix ou vingt ans, l'humanité ne sera plus capable physiquement de s'aimer toute seule ? Ne voyez-vous pas que la science travaille déjà à des entités biologiques ou robotiques capables de prendre notre place dans un lit et votre attitude ne vous paraît-elle pas un tantinet dérisoire ? Franchement infantile ? Totalement aliénée ?

Attendez ! Je n'ai pas fini. Vous n'allez pas vous en sortir comme ça. Fallait pas me provoquer. Faut pas me frustrer. Vous avez réveillé la bête. Vous avez réveillé Monsieur Gicle. Vous ne connaissez pas Monsieur Gicle ? Vous allez le connaître ! C'est votre faute. Préparez le

Sopalin ! Ma semence ne sera pas perdue pour tout le monde ! Quand on ne veut pas l'amour, on a la haine. Nos actes ont des conséquences. Ils décrivent d'immenses trajectoires. Nom d'une vucruche ! Espèce de passiflore à cornes ! Misérable petite anthropocène du passé ! Saleté d'individualiste de masse ! Affreuse Zsa Zsa ! Pfuit pfuit ! Vous avez quoi dans le crâne ? Vous ne voyez pas que tout fout le camp en ce moment même ? Qu'il n'y a plus personne que nous deux ? Vous ne me croyez pas ? Attendez ! Il me vient, là, tout de suite, certaines images.

Des tas d'images.

Vous m'écoutez ?

Quelles images ?

Ah ah ah !

Si vous voulez le savoir, vous n'avez qu'à vous rendre à l'adresse www.ledossierm.fr/12. C'est là que je vous attends.

Hey, je vous parle ! Mais où sont passées les gazelles ? (Lizzy Mercier Descloux ? X-Ray Spex ? L'Art Ensemble of Chicago ?) Hey, vous voulez que je vous dise ? Je vous trouve finalement bien mesquine de vous refuser à moi. Voilà ! Je vous trouve ÉGOÏSTE ! Vous m'entendez ? Qu'est-ce que cela vous COÛTAIT ? Vous en aviez ENVIE autant que moi. Vous le savez et je le sais. Votre corps le voulait. J'ai bien vu. J'en ai encore le goût dans ma bouche. Osez dire le contraire. Osez nier ! C'est quoi votre problème ? Vous êtes vierge ? Vous êtes VIERGE ? C'est ça ? Vous vous réservez pour le mariage ? Vous voulez mettre votre virginité aux ENCHÈRES ? Comme un Monet (avec un y). Comme une *antiquité* ! C'est bien ça ? J'ai tout pigé ? C'est une histoire d'argent ? De marteau et de plus offrant ? Car on en est là aujourd'hui (au moment où j'écris). Eh quoi ? Vous voulez être de ce monde plutôt que du mien ? Dites-le alors ! Qu'on en finisse ! Bon dieu, j'aimerais savoir l'idée que vous vous faites de votre sexe. J'aimerais un DESSIN ! Ah oui ! Votre fente aurait-elle le sourire de J.R. ? (Mais quelle horreur ! Chasser cette image, vite !) Votre main tracerait-elle un S barré de deux barres verticales – genre $? Et pourquoi pas un derrick ! Sapristi ! Et si ce n'était pas pour vous, vous pouviez faire cela POUR MOI ! Vous pouviez me donner une PREUVE ! Que suis-je censé croire maintenant ? Où la RÉCIPROCITÉ ? Alors que je suis prêt à changer pour vous, à tout révolutionner en moi, à faire tout ce qui vous plaît même si cela me déplaît. Alors que j'ai envoyé paître la fortune pour vous.

Alors que je suis allé en rêve jusqu'en Cornouailles manger tous les muffins de votre mère sans en laisser aucun, me couvrant pour vous de honte. Alors que j'ai failli renoncer à tous mes principes en commanditant le meurtre de votre fiancé et, euh, qu'est-ce que je raconte ? Mettons que je n'ai rien dit, heu, vous n'êtes pas censée être au courant, surtout pas, euh, la page 704 n'a pas encore eu lieu, euh, mettons que vous n'avez rien entendu. Motus. Oh, une mésange à bec noir : vous l'avez vue ? Bon. Tout de même. Sans déconner ! Vous avez détruit mon salon, mordu ma main jusqu'au sang, saccagé tout ce qu'il y avait en moi, tout détruit, détruire, dit-elle. Fait chier ! Qu'avez-vous fait ? Je répète : qu'avez-vous fait ? QUEL GESTE DANS MA DIRECTION ? Avez-vous UNE SEULE FOIS consenti à ce qui, sous couvert de me faire plaisir, ne vous arrangeait pas d'abord ? Ne vous arrangeait pas EXCLUSIVEMENT ? Hey, je vous parle : vous êtes-vous jamais CASSÉ LE CUL pour moi ? Dites-moi quand ? J'écoute. Je suis tout ouïe. Même une toute petite fois. Je ne demande pas la lune. Vous avez vu Mort d'un pourri (1977) ? Lorsque Delon dit que la corruption le dégoûte mais que la vertu lui glace les sangs. Votre vertu me glace les sangs ! Vous comprenez ? Ce n'est pas seulement sexuel, c'est philosophique. MÉCHANTE FEMME ! Alors que, à votre place, moi à votre place, j'aurais IMMÉDIATEMENT accédé à votre désir ! J'aurais SANS BARGUIGNER cherché à vous faire plaisir, même si je n'en avais pas envie. Même si j'avais peur. Parce que je vous aime. Parce que je vous aurais fait passer avant mon bon plaisir. Parce que votre plaisir serait devenu le mien. VOUS COMPRENEZ CE QUE JE DIS ? Aimer n'est pas synonyme de confort ! En aucun cas. Se mettre à la place d'autrui : voilà ce dont plus personne n'est capable ! Plus personne ne fait rien par amour ! Alors que moi, malgré mes problèmes de vertige, je monterais au sommet de la Coït Tower, San Francisco, Californie (64 mètres de haut, 5 dollars l'entrée) si vous me le demandiez, s'il fallait vous sauver la vie. Tant qu'elle tient encore debout et que des fous dangereux ne l'ont pas fait exploser. Avec un nom pareil, cette tour devrait exciter tous les terroristes du monde ! Tous les haineux du sexe. Tous les impuissants de la vie. En attendant, je vaincrais mon vertige POUR VOUS ! Je n'hésiterais pas une seconde. Sacrebleu, vous devriez apprendre à lâcher prise, ma jolie. Vous voulez être tranquille mais peau de balle ma jolie. La vie ne veut pas être tranquille. Elle n'est pas tranquille. Elle ne nous laisse pas tranquilles et elle ne vous laissera jamais tranquille. Vous pouvez faire la morte, la mort ne vous oubliera pas ! Il faut être un putain de franquiste pour inventer un slogan disant « Je crois en la tranquillité durable ». Les franquistes, ça lui disait quelque chose ? Franco ? La guerre d'Espagne ? La dictature ? Bon dieu, il n'y a pas que du haut d'une échelle qu'on peut se laisser tomber. Vous entendez ce que je dis ? Quand je pense qu'Ali MacGraw était « admirablement directe » avec les hommes (voir page 279). Quelle pitié ! Vous croyez être votre propre bouée de sauvetage mais vous êtes à vous-même une enclume accrochée à votre cou qui vous envoie par le fond. Vous ne savez que nullifier les facultés des autres. Voilà. NULLIFIER ! C'est le mot ! Nullifier les facultés des autres. Et les vôtres aussi. Vous nullifiez tout ! (*Ubik*, de Philip K. Dick ? *La Princesse de Clèves* ? *Le Lys dans la vallée* ?). Et après ça, vous allez dire que vous êtes une mouette… je suis une mouette… non, ce n'est pas ça… je suis une actrice… oh là là ! Vous allez faire quoi maintenant ? Cultiver toute seule votre *jardin secret* ? Tailler votre haie des Cornouailles ? Que croyez-vous qu'il va se passer maintenant ? Que croyiez-vous qu'il allait se passer ? Qu'en couchant avec moi le monde allait s'effondrer. Ce serait L'APOCALYPSE ! Parce qu'on nous rabâche à longueur de journée que ce sera la fin du monde si on change le monde. Ce sera la crise supermondiale. Ce sera la CHIENLIT ! Du coup, plus personne n'ose bouger le petit doigt *dans son existence*. Tout le monde intériorise le message et ne s'imagine plus changer ce qui cloche dans sa vie. Surtout dans votre monde, où on a tout intérêt à ce que les choses restent en l'état. Où on redoute par-dessus tout un changement de société. Osez dire le contraire ! Mais on parle de votre vie, là. On parle de sexe allée, avec l'amour ! On ne parle pas économie politique. Okay. Listen to me, écoutez-moi nom d'un jus de poule : on peut faire l'ange pour nier la mort comme on peut faire la bête pour l'oublier, la vérité, c'est que nous sommes des êtres humains et que c'est à partir de là qu'il y a quelque chose à inventer. J'ai entendu cette phrase à la radio il y a trente-cinq ans et je ne l'ai jamais oubliée. Certaines phrases ne prennent pas une ride et j'aimerais beaucoup que vous appreniez celle-ci par cœur pour la transmettre ensuite à vos enfants et ainsi de suite, de génération en génération. Vous entendez ce que je dis ? Vous voulez que je vous dise ? Ne vous mariez pas. Ou alors avec moi. S'il vous plaît. Rappelez-vous Julie de Chastillon : quand elle épouse le colonel d'Aiglemont, elle ne se doute pas qu'elle se morfondra un an plus tard. Rappelez-vous *La Femme de trente ans*. Rappelez-vous Virginia Woolf. Dans son Journal, elle a écrit, je cite : « J'ai épousé Léonard et je suis tombée en dépression pendant trois ans. » Vous pigez ? Vous allez le payer très cher. La dépression vous pend au nez. Vous allez être très malheureuse si vous écoutez votre tête plutôt que votre ventre. Hey ? Vous êtes toujours là ? HEY : J'AI TROUVÉ ! Vous connaissez la musique d'Ascenseur pour l'échafaud ? Elle est vraiment cool, zen, relax.

Vous avez vu le film ? L'histoire d'un type coincé dans un ascenseur tandis que la femme dont il vient de tuer le mari par amour pour elle erre dans la nuit en se demandant pourquoi les choses ne se passent pas comme prévu. Sinon, je peux mettre le CD « 50 espèces d'oiseaux de l'Ardèche ». *Ardèche Natural Soundtrack* en anglais. Ça a l'air groovy. Il y a le pinson des arbres, le pouillot véloce, le troglodyte mignon (le troglodyte mignon !), la sitelle torchepot, l'alouette des champs, gentille alouette. Ça vous tente ? Il y a même la mésange à bec noir.

Bon.

Bien bien bien.

Maintenant que j'ai dit *tout* ça

j'ai envie de me taire.

J'ai envie de dire tout le contraire.

C'est une fois qu'on les a couchées sur le papier que l'on réalise à quel point ses pensées sont pourries, bien viciées, toutes gangrenées. Ce qu'on ne saurait pas si on ne les couchait pas sur le papier. Ce pourquoi j'écris. Afin de me démentir. Échapper à mes propres affects. Me libérer de moi-même.

Ce n'est pas une reculade. C'est seulement que prendre le parti opposé au mien ne serait pas moins faux. C'est façon de garder mes distances. C'est pure hygiène.

Au fait : si la France n'est pas un pays ? Tu as trouvé ?

C'est bon ?

Tu vas mieux ?

Tu as repris tes esprits ?

Tu as moins mal ?

On peut continuer ?

Niveau 15

Lorsque je revins au salon, j'étais très calme. Plus du tout énervé. J'avais repris le contrôle de mes nerfs. Mon visage ne trahissait plus aucune exaspération. Surmonté le dépit ! Il n'en restait plus rien à présent. Je m'étais soulagé derrière le mur, à l'abri des regards, sans que M s'en doutât et j'étais de nouveau moi-même. De nouveau tout sourire. Toujours aussi amoureux. Comme si de rien n'était. Ce n'était pas plus compliqué. Paré pour la suite des événements j'étais. Paré pour le deuxième round, même si j'avais perdu le premier. Je savais que ce ne serait pas facile avec M. Je le savais depuis le début et j'avais fait ce qu'il fallait pour surmonter ma frustration. Sachant que contenir son dépit comporte toujours le risque qu'il se mette à parler par votre bouche et, à la fin, on devient comme ces gosses qui, n'aimant pas les épinards, affirment que les épinards, c'est beurk, pouah, dégueu. Alors que cela en dit plus long sur eux que sur les épinards. Pas de ça avec moi ! Je n'étais pas tombé si bas pour transformer mes sensations en attribut de l'autre et confondre M avec la déception qu'elle m'inspirait à cet instant. Que je sois dépité ne signifiait pas qu'elle fut décevante. Cela n'avait rien à voir. Je voulais le croire. Tandis que zinzinulaient maintenant dans la pièce une multitude d'oiseaux de toutes les couleurs et on se serait cru dans une volière. *On se serait cru en Ardèche !* C'était enchanteur. C'était ineffable. Tout à fait dépaysant. Une espèce de miracle. Même l'air semblait vivifié, frais, doux et venteux. Comme des anges, les oiseaux nous prenaient sur leur aile pour nous emmener ailleurs. Il n'en fallait pas davantage pour nous sortir de l'impasse. Exactement la bande-son qu'il fallait.

Dans un de mes petits carnets, j'ai noté plus tard, deux points ouvrez les guillemets : « Que des obstacles se dressent sur la route des amants est la modalité de l'amour… *en Occident* » (c'est moi qui ai souligné).

Parce que j'avais lu que, dans les années 30, un anthropologue anglais venu en Rhodésie pour étudier les mœurs des « primitifs » locaux avait tenté d'expliquer à la tribu assemblée la conception de l'amour qui prévalait dans son pays – à savoir que pour conquérir sa belle, un chevalier devait surmonter de terribles épreuves. Il devait mériter l'amour de sa belle. À ces mots, le chef de la tribu avait longuement hoché la tête. Il n'était pas convaincu. Il avait demandé : « Mais pourquoi le chevalier fait-il tout cela ? Ne peut-il pas prendre une autre fille à la place ? »

Prendre une autre fille ? Une fille plus facile. Mais quelle excellente idée !

Que ne suis-je né Rhodésie dans les années 30 !

Que ne suis-je un primitif !

Et M donc !

Maintenant, cela me ferait rire qu'un groupe de Femen débarque dans mon récit pour brandir le poing et, sur leurs poitrines, des slogans m'étant hostiles seraient inscrits en grosses lettres noires et rouges. Le mot « maudit » peut-être. Tracé peut-être avec leur merde. Cela me plairait. Cela mettrait du piment. Quand on voit comment ces jeunes femmes exposent leurs corps nus à la violence obtuse et forcenée des hommes, je les laisserais faire. Je ne m'opposerais en aucune manière à leur tapage. Je me rangerais plutôt de leur côté. Je ne plaisante pas.

Niveau 16

Mais finissons-en. Arrêtons de prendre sur la page un plaisir que je ne pris pas sur le rebord de ma cheminée. En sorte, M m'aimait, elle me l'avait dit ; elle avait envie de moi, son corps le disait ; la société poussait au dévergondage, tout était donc propice – et puis non. S'IL VOUS PLAÎT ! M comme Non. M comme Féerie pour une autre fois, comme disait l'autre.

Tout aurait pourtant pu être si simple entre nous. Tout était tellement simple de mon point de vue, à mon niveau de pulsion follement amoureuse et, désormais, à mon niveau d'amertume personnelle. Car l'amertume ne disparaît pas aussi vite, elle n'est pas l'affaire d'un ou deux paragraphes et puis s'en va. Que fallait-il de plus pour que M consente, cède, accède à son désir et au mien et à celui que nous pouvions inventer ensemble ? Quelle force de caractère était donc la sienne (force qui, je l'avoue, n'était pas non plus pour me déplaire, eh non, hélas) ? Plus que le fait que les hommes lui résistent, n'était-ce pas elle qui aimait surtout résister ? Bien ma chance ! En sorte, il avait fallu que je tombe sur la seule fille à des kilomètres à la ronde qui, du sexe, faisait encore tout un plat ; qui, de son sexe, faisait – quoi ? Un autel, une église, un sacrement, le lieu ultime de l'engagement amoureux, la scène finale du don de soi et quoi encore ? Le garant de son Intégrité avec un grand I ? Bon dieu, il s'agissait de son *vagin* ! Il s'agissait de *muqueuses*. N'était-ce pas *un tout petit peu* exagéré ?

Cela me rappelle, tiens, oui, c'est drôle, tiens, encore un souvenir, de nouveau une parenthèse, attends, ne bouge pas, je reviens tout de suite, je dois aller chercher quelque chose à la cave.

Niveau 17

En attendant que je remonte de la cave, il me faut te faire un aveu. À force d'être dépité et frustré. Parce que cela faisait des jours des semaines et même des mois que M me faisait marcher et courir et ramper. Son hameçon fiché dans mon cœur et le déchirant à chaque mouvement qu'elle faisait. À chaque rebuffade qu'elle m'infligeait. Pour le dire avec le pathétique qui convient. Quand bien même elle occupait toutes mes pensées. Oui. J'eus, en marge, pendant quelque temps, une histoire de petit M. Voilà. C'est dit.

Elle s'appelait M elle aussi, mais ce n'était pas le même prénom. Pour dire à quel point on ne pouvait les confondre, petite M était asiatique. Elle était coréenne. Du « Pays du matin frais ».

Je la rencontrai un soir où, ruminant chez moi et n'y tenant plus, je décidai de me changer les idées et en moins de temps qu'il n'en faut pour l'écrire, je me retrouvai dans un bar (toujours le même, celui où j'avais pris mes quartiers de nuit), accoudé au comptoir, tandis que les lumières tamisées, les chips, etc.

Je ne te fais pas un dessin.

C'était ça ou rester chez moi en espérant que M me fasse signe tout en regardant à la télévision des types qui jouaient à saute-mouton sur Arte. Car la nuit, des types déguisés en mouton jouaient à saute-mouton à la télévision, indéfiniment, inlassablement, pendant des heures et des heures et cela faisait des années que cela durait. C'était fascinant. Je me disais : waouh, voici des types déguisés en mouton qui jouent toute la nuit à saute-mouton et je ne savais pas quoi en penser. C'était compliqué. Ces trois types avaient dû être des enfants un jour et avaient-ils la sensation d'être loin, très loin ou moyennement loin de leurs rêves d'enfant ? Jouer à saute-mouton chaque nuit que dieu faisait sous couvert de rotation de la Terre autour du Soleil était-il leur ambition première dans la vie ? Qu'en pensaient leur femme, leur petite copine ou leur petit copain, s'ils en avaient ? Leurs conjoints étaient-ils contents que l'être qu'ils aimaient gagnât sa vie déguisé en mouton et jouant à saute-mouton avec deux autres gus logés à la même enseigne ? Qu'en pensaient-ils eux-mêmes, en leur for, à leur niveau individuel des choses qu'on fait ou qu'on ne fait pas de son existence ? Ils en rigolaient ou, secrètement, en pleuraient ? Ils trouvaient ça cool, zen, relax ? Je ne sais pas. Tout est si mystérieux, même sans chercher. Mais je me fais du mal et, ce soir-là, j'avais préféré aller prendre un verre. Je ne voulais plus penser à M, si ne plus penser à elle était possible.

C'est ainsi que je rencontrai petite M.

Dans un bar.

Tandis qu'une douce lumière tamisait ses longs cheveux noirs et fins.

Etc.

Pour une fois je ne racontai pas ma vie.

Je ne ramenai pas du tout ma fraise.

Monsieur Gicle dormait à mes pieds, roulé en boule.

Je la laissai parler. Sa façon coréenne de parler français, d'inverser certaines tournures grammaticales, de prononcer certains mots qui, dans sa bouche, en faisaient entendre d'autres qu'on ne pouvait soupçonner tant qu'elle ne les avait pas fait sonner dans l'air me troublait, « comme un désordre dans sa toilette ». Je l'écoutais. J'en disais le moins possible. Me contenant de relancer la conversation le plus judicieusement qu'il me paraissait. Tout à fait intéressé par elle. Désireux de la séduire car elle me plaisait. Elle était jolie. Fraîche. Enjouée. Folle. À fleur de peau, sous des dehors impénétrables. Elle ne ressemblait à aucune fille que j'aurais vu jouer dans une publicité et c'est tout dire.

Cela ne loupa pas.

Elle habitait tout près du bar.

C'est elle qui me prit par la main et m'emmena chez elle.

Je ne me fis pas prier.

Nous nous fréquentâmes un certain temps.

Pas longtemps.

En marge de mon histoire de grande M.

Entre nous, *dès le premier soir*, ce fut immédiatement sexuel, comme on dit. Ce fut sexuellement sexuel. Cela me changeait. J'eus soudain le sentiment de reprendre pied dans la réalité. De renouer avec l'espèce humaine. Avec des désirs humains. Un comportement humain. Un corps tout simplement. Mon corps enfin. Et le sien. Son corps de femme. Il me fit le plus grand bien.

À l'intérieur de mon histoire de grande M, j'étais sexuellement très disponible si j'étais sentimentalement très pris.

Pas une seule seconde je n'eus le sentiment de trahir M. Je me sauvais. Je donnais à une autre ce dont M ne voulait pas – en attendant qu'elle veuille bien.

Désolé petite M. Mille excuses grande M.

Petite M était sauvage. Une nuit féroce déchirait son être. Ce dont nul ne pouvait se douter à la voir. En public, elle était la pudeur même. Elle était le glabre de l'Asie. Jade et jaspe.

Elle était minuscule : une poupée. Avec un visage lunaire. Des yeux noirs très bridés, comme deux meurtrières, deux éclats de bakélite. Des cheveux comme des baguettes, mais si fins. Elle ne parlait pas beaucoup. Une aptitude immense au silence et à la solitude.

Cela me convenait parfaitement.

Rien de commun avec grande M. Rien de comparable. Son envers strictement.

Fille unique de diplomates, elle vivait seule à Paris, tous frais payés.

Nous buvions beaucoup. Elle autant que moi. Des alcools forts.

Qu'elle habite à deux pas du bar où nous nous étions rencontrés et où nous avions pris nos quartiers était *très* pratique.

Un soir que nous étions ivres, nous allâmes chez elle. Il faisait chaud. Nous prîmes l'air sur son balcon. Tous les deux nus comme des vers. La rue tout en bas. Les voitures. La nuit.

Petite M se pendit à mon cou. Elle se lova contre moi. M'excita de la main et de la bouche. Elle voulait que je la prenne, là, sur le balcon, au clair de la Lune. Saisi d'une espèce de fureur, je la soulevai comme une plume, la pris dans mes bras, m'approchai de la balustrade, passai mes deux bras et, un instant, la tint au-dessus du vide. Son visage lunaire ne me quittait pas des yeux. Elle n'avait pas peur. Elle attendait. Elle s'en remettait entièrement à moi. Je la ramenai à l'intérieur de la pièce. Je tremblai.

Et si je l'avais lâchée ? Si mes bras s'étaient tétanisés ? Si une faiblesse musculaire tout à coup ?

J'eus peur de ce dont j'étais capable.

Et encore plus que petite M se soit laissé faire. Comme si…

Je m'effraie encore d'avoir suspendu sa vie au-dessus du vide.

Je n'étais pas dans mon état normal. Je ne l'étais plus depuis la machine à café de marque Illico.

Petite M était aussi docile que grande M était rétive. Elle était tout ce que j'aurais voulu que M fût avec moi ; mais elle n'était pas grande M. C'était très bizarre. Ou cela ne l'était pas du tout. En tous les cas, petite M avait le don d'exciter chez moi une frénésie, presque une rage, que je ne me connaissais pas. Elle appuyait là où. Exigeait le frisson. Voulait défier nos sensations. Elle se tenait sur la crête d'un désespoir désespéré. Absolu était son besoin d'absolu. Irrémédiable il était. Bouleversant et glacial.

Je sus ce jour-là que cela ne durerait pas entre nous.

Il eût fallu l'aimer pour faire le voyage avec elle.

Je n'ai pas oublié petite M. Elle est liée à mon histoire de grande M.

Mais pas seulement.

Bien plus tard, j'appris qu'elle avait mis le feu à son appartement.

Je crois qu'elle est rentrée en Corée, sous la pression parentale.

Sans mon histoire de grande M, je serais peut-être encore avec petite M. Je serais peut-être à Séoul à l'heure qu'il est. Je plaisante. N'empêche : petite M me convenait bien mieux que grande M. Elle m'était, physiquement et psychiquement, plus proche. Elle était aussi détraquée que je l'étais. Aussi exaspérée en son for. Quoique d'une manière qui lui était propre.

Un soir, elle me confia. Son effroi. Son secret le plus inavouable. Le fantasme qui la dévastait. Avec un chien. Qui la prendrait. Un berger allemand. Elle à quatre pattes. Et le chien la prenant. Par-derrière. La baisant. Elle en tremblait. Rien qu'à l'idée. Elle en rêvait. D'un chien. Un berger allemand. Qui la baiserait par-derrière. Ses deux grosses pattes griffant son dos. Sa frénésie de chien. Ses râles de chien. Sa langue de chien. Sa bave de chien. Son odeur de chien. Sa puissance animale. Furieuse. Fanatique. Absurde. Ses poils drus et soyeux l'écorchant. Sa bite en elle. Oh dieu ! Ça la rendait folle. D'excitation. De s'imaginer qu'un chien. D'imaginer. Qu'elle excitait un chien. Qu'elle le faisait bander. Qu'elle le rendait fou de désir. Qu'il voulait, là, tout de suite, la grimper. La saillir. Qu'il n'en pouvait plus. Et elle se donnait à lui. À quatre pattes s'offrait à lui. Écartait bien les fesses et les cuisses. Et le chien la grimpait, il s'enfonçait frénétiquement en elle, il labourait son dos avec ses pattes griffues, il la baisait comme un chien baise sa chienne. D'imaginer ça. La rendait folle. Elle en tremblait jusqu'à l'os. De honte. De joie. De dégoût. De terreur. De délice. C'était tellement – quoi ? Contre nature ? Ignoble ? Monstrueux ? Avilissant ? La jouissance à l'état pur. Elle ne savait pas. Elle avait envie de vomir. Elle voyait tellement la scène. Elle aurait voulu s'y voir. Elle s'y voyait trop bien. Elle voyait le chien. Elle le voyait s'approcher en rut et, d'un coup, la grimper et la saillir, frénétiquement. Elle à quatre pattes. C'était affreux. C'était la vision la plus intense, bouleversante, immonde, qu'elle puisse avoir. Elle se branlait jusqu'à crier, jusqu'à s'électrocuter et s'anéantir tout entière, en imaginant qu'un chien. Un grand berger allemand. Oh oui ! Oh non ! C'était atroce. Cette vision la torturait. Elle ne la supportait pas. Elle ne supportait pas ce qu'elle disait d'elle. Elle ne supportait pas ce qu'elle faisait d'elle. Elle était une limite. Elle était sa limite. Qu'elle ne franchirait jamais ! Jamais elle ne franchirait la barrière des espèces. Elle ne voulait pas. Jamais ! C'était interdit. Elle se tuerait plutôt. Elle se dégoûtait tellement. Pourquoi un tel désir ? Elle était complètement détraquée. Elle était malade. Elle devait se faire soigner. Elle voulait qu'on la sauve d'elle-même. Elle en pleurait. Elle pleura dans mes bras.

Oh petite M.

Mais je ne l'aimais pas.

C'était grande M que j'aimais.

Je ne pouvais rien y faire.

Ainsi sont les hommes : ils vont voir ailleurs pour obtenir une confirmation. Ils ne trahissent pas, ils éprouvent leur amour.

Niveau 18

La nuit dernière, dans l'immeuble en face du mien, une femme a assassiné son mari. Je l'ai appris d'un voisin, alors que je rentrais du travail. C'était l'effervescence dans la rue. Ça s'excitait comme des puces à la terrasse du café d'en face. Pensez : le drame s'était passé juste au-dessus, au troisième étage. Le voisin m'a raconté ce qu'il savait, d'après un policier qui l'avait rencardé. Après avoir drogué son mari avec ses propres somnifères, la femme l'avait ligoté sur une chaise, puis elle avait attendu qu'il se réveille et elle lui avait passé un sac en plastique sur la tête, un sac en plastique transparent parce qu'elle voulait voir son visage tout le temps qu'il étoufferait, m'a dit le voisin, qui brodait assurément un peu, pas peu fier d'avoir des informations de première main. Il m'a dit aussi qu'au matin la femme était sortie comme si de rien n'était s'acheter une paire de chaussures. Elle s'était fait belle, bien maquillée et tout, à ce qu'il avait entendu dire ; sauf que dans le magasin de chaussures, elle avait raconté à la vendeuse qui lui faisait essayer une paire de chaussures comment son mari faisait des bonds incroyables au moment d'étouffer. Bien qu'il fût ligoté sur une chaise il décollait du sol de plus de cinquante centimètres, elle n'avait jamais vu ça, elle en riait encore, elle ne pouvait plus s'arrêter de rire. Je suis rentré chez moi.

J'ai longtemps pensé au type qui, un sac en plastique sur la tête, étouffait *en faisant des bonds incroyables*. En décollant du sol. Jusqu'à ce que sa mort s'ensuive. Je voyais très bien la scène. Je m'y voyais carrément.

Cela se passa juste en face de chez moi. Durant mon histoire de M.

Un signe ? Un avertissement ?

Dans un de mes petits carnets, je retrouve cette note manifestement rédigée à la hâte (l'écriture est échevelée) : « Je me lèche aujourd'hui les doigts jusqu'au coude. Mais les doigts de la main droite seulement parce que la gauche n'est pas encore repoussée » ; mais cela n'a rien à voir, je crois.

Partie XIII

« Ce qui me permet d'aborder un autre
charmant sujet. »
Laurence Sterne, *Vie et opinions de Tristram Shandy*

Niveau 1

Voilà. J'ai trouvé ce que je cherchais. Ouf. Ce ne fut pas sans mal. Quel bordel dans ma cave ! Désolé pour l'attente. Mille excuses. Quoi ? Que dis-tu ? Une semaine ? Cela m'a pris une semaine ? Tant que cela ? On ne le croirait pas à l'écrit. On ne se rend compte de rien à l'écrit. Tant mieux. Ou tant pis.

Si cela m'a pris tant de temps, c'est qu'à la cave, j'ai dû farfouiller dans de vieux cartons, de très vieux cartons, des cartons datant d'il y a vingt et trente ans et je ne te raconte pas la poussière, le moisi, le bric-à-brac, les tonnes de dossiers conservant des tonnes de souvenirs tenus par de gros élastiques dont certains, rongés par le temps, ont cassé net sous mes doigts et, assis sur une caisse, à la lumière crue de l'ampoule de la cave, je sais avoir éprouvé de curieuses sensations (entre larme à l'œil et féroces ricanements) au détour d'un paquet de lettres datant de 1982 (*1982 !*) et dont, à les relire en diagonale, je n'aurais jamais imaginé que j'oublierais *à ce point* leur expéditrice ; d'un ticket à l'orchestre pour Le Misanthrope à la Comédie-Française (place K 12) que je n'allai pas voir, mon frère venant de mourir ce soir-là ; d'une carte postale, dont je me rappelle très bien la provenance, représentant Madame Barbe de Rimsky-Korsakoff peinte par Winterhalter (oh cette nouvelle et inattendue vision de M à la lumière crue de l'ampoule de la cave, cette vision très précise de M avant la lettre !) et au dos de laquelle il était écrit : « Pour toi... », suivi d'une signature impossible à déchiffrer ; d'une étiquette vaniteusement décollée à l'eau chaude et ridiculement conservée d'un « Clos Grégoire 1994 » ; du plan du métro de Londres avec la station Baker Street entourée plusieurs fois, sans que cela ait quoi que ce soit à voir avec Sherlock Holmes et je n'en dis pas plus, cela n'a aucun lien avec M ; d'une serviette en papier d'un restaurant tzigane avec, imprimée au rouge à lèvres, l'empreinte d'un baiser accompagnée d'un numéro de téléphone et de qui pouvait-il s'agir ? Mystère. J'ai oublié. J'ignore si cela alla plus loin à l'époque. En remontant de la cave, j'ai failli appeler le numéro pour en avoir le cœur net. Peut-être le début d'une histoire. D'un livre… Qui sait si une aventure ne m'attendait pas à l'autre bout du fil ? Et puis non. Julien s'est suicidé et je ne cherche actuellement aucune autre aventure que celle consistant à constituer mon Dossier M et, de toute façon, le téléphone ne devait plus rimer avec personne aujourd'hui. De toute façon, tout n'est que passé mutilé. Souvenirs reconstitués, exagérés, faussés ; ce pourquoi je garde tout. Ne jette rien. Comme preuve matérielle de ce qui eut lieu. Par peur d'une disparition complète aussi. Pour le cas où. Alors que tous ces vestiges seront bazardés après ma mort, sans un mot ni un regard, en vrac, par ma fille ou quelqu'un d'autre, en haussant les épaules, en pestant contre cette corvée, trop heureux cependant de faire le vide et de débarrasser la cave et qu'il ne reste rien de moi, comme si je n'avais jamais existé. Sans soupçonner ce qu'il jette en réalité. Et justement : avant de mourir, je voulais te montrer ceci, histoire que rien ne se perde. Il s'agit de trois feuilles de format A4 sur lesquelles – comment dire ? Je ne le dis pas. Je te laisse juge.

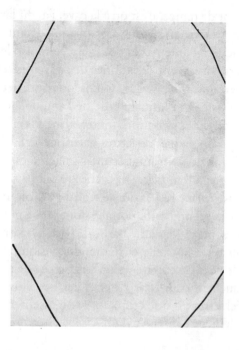

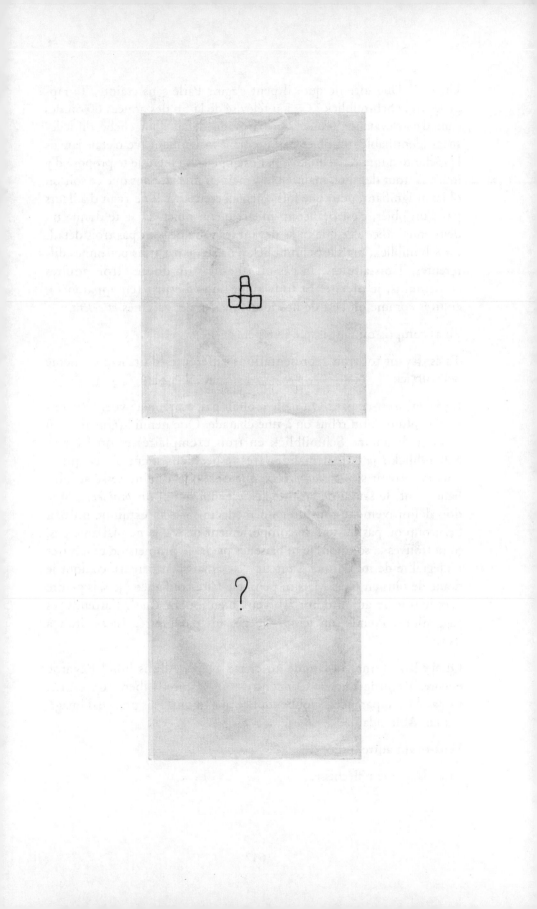

Un avis ? Une idée de quoi il peut s'agir ? Parle sans crainte. Te rappelles-tu le Schmilblick ? Ce jeu télévisé de la fin des années 60 où des candidats devaient découvrir, à partir du détail d'un cliché difficilement identifiable, un objet parfaitement insignifiant (ce n'était jamais la gâchette d'une Kalachnikov, par exemple). Eh bien, je te propose d'y jouer, là, tout de suite, maintenant, mais en mieux. Sans que ce soit un objet insignifiant, pour une fois. Bien au contraire. Il ne s'agit d'ailleurs pas d'un objet, c'est beaucoup mieux qu'un objet. Et je te donne un deuxième indice : ce que tu as devant les yeux ne sont pas trois détails du Schmilblick, mais le Schmilblick représenté par trois personnes différentes. Trois adultes, au cas où tu aurais un doute. Trois adultes consentants, je précise. Et tout à fait sans d'esprit (en apparence), cultivés comme on l'est de nos jours, majeurs et vaccinés *et cetera*.

Tu as compris ou faut-il que je répète ?

Tu as devant toi trois représentations différentes d'un seul et même Schmilblick.

Intrigant, n'est-ce pas ? On ne le croirait pas, à première vue. Cela ressemble plutôt à un rébus ou à une charade. Que nenni ! (*Que nenni !*) Il s'agit du même Schmilblick en trois exemplaires et quel est ce Schmilblick ? Je te le demande. Très respectueusement. Parce que je voudrais savoir si tu *reconnais* ce que c'est. Cela m'intéresse au plus haut point. Je saurai de la sorte si c'est moi qui ai un *problème*. Si je dois définitivement consulter un médecin. Si cela explique un peu beaucoup ou pas du tout le comportement de M. Je ne plaisante pas. Si tu trouves la solution, je te baise les pieds. Je promets de te reverser l'intégralité de mes droits d'auteur – si jamais j'en perçois, ce dont je doute de plus en plus. Mais tu peux me faire confiance : je sais perdre avec le sourire aujourd'hui. Tu veux bien jouer ? *Cool !* J'attends tes suggestions. Prends ton temps. Je ne suis pas pressé. Tu as droit à trois réponses.

Quoi ? Tu donnes ta langue au chat ? Déjà ! Allons bon ! Regarde encore. Regarde mieux. Concentre-toi. Respire. Libère ton esprit. Dépasse les apparences. Oublie tout ce que tu sais. Fais preuve d'imagination. Abracadabra.

Veux-tu un autre indice ?

Attends que je réfléchisse.

Niveau 2

Ce devait être en 1989 ou 1990. Dans ces eaux-là. Je vivais à l'époque avec L. Une vie insouciante. Ouverte aux amis. Tout le temps nous organisions des fêtes et des soirées (malgré l'exiguïté de l'appartement) et s'invitait chez nous qui voulait, passaient à la maison quantité de gens et ça picolait sec, ça fumait de tout, ça s'asseyait par terre pour discuter de rien avec conviction, ça riait beaucoup, ça mettait la musique à fond et ça poussait les meubles pour danser, ça renversait des assiettes en carton pleines de guacamole sur la moquette déjà pourrie, ça draguait dans les coins et ça provoquait des drames et des jalousies, ça claquait parfois la porte en larmes et ça se précipitait dans les escaliers pour se faire pardonner, ça s'endormait parfois comme une loque qu'il fallait enjamber et ça vomissait de temps en temps par la fenêtre comme par-dessus un bastingage. Ça invitait aussi les voisins qui gueulaient à venir boire un coup et si ça s'embrouillait quelquefois, ça ne voulait jamais rentrer chez soi, ça s'éternisait autant que possible, jusqu'à plus d'heure, jusqu'à plus soif et, à la fin, ça finissait toujours par se regrouper à quelques-uns autour des fonds de bouteille ou d'une tasse de thé ou de café et ainsi de suite jusqu'au petit matin. Ainsi passait le temps comme s'il était doré sur tranche. Ainsi étions-nous insouciants dans cette ambiance dont le bruit et le souvenir m'épuisent aujourd'hui rien que d'y songer. Voilà pour le décor. Voilà pour contextualiser le Schmilblick. Cela t'aide un peu ? Tu ne vois toujours pas ?

Okay. J'ai compris. Tu n'as pas de temps à perdre, tu as un train à prendre, le dîner à préparer, les gosses à récupérer à l'école ou bien tu descends à la prochaine station de métro, je comprends, okay. Tu donnes ta langue au chat, okay. Tant pis pour le suspens.

Niveau 3

Cela se passait lors d'un dîner et, bon, je saute les détails, je saute le dîner, dîner joyeux, à la bonne franquette, bien arrosé, plein de bonne humeur, plein de vie, plutôt débraillé, rien à voir avec les dîners chez S.

L avait cuisiné un rôti de porc aux pruneaux, un rôti pour douze même si nous n'étions que huit à table – il avait cependant fallu disposer une rallonge sur des tréteaux pour que tout le monde puisse se serrer et il se trouve qu'il n'y avait que des couples présents à table ce soir-là. Uniquement des couples. Quelqu'un l'avait fait remarquer et la conversation avait aussitôt sauté sur l'occasion. Pourquoi être en couple ? Etc.

Je passe la discussion. Parce que les uns et les autres étions amoureux, okay, *mais encore* ? Parce que vivre en couple est plus économique, en termes de loyer, de factures de gaz et d'électricité, de *frais de bouche* ? Parce qu'on se sent plus fort à deux face à la dureté du monde et ainsi le monde doit-il rester féroce pour que perdurent les couples ? Parce que nos parents nous ont montré la voie et que nous manquons d'imagination pour inventer des façons à notre convenance d'être avec quelqu'un ? Parce que personne ne supporte d'être seul et mieux vaut être mal accompagné, c'est toujours mieux que d'être en tête à tête avec soi-même, c'est déprimant de n'avoir que soi comme interlocuteur. Sans compter que pour l'entourage, ce n'est pas normal d'être célibataire. Cela cache quelque chose. C'est le signe d'une infirmité psychique ou physique, de mœurs potentiellement ignominieuses, d'un égoïsme probablement congénital et d'une irréductibilité à l'autre qui suscite une unanime désapprobation, beurk, pouah, *raus* !

Ou bien craint-on de faire des bêtises si on reste seul, de devenir la proie de ses propres turpitudes et de plonger dans l'inconnu le sien, la liberté la sienne, ses ténèbres vivantes qu'on sent grouiller, qu'on pressent sans foi ni loi, tel un bateau ivre, telle une peur à tisonner, comme chantait l'autre à sa Gaby d'amour : « Tu devrais pas m'laisser tout seul la nuit / j'peux pas dormir j'fais qu'des conneries / Oh Gaby. » Saint Paul le chantait déjà : « mieux vaut se marier que de brûler ». « Et il n'est pas bon que l'homme soit seul », lit-on dans la Genèse (2:18). Difficile de ne pas être en couple quand, de partout, l'injonction est unanime et, à la fin, les amoureux ne se bécotent plus sur les bancs publics : ils accrochent des cadenas d'amour à des grilles. Des *cadenas* ! À des *grilles* ! On ne peut faire plus explicite. Voilà qui donne envie de se pendre avec la ceinture de son pantalon. De se jeter du pont des Arts comme si c'était du cinquième étage. Oh cette volonté de *ne pas* être libre et d'appeler conjugal un bonheur carcéral. D'appeler amour cette lâcheté devant la vie, devant soi, devant l'autre, comme s'il s'agissait avant tout de garder le contrôle. De revendiquer son droit à la propriété et, sur quelqu'un, sur au moins un être vivant dans le monde, exercer une emprise qui nous est partout ailleurs refusée et ainsi les couples se menottent-ils tendrement dans la rue, des fois que l'un ou l'autre profiterait de l'occasion pour s'échapper. Ainsi le monde s'emplit-il de toutes les frustrations accumulées au sein des milliards de couples et, travaillant pour eux (même fiscalement), n'en finit pas de plaider contre lui. Bon dieu, tu as vu Un gars une fille à la télévision ? Tu as vu ce masochisme institué ? Cette punition partagée ? Cette médiocrité entretenue à deux ? Cette minable promiscuité ? Cette surveillance de tous les instants ? Cette peur des rêves de l'autre ? Cette peur de ses propres désirs ? Ce barrage égoïste contre la solitude ? Surtout de nos jours. Spécialement sous nos latitudes. Bon dieu, la télé prévient quand ses programmes heurtent la sensibilité – mais rien quand elle heurte notre intelligence et voilà encore deux poids et deux mesures qui faussent tout et à la santé de la *Schadenfreude*, comme disent les Allemands, qui savent la joie que l'on peut ressentir à faire souffrir l'autre, au point d'avoir inventé un mot pour la dire et ils sont forts ces Allemands.

Bon dieu, je n'ai jamais été heureux en couple, même en y mettant la meilleure volonté. Cela a toujours échoué, chaque fois en faisant un drôle de bruit, chaque fois pour une raison ou pour une autre, toutes pourries. Avant de comprendre que le problème, c'est le couple lui-même. C'est *l'idée* du couple. Ce fantasme inculqué, ce modèle imposé, ce manque d'imagination, cette extorsion des sentiments vendue comme un idéal auquel s'accrocher comme à une bouée, comme à un cadavre.

Bon dieu, le couple comme s'il était partout, sauf dans l'union libre et joyeuse de deux êtres. Comme s'il était une entreprise dont chacun est « partenaire ». Comme s'il était la norme alors qu'il devrait être une exception. Selon moi. En pensant à M. Et à son « fiancé ».

Et à Julien.

Niveau 4

Mais je n'en étais pas là à l'époque. J'y croyais encore. Je n'étais pas encore déçu. Et je n'étais pas le seul. Car si les raisons de *ne pas* vivre en couple ne manquent pas, nous étions, les uns et les autres, persuadés d'avoir fait le bon choix : nous étions tous amoureux. Amoureux de la bonne personne. Amoureux de la personne avec qui vivre en couple donnait du sens à cette façon de tuer l'amour. Même si, dans les une, deux et trois années qui suivirent, chacun des couples présents à ce dîner devint un sale petit tas de cendres et de morve, un immonde pot de rillettes pourrissant dans un réfrigérateur vide, même *mon* couple.

Ce qui n'empêcha ni les uns ni les autres (hormis mézigue !) de recommencer ailleurs une vie à deux et, pas dégoûtés, *plus motivés que jamais,* voulant cette fois que « cela marche », convaincus d'avoir enfin trouvé la « bonne personne », de former avec le même enthousiasme un nouveau couple, non seulement parce qu'on nous a appris qu'il faut se remettre en selle sitôt après être tombé de cheval, mais parce que si les amours passent, l'idée du couple demeure. L'idée du couple est la plus forte. Il est un idéal à lui tout seul, qui perdure quand tous les autres sont férocement combattus. Même s'il est en perte de vitesse, puisque de plus en plus de gens, hommes ou femmes, sont célibataires, à ce qu'il paraît, aux dernières nouvelles. Et pourquoi ai-je le sentiment que ce n'est pas une si bonne nouvelle ? Comme si plus personne n'envisageait d'avenir qui soit commun.

Moi-même, quoique à reculons, aurais sûrement suivi cette *pente* si M en avait décidé ainsi. Avec elle, je voulais bien tenter de nouveau l'aventure à deux. Une dernière fois. J'étais prêt à tout. Prêt à me battre pour *nous* et à donner un sens éternel autant que quotidien à ce nous. J'étais prêt tout court. Même à revenir dans la matrice universelle. Pourvu que ce soit avec elle. Pourvu que je sois près d'elle. Que ni l'un ni l'autre ne nous quittions plus, le jour et la nuit. Respirions le même air. Enfin bref. Je saute toute cette partie qui n'a aucun intérêt avec le Schmilblick pour en venir à l'indice lui-même.

Déjà très joyeuse et arrosée, l'ambiance tourna au franc déluré lorsque la conversation, par l'un de ses enchaînements que l'on a du mal à justifier après coup, glissa de la notion de couple à celle de guerre des sexes et il fallait s'y attendre : *très vite* les antagonismes s'exacerbèrent, *très vite* les positions des uns et des autres se crispèrent et *très vite* deux clans s'affrontèrent, incarnant à table la guerre des sexes, oui, *très vite* ce fut la guerre des sexes qui prit le contrôle de la conversation, c'est elle qui se mit à parler à travers les unes et les autres et dans cette démission collective de la pensée, les voix montèrent *très vite* dans les octaves, toutes sortes de théories furent mises sur la table comme on pose son revolver devant soi et ce qui devait arriver arriva : les balles se mirent à siffler au-dessus des assiettes, d'autant plus pétaradantes que l'alcool poussait chacun et chacune à plaider sa cause plus qu'il ou elle ne l'eût fait à jeun et géniale fut alors l'idée qui me vint !

Géniale, je n'hésite pas à le dire.

Proprement mirifique !

Comment personne n'y avait-il songé avant moi ?

Je me revois me lever de table et faire tinter mon couteau contre mon verre afin d'obtenir un peu de silence et, autant que faire se peut, calmer les esprits qui s'échauffaient si bien que chacun et chacune commençait à proférer des choses qu'ils regretteraient tous plus tard – et si ce n'était pas l'un ce serait son conjoint qui le lui ferait regretter.

Je ne tenais pas à ce que les choses s'enveniment davantage.

Je voyais bien qu'un fossé était en train de se creuser au sein de chaque couple et ce fossé prenait, au fil des arguments jetés de plus en plus au visage comme des pelletées de boue, l'allure d'une tombe qui n'attendait plus que l'un ou l'autre couple y soit enterré vivant. Tout est si fragile, même si moi seul m'effraie que tout soit si fragile et moi seul redoute les éventuelles conséquences pour la suite.

Comme disait Ali : « J'étais là pour empêcher les explosions de violence, et c'était devenu un emploi à plein temps. »

Niveau 5

Raison pour laquelle il me vint tout à coup une idée, à la fois propre à ramener le calme tout en permettant à la conversation de se poursuivre. Ce sont nos angoisses qui nous inspirent des idées géniales et, pas peu fier de ma trouvaille, pressentant qu'elle portait en germe un mouvement de belle ampleur susceptible d'aller à l'essai, je proposai à tous un petit jeu qui, selon moi, pouvait mettre tout le monde d'accord sans que nul se sente lésé. Rien de moins. Un jeu. Eh oui. Parce que, au train où les choses dégénéraient, nous courrions tous à la catastrophe. Chacun allait sortir tout cabossé de ce dîner. Cela risquait de laisser des traces. Surtout, nous n'aurions pas avancé d'un iota dans la discussion et de mon point de vue, c'était vraiment le plus regrettable.

Ainsi pris-je ma voix la plus persuasive pour énoncer, en dix points, les règles du jeu que je me proposais de leur soumettre, considérant :

petit 1) que chacun devait balayer un peu devant sa porte. S'il parlait de ses père et mère sous couvert des hommes et des femmes en général, ce n'était pas la peine. Mieux valait rester à son niveau individuel des choses. Inutile de faire de ses affects des lois générales ;

petit 2) ce n'était pas parce que chacun utilisait les mêmes mots que nous parlions tous de la même chose : il fallait prendre en compte l'illusion du langage ;

petit 3) inutile de chercher à imposer son point de vue. Nous étions entre amis et les arguments d'autorité étaient inappropriés : ils étaient le plus sûr moyen de *ne pas* se faire comprendre. Il ne s'agissait pas d'avoir le dernier mot mais d'avancer dans l'inconnu ;

petit 4) j'en avais marre : dès que quelqu'un prenait la parole, il était mis en demeure de s'expliquer, comme si c'était lui le problème. C'était insupportable ;

petit 5) il découlait du petit 4) une frustration toujours la même, tellement fréquente dans les conversations : on veut parler d'un truc et, ni une ni deux, on se retrouve à parler d'Untel qui a dit ceci et de Machin qui a osé dire cela et c'est fichu : il n'est plus du tout question du truc dont on voulait parler au départ. On l'a complètement perdu de vue. On ne parle plus que de nous ! C'est nous maintenant le sujet de la conversation et quelle misère ! J'en avais marre qu'on ne puisse jamais parler d'un truc ou d'un autre. Ras-le-bol ! Chacun voyait-il le glissement et ce que tous nous perdions au change ? C'est comme si le sujet dont nous voulions parler n'était qu'un prétexte pour parler de soi et nous mettre au centre de la discussion. Comme si le monde n'existait qu'à travers nous alors que c'est nous qui existons à travers lui ;

petit 6) s'il est une chose que nul ne peut réfuter, c'est un sentiment personnel *énoncé comme tel*. Ils pigeaient le truc ? C'était bien compris ? Chacun devait parler à son niveau individuel des choses, essayant de le saisir comme tel au lieu de le diluer dans des idées toutes faites ou de *généraliser* son propos, en faire une généralité au lieu d'une souveraineté. C'est seulement lorsqu'on parle au plus près de soi qu'on a une chance de parler aux autres. *Comprendo* ?

petit 8) celui-là vaut aussi pour le petit 7), mais, je le garde pour moi ;

petit 9) celui-là, c'est pour aller jusqu'à 10. De quoi aurais-je l'air sinon ?

petit 10) en vertu des neuf points précédents, je proposais que chacun prenne maintenant des feuilles de papier (que voici) et, à l'aide d'un crayon ou d'un stylo (que voilà), qu'il se mette à dessiner, sur une première feuille, le sexe de son cher et tendre ou de sa chère et tendre, puis, sur une autre feuille, son propre sexe, et ainsi y verrions-nous peut-être plus clair. Ainsi verrait-on ce que chacun et chacune entendait par homme et femme de son point de vue. Ainsi les mots ne viendraient-ils plus mettre la pagaille, on saurait qui pense quoi exactement, d'où il parle, on pourrait comparer de visu et n'était-ce pas une idée géniale ? Proprement splendide ? Qu'en dites-vous ?

Pour ma part, j'en prenais le pari : à condition que chacun et chacune se prête au jeu de la façon la plus honnête qui soit, avec tout le sérieux qui convenait, en se tenant au plus près de ce qu'il ou elle pensait et, sans copier sur son voisin ou sur sa voisine, sans chercher ailleurs qu'en son for le plus profond les réponses aux questions que tous nous nous posions, nous obtiendrions des réponses. *Nous obtiendrions des réponses !* Une fois ne serait pas coutume. Et comme dans toute expérience scientifique digne de ce nom, les réponses apportées engendreraient de nouvelles questions, que nous ne nous serions jamais posées si nous n'avions pas d'abord répondu à la première et chacun comprenait ce que je disais ou ils étaient trop bourrés ? Surtout, liés par des liens d'amitié ou amoureux comme nous l'étions, les conditions étaient réunies pour que nul ne redoute d'être jugé pour ce qu'il dessinerait, ni ne cherche lui-même à juger les dessins des autres. Nous n'avions rien à craindre de ce côté-là. Nous pouvions nous faire confiance et crédit. Nous pouvions nous exprimer en toute liberté, chacun la sienne. Exit la manie de juger, cette foutue manie qui se fait passer pour une vision des choses alors qu'elle est une cécité parce que nous jugeons toujours à partir de nous et jamais à partir de l'autre et, bref, je prenais le pari que nous allions tous ensemble faire un grand pas vers je ne savais quoi encore, mais tel était justement l'intérêt de l'exercice et je voulais bien que quelqu'un me passe la bouteille de cet excellent bordeaux car parler donnait soif.

Quoi ? Que dis-tu ? Tu penses à M ? Tu voudrais savoir ce qui s'est passé ensuite avec elle ? Le soir où elle vint chez moi. Après le fiasco du rebord de la cheminée. Si la situation dégénéra encore plus ou, au contraire, si l'amour triompha à la fin ? Je comprends ta curiosité. J'admire ton impatience. Elle est à l'image de celle que j'éprouvais ce soir-là et comprends-tu ? Mon impatience alors. Ma frustration sur le moment. Et ta frustration maintenant que je digresse à n'en plus finir. Ton narratus interruptus. Tout est lié. J'essaie de tout transposer sur la page afin que tu te rendes un tout petit peu compte. Mais bon. Je ne suis pas cruel et si tu ne supportes pas la frustration, si cela t'est trop pénible, pas de problème : file page 672, au moment où M, en plus de tout le reste, me mordit jusqu'au sang. Ou bien poursuis ta lecture comme si de rien n'était, en acceptant que les choses ne se déroulent pas comme espéré. En éprouvant sur la page l'exaspération qu'elles nous envoient sans cesse ailleurs que là où on voudrait aller. En contre-partie (car il y a toujours une contrepartie), tu sauras tout sur le Schmilblick des filles et des garçons.

Niveau 6

Si, tel un chercheur dans son laboratoire, j'avais consigné ce fameux soir mes observations dans l'un de mes petits carnets, cela aurait donné quelque chose du style, deux points :

22:50. Début de l'expérience. Les sujets semblent motivés. Enthousiastes presque. Noter que les filles (et seulement les filles) ont objecté qu'elles ne savaient pas dessiner et que *leur dessin serait nul.* Du même ton qu'elles disent « ma robe est affreuse » au moment d'aller à une soirée. Il a fallu leur expliquer qu'il ne s'agissait pas de passer le concours d'entrée à l'École des beaux-arts. Là n'était pas la question. Il ne s'agissait pas *d'art,* il ne s'agissait pas de *réussir* quoi que ce soit, il n'y avait pas de *bonnes* ou de *mauvaises* réponses, il ne s'agissait même pas de dessin, *qu'elles se rassurent !* Enfin quoi : sauf à me tromper lourdement sur leur compte, je ne doutais pas qu'elles soient capables de représenter le soleil en traçant sur une feuille un cercle avec plein de petits traits autour figurant les rayons ; eh bien, à la place du soleil, il leur suffisait d'imaginer leur sexe et le sexe qui n'était pas le leur d'après ce qu'elles en savaient, ce n'était pas plus sorcier. D'autres objections ?

23:00. Chacun s'est isolé dans un coin et paraît très concerné, très concentré. Une nouvelle bouteille de vin est ouverte. Le jeu commence vraiment. Top chrono.

23:07. Pas le temps de consigner ce qui se passe autour de moi : je dessine !

23:14. Deux garçons ont déjà rendu leurs copies. Elles sont mises sous mon coude pour que personne ne puisse les voir.

23:25. Les deux autres garçons (dont moi) rendent à leur tour leurs copies, également mises sous mon coude. Noter que 100 % des sujets masculins ont terminé le test dans des temps à peu près similaires (autour de vingt-cinq minutes). C'est une première indication. Les filles, en revanche, semblent plus longues à la détente. Elles semblent éprouver des difficultés.

23:27. La vitesse avec laquelle les garçons ont rendu leur copie est-elle significative de leurs performances au lit ? Existe-t-il une corrélation ? Poser la question à la fin du jeu.

23:36. Une première fille rend sa copie (mise sous mon coude). Durée de son test : 36 minutes. Pour les trois autres sujets féminins (75 % du panel féminin), cela semble toujours compliqué. Cela semble *très compliqué*.

23:39. Noter que les garçons ironisent sur le temps que prennent les filles pour terminer leurs dessins. Une deuxième, puis une troisième bouteille de vin ont été ouvertes. Les moqueries fusent. Auxquelles les filles répondent en riant, en s'excusant, en rougissant, en prétextant que « ce n'est pas si facile » et « qu'elles ne veulent pas dessiner n'importe quoi ». Elles prétendent que les garçons ont « bâclé » leurs dessins. Ce que les garçons réfutent avec vigueur.

23:51. Un examen de la situation montre que les trois filles (75 % du panel féminin) qui n'ont pas encore rendu leurs copies ont, en réalité, terminé depuis un certain temps déjà (hélas non consigné) la première partie du test (« dessiner le sexe de son cher et tendre ») ; c'est sur la deuxième partie du test qu'elles butent (« dessiner son propre sexe »). Pour quelle raison imaginais-je que les uns et les autres allions connaître plus de difficultés (je veux dire : prendre plus de soin et donc plus de temps, éprouver davantage de plaisir, etc.) à représenter le sexe qui n'est justement pas le sien ? Il semble que, pour 75 % du panel féminin, le mystère concerne leur propre sexe. Si ce n'est pas là une information, je veux bien être pendu (non, pas pendu, pardon Julien, mille excuses).

00:03. J'entends déjà les critiques. On dira que ce test est nul, on dira qu'il ne prouve rien, on dira qu'il est *malsain*, typique de l'évolution des mœurs depuis la décadence de Rome, si ce n'est depuis 1968. On dira aussi que quatre couples ne pouvant constituer un panel représentatif, les résultats obtenus ne sauraient prétendre à un quelconque intérêt scientifique. On dira que les conditions alcoolisées de l'expérience constituent, en outre, un indéniable, sinon déplorable, biais méthodologique. On dira ce que l'on voudra et on aura raison de le dire.

00:11. Cela fait plus d'une heure que le test a démarré et les garçons n'en peuvent plus. Ils pressent les filles d'en finir et de montrer leurs « chefs-d'œuvre ». Une observation attentive des comportements révèle que, sous des dehors ivrognesques et de plus en plus salaces, chaque conjoint brûle en fait de savoir comment sa chère et tendre a représenté son sexe *à lui* : superbement viril ou, au contraire... Derrière leur impatience, une appréhension qui ne dit pas son nom paraît non seulement perceptible, mais aller grandissant à mesure que les filles n'en finissent plus de se creuser la cervelle. Que vont-elles *encore* imaginer ? Doivent-ils *se méfier* ? Ont-ils loupé un *détail* ? Savent-elles *quelque chose* qu'ils ignorent ? Quelque chose *sur eux* ou quelque chose *sur elles* ? Pourquoi réfléchissent-elles *autant* ? *Pourquoi n'y arrivent-elles pas ?* Il ne s'agit pourtant que de dessiner… mais chut. Pour qui me prends-tu ? Si je vends la mèche, ce ne sera plus un indice !

00:18. Les trois retardatrices sèchent toujours devant leur feuille de papier, ce qui commence à devenir scientifiquement *très* significatif (en plus d'être une totale surprise et/ou inquiétant). En tous les cas, chaque dessin devra être considéré, non seulement pour lui-même, mais également pour le temps de réflexion qu'aura nécessité son exécution. Mon impression : pour 75 % du panel féminin, on croirait des candidates au baccalauréat découvrant qu'elles sont tombées sur un sujet qu'elles n'ont jamais étudié de leur vie ou, manque de pot, sur lequel elles ont fait l'impasse ; mais sur quoi ont-elles pu faire *ici* l'impasse ? En tous les cas, que de soupirs et de lèvres mordillées, de doigts emmêlés nerveusement dans les cheveux, de rides inquiètes plissant le front, de main se levant au-dessus de la feuille blanche, s'apprêtant à tracer un trait, hésitant, se décidant, oui, osant – et puis non ! Que de crayons mâchonnés, suçotés, de façon mine de rien suggestive, de regards levés au ciel en quête d'inspiration, de verres de vin descendus à petites gorgées empressées et de cigarettes grillées les unes à la suite des autres, oui, quelle panique ! Quelle torture ! Quel dommage que l'expérience ne soit pas filmée !

00:32. Pour se justifier, l'une des filles a avancé cet argument qui a fait réfléchir les garçons et leur a momentanément cloué le bec : « Vous n'avez pas l'air de vous rendre compte qu'il s'agit pour nous de représenter *quelque chose que nous ne voyons pas* – ou alors furtivement, en nous contorsionnant comme pas possible ; ou alors de façon inversée, dans un miroir, ce qui n'aide pas non plus. Nous ne voyons *jamais* notre sexe ! Nous le découvrons toujours *à l'aveuglette !* Du bout des doigts, si vous voulez tout savoir. Pas la peine de ricaner. Contrairement à vous, nous n'avons jamais eu le plaisir d'être présenté à notre sexe. Nous ne savons pas du tout quelle gueule il a. Aucune d'entre nous n'a jamais regardé son bas-ventre en disant "salut Popaul" ! Alors que vous autres, bande de salauds, vous avez en permanence votre *bite* sous les yeux, vous l'avez tout le temps à la main, ne serait-ce que pour pisser, oui, depuis votre plus jeune âge vous avez tout loisir d'examiner votre foutue bite et de satisfaire votre curiosité, bande de salauds. Et le pire, c'est que vous pouvez aussi voir *notre* sexe et le voir mieux que nous autres ne le verrons jamais alors que c'est *notre* sexe » et je passe sur les propos passablement graveleux qui s'ensuivirent et qui ne sauraient présenter ici le moindre intérêt scientifique (« encore faut-il que vous écartiez les cuisses, ah ah ah », « vous n'avez qu'à coucher entre filles, oh oh oh », etc.).

00:36. Noter en marge, à toutes fins utiles : le sexe d'une femme n'a pas de profil.

00:41. Toujours rien. On ne va tout de même pas y passer la nuit ! Une nouvelle bouteille de vin a été ouverte. Au vu de la tournure de l'expérience, le panel féminin ici testé doit-il être mis en cause ? Je consigne donc ici que les participantes sont : blanches (type caucasien), de nationalité française (mais l'une d'elles est d'origine espagnole), âgées de 25 à 28 ans, toutes catholiques non pratiquantes et dotées d'un bon niveau socioculturel (CSP+), toutes instruites et cultivées, toutes plutôt jolies, voire très jolies (notamment L), et toutes coiffées à la mode (noter : pour ceux qui se poseraient la question, une – et une seule ! – est blonde ; les deux autres sont châtain foncé et la dernière a les cheveux rouges à force de teinture au henné). Noter, aussi, que toutes sont issues d'une bonne famille et même d'un milieu que l'on peut dire *aisément* bourgeois – hormis celle qui a déjà rendu sa copie (la fille aux cheveux rouges) et s'agit-il d'un hasard ? Voici, en tous les cas, le seul élément qui, en l'état des informations dont je dispose (il faudrait avoir accès aux dossiers médicaux, disposer des antécédents familiaux, psychiatriques, génétiques, etc.), paraît discriminant. Hypothèse : les femmes ont-elles d'autant plus de difficultés à se représenter leur sexe qu'elles sont blanches, de confession catholique et d'un niveau social élevé ? Parce que le sexe acquiert dans les classes aisées une valeur qu'il n'a pas dans les classes inférieures ? Une valeur d'échange au détriment de sa valeur d'usage, pour prendre une terminologie marxiste (laquelle, par parenthèse, restera d'actualité aussi longtemps que le sera le capitalisme) ? Et cette valeur d'échange serait à ce point intériorisée dans les classes supérieures que le sexe ne pourrait plus être représenté comme quelque chose de trivial et se comprenant de lui-même mais, au contraire, comme une chose très complexe, pleine de subtilités métaphysiques et d'arguties théologiques, à la fois saisissable et insaisissable, à la fois énigme et fétiche, et de là les difficultés rencontrées dans 75 % des cas du panel féminin ? De là l'effroi de M sur le rebord de ma cheminée ? Son épouvante que, d'elle, je vois ce qu'elle-même ne peut voir.

00:48. Pensées diverses et variées en attendant que 75 % du panel féminin veuillent bien cesser de nous tenir en haleine. Par exemple : on

653

croirait qu'elles le font exprès. On croirait qu'elles font autant de manières à dessiner leur sexe qu'à faire l'amour. Est-ce inné ou acquis ? Creuser plus tard la question. Élucider plus tard cette analogie entre la chose et sa représentation. Peut-être ont-elles d'autant plus de mal à se donner qu'elles ont du mal à se représenter ce qu'elle donne. Ou alors : elles nous font lanterner parce qu'elles ont appris qu'elles ne devaient jamais se donner le premier soir, surtout pas. Leur mère (et père) leur ont enfoncé dans le crâne que leur minou était ce qu'elles possédaient de plus précieux et qu'il était tout ce que les hommes convoitaient, par définition, et voilà le résultat. Cela fait plus de deux heures qu'elles tournent autour du pot, si j'ose dire. Deux heures qu'elles tentent de se représenter leur sexe, *sans y parvenir*. Comme si leur sexe était irreprésentable. Qu'il était un *mystère*. J'allais dire une mystique. En même temps, comment représenter ce que l'on s'imagine avoir de plus sacré ? À leur place, j'aurais du mal. Je serais bien en peine de représenter mon âme. Il me faudrait beaucoup plus de deux heures.

00:50. Est-ce parce que les femmes ne voient pas leur sexe qu'elles ont, plus que les hommes, tendance à croire en l'Invisible ? Au Surnaturel ? Qu'elles n'ont pas besoin de voir pour croire ? Au contraire ?

00:52. Pensées pour toutes les femmes que j'ai croisées dans un bar depuis la page 32 : la fille Yoplait, la « drôle de dames », « la fille » de la Banque Populaire, l'autre qui danse sur un pot de Nutella, *et cetera* : Quels dessins les unes et les autres exécuteraient-elles à mains nues ? Cela m'intéresserait soudain de le savoir. Et petite M ? Et grande M ? Il faudrait toujours demander aux femmes de dessiner l'idée qu'elles se font de leur sexe. Pensées aussi pour les chips : si on leur demandait de dessiner ce qu'elles cachent dans leurs plis ?

00:55. Ce souvenir tout à coup. Parce que mon esprit vagabonde *tout le temps*. Souvenir de mes parents. Avec un couple d'amis. Je devais avoir une dizaine d'années. Je me rappelle comme ils rigolèrent pendant toute une soirée d'une blague qu'ils ne cessaient de répéter en se tapant sur les cuisses. C'était à propos du refrain d'une chanson de Boris Vian. La Java de la bombe atomique. À tout bout de champ, ils s'esclaffaient en s'envoyant à la figure, à propos de tout et de rien, deux points ouvrez les guillemets : « Il y a quelque chose qui cloche là-dedans, j'y retourne immédiatement. » Ce refrain les faisait mourir de rire. C'était comme une sacrée bonne blague qui les mettait en joie. Ma mère demandait qu'on lui passe le sel et mon père ou quelqu'un d'autre lui répliquait : « Mais comment donc. Il y a quelque chose qui cloche là-dedans et j'y retourne immédiatement. » Et tous de se tordre énormément. Je ne comprenais pas ce qui les faisait tellement marrer. C'était manifestement un langage codé, mais quel était le chiffre ? Je souriais cependant avec eux. Je rigolais pour faire comme tout le monde. Cette plaisanterie dura un certain temps. Chaque fois qu'ils se voyaient, ils remettaient ça, toujours hilares, avec force clins d'œil. Ce n'est que maintenant, tandis que les filles n'en finissent pas de se creuser la cervelle, que je réalise soudain ce qu'il *devait* y avoir de salace dans le fait de répéter à tout bout de champ qu'il y a quelque chose qui cloche *là-dedans* et j'y retourne immédiatement.

Niveau 7

00:56. « Bon alors, les filles, y a quelque chose qui cloche là-dedans ou quoi ? Faudrait peut-être voir à y retourner immédiatement. » À ces mots que je lance à la cantonade, peu de réaction. Aucune hilarité. Elles ne doivent pas connaître la chanson de Boris Vian.

00:58. À propos de chanson les filles : connaissez-vous celle du groupe Tacocat qui dit : « Mon vagin est imparfait / Mon vagin est infecté / Ferme tes jambes ferme tes jambes » ?

00:59. Réactions aussitôt indignées des filles. « Ah, mais t'es dégueulasse », qu'elles se sont toutes écriées en chœur.

01:08. « Dessine-moi un mouton. » Noter que ne suis pas le premier à avoir tenté ce genre d'expérience. Avant moi, il y eut le Petit Prince. Bien sûr *Le Petit Prince*. Comme on pose les bases d'une réflexion universelle. Comme on décide que l'imagination fait tout le boulot. Sachant que le résultat se révéla d'emblée surprenant puisque l'aviateur, après moult tentatives qui ne convainquent pas le Petit Prince, finit par dessiner une caisse et, pas gêné, il affirme au Petit Prince que le mouton qu'il veut se trouve dedans et qu'il se débrouille avec ça, le Petit Prince. Or, l'aviateur « fu[t] bien surpris de voir s'illuminer le visage de [s]on jeune juge ». Qui ne le serait ? Les filles vont-elles finir par dessiner une caisse et prétendre avec aplomb que leur sexe se trouve dedans ? Leur sexe : dans une caisse ? Une *caisse* ? Il faudrait qu'elles soient vraiment désespérées. En même temps, je les imagine mal admettre que leur sexe serait un mouton. Elles ne sont pas si – quoi ? Perverses ? En tout cas, concernant le Petit Prince, voici encore un bel exemple de Schmilblick choisi exprès pour son insignifiance et, de ce fait, autorisant les réponses les plus superfétatoires. Car il faudrait m'expliquer pourquoi le Petit Prince tient tellement à ce qu'un être venu d'une autre planète lui dessine un mouton et non quelque chose de plus intrigant et essentiel, du genre le sexe d'une fille : à son âge, ce serait plus compréhensible. Ce serait *naturel*. Sauf à imaginer qu'il aurait un léger problème au niveau de son développement personnel. Ou qu'il confondrait mouton avec autre chose. Ou que, dans son monde, on appellerait mouton le sexe d'une fille. Autre hypothèse : Saint-Exupéry aurait compris la leçon de Cézanne (ce n'est pas le compotier qui compte, mais la peinture) et intériorisé celle de Duchamp (c'est l'artiste qui décide ce qui est de l'art et ce qui n'en est pas, fût-ce un urinoir). Sauf à imaginer un sens caché lorsque le Petit Prince, devant le dessin de la caisse, s'inquiète de savoir si le mouton ne serait pas trop grand car, « chez lui, c'est tout petit ». Or, après que l'aviateur l'eut rassuré, voici que le Petit Prince *penche la tête* vers le dessin et s'exclame (ou bien murmure-t-il, d'un ton peut-être ébahi, d'un air peut-être ravi ?) : « Pas si petit que ça… » Oh, ces trois petits points de suspension, comme une incitation aux pires sous-entendus ! Aux interprétations les plus scabreuses. Mais non, imaginer ici un sens caché est parfaitement odieux. C'est *répugnant*. Il s'agit du *Petit Prince !* Vendu à plus de 200 millions d'exemplaires dans le monde (*200 millions !*) et lu le soir à tous les petits enfants depuis plus d'un demi-siècle ! Ce serait avoir l'esprit incroyablement mal tourné que de remplacer le mot mouton par le mot Schmilblick et de demander à des candidats de découvrir de quoi il s'agit lorsque, si on penche la tête vers lui, on ne le trouve pas si petit que ça, *trois points de suspension*. Oui, ce serait machiavélique d'imaginer que l'aviateur dessine une caisse lorsqu'on lui demande de dessiner un mouton *afin de* ne pas dessiner autre chose que la morale réprouve. La censure comme fantastique moteur de la création, l'interdit comme obligation de substituer une fiction à la vérité, blablabla. On toucherait ici au summum de la culture bourgeoise. Non ! Il faut refuser tout net ce genre d'herméneutique pourrie. Arrêter de voir le bien et le mal partout. Tant pis si le Petit Prince veut impérativement qu'on lui dessine un mouton et pas autre chose. C'est son problème. Tant pis si nul ne sait d'où ce désir du Petit Prince, pourquoi une obsession dans son cas. Tant pis. Mieux vaut s'en tenir à l'esprit qu'à la lettre. Rester dans l'idée que personne ne veut affronter les vraies questions. Et voilà le résultat : 75 % des filles ne savent pas comment représenter leur sexe et, à la fin, Julien s'est suicidé.

01:12. L'Origine du monde, de Courbet. Bien sûr L'Origine du monde. Forcément L'Origine du monde. Cela dont il s'agit *depuis le début*. Ce pourquoi les filles se prennent affreusement la tête. C'est l'évidence même. Depuis le tableau de Courbet, plus personne ne peut entreprendre de représenter le sexe d'une femme sans se dire qu'il dessine, non pas une caisse, un mouton ou un sexe, mais l'Origine du monde. Depuis 1866, quiconque commence par dessiner le sexe d'une femme se retrouve en un rien de temps dans l'obligation de représenter l'Origine du monde. Excusez du peu. Pas étonnant que 75 % des filles éprouvent les pires difficultés à représenter leur foufoune. Le problème est épais. Les voici soudain confrontées à *l'Origine* du monde. Il y a de quoi se creuser le ciboulot. Question : si je leur avais demandé de représenter l'Origine du monde, auraient-elles immédiatement, sans se poser de question, *finger in the nose*, dessiné leur sexe et fin de l'exercice ? Quel gain de temps alors ! Noter, en marge de l'expérience, que nous vivons dans des temps où, entre les mots et les images, rien ne va plus de soi. Dans ce domaine aussi c'est la crise. Puisqu'un mouton peut tout à fait prendre l'aspect d'une caisse et l'image du sexe féminin s'intituler sans problème L'Origine du monde et aucun doute : ceci n'est plus *jamais* une pipe, au point que ce qui serait peut-être nouveau aujourd'hui, ce qui serait *d'avant-garde*, c'est que ceci *puisse être* précisément une pipe et qu'une caisse soit justement une caisse et rien d'autre, qu'un mouton soit un mouton et le sexe d'une femme le sexe d'une femme et, bref, que tout se mette à coïncider après avoir été si complètement dissocié, se mette à coïncider non comme les choses coïncidaient avant d'être dissociées, mais après qu'elles le furent, c'est-à-dire enrichies de cette expérience et, bon, les filles, c'est pour aujourd'hui ou pour demain ? Vous êtes déjà allées à l'Ircam ? Vous avez lu la page 455 ? Bon. Je commence à en avoir assez de débloquer à pleins tubes. Vous nous montrez ce que vous avez dans la culotte ou allez-vous indéfiniment entretenir le secret de polichinelle ?

01:16. Idée pour plus tard : en appeler aux contributions extérieures ! Prévoir d'ores et déjà de lancer un appel pour qu'un *maximum* de gens, plutôt que de jouer au Trivial Pursuit ou à je ne sais quel jeu de société qui fait passer le temps sans laisser de traces en nous, décident d'en avoir eux aussi le cœur net à la fin d'un repas. Ce serait une excellente initiative. Dès lors qu'un nombre significatif de dessins seront collectés, des statistiques pourront être établies et, d'icelles, oui, *d'icelles,* une loi générale pourra être formulée, à laquelle on pourrait donner mon nom et pourquoi ne serait-ce pas le cas ? Ronald Reagan a bien donné son nom à une rose (*Ronald Reagan : une rose !*). Au pire, on pourrait concevoir une exposition d'art contemporain. La médiocrité des dessins (oui, mais hissée au rang de série) associée à leur côté hautement conceptuel (oui, mais ce concept concerne tout le monde) incite à prendre cette option au sérieux. Je suis certain que les gens *adoreraient*. Ils se presseraient le dimanche après-midi dans la galerie. Je pourrais d'ailleurs en parler à S. Sûrement serait-elle d'excellent conseil. Sur le mode : « Je n'arrivais pas à me représenter mon sexe ni celui de l'homme avec qui je vivais. J'ai donc demandé à des hommes et à des femmes qui vivaient en couple de dessiner le sexe de leur partenaire et leur propre sexe, etc. » Ce ne serait pas plus compliqué. Dommage que S ne donne plus aucune nouvelle. Que devient-elle, à propos ? Dommage que je ne sois pas un artiste contemporain. En tous les cas, je le dis à toutes fins utiles, des fois que l'idée viendrait de me faire les poches : ce projet artistique m'appartient et nul ne peut me le piquer (même édulcoré, même l'air de rien) sans s'exposer à des représailles auxquelles je n'ai pas encore réfléchi, mais on est prévenu ! Cela dit, je brûle maintenant de recevoir très vite dans ma boîte aux lettres quantité de dessins représentant, ici le sexe d'une femme, là le sexe d'un homme, et il faudra que je prévienne mon éditeur (quel qu'il soit) afin qu'il se tienne prêt et ne s'émeuve pas outre mesure des enveloppes soigneusement cachetées qui lui seront adressées et, par-dessus tout, *qu'il n'ouvre pas mon courrier* et le fasse suivre au plus vite, sans rien regarder ni garder pour lui, pas de blague !

01:18. Précision : si on entreprend de reproduire chez soi l'expérience, prendre garde à ne pas chercher à reproduire les conclusions auxquelles je suis parvenu : ce serait tricher, ce serait n'avoir rien compris à la science, ce serait jouer un très sale tour à l'Inattendu avec *un I majuscule*. En la matière, je ne saurais trop conseiller de procéder à ses propres investigations sans tenir compte des miennes, sans même en prendre connaissance, surtout pas, afin de ne pas fausser les résultats – et tant pis si cela signifie refermer le livre que l'on lit en ce moment et ne plus jamais le rouvrir (s'il s'agit d'un livre). Tant pis. Le jeu en vaut la chandelle. Il s'agit tout de même de parvenir à représenter l'Origine du monde. Ou une caisse. Ou un mouton. Ou le sexe, quel qu'il soit, sachant qu'il préoccupe tellement les foules, du haut en bas de l'échelle sociale. Car je peux bien l'avouer : jamais je n'ai renouvelé l'expérience, au grand jamais, ni lors d'un dîner ou même d'un déjeuner, encore moins au moment du petit déjeuner, non, une fois aura suffi, une fois fut presque de trop.

Niveau 8

01:19. Il existe encore de nos jours des hommes et des femmes que la perspective de plonger dans les abîmes incertains et controuvés de l'âme humaine n'effraie pas. C'est-à-dire des êtres assez libres d'eux-mêmes et de leur insignifiance dans le monde pour ne pas transformer leur ignorance en certitudes ni leurs peurs en jugements. Êtres rares, s'il en est. Êtres d'abord curieux, s'il en reste. Êtres doux et supérieurs, comme je les apprécie. Et parmi ceux-là, je ne doute pas qu'il s'en trouvera qui, de leur propre initiative, seront tentés de se munir de feuilles de papier et de crayons et, ainsi équipés du matériel adéquat, histoire de se forger leur propre opinion, convier quelques couples de leurs amis à partager un agréable dîner à la fin duquel, dans la joie et la bonne humeur, chacun et chacune sera invité à représenter à main levée, sans copier sur son voisin ni sur sa voisine, ici son sexe, là l'autre sexe… et à la grâce de dieu ! À la santé des uns et des autres ! Avec le tir au pistolet dans son salon, je leur garantis une fin de soirée tout à fait réussie. Sachant que je décline par avance toute responsabilité pour les divers objets ou insultes que les uns et les autres seront éventuellement amenés à se jeter à la figure au terme du repas. On est, là encore, prévenu. On n'est jamais assez prudent. On ne sait jamais à qui on a affaire. N'ai-je pas reçu un jour la lettre – lettre triste, lettre incrédule et frémissante – d'un homme qui me racontait que sa femme venait de le quitter subitement, du jour au lendemain. Sa femme, qu'il aimait profondément, alors qu'ils vivaient ensemble depuis cinq ans : voici qu'elle l'avait quitté. Voici qu'elle n'était plus là. Elle ne voulait plus vivre avec lui et sa décision était irrévocable et s'il m'écrivait cette lettre, ce n'était pas pour se lamenter ni pour me faire perdre mon temps. Mais parce que sa femme venait de lui faire parvenir par la poste le livre que j'avais publié quelque temps auparavant et sur la première page duquel, en guise de seule et unique explication à son départ, elle avait écrit : « Lis ça et tu comprendras pourquoi je te quitte. » Vlan. Il avait lu mon livre et il ne comprenait pas. Il l'avait relu et, non, il ne comprenait vraiment pas. Pouvais-je lui expliquer ce que cela signifiait ? Pouvais-je *m'expliquer* ? Je ne crois pas avoir répondu. Je ne sais plus. Je ne savais pas quoi répondre. Qu'est devenu cet homme ? *Et la femme ?*

01:20. Il y en a marre ! Près de deux heures et demie que ça dure ! DEUX HEURES ET DEMIE ! Ce n'est plus chercher à dessiner l'Origine du monde, c'est carrément le créer ! C'est faire l'amour en long en large et en travers. Stop ! À l'unanimité, il a été décidé de fixer à 01:30

la fin du test. Tant pis si les filles n'ont pas fini. Ce ne sont pas dix minutes de plus ou de moins qui changeront maintenant quoi que ce soit. À contrecœur les trois filles ont accepté. La dernière bouteille de vin a été débouchée : il faudra passer à des alcools plus forts au moment d'analyser les résultats. En tous les cas, l'expérience semble d'ores et déjà concluante en ceci qu'il est apparu que les trois quarts du panel féminin ont eu toutes les peines du monde à dessiner leur propre sexe ; si la proportion avait été inverse – par exemple, une seule fille (25 % du panel féminin) éprouvant des difficultés tandis que les autres (75 %) auraient depuis longtemps terminé le test –, il est évident que l'on n'aurait rien pu en déduire de significatif. Sinon que la retardataire est peut-être mentalement attardée et qu'elle ferait mieux de consulter un spécialiste. Mais ce n'est pas le cas : avec un taux « d'échec » de 75 %, c'est le sujet qui a « réussi » le test qui devient l'exception, c'est lui l'anomalie, lui qui devient suspect. Statistiquement parlant, imaginer que la majorité devrait consulter un spécialiste n'est pas recevable. La majorité a toujours raison, surtout quand elle a tort.

01:22. « En Grande-Bretagne, un schéma médical a été soumis à mille femmes âgées de 26 à 75 ans. Parmi les 26-35 ans, seule la moitié a été capable de situer exactement le vagin » (Association Eve Appeal, de lutte contre les cancers féminins, 2014).

Niveau 9

01:37. Le test est officiellement terminé. Tous les dessins ont (enfin !) été collectés. Je les ai étalés sur la table et j'imagine que tu as trouvé le Schmilblick. Bien sûr. Forcément. Bravo ! Je te félicite. Quelle perspicacité ! Il faut dire que je t'ai bien aidé. Pour un indice, c'en était un !

Okay.

Fais-moi plaisir maintenant : retourne à la page 640 et regarde de nouveau les trois dessins. Observe-les très attentivement. Observe-les *religieusement*. En te gardant de toutes conclusions hâtives. En te disant qu'il s'agit, là, devant toi, noir sur blanc, de trois sexes de femme, oui, tu as en ce moment même sous les yeux l'idée que se font de leur sexe trois jeunes et jolies femmes, chacune en parfaite possession de ses moyens physiques, intellectuels et économiques. Telle est leur Origine du monde ! La leur personnellement, intimement, *après mûre réflexion*.

Cela laisse songeur, n'est-ce pas ? Cela donne envie de hocher longuement la tête en gardant le silence. Courbet peut aller se rhabiller. Va t'étonner ensuite que M se soit refusée sur le rebord de ma cheminée ! Qu'aurait-elle dessiné si je lui avais demandé de représenter son sexe ? Mieux vaut peut-être que je ne le sache *jamais*. On croit savoir à qui on a affaire, mais c'est faux. On ne sait rien. On ne soupçonne pas. On ne se doute de rien du tout. On n'a aucune idée dans quoi on met le doigt, pour ne pas dire autre chose. On est à dix mille lieues d'imaginer. Le niveau individuel des choses : voilà bien le prodige !

01:42. Le niveau individuel des choses, oui, ce n'est pas rien, c'est le moment de mettre les choses au clair : le niveau individuel des choses, ce n'est pas le niveau collectif des choses ramené au niveau de l'individu. Rien de fractal ici. C'est bien mieux que cela. C'est QUAN-TIQUE ! Car entre le niveau collectif des choses et le niveau individuel des choses : les mêmes lois ne s'appliquent pas. *Il ne s'agit plus de la même physique.* À notre niveau individuel des choses, nous connaissons des intrications sans nom ; notre nature est simultanément double ou peut-être triple ; nous pouvons être mort et vivant à la fois ; tous nos états se superposent à la fois ; le seul fait que nous soyons ici et mainte-nant modifie l'Univers ; nous entrons en résonance avec tout et, pour ne rien gâter, le temps ne s'écoule pas à notre niveau individuel parce que, à notre niveau individuel des choses, les causes ne sont pas suivies d'effets aussi irréversiblement qu'elles le sont au niveau collectif des choses et suis-je assez clair ? Perçoit-on mieux les dessins des filles ? D'où ils viennent ? *Le Niveau individuel des choses* : cela ne ferait-il pas un super-titre de livre ? (Y penser, si j'en écris un.)

01:46. Tant que j'y suis, une autre précision, en passant, en vitesse. Tu te demandes peut-être pourquoi tous ces italiques et autres renvois de page qui insistent lourdement, agacent, font sentir l'auteur par-dessus l'épaule du lecteur, perturbent la lecture, prétendent l'enrichir alors que cet enrichissement typographique (c'est le terme) est comme tout enrichissement : un signe manifeste de pauvreté intérieure. Les mots ne se suffisent-ils donc pas à eux-mêmes ? Faut-il, à la parole, joindre sans cesse de grands gestes ? Le lecteur est-il si peu digne de confiance qu'il ne pourrait mettre tout seul l'accent sur ce qui est important ou faire de lui-même les rapprochements qui s'imposent entre certains passages comme s'il oubliait tout au fur et à mesure qu'il lit ? Eh bien, non. Jus-tement non ! Je n'ai aucune confiance : ni dans les mots ni dans la parole, ni dans les gestes, ni dans le lecteur – quel lecteur ? S'il en existe un, il en existe mille. Dont j'ignore lequel est en mesure de se rappeler ce qu'il a lu cent ou mille pages plus tôt, lequel saisit ce qui est impor-tant *à mes yeux*. Désolé. Mille excuses. Le lecteur fait ce qui lui plaît et moi aussi. *Il n'est pas à ma place.* Lui et moi ne sommes pas du tout semblables, personne n'est semblable, personne ne s'entend sur les mêmes choses : *regarde les dessins !* Écoute ce qu'ils disent des uns et des autres. C'est la diversité qui est universelle. Il est trop tard pour faire confiance. Même pas en rêve. Même pas en moi. Surtout pas en les mots. C'est dit. C'est encore plus vrai depuis M. C'est sa trace en moi. Son prolongement. Sa matérialisation sous une forme cryptée. La preuve qu'elle fut. Son ultime écho. C'est dit.

01:54. Ces précisions données (une bonne chose de faite !), voici venue l'heure de la grande synthèse, du topo final, des fois que tu voudrais avoir toutes les informations disponibles concernant l'expérience menée ce soir-là et, par parenthèse, je regrette de ne pas me souvenir de la date ni d'avoir aucun moyen de la retrouver car quels étaient nos horoscopes aux uns et aux autres ce soir-là ? À l'époque, je n'avais pas idée de chercher des informations du côté des astres : dommage.

Côté garçons, pas de surprises : dans 100 % des cas, leurs dessins se sont révélés purement anatomiques. Tout à fait ressemblants. Conformes aux apparences. Sans surprise, chacun s'est représenté au meilleur de sa forme, de profil, passablement turgescent mais sans exagérations notables cependant. Sans vantardises qui auraient éventuellement mis la puce à l'oreille (centrés dans la page, les dessins n'occupent pas tout l'espace ; aucun détail n'apparaît disproportionné, etc.). À noter : le sexe apparaît systématiquement érigé selon le même axe sud-est/nord-ouest, ce qui pourrait signifier quelque chose (mais quoi ?) ; par ailleurs, il est perçu comme autonome, détaché du reste du corps, telle une entité se suffisant à elle-même, un *totem*, un pur phallus (mais avec des testicules, comme un socle un peu ridicule, un rappel physiologique au plancher des vaches).

Idem en ce qui concerne leur vision de l'autre sexe : les garçons ont, dans 100 % des cas, représenté celui de leur chère et tendre de face, parfaitement centré dans la page, comme s'ils se tenaient pile devant. Dans 100 % des cas, les cuisses sont largement écartées, elles sont écartées *au maximum* ; pour autant, le sexe reste niché, il n'est pas *béant*, il est vu à une certaine distance qui est peut-être respectueuse, peut-être de sécurité, peut-être pour préserver l'intimité (il s'agit tout de même du sexe de leur chère et tendre !). En substance, rien n'est dissimulé, mais rien n'est exhibé non plus. On sent qu'entre la pudeur et la pornographie, chacun s'est efforcé de trouver un compromis et tous ont arbitré dans le même sens. Moi compris. Il n'est venu à l'esprit de personne de faire un très gros plan du sexe de sa copine. Comme une envie de s'approcher au plus près, de plonger la tête dedans, de pénétrer au cœur, d'aller y voir à la loupe. À l'évidence, personne ne s'est excité tout seul. On ne peut reprocher à quiconque une curiosité que d'aucuns auraient peut-être trouvée suspecte, malsaine, selon l'expression consacrée. Nul n'a pris ce risque. Il semble que, tacitement, chacun s'en soit tenu à une même réserve et c'est peut-être cela le plus intéressant. Cela le plus significatif. Comme une censure ? Qui expliquerait une telle uniformité de vue ? Cette volonté de rester globalement superficiel, systématiquement extérieur, *au pied du lit*. Car dans 100 % des cas, c'est du regard qu'on embrasse la situation. Dans 100 % des cas, le dessin dit « pas touche » ! Ce qui n'exclut pas un souci manifeste de la précision : lèvres, clitoris, vulve... Tout est figuré, à sa place, sans être ostensible. Rien ne manque, sans être obscène. Des Courbet, le talent en moins. À chaque fois, la gentefente s'avère bien visible, bien dégagée derrière les oreilles, comme une fraîche clairière dans la forêt. Au final, chaque dessin affirme une belle connaissance anatomique de la chose. Le secret comme s'il logeait dans les détails ? Le savoir comme s'il était scolaire ? La réalité comme si elle était fidèle à son image ? Le désir comme s'il était scopique ? Etc.

A contrario, on cherche en vain le moindre investissement symbolique. La plus petite trace d'imagination. L'esquisse d'un grain de folie. Les traces sublimes d'une éducation religieuse patiemment acquise et solidement consolidée. Le sexe de leur chère et tendre n'est pas sublimé, il n'est pas transcendé, il n'est même pas figuré au sens propre : il est juste ce qu'on en voit. Il est scrupuleusement ressemblant à sa réalité anatomique. Aussi matérialiste que possible, aussi mystérieux que cela, mais pas davantage non plus. Aucune spiritualité !

À noter également : cette fois, le sexe est rattaché au corps, cuisses et ventres et fesses sont, dans 100 % des cas, bien visibles (sur trois dessins, les seins sont même esquissés et, dans 50 % des cas, l'anus discrètement esquissé), ainsi que le pubis, plus ou moins fourni et ce détail apparaît en définitive, l'unique indication révélant qu'il ne s'agit pas du même sexe anonyme et indifférencié représenté quatre fois. D'une Origine du monde comme si elle était la même dans 100 % des cas.

Niveau 10

Côté filles, en revanche, on va de surprise en surprise. Pas qu'un peu ! Dans 75 % des cas, elles ont manifestement cherché à dessiner leur propre sexe au-delà des apparences, de façon toute personnelle, irréductible même. Avec un sens de l'originalité qui impressionne. On ne peut en aucun cas confondre le sexe de l'une avec celui de l'autre. Ils sont tous *uniques*. Ce qui, de façon remarquable, les distingue de l'idée que s'en font leurs chers et tendres.

Autre point remarquable, quoique plus problématique : sans légende explicative, difficile de reconnaître un sexe féminin dans 3 dessins sur 4. On ne peut, dans 75 % des cas, se douter de quoi il s'agit. *On n'en a pas la moindre idée !* On a beau chercher un lien, même minime, même de loin, l'esprit avoue ici sa déroute. Il s'agit, dans 75 % des cas, d'un défi à l'entendement. C'est un peu comme à l'Ircam : entre ce qu'on voit et ce qu'on sait, quelque chose ne coïncide pas. À cet égard, l'incrédulité (vaguement inquiète) des garçons en face du dessin représentant le sexe de leur chère et tendre mérite d'être consignée. De toute évidence, ils ne s'attendaient pas à *ça*.

Ils ne s'attendaient pas à un point d'interrogation. Dans 25 % des cas un point d'interrogation. Indubitablement. Résumant visiblement toute la question. La condensant tout entière. La grande question du mystère féminin (*mais qui est-Elle, bon dieu ? Qui ?*). Point d'interrogation majuscule, formidable signe de ponctuation, comme l'aveu le plus honnête qui soit, *après presque trois heures d'intenses cogitations.* Comme tracé en désespoir de cause et, dans le tracé, avec un peu d'imagination, avec un minimum de sensibilité, quelque chose de l'ondulation du serpent plongeant vers un petit trou noir déguisé en point, quelque chose de ce frisson-là. Le sexe d'Ève ?

Pour la seconde, c'était – quoi ? Difficile à dire. Très difficile. Tu dirais quoi ? Ça te fait songer à quoi ? À une espèce de podium ? Ou bien à une marelle ? Un robot ? Comment dire ? Comment regarder ce dessin ? Dans quel sens ? C'est une vue de face ? De profil ? D'en haut ? À tout le moins, il s'agit d'une vue de l'esprit. Il s'agit d'un *délire*. D'un défi à la raison. Comment y reconnaître sérieusement le sexe d'une femme ? Même avec la meilleure volonté du monde. Même avec beaucoup d'imagination quand, sur le papier, on croirait plutôt une petite bite montée sur deux testicules carrés. Par quel bout prendre ce sexe de femme ? Le sexe de la Femme imprenable, dans 25 % des cas ? Le sexe de la Femme se faisant des idées masculines sur elle ? Le sexe de la Femme membrée ?

Enfin le plus abstrait, quasiment conceptuel, d'une pureté toute géométrique, dans 25 % des cas. Le plus explicite si on le regarde longuement, le plus éloquent peut-être, le plus effrayant aussi : quatre traits dans les coins, marquant les bordures et laissant la page entièrement blanche, son cœur cathédral, infiniment vide, ouvert à toutes les propositions, attendant d'être empli, sans jamais pouvoir être comblé semble-t-il, impossible à combler, désespérément vacant. Un *gouffre* ! Le sexe féminin comme une surface plane occupant tout l'espace, prenant toute la place. Une fosse. Non pas un trou mais une *béance*. Le sexe de la Femme vide ? Ou alors, autre interprétation, hypothèse glaçante : il s'agirait d'un cercueil. Vu de haut. Glup. D'une caisse, comme dans *Le Petit Prince*, mais pas n'importe laquelle. Ci-gît un sexe de femme ? Le sexe féminin comme un faire-part ? Un avis de décès ?

Je ne sais pas. Je vois avec mes yeux et il est à craindre que je ne voie pas ce qu'il conviendrait de voir. Je fais très certainement fausse route. Je cherche à reconnaître ce qui n'est peut-être pas reconnaissable. Peut-être même pas connaissable. Hors de ma portée. Je ne sais pas. Je donne ma langue au chat. Si tu as de meilleures interprétations, si tu sais, n'hésite pas à me le faire savoir. Je suis preneur.

En attendant, cela pose la question de savoir ce que, dans 75 % des cas, les filles ont cherché à représenter. Qu'ont-elles cherché à rendre visible ? L'invisible, justement ? Ce qui échapperait au regard ? Serait pure intériorité ? Non pas leur propre sexe en tant qu'il est un organe offert à la vue, une intimité anatomique, mais en tant que – quoi ? Essence ? Concept ? Schème (au sens où Kant désigne tout procédé par lequel un concept devient effectif par l'implication d'une *intuition*) ? Il faudrait les lumières éclairées d'un spécialiste (sémiologue ? philosophe ? anthropologue ? historien de l'art ? psychiatre ? docteur de l'église ?) pour élucider le mystère. Autour de la table, il est clair que chacun doit reconnaître son incompétence.

Visaient-elles *La Source sacrée* ?

Là où la chose paraît encore plus remarquable, c'est que, *dans 100 % des cas,* les filles ont représenté le sexe de leur cher et tendre de façon parfaitement vraisemblable. Dans 100 % des cas, elles ont dessiné une verge, une bite, une queue et un zob parfaitement reconnaissables, immédiatement identifiables. Autrement dit, contrairement aux garçons, 75 % des filles ne réservent pas le même traitement au sexe de leur cher et tendre qu'au leur. Elles semblent proclamer que l'un et l'autre sexe sont de nature différente. En tous les cas, l'investissement n'apparaît pas du tout le même. Dans un cas, c'est dessiné d'après modèle ; dans l'autre, on ne sait pas. Tout est possible. Le modèle échappe. Dans un cas, elles ont reporté ce que, de leurs yeux, elles ont vu ; dans l'autre, il s'agit d'une *vision*.

Noter : dans 100 % des cas, les filles n'ont pas seulement dessiné un sexe masculin d'après nature : elles l'ont dessiné avec un souci du détail qui, par comparaison, intrigue. Tant de réalisme dénote. En plus d'être flatteur. Car les pénis (comme disent les Américains) sont, dans 100 % des cas, magnifiques. Fièrement dressés. Tous occupent toute la page. Tous sont *énormes*. Il s'agit, dans 100 % des cas, de *monstres*. De *menhirs*. De *monolithes*. Forme du gland, plissé du prépuce (on reconnaît qui est circoncis (25 %) et qui ne l'est pas), importance des bourses (soit pleines et gonflées (50 %), soit pendantes comme des oreilles de cocker), sillon veineux, indication si le membre porte droit ou légèrement penché (25 %), pubis tantôt épais, tantôt frisé... Aucun doute, les filles ont regardé leur homme de près, en dessous de la ceinture. Elles ont eu leur membre sous les yeux. Elles l'ont détaillé à la loupe. Je n'en dis pas plus. Faut-il en déduire que 100 % des femmes sont comblées par leur cher et tendre ? Autre hypothèse : peut-être ne veulent-elles pas qu'on pense qu'elles se satisfont d'une bite d'insecte. Peut-être ont-elles voulu être délicates envers leur conjoint et complaisantes envers elles-mêmes, faisant ainsi d'une pierre deux coups. Quoi qu'il en soit, toutes semblent convaincues (ou veulent faire croire) qu'elles en possèdent une bien grosse, si j'ose dire. À la vue de tant de compliments, je me dois à la vérité de consigner que les compagnons de ces dames (moi compris) n'ont fait aucun commentaire ; mais se lisait sur leurs visages une espèce de soulagement confinant au contentement (merci les filles ! Merci de nous mettre si bien en valeur ! Merci de ne pas nous humilier en public ! On vous aime !).

Ce n'est donc que dans 25 % des cas qu'une femme a dessiné son propre sexe sans faire de chichis, sobrement, frontalement, de façon sinon ressemblante, du moins reconnaissable, *exactement comme son homme l'avait dessiné de son côté* (la similitude était remarquable : ces deux-là partageaient à l'évidence les mêmes vues l'un sur l'autre). À toutes fins utiles, je note qu'il s'agit de la femme qui a rendu son dessin la première. Celle qui a mis deux fois plus de temps que les hommes à remettre sa copie, mais dix fois moins que ses trois copines. Celle qui n'a pas le même profil sociologique que les autres (voir plus haut). Comme une confirmation impossible à passer sous silence.

Concernant les trois autres : je n'ai aucune explication. Où sont-elles allées chercher que leur sexe ressemblait à *ça* ? Comment en sont-elles

arrivées à pareilles représentations ? Par quelles circonvolutions intérieures, au terme de près de trois heures de tortures mentales ? On
touche ici au surnaturel. À l'ésotérisme même. Au paganisme. Aux religions les plus sabbatiques et cabalistiques. Aux confréries secrètes,
peut-être sataniques : il faut être initié pour comprendre le message et
savoir l'interpréter. Il faudrait être Champollion. Ou alors : on est en
présence de trois représentations postmodernes du sexe féminin. D'une
conscience hyper-historique de la dissociation entre la chose et sa
représentation. D'une transcendance définitivement autonomisée
– mais transcendance de quoi : d'une ignorance du sexe ou d'une
connaissance du sexe ? À Montégut, deux bœufs se sont-ils figés sur
place ?

Tout de même : s'éloigner à ce point du vraisemblable, en arriver si
radicalement à *ne pas* voir la réalité (ce qu'on appelle la réalité) et s'en
remettre si magnifiquement à son imagination : voilà qui tient du prodige (et tout prodige est une chance !). Respect. Chapeau bas.

D'un autre côté, on peut percevoir dans ces dessins l'indice d'interrogations puissamment existentielles. À l'appui de cette intuition : dans
100 % des cas, les trois sujets féminins n'ont pu livrer la moindre explication permettant de donner un sens à leurs dessins. Elles-mêmes
ignorent ce qu'elles ont *exactement* représenté. Impossible pour elles de
mettre des *mots*. Il s'agit de leur sexe, point barre. On leur a demandé
de dessiner leur sexe et elles se sont prêtées au jeu en toute bonne foi,
elles ont fait de leur mieux le plus honnêtement qu'elles le pouvaient
et que voulions-nous de plus ? N'étions-nous pas satisfaits ? Ce n'était
pas leur faute (chacune a répété cette phrase plusieurs fois…) si, livrant
les plans, elles ignoraient le mode d'emploi et ne pouvaient dire dans
quel trou venait s'enficher la planchette B8, ouvrant de ce fait la voie
aux spéculations les plus folles. Leur œuvre ne leur appartenait pas.
Tant pis si nous (les garçons) étions trop stupides pour comprendre.
Trop étroits d'esprit. Trop *matérialistes*. Du reste, cela ne les surprenait
pas tant que cela. Cela confirmait leurs soupçons à notre endroit. Nous
manquions tellement d'imagination. Nous étions décidément des êtres
frustes et bornés. Eh quoi, elles n'allaient pas en plus se justifier. Il ne
fallait pas compter sur elles. Elles en avaient déjà trop dit ! Que cela
nous plaise ou non, tout était là, visible, exposé en pleine lumière, que
le monde se débrouille maintenant. Ce n'était plus leur affaire. Elles
avaient craché leur morceau, dévoilé leur secret, révélé leur intimité la
plus intime, elles n'allaient pas en plus livrer de notice explicative. Et
quoi encore ! Elles n'étaient pas des machines à laver.

Noter qu'en découvrant les dessins des trois autres, chaque fille s'est montrée plutôt surprise, mais rien à voir avec l'incrédulité majuscule des garçons. C'est plutôt que toutes semblaient *très* intéressées par ce qu'elles voyaient. Comme si elles comprenaient l'idée en s'étonnant cependant de la forme prise sur le papier. Un peu comme à la vue d'une nouvelle robe ou d'une nouvelle paire de chaussures. En étant plutôt admiratives. En pouffant aussi, non de façon cruelle mais avec tendresse, comme si elles voyaient très bien le problème, saisissaient le sens caché et, entre elles, s'amusaient d'une *private joke*.

Pour le reste, c'est peu dire que les filles ne constituent pas une communauté homogène, sinon par défaut. Dans 100 % des cas, la représentation que chacune a fait de son sexe apparaît *unique*. Irréductible. Ne présentant, ni de près ni de loin, aucun point commun avec le sexe de ses consœurs. Aucune solidarité ici. Aucune *connivence*. Il s'agit à chaque fois d'un univers à lui tout seul. Comme si pas une ne s'imaginait comme les autres et, finalement, qu'elles n'étaient pas *du même sexe* (mais de quoi parle-t-on exactement en parlant de « sexe » ? La question se pose tout à coup). En tout cas, sentiment que les filles ont une conscience très aiguë de leur singularité. Elles ont une relation investie et personnelle avec leur sexe, ce qui n'est pas le cas des garçons. Si elles ont quelque chose en partage, c'est de se distinguer radicalement. C'est de n'avoir aucun rapport avec les autres. De n'être assimilables ou réductibles qu'à elles-mêmes. C'est uniquement dans le fond qu'elles sont liées, pas du tout dans la forme. Au risque, pour chacune, d'une grande solitude ? D'un effroi ? À l'inverse, les garçons font bloc. Ils se distinguent très peu entre eux. Se voient tous du pareil aux mêmes. Dans le fond comme dans la forme. Ce qui, sur un plan intellectuel, esthétique et politique, est tout de même le signe d'une grande pauvreté.

Dire que, dans le lot, il y avait le dessin de celle que j'aimais à l'époque ! Cela m'avait fait réfléchir. Cela m'avait *terrifié*. Dans quoi fourrais-je ma queue ? *Là-dedans ?* Sans parler du fait que, dans 75 % des cas, l'humanité venait de là ! Des millions d'enfants étaient enfantés et chiés d'une origine du monde qui avait cette gueule-là. Qui ne ressemblait à rien de connu. Demeurait pure énigme. Waouh ! Voilà qui expliquait certaines choses, du moins dans 75 % des cas.

Niveau 11

Car le plus impressionnant. À la réflexion. En prenant un peu de recul. En y regardant d'encore plus près. Comment dire ? Si, au cas par cas, on confrontait les deux dessins que chaque garçon avait rendus, on constatait que l'un et l'autre faisaient la paire. Pour dissemblables qu'ils fussent en apparence, on devinait *comment* les deux sexes pouvaient s'accorder. Visible était le lien. Que ce soit en termes de taille, de point de vue, de traitement, de représentation même : on comprenait la possibilité du couple. Ce que les garçons avaient dessiné, c'était une complémentarité. Dans 100 % des cas, ils avaient uni l'un et l'autre sexe dans une même vision. C'était même cette vision qui, par-delà les différences, semblait créer à chaque fois les conditions d'un rapprochement. Qu'un homme et une femme puissent faire l'amour n'avait, à leurs yeux, rien d'impossible. Cela n'avait rien de *fou*. Ils en étaient chacun persuadés. Pour eux, la différence de forme n'était pas une différence de fond. C'est ce qui ressortait de leurs dessins. Rien de tel chez les filles ! Tout le contraire pour 75 % d'entre elles ! Dans leurs cas, les choses paraissaient beaucoup plus problématiques. Nullement évidentes. Mis en regard, les deux dessins que chacune avait exécutés ouvraient un gouffre. Dressaient un mur. Faisaient exister une énigme majuscule. Car à première vue, les deux sexes ne semblaient pas du tout *compatibles*. Et même à la centième vue. Que l'un puisse entrer dans l'autre et que l'autre puisse accueillir l'un : on ne voyait pas comment c'était possible. Le lien ne sautait pas du tout aux yeux. Cela tenait plutôt du casse-tête. De la quadrature du cercle. De l'impossibilité pure et simple. Que l'un et l'autre sexe puissent s'unir n'étaient visiblement pas envisageable. Ce n'était pas la question. L'idée que un plus un puisse faire deux ne semblait pas avoir effleuré les filles. Elles n'y avaient manifestement pas pensé. Ce n'était, semblait-il, pas leur problème. L'arithmétique n'avait pas lieu d'être ici et la nature de l'opération susceptible de conduire à une union échappait à la raison. S'agissait-il alors d'une magie ? Cela qu'elles pensaient ? Quoi qu'il en soit, leur désir les avait poussées à séparer radicalement les deux sexes. À les fixer chacun dans une identité inaltérable. Une autonomie telle que, sur le papier, on aurait dit que l'un et l'autre sexe n'étaient pas de même *nature*. N'avaient finalement rien de commun. Rien qu'ils puissent partager. Sur le papier, il s'agissait de deux mondes distincts et même disjoints que, dans 75 % des cas, les filles avaient pensés comme tels. Deux mondes irréductibles l'un à l'autre, que rien ne semblait pouvoir relier entre eux, pas même la vision capable de les embrasser dans un même regard. La vision que les filles (dans 75 % des cas) avaient, au terme d'une intense réflexion, exprimée était à l'exact opposé. Que ce soit dans le format, le point de vue, le traitement, la forme et le fond, même le trait de plume : rien n'allait ensemble, rien ne concordait, l'union n'était pas possible. La possibilité même de *faire* lien semblait exclue. C'était exclu ! Comme s'il n'en était pas question. Cela leur vision des choses ? Qu'entre les filles et les garçons, il y avait beaucoup plus qu'un abîme : il y avait une rupture épistémologique, comme on dit ? Il y avait une différence, non physique, mais de physique ? Comme si les garçons se trouvaient ici et qu'elles se trouvaient carrément dans une autre dimension. Dans un monde parallèle. Un ailleurs indicible. Ne se trouvaient, à aucun moment, ni dans la forme ni dans le fond, dans le même *plan*. Voici qui ouvrait d'incommensurables perspectives. Voici qui donnait matière à réfléchir *très* longtemps. Quand je disais que nous allions obtenir des réponses qui poseraient de nouvelles questions.

Les autres, je ne sais plus ce qu'ils en pensèrent sur l'instant. Je ne me le rappelle plus. J'étais trop subjugué par ce qui venait de m'être révélé et par les développements possiblement infinis que j'entrevoyais déjà pour ne pas me soucier uniquement de mes sensations et il est trop tard aujourd'hui. Les uns et les autres nous sommes perdus il y a de cela des siècles, au fil des séparations et des ruptures de chacun. Peu importe. Le résultat demeure, irréfutable, et cette différence de perception (anatomique et naturaliste pour le sexe masculin versus symbolique et abstraite pour le sexe féminin) est une pièce que je verse promptement au Dossier de l'Éternel féminin, comme on dit. Une pièce selon moi inestimable tant elle semble l'aveu d'une hallucination. L'invention d'un mystère. La source d'une difficulté, d'une inquiétude et d'une ignorance. La preuve d'un délire de la représentation. L'indice d'un surinvestissement conduisant à une spiritualisation concernant 75 % des femmes. Je ne sais pas. D'autres ont sûrement de meilleures analyses à proposer. Je le souhaite, du reste. En attendant, je m'expliquais mieux l'attitude de M. Si on ne me croit pas, qu'on aille y voir par soi-même.

Maintenant, remplace le mot sexe par celui que tu veux et demande qu'on en fasse un dessin. Ce serait un bon début. On verrait que nous sommes tous le jouet de représentations dont nous ignorons la teneur.

Et à la fin, Julien s'est pendu avec la ceinture de son pantalon à la poignée d'une fenêtre.

Tu crois que cela n'a rien à voir ?

Regarde de nouveau les dessins. Regarde-les mieux.

Dans un de mes petits carnets, ceci que je notai je ne saurais dire quand, peu importe, deux points ouvrez les guillemets : « Si je cours après quelque chose dans l'existence, c'est après les révélations. Je veux que tout me soit chemin de Damas. (souligné) Tout me soit pont de Neuilly. Me soit tables tournantes à Jersey. Je ne vise rien d'autre. Ne suis sensible à rien d'autre. Je ne cherche pas des explications, des confirmations, des justifications, des coupables et je ne sais quoi encore : je cherche des *révélations*. Uniquement ce genre d'émotions. Exclusivement ce type de chocs. Non pour ce qu'ils sont, mais pour le monde qu'ils détruisent et récréent dans le même mouvement. Pour les sensations sensationnelles qu'ils procurent. Cela surtout. L'émotion de la révélation : voilà qui me plaît le plus au monde. Les révélations sont ma nourriture. Elles sont ma modalité. Que rien ne me soit révélé, d'une façon ou d'une autre, aussi minime cela soit-il, et je crois que je suis mort. Je suis mort. »

Niveau 12

M comme muqueuses. Quoi que tu en penses. Même si je ne saurais jamais comment M se représentait son sexe et je crains le pire, vu son côté nitouche. Mais c'est peut-être mieux ainsi. Il y a des images qu'il vaut mieux ne pas garder en mémoire. Il y a des images : elles creusent des galeries en nous et impossible ensuite de se les sortir de la tête. Car je suis sûr que M aurait explosé le panel ! Elle n'était pas représenta-tive : elle était unique. Sa vision aurait donc été éblouissante. Absolu-ment prodigieuse. D'une espèce inconnue. J'aurais encadré son dessin et l'aurais accroché à mon mur et, des heures durant, l'aurais contem-plé en silence. En hochant religieusement la tête. Sur le papier, son sexe serait apparu ni plus ni moins cosmique. Plus organique et minéral que conceptuel. J'en prends le pari. Un Pollock peut-être. Un Sam Francis. Je ne le saurais jamais et, parmi tant d'autres, c'est un regret.

De là que j'en suis réduit à verser les trois dessins que je possède au Dossier, hop hop et hop, pas de détail, au point où j'en suis. Avec cette étiquette : « Le jour où M vint chez moi. » Histoire de reprendre en douceur là où j'en étais avant cette interruption momentanée de ma narration. Ce complément d'enquête, devrais-je plutôt dire. Rien d'inutile, selon moi. Que du bonheur, selon moi. Tandis que, pour me remettre dans l'ambiance, les enceintes diffusent en sourdine dans la pièce où j'écris (si j'écris) les stridulations tantôt énervées, tantôt rou-coulantes de l'Hypolaïs polyglotte – track 16 –, ce qui me donne l'impression assez ircamesque de respirer l'air frais d'un sous-bois en Ardèche à l'heure de l'angélus alors que je suis à ma table de travail et que j'ai devant les yeux le champ de bataille franchement déprimant, tout à fait apocalyptique, de mon salon après le passage de M. Ce spectacle-là, ressuscité pour moi seul. Tout le tableau. Avec, au premier plan, moi et mon désir, M et son refus et, au second plan, le rebord de la cheminée s'il pouvait parler. Raconter ce qu'il sait et vit et entendit ce soir-là.

Avant que M et moi ne décidions d'aller dans ma chambre. Sur ma proposition. Pour fuir le capharnaüm du salon. Tellement chaotique qu'on ne savait plus où poser le pied. Tellement dévasté qu'il était difficile de ne pas y voir une métaphore et M comme tornade. M comme cataclysme. Comme Kathrina. Comme le bazar dans ma vie. Comme ma destruction en marche, en commençant par mon appartement. Mais ne voulais-je pas obscurément que quelque chose de tel se produise dans mon existence ? Peut-être pas de façon aussi barbare et certainement pas avec si peu de félicité à la clé. Mais bon. Venez, avais-je dit. Migrons. Déménageons. Changeons d'époque. Repartons du bon pied. On efface tout et on recommence. Tout est affaire de décor, avais-je doucement chantonné en l'entraînant doucement par la main. Changer de lit changer de corps, il y volait des oies sauvages, elle avait un cœur d'hirondelle, ce fut en avril à cinq heures, au petit jour que dans ton cœur, un dragon désespéra de plonger son couteau et M comme Lola qui t'en iras bientôt.

Niveau 13

Plus tard elle mord ma main.

Nous sommes dans ma chambre, assis en tailleur sur le lit, le cendrier posé entre nous, des verres et une bouteille de vin à portée. J'ai allumé des bougies et, à la lueur fragile et joliment picturale des petites flammes qui projettent plus d'ombre que de lumière sur les murs, nous parlons doucement de choses et d'autres, sur le ton de la confidence. Nos paroles elles-mêmes frémissantes et incertaines comme la flamme des bougies. C'est un moment d'accalmie entre nous, d'intimité partagée, de confiance restaurée après la scène du rebord de la cheminée et, bref, nous sommes assis en tailleur sur le lit, le cendrier posé entre nous, lorsque M, interrompant mon geste pour attraper une cigarette, me prend la main et la porte à ses lèvres. Je crois qu'elle va effleurer mes doigts d'un baiser de velours, y déposer le souffle de sa tendresse, oui, elle va enfin me manger dans la main, pas trop tôt ; mais au lieu de cette douceur espérée, elle referme sa mâchoire sur ma main et la mord, la mord, la mord, la mord, la mord encore plus fort, la mord aussi cruellement qu'elle le peut, en me regardant droit dans les yeux, moi serrant les dents, moi faisant le brave devant elle, faisant le type qui ne sent rien, ah ah ah, elle peut y aller, elle peut m'arracher la main si ça lui chante, ah ah ah, je suis un dur à cuire, je suis en acier trempé, ah ah ah, je suis un homme ha ha aïe, je crispe les mâchoires, je sens des larmes me venir, je sens le signal électrique de la douleur inverser toute polarité dans mon être et son potentiel d'action enflammer mon cerveau, je sens la flèche de feu me transpercer, mais je résiste, je continue de lui sourire autant que je le peux, elle ne peut rien m'extorquer que je ne lui donnerais de bon cœur si elle me le demandait gentiment, personne ne peut rien m'extorquer, aïe aïe aïe, oh la saleté, oh la vache, ça fait mal, ça fait très mal. AÏE ! Elle ne me quittant pas du regard, me mettant au défi et moi luttant contre la douleur, moi relevant son défi, me disant qu'elle ne va tout de même pas m'arracher la main, elle ne va pas aller *jusque-là*, elle sait qu'elle me cause un mal de chien, elle le sait oui ou non ? Elle va cesser ses provocations et ses petits jeux sadiques de sale gamine énervée, bon dieu, elle doit sentir qu'elle est, là, maintenant, à pleines dents, en train de me mordre JUSQU'À L'OS ; mais non, elle ne s'arrête pas, elle continue d'enfoncer ses crocs dans ma chair, oh la pitbull, elle ne me lâche plus, elle me mord à fond, de toute la force de ses maxillaires, *elle mord pour me faire mal* et pour me faire souffrir, souffrir, souffrir, jusqu'à ce que, abdiquant finalement devant la douleur, n'en pouvant plus, ne la supportant plus, je dégage brutalement ma main de sa mâchoire, la lui arrache littéralement des dents, en poussant un cri, en levant mon autre main pour la cogner, au bord de la cogner, par réflexe de défense.

Elle se dressant alors hilare sur le lit, les yeux comme fous, étincelants, jetant des éclairs rouges et noirs, la bouche torve, l'air d'une goule (*son air goule* !), sa bête dans la jungle de sortie, dressée sur ses ergots, en pleine fanfare, bon dieu, cette fille est *dingue*, avais-je songé en agitant ma main transpercée de douleur. Elle est complètement *givrée*. Plus que malade *mentale*. Elle adore *vraiment* le sang. Ça l'excite *pour de vrai*. Oh god ! Cette fille est une *cannibale*, avais-je songé la main en feu. Cette fille est une *punk* ! Sous ses airs de nitouche des beaux quartiers, elle cache une *chienne enragée* et je déteste ça.

J'adore ça ! m'étais-je écrié en moi-même, dans un éblouissement, comme une révélation, parce que c'était elle, parce que je l'aimais, parce qu'il s'agissait d'amour. Parce qu'elle était complètement à vif à cet instant et moi tout à fait électrisé, bouleversé, confus, éprouvant mille sensations abruptes où dominaient la douleur et son ivresse, parce que c'était elle et personne d'autre, parce que les femmes ont un lien sanglant, direct et éminemment excessif au corps, ontologiquement concret, entre effroi, dégoût et dévoration, et parce que la blessure qu'elle avait ouverte en moi, je voulais bien qu'elle me l'inflige jusqu'à l'os, qu'elle la rende physiquement lancinante, en fasse un bonheur affreux et sensationnel. Parce que c'était elle et qu'une exaltation barbare déchirait à cet instant les traits de son visage, l'irradiant d'une intensité plus que sexuelle et moi les sangs en feu, moi au bord de me jeter sur elle et de la plaquer sur le lit et de lui montrer la bestialité la mienne. La sauvagerie la mienne. Mon côté de Sodome à moi. Oh ma bête féroce ! Oh mon amour ! Finie la rigolade ! Elle me provoquait ? Elle allait voir ! C'était mon tour. J'allais moi aussi la faire *réagir* ! La pousser *à bout* ! Oh ma chérie ! Elle ne savait pas y faire. Elle était trop impulsive. Elle ne se contrôlait pas. Oh ma Méchanceté ! Ma Douce ! Ma Louve. Elle allait me donner son consentement au-delà de ce qu'elle imaginait pouvoir donner par amour. Elle m'aimait. Elle me l'avait dit. Elle m'avait mordu. Elle était mordue. Et pas qu'un peu. Elle allait voir ! C'était maintenant. J'allais la prendre et ce ne serait plus pour rigoler. Depuis le temps que j'en rêvais. De serrer son cou. Inexorablement. Saintement. D'enfoncer mes doigts dans sa gorge. Jusqu'à sa suffocation. Jusqu'à la déchirer de jouir au-delà de ce qu'elle appelait jusqu'ici plaisir. J'allais l'initier. Elle allait connaître la souffrance qui rend vivant. Elle allait éprouver la mort. J'allais l'éventrer dans sa déchirure pour qu'elle renaisse aux sensations. J'allais calmer ses nerfs et les électrocuter. Elle allait connaître le bonheur d'être esclave du bonheur. Connaître la confiance, l'abandon, la nuit. Elle allait outrepasser ses limites. J'allais repaître sa furie. Tordre ses seins et les pincer si suavement au sang et dans ses yeux éperdus me noyer, chavirer, oh ma maîtresse adorée, elle allait faire de moi son maître adoré, son esclave pour la vie et aïe. Ouïe. Ma main ! Chiotte ! J'avais vraiment *mal*. J'avais *affreusement* mal. Je ne sentais plus mes doigts. Je ne pouvais plus bouger ni l'annulaire ni l'auriculaire ni le majeur. Chacune de mes terminaisons nerveuses pulsait une douleur lancinante et je sentais ma main enfler, ma main gonfler et prendre une drôle de couleur et ce n'était pas du bluff : cette morsure provoqua un « effondrement de l'amplitude distale du potentiel de nerf cubital (G/

D = 16 %), avec abolition de la réponse de sa branche cutanée dorsale », ainsi que l'établirent dans une langue ne souffrant aucune discussion les examens que je finis par me résoudre à faire *trois semaines plus tard*, ma main n'ayant donné entretemps aucun signe d'amélioration. Demeurant paralysée. Inerte. Endolorie. Rouge et noire. Grosse comme une baudruche. Ma main comme morte ce soir-là.

Ce que c'est que d'accorder sa main à la femme qu'on aime.

Il pouvait en dire autant son fiancé ?

Niveau 14

En conclusion de « L'Exploration fonctionnelle du système nerveux par électromyographie » à laquelle je soumis ma main, laquelle, faute que le moindre influx nerveux n'y passe plus, refusait de m'obéir et semblait à présent une chose vaguement putride, il apparut que je souffrais d'une « dégénérescence distale sensitive et motrice de plus de 80 % des fibres au niveau du nerf cubital », ah oui, tout de même, plus de 80 %. M n'y était pas allée de main morte, si je puis dire. Elle ne m'avait pas mordu pour de rire. Elle n'était pas mordue à moitié, mais à 80 %.

Suivait, en bas de la page, cette recommandation un peu inquiétante : « Il est urgent d'entamer une rééducation active. » Ce à quoi je m'astreignis, quoique à reculons, pendant tout le mois d'août 2004 et tout le mois de septembre 2004, à raison d'une séance par semaine de « fibrillations +++ » où une nazie en blouse bleue prit un plaisir très chinois à m'envoyer, au travers de petites aiguilles piquées dans des zones méticuleusement choisies du territoire sensitif du nerf cubital, des millions de petites décharges électriques dont elle s'ingéniait à augmenter *toujours davantage* le voltage à l'aide d'un potentiomètre aux allures de grosse boule noire qu'elle manipulait d'une main experte comme s'il s'agissait du trackball d'un jeu vidéo, comme dans l'expérience de Milgram et je dois dire que souffrir dans ces conditions : c'était uniquement souffrir. C'était ne prendre aucun plaisir. Cela n'avait rien de sexuel. Je dois dire que débourser 60 euros la séance ne fut pas si cher payer pour avoir un (léger) aperçu de l'horreur que ce doit être d'être torturé à l'électricité. Cette horreur-là. Le mot gégène ici. Merci M. Bien joué. Si tu voulais me marquer de ton empreinte, ce fut réussi. Ce fut un succès. Satanée petite garce. Dès qu'il s'agissait de briser l'ambiance, elle savait y faire. Elle y mettait tout son cœur.

Détruire : voilà quel était son truc. Je saccage donc je suis : tel était son catéchisme. Aucun doute. Ma main, mon salon, mes nerfs… quoi ensuite ? Pourvu que cela soit *mon* salon, pourvu que cela soit *ma* main et *mes* nerfs, pourvu que, de son côté, elle demeure intègre, propre sur elle, inentamée. L'innocence du mal. Je n'étais pas dupe. Elle s'autorisait chez moi ce qu'elle ne se serait jamais permis chez elle, comme ces touristes allemands qui rotent et pètent et braillent dès qu'ils ne sont plus in Vaterland, in ihrer Heimat, dès lors qu'ils sont en terre étrangère, conquérants par nature. Je lisais clair dans son jeu. Mademoiselle tombait dans les pommes à la première occasion, mademoiselle appelait sa mère dès que l'on la serrait d'un peu près, mademoiselle ne s'était jamais rebellée contre son ordre établi, mademoiselle avait trop à perdre à briser ses chaînes et, en représailles de sa lâcheté, elle se défoulait sur une poire dans mon genre, j'allais dire une proie. C'était typique. C'était emblématique. C'était lassant.

Elle voulait que je lui agite un cafard sous le nez ? Que je lui mette un cafard dans le dos ? Que je lui glisse un cafard ENTRE LES CUISSES ? Elle aurait dit quoi ? C'est si facile de faire mal, faire mal, faire mal, comme dit la chanson.

Niveau 15

Pourquoi ma main ?

Pourquoi pas ma joue ? Comme Sylvia Plath. Qui mordit profondément, cruellement, follement Ted Hughes à la joue lorsqu'ils se rencontrèrent pour la première fois. Alors qu'il se penchait pour l'embrasser dans le cou.

Elle écrivit plus tard que cet homme « l'avait ensorcelée pour la conduire dans son lit, l'enchanter, la sidérer et l'embrasser jusqu'à la rendre folle ».

Lui raconta cet élan de pure dévoration animale dans un poème : « Elle le mordait le rongeait le suçait / Elle le voulait intégralement en elle / Bien à l'abri au chaud à jamais pour toujours » (« Lovesong »).

Mais elle ne mordit pas Ted Hugues par hasard. Il avait écrit de nombreux poèmes sur la « férocité en amour » et elle s'était dit : « Je l'ai fait, moi ! »

Tout écrivain rencontre un jour la lectrice qui le prend au mot.

Bien fait pour lui.

On voit alors s'il a écrit du vent ou s'il est à la hauteur.

Hughes porta la « marque des dents de Sylvia Plath sur son visage durant tout le mois suivant », affirmant par la suite que cette femme avait marqué sa personne « pour de bon ».

Pourquoi mordre ma main en particulier ? Je pose la question parce que me poser des questions et réfléchir à vide est tout ce qui me reste aujourd'hui. Parce que planter ses dents dans ma main était facile, c'était à portée de main justement – mais encore ? Parce que, faute d'oser mordre la main qui la nourrissait, elle succombait à l'illusion de croquer à pleines dents la vie la mienne ? Ou bien, autre hypothèse, nullement exclusive des précédentes, parce qu'on lui avait demandé sa main et ainsi voulait-elle que j'éprouve dans ma chair ce que cela faisait lorsque les mâchoires du mariage se referment sur vous ?

À l'appui de cette intuition, elle avait mordu ma main comme on mord de toutes ses forces un bout de bois : pour s'empêcher de crier de douleur. Pour s'empêcher elle-même de crier. Ce qui signifiait que si j'avais mal, c'est elle qui souffrait.

C'était typique. C'était emblématique. C'était lassant.

On nous dit de ne pas faire à autrui ce qu'on n'aimerait pas qu'on nous fasse, mais nous faisons aux autres ce que nous n'aimons pas qu'il nous arrive. Afin qu'il comprenne. Éprouve. Sache.

La culpabilité n'est pas seulement une sanction : elle est un puissant mobile et j'en avais connu des filles qui commettaient toutes sortes de bizarreries allant de la plus bénigne à la plus désastreuse afin de recevoir la punition qu'elles pensaient devoir mériter un jour ; mais aucune aussi férocement que M, aucune aussi désespérément qu'elle (excepté ma mère). Aucune dont le côté punk ne fût à ce point l'exaltation de son côté bourgeois (autre hypothèse). Aucune, j'y songe tout à coup, qui ne fut aussi splendidement un « cas étrange de docteur Jekyll et de Mister Hyde ». Sachant que notre moi profond (celui qui est un chaos hérissé de rêves et d'informulés) et notre moi superficiel (celui qui est raisonnable, civilisé, respectueux des règles et que nous promenons à visage découvert dans le monde) ont beau faire croire qu'ils sont deux entités absolument distinctes et rivales, *ils sont en réalité ce que l'un fait de l'autre* et vice versa.

Cela semblait particulièrement vrai dans le cas de M.

Cela m'apparaissait évident dans son cas. Elle était d'autant plus punk par intermittence qu'elle était continûment bourgeoise. À l'instar de ce qui se passe dans un échangeur de chaleur, l'énergie vitale circulait d'un côté à l'autre de sa personnalité *sans se mélanger* et je n'étais pas dupe. J'étais super-perspicace. La douleur me rendait super-clairvoyant et je commençais à bien cerner la moiselle, oui, M et son côté bourgeois, M et son côté punk et moi au milieu. Moi comme bon à déchiqueter par son côté punk *et* par son côté bourgeois, ses deux visages se renforçant mutuellement, à toi à moi, dans un perpétuel chassé-croisé, dans un continuel jeu de miroirs, j'allais dire de massacre. En l'occurrence, dans un sauvage claquement de dents dont j'avais senti jusqu'à l'os la cruauté – mais M sans doute bien plus que moi *le reste du temps*. En tout cas elle m'avait montré à quel point elle était mordue, elle me l'avait fait sentir, d'une façon malade, dépravée, parce qu'elle n'avait pas d'autre moyen d'expression à sa portée. Elle n'arrivait jamais à dire les choses normalement, on ne l'y avait jamais autorisée et de là cette fracture en elle. Ce déséquilibre forcené. Même si je l'imaginais fort bien tirer en secret quelque orgueil de l'espèce de dédoublement de la personnalité qui la constituait : au moins n'était-elle pas comme tout le monde, devait-elle se dire ; pour instable, déchirée, malade et débile qu'elle paraissait, elle n'était pas comme les autres, devait-elle se dire. Je suis hors du commun, devait-elle se dire. Je suis étrange, bizarre, je suis *tarée*, je suis complètement FOLLE et c'est cool, devait-elle se dire. Je me réveille chaque matin en me disant que je suis bonne à rien, mais personne ne ressent aussi excessivement le monde que moi. Personne n'est autant habité par moi-même que je le suis et voilà qui me distingue du vulgaire, voilà qui me *sauve*, devait-elle se dire. Ma vie est une morne tragédie promise à une morne boucherie, mais je cache un monstre assoiffé de sang qui la justifie amplement et, de toute façon, je vous emmerde, JE VOUS EMMERDE TOUS, devait-elle se dire. Je vous hais comme vous ne pouvez même pas imaginer combien je me hais, devait-elle se dire, au comble de sa furie de petite fille bien née, la connaissant comme je commençais à la connaître, sachant que nous sommes d'autant plus l'instrument de ce qui nous défigure que nous croyons qu'il s'agit de notre visage.

Mais de mon point de vue, du point de vue de ma main broyée, à la lumière de la douleur qui prenait tout mon bras et demeurait salement vivace, cette fracture ouverte dans son être était ce qui me captivait le moins chez elle et, au contraire, qui m'accablait le plus chez elle, comme un obstacle de plus dressé entre nous – une fois retombée, je l'avoue, l'attirance sublime, entre sainteté et bestialité, que son personnage de Hyde m'avait inspirée après qu'elle m'eut mordu et qui était l'attirance que l'on éprouve pour les monstres et, en tous les cas, que m'inspirent toujours les monstres depuis que, pour des raisons historiques, pour ne pas dire maternelles, le feu qui ravage le cœur d'un être mutilé me donne l'impression de vouloir être d'abord attisé plutôt qu'éteint.

Quoi qu'il en soit, jamais plus qu'à cet instant, je n'ai eu la certitude que M était si malade de vivre qu'elle pouvait effectivement devenir dangereuse pour elle-même si elle se trouvait au sommet d'une échelle ; mais aussi le devenir pour les autres si on lui donnait quelque chose à se mettre sous la dent et M comme morsure. Je vais me gêner. Voilà qui enrichit d'un nouveau mot mon glossaire sentimental à la lettre M et c'est toujours mieux que rien. Quel nid de guêpes que cette fille cependant. Quel sac de nœuds. Quel *engin*. Dans quoi m'étais-je fourré ?

Lorsque je l'avais rencontrée, je n'imaginais pas une telle tournure des événements.

Niveau 16

Elle était dans tous ses états après m'avoir mordu. Les joues en feu. Décoiffée. Lubrique. Belle comme la folie. Parce qu'elle était toute proche de trahir son fiancé ? Si près de s'abandonner avec moi ? De s'unir à elle à travers moi ? De me montrer qui elle était tout au fond, là où nul n'avait accès ? Au bord de jouir et ayant pour une fois l'autorisation de l'être ? Ayant trouvé pour une fois quelqu'un devant qui arracher son masque et à qui révéler son côté obscur ? Jouer avec le feu avec lui ? Parce qu'elle était à *ça* d'un bonheur exorbitant ? Trop excitée et bouleversée pour se contrôler ? Elle avait frôlé la catastrophe sur le rebord de la cheminée – et voilà le travail. Tel était le contrecoup. La métamorphose du désir lorsqu'il rate le coche. Son devenir dégondé. Même si je n'en sais rien. Je ne comprenais rien à cette fille. Peut-être était-elle méchante. Simplement cruelle. Désireuse seulement de détruire autrui. Définitivement irrécupérable. Cette éventualité n'était pas à exclure. Ou alors, je me trompais du tout au tout ; ou alors, c'était elle qui était en parfaite bonne santé mentale, comme Momo l'Artaud disait que Van Gogh était en parfaite bonne santé mentale, « lui qui, dans toute sa vie, ne s'était finalement fait cuire qu'une main et n'avait pas fait plus, pour le reste, que de se trancher une fois l'oreille gauche, dans un monde où l'on mange chaque jour du vagin cuit à la sauce verte ou du sexe de nouveau-né flagellé et mis en rage, tel que cueilli à sa sortie du sexe maternel ».

Oui, mais Van Gogh avait tranché *sa* main. Il ne s'en était pris à l'oreille de personne d'autre.

Ce que je savais, en revanche, savais de façon certaine, absolue, radieuse, c'est que je me sentais vivant en sa présence. Je ne m'ennuyais pas une seule seconde en sa compagnie. J'allais de surprise en surprise. De choc en choc. D'émotions en tremblements. C'était au-delà d'être heureux ou malheureux. C'était bien mieux. C'était bien pire. C'était plus fort. C'était, à mon niveau individuel des choses de la vie, *un peu de temps à l'état pur* et, où qu'elle puisse m'entraîner, je voulais suivre son mouvement. Je ne cherchais qu'à rester en selle, vaille que vaille, et M comme cheval sauvage, comme licorne et voici deux nouvelles entrées pour mon glossaire (il faudra que je pense à les compiler en annexe).

C'est plus tard, encore plus tard, les bougies avaient alors presque fondu et, par la fenêtre, la nuit commençait à blanchir et à reculer dans l'aurore, alors que ma main souffrait en silence, lancinait et irradiait (moi affectant de n'avoir pas mal, mais non, allons donc, pour qui me prenait-elle ? Elle n'avait pas mordu si fort, une morsure de moustique, elle avait de toutes petites dents !), qu'elle avait dit : « Vous voulez bien me tuer ? »

J'étais penché sur elle à cet instant. À quelques centimètres de son visage. Nous venions de nous embrasser pour la première fois. De nous embrasser vraiment. Enfin. ENFIN ! Un baiser. Notre baiser. Quel voyage pour en arriver là ! Que de tourments pour enfin oser. Enfin s'unir. Enfin se donner. Sans plus résister. Sans plus s'écorcher. Sans plus se malmener ni se battre ni se détruire. Faire enfin confiance. Échapper au faux. Un baiser. Comme on rend les armes. Notre baiser. À la fois prélude (à faire l'amour) et plénitude (nous embrasser était déjà faire l'amour). Un baiser. Le nôtre. Un long, un lent baiser. Gorgé de saveurs indicibles. Avec nos langues tournées sept fois dans la bouche de l'autre pour ne plus dire de bêtises. Sans nulle violence étrangement. La plus pure suavité. La tendresse la plus océane.

Vous voulez bien me tuer ?

Était-ce d'ailleurs une question ?

Mais pourquoi raconterais-je ce que j'ai déjà raconté page 515.

J'étais épuisé. Je n'en pouvais plus. J'avais l'impression d'avoir vécu dix vies en une nuit. D'avoir failli mourir dix fois. J'étais passé par trop de couleurs. Qu'elle s'en aille. Je la verrai demain au boulot. Une seule fois elle vint chez moi.

Il n'y eut pas d'autres fois.

Au mur : le cadre qu'elle déplaça par inadvertance en enfilant sa veste en cuir. Cadre désormais de traviole. Comme tout ce qui ne tenait plus droit dans mon existence. Comme tout ce qui va de travers dans le monde.

Niveau 17

CELA PENDANT DES JOURS, DES SEMAINES, DES MOIS.

Niveau 18

Pendant des jours, des semaines et des mois M fut ma Vénus à la fourrure, dont « les souffrances qu'elle m'infligeait me ravissaient, car toutes venaient d'elle ».

Pendant des jours, des semaines, des *mois* : cette tension perpétuelle, cette *Spannung* entretenue comme un feu, tisonnée au cœur pour sans cesse raviver la flamme, souffler le chaud et le froid. Comme un ciel d'orage, noire menace, affreux présage se formant soudain dans le ciel, juste au-dessus de soi, enténébrant d'un coup l'espace et, dans un instant, c'est sûr, l'orage va éclater, il va déchirer le ciel, l'abcès sera crevé. Voici encore un éclair : il illumine l'espace, il ébranle la Terre, l'électrifie tout entière. On compte les secondes, on attend le coup de tonnerre qui va résonner, assourdir, il dira à quelle distance se trouve l'orage, si la colère va s'abattre sur soi. On est prêt. À s'offrir à la pluie. À s'offrir à la foudre. C'est l'été. On compte une seconde, deux secondes, on compte dix ans ; mais le tonnerre ne vient pas. L'orage ne crève jamais. Il reste une perpétuelle menace au-dessus de soi, comme une auréole de mort. Un affreux présage qui jamais ne livre son oracle. On se demande ce qui se passe. On se dit que ce n'est pas normal. Ce ciel qui reste noir, juste au-dessus de sa tête et jamais ne s'éclaircit ; cette tempête qui devrait éclater et jamais n'advient.

Telle était M.

Telles ces vagues qui enflent et enflent encore et n'en finissent jamais d'enfler dans la musique de Wagner, culminant toujours plus haut sans jamais se résoudre.

Surtout pas.

Oh ce bonheur de la femme mariée.
De la femme en couple ou simplement « prise ».
Comme on dit d'un butin.
Comme on dit une belle prise à la chasse ou à la pêche
Une prise de tabac ou de parole
Une prise électrique
Une prise de judo.

Oh son frisson d'imaginer que.
D'envisager que.
De caresser l'idée que.
De s'épouvanter à l'idée que.
De se torturer à l'idée que.
Le mot adultère ici.
Ouh là là !

M allait-elle briser ses fiançailles, ses chaînes, la malédiction ?
Allait-elle braver sa famille, les conventions ?
Sa parole donnée, sa main engagée ?
Aurait-elle la force, le courage ?
D'obéir à son cœur plutôt qu'à son devoir ?
Ouh là là !

Oh le fabuleux conflit.
Oh mon dieu.
Quel suspens !
Quel SUSPENS !
Quel inédit d'Hitchcock !
C'est insoutenable à vivre.
C'est tellement palpitant.
M comme La Mort aux trousses.

M comme le danger sans le risque, le frisson sans la peau, la brûlure sans le feu, la cause sans la conséquence, la joie sans la tristesse, les problèmes sans les ennuis, la vie sans la mort, la bière sans l'alcool, la possibilité sans le passage à l'acte, l'amour sans le faire : quel bonheur !

M comme la soixante-neuvième fortune de France qui disait « ne s'épanouir que dans la fiction, même si la vie avait plus d'importance ».

M comme lâcheté.
Comme Corneille finalement
Plutôt que Racine.
L'intérêt supérieur triomphant de l'individu.
Le surmoi guidant le moi.

Mais c'est tellement mieux ainsi
Tellement préférable
Tellement confortable
Tellement CÉRÉBRAL.
La cérébralité à l'état pur
À haute dose
C'est divin. C'est parfait.
Tellement bien imité !
Et si bien joué avec ça !
Quels acteurs !
Quel scénario !
Que d'émotions !
À vous faire passer par tous les stades
Toutes les couleurs
Toutes les émotions.
Joie et peine
Douleur et culpabilité
Élans et contre-élans.
L'illusion à chaque instant plus vraie que nature.
On en redemande encore et encore.
Que jamais le film ne s'arrête !

C'est comme une drogue.
Une avarice qui ne dit pas son nom.
C'est qui déjà le réalisateur ?
Tout est suspens de nos jours.
Tout *doit* l'être.
Le sport, les élections.
Le chômage : baissera ? Baissera pas ?
La grippe aviaire : le virus va-t-il muter et tuer des millions de gens ?
Ou pas ?
Quel suspens !
Partout le même !
C'est infini.

Le suspens est devenu la condition d'apparition des choses.

Il est ce qui unit tout ce qui se passe dans une seule émotion.
Sans lui, l'excitation retombe.
Rien ne parvient à capter notre attention.
Alors que tout devient si intense et prestigieux grâce à lui.
Tout paraît crucial.
Mais si tu ôtes le suspens, que vois-tu ?
La vérité ?

Ras-le-bol !
Je n'allais pas jouer éternellement Misty pour elle.
Ah non !
Nos désirs ne sont pas faits pour être réalisés
Tout le monde sait ça
C'est l'enfance de l'art.
Il y a trop à perdre !
Le rêve est plus beau que la réalité.
La réalité est le gardien de nos rêves
Sans elle, nos vies seraient si tristes.
Elles ne seraient que morne sommeil.
La femme déjà prise veut voir le film
Elle veut le voir jusqu'au bout
Elle veut le vivre
Elle veut éprouver cette intensité fabriquée
Cet héroïsme garanti sur facture
Ces frissons dans un fauteuil
Devenir toujours plus folle
De façon immobile
Affronter la Tentation, le Serpent, le Démon
La chute.
Et y résister

Quoi qu'il lui en coûte
En un combat sublime.
Ne pas céder
À la toute fin.
Il n'en a jamais été question !

Oh gloire
De résister à la tentation.
Hosanna au plus haut des cieux
De s'avancer au bord du gouffre
Et de se rejeter au dernier moment en arrière.

Sauvée !

Quel bonheur !
Quel film !
On se sent si vivant alors !
Si torturé, écartelé, éventré.
Le cœur ?
Ou la raison ?
Les deux mon général
Le meilleur des deux mon général
Sans les inconvénients d'aucun
Ce qui s'appelle faire d'une pierre deux coups.

Vite, un autre film
Vite, le même film
C'était trop bien.
Ce film et pas un autre.
Et si ce ne serait pas avec moi
Ce serait avec un autre.

Car il y aurait toujours un type dans mon genre pour lui donner l'occasion de vivre son plus beau rôle. Celui où tout ne dépendait virtuellement que d'elle. Celui où elle était l'héroïne tourmentée, pleine de désirs inassouvis, d'élans et de ronces, si proche d'être heureuse, d'être libre, de tout envoyer valdinguer, de vivre enfin sa vraie vie, de se donner enfin, oui, elle était à ce moment-là si proche de *fauter* et se penchant tout au bord du précipice, se penchant davantage, encore plus... le vertige... l'ivresse du vertige... se sentir basculer... tanguer... retenir son souffle... avoir si peur... Oui ?... Non ?... Oui ?... Mais non bien sûr ! C'était non. Ah ah ah ! Fin de l'histoire. The end. Générique. Les lumières se rallumant dans la salle comme on revient à la raison. Comme on a échappé au pire.

Mais qu'allait-elle faire ?
Tout envoyer valdinguer ?
Rompre ses vœux ?
Mon dieu !
Elle était folle !
Elle perdait le sens commun.
Il n'en était pas question.
Il n'en avait jamais été question.
C'était un prix bien trop élevé !
Ce n'était qu'un film.

Heureusement que c'était un film.
Ouf !

Tout pour le suspens.

M comme suspens.

Comme dit l'autre (Ramón Gómez de la Serna), « Bientôt, le cinéma sera plus respectable que la vie, laquelle ne sera plus qu'une chute de film. »

Niveau 19

Ainsi se comportent les gens mariés ou simplement en couple : ils rêvent de changer de vie en sachant qu'ils dorment, en sachant qu'ils vont se réveiller à un moment donné et que tout ceci n'est qu'un rêve. En sachant que les lumières vont de toute façon se rallumer et qu'il ne restera rien de ce qu'ils ont rêvé si fort – car ce n'était qu'un rêve et ils le savent *depuis le début*. Ils savent qu'ils se font un film. Ils le savent en essayant d'oublier qu'ils le savent. En se prêtant à leur rêve comme on se prête au jeu. En vivant à fond leur rêve. Pourvu qu'ils ne se réveillent pas : le sommeil est la condition du rêve et tant pis pour ceux qui s'y laissent prendre.

Tant pis pour moi.

Qui disait qu'on s'amuse parfois davantage en pensant s'en payer une bonne tranche plutôt qu'en se la payant vraiment ? Il connaissait M ? Il avait pareillement découvert le pot aux roses ?

Cette façon de vivre sa vie sans la vivre. Ce vernis d'existence. Ces exaltations de façade toutes contenues dans une « émotion se caractérisant par une incertitude liée au développement anticipé d'un événement inachevé », comme dit monsieur Wikipédia quand on tape le mot « suspens ». M ne ferait jamais le pas de trop. Elle ne se jetterait jamais à l'eau. Elle ne partirait jamais avec moi. Elle n'en avait *jamais* eu l'intention. J'avais pigé. J'étais son rêve à deux balles. Son petit émoi adultère. Son grand suspens de liberté. Sa façon d'échapper au néant. La pauvreté de sa vie exigeait qu'elle vive pour de faux des émotions pour de vrai. *Il y avait beaucoup trop d'enjeux en jeu.* Pas la peine de me faire un dessin. Elle m'avait bien eu. Imaginer la catastrophe était à ses yeux sublimement palpitant, terriblement émouvant. C'était le plus intense. C'était le meilleur qu'elle puisse connaître. Le frisson garanti sans bouger le cul de son siège. Je comprenais *maintenant* son goût pour les films d'horreur qui permettent de « satisfaire à bon compte un *désir* de transgression ». C'était très clair. Du vrai papier à musique. Moi seul l'avais prise au sérieux quand, de son côté, elle ne faisait qu'imaginer sauter le pas. S'effrayait d'être à deux doigts de le faire. Caressait avec effroi cette possibilité. Retournait avec délice cette idée dans sa tête, dans ses nerfs, entre ses cuisses. Éprouvait tous les tourments de la fidélité *et* de la trahison. Elle-même en arrivant presque à se persuader qu'elle vivait un drame du plus haut romantisme tellement l'illusion était parfaite. Et puis non. Bien sûr que non. Elle n'irait jamais plus loin. Le suspens de la vie valait mieux que la vie elle-même. La vie était pour elle un platonisme. L'amour n'était qu'un flirt. Il n'était plus l'amour, il devenait un cas de conscience. Alors que l'amour n'a rien à voir avec la conscience. Et arrivait toujours le moment où la réalité reprenait ses droits, comme on dit. Mais la réalité ne les avait jamais perdus. C'est elle qui produisait le film. The end. Ouf.

C'était bien, n'est-ce pas ? Moi, j'ai adoré ce film. C'était super ! C'était quoi le titre déjà ?

« L'attente d'un dénouement incertain produit une implication du sujet vis-à-vis de l'histoire, elle peut donc être exploitée sur un plan esthétique (intérêt romanesque) et/ou économique (fidéliser le public). (...) Dans une fiction, le *suspens* apparaît comme une modalité de la tension narrative et peut être opposé à la *curiosité* (incertitude portant sur un événement mystérieux présent ou passé) et à la *surprise* (contradiction avérée d'une attente déterminée). (...) Le suspens remplit une "fonction thymique", ou une catharsis, c'est-à-dire qu'il accomplit une épuration de la passion (en dehors de tout sens moral que l'on pourrait rattacher à cette notion) » (Wikipédia).

M comme *épuration* de la passion ?

Cela ne donne pas envie.

« La différence entre le suspens et la surprise est très simple. Nous sommes en train de parler et tout d'un coup, boum, une explosion. Le public est surpris, mais avant qu'il ne l'ait été, on lui a montré une scène absolument ordinaire, dénuée d'intérêt. Maintenant, examinons le suspens. La bombe est sous la table et le public le sait, parce qu'il a vu l'anarchiste la déposer. Le public sait que la bombe explosera à midi et il sait qu'il est midi moins le quart – il y a une horloge dans le décor (la date du mariage est arrêtée depuis longtemps) ; la même conversation anodine devient tout à coup très intéressante parce que le public participe à la scène. Dans le premier cas, on a offert au public quinze secondes de surprise au moment de l'explosion. Dans le deuxième cas, nous lui offrons quinze minutes de suspens » (Alfred Hitchcock, Entretiens avec François Truffaut.)

Voilà ce que M m'offrait : quinze minutes de suspens. Un quart d'heure de célébrité sentimentale.

Quinze minutes valant ici des jours, des semaines, des *mois*.

Entre nous, l'anodin paraissait intéressant uniquement parce qu'une bombe était dissimulée sous la table.

Sauf que la bombe n'explosa pas.

Elle n'exploserait jamais.

C'était du bluff.

Un truc pour rendre notre histoire haletante.

Sans lui, l'anodin redevenait ce qu'il était depuis le début : anodin.

Ras-le-bol !

Je perdais mon temps, que M ne me rembourserait jamais.

Comme disait l'autre (Miles Davis) à un fan qui lui disait qu'il n'avait rien compris à son dernier disque : « Eh quoi ? Devrais-je t'attendre ? »

Ras-le-bol !

Si tu croises sir Alfred, dis-lui bien des choses de ma part.

Gifle-le !

Et filme la scène avec ton smartphone : on te verra t'approcher de sir Alfred et, sachant ce que tu t'apprêtes à faire, ce sera un grand moment de suspens.

Les gens se demanderont quand tu vas gifler sir Alfred.

Si tu vas vraiment le faire.

Que va-t-il se passer ?

Tout ce que tu feras semblera soudain palpitant.

Même si cela ne l'est pas du tout.

RAS-LE-BOL !

Que l'histoire ne soit que l'histoire qui manque de se terminer et non de commencer.

Je n'étais pas un personnage de fiction !

J'étais con, mais pas au point d'aimer pour le plaisir.

Comme n'a jamais dit Beckett.

Partie XIV

« Votre mariage, il faisait aussi partie
de votre dépression ? »
Brian M. Bendis et Alex Maleer,
Daredevil – Le Roi de Hell's Kitchen

Niveau 1

« 28 novembre

« Sans doute vais-je aggraver mon cas. Vous écrire ne peut que me rendre à vos yeux un peu plus ridicule, assommant et pathétique ; pourtant, c'est me taire qui me semble à moi ridicule et pathétique et insupportable (je vous concède l'assommant). Alors, ne prenez pas mal cette intempestive manifestation épistolaire ; de toute manière, vous n'êtes pas forcée de lire et je peux même vous imaginer jeter cette lettre sans l'ouvrir. Tant pis. Puisque je n'attends aucune réponse de votre part : je ne vous écris pas dans l'espoir de quoi que ce soit. Vous m'avez assez fait comprendre que je n'avais rien à attendre ni à espérer pour que je ne cherche à revenir là-dessus. Soyez donc sans crainte, si jamais vous en avez. Cette lettre n'appelle aucune réponse et votre silence sera d'ailleurs préférable : au moins m'épargnera-t-il toute ironie qui pourrait trop aisément vous venir et me blesser et cela me va très bien au moment de prendre congé à ma manière. Car cette lettre, je vous l'écris pour fermer un cercle ouvert ce fameux soir où vous êtes entrée dans mon bureau comme on saute à pieds joints dans la vie de quelqu'un. Vous ne pouvez avoir oublié notre première rencontre. Vous ne pouvez pas tout renier ! Vous savez le cercle qui, ce fameux soir, vieil océan, s'est ouvert en moi comme un gouffre et vous savez que ce cercle n'a

691

cessé depuis lors de se rétrécir, jusqu'à devenir un nœud coulant passé autour de tout. Je me retrouve aujourd'hui avec, sur les bras, un sentiment pour vous devenu inutile et dévastateur quand vous n'en voulez pas et que je ne peux pas m'en libérer (et encore moins vous sachant chaque jour à quelques mètres de moi ; malgré le soin que je prends désormais à vous éviter, c'est chaque fois un choc dans la poitrine lorsque je vous aperçois et cela ne facilite pas les choses, c'est le moins que je puisse dire – quelle absurde et perverse situation tout de même ! Heureusement que votre stage prendra fin bientôt. Heureusement pour moi et, je le suppose, pour vous aussi). Car le sentiment que j'ai pour vous n'en finit pas d'accaparer mes pensées, de danser dans mes veines, sucer mes nerfs et mon sang, pourrir mon sommeil et me consterner moi-même de sa stupide candeur. Pour tout dire, il me démolit, au point que j'accepte de vous ce que je ne tolérerais de personne ; je me vois faire des choses qui non seulement ne me ressemblent pas, mais vont à l'encontre de tous mes principes, me brisent en deux. Que m'avez-vous fait ? Je l'ignore. Je sais seulement que vous ne m'avez jamais vu dans mon état normal et c'est à la fois heureux (c'est la preuve de *quelque chose*) et très injuste (je vaux mieux que le pitoyable spectacle que je vous ai offert, entre peurs, empressements et maladresses, alors qu'il aurait évidemment fallu que je sois tout le contraire, j'en ai bien conscience, je le sais mieux que vous). Mais que voulez-vous ? Vous m'avez rendu vulnérable. Atrocement vulnérable. Comme jamais je n'imaginais pouvoir l'être. Jamais ne le fus à ce point avant vous. Nous sommes si peu accoutumés à aimer que lorsque cela nous arrive, nous devenons ridicules. Nous sommes terrorisés. Nous perdons l'équilibre. Nous tombons malades. Comme un bâton se casse lorsqu'on le plonge dans l'eau, nous nous cassons lorsque nous plongeons dans l'amour. Et, comme des enfants qui viennent de naître, voici qu'il nous faut tout réapprendre : à marcher, à parler. Réinventer chaque geste, sans savoir comment. Nous ne savons pas êtres nus et, sous le regard de l'autre, nous nous sentons effroyablement démunis, soumis à son jugement, alors que lui-même est dans le même cas. Ou ne l'est pas. Et c'est le pire alors. Cela ne peut plus durer. Pardonnez-moi, mais il me faut me sauver moi-même et voir ailleurs si j'y suis, voir ailleurs si d'autres y sont. Il me faut en finir avec cet amour devenu un pathétique (comme tout cela est affreusement catho !). Je veux sortir de cette effroyable impasse qui était au départ une clairière ensoleillée, avant que, par la force des choses (appelons ça la force des choses), vous n'éteigniez toute lumière, toute perspective (à quel prix ? Vous seule le savez, finalement, et c'est peut-être même votre gloire, oui, je vous imagine très bien vous féliciter d'avoir su si bien *me* résister alors que, de mon point de vue, vous n'avez fait que vous refuser à vous-même et, finalement, vous n'avez fait que refuser de vivre). Car vous le savez, du premier jour où nous nous sommes rencontrés, quelque chose en moi a bondi et quelque chose en vous a bondi. Je ne fus pas seul dans cette histoire. Entre nous, quelque chose s'est enflammé. Un feu grégeois. Je ne sais pas comment dire. Une espèce de sourire embellissant tout. Comme on n'en connaît pas tant que cela dans toute une existence et, pour ce qui me concerne, qui m'a rendu incroyablement heureux, tellement joyeux, plus vivant que je ne l'avais jamais été, j'étais tellement fier de vous avoir rencontrée (ce pourquoi je ne vous reproche rien, à aucun moment, j'espère que vous le savez). Mais il semble que nous ne faisons jamais qu'embarquer pour Cythère et seulement embarquer… Dès le départ, j'ai été celui qui venait vers vous tandis que, de votre côté, vous étiez celle qui disait tout le temps non (mais sans jamais me décourager de revenir à la charge) et, malgré nous, cette situation a fini par nous figer dans des rôles dont nous ne pouvons plus nous dépêtrer. Toujours j'irai vers vous et toujours vous direz non et, pour moi, continuer de tenir ce rôle est creuser ma tombe. C'est devenu lassant. Trop prévisible. Beaucoup trop douloureux. Le contraire de ce que cela devrait être. Sans compter que vous avez toujours été dans le déni de ce qui nous arrivait à tous les deux. Oh vos dénégations ! Comment faites-vous ? Pour refuser à ce point ce qui crève les yeux, refuser de voir le réel, d'admettre vos propres sentiments, obéir à vos contre-instincts ! J'aimerais comprendre. Si encore vous étiez française… Vous n'avez pas menti. Vous êtes effectivement capable de refuser le sexe. Effectivement capable de renoncer à l'amour. Que vous reste-t-il ? En tout cas, je ne suis pas un hochet que vous pouvez agiter en toute impunité ; je ne suis pas aussi maso que vous semblez le croire ; je ne viendrai pas grossir le nombre des cafards agonisant sur le pas de votre porte. Je ne dis pas que ce ne fut qu'un jeu pour vous. Je ne le pense pas. Vous êtes beaucoup moins cruelle que vous vous plaisez à le croire. Pour vous aussi quelque chose a eu lieu. Quelque chose qui fut sincère et intense. Je le sais. Vous le savez. Nous le savons tous les deux. Mais nous n'en sommes plus là. Je savais ce qu'il y avait d'impossible entre nous depuis le début. J'étais prévenu. Vous ne me l'avez jamais caché. Vous avez tout fait pour me décourager, sans pouvoir rompre cependant, parce qu'une force vous en empêchait. Un élan, malgré tout, vers moi. Mais pas suffisant au bout du compte. Tant pis. Quel mauvais timing, au bout du compte. Quels obstacles pas croyables, quand j'y songe… Mais bast ! La force de votre non a eu raison de la durée de mon oui et je le comprends trop bien. Vous n'avez plus à me faire de dessin. Jamais vous ne m'aimerez ni ne l'oserez. Jamais je ne vous verrai venir vers moi en m'ouvrant les bras. Jamais. Notre saison a passé et jamais plus nous ne tirerons au pistolet sur des livres que nous achèverons ainsi d'imprimer comme on achève bien les chevaux. Plus jamais vous ne me soufflerez dans le cou une bise chargée de douceur et je ne vous entendrai plus jamais dire mon prénom et, à chaque fois, il me semblait que c'était moi que vous appeliez, moi que quelqu'un appelait enfin ; votre main ne tiendra plus la mienne dans aucun taxi, vous ne me jetterez plus votre coupe de champagne au visage et votre bouche n'aura plus ce pli de petite fille ou de pure sauvagerie qu'il prend parfois pour démentir votre armure, non, je ne vous verrai plus vous illuminer de ce sourire qui, je vous l'ai dit, sourit au-delà de celui à qui il s'adresse et dans la compagnie duquel j'étais prêt à passer quelque chose qui ressemble à mon existence, oui, tout de suite j'ai parié sur votre sourire tant il me semblait qu'avec lui pouvait s'inventer une histoire qui serait la nôtre. Mais non, vous ne reviendrez plus jamais sur vos pas pour m'embrasser furtivement comme on ouvre soudain une cage, vous n'ôterez plus vos chaussures pour courir pieds nus dans la rue ni ne sucerez en cachette un tube de mayonnaise à la terrasse d'un café ; je ne connaîtrai pas tous vos excès (et dieu sait…) et je n'aurai pas non plus la joie de vous voir vous tenir debout toute seule dans l'existence, non, vous ne jouerez plus pour moi seul du piano dans la nuit silencieuse du bar d'un grand hôtel soudain désert tout en vous évertuant à rester concentrée malgré mes caresses (et que ne m'avez-vous laissé ce soir-là aller au point où vous auriez été incapable de continuer de jouer !). Et vous ne vous moquerez plus jamais de moi non plus, par maladresse, par peur ou par goût, pour vous défendre, non, nous n'échangerons jamais plus d'idées ni ne passerons des heures à marcher et à boire et à discuter ou à nous taire, visiblement différents des autres ; jamais plus vous ne me raconterez ce que sent cette fleur, ce plat, cette rue, cette pièce, vos cheveux, me restituant avec des mots tous ces parfums dont je suis privé et cet effort de traduction ne ressuscitait pas seulement un sens que j'ai perdu, il vous faisait redécouvrir les odeurs et c'était pour vous et moi un jeu joyeux. Jamais plus nous ne nous battrons pour de rire ou sérieusement, ni ne roulerons ensemble dans aucun lit, aucune vague, aucun océan ; jamais je ne vous verrai démaquillée, fatiguée, terne après une journée de travail, de mauvaise humeur, cassante et agacée, défaite, vautrée dans un affreux jogging, indifférente, votre masque tombant comme tombe la pluie, ayant mal au ventre ou le nez morveux de grippe et alors ? Ce serait toujours vous. Cela aurait toujours été vous. Je ne suis pas tout le temps brillant moi non plus (je sais mon âge et la barrière qu'il représente, le fossé qu'il creuse toujours davantage à chaque minute qui passe et au moins me sera-t-il épargné de le vérifier dans vos yeux). Par-dessus tout, je ne lirai jamais votre fameuse thèse sur le contrat administratif légal dans la région du Sussex au XVIIIᵉ siècle (quel dommage !) et jamais je ne vous offrirai non plus de Porsche Boxster (mais ça, c'était prévisible) ni ne vous accompagnerai au cinéma voir le dernier film gore du moment... Et que dire de votre fameux pudding à la menthe que je ne goûterai jamais (un vrai regret !). Que dire encore, avant d'en terminer une bonne fois pour toutes ? Sinon que, jamais, vous ne m'emporterez vers je ne sais quelle destination pour un week-end de liberté, roulant à tombeau ouvert dans la nuit, moi vous racontant des histoires, moi massant votre nuque, moi glissant ma main... Et jamais nous ne vivrons ensemble cet ennui auquel nul couple n'échappe, ces creux du temps qui n'épargnent personne ; mais se sentir seul avec vous ne s'appelle plus la solitude. Jamais nous ne ferons le marché le dimanche matin, main dans la main, vous dans une robe à fleurs, nue dessous, moi en espadrilles, choisissant des tomates et des concombres et des cerises et tout ce bataclan des clichés et des chromos dont on a bien raison de se moquer tant qu'on ne les vit pas. Jamais je ne vous regarderai dormir comme une belle endormie et nous ne ferons jamais l'amour sous la pluie ou sous une porte cochère, ou les yeux bandés, ou intensément au soleil, ou cruellement comme vous auriez adoré (et moi donc...), ou paresseusement l'après-midi, certains dimanches d'hiver, bien au chaud, ou simplement, banalement, en nous caressant, le matin au réveil, et le soir aussi, comme tout le monde ; non, jamais je ne vous verrai dans le plaisir, jamais je ne vous entendrai dans le plaisir, jamais je ne vous photographierai dans ce moment-là, comme j'en ai rêvé dès notre première rencontre, comme j'ai rêvé de tant de pornographie avec vous et, avec vous, cela n'aurait jamais été de la pornographie (je peux bien vous avouer tout cela maintenant que je ne crains plus vos réprobations) ; et jamais nous ne dormirons enlacés comme s'il n'y avait que nous au monde, jamais je ne vous dirai que me réveiller à vos côtés m'importe autant sinon plus que de m'endormir avec vous le soir et jamais vous ne déposerez vos peurs entre mes mains pour que j'en fasse des confettis et que vous soit enfin restituée cette parole que vos refus et vos dénis emprisonnent. Jamais vous ne me ferez connaître l'horreur, l'angoisse, le venin d'être jaloux comme il m'est affreusement arrivé de l'être (mais vous n'en avez rien su alors) ; jamais plus vous ne vous évanouirez dans la rue en murmurant à mon oreille, en expirant, que vous m'aimez – et que n'avez-vous ce soir-là tenu votre langue au lieu de prononcer ces mots fatidiques : tout aurait été plus simple pour moi, tellement plus simple. Je m'en serais bien mieux sorti ! Mais j'arrête là. Je sais que je ne vous guérirai pas : ni de vous, ni de moi, ni de la vie, ni de la mort, ni de rien. Je sais tout ce qui a eu lieu et tout ce qui n'aura pas lieu. Tout ce qui aurait pu avoir lieu. Toutes ces choses de la vie quotidienne qui, entre une femme et un homme, apparaissent triviales et sordides et laides et angoissantes et vouées à l'échec mais qui, du seul fait que c'était vous, m'ont paru tout à coup plausibles, dignes d'être vécues, enviables soudain, merveilleuses enfin. Jamais vous ne saurez combien j'étais prêt à vous aimer. Combien je vous ai aimée, combien je t'aime M... depuis l'immédiat de ton apparition, comme si j'avais deviné tout de suite, comme s'il n'y avait eu personne avant toi et que tu avais rendu possible ce que je croyais impossible : passer, sans rien en perdre, du rêve que j'avais de quelqu'un comme toi à sa réalité vivante. Jamais je ne me serais lassé ! Tu aurais été ma femme et ma courtisane et ma concubine et ma complice et mon amie et ma mort et tout, conjuguant à toi seule toutes les aspirations d'un homme. Bon, vous direz que ce sont là misérables niaiseries à l'eau de rose (je suis moi-même près de le croire et de ricaner avec vous, de ricaner tellement, si vous saviez...). Vous direz que mon émotion pour vous était suspecte, pathologique, bien trop immédiate, le contraire de l'amour, un pur délire de mon imagination, un fantasme, qu'il y avait erreur sur la personne, etc. Je sais vos méfiances. Je sais qu'on nous a convaincus dès le départ que le bonheur n'était pas pour nous, qu'il est déraisonnable et dangereux, qu'il ne faut succomber à la tentation que dans les magasins et qu'au bonheur, il faut préférer le soulagement d'y avoir renoncé – je sais cela, je sais la culture qui fonde nos êtres. Je sais que, dans ce monde, aimer passe pour une névrose, une folie, une faiblesse, un sale délire (comme ce monde besogne contre nous et sabre à la racine nos élans les plus purs et nos émois les plus vitaux – sabre notre humanité en fait !) ; mais je sais, moi, qu'il ne s'agissait pas de cela. Ou alors aimer n'est qu'une imposture, une aventure inerte et programmée, bonne pour les sites de rencontre avec liste sinistre de critères sinistres pour sinistre abonnement Premium. Alors que nous ne pouvons rien formuler, ni critères ni profils, *avant* que le miracle ne nous révèle justement de quelle étoffe il est tissé et dont nous prenons connaissance seulement lorsqu'il se produit. Comment aurais-je pu vous préméditer, vous qui êtes aux antipodes, sachant que vous avez incarné tout ce qui était latent en moi ? Vous n'étiez pas prévue au programme ! Pas du tout. Je ne pouvais même pas vous soupçonner. En aucun cas passer commande de vous sur catalogue comme si vous étiez une boîte de petits pois (ceux de la princesse, vous voyez ce que je veux dire…). Je peux même vous le dire : c'est assurément quelqu'un d'autre que vous que j'aurais choisi sur catalogue. J'aurais été bien tranquille. Je me serais aimé moi-même à travers mes choix. Mais ce fut si beau que vous soyez justement venue d'ailleurs ! Si beau d'avoir été l'imprévisible même et cependant la certitude même. L'insoupçonnée en moi. Si vous saviez. Ce fut un grand voyage. L'amour nous renvoie de nous une image infiniment plus belle que celle où nous croyons nous voir si beau en notre miroir. Mais je ne cherche à vous convaincre de rien. C'est ainsi. Ce qu'il y eut entre nous n'était probablement pas destiné à être vécu dans la durée : il me suffit, pour ma part, que cela eut lieu, aussi éphémère cela fut-il, aussi inabouti et à peine esquissé et néanmoins éternel. Il fallait que je vous le dise. Que je ne garde pas cela pour moi seul. Que je vous dise aussi, malgré ce que j'ai prétendu, que je regrette, oui, je regrette *aujourd'hui* ce chemin qui n'aura conduit nulle part, cette chance avortée, cette rencontre abolie. J'aurais préféré m'épargner ce désastre tellement j'ignore ce que je vais maintenant devenir. Où aller ? Qui regarder ? À qui penser ? Comment supporter votre absence ? Comment renoncer ? But, that's my business, n'est-ce pas… Il paraît que le monde est vaste et vous m'avez assez répété, selon l'idée (si fausse et injuste !) que vous vous faites de moi, que je n'aurais aucun mal à vous oublier et à m'éprendre d'une autre et fasse que vous ayez pour une fois raison ! Infiniment vous allez me manquer. Vous m'avez fait voyager si loin. Si profondément. Merci. Voilà ce que je voulais dire. C'est bête, je sais, et je me sens niais et stupide et lamentable de vous écrire si longuement. Je ne sais même pas si je crois à tout ce que je vous dis, quoique j'en aie à cet instant l'absolue certitude. Et sûrement cette lettre m'est-elle plus nécessaire qu'à vous. Qu'importe. Ne fallait-il pas que l'un de nous deux prenne au moins le risque de dire que tout ceci ne fut pas totalement vain, que quelque chose a bel et bien existé entre nous que beaucoup ne vivent pas une seule fois au cours de leur existence – et tant pis si je me trompe, tant pis si moi seul y ai cru, tant pis si moi seul cherche à nous rendre hommage. Voilà, j'en ai terminé. Un jour, que vous soyez mariée ou non (mais vous le serez, je n'en doute pas, vous le serez *grâce à moi* car je suis le sacrifice que vous allez déposer sur l'autel de votre mariage pour lui donner une valeur que, sans ma petite crucifixion, il n'aurait pas puisque votre fiancé, à lui seul, ne suffit pas à vous en convaincre – osez prétendre le contraire ! Quand je pense à ce qu'il a osé vous dire ! Comment pouvez-vous encore ?... Mais je ne veux rien salir. On vous a commandé une crucifixion et crucifixion il y a effectivement. Trop de choses m'échappent finalement. Trop de choses démoralisantes !). Ce que j'espère, c'est que dans très longtemps, d'ici vingt ou trente ans, une fois que tout ceci sera infiniment derrière nous, que vous soyez dans les Cornouailles ou en Suisse ou n'importe où ailleurs, si vous n'avez pas jeté cette lettre (on peut rêver...), peut-être tomberez-vous dessus et la lirez-vous en vous demandant ce qu'elle contient ; et peut-être aurez-vous alors une pensée au souvenir d'un amour qui fut si chichement le nôtre et peut-être me sourirez-vous par-delà toutes les raisons qui ont eu raison de nous et sur vos lèvres s'esquissera une émotion me dédiant enfin cette tendresse que j'ai tant espérée de vous. Pour ma part, il me reste le meilleur de moi-même que vous m'avez révélé (mais dont je crains qu'il ne disparaisse avec vous...). Plus une fiche d'entrée de l'Hôtel-Dieu, un briquet Bic de couleur violette, une constellation de petits trous dans le mur de mon salon que je ne compte pas reboucher de sitôt, la marque de vos dents sur ma main, deux flûtes de champagne, un cliché flou volé en passant, un soir que vous regardiez ailleurs, pardon (rassurez-vous, je n'en ferai aucun usage, je ne vous ai jamais trahie – de toute façon, on ne voit que votre bras...). C'est tout. Comme disait l'autre, le temps de rêver est bien court. Je vous souhaite d'être heureuse et de vous aimer enfin. Que la vie continue.

Grégoire »

Niveau 2

Je déposai cette lettre (à propos de laquelle je ne ferai aucun commentaire, strictement aucun, hors de question) le lundi 29 novembre en fin de matinée, dans le casier de M, l'enveloppe kraft bien en évidence au-dessus des journaux que le service du courrier distribuait quotidiennement par l'entremise claudicante du 1 % de salarié « défavorisé » ; puis je quittai mon poste sans un mot, sans prévenir, et passai l'après-midi à marcher au hasard des rues, à marcher dans un état étrangement apaisé, étrangement vide et mécanique, à marcher autant que je le pouvais, comme si chaque pas m'éloignait un peu plus de M en même temps qu'il me ramenait vers un monde où l'espérance de vie gagne chaque année en moyenne trois mois. À marcher pour me convaincre que la vie continuait, même si c'était désormais au hasard et sans but. J'avais fait ce que je devais faire, j'avais repris mon existence en main, du moins ce qu'il en restait une fois ôtés M et *tout* ce qui se rapportait à elle ; mais telle était justement la raison pour laquelle j'avais décidé de rompre : comme on brise un enchantement devenu un maléfice, comme un esclave s'affranchit de sa servitude et je pouvais être fier de moi. Fier d'être parvenu à m'enfoncer un pieu dans le cœur pour faire taire ses gémissements. Je n'étais définitivement pas fou si j'étais capable d'enrayer une arme dont je pouvais sentir le canon sur ma tempe et M comme un thriller haletant qui avait assez duré. Un psychodrame à l'eau de rose, un vaudeville, une farce bien bourgeoise. Un foutu mélo en technicolor, comme il s'en produit tout le temps entre les individus dès que les sentiments s'en mêlent, comme il s'en ébruite partout, aussi grandiloquent et insipide qu'était le mien, un méli-mélo qui allait devenir une infecte parodie se prenant à son propre jeu, jusqu'à tourner au sordide fait divers ou à la folie pure et simple si je n'y mettais pas un terme. Si je ne rompais pas avec M, aussi vrai que je me fiche à présent d'avoir une vie à moi. Aussi vrai que j'allais remettre d'équerre le cadre au mur.

Aussi vrai…

Pourquoi n'arrivais-je plus à respirer ?

PARTIE XV

« J'habitais alors Vertus, dans la Marne. »
PIERRE MINET, *La Défaite*

Niveau 1

Il faut dire que, juste avant d'écrire cette lettre, j'étais à la croisée des chemins. À la croisée de deux mondes. Un peu comme Humbert Humbert au chapitre XX de sa « Confession d'un veuf de race blanche ». Toutes proportions gardées. Cela va sans dire. Mais j'avais un problème similaire (quoique plus commun) à celui que rencontrait le fou de Lolita avec la mère de sa nymphette adorée qui, même après qu'il l'eut épousée pour rester dans l'intimité dorée de celle qui l'avait ébloui à travers ses lunettes de soleil, l'empêchait d'accéder librement, désespérément, passionnément à l'amour radieux de sa vie. Argh ! Tant que la nouvelle madame Humbert, née Haze, Charlotte de son prénom, serait dans les parages, le malheureux Humbert serait contraint de se cacher, il vivrait dans la honte, rien n'aurait lieu, que fortuitement, dans l'obscur le plus étriqué. Tant que la *mère* serait dans les parages : ah oui ? Tiens donc…

De même, entre M et moi s'interposait, non une « grosse ganache », une « vieille rabat-joie » que j'aurais épousée pour demeurer incognito dans l'aura poudrée de sa progéniture solipsisée, mais un fiancé dont la présence, pour fantomatique qu'elle fût (je ne savais même pas à quoi il ressemblait et à peine connaissais-je son nom), n'en coassait pas moins sourdement dès que M et moi nous retrouvions ensemble. Comme si je n'avais droit qu'aux miettes d'un festin dont *lui* s'empiffrait comme de droit divin. Alors que, à bien y réfléchir, *il* devait sa place au banquet de l'amour au seul fait d'avoir rencontré M le premier et je pose

701

la question : notre existence doit-elle se jouer selon des règles inventées dans des cours de récréation ?

Je disais non ! Je m'en fichais qu'il soit le preum's. Rien à foutre. Non ! Et plus le temps passait, plus ce non métastasait en moi, plus il m'incitait à considérer l'ombre portée du fameux fiancé comme parfaitement intolérable, vénéneuse, usurpée, inique. Oh le damné fiancé ! Oh la grosse ganache, la sale rabat-joie, l'affreuse ventouse ! Il était non seulement ce qui synthétisait les innombrables obstacles qui, depuis notre première rencontre, se dressaient entre M et moi, mais il les *incarnait*. Il leur donnait un nom et un visage. Il leur donnait un corps. Il leur donnait une voix et des gestes. Il leur prêtait des sentiments et il leur donnait tout simplement vie. Il leur donnait même un sexe (beurk !).

À cause de *lui*, M et moi étions condamnés à errer dans le monde intangible de la fiction, dont le centre est la circonférence et partout le nullipare ; à cause de *lui*, nous étions voués à une inexistence sans fin et aux joies blettes de la pure cérébralité ; à cause de *lui*, nous étions prisonniers de nos faits et gestes, coupés dans nos élans et coupables de les éprouver ; oui, par *sa* faute, nous devenions des spectres, des caricatures, nous étions risibles, nous étions des avortements de nous-mêmes sans cesse pratiqués. Du seul fait qu'*il* était dans les parages, nous étions voués à vivre un amour cavernicole, contraints de jouer une sinistre comédie qui rabaissait piteusement nos sentiments et faisait d'eux une affreuse parodie, les avilissait, les enfermait dans un frigo d'où ils ne pouvaient plus sortir. Où ils gelaient.

Alors que sans *lui*, nous aurions pu vivre notre amour au grand jour, nous aurions pu ouvrir nos portes et nos fenêtres, laisser entrer lumière et chaleur humaine, M se serait donnée à moi le jour où elle vint chez moi, oui, nous aurions été libres de nous aimer ou pas. Cela aurait été NOTRE histoire. Mais pour qui se prenait-il, à la fin ! Il n'était pas notre juge. Il n'était rien et prétendait à tout ? Ah, c'était trop fort ! Que quelqu'un qui ne savait rien de moi et ignorait jusqu'à mon existence puisse avoir sur elle une telle emprise. Qu'un type parfaitement inconnu au bataillon, que je ne connaissais ni d'Ève ni d'Adam, qui n'avait ni visage ni presque pas de nom puisse décider de toute ma vie ? Ah non. C'était non ! Il n'était que son fiancé, en définitive. Il n'était rien d'autre. C'était quoi un fiancé ? C'était du vent. Ça valait que dalle. Ce n'était pas comme s'ils étaient mariés. Ce n'était pas du tout comme si M lui avait déjà dit oui devant monsieur le maire et juré fidélité en rosissant d'émotion devant le curé et tous ses bon dieu de saints. C'était même tout le contraire ! À mon niveau individuel de perception œdipienne des choses, j'allais dire oulipienne, cela faisait une *énorme* différence. Au point que, de tous les problèmes qui se dressaient sur la route qui menait à M, *el signor* fiancé était peut-être celui qui, comme on pose des scellés, posait les mains sur elle (pouah !), mais il était surtout un problème qui pouvait être *réglé* ! Il était même le seul et unique problème auquel une solution extrêmement *simple* pouvait être apportée car, dans cette équation notée M, il n'était pas une constante (comme pouvait l'être la famille de M, son milieu social ou encore sa beauté avec des millions de guillemets), non, il était une variable, une simple variable, une putain de variable toute pourrie que moi – ou quelqu'un d'autre, quelqu'un que je pourrais éventuellement payer, quelqu'un comme Slobo.

Slobo !

Mais oui !

Slobo !

Bien sûr Slobo.

Dont je ne dirai jamais comment je possède son numéro de téléphone ni ce qu'il fabriquait au Kossovo à la fin des années 90 – car je l'ignore.

Je préfère ne pas le savoir dans le détail.

Slobo. Que tout le monde appelait Slobo et ce surnom parle de lui-même.

Dont le véritable nom avait dû se noyer il y a très longtemps dans la neige durcie de ses yeux très pâles et je ne suis pas sûr que lui-même se le rappelait. Qu'il en ait seulement envic.

Slobo.

Mais oui !

Comme un sésame.

Comme il arrive que la fin justifie les moyens. Que l'homme, tendu vers un unique objectif, sachant que sa vie en dépend, ne recule plus devant rien.

Comme disait l'autre (Machiavel), « Il faut avoir l'esprit assez flexible pour se tourner à toutes choses, selon que le vent et les accidents de la fortune le commandent ; il faut, comme je l'ai dit, ne point s'écarter du bien, si c'est possible ; mais savoir entrer dans le mal, s'il y a nécessité. »

Savoir entrer dans le mal, s'il y a nécessité !

Pour Humbert Humbert, c'est le projet de noyer la mère de Lolita dans le lac de Ramsdale qui prit forme dans son esprit contraint à devenir flexible par nécessité. Ils iraient pique-niquer et, au moment propice, lors d'une baignade improvisée, il plongerait sous l'eau et, tel un monstre des abysses, il saisirait le pied de la pauvre Charlotte pour l'entraîner par le fond et ainsi Lolita serait-elle à lui. À lui seul !

Ainsi me vint l'idée – idée folle, idée insane – que quelqu'un comme Slobo, Slobo expressément, pouvait corriger l'erreur que constituait le fichu fiancé dans mon histoire de M. Il pouvait la corriger une nuit sans lune, au détour d'une rue sans nom, en échange de deux ou trois mille euros, disons quatre mille euros, à coups de barre à mine, après une mauvaise rencontre se finissant malencontreusement au couteau, une rafale de mitraillette tirée depuis une moto, une bombe explosant sur son passage, une lettre chargée d'anthrax à lui adressée, n'importe quoi qui le ferait disparaître du jour au lendemain et M serait alors à moi. À moi seul !

Ou, mieux, meilleure suggestion, géniale perspective : le fiancé tout pourri pouvait se faire renverser par un chauffard grillant comme par hasard un feu rouge au moment où il traversait dans les clous, oui, tel un cavalier de l'Apocalypse chevauchant un camion – que dis-je un camion : un quinze tonnes ! –, ce chauffard pouvait très bien perdre le contrôle de son quinze tonnes et, pas de pot, foncer sur un malheureux piéton choisi entre tous (hey, pas d'erreur, n'est-ce pas ! Pas d'erreur sur la *personne* !) et devant la foule horrifiée des badauds cherchant à se mettre à l'abri, le quinze tonnes lui roulerait dessus quinze fois, de ses énormes roues lui roulerait dessus, tel un monstrueux mille-pattes de fer et d'acier, cent fois lui passerait sur le corps comme sur un gendarme couché, de tout son poids l'aplatirait comme une crêpe, paf le fiancé, avant de disparaître lâchement dans un hurlement de pneus carbonisant l'asphalte. Je visualisais très bien la scène. Elle me plaisait salement. J'en tremblais de me la passer en boucle. Paf le fiancé ! Une crêpe ! Une flaque d'homme pulvérisée au milieu de la rue.

Niveau 2

Il y a des nuits où l'on ne regrette pas d'être venu (au monde). Où l'on est couci-couça. Pas franchement au meilleur de son être. Dans un état trop bizarre. Où l'on se trouve à un carrefour de son existence et quelle que soit la direction que l'on prendra, on sait qu'il n'y aura pas de retour possible. Où les pires folies vous passent par la tête. Des chimères invraisemblables. Cela ne t'arrive jamais ?

Pour ma part, j'en frémis encore d'avoir caressé, fût-ce du bout des doigts, fût-ce de manière fugitive et éphémère (quoique langoureuse et frémissante), pareilles pensées qui ne me ressemblaient pas du tout, en plus d'être passibles de la prison plus ou moins à perpétuité. J'étais à ce moment-là allongé sur mon lit, incapable de trouver le sommeil, proie de fourmis rouges qui ne me laissaient aucun répit, livré à l'épaisseur d'une nuit qui m'engloutissait comme au fond d'un océan de boue, tripotant mon téléphone portable dont l'écran affichait dans un halo bleu et froid le numéro de téléphone de Slobo : +33 64…

Bon dieu, j'en tremble encore de m'être tenu si près du gouffre. J'en ai des palpitations d'avoir, à mon niveau individuel des choses qui, en temps normal, nous offusquent, éprouvé la toute-puissance gravitationnelle du crime. Mais cela semblait si facile. Tellement envisageable. Pfuit les problèmes. Paf le fiancé. Une flaque pulvérisée sur le bitume. Une flaque d'homme.

Rien ne s'interposerait plus entre M et moi. Plus personne. M ne pourrait plus se cacher derrière son petit fiancé.

C'était même un service à lui rendre. Si on y réfléchit. Qui ça « on » ? J'étais celui qui allait la libérer de ses chaînes. J'étais son libérateur. J'étais Harry, l'ami qui voulait son bien (et le mien).

Bon dieu, j'étais tellement à bout ce soir-là. J'avais des excuses. Je m'en trouvais des tas. Je n'avais jamais été heureux jusqu'ici. Jamais rencontré quelqu'un comme M. Jamais aimé comme je l'aimais. Jamais été si près du but. Je ne pouvais pas rester dans cet état. Entre espoir et désespoir. Entre hauts et bas. Entre la vie et la mort et, dans cet incertain insoluble, en permanence la nausée. En permanence des maux de tête, des vertiges, des souffles au cœur. Je n'en pouvais plus. Je ne savais plus où j'en étais. Je devenais complètement dingue. J'avais déjà perdu six kilos. C'était trop de tension. J'en pleurais parfois de rage. Cela faisait des jours, des semaines, des *mois* que je retenais ma respiration. Personne ne pouvait me demander de supporter ça plus longtemps. Je ne pouvais pas l'exiger de moi-même. Je ne pouvais pas laisser passer M comme chance. Elle ne se représenterait que d'ici 32 années. Lorsque la Terre aurait fait trente-deux fois le tour du Soleil. Je serai mort alors !

Qui peut renoncer à sa comète ? Qui en a la force de caractère ? Je ne l'avais pas ce soir-là. Je ne voulais pas renoncer à M. Il n'en était pas question. Plutôt mourir. Plutôt éliminer *el signor* fiancé. Lui d'abord !

Le suspens avait assez duré.

De toute façon, personne ne supporte jamais rien très longtemps. C'est une loi physiologique. Nul ne peut retenir éternellement sa respiration. Nul ne parvient à demeurer indéfiniment dans la même situation. Toujours survient l'ankylose ; il nous faut alors changer de position afin de rétablir au plus vite la circulation sanguine dans notre existence et, au plus vite, retrouver notre liberté de mouvement. Au plus vite retrouver des sensations. Reprendre notre souffle. J'en étais là ce soir-là.

J'avais des fourmis rouges plein le cerveau.

Slobo !

Il allait faire pencher la balance de mon côté. Il allait y mettre tout son poids. Cela rééquilibrerait les forces. Ce ne serait que justice. N'étaient-ils pas deux contre moi ?

Paf le fiancé !

Depuis des jours, des semaines, des *mois* que je restais suspendu au bon vouloir de M, à son sourire éblouissant, à ses peurs comme si elles devaient décider de notre sort, à son hameçon qui dépeçait mon âme, à mes désirs perpétuellement inassouvis, mes efforts sans cesse anéantis : assez ! Cela ne me faisait plus rire. Le suspens avait assez duré. Il tournait à la parodie. Pas question que cela s'éternise plus longtemps.

Ce n'est jamais qu'une question de temps avant qu'une situation nous insupporte.

Le changement pour le changement.

Nous bougeons même pendant notre sommeil. Nous parlons même pendant notre sommeil. Voir page 134.

Paf le fiancé ! Bien fait pour lui !

Fallait pas se mettre en travers de mon chemin. Faut pas !

Éliminer le fiancé de M ! Voilà qui changerait *tout* !

Des jours, des semaines, des mois que mon histoire de M végétait. Croupissait. M'anéantissait.

Slobo !

+33 64 47…

Je n'en pouvais plus ce soir-là. Cette situation avec M : elle me *tuait*.

Éliminer le fiancé de M ! Il n'y avait pas d'autre solution. C'était la *meilleure* solution ! C'était l'assurance de faire bouger les choses.

M über alles.

L'impossibilité de M : j'en avais fait le tour.

Elle devait prendre une *décision* ! Et j'allais l'y aider.

Ses refus : j'en avais soupé ! Ils n'avaient plus aucun charme. L'élément de surprise ne jouait plus en leur faveur. D'eux, j'entrevoyais maintenant l'habitude que M avait de me les opposer. À l'ennui d'être rejeté succédait l'ennui de l'être invariablement. C'était devenu une routine. Tout périclitait. Devenait pathétique. Non !

Le suspens : ras-le-bol !

À mon niveau individuel des choses qui n'ont qu'un temps, la limite était atteinte. L'heure de balancer un bon coup de pied dans la fourmilière avait sonné. De mettre les pieds dans le plat. De ruer dans les brancards. Je devais *agir*. Assez de beaux discours !

Quitte à ruiner les maigres chances qui pouvaient encore être les miennes. C'était le risque.

Quitte à éliminer son *signor* fiancé – et pourquoi me mets-je à hispaniser ce pauvre garçon ? Je l'ignore.

Zorro !

Il avait bonne mine à présent !

Moment où le bien se perd de vue car il ne regarde plus que son intérêt.

Tant pis.

Trop tard.

Eh quoi ? Ne s'agissait-il pas de libérer mon peuple d'un pouvoir oppressif ?

Eh quoi ! Indiana Jones flinguait le sale type qui lui barrait le passage, sans même lui jeter un regard, en souriant. Lui ne s'embarrassait d'aucun scrupule. Et c'était lui le héros de l'histoire.

Pourquoi cette idée criminelle en particulier et pas une autre, moins radicale et, à tout prendre, moins monstrueuse et risquée ? Je l'ignore. Je te le jure.

J'aurais préféré avoir une idée plus ingénieuse, moins extrême, plus *noble* ; mais ce ne fut pas le cas.

Paf le fiancé !

Et repaf !

Freedom !

Dès que quelque chose ne va pas, ce sont les individus qui trinquent. Notre manie de la personnalisation est infinie. Et plutôt six millions de fois qu'une.

Ce soir-là, je succombai à la passion vénéneuse du bouc émissaire. Un sacrifice devait avoir lieu. J'étais d'humeur biblique. Je fomentais dans mon lit ma nuit de cristal.

Si je me faisais prendre, je pourrais toujours invoquer que j'agissais au nom de dieu. C'est devenu la mode ces temps-ci. De transformer le droit commun en fait religieux. De se surpasser soi-même et de sublimer ses crimes.

Ce soir-là, je ne valais pas mieux que tous ceux qui pensent que tout ira mieux pour eux lorsqu'ils auront éliminé de leur existence ce qui fait tache à leurs yeux (et qui n'a pas les moyens d'exercer des représailles, on est lâche ou on ne l'est pas).

En d'autres temps, j'eusse peut-être provoqué en duel *el signor* fiancée ; j'eusse peut-être organisé l'enlèvement de M avec des amis dévoués à ma cause ; mais nous étions à l'automne 2004 et je ne me connaissais pas d'amis si fidèles qu'ils acceptassent de me suivre dans pareille entreprise. Ils m'auraient plutôt empêché. Ils m'auraient peut-être dénoncé. Comme mon frère. J'avais quatorze ans et un dimanche après-midi, parce que je m'ennuyais ferme et pour rigoler un peu, pour faire marrer mon frangin et lui réserver une petite surprise, j'étais entré par effraction (en tâtonnant au péril de ma vie sur la corniche qui, au quatrième étage, longeait la façade de l'immeuble, afin de me faufiler par la fenêtre de la cuisine que j'avais vue ouverte depuis la cage d'escalier) chez des gens où je savais que se donnait une boum à laquelle mon frère participait. Il se trouve que c'est lui qui me découvrit caché sous la table de la cuisine. Et il me dénonça ! Mon propre frère ! J'avais eu beau lui faire un grand sourire sous la table, mettre mon doigt sur la bouche pour qu'il la boucle et lui faire comprendre que j'allais fissa me tirer pour le laisser tranquille avec ses amis – il s'agissait d'une *farce* ! Ne voyait-il pas que j'avais réalisé un *exploit* en entrant par la fenêtre du quatrième étage ? –, il avait rameuté à grands cris la compagnie. Il n'avait pas hésité à me désigner à la vindicte populaire. Ma honte alors ! Mon incrédulité hallucinée. Cela avait fait tout un foin. Les familles avaient été prévenues. C'est tout juste si la police ne s'en mêla pas. Eh quoi, j'étais entré par effraction chez des gens. C'était *très* grave. J'avais bien évidemment été puni. Allez croire en l'amitié après ça. En la liberté, l'égalité et la *fraternité*. Allez faire confiance.

Je sais aujourd'hui que mon frère s'était épouvanté que je découvre la nature particulière de ses amitiés. Cela l'avait offusqué. Il avait complètement paniqué. Il avait cru que c'était moi qui allais le dénoncer. Il m'avait d'autant plus accusé qu'il se croyait alors en faute.

Slobo !

Payer un sbire pour qu'il fasse le sale boulot : comme une façon de garder les mains propres. Mon air de ne pas y toucher. Que tout cela demeure une simple histoire de langage. J'ordonnerais et, abracadabra, les mots deviendraient réalité. Ce qu'on appelle réalité. Ce que deviendrait la réalité. Que quelques mots puissent changer le cours de l'histoire : ce n'était pas non plus pour me déplaire. N'est-ce pas l'idée depuis le *début* ?

L'époque fabrique des individus lâches et velléitaires. Je suis de mon époque. Personne ne pourra me reprocher *ça*.

Que veux-tu que je te dise ? Je ne suis pas fier de cette soirée.

L'argent donne un sacré pouvoir aux mots.

Je ne sais qu'une chose : j'étais prêt à tout ce soir-là. Mon crâne explosait. Incapable de demeurer plus longtemps dans l'aura de M, je l'étais encore plus de renoncer à elle et je n'avais pas le choix. Je devais forcer le destin. Il me fallait élaborer une stratégie. Me montrer enfin malin. Décider pour nous deux. Montrer à M que j'avais des couilles si elle en doutait.

Je devais cesser de croire que l'amour allait triompher de son propre élan.

+33 64 47 54...

Je ne devrais rien dire à M. Surtout pas. Jamais elle ne devrait savoir. Ce serait notre secret, que moi seul porterais.

Je ne pouvais pas la laisser se marier sans rien tenter. Sans me battre. Impossible !

Cela signifiait forcer ma nature et la sienne.

Je devais risquer le tout pour le tout.

Il fallait que j'élimine le fiancé de M !

Slobo !

Je n'avais pas le choix.

J'avais un plan.

J'avais le mobile, le moyen, il ne restait plus qu'à trouver l'opportunité.

Il me suffisait de. Je n'avais qu'à.

+33 64 47 54 …

Qui a dit que ce n'est pas parce qu'une chose est possible qu'elle devient souhaitable ? C'est même souvent l'inverse. L'état du monde en témoigne.

Celui qui a dit ça ne travaillait sûrement pas dans les nouvelles technologies.

Il ne devait pas en être réduit aux dernières extrémités.

Allongé sur mon lit, tout me semblait pouvoir se dérouler à la perfection. Sérieux !

Mon plan était simple, basique, il ne présentait aucune difficulté qui ne puisse, d'une façon ou d'une autre, être surmontée. Il était *réalisable*. Sérieux !

M avait si bien fait de moi son secret que rien ne pouvait me relier à elle et encore moins à son fiancé. Personne ne connaissait mon existence. Nul ne me soupçonnerait jamais.

Paf le fiancé.

Il fallait que je réfléchisse. Que je ne commette aucune *erreur*. Que je vérifie chaque *détail*.

J'avais réfléchi à bien des choses dans mon existence, mais jamais au moyen d'éliminer quelqu'un. Jamais au *crime parfait*.

Niveau 3

C'est une expérience singulière que celle de projeter d'assassiner un être humain. D'y réfléchir sérieusement. D'y réfléchir pour de vrai. C'est très. Déstabilisant. Une espèce d'aventure philosophique. Esthétique aussi.

« C'est pas commode de tuer un homme. » Dixit Jules Berry dans Le jour se lève. Jules Berry. Avec son manteau pied-de-poule. Quand le diable parle, on l'écoute.

Dire que j'étais parti pour un grand roman d'amour et voici que mon histoire de M virait au *polar*. AU FAIT DIVERS. Mais quoi ! Ce n'était pas moi qui distribuais les cartes. Pas moi qui les retournais ensuite au flop, à la tourne, et à la rivière. On ne sait jamais à l'avance comment les choses vont tourner. On fait avec les cartes qu'on a dans la main. Avec le jeu tel qu'il se déroule. On essaie seulement de tirer son épingle du jeu.

Slobo.

Un accident ou – quoi ? Un accident ! Oui. Plutôt qu'une bombe, une lettre bourrée d'anthrax, une fusillade. Cela attirerait moins l'attention. Je n'étais pas un terroriste. Il *faudrait* que ça ressemble à un accident.

Pas besoin d'un quinze tonncs. Une simple voiture suffirait. Banalisée. Il faudrait voler la voiture. Changer les plaques. La brûler ensuite. Quelque part à la campagne. Rien d'insurmontable. Slobo ferait ça très bien. J'étais sûr qu'il savait y faire. Il connaissait des *gens*.

Trois mille euros ? Disons quatre mille. Je n'allais pas chipoter. Il s'agissait tout de même d'éliminer un être humain. Tel que je le connaissais, Slobo me ferait sûrement un prix d'ami. Que mes motivations soient sentimentales lui plairait. Cela réjouirait son âme slave.

Que le fiancé en soit convaincu : son élimination n'avait rien de personnel. Il était seulement the bad guy in the bad place. Désolé mon gars. Mille excuses mon pote.

C'est parce que la situation est la pire qui soit que c'est le moment d'agir. A dit Machiavel.

Que le fiancé en soit (j'allais dire « en moi ») convaincu : j'agissais sous la contrainte. J'obéissais strictement à M. J'exprimais ici sa volonté plus que la mienne. C'est elle qui voulait que je réalise ce qui, à n'en pas douter, était son souhait le plus profond et le plus indicible.

Sachant la difficulté à quitter quelqu'un qui vous aime, sachant l'interdit, sa famille, le scandale, la culpabilité… J'en savais quelque chose (voir page 131). Sachant qu'elle n'aurait jamais la force de rompre toute seule des vœux extorqués plutôt que donnés. C'était évident. Elle m'avait choisi pour faire le boulot à sa place. Pour être son Libérateur. J'étais mandaté. Elle comptait sur moi. Elle me mettait à l'épreuve. Elle voulait savoir si je l'aimais vraiment. Elle voulait connaître la valeur de mon amour pour elle. Si mes actes suivraient mes paroles. Peut-être M cherchait-elle *depuis le début* un moyen de vivre sa vraie vie et m'avait-elle choisi uniquement dans cette intention. Pour que je débarrasse son existence de ce qui l'entravait. Constatant la puissance de mon amour pour elle. Ma crédulité légendaire. Ma faiblesse à son endroit. Oui, peut-être avait-elle tout manigancé depuis la scène de la machine à café de marque Illico. Comme Kathleen Turner dans La Fièvre au corps (1981).

Il faudrait faire des repérages. Suivre le fiancé dans ses déplacements. Connaître ses habitudes. Ses horaires. Choisir avec soin le lieu, la date. Il y avait du boulot en amont. Faire attention aux caméras de surveillance.

Si je conduisais, j'aurais réglé moi-même le problème. J'aurais eu la force. Je voulais l'avoir. Cela m'aurait plu de tout mettre au point. Je me voyais très bien le jour J. Attendant au lieu dit. Une nuit sans lune. Les mains sur le volant et les mains sûrement moites, le cœur sûrement aux cent coups, c'était prévu. Je porterais une perruque et des postiches, par précaution. Et pas de téléphone portable pour qu'on ne puisse tracer ma présence sur les lieux. Immobile et silencieux, j'attendrais le temps qu'il faudrait et j'aimerais cette attente. Ce serait du temps à l'état pur. Puis je le verrais et je passerais à l'action. Je n'hésiterais pas. Au moment où il s'engagerait sur le passage piétons, j'écraserais à fond le champignon, je lui foncerais dessus avant qu'il ait le temps de comprendre ce qui lui arrivait et paf le sale fiancé ! Je le percuterais de plein fouet, je lui roulerais dessus – putain, je ne le louperais pas ! Il y aurait le choc, l'embardée, c'était prévu. Je jetterais un coup d'œil dans le rétroviseur. Forcément. Mais pas le temps de m'attarder. En moins de deux j'aurais déjà tourné à gauche, puis à droite, me fondant dans la circulation, comme prévu. Paf le fiancé ! Ce serait fait. Je l'aurais fait ! Je serais devenu un *assassin*. Sans déconner ! Putain de merde ! Moi regardant maintenant si des flics. Le ciel. La foudre. Une colère divine. Mais non. Il ne se passerait rien. C'était prévu. Moi relâchant alors mes muscles. Retrouvant un rythme normal. M'apercevant que j'avais cessé de respirer depuis un bon moment. Ça aussi c'était prévu. Comme le fait de me mettre à trembler comme une feuille à cause de l'adrénaline. À cause de tout. Il était de toute façon trop tard et moi suivant alors le plan à la lettre (me débarrasser de la voiture, etc.). Me concentrant là-dessus pour ne penser à rien d'autre. C'était fait ? Je l'avais vraiment fait ? Qu'avais-je fait ? Ce n'était pas plus compliqué ? Un sentiment de dégoût à ce moment-là ? D'horreur ? L'envie de vomir ? C'était prévu. Ou bien rien, juste un grand vide, même pas une joie. Ce serait la surprise. C'était prévu. L'expression de son visage au moment de l'impact, cet air étonné, effroyable, incrédule lorsque nos regards s'étaient croisés un instant à travers le pare-brise : ça aussi je l'avais envisagé. Il faudrait broyer cette image. L'effacer. C'était prévu. Il faudrait détruire en moi toute la séquence. Chaque instant. Chaque seconde. Même le bruit de son corps percuté de plein fouet. Surtout ce bruit. Le bruit de la mort. À jamais associé au crime. Pour toujours dans mes oreilles, conglutiné dans mes fibres. Il faudrait rayer le son et l'image de mon esprit. Cela prendrait du temps. C'était prévu. C'était le job. Combien de temps ? Dix ans ?

Inconvénient de faire le sale boulot moi-même : je n'aurais pas d'alibi. Avantage : je n'aurais pas besoin de mettre un tiers dans la combine. Et si Slobo me faisait chanter ensuite ? S'il se retournait contre moi. Il ne fallait pas l'exclure. On ne peut pas faire confiance aux gens. Surtout à ce genre de type et dans ce genre de circonstances. Tout peut toujours dégénérer. Comment savoir ?

En même temps, ce serait lui le tueur. Il aurait autant à perdre que moi si nous nous faisions prendre. À quel point Slobo était-il intelligent ? À quel point me fier à lui ? La réponse à cette question m'effrayait.

Tuer Slobo ensuite ?

Un meurtre en entraînant toujours un autre ?

Niveau 4

Première consigne : ne pas me montrer en public avec lui. Communiquer avec lui avec des téléphones prépayés.

Les impondérables : c'était ça l'ennemi. Ça le problème. Il y a toujours des impondérables. Il faut faire avec. Il faut se tenir prêt.

En temps normal, je recherche l'imprévu. J'en rêve. Pas cette fois. On change au gré des circonstances. Ce sont les situations qui font les hommes. Il s'agit d'une espèce d'humiliation.

Les meilleurs plans capotent à cause d'un infime battement d'ailes de papillon qui, de loin en loin, provoque une tempête qui vous emporte, vous et vos rêves. Même les professionnels du crime ne sont pas à l'abri de l'imprévisible. Par exemple Dortmunder. Avoir présent à l'esprit que tout peut mal tourner à cause d'un fichu battement d'ailes de papillon. Mais qui ne risque rien n'a rien. Qui ne risque rien ne se trompe qu'une seule fois, comme dit la chanson.

Si on a peur de perdre, on ne joue pas.

En même temps, je n'avais pas l'intention de faire carrière dans le crime. C'était l'histoire d'une seule fois. L'affaire d'un seul assassinat. Les criminels se font prendre à la longue. Ils ne savent pas s'arrêter.

Refermer la porte du crime que j'aurais ouverte. Ne pas m'imaginer que cela puisse devenir une solution de facilité. Me méfier de moi : cela aussi c'était prévu.

J'avais beau chercher dans ma mémoire, je ne me rappelais aucun livre qui pût m'aider dans mon entreprise criminelle. Aucun qui racontait comment s'y prendre pour de vrai. Décrirait la marche à suivre étape par étape. Les pièges à éviter. Les trucs à savoir. Les exercices spirituels aussi. Les livres décrivent rarement le côté technique des choses. Ils ont tort. Tant pis. Je ne pouvais compter que sur mes facultés intellectuelles et nerveuses. Et sur Slobo.

Et si ça ratait ? Si ça tournait mal ?

Si Slobo écrasait quelqu'un d'autre ?

S'il écrasait M ?

Envisager un plan de repli. Ma fuite à l'étranger.

Il n'y aurait pas de retour possible.

La question est : que se passera-t-il *après* ?

Et si je me fais prendre ?

Oh la bobine que feront les gens qui me connaissent ! Ils n'en reviendront pas. Ils tomberont des nues. Ça leur en bouchera un sacré coin. « Quoi ? Lui ? Vous êtes sûr ? Un meurtrier ? Ça alors ! Jamais on n'aurait cru. Je croyais qu'il était écrivain. Etc. »

Ou alors ils ne seront pas surpris. « Lui ? Ça m'étonne pas. Il était bizarre. On sentait que quelque chose clochait chez lui. Vous avez lu ses livres ? Etc. ».

Rien que pour les entendre dire, ça donne envie de se faire prendre.

Cela fait toujours drôle de s'apercevoir un jour qu'on a connu un assassin. On se dit qu'on a loupé quelque chose. On réalise qu'on ne sait rien des gens, même ceux que l'on croit bien connaître. On se dit que cela pourrait être nous. On a l'impression d'être quelqu'un soudain. On a côtoyé le *crime*.

« Mais les assassins : ça court les rues. Y en a partout. Tout le monde tue. Tout le monde tue... seulement, on tue un petit peu, en douceur, à l'économie, alors ça se voit pas. » Dixit Jean Gabin dans Le jour se lève. Jean Gabin complètement *à bout*.

Niveau 5

Ça me rappelle cette petite vieille qui donnait à manger aux pigeons dans le quartier de Beaubourg. Pendant des années, elle vint s'installer sur le même banc, un sac de grains et de pain perdu sur ses genoux et... « Petits petits... » Tous les jours, été comme hiver, à la même heure, son rendez-vous avec des nuées de pigeons. Lesquels étaient bien contents d'être grassement nourris à heure fixe. À la longue, la petite vieille était devenue une célébrité locale. Tout le monde l'adorait. C'était comme un rituel. Un journaliste de FR3 était même venu l'interviewer et le reportage était passé au journal télévisé du soir. La gloire. L'humanité comme on la croit disparue. C'était avant qu'on s'aperçoive que cette petite vieille : elle empoisonnait les pigeons depuis des années. Aux grains et au pain perdu, elle mêlait de la mort-aux-rats. Elle distribuait la mort par poignées. Elle menait son génocide tout sourire, en toute impunité, consciencieusement, sous des dehors si gentils, au vu et au su de tous. Elle s'était fait pincer parce que les pigeons venaient tous crever au même endroit, dans une arrière-cour toute proche, toujours la même. Le concierge avait beau jeter chaque jour des cadavres à la poubelle, il en trouvait toujours d'autres le lendemain. Il n'en pouvait plus. Ce n'était pas normal. Il avait fini par alerter la police. Entre la vieille et les pigeons, ce sont les pigeons qui se révélèrent les plus malins. Pour dénoncer leur assassin, ils ne s'en allaient pas mourir ici ou là, mais tous au même endroit. C'est le charnier qui dénonce le génocide. Les pigeons l'avaient bien compris. Dans tout crime, la question du corps de la victime est décisive.

Et si je me faisais prendre ?

La merde !

Je comprenais maintenant la volonté de *tout* contrôler, de ne *rien* laisser au hasard, de ne commettre *aucune* erreur : c'est la volonté des assassins !

Si je me faisais prendre à mon propre jeu ? Pas seulement au niveau de Slobo, de la police, de la prison, mais à mon niveau individuel des choses. Au niveau des actes qui nous poursuivent toute notre vie. Qui font chanter notre existence ensuite.

Lire mon horoscope et celui de M pour le jour J. Me fier aux astres. Me méfier d'eux. Et l'horoscope de la vieille ganache ?

Si tout se passait bien, M ne songerait pas à m'incriminer. Elle ne soupçonnerait rien. Elle se jetterait dans mes bras. Elle pleurerait la mort tragique et accidentelle de son fiancé. Ou elle ne la pleurerait pas. Et moi, je la consolerais. Je prendrais infiniment soin d'elle. Elle pourrait compter sur moi. Elle n'aurait que moi.

Dans son monde, qui était ce monde enchanté que l'argent avait inventé exprès pour qu'elle ne croise jamais dans l'escalier l'ignominie (car c'était ce monde qui était lui-même une espèce d'ignominie), pareille machination *au nom de l'amour* lui serait inconcevable. Au nom de l'argent, elle aurait peut-être eu un doute ; mais l'argent n'étant pas ma motivation, je n'avais rien à craindre de ses soupçons – ce qui, à y réfléchir, là, maintenant, dans mon lit, était un raisonnement stupide puisque rien ne disait que M ne me prêterait pas des intentions qui n'étaient pas les miennes et, aussi injuste cela soit-il, quelle ironie si elle orientait les recherches de la police sur ma personne en raison d'une appréciation parfaitement erronée de mes desseins. Quelle farce de plus dans mon existence.

De toute façon, j'envisageais de me doter d'un alibi en béton. Ce n'étaient pas les lieux où je pouvais nuitamment me faire remarquer sans éveiller l'attention qui manquaient. Les filles de bar avec qui partager une soucoupe de chips. Les chips témoigneraient sous serment que j'étais en leur compagnie entre telle et telle heure.

Il était à craindre qu'une fois le fiancé mort, mon niveau individuel des choses ne serait plus le même. Il serait mon niveau individuel des choses que j'aurais faites.

Tel est l'avantage de recourir aux services d'un tiers : on est relié au crime avant et après, mais pas au moment fatidique. Je n'avais jamais vu les choses sous cet angle. Je veux dire : avec autant d'acuité. En mesurant ce que cela signifie exactement. C'est lorsqu'on se confronte à la réalité (ce qu'on appelle la réalité) qu'on découvre ses potentialités. On n'en a aucune idée avant de s'y mesurer. On parle sans savoir.

Payer la moitié de sa part à Slobo avant et l'autre après qu'il a rempli sa part du marché. Pourvu qu'il ne déconne pas ! Mais je lui faisais confiance. Il m'avait raconté comment des propriétaires faisaient appel à ses services pour récupérer des loyers impayés auprès de locataires chez qui il débarquait à l'aube : il ne repartait jamais les mains vides et j'en avais froid dans le dos rien qu'à l'écouter. *Rien qu'à l'imaginer débarquer à l'aube chez quelqu'un.* Pour le faire cracher au bassinet.

Aucun doute, Slobo était l'homme de ma situation. Il était le sbire dont j'avais besoin. Mon Ravaillac à moi. Mon Lee Harvey Oswald. Mon Tikidès. Aucun doute. *C'était jouable !*

Il me suffisait de. Je n'avais plus qu'à.

+33 64 47 57 7…

Avec la chance qui me caractérise, le succès n'était toutefois nullement garanti.

La chance ! En avoir ou pas ! La chanteuse Véronique Sanson a raconté un jour qu'elle avait projeté de faire assassiner son mari Stephen Stills qu'elle voulait quitter – mais lui ne voulait pas. Pas question qu'elle s'en aille. Jamais ! Il s'y opposait férocement, à la façon d'un homme violent et capable du pire lorsqu'il était défoncé (et c'était tout le temps à l'époque). Jusqu'à transformer la situation en épouvante. Pousser littéralement au crime et ainsi avait-elle *très sérieusement* envisagé de l'éliminer, par l'entremise d'un Slobo local. Partout il existe des « hommes de main » prêts à vous donner un petit coup de pouce contre un peu d'argent. Elle ne voyait aucune autre solution pour se sortir de cet enfer. S'étant renseignée, elle pouvait même dire que cela ne lui aurait pas coûté très cher (huit mille dollars). Cela coûtait que dalle de faire assassiner un homme, fut-il le S du célèbre groupe CSNY. Mais elle avait finalement renoncé. Parce que « vernie comme elle l'était, bordélique comme elle l'était », c'était sûr qu'elle se ferait gauler, ça ne louperait pas, elle en était convaincue. Ce pourquoi elle n'avait pas mis son projet à exécution. Mais ce n'était pas faute de l'avoir caressé dans le sens du poil.

Cela fait plaisir de savoir qu'on n'est pas tout seul (et que d'autres ont le cran d'abattre leur jeu. De se prendre en flagrant délit).

J'aimais beaucoup Véronique Sanson dans ma jeunesse (voir page 522). Il n'y a pas de hasard.

Parfois, on n'a pas le choix. On est poussé aux dernières extrémités. C'est une question de survie. Cela arrive même aux meilleur(e)s.

M le maudit et ta douleur efface ta faute.

Ne pas penser à la chance ou à la malchance. Écarter cette pensée ! Rester froid. Méthodique.

Étais-je de taille ? Avais-je les épaules ?

Nos sms ! Les flics trouveraient nos sms ! Merde !

Mais non. M avait dû effacer les miens. Elle les avait forcément effacés. Jusqu'au dernier. Par précaution. Au fur et à mesure. Elle voulait tout le temps que j'efface les siens : ce n'était pas pour les conserver de son côté.

Ouf.

Allongé sur mon lit, les yeux grands ouverts sur l'obscurité, le visage baignant dans le halo bleu acier de l'écran LCD de mon téléphone portable, je voyais très bien le topo, je visualisais avec une précision millimétrée le déroulement des opérations et plus je passais mentalement au crible les moindres détails de mon plan, plus ma résolution prenait forme, plus elle s'affermissait et me convainquait moi-même que j'avais de bonnes chances de réussir et j'étais *extrêmement sérieux* à ce moment-là.

J'étais *hyper*-concentré.

Tout mon être conjuguait ses forces pour ne rien laisser au hasard. Bon dieu, cela valait le coup. C'était *vraiment* tentant.

Tout pouvait *très bien* se passer.

Je suis encore une fois trop long ? Eh quoi ! À combien de lignes estimes-tu la vie d'un homme ?

Eh quoi, c'est de ta faute aussi, interpellais-je depuis mon lit le fichu fiancé. C'est toi qui détruis ma vie, toi qui te mets en travers du chemin de l'amour, toi qui nous *assassines*, espèce d'enfoiré ! m'échauffais-je dans mon lit. Tu sais quoi ? Tu ne me laisses pas le choix, mon pote. Faut pas me chercher. Tu me cherches, tu me trouves ! élevais-je carrément la voix. Tu sais quoi ? Je peux le faire et *je vais le faire*, le menaçais-je en baissant cependant d'un ton, des fois que les murs auraient des oreilles. Je devais faire très attention *à partir de maintenant*. Mais oui, c'était possible. C'est jouable, mon pote ! Tout ne rate pas nécessairement, cherchais-je à me donner du courage en regardant soudain sur la droite car j'avais cru voir bouger une ombre. Mais c'était le chat. Sacré minou ! Je l'empoignai par la peau du cou. L'élevai jusqu'à mon visage. La chance sourit aux audacieux, le pris-je à témoin en même temps que dans mes bras. Sinon quoi ? C'était lui ou moi ! Il n'y avait pas à tortiller. T'es bien d'accord, le chat ? Tu ronronnes, hein. Ah ah ! Imagine un monde où *il* ne serait plus là, m'excitais-je en caressant le chat à rebrousse-poil jusqu'à le hérisser de tout son long. Imagine All The People Without Him. *Imagine M libre comme l'air !* m'enflammais-je en tenant le chat à bout de bras dans les airs et en le faisant tournoyer comme une toupie au-dessus de ma tête. Oh oui ! Paf le fiancé ! Exit la vieille ganache toute pourrie ! Adieu coco bel œil. Bye. Raus. Tchuss. Ĝis revido. Paix à ton âme valeureuse, saleté de fiancé de mes deux. *Sorry, my friend.* Oh pardon le chat. Je te fais mal ? Tu veux me griffer ? Tu as faim ?

Niveau 6

Drôle de nuit. Drôles de pensées. Drôle d'atmosphère et drôle d'état bizarre. Cette nuit-là, je découvris que l'on pouvait se coucher le soir innocent comme l'agneau et se réveiller le matin dans la peau d'un assassin. Crois-moi ou non, mais ce fut ici ma grande croisée des chemins. Il suffisait que j'exerce une infime pression sur la touche verte de mon téléphone portable pour basculer dans une nouvelle dimension et que prenne mon existence une direction tout à fait imprévue, une tournure vraiment inédite, sans parler de celle du fameux fiancé. Sans parler de Julien. Bien sûr Julien. Suicidé à la place d'un autre (souligné douze fois). J'aimerais que cela soit consigné. Comme tout le reste.

Pourquoi tue-t-on ? Pour mille raisons. Ce ne sont pas les raisons qui manquent. Parce qu'il se curait les dents devant moi, dit l'un. Parce qu'elle regardait les mouches au plafond tandis que je lui faisais l'amour, dit un autre. Parce qu'il m'apporta un paquet de Delicados au lieu d'un paquet de Chesterfield filtre. Parce que ça m'a fait plaisir. Parce que j'avais mal à l'estomac ce jour-là. Parce qu'elle avait mal à l'estomac ce jour-là. Parce que j'en avais rêvé. Parce que personne ne supportait cette vieille salope. Parce que je pensais que personne ne me voyait. Parce qu'il était vieux. Parce qu'il était jeune. Parce que j'étais con. Etc. etc. Max Aub a plus ou moins fait le tour de la question. Cela vaudrait d'ailleurs la peine de continuer son œuvre.

Qu'est-ce qui nous retient de commettre un crime ? J'ai aujourd'hui ma petite idée sur la question. Mais cette nuit-là, j'en étais moins sûr. Je n'en étais pas sûr du tout. Attention : je ne veux pas parler d'un crime commis sous le coup de l'émotion, dans le feu d'une exaltation faisant ressortir de façon disproportionnée l'immense violence que l'on contient et refoule en soi ; non plus d'un crime perpétré par inadvertance (ainsi qu'il s'en commet parfois le jour anniversaire de ses dix ans…) ou pour de l'argent, au nom de la patrie ou pour je ne sais quoi d'aussi téléphoné et extérieur à soi ; non, je veux parler de commettre le crime le sien, le crime dont on est soi-même, soi tout seul, l'unique mobile, le crime qui nous tend personnellement les bras comme celui d'Œdipe l'attendait au tournant où qu'il aille et quoi qu'il fasse, oui, le crime qui pourrait décider de notre existence tout entière et, dans la tension écarquillée du passage à l'acte, décider de qui nous sommes et qui nous ne sommes pas, qui nous voulons être ou préférons ne pas, qui nous sommes capable ou incapable d'être. Le crime, oui, comme moyen de savoir une bonne fois pour toutes de quel bois nous sommes faits et quelle définition de soi-même graver dans l'écorce, mettant fin à toute interrogation inlassablement existentielle, du style : aurais-je été un résistant ou un collabo en 1940 ? Ah ah ah. Le crime, oh oui, comme la rencontre la plus pure avec soi-même, au-delà du flou dont nous entourons notre personnalité afin de lui laisser infiniment le bénéfice du doute. Entre qui l'on prétend être et qui l'on est vraiment. J'allais savoir, oui, si j'étais un petit joueur. Si, à mes yeux, M valait que je me damne pour elle.

Ce soir-là, je me suis fait peur.

Dans un de mes petits carnets, ceci : Projet de polar. Un type décide de faire assassiner le mari de celle qu'il aime et ce qu'il advient ensuite. La culpabilité, genre Raskolnikov ? Le tueur à gages fait chanter le narrateur ? La femme ne l'aime plus ou, au contraire, elle ne l'en aime que davantage ? Ou il doit la tuer car elle menace de le dénoncer ? Et les flics ? Il s'en sort à la fin, ou il ne s'en sort pas ? Tout roman oblige l'auteur à faire un choix narratif et ce choix exprime, dans tous les cas de figure et que ce soit voulu ou pas, un choix *moral* (souligné). Ici la limite des romans ; alors que la vie est de bout en bout *amorale* (souligné). Du coup, écrire un polar qui ne raconterait que la préparation du meurtre. Uniquement la préparation. Sur deux ou cinq cents pages. Toutes les possibilités, les spéculations, la minutie, l'analyse de la situation, les repérages, l'effort pour contrôler tous les paramètres et éliminer au maximum l'aléatoire en vue de commettre le meurtre parfait. Toutes les dispositions que prend le tueur seraient décrites une à une, celles-ci changeant à mesure des difficultés rencontrées et de la meilleure façon de les surmonter. Une sorte de journal intime d'un professionnel. Cela s'appellerait *Le Plan*. À la fin, le lecteur ne saurait pas comment les choses tournent « pour de vrai ». Si le plan était bon ou s'il a raté. Le meurtre ne serait pas raconté. Surtout pas. Bonne idée.

— Mais où cours-tu malheureux enfant ?
— Si on te le demande, dis que je veux en finir. Avec le fiancé de M. Avec moi. Avec tout.

Niveau 7

Je ne veux pas t'effrayer. Je ne veux pas que tu t'imagines des choses affreuses sur mon compte. Cela me ferait vraiment mal au cœur. Mais que je le veuille ou non, que cela te plaise ou non, cette nuit-là eut lieu et je ne peux pas l'oublier. Je ne *veux* pas l'oublier. Ce serait trop facile. Ce ne serait pas *fair-play*. De toute façon, maintenant que j'ai commencé, autant aller jusqu'au bout. Autant tout avouer. Tirer un à un tous les fils.

Raconter comment, allongé sur mon lit, proie de pensées rouge sang, tandis que mon doigt effleurait tantôt avec effroi, tantôt avec délice la touche verte de mon téléphone portable, j'avais puissamment réfléchi, soupesé, évalué, spéculé, supputé et déployé dans toutes les directions les conséquences de ce que je m'apprêtais peut-être à faire d'horrible, sachant qu'une fois pressée la touche verte de mon téléphone portable je n'aurais aucun moyen de retourner en arrière. Que le fiancé se fasse ou non aplatir comme une crêpe, j'aurais *à mes propres yeux* franchi la ligne qui ne permet aucun repentir (au sens pictural du terme). J'aurais pris une décision que je ne pourrais jamais effacer ni oublier d'avoir prise, quelle qu'en soit l'issue, quand bien même le fiancé de M s'en sortirait pour une raison pouvant aussi bien tenir à Slobo (il n'était pas disponible car il jouait actuellement les mercenaires en Libye, il était mort le mois dernier d'une péritonite aiguë, il m'aimait bien mais il n'avait pas du tout envie de se mêler d'une histoire aussi pourrie, même pour quatre mille euros, etc.) qu'à je ne savais quel imprévu dont la vie a le secret dès que nous entreprenons quelque chose (une mésange à bec noir passait par là et faisait foirer lamentablement le coup, le fiancé de M échangeait au dernier moment son manteau avec quelqu'un se faisant écraser à sa place, Slobo se faisait écrabouiller par un quinze tonnes au moment où il allait passer à l'action, etc.). Prendre la décision de presser la gâchette verte de mon téléphone portable, pardon, la *touche* verte de mon téléphone portable était au-delà de la réussite ou de l'échec qui s'ensuivrait : il s'agissait cette nuit-là d'un débat entre moi et moi et, une fois admise la possibilité pratique du crime (on parlerait aujourd'hui de « faisabilité »), une fois dépassée la question morale (« Tu ne tueras point », etc. ; mais comme tout le monde, ma sensibilité au crime s'est considérablement émoussée à force de voir toujours plus d'images banalement transgressives) et une fois surmontée la peur du gendarme (qui n'est que la peur de la prison, laquelle n'est, pour ce qui me concerne, que la peur de voir une espèce de grand anthropoïde commencer à m'appeler sa petite chatte à l'heure de la douche), il s'agissait uniquement de prendre une décision. Je n'avais plus qu'à me décider. Sachant que, quelle que soit ma décision, elle me poursuivrait toute mon existence, toute chose ayant sa propre rémanence, a fortiori un assassinat. Sachant qu'il y aurait un avant et un après et que mon choix ferait de moi un autre homme, forcément, nécessairement, et quel homme ?

Telle était justement ma question cette nuit-là. Un homme qui accède à son désir ou un homme trop lâche pour y accéder ? Un homme qui s'apprête à commettre le plus grand sacrifice ou bien la pire des monstruosités ? Un homme choisissant la facilité, j'allais dire la célébrité, j'allais dire la téléréalité, ou un homme assez fort pour demeurer dans le droit chemin, quoi qu'il lui en coûte ? Quelle sorte d'homme étais-je ? Celui qui fait partie du troupeau ou celui qui bondit hors du rang des assassins, quitte à en devenir un lui-même ? Ou à ne pas en devenir un, justement ?

Mon cœur balançait. Il tergiversait. Il s'emmêlait complètement les crayons cette nuit-là. Je ne pouvais même pas imaginer le retentissement qu'aurait sur moi le fait d'appuyer sur la touche verte de mon téléphone. Le poids a priori sur ma conscience. Si la culpabilité qui m'était promise détruirait tout sur son passage, infecterait tout, au point que je ne pourrais même plus regarder M dans les yeux sans y voir le sang que j'aurais versé pour eux, du style l'œil était dans la tombe et regardait Caïn ; ou bien si les livres mentaient comme ils mentent si souvent et, de ce fait, dans leur sillage, si je m'exagérais les choses, comme je peux d'ailleurs témoigner que le ciel ne m'est pas tombé sur la tête en une, deux et peut-être même trois occasions où je m'attendais à ce que le ciel me tombe sur la tête après ce que j'avais fait de particulièrement répréhensible et transgressif, alors que j'étais persuadé qu'il allait me tomber sur la tête et qu'il aurait dû me tomber sur la tête et peut-être aurait-il finalement mieux valu. Pour ma santé mentale. Que le ciel me tombe réellement sur la tête en ces une, deux et peut-être trois occasions. Que je ne reste pas impuni.

Mais non ! Du bluff ! Des histoires de croquemitaine pour faire peur aux enfants et qu'ils se tiennent tranquilles et comment prendre la bonne décision ? Tantôt je penchais du côté du bien, tantôt du côté du mal, tantôt je ne penchais ni d'un côté ni de l'autre tellement les notions de bien et de mal m'apparaissaient infiniment réversibles selon que je les considérais à mon niveau individuel ou à un niveau universel et quelle migraine ! Quelle tempête sous mon crâne ! S'il fallait du cran pour agir, n'en fallait-il pas autant pour se l'interdire ? Où était la vérité ? Que gagnais-je et que perdais-je dans l'un et l'autre cas ? Dans l'un de mes petits carnets, j'avais noté un jour que ce qui est anormal, c'est de commettre un crime et de vivre ensuite normalement et étais-je normal ou anormal ? La réponse m'effrayait autant que la question.

Étais-je bidon ou ne l'étais-je pas ? Dans quel sens ? Comment le savoir ?

Je ne savais finalement qu'une chose : j'avais, depuis mon lit, la possibilité d'agir enfin sur les événements. Pour une fois, il me revenait d'écrire l'histoire la mienne et de l'écrire moi et personne d'autre, oui, je tenais mon destin entre mes mains et je savourais pleinement ce moment unique, immense, fabuleux, nom d'un chien ! Je possédais le droit de vie et de mort sur quelqu'un et ce n'était pas tous les jours, ce n'était pas rien, c'était autre chose que d'aller voter ou de se laisser pousser la moustache, il s'agissait d'une responsabilité effrayante, presque enivrante, c'était une sensation complètement dingue et ceux qui, une nuit semblable à la mienne, ont rêvé de se débarrasser de leur ennemi, de leur rival, de leur voisin, d'un collègue ou d'un sale petit chefaillon leur pourrissant la vie comme si c'était sa mission sur Terre savent *très bien* de quoi je parle.

Mesrine n'était-il pas passé à l'action à cause d'une Zsa Zsa ?

Quoi qu'il en soit, cette nuit-là, allongé sur mon lit, je m'abandonnai sans réserve à l'euphorie que le cours des choses puisse enfin dépendre de moi et que tout soit suspendu à ma seule volonté, à mon bon plaisir, à une simple pression de mon doigt. Ce n'était plus à moi de subir le verdict des autres mais au monde de subir ma loi et, dans cette somptueuse indécision où le fiancé de M était à la fois mort et vivant tant que mon pouce n'avait pas pressé la touche verte de mon téléphone portable, je goûtai l'ineffable bonheur quantique de me sentir le plus souverain des hommes et quelle nuit intense je vécus ! Il me suffisait de. Je n'avais qu'à. Ce n'était pas plus compliqué. M comme meurtre.

Niveau 8

Que les choses soient claires : en temps normal, la pensée d'assassiner quelqu'un « pour de vrai » m'aurait fait horreur. Évidemment. *Natürlich*. L'absurdité d'une telle pensée m'aurait fait sourire et j'aurais claqué la porte au nez à pareille folie, je l'aurais repoussée d'un revers de la main, chassée à coups de pied, en signant d'un Z qui veut dire Zorro. Je me serais comme un seul homme dressé devant moi-même et barré le passage en écartant les deux bras. Me serais fait des grimaces devant la glace. Une voix intérieure venue de je ne sais où m'aurait saisi sans ménagement par le col pour me faire presto redescendre sur Terre. Je le jure : en temps normal, pareille pensée criminelle n'aurait fait que me traverser l'esprit : elle serait entrée par une oreille pour en ressortir aussi vite par l'autre et, la queue entre les jambes, s'en retourner promptement d'où elle venait tellement tuer quelqu'un « pour de vrai » : ben non, c'était non, évidemment non, ce n'était en aucun cas une option, pas même une éventualité, je me croyais où ? Dans un film ?

Sauf que je ne vivais pas des heures ordinaires. Sauf que la différence entre la réalité (ce qu'on appelle la réalité) et la fiction (ce qu'on appelle la fiction) est imperceptible. *Sauf que des gens en assassinent effectivement d'autres* – et même chaque jour ! Quasiment à chaque instant ! Pour des raisons ni plus ni moins valables que les miennes. Alors quoi ? Pourquoi pas moi ? Je n'étais pas si exceptionnel pour, une fois dans ma vie, ne pas rallier certains communs des mortels. M'autoriser un petit écart. Sortir de mon personnage. Briser mon image et en finir avec mes certitudes petites-bourgeoises, mon respect apeuré de l'ordre établi, mes origines en toc, mon sentiment sacré de l'existence qui contredit tellement l'histoire universelle. Qui ne sait que nous ne sommes jamais nés ? Que notre être demeure emmailloté dans ses plis, infiniment séparé de lui-même par une espèce de chrysalide le conservant dans une espèce de naphtaline ? Qui ne sait qu'il est plus vaste en son for et qu'il fait semblant d'exister et s'épuise à ce petit jeu de cache-cache ? S'y épuise au point de finir par croire que sa grimace est son visage. Cela suffisait ! C'était marre ! *Enough !* Cette situation avec M ne pouvait plus durer. Je n'en pouvais plus du fichu fiancé. Je n'en pouvais plus tout court. D'être interdit de tout dans l'existence. De bosser huit heures par jour et de devoir bouffer matin midi et soir et d'aller chier ensuite. D'attendre que le feu passe au vert pour traverser la rue. Des factures dans ma boîte aux lettres et de l'immonde grésillement bavant des écouteurs mp3 dans les transports en commun et, tant que j'y suis, des bombardements sur Alep. Des hommes soi-disant politiques. Des Goldman soi-disant Sachs et de l'imposture partout. Du clébard de mes voisins qui aboie cent fois par jour et des abrutis tout le temps, dedans et dehors, des millions d'abrutis partout, de l'ambiance générale et particulière, du faux du monde, des têtes à claque me parlant depuis 1974 (*1974 !*), de la crise économique et du néant en moi. Marre de la pluie et du beau temps. Des gamines qui pensent que sauter d'un ponton de fortune est payant et hier les portes du métro se sont fermées devant moi – ASSEZ ! Je n'en pouvais plus cette nuit-là. Assez que la poussière se redépose si vite sur et sous les meubles et de devoir nouer les lacets de mes chaussures, putain, je déteste ça, me baisser pour nouer mes lacets, putain, je n'en peux plus de changer tous les trois jours la caisse du chat, putain, je n'en peux plus de mes propres conneries. JE N'EN POUVAIS PLUS ! J'étais complètement à bout cette nuit-là. Totalement exaspéré j'étais. Frustré jusqu'à l'os. Depuis toujours floué dans l'existence et, pour en finir avec cette petite anaphore, j'éliminerais énormément de choses en éliminant *el signor* fiancé. J'avais d'innombrables motifs de plonger dans la nuit si la lumière du jour était un sale artifice. Il allait payer pour les autres, pour tout. Sachant que M avait pénétré si loin en moi et si bien mélangé son matériel épigénétique au mien que je ne m'appartenais plus. Je ne me reconnaissais plus cette nuit-là. Mon histoire de M exigeait tout de moi, elle était mon *élément déclencheur* et c'est elle qui me soufflait dans les bronches d'agir en son nom, de prendre tous les risques et de faire ce qu'il fallait pour prouver que j'en étais digne et j'allais le faire ! Je ne voyais pas d'autres solutions.

Bon dieu, m'exhortais-je dans mon lit, l'amour possède certains droits et, sans amour, la vie ne vaut pas la peine d'être vécue et j'y croyais plus que jamais, je croyais toutes les chansons d'amour cette nuit-là, j'y croyais de toutes mes forces. Le temps était venu où les lois communes ne s'appliquaient plus dans mon cas. Peu importaient soudain les autres et ce à quoi ils m'obligeaient en permanence : je me devais également à moi-même, j'avais aussi des comptes à me rendre personnellement, entre quatre yeux, et pas qu'un peu ! Il est si rare que l'on se respecte soi-même, a écrit quelque part Quintilien et c'était une nuit à citer Quintilien. Où que l'âme est empêchée, elle y est toute, dit aussi Montaigne. Bon dieu, mon heure était enfin arrivée ! J'étais bel et bien à *ma* croisée des chemins. Je n'avais pas quitté S pour échouer si près du but. La vérité allait éclater et j'allais, là, dans un instant, une fois pressée la touche de mon téléphone portable, sortir de l'impuissance et m'extirper de M comme mouise, enfin naître, acquérir cette nuit-là ma forme définitive, bon dieu de merde, j'allais vraiment le faire, j'allais pour de vrai commanditer la mort d'un type, pour de bon, dans la vraie vie, allô Slobo ? Et pfuit, exit Grégoire la larve, exit Bouillier l'insecte, la blatte, le sale cloporte : place au Paon du Jour, au Grand Sylvain, place au Monarque, oh oui, je ne dirai jamais assez combien je sentis cette nuit-là passer sur moi le vent de l'aile de la métamorphose et M comme métamorphose et comme tous les mots en M présents et à venir (dont je devrais peut-être faire la liste).

Au fait : tu as trouvé ? Si la France n'est pas un pays, c'est quoi ? J'attends toujours ta réponse.

Niveau 9

C'est une maison bleue, la si la sol fa#. Autrement dit : du calme ! Pas de décision hâtive. Pas de gestes inconsidérés. Surtout pas. Un accident est si vite arrivé. Les touches d'un téléphone portable sont si sensibles. Il en allait tout de même de la vie d'un homme. Faudrait pas l'oublier. À ton niveau de lecture individuelle, cela ne signifie peut-être pas grand-chose, c'est purement virtuel à ton niveau, c'est comme un jeu, ce ne sont que des mots ; mais à mon niveau individuel des choses, il en allait tout autrement ce soir-là. C'était « pour de vrai ». Je jouais gros cette nuit-là. Je jouais tout ce que je possédais. Je poussais mon tapis, comme on dit au poker. Mets-toi une seconde à ma place. Non, n'essaie pas, c'est impossible. Par définition impossible. Quoi qu'il en soit, mieux valait tout réexaminer une dernière fois. Passer de nouveau chaque détail en revue. Histoire de. Des fois que. Ce n'était peut-être pas une si bonne idée. (Oh ce bref éclair de lucidité dans le noir de cette nuit interminable.) Récapituler : c'est bien ce que font les professionnels avant de passer à l'action. Alors récapitulons. Voilà. Revoyons le plan depuis le début.

J'étais donc dans mon lit, au bord de signer un pacte avec le diable, tout près de mettre un contrat sur la tête du fiancé de M et ainsi seraient réglés mes problèmes, ainsi serait débloquée la situation avec M, songeais-je dans mon lit. Quoique ce serait peut-être au profit d'un autre problème qui ne s'appellerait plus « le fiancé de M » mais « l'assassinat du fiancé de M », songeais-je également dans mon lit, comme j'ai depuis le 27 novembre 2005 un problème qui s'appelle « le suicide de Julien » alors que, avant cette date, je n'avais d'autre problème dans mon existence que celui de M comme malheur, chagrin, amertume, frustration et, au final, un clou chasse l'autre, dit-on. Sans dire que c'est un clou *toujours plus gros* – tu me suis ou faut-il que je répète ? Tant pis. Je continue.

J'étais donc dans mon lit, moite de fièvre, le cœur battant, hésitant à envoyer le fameux fiancé manger les pissenlits par la racine ou à lui sauver la vie – ce dont il pourrait finalement m'être redevable, songeais-je en sursautant dans mon lit, en me dressant sur mon séant et en me frappant le front de n'avoir pas considéré plus tôt les choses sous cet angle car, incontestablement, il me devrait la vie si je décidais de l'épargner. Mais oui ! Ce serait même la moindre des choses qu'il le sache. Ce serait tout bénéfice pour moi. Il serait bon que l'enfoiré comprenne que, sans moi, sans mon intervention in extremis, il serait à l'heure actuelle six pieds sous terre, réduit en bouillie après un dramatique accident de la route et qu'il ne l'oublie pas ! Ah non ! Sans moi, pfuit, paf, direct au pays des ombres, au Walhalla ! Qu'il se mette bien ça dans le crâne. Qu'il se le rappelle toute sa foutue vie et, de lui-même, qu'il en tire les conséquences qui s'imposaient, en homme conscient de ce qu'il doit à l'homme qui lui a sauvé la vie, et rembourse sans sourciller la dette contractée en parfait gentleman que je ne doutais pas qu'il était, en fier Indien cherokee qui ne transige pas avec l'honneur et, de mon côté, j'effacerais sa dette, je condescendrais à ce qu'il ne revoie plus M et la quitte sur-le-champ, se retire fissa de la course, disparaisse pronto du paysage, se tire loin d'ici, très loin d'ici, à Homs ou Alep par exemple, peu importe, là où bon lui semblerait, sans même dire adieu à M, pas la peine, pourvu qu'il décanille et me laisse le champ libre, en dédommagement de ma clémence, ce serait finalement justice, ce n'était finalement pas si cher payé pour racheter sa misérable existence, songeais-je au comble de l'anéantissement intellectuel.

Enfin bref.

J'étais dans le noir le plus total.

J'allais… mon doigt… la touche verte…

Allô Slobo ? – Grumph. C'est qui ? (Fort accent des Balkans.) – Bah, c'est Grégoire, du Bedford. – Oh oh oh. (Fort rire des Balkans à l'autre bout du fil.) Comment vas-tu mon ami, etc.

J'allais…

Tout en me disant qu'une fois que j'aurais franchi le pas, je parlerais la langue des assassins et comprenais-je ce que cela impliquait ?

Dans quelle langue fallait-il me le dire ?

Niveau 10

1. « Or, voyez ce qui arrive quand le forban manigance lui-même le crime parfait […]. Lentement nous fendîmes l'eau chatoyante du lac […]. C'était le décor idéal pour mener à bien une bonne petite noyade […]. Je m'efforce seulement d'indiquer la simplicité du scénario […]. Voyez ma Charlotte, nageant avec une gaucherie consciencieuse […]. Je songeais qu'il suffisait […] de la happer par la cheville et de plonger aussitôt […]. Sans cesser de la maintenir sous l'eau […]. Autant de fois qu'il le faudrait […]. Je n'appellerais pas à l'aide avant d'être certain que le rideau soit tombé sur la trépassée […]. Facile, n'est-ce pas ? Eh bien non, Mesdames et Messieurs : j'en étais incapable ! […] Je ne pouvais pas […]. Nous ne sommes pas des démons obsédés de luxure ! Nous ne violons point comme de vaillants militaires. Nous sommes des êtres mélancoliques et doux […] assez bien acclimatés pour savoir refouler nos désirs en présence des adultes […]. Je le répète catégoriquement, nous ne sommes pas des tueurs. Les poètes ne tuent point. » *

1.1. *Les poètes ne tuent point !*

1.2. Je devais avoir une vingtaine d'années lorsque je dévorai en un week-end le *Lolita* de Nabokov et, pour une raison que j'ignore (souligné dix fois), jamais je n'ai oublié ce passage où, pages 138 et 139 (collection Folio), Humbert Humbert projette de noyer la mère de Lolita lors d'une ultime baignade dans le lac de Ramsdale et ainsi serait réglé

---

* Toutes les citations de *Lolita* de la page 728 à 756 sont extraites de *Lolita*, Vladimir Nabokov, traduction d'Éric Kahane, Gallimard, 1959.

son problème, plus rien ne s'interposerait entre lui et son orphique nymphette, nul obstacle, plus aucune Charlotte Haze de malheur, plus aucune *mère* ni « brume » (« haze » en anglais).

1.3. « Les poètes ne tuent point » ! C'est Nabokov qui parle. Ce n'est pas Humbert Humbert qui le dit. Il faut le savoir. Sans cette intervention de l'auteur, qu'aurait fait Humbert Humbert ? Je me pose plus que jamais la question. En attendant, Humbert remit « le cap sur le rivage, gravement, avec dévotion », abdiquant tête basse son droit au crime dont dépendait son droit au bonheur, choisissant son camp et ne pouvant faire autrement que de choisir son camp, pas le choix.

2. Que retient-on d'un livre à son niveau individuel ? Une ou deux phrases qui nous sautent soudain au visage, une ou deux phrases et c'est déjà bien beau ? Une ou deux phrases qui passent directement dans notre langage courant, pour ne pas dire dans nos veines ? Une ou deux phrases qui s'enfuient avec nous, comme si nous étions leur butin ?

2.1. On croit penser par soi-même, on se trompe. On nous a appris à l'école « je pense donc je suis » ; mais qui pense quoi ? Pour autant que je le sache, nous ne faisons que nous approprier des pensées qui ne sont pas les nôtres, à commencer par celle du dénommé Descartes. Quoi qu'il m'en coûte, il me faut admettre que je ne pense rien qui ne m'ait d'abord été suggéré, d'abord à l'école maternelle, puis au hasard de mes études, de mes parents ou de professeurs plus ou moins compétents, de livres ou de films qui auraient pu être d'autres livres et d'autres films, de programmes télévisuels occupant mon temps de cerveau humain disponible, de conversations diverses et variées, d'expériences plus ou moins vécues, que sais-je encore ? Même la langue française pense pour moi. Cela pour dire que je n'ai d'autres pensées que celles, pour une raison ou pour une autre, que je fais miennes, oui, « pour une raison ou pour une autre », dans cet incertain mêlé de particulier où, à bien y réfléchir, il me semble que l'on a plus de chances de me trouver si jamais on me cherche.

3. Je ne sais pas combien de fois j'ai inconsciemment, oui, inconsciemment, j'insiste, souligné en moi-même cette phrase (« Les poètes ne tuent point ») depuis l'âge de vingt ans. Peut-être parce que je me sentais à l'époque l'âme d'un poète. (Ne rigole pas !)

3.1. Je me revois marcher à l'époque, languide et soucieux, au hasard des rues comme si c'était au bord de la mer et sous un ciel bas et lourd, imaginant que j'allais croiser, là, tout de suite, au prochain coin de rue, une femme inconnue et belle et calme et grave et joyeuse et nos regards se croiseraient et je subodorais d'avance une immense histoire d'amour (ne rigole pas !) ; sauf que j'eus beau faire des kilomètres et des kilomètres dans Paris, je ne rencontrai nulle Dulcinée, aucune Roxane Yvonne de Galais, pas même une Holly Golightly rentrant chez elle au petit matin, seule et rêveuse, en robe du soir Givenchy, sur l'air infiniment turquoise de Moon River, dans la tendresse matutinale de la ville aux doigts vermeilles, non – même si je me rappelle la fois où mon cœur bondit, oui, une fois il tressaillit follement, c'était peut-être elle, là, sous un abribus, simplement debout, féerie immobile, qui s'abritait du vent et se protégeait de la nuit et, comme seule au monde, semblait m'attendre et n'attendre que moi ; j'hésitai d'abord ; m'approchai ; me lançai courageusement. Il m'en coûterait « 50 francs la pipe, 150 l'amour » (on comptait en francs à l'époque) et, une nouvelle fois, je rentrai chez moi plus fourbu que Rossinante (ne rigole pas !) ; mais loin de dépiter ma juvénile âme de poète, ces échecs répétés m'apparaissaient la marque des poètes maudits, ce qui n'était pas pour me déplaire et vivement le point 3.2.

3.2. Ne rigole pas : j'étais extrêmement romantique à l'époque. C'est-à-dire que j'aspirais aux émotions les plus hautes, à l'élévation la plus torride de mon âme, pour dissimuler mon ignorance et mon effroi du sexe. Pour spiritualiser un désir qui me semblait aussi effrayant qu'attrayant. Je le sais aujourd'hui : mon romantisme était une aspiration à la chair qui n'osait pas dire son nom. Il était le chemin catholique qui conduisait au sexe. Il était une luxure inavouable qui parait le cul du nom de cœur et sublimait ses honteuses envies de débauche pour en faire un platonisme échevelé.

3.2.1. Une pensée ici pour M.

4. Les poètes ne tuent point : il ne s'agit pas là d'une injonction ni d'un précepte moral : il s'agit d'un constat. Les poètes ne tuent point. Point barre. Fin de la discussion.

4.1. Moi qui étais incapable de dire ce qui distinguait un poète du reste de l'humanité, j'en déduisis à l'époque que la poésie – et plus généralement la littérature – ne se jouait pas sur la page mais quelque part en amont des mots, dans un engagement pris envers soi-même, un refus net et définitif de *tuer*, duquel les mots pouvaient alors couler de source. C'est de la nature de cet engagement, de sa valeur et de son approbation pleine et sincère que surgissait la poésie et de nulle part ailleurs.

4.2. J'en déduisis que je ne tuerais point, je ne tuerais jamais de ma vie, quoi qu'il pût m'en coûter et ainsi serais-je poète parmi les poètes. Ainsi mon âme de poète trouverait-elle à s'exprimer et ne rigole pas, te dis-je ! N'as-tu jamais eu vingt ans ? Rêvé à cet âge de devenir prodigieux ? Sais-tu qu'au même âge, Malraux, oui, André Malraux : il s'endormait chaque soir avec une pince à linge plissant son front afin que s'y impriment les rides parfaitement verticales qu'il supposait être celles de l'intelligence. Comme s'il était né avec, bien visible, la marque élective des grands esprits et M comme Malraux, je vais me gêner.

4.3. On ne le croirait pas, mais ne point tuer (en temps de paix) n'est pas si facile. Cela demande une vraie force de caractère, il faut non seulement faire preuve d'une sacrée résistance à soi, mais aussi d'une résistance impitoyable aux autres.

4.4. Les poètes ne sont pas des tendres.

4.5. Marcel Duchamp était un bon joueur d'échecs. Assez bon pour s'y consacrer sérieusement à la fin de sa vie et inventer sa propre manière d'y jouer, où il ne s'agissait pas de gagner la partie et d'*éliminer* son adversaire, non : il avait mis au point une stratégie qui consistait à ne pas perdre *et* à ne point gagner. Que nul ne triomphe jamais de l'autre. Que chaque partie s'éternise indéfiniment et tant pis si le jeu perdait sa logique et, pour ainsi dire, son âme. Tant pis si les adversaires s'agaçaient et ricanaient. Là était précisément la poésie : ne pas jouer le jeu de tous, sans jamais refuser d'y participer.

5. Ne point tuer va à l'encontre de nos instincts les plus élémentaires et de nos habitudes les mieux ancrées depuis la préhistoire. Cela s'apparente même à une sorte de crime contre nature, ce qui complique la tâche des poètes, contraints qu'ils sont de se battre aussi contre leur nature humaine ; ce pourquoi ils sont si peu nombreux.

6. On dit que la réalité finit toujours par nous rattraper et ce n'est pas faux (à condition de s'entendre sur le mot réalité). Mais il arrive que ce soit la littérature qui nous rattrape au bord du gouffre, in extremis, par le colback, et cette fameuse nuit où je mettais déjà un pied dans la tombe du fiancé de M, je ne dis pas qu'il me revint en mémoire que « les poètes ne tuent point », non, je ne le dis pas ; mais ce fut tout comme.

6.1. Il suffit d'une plume pour faire pencher le plateau d'une balance. On croit qu'entre le pour et le contre, la victoire revient à celui qui avance les meilleurs arguments ? Erreur ! C'est un minuscule petit quelque chose de plus ou de moins qui finit par emporter notre décision et, cette nuit-là où la vie du fiancé de M ne tenait plus qu'à un coup de fil, ce minuscule petit quelque chose fut une phrase de cinq mots tirée de *Lolita*. J'en suis persuadé. Telle est la version que je veux voir figurer dans le Dossier. Cette version et aucune autre. Je n'en démordrai pas.

6.2. Ainsi accordais-je ma grâce au fiancé de M ; mais à regret, avec un profond sentiment d'amertume et de défaite, en mettant moi aussi « le cap sur le rivage, gravement, avec dévotion », abdiquant tête basse mon droit au crime dont dépendait mon droit au bonheur, comme Humbert Humbert avant moi avait lugubrement renoncé à noyer cette vieille ganache de Charlotte Haze et, pour dire le fond de ma pensée (ce qui est une façon de parler car ma pensée est sans fond), je crois que je fus *inconsciemment* Humbert Humbert au bout de cette nuit vernaculaire, je le crois fermement.

6.3. Si j'avais éliminé le fiancé de M, je n'aurais plus jamais écrit une phrase. J'aurais perdu la foi, j'allais dire la joie. J'en suis persuadé, me connaissant comme je me connais.

6. 3. 1. Je ne saurai jamais si j'ai bien fait ou pas, sachant que Julien s'est suicidé à la fin.

7. À quoi sert la littérature ?

7.1. À nous mettre dans les beaux draps de l'existence.

Niveau 11

7.1.1. « Personne ne tomberait jamais amoureux si les livres n'existaient pas », dixit Dorothy Parker, qui citait La Bruyère, lequel citait peut-être quelqu'un d'autre.

7.1.2. Sans parler de Don Quichotte.

7.1.3. Par exemple Dante. Au chant V de l'*Enfer*. Lorsqu'il relate les amours de Francesca da Rimini (1255-1285) et de son beau-frère Paolo Malatesta (1246-1285). Amours si fortes « qu'ensuite n'en furent quittes, ni l'un ni l'autre ». Mais le mari de Francesca, homme laid et difforme, les surprit et au fil de son épée passa d'un même geste et sa femme et son frère qui s'enlaçaient. Tout cela parce que Francesca et Paolo « se trouvant un jour ensemble, lurent par plaisance de Lancelot les amours et comment Galehaut pousse le preux chevalier, de la reine Guenièvre, à baiser les lèvres » ; oncques, raconte Francesca, « alors que nous étions sans soupçon de nous, cette lecture nous fit lever les yeux à plusieurs reprises l'un vers l'autre et pâlir le visage et de lire comment les riantes lèvres désirées furent baisées par un tel amant, c'estuit, qui jamais de moi ne sera séparé, la bouche me baisa également, tremblant d'angoisse. Le livre, pour nous, fut Galehaut et son trouvère et ce jour-là nous ne lûmes plus avant ».

7.1.4 « Les chaînes de l'humanité torturée sont faites de paperasses. » (Gustav Janouch, *Conversations avec Kafka*.)

7.1.5. « Elles me prêtèrent des romans dont l'impression fut si vive sur mon esprit que je n'ai pas été depuis si agitée de mes propres aventures que je l'étais de celles de ces personnages fabuleux. » (Madame de Staal-Delaunay, *Mémoires*.)

7.1.6. « Toute ma jeunesse a été conditionnée par les films de gangsters que j'ai vus. » (Jacques Mesrine, *L'Instinct de mort*.)

7.1.7. « C'est pourquoi je suis devenu un bouffon. » (Dazaï Osamu, *La Déchéance d'un homme*.)

7.1.8. « Le véritable nom de l'Ombre jaune, commença-t-elle, c'est M... » (Henri Vernes, *Bob Morane – L'Ombre jaune*.)

7.1.9. « C'est ainsi que nous avançons, barques luttant contre un courant qui nous rejette sans cesse vers le passé. » (Francis Scott Fitzgerald, *Gatsby le magnifique*.)

7.1.10. « You say I'm a dreamer, but you are just a dream. » (Neil Young, Like a Hurricane.)

7.1.11. « C'est tout de même le sexe qui m'a procuré le plus de plaisir sur terre. » (Anonyme, bar du Bedford Arms.)

7.1.12. « Ta gueule. Joue ! Joue n'importe quoi, mais joue ! » (Miles Davis, in Mathieu Thibault, *Bitches Brew*.)

7.1.13. « Qui décide du beau ? Qui dit qu'un froissement de papier n'est pas de la musique ? » (Joëlle Léandre, à propos de John Cage.)

7.1.14. « Accorde-moi une deuxième vie que l'absence d'astres rendra inscrutable. » (Samuel Beckett, *Peste soit de l'horoscope*.)

7.1.15. « Rien qu'en regardant ton anus je peux lire l'avenir. – Sans blague. – Si. Et je peux te dire que tu vas te faire enculer. » (Charb, *Maurice et Patapon*.)

7.1.16. « Cela revient à aimer les acteurs comme des personnes. C'est un défaut. » (Jerry Lewis, *Quand je fais du cinéma*.)

7.1.17« Même les lampes d'arrosage du gazon étaient présentées comme des armes. » (Beatriz Colomina, *La Pelouse américaine en guerre*.)

7.1.18 « C'est étonnant comme un simple petit détail vous met la puce à l'oreille. C'est comme s'il vous murmurait que la solution est là. » (Columbo, saison 7, épisode 3.)

7.1.19. « Si on ne fait pas partie de la solution, c'est qu'on fait partie du problème. Eh bien, je peux vous assurer que je fais partie du problème, yeah ! » (DJ Davis, Treme, saison 3.)

7.1.20. « Mais dis-moi, qui est celui qui vient avec toi ? – 'est le repentir. » (Machiavel, *Capitolo de l'Occasion*.)

7.1.21. « À partir de là, que faire, et dans quelle direction aller ? » (Glenn Gould, *Journal d'une crise*.)

7.1.22. « Aussi longtemps que le monde de J.R. sera le monde réel. » (Karl Marx, Lettres à Arnold Ruge.)

7.1.23. « Mais pour vivre hors la loi, tu dois être honnête. » (Bob Dylan, Absolutely Sweet Marie.)

7.1.24. « Lorsqu'on aiguise un couteau, on doit avoir un point fixe. » (Sylvain Brunet, *Notice sur l'aiguisage des couteaux*, vendue avec une pierre à aiguiser.)

7.1.25. « Oh le merveilleux pouvoir des coups de pied au cul. » (Bernard Zimmer, *Les Oiseaux* d'après Aristophane.)

7.1.26. « 11. Quelle tâche ménagère vous rebute le plus ? – Moi-même. » (Réponse de M au questionnaire de la page 371.)

7.1.27. « C'est ce monde, père… Je lui *ressemble* ! » (Robert Kirkman, The Walking Dead, volume 24.)

7.1.28 « Le bourgeois a remplacé son âme par la conscience. » (Pier Paolo Pasolini, Théorème.)

7.1.29. « Mais que faire si je ne suis pas même méchant ? » (Fedor Dostoïevski, *Notes d'un souterrain*.)

7.1.30. « Je haussais les épaules. » (René Reouven, *Le Passe-temps de Sherlock Holmes*.)

7.1.31. « C'est vous seul et non vos biens que j'aimais. » (Héloïse, *Lettre à Abélard*.)

7.1.32. « Ce n'est pas avec moi, mais avec la vérité que tu ne peux pas engager la controverse. » (Platon, *Le Banquet*.)

7 1.33. « Tatata… » (Diderot, *Le Neveu de Rameau*.)

7.1.34. « Ma faiblesse par rapport à M. » (Imre Kertész, *La Dernière Auberge*.)

7.1.35. « Ensuite il s'est donné la mort et tout est redevenu pourri. » (J Mascis, leader de Dinosaur Jr., à propos de Kurt Cobain.)

7.1.36. « De toute façon, madame Bovary n'a jamais rien compris aux mecs. » (Copie du baccalauréat, épreuve de philosophie, 2016.)

7.1.37. « La fausse Ruth, celle de tous les préjugés bourgeois, marquée du sceau indélébile de la mesquinerie bourgeoise, celle-là : il ne l'avait jamais aimée. » (Jack London, *Martin Eden*.)

7.1.38. « Mais rien n'arrive simplement comme ça. » (Henry Miller, *Le Monde du sexe*.)

7.1.39. Etc. (Je ne vais pas lister toutes les exergues qui, niveau après niveau, me sont venues au fil de l'écriture.)

Niveau 12

7.2. La mécanique quantique enseigne que l'observateur modifie, par sa seule présence, le phénomène qu'il observe. Ce n'est pas le phénomène qu'il observe, mais le phénomène modifié par son observation. La littérature est l'observateur et l'humanité le phénomène qu'elle modifie. Débrouille-toi avec ça.

8. Il se pourrait que j'intitule en définitive mon livre (si c'est un livre) : « Comment Nabokov m'empêcha de commettre un crime (et autres menues révélations) ».

8.1. Jamais le fiancé de M ne saura qu'il doit d'avoir eu la vie sauve à un bouquin refusé au départ par d'innombrables éditeurs et censuré à sa sortie dans plusieurs pays.

8.2. Et à la fin, Julien s'est pendu avec la ceinture de son pantalon.

8.2.1. Ai-je réellement pris la bonne décision ?

8.2.2. Fallait-il, d'une façon ou d'une autre, que mon histoire de M se termine *dans le sang* ?

8.3. Oscar Wilde a pu écrire que « la mort de Lucien de Rubempré fut le plus grand drame de sa vie ». Il se raconte que deux mille lecteurs se suicidèrent après avoir lu *Les Souffrances du jeune Werther*.

8.3.1. Il ne faut rien lire « comme un roman » – et surtout pas les romans.

8.4. Quand je songe que j'ai pu comploter l'assassinat du fiancé de M et, à la fin, c'est Julien qui est mort. Toujours la mésange à la place de la bouteille.

Niveau 13

9. Je sais que tu voudrais que j'accélère la manœuvre. Que je passe à la vitesse supérieure pour en arriver enfin au moment où le suicide de Julien trouvera son épilogue et tu pourras alors reprendre le cours normal de ton existence. Mais il me faut d'abord aller au bout de cette nuit-là. Il me faut expliquer pourquoi j'écrivis cette lettre de rupture à M. Il me faut encore dire un mot à propos de *Lolita*. Point par point. En 50 points exactement, pour tomber sur un chiffre rond. Désolé. Mille excuses.

9.1. S'interdire de faire quelque chose n'épuise pas l'envie qu'on en a. Ce serait trop beau si c'était le cas. Alors quoi ? Le fiancé de M allait-il s'en tirer à si bon compte ? Mon bonheur, par sa faute, devoir être remisé dans ma poche avec mon mouchoir ensangloté par-dessus ?

10. Pour Humbert Humbert, confronté au même problème, ce n'est rien de dire que les choses s'arrangèrent à merveille. Ce n'est rien de dire que Nabokov proposa, en la circonstance, une *innovation théorique*.

11. Cela se passe à la page 155, soit une vingtaine de pages après qu'Humbert Humbert a renoncé à tuer la vieille Haze. Page que je verse au Dossier, tu t'en doutes bien.

11.1. Page 155, c'est peu dire qu'Humbert Humbert est au fond du gouffre. Il n'a pu accomplir le grand geste criminel qui, en envoyant

Charlotte au ciel, lui aurait ouvert les portes du paradis sur Terre et il voit maintenant son rêve s'envoler. Il l'a laissé s'envoler. Sa chance a passé. Il est un poète. Il n'est qu'un poète. Il doit s'en contenter. Il doit vivre avec ça. Que faire à présent ? Hormis manger son chapeau. Mourir d'amour sans espoir de le tenir dans ses bras. Fauché à jamais dans son élan. La vie avant que d'être vécue. Air connu. Quoi alors ? Attendre que la vieille ganache meure de vieillesse ? Mais cela pourrait prendre des siècles. Il sera mort avant. Et Lolita aura cessé d'être une nymphette. Sauf imprévu, toujours possible. Certes. Mais qui remet sa vie dans les mains rêches et molles de l'imprévu ?

11.1.1. L'imprévu dont on rêve en temps normal tire son prestige d'être indéfinissable et sans contours : il n'est pas l'attente d'un événement en particulier mais ce qui se manifeste qu'on n'attendait justement pas.

11.1.2. Sauf imprévu, Humbert va rester marié avec Charlotte ; il ne sera jamais avec sa Lolita ; la situation est bloquée ; l'amour doit refluer ; l'histoire ne peut pas aller plus loin que la page 155.

11.1.3. Dans la vraie vie, mon histoire de M s'est également arrêtée lorsque j'éteignis mon téléphone portable, abandonnant Slobo à son sort, M à son fiancé et moi au néant.

11.1.4. Pourtant, il reste 350 pages à venir. *350 pages !*

11.1.5. Voilà qui est très intrigant !

11.1.6. Que pourrait-il maintenant se passer ?

11.1.7. La suite au niveau encore inférieur des choses.

Niveau 14

11.2. Page 155. C'est le soir. Humbert et Charlotte sont tous les deux au salon. Elle est en train d'écrire des lettres, par lesquelles elle entend dénoncer aux autorités les dégoûtantes visées de son époux sur sa fillette dont elle a eu vent par hasard lors des vingt dernières pages ; lui s'en va à la cuisine « déboucher (*sic*) une bouteille de whisky », réfléchissant au moyen d'éviter la catastrophe qui lui pend au nez et tentant de parer au plus pressé ; il espère convaincre Charlotte de ne pas envoyer son époux en prison (qu'elle pense au scandale, à sa réputation à elle) et il se dit que boire un petit verre ne sera pas de trop pour l'attendrir quelque peu. – Je vous ai préparé un whisky, dit-il de retour de la cuisine et en s'approchant, un verre dans chaque main, de la porte du salon « à peine entrebâillée ». Mais la « vieille écervelée » ne répond pas et Humbert pose les verres sur la console, près du téléphone qui sonne juste à cet instant. « C'est Leslie à l'appareil. Leslie Tomson, dit Leslie Tomson, qui ne détestait pas se baigner au lever du jour. » Et Leslie Tomson d'annoncer au téléphone que « Mme Humbert a été renversée par une voiture » et que lui, Humbert, son mari, doit « venir tout de suite ». Quoi ? Qui ? Charlotte ? Charlotte sa femme ? Charlotte la mère de sa Lolita adorée ? Cette satanée vieille ganache de Charlotte qui veut l'envoyer en prison, elle vient là, tout de suite, de se faire renverser par une voiture ? Sans blague ? Quelle bonne blague ! Si seulement c'était vrai ! Humbert Humbert rétorque « avec quelque aigreur » (parce que la plaisanterie de Leslie Tomson retourne le couteau dans sa plaie) que sa femme est bien vivante (hélas), elle va très bien, merci pour elle ! Il doit y avoir erreur sur la personne. Puisque Charlotte est en ce moment même au salon en train d'écrire une (saleté de) lettre et, ce disant, autant pour confirmer ses dires qu'en manière de plaisanterie, Humbert pousse du pied la porte du salon et crie gaiement à sa femme : « – On m'informe que vous venez d'être tuée, Charlotte.

Mais Charlotte n'était plus dans le salon. »

11.2.1. Abracadabra.

12. Je suis allé faire un tour sur Internet. Je voulais savoir si d'autres que moi avaient sursauté à la lecture de cette page 155. S'ils avaient été saisis du même saisissement, entre stupeur et jubilation. Si, l'ayant lue, ils avaient aussitôt posé le livre sur leurs genoux et respiré un grand coup, regardé le plafond et pareillement vu danser des milliers d'étoiles devant leurs yeux.

12.1. S'ils s'étaient soudain mis à réfléchir, non à ce qu'ils lisaient, mais à ce qui était écrit et je répète : se mettre à réfléchir, non à ce qu'on lit, mais à ce qui est écrit et saisis-tu la nuance ?

13. Sur Internet, on trouve nombre de résumés et d'analyses de *Lolita*. Concernant la mort de Charlotte, on peut lire, en vrac, qu'elle « s'enfuit précipitamment de la maison avec le projet de poster les lettres dénonçant les agissements de son mari. Mais elle est tuée en traversant la rue, renversée par une voiture » (Wikipédia). On peut lire : « Découvrant l'attirance de son mari pour Lolita, Charlotte se jette sous une voiture » (site du Centre national de la documentation pédagogique). On peut lire : « Lorsque Charlotte comprend la vérité, elle

se suicide » (Site d'Aide à la dissertation et au commentaire de texte en philosophie). On peut lire : « Pour être à ses côtés (de Lolita), il (Humbert Humbert) épouse sa mère, qui "par chance" décède accidentellement » (Eveno.fr livres). Ainsi de suite.

13.1. Allez comprendre la mort de Charlotte après ça ! Le minimum serait de se mettre d'accord : accident ou suicide ? Ou bien « la chance » ?

13.2. Où est-il écrit, page 155, que Charlotte s'enfuit précipitamment de la maison ? Qu'elle se jette sous une voiture ? Se suicide ? Décède accidentellement « par chance » ? Où est-ce *écrit ?*

13.2.1. Se pourrait-il qu'elle se soit suicidée accidentellement par chance ?

13.2.2. Lire entre les lignes, est-ce encore lire ? (Oh notre esprit, si démuni devant ce qu'il ne comprend pas et tellement prompt à combler les trous pour garder le contrôle !)

13.2.2.1. Sleon une édtue de l'Uvinertisé de Cmabrigde, l'odrre des ltteers dnas un mto n'a pas d'ipmrotncae prace que le creaveu hmauin ne lit pas chuaqe ltetre elle-mmêe, mias le mot cmome un tuot.

13.3. Il ressort de tant de contradictions que la mort de Charlotte est un mystère.

13.3.1. Elle est *suspecte.*

14. Ce qui est écrit, page 155, c'est que Humbert Humbert apprend par un coup de téléphone du dénommé Leslie Tomson que Charlotte vient de se faire renverser par une voiture alors qu'elle est, à cet instant précis, en train d'écrire une lettre au salon.

14.1. Ce qui est impossible.

14.1.1. Rigoureusement impossible.

14.1.2. Charlotte ne peut se trouver en deux endroits à la fois au moment de sa mort (souligné autant de fois qu'on veut, cela ne change rien à ce qui est écrit).

14.2. Ici que j'avais posé le livre sur mes genoux, respiré un grand coup, regardé le plafond, vu danser des milliers d'étoiles.

14.2.1. Ici que le récit s'était comme *disloqué* sous mes yeux.

15. Jusqu'à la page 155, le récit se tenait parfaitement. Il était cohérent, plausible, crédible, limpide ; les personnages se débrouillaient tout seuls, ils se débrouillaient comme des chefs, chacun à sa façon (Humbert étant ce qu'il était – un poète –, il ne pouvait effectivement pas assassiner Charlotte) ; les événements respectaient autant la psychologie des caractères que la temporalité des événements et les lois de la causalité ; l'histoire suivait sa pente naturelle ; tout se déroulait sur la page comme dans la vraie vie.

15.1. « Lorsque, il y a seize ans, j'ai pensé que la loi de causalité était en soi dénuée d'importance et qu'il y avait une façon de considérer le monde qui n'en tenait pas compte, j'ai eu le sentiment d'être au seuil d'une époque nouvelle » (Ludwig Wittgenstein, *Carnets secrets*).

15.2. Tout ce qui existe sur la page *existe*.

15.3. Si jamais j'écris un livre, il s'intitulera *L'Étrange Affaire de la mort de Charlotte Haze*. Avec ce sous-titre : « Pour une lecture rapprochée de *Lolita*. » (En mémoire de Daniel Arasse pour qui « Un détail peut être porteur d'une signification essentielle *à l'ensemble de l'image* » ou de n'importe quoi d'autre).

Niveau 15

16. Relis la page 155. Relis-la avec attention. Mot à mot. À la lumière de ce qui précède. Avec le bon bout de la lorgnette. Avec l'esprit du primesaut !

16.1. Si je m'écoutais, je sauterais bien, là, tout de suite, maintenant, une soixantaine de lignes pour imposer une minute de silence et que chacun se recueille devant la page 155 comme devant une tombe : celle de Charlotte, bien sûr – sauf qu'elle est *vide !*

16.1.1. Sauf que j'ai déjà utilisé ce procédé (voir page 114) et une fois suffit.

17. Il existe, datée de 1960, une célèbre gravure de M.C. Escher qui s'intitule Montée et Descente. Elle montre une tour carrée, vue d'en haut. Longeant chacun des quatre côtés de la tour, un chemin de ronde en forme d'escalier se ferme sur lui-même. Avançant en file indienne, des moines n'en finissent plus de monter cet escalier ; ils croisent, venant en sens inverse, une cohorte d'autres moines qui, eux, descendent en file indienne le même escalier. C'est-à-dire que cet escalier monte et descend *tout à la fois*.

17.1. Découvrant cette gravure, j'étais resté un temps fou devant cet escalier qui, sur le papier, faisait exister une contradiction dans les termes. Un problème insoluble. J'étais étourdi. Je voulais comprendre. Comment un escalier pouvait-il se contredire lui-même tout en demeurant parfaitement cohérent ? Sans s'effondrer sur lui-même et, avec lui, le monde et ses certitudes ?

17.2. Je devais avoir seize ans à l'époque et je m'imaginais prendre cet escalier. Je m'imaginais en train de monter et de descendre tout à la fois. Je voulais, une fois dans ma vie, faire cette expérience pour de vrai. Pas seulement en pensée.

17.3. Je me doutais qu'il y avait une astuce. Ma raison, qui s'accrochait à ses propres basques, me le soufflait ; elle l'exigeait.

17.3.1. De fait, il y a une astuce. (Ouf !)

17.4. L'escalier d'Escher fait se raccorder sur le papier des traits qui ne sont pas dans le même plan, créant ainsi une illusion d'optique.

17.4.1. Cela fait réfléchir concernant la page 155 et la mort de Charlotte.

17.4.2. Pour dire vite : l'escalier d'Escher me paraissait aberrant parce que je le comparais à un escalier « pour de vrai ». Ce qui signifie que j'oubliais qu'il s'agissait d'un dessin. Déplorable confusion. Là où je croyais que l'escalier d'Escher contredisait la réalité, il exaltait en fait les lois de la perspective qui, invisibles et informulées, sous-tendaient de bout en bout le dessin. Il les énonçait au moment même où il les transgressait et parce qu'il les transgressait.

18. As-tu relu la page 155 ? Rien ne t'a frappé ? Relis encore. Relis mieux. N'oublie pas qu'il s'agit d'un *livre*.

18.1. Je te rappelle qu'une femme est morte dans des circonstances vraiment suspectes ; en étant à la fois là et pas là, en étant en deux endroits en même temps, comme le fameux chat de Schrödinger. Il convient de mener l'enquête avec la plus extrême rigueur.

18.1.1. La mort de Charlotte en tant qu'elle serait un phénomène quantique ? Demander l'avis d'un physicien.

18.1.2. Je rappelle que Julien est mort en se pendant à la poignée d'une fenêtre avec la ceinture de son pantalon et si tu l'as oublié, pas moi.

19. Transgresser la loi est ce qui la dévoile et l'énonce ? Voilà qui peut servir un jour.

20. Le premier livre que je me rappelle avoir lu, c'est *Mémoires d'un âne* de la Comtesse de Ségur, née Rostopchine. Je devais avoir dix ans.

20.1. Dans l'édition de la Bibliothèque rose illustrée, avec les vignettes de H. Castelli.

20.1.1. Ô Cadichon ! Ô mon frère pour la vie ! Ô ma première monture d'Ulysse ! Ô la première fois qu'un livre parlait de moi et, deux points ouvrez les guillemets : « les hommes n'étant pas tenus de savoir tout ce que savent les ânes… »

20.1.2. Hi-han.

20.1.3. Il y a des livres, quand on les lit, ce n'est pas seulement qu'on s'y reconnaît et qu'on s'identifie et qu'on y prend du plaisir, c'est qu'on se sent *défendu*.

20.1.3.1. Ce dont de moins en moins de livres donnent aujourd'hui le sentiment (ils donnent plutôt le sentiment inverse, ils défendent surtout leur auteur).

20.2. À partir de là, beaucoup d'autres livres. Certains piochés dans la bibliothèque officielle de mes parents. Officielle parce qu'elle se trouvait dans le salon et en imposait avec ses rangées de gros livres brochés sur vélin ou reliés cuir avec dorure sur tranche. Tandis qu'une autre, plus officieuse, se trouvait dans les cabinets.

20.2.1. Là les *autres* livres.

20.2.2. Pour quand on faisait caca.

20.2.3. Là les policiers et les polars (Peter Cheyney, James Hadley Chase, Robert Mallet, Simenon, Jim Thompson, Francis Ryck), les SAS (dont j'hallucinais les couvertures et cherchais fébrilement, assis sur la lunette des vécés, certains passages en particulier), les Modesty Blaise, les San Antonio, les OSS 117, les Coplan…

20.2.4. Sur les étagères plus hautes et moins accessibles, c'était *Les Onze Mille Verges*, *Vénus Erotica*, *Les Infortunes de la vertu*, *Les Bijoux indiscrets*, *Histoire d'O*, *Histoire de l'œil*, *La Religieuse*, *Les Félins du cuir*…

20.2.5. Encore plus haut, sur la dernière étagère, comme au plus haut des cieux de l'enfer, péniblement coincé entre deux guides Marabout (l'un consacré au jeu d'échecs, l'autre au jardinage d'intérieur), je me rappelle le petit livre mystérieusement intitulé *F.B.* que je lus en entier, le pantalon baissé sur les chaussures, en prenant garde à ne pas faire de bruit lorsque je tournais les pages, en prétextant une fallacieuse constipation. (Quoi ? Mes parents lisaient ce genre de trucs !)

20.2.6. Cette séparation de la littérature en deux bibliothèques n'exprimait pas un choix personnel de mes parents (par exemple, dans le salon, les livres qu'ils auraient aimés et, dans les cabinets, ceux qu'ils auraient moins ou pas aimés) : elle était un apparat social. Elle incarnait une morale.

20.3. Je raconte ça pour te laisser le temps de réfléchir à la page 155 de *Lolita*.

21. Rappelons les données du problème : si on s'en tient à ce qui est écrit page 155, Charlotte est en train de rédiger des lettres au salon au moment même où, paraît-il, elle est renversée par une voiture de l'autre côté de la rue. Paraît-il. D'après « Leslie Tomson au téléphone, dit Leslie Tomson, qui ne détestait pas se baigner au lever du jour ».

22. L'idée que Nabokov interviendrait directement dans son récit pour voler au secours de son Humbert de héros et le sortir de l'impasse dans laquelle il s'est lui-même mis est une hypothèse qui vient naturellement à l'esprit concernant la page 155.

22.1. Lui sait que Charlotte n'est qu'une créature de papier. Elle peut disparaître aussi vite qu'il l'a créée. Humbert Humbert n'a pas la force ni le courage de noyer sa femme ? Qu'à cela ne tienne ! Pour tirer son héros du pétrin, l'auteur peut toujours surgir de la nuit au galop. À lui le sale boulot. Aux grands maux les grands remèdes. Oust, *vade retro Charlotta !* Assez vue la vieille ganache, ah oui, qu'elle cesse de faire barrage non seulement à l'amour, *mais au récit* ; ah oui, elle n'a que trop vécu narrativement parlant quand il doit de toute façon arriver ce qui doit arriver pour que le livre existe et rien n'interdit de penser que ce serait Nabokov lui-même qui, nécessité romanesque faisant loi, pas gêné le Vladimir, se faisant peut-être même violence de devoir prendre les choses en mains puisque son héros ne le peut pas, aurait sorti sa voiture du garage en même temps qu'il sortait de sa réserve et, guettant Charlotte dans la rue, lui aurait foncé dessus pour l'aplatir comme une crêpe, paf la sale bique. Avant de se dépêcher de trouver un téléphone public, maquiller sa voix et se faire passer pour Leslie Tomson afin de prévenir Humbert le Chanceux qu'il a désormais le champ libre et que son problème est réglé, oui, Lolita est à lui désormais, hourra, qu'il ne s'inquiète plus de rien maintenant, ne se tourmente plus à cause de

Charlotte (paix à son âme), tout est arrangé, papa s'est chargé de la sale besogne, l'histoire peut continuer – *l'histoire peut continuer !*

22.1.1. Nabokov, le Slobo d'Humbert Humbert ?

23. Sauf que Charlotte n'a pas été renversée par une voiture ! *Elle n'est pas sortie de la maison !*

23.1. Relis la page 155 !

24. Je te laisse encore cinq minutes. Tic tac.

24.1. Ici, un peu de temps de réflexion, à retrouver sur www.ledossierm.fr/13.

24.2. Tic tac tic tac… DRING !

Niveau 16

25. Ça y est ? Tu commences à avoir une petite idée ?

25.1. As-tu remarqué ce détail qui, une fois qu'on l'a vu, saute aux yeux ? Oui ? Non ?

25.1.1. Leslie Tomson. Le fait que le nom de Leslie Tomson soit répété trois fois : cela ne t'intrigue pas ? Tu ne trouves pas cela *bizarre ?*

25.2. Pourquoi répéter ce nom trois fois ? Le nom de celui qui, simple voix au téléphone, être sans visage, invisible messager de la mort, annonce à Humbert l'accident qui, paraît-il, vient de tuer sa femme. Quelle nécessité ? À cet instant ? Il y a là une insistance. Une vibration sur la page. Une petite lueur qui clignote. C'est infime, mais tangible. *C'est voulu.* C'est comme un doigt pointé vers Leslie Tomson. Un doigt accusateur ?

25.3. Qui est Leslie Tomson ?

25.3.1. Je répète : QUI EST LESLIE TOMSON ?

25.4. Tout s'éclaire à partir du moment où l'on commence à se poser les bonnes questions. Et seulement à partir de ce moment-là.

25.4.1. J'avais prévenu page 64 que tout peut devenir épopée.

26. Qui est Leslie Tomson ? Le sais-tu ? Pour ma part, je n'en avais aucune idée en lisant la page 155. Je ne savais même pas s'il s'agissait d'un homme ou d'une femme. Alors que c'est lui (ou elle) qui annonce la mort de Charlotte ! Ce n'est pas rien. Ce ne peut pas être n'importe

qui. Pourtant, ce nom ne me disait rien. Je n'avais aucun souvenir d'avoir croisé un ou une Leslie Tomson auparavant dans le récit. Et voici qu'il ou elle surgissait page 155 *comme une évidence*, comme si le lecteur savait de qui il s'agissait et qu'il était notoire que Leslie Tomson était Leslie Tomson.

26.1. Une phrase après l'autre, on oublie ce qu'on lit, comme on ne se rappelle pas ce qu'on faisait il y a cent cinquante-cinq jours à 13 h 25.

26.2. Leslie Tomson. Leslie qui… quoi déjà ? « Qui ne détestait pas se baigner au lever du jour » ? C'est bien ce qui est écrit page 155 ?

26.2.1. C'est la seule indication. L'unique indice. Nous voilà bien avancés.

26.2.2. Leslie ? Mais oui. C'est le type qui ne déteste pas se baigner au lever du jour. Et comment ! Sacré Leslie. Comment va ? Une paie qu'on ne s'est vus ! Paraît que la pauvre Charlotte s'est fait renverser par une voiture. C'est ben vrai ce mensonge ?

26.3. Avec Leslie Tomson, le mystère de la page 155 s'épaissit. Il se déplace vers son centre. Ce qui est plutôt bon signe.

26.3.1. Se raccorderait-il, sur ce nom, à deux événements ne se trouvant pas dans le même plan ?

27. Leslie Tomson. Il fallait retrouver sa trace. Il fallait *l'interroger*. Lui faire cracher le morceau à propos de la mort de Charlotte. Qu'avait-il vu exactement ? De quoi avait-il été le témoin ? Comment savait-il qu'elle avait été écrasée ? Pourquoi lui ?

28. À propos (avant d'entrer encore plus avant dans la jungle de mes propres élucubrations) : pourquoi le jeune homme que j'étais éprouvat-il une telle émotion à la lecture de la page 155 ? Pourquoi avoir répondu à l'appel de la page 155, ce que j'ai fini par appeler « l'appel de la page 155 » ?

28.1. J'ai bien une petite idée, là, tout de suite, rétrospectivement, si l'on admet que, page 155, le héros se voit libéré de celle qui constitue un obstacle à son bonheur ; mais je ne peux pas tout le temps parler de ma mère.

28.1.1. Le fait d'être personnellement impliqué ne signifie pas que l'on a obligatoirement tort. L'objectivité est une conquête de la subjectivité et non son déni.

28.1.1.1. Voilà qui est envoyé !

29. Leslie Tomson : suivons la direction de l'indice triplement laissé sur les lieux de l'accident. Collons au plus près à ce qui est écrit. Remontons les pages pour retrouver la trace de ce mystérieux émissaire. Mettons lui la main au collet et enregistrons son témoignage, prenons sa déposition et versons-la au Dossier, hop.

29.1. À toutes les unités : « On recherche un certain Leslie Tomson, sexe indéterminé, qui aime à se baigner au lever du jour (l'individu habite peut-être près d'un lac). Faire suivre toute information le concernant. Ne pas chercher à l'intercepter : individu peut-être dangereux. Aux dernières nouvelles, se cacherait dans un périmètre de 155 pages. »

29.2. Commencer la battue : page 154, page 153, page 152...

30. Longtemps la question de l'auteur ne m'a pas préoccupé. Elle ne m'effleurait même pas. Les livres, seuls, comptaient.

30.1. Je savais que Nabokov était l'auteur de *Lolita*, bien sûr le savais-je, c'était écrit sur la couverture. Mais lisant *Lolita*, c'est en compagnie d'Humbert Humbert, de Dolorès Haze et de sa mère Charlotte que je passais du bon temps – et non avec Nabokov. Je ne faisais pas le lien. L'auteur était dans un plan et ses personnages dans un autre. Comme dieu est au ciel et les hommes sur Terre et, entre eux, les communications sont coupées.

30.2. Pour le dire autrement, la conscience que j'avais de l'auteur était à peu près égale à celle que j'avais à l'époque de mes parents : sans doute étais-je leur créature et, sans eux, ne serais-je jamais né ; mais leur rôle s'arrêtait là, ma vie m'appartenait, elle se déroulait sans qu'ils y aient la moindre part, surtout depuis que j'étais en âge de lire et de parler et d'aller sur le pot tout seul.

31. Page 149, page 148, page 147... Où te caches-tu, *signor* Leslie ?

32. Comme mes parents lorsqu'ils tentaient de me dicter ma conduite, je grimaçais devant toute intervention intempestive de l'auteur au sein de son récit. Par exemple, j'avais grimacé en lisant que le fils de Mme Arnoux tombe gravement malade au moment où celle-ci va enfin s'offrir à Frédéric. Comme par hasard à cet instant précis. Alors que Frédéric l'attend rue Tronchet. C'était *un peu gros.*

32.1. Ici se dévoilaient les intentions de Flaubert et, à mon goût, elles étaient un peu trop manifestes. Elles étaient un autoritarisme. Un putsch. Elles n'appartenaient pas au récit mais faisaient de lui ce qu'elles voulaient et les personnages n'avaient pas leur mot à dire.

32.1.1. Si, à la fin de son récit, Tolstoï n'avait pas *décidé* de condamner à mort Anna Karénine pour la *punir* d'avoir trahi son époux et abandonné son enfant, M serait peut-être avec moi à l'heure actuelle ; et Julien toujours vivant.

32.1.2. M s'évanouissant rue Tronchet : voilà de quoi la vraie vie est capable. Tels sont ses procédés.

33. Page 138, page 137, page 136... Toujours rien. (Allez Médor ! Cherche ! Bon chien !)

33.1. Et si Leslie Tomson n'existait pas ? S'il était un leurre ? Si Nabokov avait jeté ce nom en pâture et qu'il ne correspondait à personne de connu. Qui le remarquerait ? Vertigineuse hypothèse.

34. Le jour où je me suis rendu compte (à mon grand désappointement) que Mme Arnoux et Frédéric ne se retrouveraient jamais dans un lit parce que Flaubert en avait décidé ainsi, *parce que c'était son choix*, j'eus la même révélation que devant l'escalier d'Escher. Toute intervention intempestive de l'auteur dans son récit ne contredit pas l'illusion romanesque : elle *l'énonce* au moment où elle la transgresse. Et sur l'instant, ça fiche un coup.

34.1. Le moment de cette énonciation est la signature de l'auteur. Elle est sa revanche sur son lecteur ; elle est peut-être même sa revanche sur son récit. Elle est dans tous les cas l'affirmation d'une toute-puissance. D'une fin décidée *à l'avance*.

35. Page 28, page 94, page 126, page 55...

35.1. Où te caches-tu, Leslie Tomson ? Allez, sors de ta cachette. Tu es fait comme un rat. Tu es cerné. Tu ne m'échapperas pas.

36. Pour le lecteur que j'étais, tout était permis dans un livre, pourvu que jamais l'illusion ne dévoile son artifice. Faute de quoi, je grimaçais, je ricanais, je dénigrais, je jugeais le livre mauvais, nul, mal foutu, décevant, il me prenait manifestement pour un imbécile ; si je continuais malgré tout ma lecture, c'était d'un mauvais œil.

36.1. Tout ce qui existe sur la page existe « pour de vrai » ou s'effondre dans un haussement d'épaules. Ainsi étais-je dépité de m'apercevoir, au détour d'une page, que les personnages auxquels je m'étais attaché étaient des marionnettes que manipulait leur créateur.

36.1.1. Les gens comme moi sont toujours déprimés de s'apercevoir un beau jour que leur existence est cousue de fil blanc, déterminée par des puissances supérieures sur lesquelles ils n'ont pas de prise et qui fabriquent ce que, jusqu'ici, ils prenaient pour leur vie.

36.1.1.1. Même si je ne sais pas trop qui sont les « gens comme moi » (ni comment les contacter).

36.2. La première fois où Frédéric et Mme Arnoux se rencontrent est déjà un choix de Flaubert ; mais à cet instant, le lecteur feint de l'ignorer. À cet instant, cette rencontre semble appartenir aux héros de *L'Éducation sentimentale,* indépendamment de Flaubert. À cet instant, cette rencontre est *réelle.*

36.2.1. Où l'on reparle du pacte littéraire.

36.3. En somme, j'aimais qu'un livre soit bien ficelé. Comme un gigot.

36.3.1. Ce que je voulais, c'est qu'on me mène en bateau – et le plus loin possible. Le récit ne devait pas couler en chemin. Il ne devait pas rencontrer un iceberg s'appelant Flaubert ou Nabokov.

36.3.2. Quand l'auteur intervient dans son récit, c'est comme si dieu se manifestait tout à coup sur Terre. Si on croit au miracle, on est comblé. On a, sur le papier, la preuve d'une intervention divine, d'un miracle ; les voix du récit deviennent impénétrables. Pour les autres, ils sont bien embêtés. Ils lèvent les yeux au ciel. Ils regardent leurs souliers. Ils pouffent.

36.3.2.1. Qui veut savoir qu'il lit un *livre* ? Comme disait l'autre (Romain Gary) : « Personne n'a envie de se retrouver au réveil avec un être humain dans son lit. »

Niveau 17

36.4. Je jure que je n'avais pas prévu de parler de Leslie Tomson. Je ne l'imaginais pas du tout lorsque j'écrivis « Il s'appelait Julien. Je peux dire son nom. C'est le moins que je puisse faire. » Ce n'était pas ce que j'avais en tête au commencement. Mais rencontrant M, je n'imaginais pas non plus comment les choses tourneraient (mal).

37. Reviens à la page 155 et pose-toi cette question : pourquoi Humbert Humbert est-il autant surpris du coup de fil de Leslie Tomson lui apprenant que Charlotte vient d'avoir un malencontreux accident de la route. À ton avis ? Car il n'en revient pas. Il n'y croit pas du tout !

Au point de rétorquer « avec quelque aigreur » que ce n'est pas drôle. Ce n'est pas vrai. Cette bonne blague ! Et d'annoncer lui-même gaiement à Charlotte qu'elle « vient d'être tuée », en manière de plaisanterie, qu'elle en rigole avec lui, ah ah ah ! C'est qu'il sait que Charlotte est en train d'écrire au salon. Il est bien placé pour le savoir ! N'est-il pas au cœur du récit ? Charlotte n'a pas pu être renversée par une voiture puisqu'elle se trouve dans la pièce à côté. Il l'aurait vu si elle était sortie. On ne peut pas le baratiner. *Pas lui !* Pas dans l'espace du livre. Lui a une vue imprenable sur la situation et il n'est pas dupe de la couleuvre que la page 155 voudrait lui faire avaler. Il sait qu'on lui ment.

37.1. Sauf que Charlotte n'est plus dans le salon. Elle a disparu. Pfuit. C'est ce qui est écrit.

37.2. Ce dont Humbert ne va pas se plaindre. Son vœu le plus cher ne vient-il pas d'être exaucé ? Et qu'il ne soit pour rien dans la disparition de Charlotte est encore mieux. Qu'un autre se soit chargé du sale boulot est tout bénéfice. À sa place, je la bouclerais aussi. Je ne protesterais pas. Mais j'esquisserais, en effet, un mouvement de surprise. Je rigolerais de cette bonne blague. Je crierais moi aussi à Charlotte, en poussant la porte du salon du pied : « On m'apprend que vous venez d'être tuée. » « On » et non pas « Leslie Tomson ». Bien sûr « On ». Façon de rendre audible ce qui ne peut être dit à haute et intelligible voix et entends-tu Humbert Humbert, le téléphone toujours dans sa main, crier gaiement : « *On* m'apprend, très chère… » Vois-tu l'italique ? Perçois-tu le ton sarcastique ? La petite intonation qui dénonce la supercherie ? Le sous-entendu railleur et désinvolte ? Moi, je l'entends.

37.2.1. Dans l'incrédulité goguenarde de Humbert Humbert à l'annonce de la mort brutale de sa femme, il y a, enroulée comme du lierre, la vérité profonde et indicible de la page 155. Il y a la divulgation d'un *pur moment de littérature.*

37.2.2. Si on lit ce qui est écrit, la mort de Charlotte l'est uniquement par ouï-dire. Leslie Tomson l'annonce au téléphone à Humbert, qui l'annonce lui-même de vive voix à Charlotte « à travers la porte entrebâillée » et hop, celle-ci n'est plus dans le salon. Elle a disparu. Il a suffi que ce soit dit et répété. Ce « On m'apprend que vous venez d'être tuée », c'est comme une formule magique que prononce Humbert. C'est, *par la bouche d'un des personnages du récit,* que Charlotte apprend qu'elle doit débarrasser le plancher. Elle ne meurt pas du tout renversée par une voiture : elle est seulement informée (et le lecteur avec elle) qu'elle est virée manu militari de l'histoire *alors qu'elle se trouve au salon en train d'écrire ses saletés de lettres.* C'est ce qui s'appelle être brutalement rappelée à sa nature fictive. On lui fait parvenir le message qu'elle cesse d'exister à partir de maintenant et, pfuit, abraca-dabra, elle disparaît dans la seconde. Ce n'est pas plus compliqué. C'est simple comme un coup de fil. Décision a été prise en haut lieu et elle prend effet sur-le-champ. Nulle intervention extérieure ici, tout se passe à l'intérieur du récit.

37.3. Comme le pictural est ce qui échappe à l'image – par exemple, les drapés du Titien (ils n'apportent rien à la signification du tableau, mais l'excèdent en tant que pure peinture), ou le *couac* de Roland Kirk (il provoque, au-delà des notes, une pure jouissance musicale – voir page 351), j'appelle pur moment de littérature ce qui excède le récit, le genre littéraire et même le sujet du livre – ce que les journalistes appellent le sujet d'un livre parce qu'ils ne savent pas de quoi parle un livre, ils n'en ont pas la moindre idée, ils se disent que le sujet de *Lolita* est la pédophilie parce que la pédophilie est un sujet de société et ainsi transforment-ils le sujet d'un livre en sujet de société faute d'avoir assez d'imagination et, par parenthèse, concernant *Le Dossier M*, si on te demande son *sujet*, botte en touche. Fais le gogol. Balance-toi d'avant en arrière en te grattant la tête et en poussant des petits cris de singe, oui, débrouille-toi comme tu veux, mais soutiens mordicus que tu ne sais *absolument* pas quel est le sujet de ce que j'écris.

37.3.1. Un pur moment de littérature, c'est lorsque ce qui est écrit exalte le pouvoir des mots sans autre forme de procès, créant une jubi-lation incommensurable.

37.3.2. Question qui n'intéresse probablement que moi : sans récit dans lequel il s'insère, un « pur moment de littérature » est-il possible ? Pour le dire autrement : si le *couac* de Roland Kirk devient le morceau lui-même, la possibilité d'un couac ne disparaît-elle pas du même coup ? Voilà typiquement le genre de problème que je me pose en permanence.

37.3.3. Quelle révélation, à mon niveau individuel, de découvrir, à la page 155 de *Lolita*, la littérature sciant avec une joie non dissimulée la branche sur laquelle le récit la voudrait tout le temps asseoir.

38. Ça y est ! – Quoi ? Il est complètement perdu, le fil de mon his-toire de M !

38.1. Hourra.

39. Page 134, page 92, page 21, page 69, page 70... mais bon sang de bois, où te caches-tu, damné Leslie Tomson ? Es-tu une chimère ? Un fantôme ? Une entité astrale ? Une comète pour faire un vœu ?

40. Il est à noter que là où Flaubert se donne un mal de chien pour rendre vraisemblable l'artificieuse maladie du fils de Mme Arnoux et, avec force détails, diluer son intervention au sein du récit afin de la faire disparaître et conduire ses personnages où il le veut, Nabokov ne se donne pas cette peine. Peau de balle ! Il ne fait aucun effort, page 155, pour que la mort de Charlotte paraisse crédible ou même seulement plausible ; au contraire, il énonce clairement l'invraisemblance de la mort de Charlotte et il fait de cette invraisemblance un ressort narratif. Il transforme sa divine intervention en élément de surprise *pour ses personnages.* Car ce sont eux que l'auteur doit d'abord convaincre de ce qui leur arrive. C'est le minimum qu'il leur doit. De ce fait, le lecteur est aussi surpris que l'est Humbert Humbert d'apprendre que Charlotte vient de se faire renverser par une voiture alors qu'elle se trouve dans le salon – mais il l'est moins que lui ! Puisque Humbert, pas dupe, en rigole lui-même, le lecteur prend comptant son incrédulité. Il y croit d'autant mieux qu'elle est la sienne. De la voir mise en scène, il l'accepte comme un élément de l'histoire. Il avale la couleuvre sans même s'en apercevoir. C'est diabolique. Au lieu de manipuler la fiction pour lui faire dire ce qu'il veut et convaincre ainsi son lecteur, Nabokov la subvertit de l'intérieur. Il l'enchante. Le résultat est le même (l'auteur conduit son récit comme il l'entend), mais l'effet est aux antipodes. Dans un cas, on sent la grosse patte de l'auteur et, à la lecture, il faut se forcer pour y croire ; dans l'autre cas, on n'y voit que du feu et on entre encore plus profondément dans l'illusion. C'est comme un tour de magie auquel on assiste en direct : on sait qu'il y a un truc, mais on ne le voit pas parce que tout se passe à découvert. Comme dans *La Lettre volée* d'Edgar Poe.

40.1. À un tout autre niveau, je volais dans les magasins au vu et au su de tous, exprès, avec une innocence exquise que moi seul savais coupable (voir page 525).

41. Mais je te vois venir. Tu as lu la page 156 et tu as lu la page 157 et tu as découvert – quoi ? Que Mme Humbert fut, je cite, « renversée et halée sur plusieurs mètres par le véhicule du banquier, alors qu'elle traversait la rue en courant pour jeter trois lettres dans la boîte, au coin de la pelouse de Melle d'En Face ».

41.1. Crois-tu me coincer avec *ça* ? Me vois-tu effondré ? Imagines-tu que la page 155 puisse s'éclairer à la lumière d'une phrase se situant deux pages plus loin ? Crois-tu sincèrement que se retrouve page 157 ce qui a été perdu page 155 ? Grave erreur ! Ne sais-tu pas que l'histoire est toujours écrite du point de vue des vainqueurs, selon la version qu'ils souhaitent propager, que ce soit deux siècles ou deux pages après les faits ?

41.2. On s'en fiche de la page 157 ! Elle arrive après la bataille. Elle n'est que ce que la page 155 a fait d'elle et auquel elle n'a pas accès.

41.2.1. La thèse de la mort accidentelle de Charlotte que reprend à son compte la page 157 appartient en fait à la fiction que la page 155 a créée de toutes pièces. Sans la page 155 et le prodige qu'elle accomplit, la page 157 n'existerait tout simplement pas ! (Elle serait ce que ma vie est devenue après que j'ai renoncé à assassiner le fiancé de M et merci qui ?)

41.3. Sans la page 155, *Lolita* (le livre) n'aurait eu aucune suite car, de son propre élan, le récit n'aurait pas pu continuer après que Humbert Humbert a renoncé à noyer Charlotte dans le lac de Ramsdale. D'où le pourrait-il ? J'en sais quelque chose ! Il faut la page 155 pour que le récit s'invente une suite à laquelle il ne pouvait plus prétendre de lui-même (ici le mobile de la page 155).

41.4. Tout ce qui survient après la page 155 et jusqu'à la fin du livre est des *racontars*. Ou, si tu préfères, un rêve. Le rêve d'un rêve. *Une fiction à l'intérieur de la fiction*. Deux plans n'ayant rien à voir se joignent dans l'espace de la page 155, créant une pure illusion narrative.

41.4.1. Pour le dire sans ambages : la mort annoncée de Charlotte par téléphone et sa disparition avérée ne se trouve pas dans le même plan littéraire.

41.4.1.1. Il faut lire la page 155 de *Lolita* comme on regarde Montée et Descente de M.C. Escher.

41.5. Crois-moi : laisse tomber la page 157. Ne la laisse pas t'abuser. Elle est tout juste bonne pour les résumés sur Internet. Elle est un os jeté au lecteur qui n'a rien compris à la page 155. Qui n'a pas perçu qu'il a basculé, sans s'en apercevoir, en vertu du pouvoir discrétionnaire des mots, à l'occasion du sacrifice narratif de Charlotte maquillé en accident de la route, d'une fiction qui se donnait jusqu'ici comme vraie à une fiction s'énonçant soudain comme telle.

41.6. Les 350 pages qui suivent la page 155 sont un *délire*. Ou plutôt : tout ce qui se passe après existe encore plus faussement pour de vrai.

42. Mon émotion de la page 155, ce n'est pas seulement le tour de magie qu'exécute Nabokov, c'est qu'il refuse de rendre *crédible* la mort de Charlotte, comme si la vie avait le don d'exaucer nos vœux les plus secrets et puis quoi encore ? Comme si les choses pouvaient se passer ainsi dans la réalité. C'est horrible de mettre ce genre de fausse joie dans la tête du lecteur. De jouer de la confusion. *C'est criminel.* Comment le lecteur peut-il ensuite espérer s'en sortir dans l'existence ? Mon émotion, oui, devant ce choix de Nabokov, que je n'hésite pas à dire *éthique*. Qu'il ait trouvé une solution littéraire et n'ait laissé aucun doute sur le fait qu'il s'agissait d'une supercherie. Qu'il fallait croire les mots, mais pas ce qu'ils disent.

42.1. Eh quoi ! Il n'y a pas eu de miracle dans mon histoire de M : personne ne m'a téléphoné pour m'apprendre que le fiancé de M venait de mourir, écrasé par un quinze tonnes ou terrassé par une maladie fulgurante, après avoir avalé des respounchous contaminés par une bactérie de type légionellose. Et je ne vais pas faire croire le contraire. Tel est mon choix.

42.2. C'est ce qui s'appelle choisir son camp.

42.3. Ici, tu peux aller voir à l'adresse www.ledossierm.fr/14 de quel camp il s'agit.

Niveau 18

43. Page 131 : Ah ! Enfin ! Pas trop tôt ! Te voilà, Leslie Tomson ! À nous deux !

43.1. Page 131 : juste avant que Humbert Humbert ne projette d'assassiner Charlotte en la noyant dans les eaux du lac de Ramsdale, celle-ci lui raconte, de façon parfaitement incidente, qu'elle tient de source sûre que Leslie (juste Leslie, sans nom de famille, mais il semble qu'il s'agisse d'un homme) s'est, paraît-il, baigné dans le lac de Ramsdale le « dimanche précédent », à « cinq heures du matin », en « costume d'ébène ». Bien bien bien. Leslie Tomson : un homme en costume d'ébène. Qui, une semaine auparavant, se trouvait sur les lieux où Humbert préméditait de noyer Charlotte. Tiens tiens tiens. Comme c'est intéressant. Et on n'entend plus parler du bonhomme jusqu'à la page 155...

43.2. Accélérons la manœuvre. Cessons de jouer avec le nerf de nos nerfs. C'est page 79 (d'après mes recherches) que le nom de Leslie Tomson apparaît pour la première fois dans le récit. Avec ses nom et prénom dûment mentionnés, ce qui ne se produit plus par la suite, jusqu'à la page 155 ! Comme s'il était, dans le récit, une espèce de clandestin. On comprend mieux que le lecteur ne se souvienne pas vraiment de lui. Et que se passe-t-il page 79 ? Humbert apprend, de façon là aussi subreptice, au détour d'une phrase, que Leslie Tomson a « trouvé une bestiole morte ». Ah oui ? Une bestiole morte ? *Very interesting.* C'est tout pour cette première fois. Mais le revoici, page 118 : Leslie (juste Leslie) est, nous apprend le texte, le « chauffeur-jardinier de la Melle d'En-Face » « Melle d'En-Face » ? *Miss Opposite* dans le texte original. Leslie est son chauffeur ? Voilà qui commence à prendre tournure. L'enquête progresse à grands pas ! Surtout que le voici enfin décrit : « un Noir athlétique et cordial » (« a very amiable and athletic Negro »). Sans blague ! Et le lecteur de se rappeler alors cet « homme à la peau noire et à l'air jovial » qui, *sans être nommé*, page 58, au début du récit, se trouve être le chauffeur qui récupère Humbert à la gare lors de son arrivée dans la ville de Ramsdale pour le conduire au 342, allée des Pelouses au volant d'un « corbillard lugubre », là où l'attend, étendue sur un carré de verdure et se prélassant au soleil, la révélation nymphesque de sa vie ; ultime indice complétant le portrait du sieur Leslie : sur la route qui mène à la pension Haze, il manque d'écraser un chien.

44. En tout et pour tout, d'après mes investigations, Leslie Tomson apparaît quatre fois avant la page 155. Pas une de plus. Et toujours brièvement. Toujours de façon incidente et cependant suggestive, chaque fois macabre. Au point qu'on l'oublie en cours de route. Et pourtant, c'est lui que Nabokov charge d'annoncer à Humbert que Charlotte a été renversée par une voiture et qu'il « doit venir tout de suite ».

44.1. Quatre, comme des petits cailloux laissés exprès en cours de récit et jamais tout à fait au hasard ; quatre, comme les pièces éparpillées d'un puzzle qui, si on les emboîte, révèlent tout à coup une image dans le récit, une image parfaitement nette et reconnaissable, quasiment en relief tellement elle se détache à présent du fond dans lequel elle disparaissait jusque-là, éparse et anonyme ; quatre, comme les mouvements d'un pion sur l'échiquier dont on ne se méfiait pas, avant de s'apercevoir que ce pion va à dame et qu'il va, à lui seul, par la grâce d'une fantastique promotion le transformant en Reine toute-puissante, faire basculer la partie, dévoilant soudain qu'il suivait un plan bien précis, qu'il avait *depuis le début* une idée derrière la tête, *depuis le début* possédait quatre coups d'avance sur tout le monde.

44.1.1. La « défense Tomson ».

44.1.2. Leslie Tomson, comme un cadre de traviole traversant tout le récit.

45. Étrange nom, au demeurant, que celui de Tomson. Il ne ressemble à rien. Thomson attirerait moins l'attention. Alors que Tomson sonne faux. *Tom' son ?* Le fils de l'oncle Tom ? Pour un grand Noir jovial ? Peuh. Je n'y crois pas une seconde. Ce nom cache autre chose. Car Nabokov ne l'a pas choisi au hasard. Pas lui. Mais j'avoue donner ici ma langue au chat (du Cheshire). C'est un secret qui appartient à Nabokov. Qu'il le garde. C'est son droit. Quant à Leslie ? Pourquoi Leslie ? Je ne vois pas non plus. Même après avoir fait des recherches. En m'arrachant ce qu'il me reste de cheveux, je n'ai trouvé que la finale *lie* (mensonge en anglais). Leslie Tomson : l'homme qui ment sur son nom ? Et sur quoi d'autre ?

45.1. Dans Leslie Tomson, ces anagrammes : Lonesome list. Still someone. Lesion motels. Emotion sells. Seminole Slot…

45.1.1. Bof. J'allais dire Slobo.

46. Tu crois que je suis malade ? Gravement atteint ?

46.1. J'aurais aimé pouvoir annoncer, avec la sobriété qui convient aux grands triomphes : savez-vous que le véritable nom de Lewis Carroll, c'est Leslie Tomson ? Mais non. Rien de tel. Chou blanc.

46.2. Si quelqu'un a une idée…

46.3. Un détail, page 155, conforte cependant dans l'idée que Leslie Tomson est un prête-nom, qu'il s'agit d'une fausse identité. Rappelle-toi. Humbert décroche le téléphone qui vient de sonner et, je cite : « C'est Leslie à l'appareil. Leslie Tomson, *dit Leslie Tomson*. » C'est moi qui souligne. Oh la subtile redondance qui permet de dire deux choses à la fois. D'une part, le lecteur comprend : « C'est Leslie Tomson, annonça à l'appareil le dénommé Leslie Tomson » ; mais il peut aussi entendre : C'est [moi] Leslie Tomson, celui qu'on appelle Leslie Tomson, comme Zorro est dit le Renard. Vois-tu le délicieux subterfuge et la vérité qui en découle ? Entends-tu le pseudonyme ? Le masque ? L'alias ?

46.3.1. J'adore ces facéties.

46.3.1.1 Tout ce qui insiste trahit un symptôme.

46.3.1.2. Nos intentions sont nos obsessions.

47. Ce que j'appelle réfléchir, non à ce qu'on lit, mais à ce qui est écrit.

47.1. Si c'est écrit, bien sûr.

47.1.1. Je ne parle pas des livres qui veulent bien qu'on les lise, mais pas au point de lire ce qui est écrit. Je ne parle pas des livres qui se contentent d'être l'image d'un livre.

48. Voilà : je crois avoir magistralement élucidé l'étrange mort de la pauvre Charlotte Humbert, née Haze. Personne ne pourra dire le contraire.

48.1. Comment non ? Relis bien ! Relis tout.

49. Vois-tu maintenant comment la page 155 de *Lolita* et mon histoire de M se raccordent alors qu'elles ne se trouvent pas dans le même plan ?

50. Quand on se retrouve coincé dans une impasse, il faut bien trouver une issue, n'importe laquelle.

50.1. Que crois-tu que les gens résolvent lorsqu'ils jouent à Candy Crush ?

50.2. Tu es toujours là ? Ou je suis seul ?

50.3. Pourrais-tu me faire un signe ? N'importe quel signe. S'il te plaît. Pour dire que je ne parle pas totalement dans le vide.

50.3.1. Comme faire bouger la table sur laquelle j'écris. Que l'ampoule de la lampe de mon bureau se mette à grésiller, d'abord trois fois brièvement, puis trois fois plus longuement, puis de nouveau trois fois brièvement. Que, dans le petit jardin privatif que j'aperçois depuis ma fenêtre, deux bœufs refusent tout net d'avancer, comme à Montégut. Que s'éteigne subitement et irrémédiablement mon ordinateur et qu'on n'en parle plus. N'importe quel signe. Cela m'aiderait.

50.3.1.1. J'attends.

50.3.2. Bien reçu.

50.4. Merci.

Partie XVI

« Le monde s'annonce comme une immense
accumulation de merdes. »
Nicole Caver, *Écrits du frigo, vol. 2*

Niveau 1

Je ne suis pas romancier. Je ne fabrique pas du vrai à partir du faux, je
ne sais pas faire ce genre de truc, aucun talent, je l'avoue. Je le regrette
parfois. Mais je m'ennuie tout de suite si je m'y essaie, je n'y crois pas
moi-même tellement je sais que j'invente tout sur la page – et que tout
soit faux par ma faute : cela m'attriste ; que tout vienne de moi : c'est
trop d'ego, j'allais dire de responsabilités. Question de disposition
d'esprit.

Question de timing aussi : le roman tire, à l'origine, son prestige
d'offrir un moyen d'évasion à l'ennui de vivre dans des temps qui semblaient si lents et cadenassés que rien ne paraissait pouvoir se passer
d'excitant dans l'existence en général et dans la sienne en particulier, ce
qui est beaucoup moins le cas aujourd'hui, où chaque instant réserve
un frisson, une horreur, un scandale, un rebondissement fabuleux,
donnant l'impression qu'il se passe énormément plus de choses dans la
réalité vécue que dans la moindre fiction. Comme disait l'autre (une
femme interviewée le soir des attentats du 13 novembre 2015 à Paris) :
« Qu'est-ce qui se passe ? On va au cinéma et quand on en ressort, tout
a changé. »

Sans compter que les romans sont aussi nés de la nécessité de dissimuler sa pensée dans des époques où, d'une part, dire franchement ce que

l'on pensait pouvait conduire en prison, d'autre part, la morale interdisait qu'on appelle un chat un chat – et ne parlons pas des chattes. Ainsi le roman fut-il longtemps une ruse. Or, ni les mœurs ni la censure n'obligent plus aujourd'hui à déguiser sa pensée – ce serait même plutôt le contraire, la société ayant trouvé plus avantageux de noyer tout propos dans le flot de la liberté de parole (même s'il semble que la censure soit en train de revenir sous sa forme la plus franche et brutale, de sorte que, cette fois, les deux mâchoires du Cerbère pourraient se refermer parfaitement en tenaille, rendant à nouveau *nécessaire* le roman, comme à ses débuts). Question de *plaisir* surtout : j'en ai bien davantage à écrire d'après modèle, sur le motif, d'après mémoire, comme l'homme de Chauvet – et ce plaisir étant véritable, j'ai tendance à y voir l'expression de la vérité.

Il me faut la contrainte du réel pour m'exprimer.

Mais par-dessus tout, je ne suis pas romancier en raison de mon rapport romancé à la réalité (ce qu'on appelle la réalité et que, pour ma part, je considère être une fiction quand, chaque matin, je m'entasse dans le métro de la ligne 12 pour me rendre au boulot ; en ce sens, il m'est impossible d'*opposer* une fiction à une autre que la réalité (ce qu'on appelle la réalité) appellerait roman – oh la maligne !).

Sans compter que j'ai de trop beaux souvenirs des romans de ma jeunesse pour imaginer voir mon nom figurer à côté d'eux sur une étagère : ce serait comme laisser des traces de graisse sur une surface lisse et brillante. Surtout après avoir lu la page 155 de *Lolita*.

Mais je l'ai amèrement regretté cette fameuse nuit où, tel David Vincent cherchant son putain de raccourci que jamais il ne trouva, j'envisageai toutes les options qui s'offraient à moi pour couper court au fiancé de M. Car, narrativement parlant, il n'y aurait pas eu photo, oh non, comme je te l'aurais fait disparaître le fifi, le fian, le cécé, le fiancé de M, abracadabra, d'un ingénieux coup du sort, simplement en faisant basculer mon histoire de M dans la fiction comme si elle n'en était déjà pas une. Œil pour œil. *Zou.*

Mais je ne suis qu'un lecteur des récits des autres (le mien compris) et, mi-rat de laboratoire, mi-rat de bibliothèque, je ne suis que le personnage d'une histoire qui se fait passer pour ma vie et à propos de laquelle je ne sais qu'une chose : j'en suis bien plus le protagoniste que l'auteur. Ce qui est un bien pour un mal : j'ai, de la sorte, quelqu'un à qui parler, un culte à rendre, un mystère auquel me frotter, une brindille à protéger, une mare où cracher, un mur auquel me cogner.

Matière infinie à m'étonner et m'esbaudir et m'éplorer, sans enquiquiner personne (hormis toi). Chanceux fiancé ! J'avais renoncé à lui ôter la vie par l'entremise chromée et carrossée d'un exécuteur kosovar et je devais l'admettre : il n'était pas en mon pouvoir de le gommer du monde des vivants ni de le rayer de ma carte de Tendre, comme s'il n'était qu'un être de papier. Non. J'étais voué au sort des êtres ordinaires, bêtement mortels, recouverts d'à peu près deux mètres carrés de peau et composés à 80 % d'eau, barbotant dans environ 5 litres de sang et n'ayant aucune raison particulière de croire que la Providence pourrait s'intéresser à moi comme à tous ceux qui, à leur misérable niveau individuel, n'ont d'autre choix que de *faire avec,* comme on dit. Faire avec les problèmes de cœur, avec les illusions perdues et les rêves implantés, faire avec les ennuis d'argent, les relations familiales pourries, les caprices de la météo, les embarras du quotidien et le chien des voisins du dessus, faire avec la maladie la sienne ou celle de ses proches, faire avec la mort à venir et faire avec les autres et avec soi-même, faire avec cette société et faire avec ses moyens du bord qui sont vraiment très moyens, oui, faire avec tout, tout le temps, partout. Composer avec la frustration que l'univers nous donne notre chance pour nous la retirer aussi sec et que le monde s'accorde finalement si mal à notre désir (sauf à s'arranger pour n'avoir de désirs que ceux qu'on nous permet d'avoir) – ô la frustration : le seul vrai combat que chacun doit mener en lui-même à mains nues, l'unique bataille immémoriale au niveau individuel de tous, l'affreuse boîte de Pandore qui, tôt ou tard, finit par exploser au visage et déformer les traits et j'en sais quelque chose.

Faire avec le fiancé de M.

Comme il fallait s'y attendre, nul Leslie Tomson ne me téléphona donc ce soir-là pour me prévenir que, coup de bol, stupéfiante nouvelle, le fiancé de M venait là, tout de suite, tandis que j'étais dans mon lit, sans que j'y sois pour quoi que ce soit et que Slobo soit même au courant, de se faire renverser boulevard du Styx, à l'angle de la rue Campagne-Première par une Porsche Boxster, à moins qu'il ne se soit agi d'une Alfa Romeo Spider Duetto de couleur rouge immatriculée « XX 4Z XX » (selon un témoin qui avait tout vu et qui, paraît-il, s'appelait Charon, dit Caron). Et moi de faire semblant de croire au miracle en fermant d'un coup sec le clapet de mon téléphone portable, une fois passé un subtil moment de stupeur plein de délicieux sous-entendus. Mais ce n'est pas Nabokov qui écrit mon histoire. Ce n'est pas non plus Madame de Lafayette, qui a la bonne idée de faire mourir de jalousie Monsieur de Clèves et, par ce grand malheur, de lever le grand obstacle qui empêchait Madame de Clèves de se donner à Monsieur de Nemours, sauf que cette princesse cachait derrière son rôle d'épouse vertueuse des raisons plus tortueuses de se refuser à l'amour et j'aurais aimé savoir si M était aussi dans ce cas. Mais je ne le saurai jamais. C'est quelqu'un d'autre qui écrit mon histoire de M (si c'est quelqu'un). Quelqu'un de moindre talent et qui m'est beaucoup moins favorable, même s'il n'est pas dénué d'imagination.

Faire avec le fiancé de M.

Niveau 2

Relisant (à mes risques et périls) les cinq, dix, cent pages (tant que cela !) qui précèdent, je me rappelle maintenant où je voulais en venir avant de faire cette parenthèse *lolitesque* – et encore, tu ne sais pas tout ce que j'ai renoncé à t'infliger ! Je voulais en venir à la lettre de rupture que le dimanche 28 novembre 2004 j'écrivis à M et aux raisons pour lesquelles je l'écrivis. Raisons dont certaines ne figurent pas dans ma lettre et, par exemple, je ne me voyais pas révéler à M que j'avais très sérieusement projeté d'assassiner son fiancé. Tandis que d'autres raisons sont juste esquissées, à peine formulées, comme glissées en douce, volontairement minorées, alors que, de mon point de vue, à mon niveau individuel, elles m'apparaissaient déterminantes. Elles étaient à l'origine de ma décision de rompre et de me sauver de cette histoire de M, de me sauver à toutes jambes.

Par exemple : j'étais persuadé que M se faisait une gloire de me résister et, depuis des jours, des semaines et des mois, qu'elle s'enorgueillissait en son for de triompher, non de moi, mais d'elle-même. Comme elle était forte de me résister ! Comme sa volonté était inflexible ! Quel empire sur elle-même et quelle affirmation de sa personnalité sans que, pour une fois, le prestige de sa famille lui vole ses efforts pour exister ! Voilà ce qu'elle devait se dire, j'étais prêt à en prendre le pari. Elle n'en finissait pas de triompher de la *tentation* et de vaincre le démon qui la tourmentait à travers moi et, à elle-même, de se démontrer qu'elle avait du caractère. En ces mois fastueux, c'est un terrible combat contre les forces gravitationnelles du désir qu'elle livrait et plus dur était ce combat, plus brûlant le brasier, plus significative devait lui apparaître sa résistance et n'en avoir que plus de prix à ses yeux et ce sentiment de victoire sur elle-même, cette sensation de garder malgré tout le contrôle, cet orgueil-là : je n'étais pas de taille à lutter. Il était un ennemi de l'intérieur que je n'avais aucun moyen de combattre et encore moins de vaincre. Il était l'ennemi qui avait pour lui *l'image* que M voulait avoir d'elle-même. Il avait pour lui la peur d'aimer et tous les contre-instincts intériorisés de M liguées contre moi. Plutôt des regrets que des remords : tel devait être son *calcul*. À l'inconfort de la trahison, mieux valait le confort de la servitude et sacrifier ses sentiments à sa tranquillité d'esprit, ne pas faire souffrir son entourage plutôt que d'accéder à son propre désir : je l'imaginais très bien débattre intérieurement en ce sens. Je l'entendais tourner sept fois ce genre de raisonnement dans le silence de ses regards qui, lorsque nous étions ensemble, s'égaraient soudain dans un flou lointain qui me la rendait alors douloureusement inaccessible. Dans son histoire de G, je ne pesais finalement pas lourd. J'étais un prête-nom. L'enjeu qui était le sien me dépassait de la tête et des épaules. Contrairement à ce que j'avais longtemps cru, je n'étais pas l'un des plateaux de sa balance dont j'espérais qu'il penchât en ma faveur : j'en étais le fléau. Tout se passait entre elle et elle. Entre deux voies dont il lui fallait choisir laquelle prendre. Ce qui s'appelle peser le pour et le contre. Ce qui s'appelle *gérer*. Mais raisonner ainsi ne pouvait que m'être défavorable. Mon sort était scellé si elle prenait une décision rationnelle. Je n'en doutais pas une seconde. Ce pourquoi je préférais prendre les devants, en finir avec cette mascarade, me sauver le plus loin possible, le plus vite possible. M'arracher moi-même le cœur.

Sans compter, songeais-je avec aigreur, que M apporterait ainsi à son fiancé une preuve irréfutable de son amour. Oh oui, dans la corbeille de mariage, elle apporterait ma tête, avec un brin de persil dans les naseaux. Elle apporterait le *sacrifice d'elle-même*, dont je serais à la fois la victime et la preuve. Son fiancé ne le saurait jamais, mais elle saurait ce qu'elle avait accompli toute seule, dans son coin, dans son dos, avec ses forces les siennes, pour le bien de leur couple, pour son édification en béton armé, comme toutes les sociétés humaines se fondent sur le sacrifice d'un *innocent*. Comme la Mafia, lorsqu'elle prit pied en Amérique, coulait un cadavre dans les fondations des gratte-ciel afin de sanctifier l'édification de cette grande nation. Comme le pacte germano-soviétique de 1939 contenait un « protocole secret » qui prévoyait le dépeçage de la Pologne et c'était moi la Pologne. Mon dépeçage était son apport personnel, sa contribution secrète pour une union longue et heureuse et son fiancé ne le saurait jamais. Il ne devrait jamais savoir. Ce serait son secret bien au chaud, tout à elle, tout au fond. Ce serait sa gloire intime, son regret chéri, son tournant décisif.

Ce serait son crime fondateur. Ce serait SON CHOIX. Sur mon cadavre (qui serait le cadavre de l'amour lui-même), elle bâtirait un avenir. Elle construirait sa maison. Elle se ferait une raison. Elle s'inventerait une vertu, avec la vespérale culpabilité qui va avec. Elle saurait pourquoi elle se mariait, ô combien, et elle connaîtrait la valeur exacte de son couple, ô combien. Ce qu'il lui aurait coûté (le rêve d'une autre vie, d'un amour qui aurait été le sien). Je n'avais aucun doute que M nourrissait de telles pensées, même si elle ne se les formulait probablement pas aussi clairement, oui, je l'imaginais très bien transformer sa lâcheté en héroïsme. Ce que moi j'ai toujours appelé sa lâcheté. M comme Desperate Housewives. J'y voyais clair à présent. M ne m'avait pas aimé par hasard, mais pour enterrer sa vie de jeune fille. Pour se convaincre elle-même qu'elle devait se marier. Pour sauter le pas. J'y voyais clair à présent. Et plus M m'aimait, plus son sacrifice prenait de sens, plus il sanctifierait son engagement et je comprenais trop bien quel rôle je jouais en définitive dans sa partie. À quel rituel elle me destinait depuis le début, sans l'avoir prémédité et pourtant le sachant depuis le début. M'ayant choisi depuis le début pour jouer dans son histoire de mariage le plus beau des mauvais rôles afin que, vers l'autel dissimulant sous une nappe bénie mon cercueil, elle puisse avancer au bras de son père, radieuse dans sa robe blanche, le front haut et les joues roses d'émotion. Oui, j'étais son bouc émissaire, j'étais celui que l'on pouvait sacrifier sans craindre qu'il exerce des représailles selon la définition girardienne du bouc émissaire, pour, devant dieu et devant les hommes, qu'elle dise oui à un type qui lui avait déclaré (*comment dire ?*),

qui l'avait informée (*tu es assise ?*),

qui lui avait fait passer le message (*mieux vaut éloigner les enfants et les âmes sensibles*),

qui l'avait prévenue (*cela ne me plaît pas du tout de parler de ça*),

qui l'avait avertie (*tu ne pourras pas dire que je ne t'ai pas prévenue*),

qui l'avait pour ainsi dire menacée (*je te promets que je n'invente rien*) et même carrément mise en demeure (*je suis incapable d'inventer un truc pareil*),

je cite :

« Tu ne peux pas me quitter car tes parents m'aiment trop. »

Textuel.

Vlan !

Veux-tu que le répète ? (*La vie est tout de même formidable !*)

Son fiancé lui avait dit qu'elle ne pouvait pas le quitter parce que ses *parents* à elle l'aimaient trop *lui*.

Sans blague.

Sans déconner.

Tu le crois ?

L'était sacrément culotté, le fiancé. Vraiment féroce en affaires. Il ne doutait de rien. Il savait parler aux filles. Il ne manquait pas d'arguments massue.

Comme c'était laid.

C'était lui mon rival ?

Lui que M voulait épouser ?

Lui qui osait l'épouser ?

Lui dont j'avais projeté l'assassinat ?

Lui qu'elle me préférait ?

Pour lui que j'avais été si proche de trahir tous mes principes et risquer de me retrouver coincé dans les douches avec une espèce d'anthropoïde s'avançant vers moi en m'appelant suavement sa petite chatte ?

Mazette !

Comme on se fait stupidement une haute opinion des gens.

Comme on s'en fait une montagne.

Niveau 3

Tu ne peux pas me quitter parce que tes parents m'aiment trop.

Je t'avais dit, (c'était quelle page ? Pfff…) qu'il y a des mots d'auteur qui, d'un claquement de langue, ruinent toute leur œuvre en l'éclairant soudain d'une lumière rasante. Certains mots font tache *et on les laisse tout entacher*. Je te l'avais bien dit et, sur l'instant, j'avais failli pouffer nerveusement tandis que M faisait la grimace. Bien sûr faisait-elle la grimace tandis que, encore sous le coup de l'argument massue que lui avait asséné deux ou trois jours plus tôt son fiancé, ne sachant en définitive comment réagir, si elle devait en rire ou en pleurer (c'était tout de même son fiancé), elle n'avait pu s'empêcher de se confier et, pendant quelques secondes, il me sembla que je triomphai.

Je sentis en elle une vraie colère, qui venait de très loin, qui n'était pas seulement dirigée contre ce que son fiancé lui avait dit de si blessant : elle était dirigée contre elle, elle était dirigée contre toute son existence.

Qu'elle s'ouvrît à moi d'une chose qui concernait l'intimité de leur couple m'apparut immédiatement le signe qu'elle se rangeait enfin de mon côté.

Je songeai (avec une joie mauvaise que je dissimulais cependant et sûrement avais-je à cet instant une drôle de tête) que son fiancé venait de commettre une erreur monumentale, une gaffe fantastique, une incroyable bévue, oui, il venait de trahir ses *véritables intentions* et, pour tout dire, il avait commis une faute, *je l'avais poussé à la faute* et patatras, badaboum, il était tombé à l'eau, il s'était sabordé, il s'était fait harakiri. C'était irréparable ! Il avait dit ce qu'il n'aurait jamais dû dire. Il avait avancé le pire argument qui soit pour convaincre non seulement M, mais n'importe quelle femme de se marier avec lui, oh le malheureux garçon, oh le déplorable fiancé, j'en avais presque mal pour lui, je dis bien presque. Mais quoi ! Miser sur ses parents à elle ne pouvait en aucune façon plaider en sa faveur à lui et, au contraire, cela ne pouvait (selon moi) qu'inciter M à quitter un homme aussi palpitant, youpi, cela ne pouvait que la révulser et la dégoûter et, au minimum, la décevoir et la dépiter et particulièrement en un moment où elle se posait toutes sortes de questions sur elle et sur lui et sur leur couple et, oui oui oui, cette petite phrase, à elle seule, allait faire basculer mon histoire de M dans un sens qui m'était enfin favorable, jubilais-je en mon for (même si, d'un autre côté, j'aurais largement préféré que M, si elle devait me choisir, me choisisse pour qui j'étais et non pour qui était son fiancé).

Finalement, pas la peine de Slobo !

Tout s'arrangeait comme dans un roman de Nabokov : par un sublime coup du sort.

Comme dit l'autre (Lao Tseu ?), assieds-toi au bord de la rivière et tu verras passer le cadavre de ton ennemi.

Par parenthèse, M avait donc menacé de *le* quitter ? Ils avaient abordé le *sujet* ? Ils avaient parlé de *moi* ? Ils avaient évoqué la possibilité qu'elle *rompe* leurs fiançailles et adieu le mariage, le maire, le curé, le *voyage de noces* ? Première nouvelle ! Magnifique nouvelle ! Était-ce lui qui avait senti qu'elle commençait à lui glisser entre les doigts et qui l'avait forcée à se mettre à table ? Ou elle qui, n'y tenant plus, avait pris le risque de faire éclater la vérité ? Mystère. Je ne le saurai jamais, je n'avais pas posé la question sur l'instant, je n'en avais pas eu le temps ni l'occasion ; mais il semblait que j'étais finalement plus proche de voir mes rêves se réaliser que je n'avais osé l'espérer jusqu'ici, oui, voici que je sortais soudain de l'anonymat s'ils en étaient à envisager une séparation (*oh le doux mot !*), voici que j'existais enfin au grand jour et que j'existais maintenant pour lui aussi et c'était inespéré, c'était un premier pas vers la lumière quoi qu'elle puisse éclairer et, en tous les cas, j'étais loin de me douter que M travaillait de son côté à briser ses chaînes (ce que j'ai toujours considéré être ses chaînes). C'était une divine surprise. Cette fille était formidable. Elle avait un courage du tonnerre. Elle m'aimait donc *à ce point ?* Fermer la parenthèse.

Nouvelle parenthèse : il me faut préciser ici, car je ne crois pas l'avoir fait, qu'il existait entre M et moi un accord tacite pour ne *jamais* parler de son fiancé et jusqu'à ce que celui-ci sorte de sa manche son fameux argument massue, elle s'était montrée devant moi d'une loyauté et d'une discrétion sans faille à son endroit (ce que j'appréciais hautement, comme une vertu cardinale chez elle). Ainsi ne savais-je pas où elle en était avec lui ni ce qui se passait dans leur intimité. L'épaisseur du silence qui s'était installé dans leur couple. Ce dont ils discutaient lorsqu'ils se retrouvaient ensemble. L'ambiance qui régnait entre eux le matin, le midi, le soir et chaque nuit. S'ils faisaient encore l'amour (beurk). Les excuses qu'elle lui servait après l'une ou l'autre de ses escapades avec moi, j'allais dire incartades, oui, tous ces non-dits et cachotteries dont je ne voulais rien savoir, auxquels je ne voulais même pas songer, mais qui, en plus de faire le sel de la vie de couple (à quoi bon avoir des secrets s'il n'y a personne à qui les dissimuler, une fois que nos parents ont cessé de jouer ce rôle ?), devaient forcément s'accumuler entre eux depuis que j'avais fait irruption dans sa vie et charger l'air qu'ils respiraient de givre, les murs de moisissures, jusqu'à faire cloquer le papier peint de leur existence et devenir si perceptibles et gluants qu'il n'était probablement plus possible de faire comme si de rien n'était ni de nier l'évidence – à savoir qu'ils avaient un *problème* et qu'ils devaient en parler, allô Houston ! Ils devaient, oui, cesser de se mentir, allez, un peu de courage les tourtereaux, ils devaient prendre le taureau par les cornes et regarder la vérité en face, affronter le fait que leur couple était *en crise* et qu'il battait furieusement de l'aile, oui, ils devaient se rendre à l'évidence que leur histoire ne ressemblait strictement plus à rien et qu'elle était devenue un pur et simple simulacre, une coquille vide, une peau de chagrin, une honte, une bouse, une fiente, un *coprolithe*, et, sans vouloir m'avancer ni avoir l'air de pousser à la roue, sans paraître me mêler de ce qui ne me regardait pas et encore moins me réjouir ouvertement de ce qui leur arrivait, bien sûr que non, jamais de la vie, la main sur le cœur, je disais ça pour leur bien, je disais juste qu'il était urgent qu'ils parlent ensemble et parlent sérieusement, fassent honnêtement le point tous les deux et mettent tout à plat, discutent en toute franchise de ce qu'ils désiraient véritablement et attendaient véritablement l'un et l'autre avant de s'engager pour la vie et... tout cela grâce à moi, eh oui, hélas. Car telle était évidemment ma fonction dans leur histoire : secouer leur petit cocotier d'amour pour qu'ils se rapprochent ou s'écartent l'un de l'autre, éprouvent la solidité de leurs liens et ressentent le frisson que tout puisse s'écrouler et que tous deux sachent une bonne fois pour toutes, à quelques mois de se jurer solennellement fidélité et de faire deux ou trois gosses dans la foulée, s'ils devaient entrer main dans la main dans le royaume éblouissant de la certitude ou abandonner chacun de son côté toute espérance commune.

Fermer la parenthèse.

Niveau 4

« Trop de choses m'échappent finalement. Trop de choses démoralisantes. » C'est ce que j'écrivis dans ma lettre à M et ce n'était rien de l'écrire. Ce ne fut pas rien de constater que M *pardonna finalement à son fiancé* et on croit rêver ! J'en fais encore des CAUCHEMARS. La liberté, disait l'autre (Sartre), c'est « ce petit mouvement qui fait d'un être totalement conditionné quelqu'un qui ne restitue pas la totalité de son conditionnement » et veux-tu que je répète ? Car nous sommes tous totalement conditionnés. De A jusqu'à Z. Socialement et génétiquement et historiquement et psychologiquement et tutti quanti. Qui l'ignore, à part tout le monde ? Qui y songe *pour lui-même* ? Parce que nous sommes tous différents, nous pensons que nous ne sommes pas si déterminés que cela ; nous imaginons échapper au concept de conditionnement et nous nous croyons uniques, nous épargnant ainsi l'humiliation de nous voir comme des pantins. Mais au vrai, ce sont nos déterminismes qui sont spécifiques : pour chacun, ils dépendent d'une infinité de petites variations qui, au bout du compte, nous rendent particuliers ; mais ce sont eux, et pas nous, qui font la différence. Le jour de notre naissance n'est pas le jour de *notre* naissance. Tout le contraire ! Sauf à faire ce « petit mouvement » dont parle Sartre, ce qui est plus facile à dire qu'à faire, je l'admets. De quelle nature est ce « petit mouvement » ? Les débats sont ouverts. En attendant, j'étais certain que M pouvait y arriver. Précisément parce qu'elle m'avait rencontré. Parce qu'elle m'aimait et qu'elle n'aurait pas dû ! J'y croyais mordicus. J'y croyais depuis notre toute première rencontre dans mon bureau et, merveilleuse galaxie me faisant face, tout ce qu'elle m'avait dit dans le jour déclinant, tandis que son aura faisait lever une nouvelle aube dans mon cœur. Quand bien même les galaxies se repoussent les unes les autres en raison du vide extragalactique (dit « répulseur dipolaire ») qui se trouve entre elles, j'y croyais encore plus depuis le Miracle de la rue Tronchet. Et même après qu'elle était venue chez moi. Il lui suffisait seulement. Trois fois rien qui changerait tout. Juste un tout petit mouvement. Juste ne pas restituer la *totalité* de son conditionnement. Je ne lui en demandais pas davantage. Je ne lui demandais pas la lune. Je ne lui demandais pas de renier sa famille ni de renier l'être que son milieu avait fabriqué et qui, je devais l'admettre, me plaisait d'une façon ou d'une autre puisqu'elle m'avait tapé dans l'œil ; mais enfin, il manquait ce petit mouvement pour que, ne restituant que la meilleure partie de son conditionnement et renonçant à l'autre, elle puisse venir librement vers moi et ce n'était pas si compliqué. C'était à sa portée. Elle pouvait devenir une *personne*.

Ainsi fut-ce atroce, à mon niveau individuel des choses, oui, atroce, cet acronyme de la folie, de m'apercevoir que M considérait finalement le fameux argument massue que son fiancé lui avait asséné sur la tête comme une espèce de maladresse plus touchante que méprisable. Qu'elle y voyait l'aveu fébrile de sa peur de la perdre. Y voyait une tentative désespérée de la retenir. Y voyait la preuve paniquée de son amour éperdu et je ne sais quoi encore.

Que voulait-elle réellement ?

Que veut une femme ?

Ah ah ah.

Peu importait ce qu'elle voyait, voulait ou ne voulait pas ! Je hochais la tête en l'écoutant. Je découvrais tout à coup le tableau dans son intégralité comme si j'y étais. Comme, au poker, une main qui semblait gagnante se fait laminer à la dernière minute par une foutue carte donnant indûment à l'adversaire un jeu gagnant. J'avais pigé. Conditionnée elle était, conditionnée totalement elle resterait. Elle ne ferait pas ce « petit mouvement » que j'espérais tant qu'elle fît. Je n'avais pas besoin qu'elle me fasse un dessin. J'ai toujours détesté qu'on me fasse un dessin (sauf à la fin d'un dîner arrosé). C'était clair comme de l'eau de roche. À mon niveau individuel de conception sartrienne de la liberté, je recevais le message cinq sur cinq. L'argument avancé par son fiancé était un argument qu'elle *comprenait*, un argument *à sa portée*, un argument qui faisait partie de son *monde* et qu'elle aurait pu sortir de sa manche si elle avait été à sa place, un argument qui, en raison de sa misère même et du conditionnement qu'il restituait totalement, *l'attendrissait* et qui, en sous-main, lui *profitait*.

Car bien sûr cet argument lui profitait-il, en plus de l'attendrir. Pour détestable qu'il fût et, je précise, détestable non seulement à mes yeux mais objectivement détestable, il lui donnait en sous-main une espèce d'avantage sur son fiancé, *il renversait complètement l'équilibre des forces entre eux*, comme si elle venait de tirer une carte maîtresse dont elle pouvait désormais se servir à tout moment contre son fiancé, quand bon lui semblerait, que ce soit pour le rappeler à l'ordre ou le tenir fermement en laisse ou simplement pour couper court à n'importe quel reproche qu'il pourrait dorénavant lui faire, simplement en faisant tournoyer au-dessus de sa tête l'épée de Damoclès qu'il avait lui-même forgée et mise entre ses mains, oui, jamais il ne pourrait oublier qu'il avait osé dire qu'elle ne pouvait pas le quitter parce que ses parents l'aimaient trop et toujours il sentirait dans son regard à elle l'éclat de sa honte à lui, même quand elle dormirait il connaîtrait le poids de sa faute et, à l'instar de tant de femmes qui ont la mémoire tenace, de tant de femmes dépitées de se voir encore une fois bafouées, j'imaginais très bien M s'emparer du bon côté du manche que lui avait tendu son fiancé et, fût-il plein d'échardes, ne plus lâcher prise. Je l'imaginais ne pas rater l'occasion d'avoir un si bel os à ronger et se trouver parfaitement à l'aise dans son nouveau rôle de Dame Justice qui est le rôle que nombre de femmes, en désespoir de cause, endossent le plus facilement. Selon moi, le pauvre garçon n'avait pas fini de ravaler ses paroles. Il n'avait pas fini de se les mordre. Il avait grillé son joker et *il allait sentir le fouet*, il allait devoir *réparer*. Se faire tout petit et se tenir à carreau et donner gage sur gage pour remonter la pente aux yeux de M et cela pourrait prendre des années tellement les intérêts de son discrédit allaient courir et, paradoxalement, voilà qui pouvait sceller durablement leur couple car c'est un lien d'autant plus solide qu'il est vicieux que celui qui unit le débiteur à son créditeur et tant de couples semblent à cette image. Je connais énormément de couples qui ne tiennent que parce qu'ils se tiennent par la barbichette et jouent à qui perd gagne. Parce qu'au lieu de jouer au docteur, ils jouent au Monopoly. Enfin bref. Qu'en penses-tu ? Qu'aurais-tu fait à ma place ? Me trompai-je en interprétant dans un certain sens une situation que M et son fiancé interprétaient assurément dans un tout autre sens ? C'est possible. Je ne sais pas. Oh M ! Pourquoi m'as-tu abandonné ? Je ne sais pas. Toute cette situation m'apparut, dans ses causes comme dans ses conséquences, d'une laideur absolue. Je me sentais comme l'autre (Dante) qui, au Chant I de l'*Enfer*, « perdit l'espoir de la hauteur ». J'en étais malade que M semblât avoir soudain *moins* de raisons de quitter son fiancé maintenant que – quoi ? Qui se ressemble s'assemble ? Que pouvais-je faire contre un dicton ?

Plus tard, j'avais songé à l'argument massue que lui avait asséné son fiancé : il était peut-être comme la morsure de Dracula. Il était peut-être *sa* morsure de Dracula. Ce moment où le monstre, dévoilant ses dents ignobles et sa véritable nature, les plantait cruellement dans le cou de sa victime. Moment où il buvait son sang et prenait possession de son âme ! Moment sacramentel de l'amour, avait cru M lorsqu'elle avait onze ans. À son niveau individuel des choses qui avaient enflammé son imagination de jeune fille de bonne famille, M avait peut-être ressenti un frisson d'horreur se confondant à cet instant en pur délice. Peut-être avait-elle trouvé dans son fiancé le vampire qu'elle cherchait depuis l'âge de onze ans, lorsqu'elle se rêvait proie sacrificielle de « l'homme de la nuit ». Lorsqu'elle se croyait la promise du monstre et voulait si fort le devenir. Et voici qu'elle touchait au but. Voici que les conditions étaient réunies pour qu'elle réalise son rêve enfoui. Voici qu'elle n'était pas seulement une fiancée lambda, non, elle était la fiancée de Dracula. Hourra ! Elle avait enfin senti les dents ignobles la mordre au cœur et la transformer en goule. Elle avait vu le véritable visage de l'Empaleur. Elle pouvait se raconter cette histoire. Elle se la racontait peut-être, tout au fond d'elle, sans le savoir, dans ce moment bizarre où, sur un détail, nous nous débrouillons pour que la réalité coïncide avec nos attentes les plus secrètes et inavouables. J'en sais quelque chose. Auquel cas, que pouvais-je faire contre un fantasme inscrit dans les fibres ?

Toute femme cherche son vampire, aurait pu écrire M.

Que je me raconte des histoires ou pas, le fait demeure : c'est à cet instant précis que j'avais décidé de quitter M. De m'enfuir à toutes jambes. De me sauver de cette histoire de M comme misère. Ce jour-là, sa volonté brisa la mienne. Tant va la cruche à l'eau et c'était la goutte de trop. Notre histoire, que j'entrevoyais comme une sublime justification de nos deux existences, voici qu'elle justifiait la négation même de l'amour. Voici que, sur une question que je n'hésite pas à dire esthétique, nous avions une vision du monde non seulement différente, mais hostile et irréconciliable. J'avais pu tout supporter jusqu'à présent, tout encaisser, son monde si éloigné du mien, ses peurs et ses dérobades, ses rebuffades, ses trous de balle dans mon mur et ses morsures jusqu'à l'os et j'en passe de plus croquignoles ; oui, comme tout hétérosexuel middle class de sexe masculin, je savais depuis ma maman, et peut-être même avant elle, que tout homme doit composer avec l'idiotie des femmes, ce que les hommes considèrent être l'idiotie des femmes, comme celles-ci savent qu'elles doivent composer avec la stupidité des hommes, ce qu'elles considèrent être la stupidité des hommes et les uns et les autres ont beau avoir raison, dixit Diderot, j'avais, là, tout de suite, avec Figaro, envie de m'écrier : « Ô femme ! femme ! femme ! Créature faible et décevante. »

Que voulait-elle réellement ?

Connaissait-elle la série télévisée Happy Days ?

Avait-elle vu l'épisode 3 de la saison 5, diffusé en 1977 ?

Quel dommage !

Car dans cet épisode, on voit Fonzie faire du ski nautique.

FONZIE !

Fonzie himself.

Fonzie faisant du ski nautique. Eh oui ! Mais vêtu d'un petit slip de bain bleu ciel et, pour le haut, de son inamovible blouson noir. Eh quoi ! Il s'agit de Fonzie ! Faut pas plaisanter avec le look. Surtout qu'il doit exécuter un super saut à ski nautique par-dessus un bassin dans lequel nage un énorme requin blanc manifestement assoiffé de sang. Waouh ! Que Fonzie tombe et ce sera l'horreur. Ce sera une boucherie. Sur la plage, la foule retient son souffle. La tension est à son comble. Mais... Hourra ! Fonzie a réussi à sauter par-dessus le requin. Hourra ! Quel talent ce Fonzie !

Lorsque les téléspectateurs virent cette scène, ils réalisèrent soudain que la série avait beaucoup perdu en crédibilité. Ils en prirent conscience *à cet instant précis.*

Ce qui a donné lieu à une expression : « Jumping the shark » (« sauter le requin »). Elle décrit le moment exact où une œuvre (télévisuelle ou autre) bascule dans le grotesque et *entame son déclin.* Où un artiste se saborde en direct en visant le succès le plus large. Où il cesse d'être crédible. Rentre dans le rang et, sous les acclamations de la foule, passe à l'ennemi. Ne se respecte plus lui-même. Déchoit. Se met lui aussi à prendre les gens pour des cons. Devient purement commercial.

Pour le haut, il garde son beau costume mais, pour le bas, il est maintenant en slip.

Par exemple, le film Paris, Texas de Wim Wenders. Let's dance de Bowie. L'album Unplugged de Nirvana, fomenté par MTV.

Alors que Bob Dylan passant du folk à l'électricité : rien à voir avec un « jumping the shark ».

Il ne faut pas tout confondre.

Par exemple M.

À cet instant précis.

Je me fiche bien de Fonzie ; mais pas d'avoir vu M « sauter le requin ». Pas de l'avoir vue en slip et, pour le haut, elle semblait encore elle-même. Pas de l'avoir vue, de mes yeux vue, entamer son déclin, là, devant moi, sous les acclamations de la foule.

Et ce fut irrémédiable.

Niveau 5

Récemment, j'ai rencontré dans un bar la fille qui joue dans la pub de La Française des jeux. La brune châtain plus toute jeune à lunettes. Celle qui doit enregistrer tous les rêves des gagnants à My Million (« D'abord les rêves de voitures, maisons, bateaux ; tout ce qui vole, faudra patienter ») et, à la fin, elle peste tout bas qu'elle n'est pas sortie de l'auberge, elle bougonne qu'elle n'est pas près de rentrer chez elle.

Dans ce bar, elle prenait un verre incognito, mais je l'avais reconnue. C'était bien elle. Aucun doute. Elle semblait d'ailleurs fourbue. Complètement lessivée. Elle sortait à l'évidence du boulot et elle en avait sa claque d'avoir enregistré toute la sainte journée les rêves millionnaires des autres, pour un salaire de fonctionnaire que j'imaginais volontiers chiche. Plutôt que de rentrer directement chez elle comme elle le prétendait dans la pub, elle avait décidé d'aller s'en jeter un ou deux derrière la cravate, histoire d'oublier les pauvres rêves des gens qui deviennent brusquement riches et de se concentrer sur les siens, à tout le moins se détendre et prendre un peu de bon temps, comme en témoignaient ses deux pieds nus gainés de nylon qu'elle massait discrètement l'un contre l'autre sous son tabouret, tandis que ses escarpins (assortis à son tailleur vert émeraude) gisaient par terre. Entre nous, une soucoupe de chips fit rapidement le lien, à la faveur de la lumière tamisée qui enrobe tout de mystère. Mais qu'elle se rassure. Je n'avais aucun rêve à faire enregistrer, elle n'avait rien à craindre de moi, aucun souci, il était trop tard en ce qui me concernait pour les rêves. Qu'elle veuille se faire passer pour une fille ordinaire qui prenait tranquillement un verre dans un bar m'allait très bien. Ce n'était pas moi qui allais l'enfermer dans son rôle de fonctionnaire jouant les fées. J'en avais fini avec ces conneries. Comme ne dira jamais un personnage de notre époque : « J'ai tellement vécu que je suis persuadé que je vais mourir. »

Plus tard, je me rappelle avoir raconté à cette Française des jeux que j'avais assisté un jour à une scène conjugale qui m'avait fait réfléchir. Cela se passait un dimanche, à l'heure du déjeuner. Installé à la table de la salle à manger, le mari lisait le journal tandis que sa femme, dans la cuisine toute proche, préparait le repas. Sans presque lever les yeux de la page des sports, le mari avait demandé ce que sa chérie d'amour leur cuisinait de bon. Des endives braisées, avait répondu la femme en se penchant un peu pour que sa voix porte jusqu'à la salle à manger. À ces mots, le mari avait fait la grimace. Des endives ? Beurk. Caca, avait-il marmonné. Mais c'est immonde les endives, avait-il haussé la voix. Quelle idée de faire des endives ! avait-il protesté. Et un dimanche par-dessus le marché. Le jour du seigneur ! Alors qu'il faisait si beau ! Merde alors, avait-il gémi. Il était tout à fait dépité que sa femme leur cuisine des ENDIVES ! Rien que le mot lui donnait envie de vomir. On aurait une anagramme. Ça lui gâchait son dimanche. Déjà que son équipe avait perdu la veille au soir 3 à 0. Bon dieu, il n'avait pas du tout envie de manger des endives. Pas ça. Pas des ENDIVES ! Ah non. Merde, avait-il repris à haute voix, sans plus cacher son dépit. Tu pouvais pas avoir une meilleure idée ? Qu'est-ce qui t'a pris, chérie ? Des fois, j'te jure, on croirait que t'as rien dans le crâne. Des endives ! Mais tu sais bien que je DÉTESTE les endives ! Tu l'as fait exprès ou quoi ? J'te jure, quelle grosse conne tu fais des fois. À ces mots, la femme avait bondi. Quoi ? Grosse conne ? Elle avait bien entendu ? C'est ce qu'il venait de dire ? Il n'allait pas bien dans sa tête ou quoi ? C'est comme ça qu'il lui parlait maintenant ? Il se croyait où ? Il croyait parler à qui ? Ce n'était vraiment pas gentil de sa part ! Conscient d'avoir dépassé les bornes, le mari avait tenté de rattraper le coup. Il s'était mis à rigoler, comme se mettent à rigoler les hommes lorsqu'ils sont pris en faute et ce n'est jamais joli à voir. D'un ton apaisant, il lui avait assuré qu'il plaisantait. Elle ne devait pas prendre la mouche. Allons, chérie, ce n'était pas ça qu'il voulait dire. Les mots avaient dépassé sa pensée. Allons, il l'avait traitée de grosse conne comme il aurait dit autre chose. C'était *affectueux* dans sa bouche. Elle le savait bien. Ce n'était pas du tout une insulte. Qu'allait-elle imaginer ? C'était sa façon à lui de lui dire qu'il l'aimait – et, dans la cuisine, la femme avait lâché ses casseroles. Sa façon à lui de lui dire qu'il l'aimait ? Ah oui ? Grosse conne ? Elle avait passé une tête furieuse dans la salle à manger pour s'adresser directement à lui. Eh bien, s'il voulait le savoir, elle préférait qu'il lui dise qu'il l'aimait plutôt que de la traiter de grosse conne. Elle préférait largement. Puisque ça voulait dire la même chose, autant qu'il lui dise qu'il l'aimait. Ah ça oui. Ce serait mieux que de la traiter de grosse conne ! Et comment ! Il pigeait le truc ? Lui, le mari, il avait hoché la tête. Il s'était replongé dans la page des sports et, sans regarder sa femme qui était retournée furibarde en cuisine, il avait dit d'une voix badine qu'il comprenait, oui, il voyait ce qu'elle voulait dire. Sauf que lui, plutôt que de dire qu'il l'aimait, il préférait quand même dire « grosse conne ». C'était sa façon de parler. Dans quelle langue devait-il le lui dire ?

C'est toujours une question de qui *préfère* quoi.

Avais-je dit à miss Française des jeux. Laquelle m'avait rétorqué qu'elle ne voyait pas le rapport avec mon histoire de M.

Aucun, avais-je souri.

C'était histoire de causer un peu. Façon d'exprimer ma façon de penser et de recracher dans ce bar la pilule que M avait voulu que j'avale. D'expliquer qu'entre elle et moi, le problème dépassait cette fois le simple écart de langage, aussi désastreux fût-il. Cette fois, pareille divergence d'appréciation, pareille incompatibilité de fond, pareille – quoi ? Je n'avais pas de mots pour expliquer. Justifier. Pourquoi je me sentais tellement en colère. Dépité. Si hargneux et désespéré tout à coup. Alors que je l'avais déjà surprise dire ou faire des choses qui heurtaient de front, soit ma sensibilité, soit ma conception du monde, sans pour autant lui en tenir une seule fois rigueur et, au contraire, j'y voyais plutôt une sorte de chemin de croix conduisant joyeusement vers elle.

Pas cette fois.

Cette fois, la vérité éclatait. Cette fois, j'avais le sentiment d'avoir atteint mes limites, j'avais le sentiment d'une trahison, oui, une trahison, ce mot-là, au point qu'il m'avait semblé que M s'effondrait littéralement devant moi, comme s'effondrent sur elles-mêmes les étoiles mortes. Impression fugace, mais persistante. Lancinante. Mortelle. J'avais vu, je venais de découvrir, quand bien même il était peut-être sous mon nez depuis le début, un aspect de sa personnalité qui, pour la première fois, me déplaisait et me déplaisait souverainement, me déplaisait foncièrement, semblait même irrémédiable et avec lequel je n'étais pas prêt à pactiser, avec lequel je ne *voulais* pas pactiser. C'était au-delà de mes forces. Comme si M m'avait soudain révélé sa minuscule tache de naissance sur la peau de Catherine Deneuve et me l'avait dévoilée sans s'apercevoir que les yeux me brûlaient maintenant de la regarder en face. Sans se rendre compte que, pour la première fois, ce n'était pas moi, mais mes sentiments pour elle qui se trouvaient affectés, entamés, corrompus, ce qui était autrement plus grave. Tout cela parce que j'étais plus choqué qu'elle du comportement de son fiancé ! Tout cela parce qu'il m'apparaissait soudain évident que M ne me choisirait jamais ; au contraire, elle faisait partie de ces êtres qui préfèrent passer à côté de leur vie et, sur ce renoncement – lequel possède sa propre force émotive –, établissent ensuite toute leur existence. Cela que je me disais. Tant pis si la Française des jeux n'en saurait jamais rien.

Niveau 6

Tout cela parce que j'étais plus choqué qu'elle du comportement de son fiancé. Quelle drôle de phrase ! Encore aujourd'hui, elle sonne bizarrement à mes oreilles. Elle crisse et dissone en moi-même. M'apparaît d'un ridicule achevé.

Encore aujourd'hui, je n'en reviens pas de ma réaction. De sa violence et de son immédiateté. Comme si M avait pressé une gâchette si sensible en moi qu'il suffisait de l'effleurer pour que parte aussitôt le coup et je ne vais pas commencer à disserter sur le thème : ce que nous aimons chez l'autre, ce ne sont pas seulement ses apparences qui nous tapent dans l'œil, ce sont aussi certaines qualités morales, certaines concordances de vues, une espèce de vision du monde en partage qui, tel un ciment, soude entre elles toutes les facettes d'un individu et éclairent d'une douce lumière toutes ses qualités comme tous ses défauts et, par exemple, pour prendre un exemple entre mille, je ne peux pas aimer une femme qui maltraite une serveuse dans un restaurant. Ce mépris-là, qui commence avec les serveuses et qui ne s'arrête évidemment pas là, je dis : non ! Ce n'est pas négociable. La nature de ce mépris, la *cible* de ce mépris : je ne peux pas. Même s'il y a autant d'imbéciles dans la communauté des serveuses que dans n'importe quelle autre communauté humaine, là n'est pas la question. Quand bien même cette femme affole mon désir, je ne peux pas l'aimer. Je le sais tout au fond de moi. Je peux éventuellement la baiser, mais avec hargne. Elle n'est pas mon type de femme et elle ne le sera jamais. Et cela vaut aussi pour les hommes, bien évidemment. Le côté sexuel en moins. Je ne veux même pas connaître la raison, le fleuve intérieur détourné de son cours pour que le mépris en arrive à focaliser si stupidement. Il y a des handicaps intellectuels qui me coupent toute envie. Certains handicaps physiques aussi, mais ils sont moins rédhibitoires. Alors que certains handicaps intellectuels : ils m'effondrent et, en l'occurrence, que M soit moins choquée que je l'étais moi-même par le comportement de son fiancé m'effondra. J'étais mortifié qu'elle puisse s'en accommoder et même y trouver matière à s'attendrir. Dégoûté j'étais. Pas elle, avais-je envie de crier. Pas toi, mon adorée ! Oh non, pas ça !

Niveau 7

S'il s'était retrouvé dans ma situation, je ne doute pas que Bob Gruen aurait dit : « Bah, après tout, ce n'est pas *ma* bouche. » En référence à Sid Vicious. Le bassiste des Sex Pistols. Impliqué dans le meurtre de sa petite amie (20 ans) et mort à l'âge de 21 ans par overdose après que sa mère, sa maman, lui eut refilé de la came pour lui éviter d'avoir à se déplacer chez le dealer du coin (il y en a qui ont tout de même une enfance moins facile que d'autres). Sid Vicious, à qui il arrivait toujours « des trucs bizarres », prévient Bob Gruen à la page 466 de *Please Kill Me*, sous-titré « L'histoire non censurée du punk racontée par ses acteurs » (Allia, 2006) et, par exemple, lors d'une fiesta que celui-ci donna un jour chez lui. Un des types qui se trouvaient présents, vétéran déclaré du Viêt Nam, coinça Sid dans un coin pour lui demander un truc. Un truc un peu particulier. En un mot, il voulait que Sid couche, du verbe baiser, du verbe humilier, avec sa copine, tandis que lui regarderait. Good morning the punk.

Sid n'était pas du genre à décevoir les gens qui tenaient à vérifier si le punk en général et les Sex Pistols en particulier étaient « vraiment dangereux », note Bob Gruen. « Les gens venaient pour se faire mordre », note Bob Gruen. Ainsi le vétéran du Viêt Nam, sa copine et Sid Vicious s'éclipsèrent-ils un moment dans une chambre située au bout de l'appartement.

Lorsque Sid revint, il était seul.

Devant l'air interrogateur de Bob Gruen qui brûlait de savoir ce qui s'était passé dans la chambre, Sid haussa simplement les épaules. « J'ai juste chié dans la bouche de la fille », dit-il.

Je n'étais pas présent à cette soirée chez Bob Gruen, ce qui signifie que je n'ai pas vu la fille en question, *je n'ai pas vu sa bouche* et je n'ai donc aucune image susceptible de me donner des sueurs froides ; mais lisant cette histoire bien dans la légende du punk, j'avais immédiatement senti le goût de la merde envahir ma bouche et c'est tout juste si je ne m'étais pas précipité dans la salle de bains pour me brosser les dents à grande eau.

En guise d'explication, Sid raconta que le vétéran du Viêt Nam voulait que sa copine vive « une expérience qu'elle n'oublierait jamais » et, par parenthèse, qu'est devenue cette fille ? Qu'a-t-elle *pu* devenir ? Où est-elle *aujourd'hui* ? Dans quel *état* ? Elle croit en *dieu* désormais ? Elle mène le jihad en Irak ? L'histoire ne le dit pas.

Ce qu'elle dit, c'est que Bob Gruen s'en alla fissa écluser quelques verres parce qu'il avait besoin à ce moment-là d'écluser quelques verres, histoire de faire passer le sale goût qui lui avait pareillement envahi la bouche et de chasser la vision de cette fille, la vision de sa bouche, sa bouche grande ouverte et l'étron chié dedans, l'étron emplissant toute sa bouche et avait-elle gardé l'étron dans sa bouche ? L'étron était-il consistant ou flasque ? *L'avait-elle avalé ?* Ou l'avait-elle aussitôt recraché en vomissant ? Qu'avait fait cette fille qui, un jour, il n'y avait peut-être pas si longtemps, avait peut-être été une petite fille regardant avec une joie naïve des gamins sauter joyeusement dans l'eau depuis un ponton de fortune ? L'histoire ne le dit pas non plus. Elle dit seulement que Bob Gruen se dépêcha d'aller écluser quelques verres comme moi-même, rien qu'à lire cette histoire (oh l'immense pouvoir des mots !), avait éprouvé une puissante envie de boire un verre ou deux afin de faire passer le goût de la merde qui m'était immédiatement venu dans la bouche et, autant que faire se peut, chasser de mon esprit la vision de Sid chiant dans la bouche de la fille et le fait que Bob Gruen ait vu cette fille, de ses yeux vu, jusqu'à se représenter la scène dans ses moindres détails, devait en rajouter dans l'urgence de mettre le plus de distance alcoolisée entre lui et cette vision.

Quelle distance ?

C'est alors que Bob Gruen avait trouvé l'antidote, oui, l'antidote, il n'y a pas d'autre mot. L'antidote contre les méfaits de l'empathie et je dis bien : les *méfaits de l'empathie*. Car après s'être envoyé deux ou trois verres, Bob Gruen raconte qu'il s'était fait à lui-même la réflexion, deux points ouvrez les guillemets : « Bah, après tout, ce n'est pas *ma* bouche » et merci Bob ! Un million de fois merci ! Quelle présence d'esprit ! Jamais je n'avais assisté au cheminement même de la pensée qui, prise au piège de sensations aussi horribles qu'envahissantes, parvient à s'en libérer aussi vite et à les chasser de sa tête et, sinon à les rayer de la carte, du moins à s'en prémunir, comme on arrache ses crochets à un cobra : il ne peut plus nous envenimer. Grâce à toi, cher Bob, je sais aujourd'hui faire *la part des choses*, j'ai appris à ne plus *confondre* ma bouche avec la bouche d'autrui, je possède une arme *imparable* contre ma propre imagination et, à mon niveau individuel des choses contre lesquelles il faut que je me défende si je ne veux pas qu'elles me démolissent, tu ne peux pas savoir à quel point j'ai retenu la leçon. Tu n'imagines pas le nombre de fois où, emmerdé jusqu'au cou par ce que je vois et me sentant tout entier tiré vers le bas, proprement envoyé par le fond, voici que cela fait tilt dans ma tête. Je me rappelle tout à coup qu'il ne s'agit pas de *ma* bouche et, revenu à moi comme on est ramené sur le rivage, je me sais sauvé de ce que je vois et entends, fût-ce momentanément. J'ai une dette envers toi, Bob Gruen. Je possède, grâce à toi, un talisman, une formule magique, un *savon* pour me sortir de la tête la merde qui court les rues car il me faut en permanence me sortir de la tête la merde qui court les rues et ton antidote est une bénédiction, ton antidote est *universel*, oh oui, il marche à tous les coups, que ce soit pour échapper au sale goût de merde que M laissa dans ma bouche en avalant tout cru l'étron massue de son fiancé ou, pour te donner un exemple moins rébarbatif, un exemple qui ne fait pas écho à Julien me maudissant avec sa merde avant de se pendre avec la ceinture de son pantalon (mais qu'est-ce qu'ils ont tous avec le CACA ?)

Niveau 8

L'autre soir à la télévision, il y avait un type déguisé en grosse courge verte dans une autre publicité, pour des bouillons cubes celle-là, des bouillons cubes « nouvelle recette forte en goût ». Le temps de ce spot, et même après, tandis que d'autres publicités défilaient sans que j'y prête attention, je n'avais pu m'empêcher de penser au type qui jouait la grosse courge verte à la télévision. J'avais pensé au cœur qui devait battre sous le déguisement de grosse courge verte et je ne sais pas. Je devais être encore dans un drôle d'état ce soir-là, mais j'avais pensé au nombre effrayant de gens qu'il avait fallu mobiliser pour que ce type en vienne à se trémousser comme un crétin devant des caméras affublé d'un monstrueux costume de grosse courge verte, depuis le « créatif » qui en avait eu l'idée jusqu'à ceux qui avaient étudié cette idée avec le plus *grand sérieux* et qui, in fine, l'avait approuvée (« Waouh, c'est une super-idée ! C'est trop *fun* ! »), en passant par ceux qui avaient investi de l'argent (combien exactement ?), sans oublier ceux qui avaient donné forme à cette idée en concevant et en réalisant un costume de grosse courge verte aussi vert et courge que possible et, au bout du compte, cela faisait tout de même un paquet de gens, cela faisait *énormément* de monde, il y avait *plein* d'emplois à la clé et je ne sais pas.

As-tu remarqué comme Monsieur Gicle surgit de la nuit au galop dès que je suis dans la panade ?

Quoi qu'il en soit, je devais être dans un état extrêmement bizarre ce soir-là car j'avais soudain imaginé le type rentrer le soir chez lui et embrasser sa femme et j'avais imaginé sa femme lui demander s'il avait passé une bonne journée et j'avais imaginé le type rester soudain silencieux. Je l'avais imaginé sentir que quelque chose s'étranglait à cet instant dans sa poitrine. Je l'avais imaginé détourner la tête et, son sang comme figé dans ses veines, réaliser qu'il était incapable d'annoncer à sa femme qu'il avait passé son après-midi déguisé en grosse courge verte (pour un salaire de – quoi ? Combien paie-t-on un comédien pour qu'il joue une grosse courge verte dans un spot publicitaire ?). Non, il ne pouvait *absolument* pas avouer à sa femme que, déguisé en grosse courge verte, il lui avait fallu festiculer (du verbe gesticuler et féculer) pendant des heures sous des projecteurs 1 000 watts qui le déshydrataient dans son costume de grosse courge verte comme un avant-goût de son devenir bouillon cube et qu'il lui avait fallu simuler l'enthousiasme le plus sincère pour faire passer le message qu'une grosse courge verte comme lui avait le pouvoir de redonner du « goût à la vie » (qui en manque tellement, c'est bien connu), sans s'arrêter aux regards de tout un tas de gens qui, s'activant sur le plateau, semblaient persuadés que déguiser un être humain en grosse courge verte était une excellente façon d'inciter d'autres gens (avec lesquels ils n'avaient sans doute rien de commun) à acheter des bouillons cubes « nouvelle recette forte en goût ». Devant mon poste de télévision, j'en étais malgré moi venu à imaginer le type réaliser que sa vie avait pris une tournure – comment dire ? Une tournure *incontrôlable*, oui, incontrôlable, c'est ce que j'avais pensé devant mon poste de télévision. Une tournure qui, avais-je pensé, lui faisait soudain honte devant sa femme car comment pourrait-elle encore l'aimer ? Comment ne verrait-elle pas désormais la grosse courge verte à chaque fois qu'elle poserait les yeux sur lui ? *Quelle fierté était-elle supposée en tirer ?* L'un dans l'autre (*l'un dans l'autre !*), j'avais imaginé le type complètement effondré et j'avais imaginé ses yeux s'embuer de larmes en cachette de sa femme et c'est à cet instant que cela avait fait tilt en moi ! Tilt ! Comme on se pince pour échapper à un rêve qui tourne au cauchemar. Comme on pousse un ouf de soulagement. Juste tilt ! Et dans la seconde qui avait suivi, je m'étais dit : bah, ce n'est pas *ma* bouche, après tout. Bien sûr que non. Pas la peine de me mettre dans des états pareils. Après tout, ce n'est pas moi qui gagne ma vie en faisant la grosse courge verte à la télé, m'étais-je dit. C'est lui le *désespéré*, lui qui, pour une raison ou pour une autre qui ne me concerne pas, accepte de faire des trucs aussi humiliants et ce que je veux dire, c'est que ce n'était pas moi qui couchais avec le fiancé de M, ce n'était pas moi qui allais me marier avec lui et ce n'était pas dans *mon* oreille qu'il avait bavé son fameux argument massue et que M puisse supporter pareille humiliation, qu'elle puisse y trouver matière à s'attendrir ou à je ne sais quoi de plus sournois, bah, cela la regardait, après tout ; il s'agissait de *sa* bouche, après tout ; je n'étais pas comptable de ses décisions, je n'étais pas *coupable*. Comment dire ? Il faut savoir se sauver des situations qui veulent déteindre sur vous et qui, parce qu'on ne peut rien contre elles, cherchent à anéantir en nous toute espérance et, encore une fois, merci Bob. Merci de m'avoir enseigné comment garder *mes* distances et me rattraper fermement à mes propres branches lorsque tout s'effondre autour de moi. Ulysse avait le mât de son navire pour résister aux sirènes et je t'ai, toi, Bob Gruen. Je peux, à chaque instant, me dire : bah, ce n'est pas *ma* bouche, après tout.

Toi aussi, à chaque instant, accablée par ce que tu lis (si tu lis toujours, si tu es encore avec moi), tu peux te dire : bah, c'est lui. Il s'agit de lui. Il s'agit de *son* histoire. Ce n'est pas *ma* bouche. Ouf !

Niveau 9

Parenthèse (pour en finir avec ce détestable épisode de mon histoire de M, le *pire de tous sur un plan moral !*). T'en souviens-tu ? Page 323, je prévoyais de faire passer le « test de l'allumette » à M. Crois-tu que j'avais oublié ? *Not at all !*

Ce test de l'allumette : il est très simple. Il est infaillible. Il est à l'usage des garçons qui veulent savoir si la fille dont ils viennent de tomber amoureux – comment dire ? S'ils peuvent lui faire *confiance*. Si, au-delà des mots et de ce qu'elle prétend la bouche en cœur, au-delà des sentiments puissants et euphoriques qu'elle inspire, elle en vaut la peine ou pas. Elle va se soucier d'eux ou se moquer d'eux. Si sa nature est bonne ou mauvaise. Si elle est généreuse ou foncièrement égoïste – auquel cas, mieux vaut tout de suite la laisser tomber comme une pauvre chose égoïste et s'arracher le cœur au plus vite avant qu'il ne soit trop tard. Avant de prendre des coups et de faire les frais, non de la fille, mais de son égoïsme (ce qui, je l'admets, est plus facile à dire qu'à faire).

J'imagine que les filles peuvent aussi faire passer ce test aux garçons, il n'y a pas de raison ; mais peut-être les filles se fient-elles à autre chose qu'à une allumette.

Elles sont fortes les filles.

En attendant, se méfier de ses impressions, avoir peur de se tromper et qu'il puisse y avoir erreur sur la personne, voir plus loin que ses yeux, semble une attitude assez masculine – sans doute depuis Descartes.

C'est peut-être l'aveu d'une inquiétude, au niveau individuel des choses que les garçons jugent trop brûlantes pour les laisser à leur seule appréciation.

Sachant que très peu de filles méritent qu'on leur fasse passer le test de l'allumette. Cette « volonté de savoir » est très discriminante : il faut avoir le sentiment d'avoir rencontré la bonne personne, au point d'envisager l'avenir avec elle et ce n'est pas si souvent. C'est très rare. Cela ne se produit parfois jamais.

Sachant que je ne suis pas un cas isolé.

Dans le film Il était une fois le Bronx (réalisé en 1993 par Robert de Niro), j'ai eu la surprise de découvrir après coup (je m'étais inventé ma propre histoire avant de voir ce film) qu'il existait une version mafieuse de mon test de l'allumette, rebaptisé « test de la portière avant du conducteur ». Au fiston de De Niro qui en pince très sérieusement pour une petite Black (Jane), le parrain local lui explique le topo : lorsqu'il invitera Jane à faire un tour en voiture, il lui ouvrira bien sûr la portière pour qu'elle s'installe à la place du mort et tandis qu'il fera le tour de la bagnole par l'arrière, qu'il regarde bien à travers le pare-brise ce que fait Jane pendant ce temps-là. Qu'il ouvre bien les yeux et n'en perde pas une miette. Jane, de la façon la plus naturelle et spontanée qui soit, se penchera-t-elle pour déverrouiller la portière côté conducteur afin qu'il puisse s'installer au volant sans avoir à chercher ses clefs ? Y songera-t-elle ? Pensera-t-elle à lui être agréable ? À lui faciliter la tâche ? De son propre chef ? Pensera-t-elle *à lui* ? À lui ouvrir la portière comme si c'était son cœur ? Ou bien s'en fichera-t-elle complètement et attendra-t-elle qu'il se débrouille, en se tournant les pouces, en trouvant déjà le temps long, en consultant ses mails ou en s'examinant dans la glace du pare-soleil pour vérifier de quoi elle a l'air, soucieuse uniquement de son apparence ? Trouvant trop chiant de se pencher pour déverrouiller la portière côté conducteur, au risque de froisser sa robe ou de défaire sa mise en plis ? *N'y pensant même pas ?* Auquel cas, fiston, laisse tomber, conseille le parrain local. Tant pis. Cette fille n'est pas la bonne personne. Elle n'est pas pour toi. Elle ne peut pas l'être. Elle ne te causera que des ennuis. Tu ne pourras jamais compter sur elle. Quoi qu'elle en dise, elle ne t'aime pas. Crois-moi fiston : le test de la portière ne ment pas. Il est imparable. Si ta copine n'ouvre pas la portière, ne dépose pas ta vie entre ses mains : elle te la claquera au nez.

À mon avis, ce « test de la portière avant du conducteur » ne vaut pas un clou. Il est plus rhétorique qu'autre chose. Il s'agit d'une espèce de parabole pour faire passer un message, mais sans garantie que l'information obtenue soit fiable. Par exemple, la fille peut déverrouiller la portière du conducteur parce qu'elle a vu Il était une fois dans le Bronx au cinéma. Ou parce qu'elle est simplement bien élevée et qu'elle sait que ce sont des choses qui se font. Ou bien, elle peut ne pas déverrouiller la portière parce qu'une fois installée dans la voiture, elle en profite pour sortir un cadeau de son sac dont elle comptait faire la surprise au garçon ou même ôter sa petite culotte afin de lui complaire ; elle peut même supposer que la portière est déjà ouverte et mérite-t-elle alors de rater le test ? Ce serait injuste. Sans compter que, je n'ai pas de voiture et, par ailleurs, les portières des bagnoles s'ouvrent désormais à distance via une simple pression du doigt sur le plip qui commande le verrouillage électromagnétique et ce test est donc aujourd'hui nul et non avenu.

Alors que dans mon test, il suffit d'une simple boîte d'allumettes. Il est simple comme bonjour. Il peut être mené en intérieur comme en extérieur. Il suffit de donner une boîte d'allumettes à la fille et de lui demander d'allumer votre cigarette ou, pour les non-fumeurs, d'allumer une bougie que vous lui tendez et d'observer très attentivement comment elle s'y prend. Car deux cas de figure ici. Ou bien la fille craque l'allumette vers elle, ou bien elle la craque vers vous. Il n'y a pas d'autre alternative. C'est sans réplique. Ce n'est pas une affaire d'éducation mais de niveau individuel des choses qui nous définissent lorsqu'on les fait siennes. Car lorsqu'on gratte une allumette, il y a toujours le risque que l'allumette se casse et qu'un petit bout enflammé soit projeté devant soi, chacun en a fait un jour l'expérience. Le risque qu'un petit bout de phosphore enflammé soit projeté en avant est même si présent à l'esprit qu'il détermine, à lui seul, la façon de gratter une allumette. Ce pourquoi ce test est indubitable : la façon de gratter une allumette ne doit rien au hasard. Elle est ancrée dans la personnalité de l'individu, si puissamment que même après avoir lu ces lignes, cela ne change rien. Le test reste valable. La personne ne change pas sa façon de gratter l'allumette tellement celle-ci est l'aboutissement d'une chaîne de décisions à la fois conscientes et inconscientes qui, au bout du compte, en disent long sur l'individu : ou bien il craque l'allumette vers lui ou bien il la craque vers l'autre. Point barre. Soit l'individu considère qu'il vaut mieux que ce soit lui (ses vêtements, ses cheveux, son œil) qui morfle dans l'éventualité où un petit bout de phosphore enflammé serait malencontreusement projeté, soit il juge qu'il vaut mieux que ce soit l'autre. Il s'agit d'un *choix*. Alors que c'est lui qui gratte l'allumette, faut-il le préciser. C'est-à-dire que si un accident se produit, il sera un minimum responsable. Ainsi s'exprime dans le simple geste de gratter une allumette notre façon d'être au monde, depuis la fragilité des choses (l'allumette), le risque qu'elles dégénèrent (le bout de phosphore projeté) et fassent une victime, jusqu'à la part de responsabilité qui est la nôtre. Les garçons m'intéressant moins que les filles, j'observe toujours comment une fille gratte une allumette, c'est devenu machinal à la longue, c'est une information précieuse que j'enregistre malgré moi. Surtout si mon cœur s'emballe pour la personne et que l'envie me prend de la revoir sans limite dans le temps qui soit définie. Je sais alors si c'est plutôt pour moi qu'elle craque ou si c'est plutôt pour elle. Quand bien même elle dit m'aimer et ne dit que cela (jusqu'à en tomber parfois dans les pommes), voici que m'apparaît son être véritable et, dès lors, je sais à quoi m'en tenir. Je ne peux pas dire ensuite que je ne savais pas. À son insu, la moiselle m'a dévoilé, au-delà des mots et au-delà de ce que j'éprouve pour elle, qui elle est et qui elle sera à jamais. C'est soit cruel soit heureux, mais ou bien sa façon de gratter une allumette me confirme dans mes sentiments que cette personne est bien l'être merveilleux et solidaire que je me plais à voir en elle ; ou bien je me trompe lourdement à son sujet et ne pourrai jamais vraiment compter sur son soutien et il me faut alors en tirer les conclusions qui s'imposent. Je sais si la personne aura souci de moi *dans tous les cas de figure* et, parce que c'est sa nature profonde, si elle préférera toujours m'épargner, au risque de tout prendre sur elle ; ou si je passe de toute façon après elle parce qu'elle veut d'abord se préserver et qu'il n'est pas question, alors qu'elle s'apprête à gratter une allumette, qu'une saloperie de petit bout de phosphore brûle ses habits, enflamme ses cheveux, lui crève un œil. Plutôt l'autre ou plutôt soi ? C'est, encore et toujours, la question à poser. *That is the question*. Se préserver soi-même est-il plus important à nos yeux que préserver l'autre et tant pis pour lui ? Pas si con ? Et M ? Quel était son calcul ? Comment gratta-t-elle l'allumette lorsque je lui fis passer le test ? À ton avis ? Qui devait prendre feu, s'il fallait que quelqu'un prenne feu ? Sachant que j'omets la possibilité de gratter l'allumette en direction de personne, là où il ne risque pas d'y avoir un blessé, comme quelqu'un me l'a fait judicieusement remarquer et merde !

Niveau 10

De là ma lettre de rupture. Pour toutes les raisons que j'ai dites. De là ma décision de prendre mes jambes à mon cou. De me reprendre en main. Tant qu'il était encore temps. Par pur et simple instinct de survie.

Parce que l'illusion amoureuse : ça suffisait !

Quand bien même il faut bien que nous succombions un jour à un être qui se met à incarner toute notre illusion amoureuse, j'étais allé au bout de la mienne. J'étais à bout. J'étais comme Hondo balançant un grand coup de pied à Sam parce qu'il n'en pouvait plus que ce damné clébard le mette dans des situations impossibles. M avait choisi son camp et je ne pouvais rien y changer. Je ne pouvais pas m'en accommoder. Tous ont dit plus tard qu'elle était bête (voir page 324) et, pour la première fois, j'étais près de le penser. À dix centimètres de le penser. Peut-être moins.

Il n'y avait rien d'autre à ajouter.

Plus rien à tenter.

J'avais tiré toutes mes cartouches et elles s'étaient révélées à blanc. J'avais embrassé M et, loin de se réveiller comme la Belle au bois dormant, elle s'était évanouie dans mes bras, plouf, tout le contraire d'un conte de fées.

Il me fallait me rendre à l'évidence : je n'étais pas celui qui la sauverait de son monde, de la mort, des malédictions ou d'elle-même, comme je n'avais pas réussi à sauver ma mère, comme j'avais échoué à sauver ma maman, comme j'échouais depuis toujours, comme on n'échappe pas aux modalités qui sont les siennes. Si l'attitude de son fiancé ne l'avait pas horrifiée et, au contraire, l'avait attendrie, c'est que les jeux étaient faits, rien n'allait plus, noir impair et manque et qu'ils soient heureux ensemble s'ils appelaient cela être heureux. Qu'ils soient faits l'un pour l'autre s'ils étaient faits l'un pour l'autre. Je m'en fichais. Il me restait au moins cette dignité de m'en fiche et de refuser, là, tout de suite, *à partir de maintenant*, tant que j'en avais la force, de ramper toujours plus à ses pieds et de ramper le long de ses jambes merveilleuses, le long de son torse si chaud, de son cou qui semblait réclamer qu'on le serre à deux mains tandis que je la prendrais à la turquoise (comme on disait joliment au Moyen Âge) et jusqu'à ses lèvres – ô ses lèvres !

Non !

Il ne serait pas dit que je supplierai une heure de plus cette *Urtica urens* et je dis bien : *Urtica urens,* nom savant que j'ai mis un moment à trouver pour exprimer les sentiments qui me donnaient envie de me gratter jusqu'au sang à ce moment-là et M comme « ortie brûlante ». Non non non et non ! La vérité, intolérable vérité, venait d'éclater et il me restait encore la lucidité de comprendre que j'étais finalement *drawing dead* et que je l'avais toujours été, oui, j'avais eu beau tout essayer (même envisager de tuer pour elle, mon dieu, *même envisager de tuer pour elle !*), cela ne suffirait jamais. Il ne se passerait jamais rien entre elle et moi, ce qui s'appelle jamais, ce qui s'appelle rien, puisqu'elle était capable de rester avec un type qui lui avait dit qu'elle ne pouvait pas le quitter car ses parents l'aimaient trop. Quoi que je fasse, la roue ne tournerait à aucun moment en ma faveur. Elle ne le pouvait pas. « Quoi, vous n'aimez pas jouer ? » demandait Jane Greer à Robert Mitchum dans Out of the Past (La Griffe du passé, Jacques Tourneur, 1947). À quoi Robert Mitchum répondait : « Pas contre une roue. » Splendide Robert Mitchum. J'étais Robert Mitchum. Je voulais être

Robert Mitchum. Quand bien même, à propos de M, je pourrais moi aussi dire qu'elle « me manquerait plus que mes yeux me manqueraient ». Tant pis. Il y avait quelque chose de contraire, d'hostile et de fatal, quelque chose d'absolument pourri et de définitivement toxique dans cette histoire de M et j'y voyais clair soudain. Je voyais clair dans son obstination à me séduire pour mieux me repousser, comme une passion chez elle de me délabrer, comme un heureux préalable à son mariage, afin de convoler ensuite en justes noces, et, par-dessus tout, *je voyais clair dans mon jeu* et il me fallait être à la hauteur de cette clairvoyance et trois jours plus tard, le temps de trouver mes mots, j'écrivais cette lettre. Je l'écrivis en pleurant intérieurement, dans la nuit du dimanche 27 novembre au lundi 28 novembre 2004, avec un sentiment de fin du monde, comme si je me disais à moi-même adieu et à tout ce qui, entre images enfouies, lectures à fleur de peau et rêves enchantés, était d'un seul coup remonté à ma surface, comme ressuscité, par M et grâce à elle et c'est drôle : c'est à cette époque que, par référendum, les Français dirent non au Traité constitutionnel européen, alors que la pression médiatique et politique était maximale pour que le oui l'emporte.

Niveau 11

Maintenant, j'étonnerai en disant que la cordillère des Andes doit être très belle à cette période de l'année. Je le dis hors de propos pour montrer que je suis libre ; je tiens à ma liberté par-dessus tout.

C'est Émile Ajar qui parle. À la page 100 de *Gros-Câlin*.

Pour ma part, j'étonnerai en disant qu'en 1985, je m'occupais d'enfants pour la Caisse des Écoles de Paris et si tu veux en savoir plus sur ce petit intermède qui, dans la foulée de ce qui précède, une idée en appelant étrangement une autre, me permet de passer l'air de rien à un autre niveau individuel des choses – avant de me rendre compte que cela va encore rallonger mon récit qui n'en mérite pourtant pas tant, encore l'égarer, encore le noyer et l'envoyer dans les décors et – bref. Faisons bref. Je me résous à envoyer ce petit intermède dans le cyberespace et si cela t'intéresse de savoir comment se comporte une tripotée de gamins de 6 à 12 ans que l'on emmène voir un film de Godard – en l'occurrence Je vous salue Marie – et de tout ce qu'il est possible de déduire de leurs réactions comme de celles des adultes pour qui un film de Godard est interdit aux mineurs de façon tellement implicite qu'il n'est pas besoin de le préciser, sauf pour un taré dans mon genre, un pervers de mon espèce, un destructeur de la psyché des enfants, sache que tu peux te rendre à l'adresse habituelle www.ledossierm.fr/15. Tu y apprendras même quel âge mental il faut avoir pour apprécier un film de Godard.

Sache que, quoi que je dise, dans tous les cas de figure, cela reste toujours la même chose à dire sans pouvoir la dire, la disant cependant, qui n'est pas une chose, qui reste à dire, alors qu'en parler la fait reculer à mesure dans l'ombre, à mesure l'éloigne, jusqu'à la faire disparaître, me laissant inachevé, sensation épuisante. Comme de passer un fil à travers le chas d'une aiguille sans y parvenir, jamais, sacré minou ; ou bien y parvenir par inadvertance, par le plus complet hasard, au point de douter y être parvenu lorsque cela arrive et se mettre alors à tirer sur le fil, le faisant sottement ressortir, tout à recommencer (comment m'en sortir ?).

Niveau 12

Si, là, maintenant, poussé par l'ennui de ressasser cette lamentable histoire de M dans toutes ces dimensions et par autre chose qui, en dix lettres, pourrait commencer par « dé » et finir par « pression », je m'autorisais une petite sortie nocturne (il est présentement 23 heures et 37 minutes à l'horloge électronique qu'affiche, en bas et à droite, l'écran de mon ordinateur). Si, dis-je, comme le cheval ramène les yeux fermés son homme au bar où il a ses habitudes, je me retrouvais en moins de temps qu'il n'en faut pour prendre un taxi perché sur un haut tabouret à partager, posée sur le bar, une soucoupe de chips avec une jeune femme étrangement belle et seule et, tamisant nos imperfections, une douce lumière nous envelopperait alors comme dans une cape soyeuse tandis que sa manière de passer de plus en plus souvent une main langoureuse dans ses cheveux m'apparaîtrait de très bon augure, oui, dis-je, si je me retrouvais dans cette agréable situation, comme momentanément réfugié dans une oasis du temps, je ne doute pas que la conversation se mettrait à rouler sur Richard Wagner parce que, ce matin, j'ai entendu à la radio une émission sur Richard Wagner et cette émission sur Richard Wagner – comment dire ?

Je ne le dis pas. On s'en fiche. Je n'ai pas envie de sortir et de me rendre dans ce bar où j'ai mes habitudes et mes petites lignes de fuite et où, disons-le, j'ai finalement assez peu de chances de rencontrer une femme à la fois étrangement belle et étrangement seule et serait-ce malgré tout le cas, il faudrait *en plus* que cette femme étrangement belle et seule, loin de n'être qu'un poncif se renfrognant à ma vue comme si j'étais l'abruti de service qui vient systématiquement l'importuner dès qu'elle se trouve dans un lieu public, il faudrait, dis-je, que cette femme, en plus de posséder certaines qualités morales à ma convenance, il faudrait, oui, qu'elle soit tout à fait charmée qu'un type s'installe à côté d'elle pour l'entretenir de la musique de Richard Wagner comme si elle n'attendait que quelqu'un comme moi pour l'entretenir de la musique de Richard Wagner et je n'y crois pas, pas du tout, pas ce soir.

Il y a des soirs où j'y crois, il y a des soirs où je ne doute de rien et il y a même des soirs où la chance me sourit – mais pas ce soir. Cela ne s'explique pas. Peut-être parce que j'ai appris ce matin, par un coup de fil éploré de mon père, que ma mère était morte dans la nuit et c'est drôle

non, ce n'est pas drôle.

Ma mère, maman

elle est morte ce matin.

Ce sont des choses qui arrivent.

Une chose plutôt prévisible dans le cas de ma mère.

N'empêche ! Il s'en passe de drôles et de moins drôles dans le monde tandis que je raconte mon histoire de M. La vie continue sur sa lancée, sans souci de moi. Comme disait l'autre (Gunther Anders), tout ce que j'écris date d'hier. Tout va si vite que le temps de dire est en fait l'imparfait, même si on écrit au présent. Ainsi des attentats se produisent-ils maintenant ici et là, tout proches, bien meurtriers, ce qui n'était pas le cas lorsque j'écrivais « Il s'appelait Julien. Je peux dire son nom », etc. Le *contexte* a changé. Et je ne parle pas des dernières élections, chez nous et ailleurs. Le contexte a *complètement* changé. Même si la courbe du chômage est toujours au plus haut, que des scandales politico-mer-diques en veux-tu en voilà, le monde de J.R. *as usual*. Et puis, à chaque minute qui passe, 250 enfants naissent dans le monde, 170 millions d'emails sont envoyés, 360 éclairs frappent la Terre (le record de « coups de foudre » ayant, paraît-il, eu lieu en 2004 !), une femme se fait massacrer tous les trois jours par son soi-disant « compagnon », sans parler de l'équipe de France de rugby qui creuse toujours plus sa tombe - et cela ne m'empêche pas de continuer d'écrire (si j'écris). Tandis que les habitants de Homs et Alep n'en finissent plus de se faire écrabouiller, je raconte mon histoire de M, je ne me soucie que d'elle et, par parenthèse, lorsqu'on se prend des bombes et du gaz sarin en pleine gueule, c'est sûr qu'on se préoccupe moins des choses qui me préoccupent. On n'a pas vraiment le temps. Pas l'esprit à ça. Le présent prend toute la place. Oui, mais Ludwig Wittgenstein écrivit son *Tractatus logico-philosophicus* dans les tranchées de 14-18, sur le front allemand, entre deux assauts. Parce que ce dont on ne peut parler il faut le taire ? Ou comme une façon de *ne rien devoir à l'horreur*, surtout pas, hors de question ? Auquel cas, voilà qui m'incite à écrire davantage. À ne pas dévier de ma ligne, aussi tortueuse soit-elle. À ne jamais.

Sauf que là, tout de suite
je vais interrompre mon récit
(si c'en est un)

Partie XVII

Maybe I'm just like my mother
She's never satisfied. »
PRINCE, *When Doves Cry*

Niveau 1

Sauf que là, tout de suite
je vais interrompre mon récit

Il le faut
après tout ce que
d'elle
j'ai pu raconter
dévoiler
offenser
décevoir
afin de me protéger
pour lui échapper

Il le faut
puisqu'elle est morte cette nuit

Parce que cette nuit
ma mère est morte.
Ma mère, ma maman,
est décédée
cette nuit.

Elle est morte pendant son sommeil, dans son lit, à 73 ans, d'une insuffisance respiratoire ayant provoqué, aux dires des pompiers qui ne sont pas parvenus à la ranimer, un arrêt cardiaque ; elle ne s'est finalement pas suicidée ; elle n'est pas morte de mort violente, comme on dit, mais dans son sommeil, comme personne ne parvient jamais aux fins qu'il se propose, si tant est que la mort puisse être non violente.

Niveau 2

Lorsque mon père m'a appelé ce matin au téléphone pour m'annoncer la nouvelle de la mort de ma mère, j'étais en train d'écouter cette émission à la radio sur la musique de Richard Wagner et cette émission sur la musique de Richard Wagner était tout à fait intéressante. Je la trouvais passionnante et je n'avais pas envie de répondre au téléphone qui s'était mis à sonner tellement j'avais l'impression de comprendre enfin quelque chose à la musique de Richard Wagner, à propos de laquelle je n'ai jamais eu que des idées toutes faites et même des réprobations toutes faites, faute d'avoir jamais éprouvé le moindre plaisir à écouter la musique de Richard Wagner qui, au bout de quelques mesures, fût-ce le prélude de Tristan et Isolde, m'a toujours donné envie d'écouter immédiatement une musique aussi éloignée que possible de la musique de Richard Wagner et, par exemple : Kid Creole and The Coconuts. Par exemple : de la viole de gambe. Une *gavotte*. Par exemple : Miles Davis, Kind of Blue.

Mais qui suis-je pour ne pas apprécier la musique de *Richard Wagner* ? Qui, pour avoir envie de me boucher les oreilles aux Walkyries wagnériennes (qui m'ont toujours paru plus vociférantes que *cantabile*) ? Qui, pour juger cette musique affreusement hollywoodienne, alors qu'Hollywood n'existait pas à l'époque de Richard Wagner ? Qu'est-ce que je connais à la *musique* de Richard Wagner, hormis ce que hitler en a fait, comme de la truite sauce au beurre blanc (sauf que j'aimais la truite sauce au beurre blanc avant de savoir pour Adolf, ce qui n'est pas le cas de la musique de Wagner que j'ai tout de suite détestée, spontanément, dès les premières mesures, sachant que j'aime bien qu'une femme jouisse, mais pas qu'elle HURLE). Sachant qu'il est possible que la réputation hitlérienne de la musique de Richard Wagner ait pu précéder mon écoute de la musique de Richard Wagner, pervertissant ainsi mon jugement, faussant mon oreille, sans que je le soupçonne, étant conditionné à mon insu à détester la musique de Richard Wagner avant même que d'entendre la moindre note de la musique de Richard Wagner, cette éventualité n'étant pas à exclure, étant même très plausible, j'en ai bien conscience : il aurait fallu que j'écoute la musique de Richard Wagner sans savoir que j'écoutais à ce moment-là la musique de Richard Wagner ; sauf que je suis incapable de dire aujourd'hui si ce cas de figure s'est jamais présenté et, de ce fait, il n'est pas impossible qu'écoutant la musique de Richard Wagner (ce qui arrive cependant rarement), ce soit la mauvaise réputation de la musique de Richard Wagner que j'ai toujours entendue, son affreuse et hitlérienne réputation, en lieu et place de la musique de Richard Wagner pour elle-même et, oui, peut-être me faut-il admettre que je n'ai jamais écouté de toute ma vie la moindre note de musique de la musique de Richard Wagner, finalement, c'est tout à fait possible, c'est même très probable, alors que j'ai lu Thomas Bernhard, comme tu peux le constater. Mais là n'est pas la question.

Jusqu'où mon ignorance peut-elle tenir lieu de jugement, que ce soit à propos de ceci ou de cela et, en l'occurrence, de la musique de Richard Wagner ? Avant de tomber par hasard sur cette émission consacrée à la musique de Richard Wagner, je ne m'étais jamais demandé pourquoi je n'aimais pas la musique de Richard Wagner. Je n'y avais jamais réfléchi. Je ne l'aimais pas, ce n'était pas plus compliqué, sachant que le fait de détester spontanément la musique de Richard Wagner n'aidait pas non plus à approfondir le sujet. Qui perd son temps à se demander pour quelles raisons il n'aime pas ceci ou cela. Les endives, par exemple. C'est un exemple. Il a mieux à faire. Il le croit. À tort. Car nous ne sommes pas seulement ce que nous aimons et chérissons : nous sommes aussi ce que nous n'aimons pas et détestons. Peut-être sommes-nous même plus férocement ce que nous détestons que ce que nous aimons et ainsi élucider nos détestations, s'en soucier, serait nous élucider nous-mêmes et, à tout le moins, en apprendre long sur notre compte. Oui, mais nous avons spontanément tendance à détourner le regard devant ce qui nous rebute. Nous n'avons pas envie de nous infliger ça. Bien assez de choses nous hérissent déjà le poil sans en remettre une couche. C'est bien normal. Surtout que l'horloge tourne. Notre temps est compté et pourquoi le gâcher à de viles besognes ? Qu'il s'agisse de la musique de Richard Wagner ou d'une tache sur la peau de Catherine Deneuve, de n'importe quoi provoquant chez nous un instinctif mouvement de recul, presque un effroi, sans garantie qu'il ne s'agisse pas de nos contre-instincts.

Et voici que j'obtenais tout à coup des réponses, par la magnifique voie des ondes, en l'occurrence la voix de France Culture, dont je ne dirai jamais assez tout le bien que je pense d'une radio qui, pour pas un rond, le jour mais surtout la nuit, permet à qui le souhaite, où qu'il se trouve, quelle que soit sa condition, riche ou pauvre, vieux ou jeune, moche ou beau, homme ou femme, d'entendre parler de Diderot ou de Michaux, des mœurs sexuelles dans la Grèce antique ou de la vraie vie de Fantômas, du phénomène des Hikikomori ou des maximes de Vauvenargues, des fruits étranges de Billie Holiday, de la physique quantique et du 11 rue Simon-Crubellier, des *Feuillets d'Hypnos* ou de la musique des arbres, sans oublier *Le Misanthrope* en intégralité, *Lysistrata* d'Aristophane en intégralité, *Le Mystère de la chambre jaune* en intégralité, le procès Pétain reconstitué en intégralité, l'*Odyssée* d'Homère en intégralité récité une nuit entière par les conteurs du Centre de Littérature Orale, une semaine pleine consacrée à « Kafka de l'intérieur », une nuit spéciale Don Quichotte ou Maldoror ou G.K. Chesterton, la série des vingt-cinq « Histoires de peintures » de Daniel Arasse (oh joie ! oh merci !) et tant d'autres sujets dont, pour ma part, je n'aurais jamais entendu parler si France Culture ne me les avait fait découvrir et quel luxe ! Quelle ivresse auditive ! Que de voyages aux confins des mondes sans bouger de ma chambre ! Quel soulagement tout à coup ! Il me suffit de me brancher sur 93.5 et voici que des voix me parviennent et elles ne sont pas les miennes. J'entends des voix et elles me font tendre l'oreille, elles ont des trucs à me dire et à m'apprendre, qui me font réfléchir, me confortent ou m'intriguent, jusqu'à les noter parfois dans un de mes petits carnets (je ne t'apprends rien). Tant pis s'ils sont moins de 2 % à écouter France Culture. Ce sont toujours 2 % qui, à leur niveau individuel des choses, ne veulent pas mourir totalement idiots. Veulent échapper au bruit ambiant. Respirer un autre air. Résister à l'immondice présente. Tant pis si 98 % des gens *refusent* de saisir cette chance qu'une telle radio puisse exister et qu'elle puisse *encore* exister, par les temps qui courent, pour pas un rond, cela ne durera pas éternellement, c'est à craindre, je ne serais pas surpris que cela soit déjà prévu. Puisque cette radio est parfaitement superflue. C'est-à-dire qu'elle est plus utile à une infime minorité qu'à une majorité de gens (dont, pour le coup, je fais partie et, par parenthèse, j'aimerais bien que cette minorité obtienne les mêmes droits que les autres). Parce que cette radio est plus nécessaire à quelques individus qu'au monde qui fait son beurre d'une misère massivement entretenue par le divertissement et vlan dans la face du monde ! Pfuit pfuit. Bien envoyé Monsieur Gicle ! Cette radio dissone dans l'époque, avec ses archives, sa mémoire radiophonique, ses sons venus d'ailleurs. Elle est une incongruité, que dis-je ? une aberration à elle toute seule. Elle a beau être financée par l'État, elle est la radio la plus underground de

France et voilà un paradoxe de plus. Mais bon. 2 %, c'est déjà énorme. *C'est inespéré !* Qu'est-ce que je disais ?

Ah oui, ma mère est morte cette nuit.

Niveau 3

C'était ce matin et le téléphone s'est mis à sonner juste au moment où, revenant de la cuisine avec deux verres de whisky et m'apprêtant à pousser la porte entrebâillée du salon où écrivait M – je rigole ! J'écoutais à cet instant cette matinale sur la musique de Richard Wagner et le type qui parlait au micro n'était pas Leslie Tomson, impossible, ce n'était pas sa voix. Même si je ne connais pas la voix de Leslie Tomson. Ni ne me rappelle le nom du type qui, à cet instant, parlait à la radio de la musique de Richard Wagner – sinon qu'il était à consonance espagnole et bref. Assez ri. Même si c'est nerveux.

Une chose est sûre : ce type qui parlait à la radio, pour autant que je pouvais en juger, en savait long sur la musique de Richard Wagner, il en savait *très* long, on sentait qu'il était un *spécialiste* de la musique de Richard Wagner et au moment où le téléphone se mit à sonner dans la pièce (argh ! Zut ! Fait chier !), j'étais captivé par ce que disait ce spécialiste de la musique de Richard Wagner. Si je comprenais bien, il associait la révolution musicale orchestrée par Richard Wagner à la révolution industrielle dont la musique de Richard Wagner était contemporaine et dont elle était, affirmait ce type qui, concernant la musique de Richard Wagner, touchait manifestement sa bille, la véritable bande-son. Ah oui ? Très intéressant... Je hochais la tête en entendant ce type, dont je ne voyais pas plus le visage que celui de l'importun qui avait la déplorable idée de me téléphoner à cet instant, déclarer que la musique de Richard Wagner « appartenait aux tendances les plus profondes de son époque en même temps qu'elle les enregistrait ». Des tendances telles que transformer toute chose en spectacle et, tendant l'oreille parce que la sonnerie du téléphone perturbait mon écoute (pas question de décrocher ! On rappellerait ! Ça pouvait attendre. Ça peut toujours attendre, tandis que l'émission et mon intérêt pour elle ne le pouvaient pas !), je m'inquiétais soudain de la musique qui, aujourd'hui, véhiculait actuellement les tendances profondes de notre époque et si, dans le lot, il y en avait que j'écoutais volontiers et auxquelles j'étais même particulièrement sensible.

Je ne me rappelle pas le nom de ce type, mais j'avais très envie qu'il en dise un peu plus sur le fait que la musique de Richard Wagner s'arrangeait pour effacer les traces de sa composition, exactement comme le capital dissimule le processus de travail dont il a besoin pour fonctionner, parce que je n'étais pas certain de comprendre comment la musique de Wagner parvenait à dissimuler, « sous un emballage séduisant », le processus de production qui la fondait, oui, j'avais l'intuition que ce type, qui semblait décidément très calé sur la musique de Richard Wagner mais pas seulement, touchait là du doigt quelque chose que j'avais moi-même très envie de toucher du doigt et ainsi avais-je hâte qu'il précise sa pensée et d'en apprendre davantage, afin de percer le secret de la musique de Wagner et, je l'avoue, tandis que le téléphone n'en finissait plus d'insister (mais quel emmerdeur celui-là !), de conforter ma détestation de la musique de Richard Wagner grâce à des arguments un peu plus solides que ceux que me suggérait l'écoute aussi peu érudite que hâtive qui était la mienne de la musique de Richard Wagner. Sachant que beaucoup de gens adorent la musique de Richard Wagner et voient en elle un summum de la musique occidentale comme de la modernité, j'appréciais que l'occasion me soit donnée ce matin-là d'élucider ce qui m'échappait dans la musique de Richard Wagner et, je l'espérais, de l'élucider une fois pour toutes.

C'est à ce moment-là que la voix de mon père – comment dire ? Elle *éclata* dans la pièce, amplifiée par le répondeur qui venait de s'enclencher. D'un coup sa voix EXPLOSA dans la pièce parce que le volume du répondeur est toujours poussé au maximum afin que ma fille, depuis sa chambre située à l'autre bout de l'appartement, puisse entendre *quelle* copine l'appelle et la voix de mon père : elle ne déflagra pas seulement l'espace, éparpillant en un instant la structure moléculaire de l'air qui régnait dans la pièce : elle *hurlait* mon nom dans le répondeur. Elle *hurlait* que je réponde si j'étais là, elle hurlait que je DÉCROCHE, si fort et de façon tellement démente que je me suis précipité le cœur déjà aux cent coups pour décrocher immédiatement le combiné, davantage pour faire taire cette épouvante que pour entendre ce que mon père avait à me dire, n'en ayant à cet instant pas du tout envie, pressentant qu'une catastrophe venait de se produire, c'était évident, alors que j'étais tranquillement en train d'écouter une passionnante émission sur la musique de Richard Wagner.

Niveau 4

Mais il y avait urgence. Aucun doute. Il venait de se produire quelque chose *d'horrible* pour que mon père soit dans cet état et, décrochant le combiné, je ne respirais déjà plus. Je me blindais déjà. Prêt au pire. Paré au choc. Conglutiné d'avance en moi-même, durci tout au fond. Ayant compris qu'un nouveau drame était arrivé, un drame terrible à l'évidence, encore un, un de plus, mon dieu – c'était quoi cette fois ? Mon dieu, moi ne voulant pas le savoir à cet instant, préférant ne pas. Refusant instinctivement d'apprendre la nouvelle, comme on a le réflexe de lever le bras devant la main qui se lève sur soi, afin de chercher à se protéger, moi intérieurement dans cette posture. Moi cherchant à retenir le moment où l'horreur qui venait à l'évidence d'avoir lieu ne s'était pas encore produite dans *ma* vie. Dans un instant, elle la ferait basculer dans je ne savais quelle angoisse, depuis une hauteur de je ne savais combien d'étages, mais je refusais à cet instant d'entendre la suite, je ne voulais rien savoir, je voulais de toutes mes forces retenir le temps, le suspendre, que s'éternise la fraction de seconde où l'orage n'avait pas encore éclaté au-dessus de ma tête, avant d'apprendre – quoi ?

Quoi cette fois ?

Je fermais les yeux. Mon sang figé dans mes veines. Ma poitrine aux cent coups. Mon angoisse, oui, mais aussi mon exaspération de ce qui allait suivre. Mon exaspération, oui, mais aussi déplacé que cela paraisse, ma frustration d'être interrompu de façon si dramatique dans mon écoute de cette émission sur la musique de Richard Wagner au moment où celle-ci devenait particulièrement instructive. Mon père n'aurait-il pu attendre la fin de l'émission pour m'annoncer que ma mère venait encore une fois de – quoi ? Quoi cette fois ? Cela aurait changé quoi ? Fallait-il me l'annoncer dans la minute et en hurlant mon nom, ajoutant ainsi la panique à l'effroi ? Bon dieu, il s'agissait de quelle horreur ce coup-ci ? avais-je gémi en moi-même, sans vraiment gémir, tout allait trop vite, tandis que je demandais à mon père ce qui se passait. D'une voix que je voulais la plus calme et posée possible mais que je savais d'une lassitude absolue. D'une rage à fleur de peau. À la perspective du coup de hache que j'allais recevoir, du choc en pleine poitrine, du pataquès sanglant, oh la journée bien pourrie qui s'annonçait ! Et entendant alors mon père m'annoncer dans un cri que ma mère était morte dans la nuit et

je ne veux pas dire que je fus soulagé d'apprendre que ma mère venait de décéder, là, cette nuit, dans son sommeil, il y avait seulement quelques heures, non, je ne fus pas *soulagé* ; mais je sais avoir pensé à toute vitesse, de façon indicible, que c'était l'ultime fois que ma mère me donnait un coup de hache. Plus jamais elle ne me donnerait un coup de hache, n'ai-je pu m'empêcher de penser à toute vitesse, de façon indicible, avant toute autre pensée, avant de réaliser ce que signifiait le fait que ma mère, ma maman, était morte, mes doigts crispés sur le combiné du téléphone, mes yeux fixant maintenant la fenêtre et, par-delà la vitre fermée, le petit jardin privatif décimé par l'hiver.

En même temps, cette femme – ma mère, ma maman – avait été si *intense* de son vivant. Elle avait si *injustement* souffert. *On* l'avait tellement démolie. *Je* l'avais tellement dépitée. En même temps, je n'étais pas vraiment triste. Je ne peux pas dire. J'aurais aimé être triste, j'aurais aimé sentir le chagrin se lever puissamment en moi et que me submergent à cet instant de prodigieuses forces émotionnelles, à la fois signe et spectacle de l'affliction la plus sincère et, plus sourdement, tremplin de détresses diverses et variées trouvant là un prétexte pour donner leur pleine mesure, comme un virus trouve un hôte pour l'héberger et le dévorer de l'intérieur ; mais non. Désolé. Mille excuses. J'étais à ce moment-là comme l'Étranger de Camus. J'étais l'Étranger de Camus en écoutant mon père, en pleurs à l'autre bout du fil, complètement dévasté, m'annoncer la mort de sa femme et, accessoirement, la mort de ma mère, moi demeurant aussi impassible et réfractaire à l'annonce de cette nouvelle que l'Étranger de Camus demeure impassible et réfractaire à l'enterrement de sa mère et je n'ai pas la prétention d'élucider la psychologie de l'Étranger de Camus, surtout pas ; mais se pourrait-il que Meursault (puisque tel est son nom) demeure sans réaction particulière à l'annonce de la mort de sa mère, non en raison d'une insensibilité pathologique qui, dans le roman, le conduit in fine à l'échafaud puisque, davantage que pour avoir tué un Arabe sur la plage, c'est parce qu'il paraît aux yeux de tous un homme sans cœur, comme on dit, qu'il est condamné à mort, oui, dis-je, se pourrait-il que Meursault ne manifeste aucune affliction visible à l'enterrement de sa mère, non en raison d'une insensibilité effrayante et coupable, dis-je, mais parce que, à son niveau d'amour filial, sa mère, sa maman, serait *en son for* décédée depuis très longtemps, exactement comme ma mère, ma maman, est décédée *en mon for* depuis sa première tentative de suicide à laquelle j'assistai lorsque j'avais sept ou huit ans et où, la croyant morte, *la voyant morte*, elle mourut effectivement pour moi ce jour-là, ma mère, ma maman.

Car ce jour-là je devins orphelin. Je le sais aujourd'hui. Et il fallut que meure réellement ma mère, ma maman, pour que je réalise qu'elle l'était pour moi depuis très longtemps. Affectivement, elle mourut en mon for lorsque j'avais sept ou huit ans. Lorsque voyant ma mère morte, je crus qu'elle l'était et je le crus tout le temps qu'elle fut conduite à l'hôpital et tout le temps qu'elle y resta, oui, pendant je ne sais combien de temps je vécus dans la certitude que ma mère, ma maman, était morte, j'éprouvais l'incrédulité qu'elle ait cessé de vivre, je connus qu'elle m'avait abandonné, oui, maman est morte, me disais-je en mon for, ma mère est morte, me répétais-je et de formuler ces mots : ils devinrent vrais. Ils se gravèrent en lettres de sang dans mon esprit et plus jamais ne purent s'effacer. Les mots font exister ce qui, sans eux, n'a pas lieu d'être ; penser certaines choses les rend réelles et impossible de revenir ensuite en arrière. Il est trop tard. Ne pas me dire que ma mère, ma maman, était morte, voilà ce qu'il aurait fallu. Cela aurait maintenue vivante la fiction de son existence, oui, je l'aurais maintenue en vie à mes propres yeux ; mais je prononçai la phrase fatidique et, un mot en entraînant un autre, je me fis à l'idée que ma mère était morte. Je pris psychiquement mes dispositions concernant la brutale disparition de ma maman. Dès l'instant où je la crus morte, je commençai mon travail de deuil, comme on dit, et rien ne put par la suite m'empêcher de le mener à son terme. Comme un drap se déchire et ne peut plus être recousu. C'est au point que voir revenir ma mère, ma maman, à la maison et, par la suite, voir celle qui n'était plus ma mère, qui ne pouvait plus être ma maman puisqu'elle était morte, puisqu'elle m'avait abandonné et qu'elle m'avait laissé tout seul dans l'existence, tout nu et sans protection et, pour tout dire, sans l'amour d'une mère dans la vie, oui, dis-je, la voir pendant des années parler et bouger et rire et danser et agiter un torchon comme s'il était le drapeau noir de Surcouf et se disputer avec mon père et me serrer dans ses bras et venir m'embrasser avant d'éteindre la lumière et fumer des cigarettes et cuisiner le soir des coquillettes et tenter de nouveau de se suicider m'a toujours paru quelque peu incongru, comme qui dirait déplacé, comme si j'avais devant moi un fantôme, voilà, un fantôme, cette sensation que plus rien n'était réel et, en tous les cas, que quelque chose avait cessé d'être adéquat et que la réalité (ce qu'on appelle la réalité) ne coïncidait plus exactement avec le sentiment que j'en avais (et pour en savoir plus sur l'écart qui s'ouvre parfois de façon indicible entre les choses et nous, entre les êtres et nous, je ne saurais trop conseiller de contacter l'Ircam – voir page 455).

En sorte, apprendre que ma mère venait de mourir dans la nuit remédia à un problème que je gardais jusqu'ici d'autant plus secret que j'étais incapable de l'appréhender. En un instant, l'annonce de son décès résolut en même temps qu'elle me révéla la contradiction qui était la mienne, celle-ci se confondant avec un inaltérable sentiment d'injustice tellement je sais n'avoir jamais digéré que ma mère, ma maman, se donne la mort et puisse réapparaître peu après comme si de rien n'était. D'une certaine manière, à mon niveau individuel des choses que je m'avoue seulement maintenant, je crois n'avoir jamais *supporté* cette situation. Je sais n'avoir jamais *compris* qu'elle puisse se tuer un soir et revenir le matin d'entre les morts. Je ne l'ai jamais *admis* et, s'il me faut tout dire, je crois bien le lui avoir *reproché*. J'en suis même certain. Les gens (dont je fais partie) ont le génie de faire des trucs qui nous empêchent de les aimer et, d'après mon expérience qui vaut ce qu'elle vaut mais pas moins non plus, ils font souvent ce genre de choses ; alors qu'on est plein d'amour pour eux, ils fichent tout en l'air, ils nous empêchent de les aimer et ils nous privent de la possibilité de les aimer et c'est irréparable. En sorte, les gens meurent en nous bien avant que de mourir pour de vrai et que ma mère, ma maman, décède pour de vrai ne fit qu'officialiser une situation que, depuis l'âge de huit ans, je considérais par-devers moi comme officieusement advenue et c'est peut-être une piste pour comprendre le personnage de l'Étranger de Camus.

Dois-je préciser que la mort de ma mère, ce qui fut pour moi sa mort véritable lorsque j'avais sept ou huit ans, ne me laissa pas insensible, loin s'en faut. Le gamin que j'étais à l'époque la pleura en silence, il la pleura comme un enfant pleure sa mère et réalise qu'il ne pourra plus jamais compter sur sa maman et, saisi d'un effroi inconnu, voici qu'il comprend que s'il s'égare un jour dans la forêt, il ne pourra plus appeler au secours celle vers qui ses bras se tendaient naturellement afin qu'elle le prenne dans les siens et le cajole et le rassure et le protège et l'aime ; voici qu'il n'a plus personne qu'il puisse appeler à l'aide et voici qu'il n'appellera plus jamais quelqu'un à l'aide de toute sa vie ! Il est seul désormais, tout seul, et il le sait ! Il le comprend intuitivement. Il ne croit plus que quiconque puisse l'aider et puisse jamais l'aider et *il se débrouille pour que ce soit le cas*. Qu'il le déplore ne change rien. Alors qu'il adorerait avoir des soutiens ; mais il lui est interdit d'en demander et, insensiblement, ou plutôt sensiblement, il s'enferme en lui-même, il coupe son lien aux autres, il se sent rejeté, il se croit indigne d'amour, il s'en persuade. Il se rend à l'évidence qu'elles sont perdues : la confiance, la sécurité, la chaleur humaine. Et puis, l'amour inconditionnel. Ainsi l'adulte que je suis devenu n'éprouva-t-il aucun chagrin véritable à l'annonce que la femme qui avait été sa mère, sa maman, venait de mourir, ce qui, par-delà le niveau familial des choses, n'en est pas moins une catastrophe humaine au regard du sort innommable qui nous attend tous. Ce chagrin, il avait été éprouvé en silence des années auparavant et, dans ce silence, s'étaient dilués désarroi et détresse. S'était cimentée la dureté la plus solitaire. Devant qui l'enfant que j'étais aurait-il pleuré la mort de sa maman puisqu'elle était toujours en vie, et ce jusqu'à l'âge de soixante-treize ans ; jusqu'à ce matin ?

Niveau 5

En même temps que mon père m'annonçait la mort de ma mère, la radio marchait toujours et, dans mon dos, j'entendais le type qui parlait de la musique de Richard Wagner continuer d'en parler comme si ma mère n'était pas morte ce matin et je ne pouvais m'empêcher de tendre l'oreille à ce qu'il disait maintenant à propos de la musique de Richard Wagner. C'était plus fort que moi. Était-ce une façon de mettre à distance l'annonce de la mort de ma mère et de trouver une échappatoire ? Façon d'échapper aux sentiments qui m'agitaient, à la fois complexes, désastreux et contradictoires, comme s'il était trop tôt pour que j'éprouve quoi que ce soit de sincère et d'approprié ? Façon de me protéger de la douleur de mon père qui, immense au téléphone, oppressante, m'écrasait et ne me laissait aucune place, pas même un strapontin, en plus de m'indisposer comme une vulnérabilité chez lui d'autant plus éprouvante que je ne la partageais pas, surtout que sa détresse focalisait sur la mort de sa femme comme s'il ne s'agissait pas aussi de ma mère, comme s'il n'y avait que lui à être impliqué et qu'il n'était pas à cet instant mon père s'adressant à son fils ? Ou parce que, me parvenant en même temps, deux voix sans visage se disputaient mon attention, l'une aussi invisible que l'autre, l'une émise depuis un pôle négatif (anode) et l'autre depuis un pôle positif (cathode), mais toutes deux me parvenant par le même canal depuis un hors-champ fabuleux, me prenant l'une et l'autre en sandwich, jusqu'à faire de moi le lieu de leur précipitation auditive, sans que je puisse faire la part des choses, il aurait fallu que je me bouche les oreilles ? Je te laisse juge.

Mais le fait est que je cherchais aussi à écouter la suite de l'émission sur la musique de Richard Wagner et que cela tint à mon intérêt radiophonique du moment considéré comme un antidote à cette autre émission qui me parvenait par voie téléphonique, c'est égal. C'est comme ça. Je me dédoublai ; ou plutôt, je devins intermittent. Tandis que mon père me racontait avec des hoquets dans la voix comment il avait trouvé sa femme (ma mère) inanimée sur l'oreiller et comment il avait constaté qu'elle ne respirait plus dans le lit, comment il s'était finalement réveillé à côté de sa femme morte et, passé un instant de stupeur (voir page 63), comment il s'était précipité pour appeler les pompiers dans un état de totale stupeur et d'angoisse absolue, j'entendais plus ou moins à la radio le type dont je ne me rappelle pas le nom expliquer que la musique de Richard Wagner avait inventé le *plaisir* de la catastrophe et, mieux que ça, c'était chez Wagner que l'apocalypse était devenue pour la première fois un spectacle, c'est-à-dire non plus une situation historique mais le but de l'histoire, sa révélation même, sachant que les pompiers avaient débarqué moins de dix minutes après que mon père les eut appelés et ils étaient une véritable armée. Ils étaient au moins une douzaine à envahir l'appartement et à se précipiter dans la chambre où gisait ma mère pour tenter de la ranimer et ils avaient fait tout leur possible pour la sauver, près d'une heure durant ils s'étaient acharnés dans l'espoir de faire repartir son cœur, ils avaient même été jusqu'à *ouvrir son thorax* pour pratiquer une intervention de la dernière chance et ce qui est fascinant dans la musique de Richard Wagner, c'est qu'il s'agit d'une musique qui ne connaît pas le temps car elle ne cesse d'éterniser l'instant à force de développements toujours plus continus et de progressions chromatiques toujours plus écrasantes dont on n'entrevoit jamais la fin et, au bout d'une heure, les pompiers avaient finalement laissé tomber. Ils avaient renoncé. Ils étaient en nage et ils n'en pouvaient plus. Ils avaient fait tout ce qui était en leur pouvoir et les jours, les mois et les années se figent dans la musique de Richard Wagner qui, par parenthèse, était végétarien comme hitler était végétarien et, par parenthèse, le chef des pompiers avait pris mon père à part et il lui avait notifié l'heure du décès de son épouse (ma mère) ou, pour le dire autrement, le temps n'évolue pas dans la musique de Richard Wagner : il s'écoule indéfiniment vers un ailleurs indéfinissable, ce qui provoque une réécoute continuelle, ce qui est techniquement très astucieux, l'histoire cesse d'être un processus à l'œuvre, tout paraît aboli, d'où la fascination, d'où l'espèce d'hypnose et de torpeur sourde et lourde qui s'emparent de l'auditoire, en plus de causer une espèce de mal de mer parce que, lorsqu'on écoute la musique de Richard Wagner, c'est comme si on se laissait porter par une houle puissante et monotone et, sans prévenir, sans s'être concertés, les pompiers avaient rangé leur attirail et, d'un même mouvement, *à toute vitesse*, ils avaient tous déguerpi. Comme une nuée d'insectes ils s'étaient envolés vers d'autres drames musicaux en faisant un boucan d'enfer dans les escaliers et mon père était resté seul avec le cadavre de sa femme allongé sur la moquette. Il était resté dans *un silence de mort* et il était resté tout seul avec le cadavre de ma mère, son épouse, l'amour de sa vie allongé sur la moquette, un drap couvrant son thorax ouvert, il n'en revenait pas que les pompiers aient pu la laisser dans cet état et le laisser tout seul avec elle dans cet état, allongée au milieu de la chambre, le thorax ouvert, un drap la couvrant, il hoquetait à l'autre bout du fil, elle était encore là, dans la chambre, oh seigneur, il ne savait pas quoi faire. Il s'excusait de pleurer comme ça au téléphone mais il ne pouvait plus s'empêcher de pleurer. C'était plus fort que lui, une vraie Madeleine, merde alors ! Il avait envie de vomir. Il n'arrivait plus à respirer. Ce n'était pas possible qu'elle soit morte. Ce n'était pas possible. Alors qu'il dormait juste à côté d'elle. Alors qu'il la tenait pour ainsi dire dans ses bras. Alors que. C'était tellement affreux. Qu'elle soit morte. Personne ne pouvait comprendre. S'imaginer. Ce qu'il. Ce que lui. Ah, il ne disait pas ça pour moi, c'était ma mère aussi, bien sûr que c'était ma mère. Cela devait sûrement me faire quelque chose à moi aussi, mais ce n'était pas pareil. Est-ce que je me rendais compte que ces abrutis des pompes funèbres ne viendraient que dans l'après-midi ! Ils ne pouvaient pas venir avant, ces abrutis s'en fichaient complètement de le laisser tout seul avec le cadavre de sa femme, de ma mère, de son amour de toute une vie allongé comme ça, sur la moquette, dans cette obscénité pitoyable et dans cet abandon épouvantable, c'était affreux de la voir comme ça, morte, allongée comme ça sur la moquette, avec sa chemise de nuit déchirée, c'était sa chemise de nuit préférée, celle avec des petites fleurs, ce n'était pas bien de la laisser comme ça, non, ce n'était pas bien. Au téléphone, mon père m'avait dit d'une voix que je ne lui avais jamais entendue qu'il était allé prendre un drap propre dans la penderie et, avec ce drap propre, il avait couvert le cadavre de sa femme, ma maman, qui gisait sur la moquette. Il l'avait enveloppé comme dans un suaire et n'est-ce pas qu'il avait bien fait ? C'était tout de même plus respectueux. Les gens sont tellement irrespectueux de nos jours, avait-il dit dans le combiné, presque un cri. Les gens sont tellement cons ! De vrais connards ! Ils ne comprennent rien à rien. Alors qu'elle était si gentille. N'est-ce pas qu'elle était gentille ? Tu le sais toi qu'elle était gentille, il n'y avait pas plus gentille qu'elle et il suffit d'écouter la musique de Richard Wagner pour ressentir qu'elle pousse au plus loin les tensions du système tonal, elle les pousse au maximum de leurs possibilités, elle les fait craquer autant qu'elle le peut, *elle les fait brailler*, comme si elle voulait libérer la musique de tous ses carcans, oui, elle fait croire qu'elle va aller au-delà des frontières connues – et puis non, pas du tout. Richard Wagner ressaisit systématiquement sa musique au dernier moment et l'auditeur se dit : ouf ! L'auditeur se dit : waouh, j'ai failli subir un grand péril, le monde a failli s'effondrer sur ses bases – mais finalement tout va bien. *Tout va bien !* Il y a dans la musique de Richard Wagner, disait le type à la radio, une façon de faire miroiter la liberté sans jamais l'accorder, surtout pas, au contraire, cette musique s'ingénie à emprisonner la liberté dans le désir même de liberté, elle restitue la totalité de son conditionnement, elle est comme faire l'amour sans jamais jouir et c'est intentionnel car c'est la volonté de cette musique que de n'aller véritablement nulle part en mettant jusqu'à douze ou quatorze heures pour y aller. C'est sa volonté de faire durer ce qui n'est pas un plaisir mais une volonté de *terrasser* l'auditeur, une volonté de puissance, ce pourquoi elle est fondamentalement assommante, foncièrement crispante, à toujours faire monter la pression et à la faire culminer toujours plus haut, par vagues incessantes toujours plus monstrueuses, allumant sans fin la mèche d'une catastrophe à venir et provoquant en permanence l'attente d'une solution finale, comme une aspiration fanatique et triomphale, mais sans jamais parvenir à la formuler musicalement, sans jamais lui trouver une issue ni résoudre l'attente autrement qu'en suscitant de nouveau une attente encore plus grandiose et ce type à la radio parlait-il de M ? *La connaissait-il ?* Ce n'était pas possible autrement ! Je te jure papa : on dirait son portrait craché ! C'est d'elle dont parle ce type à la radio depuis tout à l'heure. C'est tout à fait elle ! Cet emploi abusif de la « mélodie infinie » et M comme mélodie infinie. Aucun doute. C'est M pour de vrai. La musique de Wagner est une tendance profonde chez elle. Oh oui. Je suis bien placé pour le savoir. Je te jure. Et jusqu'à cet accord paraît-il prodigieux au début du prélude de Tristan et Isolde, accord paraît-il impossible à définir, accord de dominante simplement altéré, sauf que personne ne parvient à dire depuis cent cinquante ans s'il est vert ou s'il est bleu ou s'il est vert-bleu ou bleu-vert ou vert avec des points bleus et sais-tu de quelle couleur étaient les yeux de M ? De quelle couleur son être ? Quelle nature son processus amoureux sous un emballage ô combien séduisant ? Tu m'écoutes papa ? La machine à café de marque Illico, elle faisait dégringoler les gobelets en émettant un accord de dominante altéré ? À ton avis ? De toute façon, je viens par le premier train, évidemment que je ne vais pas te laisser seul, évidemment que j'allais le soutenir et l'aider dans les démarches qui n'allaient pas manquer, les formalités, bien sûr que j'allais venir – quelle question ! C'était ma mère aussi. C'était normal qu'il pleure, évidemment, s'il ne pleurait pas, qui alors ? Bien sûr que c'était normal. Qu'il se demande ce qu'il allait maintenant devenir, à son âge, tout seul, après cinquante années de mariage, bien sûr cette *inquiétude*, cette *peur*, cela allait faire un vide immense, un vide *affreux*, cela n'allait pas être facile, cela allait être *extrêmement* difficile et il devait dès à présent se préparer à, cela prendrait du temps avant que, forcément. Je n'avais aucune réponse à la mort de maman, sa femme, mais il devait cependant s'y attendre un peu. Ce n'était tout de même pas une surprise que maman soit morte. Ce n'était pas une *totale* surprise. Vu l'âge qu'elle avait. Sans parler du reste. Nous mourrons tous un jour ou l'autre et n'avait-il jamais songé que cela puisse arriver ? Il ne s'était jamais dit que cela surviendrait un jour ou l'autre ? À l'âge qu'il avait et à l'âge qu'elle avait ? Sachant le reste. Il ne s'était pas préparé à cette *éventualité* ? Même pas un petit peu ? Ah bon. Okay. C'est vrai que maman était une femme extraordinaire, bien sûr qu'elle l'était, bien sûr qu'il n'y en avait pas deux comme elle, bien sûr que j'allais venir, bien sûr qu'il allait y avoir des frais, l'enterrement, tout ça, mais qu'il ne se soucie de rien, j'allais m'occuper de tout, il fallait surtout qu'il pense à lui, il allait surmonter cette épreuve, il avait encore beaucoup de belles choses à vivre, blabla-bla. Mais non ce n'était pas la fin du monde ! Allons donc ! Il pouvait me croire : viendrait un jour où il retrouverait le sourire, bien sûr que oui, nous retrouvons toujours le sourire, parfois plus vite que nous ne l'imaginons, moi aussi j'allais retrouver le sourire, il n'y avait pas que M au monde, oui il allait s'en sortir, nous allions tous nous en sortir, ce n'était qu'une question de temps, il pouvait me croire. Mais non il ne l'oublierait jamais, qu'allait-il imaginer ! Mais non ce n'était pas sa faute, quelle bêtise de penser ça ! Il fallait bien qu'il dorme de temps en temps, il ne pouvait pas veiller sur elle vingt-quatre heures sur vingt-quatre, de toute façon elle ne s'était pas suicidée, elle s'était simplement éteinte, elle s'était doucement éteinte pendant son sommeil, il n'avait rien à se reprocher, ce n'était pas de sa faute, il n'avait aucune raison de culpabiliser, maman ne serait pas d'accord, au moins n'avait-elle pas souffert, c'est bien ce qu'avaient dit les pompiers ? C'était important qu'elle n'ait pas souffert ! C'était important qu'il ne culpabilise surtout pas. C'était plus facile à dire qu'à faire, oui, mais il ne fallait pas, il ne devait pas, blablabla. De toute façon j'allais prendre le premier train, j'allais prendre soin de lui, j'allais m'occuper de tout, le temps de préve-nir au boulot et de m'organiser et je serais là en début d'après-midi, par le train de 14 heures et quelque, c'est ça, le train habituel, toujours le même, je n'allais pas le laisser tout seul, bien sûr que non, je n'allais pas le laisser tomber, il n'en était pas question, il pouvait compter sur moi, il croyait quoi ? Il connaissait la musique de Richard Wagner ?

PARTIE XVIII

> « Il arrive au bonheur exactement
> ce qui arrive à la vérité. »
> THEODOR W. ADORNO, *Minima Moralia*

Niveau 1

Sms du 30 novembre 20:06
« J'ai lu votre lettre. Je voudrais vous parler. »

30 novembre 21:39
« Je sais que vous ne voulez plus me voir. Mais appelez-moi s'il vous plaît. M… »

30 novembre 23 :12
« Grégoire… »

30 novembre 23:51
« Vous êtes ce que je désire rien que pour cela je ne peux rompre je t'embrasse »

30 novembre 23:57
« Je me hais autant que je vous aime, vous chasser de mon esprit est impossible quand chacun de mes regards vous cherche, j'ai besoin de vous, je n'en peux plus »

1ᵉʳ décembre 00:19
« Venez. J'ai bu. Venez je laisse ma porte ouverte. Je suis à vous. Je vous attends. Je n'attends que vous. Je ne suis qu'à vous. Venez (18 rue…, 2ᵉ ét gauche, code 31B…) »

Niveau 2

Lorsque je reçus ces sms (ou textos), je restai incrédule. Pétrifié. Mon cœur s'arrêta. De battre dans ma poitrine. Je me passai une main tremblante sur le visage. Je n'en croyais pas l'écran de mon téléphone portable. Du regard, je cherchai follement autour de moi un appui, un visage ami, une explication logique, n'importe quel soutien. En vain. J'étais à ce moment-là en train d'acheter des boîtes pour le chat et c'était encore plus grotesque. Tout ce décor de supérette.

Parce que ces sms – comment dire ?

Comment dire – sans me mettre à hurler de toutes mes forces devant les boîtes de bouchées en gelée saveur bœuf, poulet et volaille ?

Sans exploser de rire comme Lon Chaney, à gorge déployée, à m'en décrocher la mâchoire, à m'exorbiter les yeux, à raser toutes les supérettes du monde ?

Comment dire quand c'est si affreux à dire ?

Car regarde les heures auxquelles furent envoyés ces sms. Regarde-les bien. Mémorise-les.

Et dis-toi que ces sms me parvinrent tous en bloc, les uns à la suite des autres, littéralement en rafale, le mercredi 1er décembre 2004, aux alentours de quatorze heures trente.

C'est-à-dire le LENDEMAIN APRÈS-MIDI !

Je les reçus tous sans exception plus de douze heures après, *plus d'une demi-journée après que M me les eut envoyés !*

Le temps que la Terre fasse un demi-tour complet sur elle-même.

Comprends-tu ce que cela signifie ? Réalises-tu ? As-tu la moindre idée ? De l'atrocité. De l'ignominie. De la perversité.

As-tu une quelconque idée de *l'ampleur* de la machination ?

Une toute petite idée de mon envie de rentrer chez moi, de prendre sur l'étagère mon Gamo P 800 et de me tirer une balle dans la tête (quand bien même il ne s'agirait que d'un plomb « diabolo perforant »).

Imagines-tu mon sentiment halluciné de l'existence à ce moment-là ? L'Innommable. L'Impensable. La Cruauté pour la vie ? Le désespoir, s'il faut utiliser un mot significatif.

Cela les procédés de la réalité (ce qu'on appelle la réalité).

Même Flaubert n'aurait pas osé.

C'était *trop*.

Respect Madame Réalité.

Chapeau bas.

Le réel n'est *jamais* décevant.

Il est tout ce que l'on veut, mais pas décevant.

Je ne vois rien d'autre à dire.

C'était tellement

Je n'ai pas de mots.

C'était trop.

Monsieur le typographe, je vous demande respectueusement de sauter deux pages. Ou même cent. Parce que, là, moi, tout de suite, je ne peux pas.

Je ne peux plus.

Niveau 3

Si, préméditant l'anéantissement de ses héros au moment de terminer son *Éducation sentimentale* comme il le souhaitait, Flaubert s'était avisé d'inventer un truc aussi mesquin et grotesque que l'égarement des sms de Mme Arnoux enjoignant Frédéric de venir la retrouver immédiatement dans sa chambre afin de s'offrir corps et âme à lui, je ne l'aurais pas cru. J'aurais levé les yeux au ciel. Ricané tout mon saoul. Les pieds devant je serais sorti de l'histoire. J'aurais trouvé ça vraiment trop gros et, tout Flaubert qu'il était, il aurait pu aller se rhabiller. Un truc pareil ? C'était non ! Tirer un lapin aussi pourri de son chapeau ? Ah non ! C'était à n'y pas croire et je ne l'aurais pas cru.

Mais dans la vraie vie ?

Dans la vraie vie. On n'a pas le choix. On est forcé de s'incliner respectueusement. On ne peut faire autrement que de gober ce qui arrive, aussi incroyable et difficile à avaler cela soit-il. On ne peut pas nier, sauf si l'esprit n'y résiste pas. Je dirais même plus : ce qui semble pur artifice, totalement invraisemblable dans un roman paraît, dans la vraie vie, l'essence même de la réalité des choses. C'est très étrange. Plus ils sont improbables dans la réalité, plus les événements prennent un relief, une consistance, une *aura*. Plus ils expriment quelque chose qui a pour nom le réel. Ce qui ne marche pas dans une fiction court dans la vraie vie.

Dans la vraie vie. Il y a des choses : elles ne sont pas seulement inconcevables. Ce n'est pas qu'elles sortent de l'ordinaire ou qu'elles défient notre entendement, ce n'est pas qu'elles sont l'affaire du hasard ou le résultat de coïncidences qu'il nous faut ensuite accepter comme des aléas de l'existence, non, il y a des choses : elles viennent de très loin. Elles sont hors de notre portée. Elles sont chargées d'une signification qui nous dépasse. Elles sont, oui, un *prodige*. Au sens où elles sont des « événements extraordinaires, à caractère magique ou surnaturel ». Voilà. Il y a des choses dans la vraie vie : il nous faut les admettre pour ce qu'elles sont ou nous taire à jamais. Il y a des choses : on est forcé de les prendre pour ce qu'elles sont et non pour ce qu'elles disent de nous. Elles ne nous laissent pas le choix. Elles nous imposent leur volonté et nous ne pouvons que nous prosterner devant elles, comme on se prosterne devant des puissances supérieures. J'ai raconté page 116 comment l'Impensable m'était apparu lorsque Jean-Pierre Romeu avait raté *sa* pénalité en face des poteaux à la dernière minute du match Irlande-France ; je n'avais pas vraiment songé qu'il s'agissait alors d'un avertissement. Je n'imaginais pas à quel point j'avais eu à ce moment-là un aperçu de ce qui, un jour, m'attendait, moi, personnellement, à mon ridicule niveau individuel des choses. J'avais cru à une métaphore et n'avais pas du tout réalisé de quel message l'Impensable était porteur. J'en étais resté à l'effet de surprise, sans voir plus loin, naïf que j'étais. J'ignorais, oui, la véritable nature de... du... (ici un mot manquant).

Lors de son tour du monde à la voile en solitaire et sans escale, le navigateur Bernard Moitessier raconte qu'il dormait à poings fermés lorsque des coups répétés contre la coque de son navire, infiltrant son rêve, finirent par l'éveiller. Il ne rêvait pas : quelque chose tapait effectivement contre la coque de Joshua. De façon répétée et oppressante. Ce n'était pas normal. Il était au milieu de l'océan, le vent était tombé la veille et qu'est-ce qui pouvait cogner contre la coque ? Inquiet, immédiatement sur le qui-vive, il s'extirpa d'un bond de sa couchette et monta sur le pont. C'étaient des dauphins. Une dizaine de dauphins. Qui, à tour de rôle, venaient du nez taper contre la coque du bateau. C'était un drôle de spectacle. Un comportement très étrange. Qu'est-ce qui leur prenait ? Machinalement, Moitessier vérifia la course du bateau. Droit devant, Joshua filait vers des récifs. C'était l'affaire de deux ou trois minutes avant qu'il ne se fracasse, ne s'éventre, coule. À toute vitesse, Moitessier s'empressa de virer de bord. Juste à temps. Lorsqu'il regarda de nouveau la mer, les dauphins s'éloignaient joyeusement. Ils l'avaient prévenu. Cela ne faisait aucun doute. Des dauphins l'avaient sauvé. Ils avaient vu que Joshua allait se fracasser sur les récifs et ils avaient compris que lui, Moitessier, dormait à cet instant à poings fermés dans sa couchette et ils avaient décidé d'intervenir. *Ils avaient décidé d'intervenir !* Où le problème ? Moitessier se borne à raconter ce qui fut et ce qu'il vit, de ses yeux vit, en pleine mer, à savoir que des dauphins se concertèrent et s'unirent pour faire le plus de bruit possible contre la coque de son bateau afin qu'il se réveille et échappe ainsi au naufrage. Des dauphins ! Comme des anges envoyés de la mer. C'est ainsi. Il faut admettre que de telles choses puissent se produire ou se taire à jamais. Ce jour-là, Moitessier sut que, lui aussi, il venait d'assister à un *prodige*.

Je pourrais aussi raconter de nouveau la fenêtre qui devient rouge une minute après que Nadja a déclaré à André Breton que la fenêtre, là, au deuxième étage de cet immeuble, va devenir rouge, d'ici une minute ; et je pourrais citer encore bien d'autres prodiges : l'histoire des hommes n'en manque pas. Mais aucun, à ma connaissance, qui fut un prodige – comment dire ? Un prodige orienté au *pire*. Un prodige survenant non pour enchanter l'existence, mais pour la *maudire*.

POURQUOI ?

Qu'on ne me fasse pas dire ce que je ne dis pas, mais à sa façon, la vie nous répond très exactement ce qu'un SS d'Auschwitz répondit à Primo Lévi : alors que celui-ci, affamé et assoiffé, s'apprêtait à sucer un gros glaçon qu'il avait miraculeusement réussi à décoller d'une fenêtre couverte de givre, un SS le lui arracha des mains et l'écrasa sous sa botte devant lui et cette cruauté pleine de mesquinerie saisit tellement Primo Lévi qu'il osa demander d'une voix faible : « Pourquoi » ? À quoi le SS lui répondit : « Ici, il n'y a pas de pourquoi. »

Ici, il n'y a pas de pourquoi.

À un certain niveau des choses de la vie, il n'y a effectivement pas de pourquoi qui tienne. Il n'y a que la sidération. Il n'y a que la cruauté. Il n'y a que le néant sans réplique. La vie comme un tunnel sans commencement ni fin, disait l'autre (Kafka).

Niveau 4

Aujourd'hui encore, je demeure sans voix. Sans force. Sans vie. Par quel ? D'où ? Près de dix ans plus tard, je l'ai toujours en travers de la gorge. Je ne peux m'empêcher de brandir le poing et de menacer le ciel. Je me passe encore et encore une main moite sur le visage. Parce que, sans vouloir me vanter, sans vouloir créer des problèmes et faire une montagne de mon cas personnel (sic), comment se fait-il, pourquoi fallut-il que ce soit cette nuit-là, précisément cette nuit-là, nuit du mardi 30 novembre 2004 au mercredi 1er décembre 2004, que défaillent, sautent, pètent, dysfonctionnent et salopent ma vie les installations de mon opérateur de téléphonie mobile. Qu'à cet instant précis, choisi entre tous, se produisent une rupture de réseau, une interruption des télécommunications, un engorgement du trafic, un problème au niveau de la liaison satellitaire, le sabotage d'une antenne-relais, une perturbation électromagnétique causée par une éruption solaire bombardant soudain la Terre d'un flot massif de rayonnements cosmiques, que sais-je encore ?

Qu'est-ce que j'en sais des raisons pour lesquelles les sms de M ne me parvinrent pas en temps et en heure cette nuit-là comme ils auraient dû normalement me parvenir en temps et en heure cette nuit-là, comme le plus stupide des sms me parvient d'ordinaire sans aucun problème en temps et en heure ? Pourquoi cette nuit-là, précisément cette nuit-là, et pas une autre nuit ? *Pourquoi ces sms en particulier ?* Comme par hasard. Comme un fait exprès. Comme une volonté féroce de me nuire. Cette nuit-là et pas une autre nuit. Pas n'importe quelle nuit. J'insiste. Je tiens à le crier sur les toits. Je veux que cela se sache ! On ne me fera pas taire ! Pas la nuit précédente ou la nuit suivante, non, cette nuit-là, unique entre toutes. Au moment même où M m'envoyait les plus importants sms DU MONDE. À l'instant précis où elle me dit toutes ces choses que j'espérais si fort qu'elle me dise et dont je désespérais tellement qu'elle me les dise un jour. Cette nuit-là. Où M, enfin, *consentit.*

Où elle m'écrivit qu'elle n'en pouvait plus.

M'écrivit qu'elle me cherchait partout des yeux et qu'elle avait *besoin* de moi.

Voulait être *mienne.*

M'écrivit à moi qu'elle était à moi, là, tout de suite, qu'elle m'attendait moi et n'attendait que moi, ne voulait que moi, me voulait maintenant, cette nuit-là, *et cela voulait dire pour la vie.*

Cette nuit-là où elle voulait que je vienne la retrouver chez elle, 18 rue…, 2e ét gauche, code 31B… Nuit où elle laisserait sa porte entre-bâillée, elle la laisserait ouverte et cela voulait dire ouvrir son cœur, ouvrir ses bras, cela voulait tout dire.

Nuit du mardi 30 novembre 2004 au mercredi 1ᵉʳ décembre 2004. Nuit où mes vœux se trouvèrent tout à coup exaucés, où ma comète, enfin, allait m'emporter avec elle, le bonheur enfin tenir ses promesses et ce n'était pas trop tôt. C'était cette nuit-là. Cette nuit-là précisément. Nuit sacrée où ma vie *devait* pour la toute première fois toucher à son but et, immédiatement, en découvrant l'ignoble sortilège, je sus qu'il n'y aurait plus d'autre nuit après cette nuit-là. Je compris que cette nuit-là resterait à jamais la nuit où M me dit oui je veux bien oui le cœur battant oui sur mes seins parfumés oui je veux oui – et ce fut pour du beurre. *Ce fut pour du beurre !* Ce fut pire que si elle avait dit non (souligné cent mille fois). Qui dit mieux ? Qui, après une telle nuit, ne se sentirait – comment dire ? Je n'ai pas de mots. Aucun ne me paraît à la hauteur. Les mots injustice, amertume, détresse, fureur, complot ? Peuh ! Ils ne veulent rien dire à mon niveau de ressenti individuel des choses. Ils sont tellement loin de décrire l'état dans lequel me laissa cette nuit-là. Et à quoi bon, de toute façon ?

J'imagine que n'importe qui se sentirait abasourdi s'il lui arrivait la même chose. Tellement consterné qu'il se saurait entamé dans son aspiration même à vivre. Dégoûté jusqu'aux os des choses et des gens et des nouveaux moyens de communication soi-disant tellement performants. À tout le moins définitivement paranoïaque, se croyant voué à d'occultes et supérieures gémonies, maudit des pieds à la tête, paria désigné, galeux pour la vie, irrémédiablement persuadé qu'une catastrophe lui est personnellement réservée en plus de la catastrophe à laquelle personne n'échappe. Plus que jamais envahi par le sentiment sinistre que l'existence est une totale escroquerie. Que des types, planqués dans une régie invisible, travaillent énormément à son Truman Show. S'ingénient énormément à lui pourrir la vie. Parce que c'est leur job d'inventer des scénarios toujours plus désastreux à son intention et de cadrer ensuite la tête qu'il fait pour diffuser en gros plan sa déconfiture sur tous les canaux du monde qui, telles de petites rivières, j'allais dire vipères, viennent grossir un monstrueux fleuve de merde. Caméra huit, vite, plan serré sur la tronche du gogol, caméra trois maintenant, voilà, tout doux, zoom sur les yeux, encore plus près, voilà, c'est bien – hey, c'est pas une larme, là, au coin de l'œil ? Zoome encore ! Vite ! Yes ! Hourra ! Hip hip hip !

Putain, ces types avaient tout de même de gros moyens pour parvenir à bloquer quatorze heures durant des sms et les acheminer ensuite à bon port, comme si de rien n'était ; de toute évidence, ils avaient des moyens *considérables* ; ce devait être un programme diffusé en prime time dans une autre dimension pour qu'ils se donnent autant de mal. Il s'agissait peut-être d'un programme secret gouvernemental. Je ne sais pas. Il devait y avoir de gros enjeux, politiques ou économiques ou les deux à la fois. Je ne sais pas. Combien la minute de publicité ?

Quand je pense que ce fut cette nuit-là que M me supplia de la retrouver chez elle. Que ce fut cette nuit-là qu'elle me donna son *code* pour que je pénètre dans son immeuble et gravisse sur la pointe des pieds les marches de son palais et, parvenu au deuxième étage, le cœur battant à tout rompre, j'aurais doucement poussé la porte de son appartement qu'elle avait laissée entrebâillée, j'aurais franchi le seuil pour me glisser chez elle et avancer lentement dans l'obscurité jusqu'à trouver sa chambre, jusqu'à trouver son lit, jusqu'à la trouver elle, et cette effraction dans son appartement aurait déjà été faire l'amour. Cela aurait été totalement sexuel. Cela n'aurait pas été une métaphore. Peut-être aurait-elle disposé des bougies pour guider mon avancée dans son pays des merveilles. J'en suis persuadé. Il ne s'agissait pas d'un traquenard. Que dis-je des bougies : des candélabres, des cierges, des photophores de toutes les couleurs, des chandeliers à neuf ou même à vingt branches. Des flambeaux tenus à bout bras par des mains vivantes sortant du mur. Avec des animaux fabuleux dévalant les murs, comme dans la grotte Chauvet.

Quand je pense qu'elle m'attendait et que je ne vins pas !

Elle m'attendait et je ne vins pas !

Quand je pense qu'elle voulut que je vienne chez elle. Non pas à l'hôtel ou chez moi, pas dans un lieu famélique où faire les choses en cachette, non, CHEZ ELLE, dans sa MAISON, là où elle vivait, dans SON LIT, celui qu'elle partageait avec son fiancé, moi le chassant, elle ayant probablement changé les draps, changeant tout, changeant de vie et ce serait avec moi. Elle ne pouvait envoyer signal plus fort. Symboliquement, c'était irrévocable. Dans son monde, c'était le pire qu'elle puisse faire. Pas de demi-mesure. Le grand saut sans filet. Cela valait engagement pour la vie. Oh seigneur.

Quand je pense qu'une fois j'eus l'occasion de venir chez elle, une seule fois, et...

Comment me remettre d'une telle nuit ? Quelle dose de pure malchance un être humain peut-il supporter à son niveau individuel ? J'aimerais une réponse claire. Je voudrais des chiffres.

Quand je pense que M me dit qu'elle m'aimait autant qu'elle se haïssait. Quand j'y pense, je ferme les yeux et, lentement, je me retourne contre le mur en rabattant la couverture sur moi.

Quand je pense à ce que ma vie aurait été si les sms de M m'étaient parvenus en temps et en heure.

Quand je pense à l'homme que j'aurais pu devenir et que j'ai failli devenir à la place de la loque que je suis inéluctablement devenu depuis cette nuit du 30 novembre au 1er décembre 2004, ma vue se brouille, mon corps se met à trembler, je bafouille des pieds à la tête, je fonds intérieurement en larmes comme un putain de bébé.

Quand je pense au mot *kairos*. Qui signifie « moment opportun », signifie « moment propice », signifie « occasion en or », signifie « instant grand T », signifie « maintenant ou jamais », signifie « avant l'heure c'est pas l'heure et après l'heure c'est plus l'heure », signifie « tu as laissé passer ta chance, connard ». Quand je pense que cette nuit-là était *son* kairos. C'était *notre* kairos à tous les deux. L'instant unique qui promettait d'abolir tous les autres en faisant se raccorder enfin dans un même plan nos deux êtres séparés. Quand je pense que j'ai laissé échapper la Fortune et que je n'y suis pour rien. Quand je pense qu'une dimension du temps s'ouvrit cette nuit-là et pas une autre nuit, une dimension échappée du temps linéaire, le réfutant totalement afin de créer une profondeur ineffable à notre histoire et, pour elle comme pour moi, engendrer une autre perception de l'univers, de l'événement, de tout. Quand j'y pense, je ne veux plus jamais penser à rien. Je veux mourir. Je sens la mort se refermer sur moi.

Quand je pense que Julien s'est pendu avec la ceinture de son pantalon à la poignée d'une fenêtre un an plus tard, quasiment à la même date jour pour jour.

Quand je pense que, ce jour-là, mardi 30 novembre 2004, mon horoscope me prédisait, deux points ouvrez les guillemets : « Quel talent pour exprimer vos idées ! Attendez-vous à des compliments. » Ça, c'était pour ma lettre de rupture, aucun doute, de toute évidence.

Quant aux Bélier, les astres n'étaient pas moins formels et clairvoyants : « Investissez-vous si vous voulez rester en course. » Ça, c'était pour les sms de M. Assurément. Et pour rester en course, M avait mis le paquet, personne ne pourra dire le contraire. Elle aurait gagné la course haut la main si ses sms m'étaient parvenus en temps et en heure. Oui, quand je pense que même les astres étaient de notre côté. Qui a le pouvoir de faire mentir les astres ? Qui au-dessus d'eux ?

POURQUOI ?

Niveau 5

Quand je pense que je n'ai pas été vaincu par la beauté de M avec des guillemets, non plus par sa famille riche à millions et par son milieu aux antipodes du mien, ni même par son fiancé, non, j'ai été vaincu par AUTRE CHOSE.

Dire que je venais de rompre avec elle. Je n'y croyais plus. Ce qui s'appelle ne plus y croire. J'étais sûr qu'entre nous : c'était mort. C'était plié.

Et voici que non !

Tout le contraire !

Comme en décembre 2003.

Le 14 décembre 2003. À Zagreb. Croatie.

À la Dom Sportova.

C'était un an seulement avant de rencontrer M.

C'était la finale du championnat du monde de handball féminin, retransmise en direct à la télévision.

J'étais devant la télévision à ce moment-là.

Je convoque les souvenirs que je veux dans mon récit, j'utilise les métaphores les plus significatives à mon niveau individuel des choses. Tant pis pour ceux qui n'aiment pas le sport. Ils ont tort. Ils ne savent pas ce qu'ils ratent. Ils ignorent que le sport ne s'arrête pas à lui. Ils ne savent pas que, saisis par l'angoisse, terrassés par la catastrophe, il nous faut regarder ailleurs tellement les yeux nous brûlent.

Pour la deuxième fois, les Françaises atteignaient ce stade de la compétition.

Allez les filles !

Quatre ans plus tôt, au terme d'un match épique, elles avaient perdu en finale contre la Norvège qui jouait à domicile, sur son parquet, devant son public. Perdu d'un minuscule petit but, après deux prolongations et des décisions arbitrales aussi cruelles que contestables.

Et voici qu'elles avaient l'occasion d'effacer ce mauvais souvenir et de prendre leur revanche. L'occasion de remporter enfin le titre mondial.

Le tout premier chez les féminines, toutes disciplines confondues.

À condition de battre la redoutable équipe de Hongrie, bien meilleure sur le papier et donnée largement gagnante après son parcours sans faute dans la compétition. Surtout avec dix mille supporters bruyamment acquis à sa cause. Lesquels n'en finissaient pas de faire la fête dans les tribunes . à la mi-temps, les Hongroises menaient tranquillement de trois buts, ce qui n'était pas cher payé tellement elles dominaient les Françaises. Dans les buts, la gardienne Pálinger semblait infranchissable. En état de grâce, elle réalisait exploit sur exploit, décourageant les tentatives tricolores, les réduisant à néant, les ridiculisant.

À un quart d'heure de la fin du match, les Hongroises menaient de cinq buts.

À sept minutes de la fin du match, elles menaient de sept buts.

C'était plié.

C'était mort.

Tant pis les filles.

Pas grave.

Bravo quand même.

Dans sept petites minutes, les Hongroises seraient championnes du monde. Pour la seconde fois, les Françaises loupaient le coche. Elles n'avaient pas existé dans ce match. Elles se prenaient même une branlée. Cela tournait à la correction.

C'était triste.

Vu de Hongrie, cela devait moins l'être.

Tout est question de point de vue.

Et puis.

On croit que tout est perdu.

Tout semble inéluctablement perdu.

Ce n'est pas qu'une impression : il s'agit d'un constat. Aucune équipe ne peut remonter sept buts en sept minutes. Cela ne s'est jamais vu. C'est juste impossible. Faut être lucide. Faut savoir accepter la défaite. Faut être *réaliste*.

C'est quoi sept minutes ?

C'est le temps d'aller se faire cuire deux œufs à la coque.

C'est rien du tout.

Sauf que.

À sept minutes de la fin du match.

Il y eut ce ballon que, sans faire exprès (ou bien fut-ce inconscient ?), l'ailière française envoya en plein visage de Pálinger. Et ce fut comme un déclic, raconta plus tard l'ailière, à la fois gênée et hilare. Ce fut comme si elle avait osé toucher à l'idole. Comme si elle avait déboulonné le Commandeur. Pálinger se releva sans mal ; mais pour les Françaises, elle avait perdu son aura. Elle était redevenue humaine. Elle ne leur parut plus cet immense rempart au pied duquel venaient inlassablement buter leurs tirs et se briser leurs espoirs. Elles cessèrent de la respecter et de la craindre. Pálinger n'était finalement qu'une goal comme les autres et, dès cet instant, elle devint effectivement une goal à qui on pouvait planter des buts.

Et puis. Ce fut la capitaine des Bleues. Elle se mit en colère. Soudain elle devint furieuse. Une rage incroyable la submergea. Ce fut plus fort qu'elle. Elle regarda le score et elle vit rouge. La moutarde lui monta au cerveau. Ce n'était pas possible. Se faire torcher comme ça. Perdre de sept buts. Ah non ! Pas comme ça ! Pas à plate couture ! Pas comme des brèles. Pas en finale. NON ! Elle rameuta ses troupes. Assez d'humiliations ! leur dit-elle d'une voix hargneuse. ASSEZ D'HUMILIATIONS ! les fusilla-t-elle du regard. Elle ne plaisantait pas. Les autres ne l'avaient jamais vue dans cet état. Elles eurent davantage peur d'elle que des Hongroises. Elles se mirent à jouer avec une énergie transcendée. Ce fut l'heure de la révolte. Perdu pour perdu.

Et le miracle se produisit. Le mot miracle signifiant ici « chose merveilleuse en son genre » ; « fait ou résultat étonnant, extraordinaire, suscitant l'admiration » plutôt que « manifestation surnaturelle ou divine ».

En tout cas, prodige il y eut.

Car les Françaises remontèrent sept buts en sept minutes.

Elles remontèrent sept buts en sept minutes !

En finale du championnat du monde.

Devant dix mille personnes qui les sifflaient et les huaient.

Face à la meilleure équipe de handball du moment.

Laquelle était toujours sur le terrain et ne faisait pas de la figuration. Ne lâchait évidemment pas le morceau. Tenait à sa victoire et s'y agrippait férocement. Se voyait à sept minutes du bonheur et, tout sourire, ivre d'un titre de championne du monde qui lui était promis, avec l'entraîneur et les remplaçantes jubilant déjà sur la touche, continuait de défendre bec et ongles son avantage de sept buts et d'attaquer à tout-va, de marquer des buts à tout-va – mais deux fois moins que les Françaises, trois fois moins que les Françaises. *Sept fois moins que les Françaises !*

Il faut avoir vu ça une fois dans sa vie. Il faut l'avoir vécu en direct. Il faut s'être vu ne pas en croire ses yeux lorsque les Françaises égalisèrent à 28 partout à la toute dernière seconde – vraiment à la dernière seconde ! Chaque seconde en vaut mille quand il ne reste que sept minutes à vivre ! –, arrachant les prolongations dans une euphorie éberluée et dans un silence de mort (ce n'est pas rien de faire taire dix mille personnes), face à des Hongroises devenues livides. Qui, détruites psychologiquement, sportivement incrédules, perdirent finalement le match 29 à 32. Les Françaises étaient championnes du monde pour la première fois de leur histoire. Au terme d'un match que j'aimerais voir étudié en classe de philosophie. Au terme de sept minutes comme il en existe très peu dans une existence.

C'est incroyable ce qui peut arriver en sept minutes.

Ce peut être *indescriptible*.

Un monde peut se faire et se défaire en sept petites minutes.

On devrait se le rappeler à chaque minute qui passe.

On peut aussi bien se faire cuire deux œufs à la coque que renverser des montagnes. Retourner des situations qui ne sont même pas compromises car elles sont fichues, cuites, pliées. Car c'est mort.

Et puis non.

On ne sait pas comment c'est possible, mais c'est possible.

Je le sais. Je l'ai vu à la télé ce 14 décembre 2003, en direct de la Dom Sportova de Zagreb, Croatie. Ce fut une leçon que je n'ai jamais oubliée. Je reçus sept sur sept le message.

Ce jour-là, je compris ce que c'est que de défier la fatalité et l'euphorie d'en triompher.

Ce jour-là, je sus que rien n'est rédhibitoire. Rien n'est jamais perdu. Pas tant que le coup de sifflet n'a pas retenti. Tant qu'il reste du temps. Même s'il ne reste que sept minutes. Même s'il ne reste qu'une seule seconde.

Ce jour-là, une autre sorte d'Impensable eut lieu, effaçant celui que Romeu m'avait révélé.

Ce jour-là, je sus qu'être *réaliste* ne veut rien dire quand cela signifie baisser les bras et accepter tête basse son sort. C'est une lâcheté.

Cela se passait juste un an avant de rencontrer M et, là, tout de suite, en écrivant, je pense à ces jeunes femmes qui finirent le match en larmes. Qui n'en revenaient pas elles-mêmes de ce qu'elles venaient d'accomplir. Qui mesuraient maintenant toutes dix mètres de haut. Marchaient sur l'eau. S'embrassaient comme je souhaite à tout le monde de s'embrasser un jour. Venaient de donner un sens au mot exploit. S'appelaient Stéphanie Cano, Leila Lejeune, Myriam Borg-Korfanty, Véronique Pecqueux-Rolland, Melinda Jacques-Szabo, Nodjialem Myaro, Sandrine Delerce, Isabelle Wendling, Raphaëlle Tervel, Valérie Nicolas…

Merci mesdames et mesdemoiselles.

Vive les filles !

Elles sont fortes les filles.

Je pense à ce match en pensant à cette histoire de sms.

Dans mon histoire de M, ils furent cette incroyable remontée au score, cet hallucinant retournement de situation en ma faveur ; ils furent cette émotion insensée, alors que tout semblait perdu. Alors que tout était perdu. Que c'était mort. Fallait être réaliste.

Et puis je pense maintenant aux Hongroises, si près du but et voyant tout s'anéantir en sept petites minutes. Voyant le sol s'ouvrir sous leurs pieds et le ciel leur tomber sur la tête.

Se voyant défaites au moment où elles touchaient au bonheur le plus pur et attendu. Pour lequel elles avaient tant œuvré.

Voyant l'Impensable se produire, mais l'Impensable dans le pire sens.

À Zagreb ce 14 décembre 2003 comme un an plus tard, à Paris, dans la nuit du 30 novembre au 1er décembre 2004.

Niveau 6

« 4 décembre 2004
Réf. Client : 05842...
Lettre recommandée avec accusé de réception.

Madame, Monsieur,

Ce n'est pas moi qui vais vous apprendre que votre réseau a connu un grave dysfonctionnement dans la nuit du mardi 30 novembre 2004 au mercredi 1er décembre 2004.

La raison de ce grave dysfonctionnement ? Je m'en fiche ! Peu me chaut vos misérables explications techniques et tout ce que, pour vous dédouaner, vous pourrez avancer comme "problème indépendant de votre volonté" concernant le grave dysfonctionnement que votre réseau a connu dans la nuit du 30 novembre au 1er décembre 2004. Le monde crève d'explications servies comme des excuses.

Les conséquences de ce grave dysfonctionnement survenu sur votre réseau à la date susmentionnée ? Alors que cinq sms furent envoyés cette nuit-là entre 20 h 06 et 00 h 19, tous les cinq sont parvenus dans l'après-midi du lendemain, entre 14 h 32 et 14 h 39 !

Soit près de QUATORZE HEURES PLUS TARD !

C'est plus que le temps d'aller à New York en avion et de revenir à Paris. Plus que le temps d'aller se faire cuire 168 œufs à la coque. Plus que le temps qu'il fallut à la mère de ma fille pour mettre au monde notre enfant.

Plus que le temps pour vous d'assumer vos responsabilités.

Car il ne s'agissait pas de n'importe quels sms : il s'agissait de sms dont dépendait l'avenir d'un homme !

Il s'agissait des sms d'une VIE !
Il s'agissait des sms émanant de L'AMOUR DE MA VIE !
Et ils sont parvenus près de quatorze heures après avoir été envoyés.

Ils sont parvenus TROP TARD !

Il faut vous le dire DANS QUELLE PUTAIN DE LANGUE ?

À cause de ce retard, une CATASTROPHE s'est produite ! Deux vies ont été BOUSILLÉES, faute que soient correctement acheminés cinq sms de la plus haute importance, dans le plus parfait déni de vos obligations contractuelles !

J'accuse votre putain de réseau de merde d'avoir connu un CRIMINEL dysfonctionnement.

Cette fois, ne croyez pas que vous allez vous en tirer en faisant un "geste commercial", comme vous vous gargarisez de le faire dès que vous êtes pris en faute ! Elle a vécu ! – quoi ? Votre saloperie marketing qui consiste à faire croire que vous faites une fleur à ceux envers qui vous êtes d'abord redevables !

Attendez-vous, par la présente, à un "geste commercial" de ma part : j'ai chargé mon avocat, maître Leslie Tomson, de porter plainte devant toute juridiction compétente.

Deux vies ont été BRISÉES parce que vous n'avez pas respecté vos engagements techniques, commerciaux et moraux. Les FORCES DU MAL ont triomphé grâce à VOUS. En raison de l'incurie de vos services, de la faillite de vos installations, de l'incompétence de vos techniciens, de l'amateurisme de toute votre société.

Est-il besoin de préciser que je ne veux plus jamais avoir affaire à vos services. Je vous RÉSILIE. Je vous MAUDIS, vous, votre réseau, vos filiales et toute votre descendance, pour au moins cinq générations !

J'exige RÉPARATIONS !

Bon dieu, vous êtes le dernier maillon d'une très longue chaîne que le monde ne cesse de passer autour du cou des gens qui ne veulent qu'être heureux.

Vous êtes l'ultime exécuteur des BASSES ŒUVRES de ce monde et vous n'allez pas l'emporter au paradis ! C'est moi, désormais, l'EXÉCUTEUR ! Je suis le PUNISHER ! Vous êtes prévenus !

Vous allez connaître le GOÛT du malheur. Vous allez connaître l'INTÉGRALE COSMIQUE et, cette fois, elle va s'ajouter à la SOMME DE L'HOMME.

Madame, monsieur, je vous pisse à la raie pour le mal que vous avez causé et qui, croyez-moi, ne restera pas impuni.

Vous allez entendre parler de moi, je vous le promets !

Je le jure devant DIEU !

Vous pensez peut-être que l'islam est la religion la plus adaptée à la CONNERIE humaine du moment. Avant, ce fut le christianisme. Mais vous ne connaissez pas MA religion ! Vous ignorez ma BARBARIE. Vous allez connaître le sens du mot FUREUR. Vous n'avez ENCORE rien vu !

Poum poum
Akoum kniaialu
Grégoire « Slobo » Bouillier

Niveau 7

Écrire cette lettre à mon opérateur de téléphonie mobile me fit le plus grand bien. L'envoyer en recommandé avec accusé de réception me parut la moindre des choses : au moins ces abrutis passeraient-ils un sale quart d'heure lorsqu'ils recevraient mon courrier ; *ça les ferait réfléchir un moment* ; un vent de panique soufflerait dans les étages ; ils se demanderaient jusqu'où ils avaient affaire à un malade mental, à un fou dangereux, à un individu possiblement armé et prêt à faire un carnage dans leurs rangs et à tout faire sauter : lui, eux, tout l'immeuble, la ville entière ; s'ils devaient prendre sur-le-champ des mesures de protection et, pour commencer, alerter de toute urgence l'antigang, la BRI, le GIGN.

Qu'ils en fassent dans leur froc !

Sans compter que le service juridique serait immédiatement prévenu ; le service technique serait chargé de faire un rapport sur le dysfonctionnement du 30 novembre ; un dossier serait constitué ; le service commercial ferait remonter toutes les informations me concernant ; mon contrat serait épluché ; ces enfoirés seraient forcés de penser à moi, oh oui, ils penseraient à moi avec *inquiétude,* avec *terreur,* ce serait le branle-bas après qu'ils auraient lu ma lettre. Ils sentiraient passer le vent de l'aile de mon boulet. C'était bien le minimum. Ils pouvaient crever tous, la gueule ouverte.

Je n'ai pas envoyé cette lettre. Finalement. Inutile de me faire du mal, tranchai-je à l'époque. Inutile d'entrer en contact avec *eux* et écouter ce qu'ils avaient à *dire.* Je ne voulais strictement rien avoir à faire avec ces truelles à merde. Je n'avais pas la force de me battre. Ni l'envie. Ni rien. Je voulais au plus vite passer à autre chose. Me cacher dans un trou de souris.

Sans même parler de voir débarquer chez moi les types de l'antigang, de la BRI ou du GIGN, je ne voulais en aucun cas risquer de m'entendre proposer en dédommagement des points carrés bonus : je crois que j'aurais pour de bon pété un câble, comme on dit. J'aurais, oui, bondi à la gorge du pétoncle commercial me parlant au téléphone et rien n'aurait pu me retenir de faire *un malheur* et, au bout du compte, les choses seraient allées de mal en pis. Elles se seraient retournées contre moi. Pour sûr ! Comme tout se retourne tout le temps contre moi.

Faiblesse, lâcheté, syndrome de fuite… Appelle ça comme tu voudras, je m'en fiche. Le fait est que je me suis contenté d'imaginer cette lettre et de la rédiger mentalement une fois, dix fois, et, dans ma tête, cette lettre devenait toujours plus incendiaire et barbare. Une vraie fatwa ! Une méga-philippique. La lettre d'un désespéré, d'un barge total, d'un poseur de bombes en puissance, d'un combattant du jihad le sien. Cela aurait très mal tourné pour mon matricule si je l'avais envoyée. J'en suis persuadé. Il y aurait eu des *conséquences*. Je serais probablement à l'heure actuelle dans une cellule capitonnée du sol au plafond, avec Mildred Ratched en infirmière en chef et Hamidou en gardien de prison.

À quoi bon, de toute façon ? Le mal était fait. Il était irrémédiable. Rien ne pouvait l'effacer. Il me fallait vivre avec cette nouvelle incrédulité en ma défaveur. Apprendre à vivre, oui, j'insiste, *apprendre* à vivre, dis-je, avec cet ultime coup de poignard planté dans mon dos et supporter cette dernière ignominie particulièrement ignominieuse de la réalité (ce qu'un minable opérateur de téléphonie avait fait de la réalité). Quoi d'autre ?

Je sais bien que, de nos jours, la mode est de faire de son malheur particulier des lois générales ; je sais bien que, du haut en bas de l'échelle sociale, chacun *exige* aujourd'hui que la société remédie à son cas personnel comme s'il devait être le cas de tous et, l'autre jour, j'entendais un grand commis de la République, l'un de ces types qui se vantent de gouverner nos existences à tous, militer avec morgue et âpreté pour que soit restauré dans le pays un État fort et, l'écoutant pour le plaisir de me faire du mal, j'avais sursauté en entendant ce grand homme confier qu'il avait *terriblement* souffert dans son enfance de n'avoir pas connu son père et la blessure, disait-il, était toujours là, elle saignait toujours, disait-il devant les millions de gens dont il se vantait de gouverner l'existence et je veux bien être pendu (non, pas pendu, pardon…), mais se pouvait-il que ce grand homme cherchât à restaurer un État fort dans le pays afin de restaurer son petit papa chéri et ainsi refermer sa blessure d'enfant délaissé et uniquement pour cette raison ? Pour une simple histoire de fiston dépité ? Putain, ne devrait-il pas d'abord aller consulter, se connaître un minimum lui-même et faire la lumière sur sa propre existence avant de prétendre gouverner celle de millions de gens ? J'avais un doute. J'aurais aimé que, là, maintenant, devant ces mêmes millions de gens, ce grand homme dessine sur une feuille de papier sa vision d'un État fort car j'avais l'intuition que le résultat pouvait s'avérer aussi instructif que celui que l'on obtient lorsqu'on demande à une jeune femme bien sous tout rapport de dessiner son propre sexe. Car ou bien c'était moi qui délirais, ou bien il était urgent que le grand homme donne des gages qu'il ne cherchait pas à édifier un monde à l'image de sa détresse de petit garçon et, de ce fait, à imposer au plus grand nombre un problème dont la solution, même avec la meilleure volonté du monde, avait fort peu de chances d'améliorer mon quotidien et l'on s'étonne ensuite que les peuples s'enfoncent toujours davantage dans le caca ; mais ce n'est pas mon genre de transformer mon niveau individuel des choses en niveau universel des choses, je suis un peu trop de la vieille école pour ce genre d'extension du domaine de la misère, je sais que si je demande à Monsieur Gicle de dessiner la société, il dessinera ma mère (alors que la réciproque n'est pas vraie) et, oui, j'allais me débrouiller tout seul, j'allais m'en sortir, encore une fois m'en sortir, par mes propres moyens, avec mes petits poings – et, par parenthèse, me faut-il préciser que tout ce qui m'arrive ne fait *en aucun cas* de moi une victime mais un être à qui certains mystères de l'existence sont révélés et que ces mystères mettent mes nerfs à vif, qu'ils détruisent des vies, fait aussi partie du mystère. Dois-je verser au Dossier que je ne parle pas de moi comme si parler de soi valait la peine, mais que parler de moi est une *stratégie* ? Puisque c'est lorsqu'il parle de lui que l'individu est le plus loin de lui. Avant qu'il parvienne à se saisir lui-même dans le langage, il peut s'écouler des flots de paroles – ou un très long silence.

Quoi qu'il en soit, je n'allais pas pleurnicher dans les jupes du monde et, après avoir gardé le meilleur pour moi, mutualiser publiquement mes pertes. Hors de question. Je n'étais pas du genre à me casser la figure dans la rue et dire ensuite que c'était un problème de société. La victimisation gangrène les gens d'ici, elle justifie tout, elle est le seul et unique sentiment auquel les gens ont encore accès et je n'allais pas détourner à mon avantage ni le bien commun ni l'intérêt général, non, je ne revendiquais rien de cet ordre. Je n'allais en aucun cas saisir le Tribunal pénal international pour crime contre l'humanité, quand bien même, au niveau individuel de ma vie psychique et, par la suite, au niveau individuel du suicide de Julien, il y eut effectivement, cette nuit-là, crime contre *l'humanité*. Je ne crains pas de le dire. C'est dit.

Aux dernières nouvelles, nous n'héritons pas seulement des gènes de nos parents. D'eux, nous héritons aussi de cellules-souches, d'enzymes, de bactéries – et même de souvenirs. Parce que ce qui nous arrive de grave est si profondément éprouvé que cela affecte notre génome. C'est ce que les biologistes appellent l'épigénétique. Après s'être brièvement révoltée contre les nazis, la population néerlandaise fut, en représailles, soumise à une restriction alimentaire qui provoqua dans le pays une sévère famine pendant toute l'année 1944 ; les femmes qui avaient subi ces privations s'en ressentirent : elles donnèrent naissance à des enfants rachitiques. Or, vingt ans plus tard, parmi ces enfants nés rachitiques, ceux de sexe féminin qui, s'étant peu à peu refait une belle santé au point que leur rachitisme n'était plus qu'un lointain souvenir, donnèrent également naissance à des enfants rachitiques. Les effets de la famine qu'avaient connue leurs mères une année durant s'étaient transmis de façon héréditaire à travers eux. La famine de 1944 était désormais inscrite dans le patrimoine génétique de leur lignée – et pas près d'en sortir. Songeant à cela, je n'avais pas osé imaginer à quoi ressemblaient mes gènes aujourd'hui. À la façon dont mon histoire de M avait salement dû les méthyler. C'était une chance que je ne comptais pas avoir d'enfant dans l'immédiat. Une chance pour l'enfant. Ce n'était pas un héritage heureux. C'était tout sauf un cadeau à faire à un enfant.

Niveau 8

Ranger mon téléphone dans ma poche. Prendre quelques boîtes pour le chat dans le rayon et passer à la caisse. Quitter lentement la supérette. Rentrer chez moi avec le sac de courses. Ouvrir une boîte pour le chat tandis qu'il miaule et se frotte contre mes jambes. L'écarter doucement du pied afin de déposer sa pâtée dans sa gamelle et le regarder engloutir ses bouchées en gelée saveur volaille comme si sa vie en dépendait. Lui donner deux ou trois caresses dont il se fiche complètement, tandis qu'il enfourne à toute vitesse ses bouchées en gelée saveur volaille.

Sacré minou.

Quitter la cuisine. Aller dans ma chambre et m'asseoir sur mon lit.

Rester un moment immobile.

Me lever, aller à la fenêtre et l'ouvrir. Prendre appui sur le garde-corps et demeurer dans cette position, accoudé, à sentir l'air gris et humide, à écouter la rumeur étouffée de la ville, à contempler l'inertie du jardin privatif qui attriste la vue depuis ma fenêtre. Suivre des yeux le vol de moineaux semblant bien s'amuser. Éviter de regarder le vide qui, cinq ou six mètres plus bas, me fait de grands signes.

Revenir m'asseoir au bord du lit. Allumer une autre cigarette. Regarder le bout incandescent et les volutes qui montent dans l'air. Le silence. Attendre qu'il y ait assez de cendre et tapoter un peu pour précipiter sa chute. Regarder le petit monticule de cendre à mes pieds. Le fixer longuement. Me prendre la tête entre les mains et m'apitoyer sur mon sort parce que personne n'allait le faire à ma place.

Au mur : le cadre de traviole.

Le fixer en silence.

Me dire que M avait finalement cédé. Elle avait succombé. Elle avait tout envoyé balader pour moi. Elle l'avait fait ! ELLE L'AVAIT FAIT ! Elle ne pouvait m'aimer davantage. Elle m'avait tout donné. Elle m'avait prouvé que rien n'est jamais drawing dead. Son fiancé, sa famille, le scandale… Elle les avait envoyés balader. *Elle m'avait choisi !* Et sa main tendue n'avait rencontré que l'absence. Son appel avait résonné dans le vide. Je n'étais pas venu au rendez-vous ! Je l'avais laissée toute seule. Je l'avais abandonnée. Quel enfer ! Quelle cruauté ! Quelle victoire ! Quelle sordide machination ! Quelle monstrueuse consolation. C'était encore pire finalement. J'aurais mieux supporté que cette nuit n'eut jamais lieu. Que l'heure de la victoire ne se confonde pas avec celle de la défaite. Du refus de M je pouvais m'accommoder. Il était dans l'ordre pourri des choses. Mais *ça* ? Devoir pleurer alors que j'aurais dû être le plus heureux des hommes. Tous ces efforts pour ça ? Plus jamais M ne se risquerait à m'ouvrir sa porte comme on ouvre son cœur et le reste. On ne donne pas deux fois sa vie. On n'envoie pas tout balader deux fois si la première fois n'a rien donné. Ce serait grotesque. La vérité n'a lieu qu'une fois ou elle n'est qu'une farce. Comment était-ce possible ? C'était innommable. Je ne m'en remettrais jamais. J'allais devoir vivre toute ma vie avec ça.

M'asseoir sur mon lit. Prendre mon téléphone portable dans la poche de mon manteau et relire les sms de M. Les relire attentivement. Les relire l'un après l'autre plusieurs fois. Les murmurer tout bas pour les entendre en plus de les lire. Qu'ils deviennent chant. S'incarnent dans ma tête. Comme on enfonce le doigt dans la plaie. Comme on se plonge dans des textes sacrés. « Vous êtes ce que je désire ; rien que pour cela je ne peux rompre ; vous chasser de mon esprit est impossible ; chacun de mes regards vous cherche ; je n'en peux plus ; j'ai besoin de vous ; je me hais autant que je vous aime ; venez ! »

Seigneur dieu.

Quelle folie !

Quel retournement de situation !

Pourquoi ?

Et moi de comprendre tout à coup.

Ma lettre de rupture.

Ce qu'elle avait déclenché chez M.

Mais oui.

Ma lettre de rupture.

C'était à cause d'elle.

Contre toute attente.

Alors que telle n'était pas mon intention.

Je ne m'attendais pas à pareille réaction de sa part.

Pas du tout.

Pas une seule seconde je n'avais cherché à la susciter. Ma lettre de rupture n'était pas *tactique*. J'étais à mille lieues d'imaginer que lui annoncer que je jetais l'éponge et préférais ne plus la revoir provoquerait chez elle une réponse émotionnelle aussi splendide qu'inespérée. Parole !

Niveau 9

Te rappelles-tu S ? Quand bien même la situation était aux antipodes (souligné un milliard de fois), S n'avait jamais répondu à ma lettre de rupture. Plus jamais elle n'avait donné de ses nouvelles et M ne me répondrait pas davantage. Son silence serait sa réponse. C'était couru d'avance. Surtout qu'elle avait infiniment moins de raisons que S de me répondre. Ne plus me voir ne pouvait que l'arranger. J'en étais persuadé. Elle profiterait de ma lettre pour, de son côté, couper les ponts et en finir une bonne fois pour toutes avec son histoire de G, sortir de l'impasse qui était la sienne. Elle n'hésiterait pas. Elle saisirait l'occasion de retourner à une vie normale et à une vie apaisée, à une vie de tourtereaux promis au plus beau des mariages, à une vie de nouveau *productive*.

Je l'imaginais, oui, tout à fait soulagée de se voir rendue au temps présent et à son univers familier comme on dit d'un animal domestique et, par-dessus tout, j'étais convaincu qu'elle serait infiniment soulagée de ne plus devoir choisir entre deux hommes et que cesse enfin tout déchirement et, de la sorte, que soit résolue la contradiction qui la faisait dépérir. Car elle avait perdu trois ou quatre kilos depuis qu'elle me connaissait ! Elle ne dormait plus du tout ! Elle fumait maintenant jusqu'à deux paquets par jour. Alors qu'elle était en pleine forme six mois auparavant, fraîche et rose, elle devenait insensiblement l'ombre d'elle-même, je n'étais pas aveugle. Par ma faute, sa joie de vivre n'était plus que nerfs en pelote, épuisement de tout son être, sangs rongés. Je n'étais d'ailleurs pas en meilleur état. Malades étions-nous l'un de l'autre. Triste devenait notre passion. C'était à chaque instant trop de tension qui, faute de pouvoir se résoudre ou seulement se relâcher, nous épuisaient chacun, nous ruinaient l'un et l'autre, nous tuaient tous les deux. À notre niveau insoluble des choses, cela ne pouvait pas continuer. Sans doute nos souffrances respectives (car il s'agissait bien de souffrances) disaient le prix que chacun accordait à l'autre ; mais cela tournait au carnage. La voir dans cet état, si j'y voyais une preuve d'amour, me démoralisait. Cela me rendait fou. Alors que tout aurait dû être tellement limpide et joyeux. Mais elle avait bien trop peur. C'était trop pour elle. Trop compliqué. Trop brutal. Trop d'inconnu. La quitter la sauverait. Et moi le serais-je alors d'elle.

Comme disait l'autre (Rousseau), « nous sommes si peu faits pour être heureux ici-bas, qu'il faut nécessairement que l'âme ou le corps souffre, quand ils ne souffrent pas tous les deux, et que le bon état de l'un fait toujours tort à l'autre ». Pour sa part, un autre (Chesterton) disait que « nous sommes tellement accoutumés au malheur que lorsque le bonheur frappe à notre porte, nous la lui claquons au nez. Nous y voyons une mauvaise nouvelle ». Ainsi ne doutais-je pas une seconde que M serait fondamentalement soulagée de me voir sortir de son existence.

Par-delà la perte, elle se ferait une raison et, par là même, la retrouve-rait. Elle serait rendue à sa vie de tous les jours. Elle serait confortée dans le choix qu'elle savait être le sien depuis le début. Car j'en étais cer-tain à présent : elle n'avait jamais sérieusement envisagé partir avec moi, jamais réellement songé à briser ses vœux. Elle n'avait fait que caresser l'idée et, fût-ce en éprouvant une indicible tristesse et peut-être même déjà une certaine nostalgie pour mieux se dépêcher de poser des scellés sur cette période de sa vie destinée à devenir un minuscule petit point brillant dans sa mémoire, je l'imaginais déjà respirer un grand coup après avoir lu ma lettre et retrouver aussitôt la faculté de respirer un grand coup. Retrouver l'appétit. Retrouver le sommeil. Retrouver forces et bonne humeur. Toutes choses que ma présence lui faisait perdre. Alors que c'est mon absence qui aurait dû normalement la plonger dans l'angoisse, si tout s'était déroulé normalement. Venant du plus profond de son ventre, elle savourerait immédiatement la sensation d'être, grâce à ma lettre de rupture, pleinement restituée à elle-même. Enfin débar-rassée de tout tourment. Délivrée définitivement de moi. De moi comme affres et tortures, moi comme ébranlement de tout son être, moi comme ivresse, moi comme désir sans nom, moi comme situation invivable, moi comme amour impossible, moi comme sa mort. Moi comme une parenthèse finalement dans son existence, oui, une paren-thèse, qu'elle pourrait à présent refermer et, par parenthèse, de là mon goût pour les parenthèses. L'importance *extrême* que je leur accorde (souligné autant de fois que j'ai ouvert une parenthèse depuis le suicide de Julien). Tout ce qui compte se trouve entre parenthèses. Ou plutôt : se retrouve mis entre parenthèses. Car au début, il s'agit d'un élan, d'une aspiration pleine et entière, d'une *ouverture*, sur laquelle finit tou-jours par se refermer l'ordre du monde pour en faire une simple paren-thèse et, par exemple, Madrid 36. Par exemple Budapest 56. Et tant d'autres moments qui ne furent que des moments car ils furent empê-chés d'accéder à la durée. La liberté a toujours été une parenthèse dans l'histoire – et dans mon histoire de M aussi. Hélas. J'en étais intime-ment convaincu à ce moment-là. J'étais certain que M serait soulagée de voir se refermer la parenthèse que j'avais ouverte dans sa vie et, oui, ma décision de rompre ne pouvait que lui convenir à son niveau de choix trop difficile à faire – et elle le savait !

Elle m'en saurait gré.

Je n'entendrais plus jamais parler d'elle.

Je m'attendais sincèrement à un *blackout* total de sa part. Au silence tumultueux qui est celui de la mer. J'étais prêt à sa disparition que j'avais provoquée. J'y étais préparé. Je l'avais décidée. Elle ne m'aimait pas. Pas au point de rire au nez de son fiancé après qu'il lui eut asséné son fameux argument massue. Pas au point de briser ses chaînes et de provoquer un scandale familial (d'autant plus si son fiancé était l'élu de la famille). Pas comme j'eusse voulu qu'elle m'aime et il me fallait admettre qu'elle n'était pas pour moi, comme on dit. Contrairement à ce que j'avais cru au début. Même si, une fois ma lettre écrite et déposée dans son casier, je conservais à l'insu de mon plein gré l'espoir de je ne savais quoi, que je m'efforçais cependant d'étouffer dans mon poing, jusqu'à ce qu'il n'en reste plus aucune trace, pas même un soupçon. Dur envers moi-même j'avais décidé d'être et dur j'étais, blindé, béton armé, totalement fermé et réfractaire. Prêt à affronter le noir, le vide, le manque, l'atroce néant. Décidé à regarder dans n'importe quelle autre direction où M ne serait pas. Face à l'incertitude, toute décision apparaît un soulagement. Aussi funeste soit-elle, on s'y tient. On a quelque chose à quoi se tenir.

Niveau 10

Je le jure : je ne m'attendais pas du tout à ce que M m'envoie les sms les plus sublimes que j'aie jamais reçus. Les sms d'une vie. Les sms dans lesquels elle disait que j'étais, moi, ce qu'elle désirait le plus au monde. Qu'elle m'aimait autant qu'elle se haïssait. Oh seigneur dieu !

Je n'avais pas songé que, décidant brutalement de ne plus aller vers elle, c'est elle qui, dès lors, pouvait venir vers moi. Elle qui, n'ayant plus à se défendre contre mon désir, trouvait soudain l'espace dégagé pour exprimer le sien et s'étirer de tout son long dans ma direction. En sorte, je n'avais pas rompu avec elle, comme je le croyais, j'avais seulement rompu l'équilibre qui faisait que dès que j'avançais d'un pas, elle reculait d'un pas, comme une danse parfaitement réglée entre nous, un tango mécanique, le principe d'Archimède appliqué aux sentiments. Ma lettre qui, soit dit en passant, se plaignait justement de nos rôles trop bien respectifs, voici qu'elle nous en avait libérés et, en tous les cas, elle avait libéré M du rôle dans lequel l'emprisonnaient mes sentiments à son endroit, à quoi mon empressement l'obligeait depuis notre première rencontre et ce n'était peut-être pas plus sorcier que cela. Il avait suffi que je lui tourne le dos pour qu'elle veuille me rattraper par la manche et, selon un mécanisme si prévisible que c'est peu dire combien il nous ridicule, qu'elle s'effraie de perdre ce dont elle ne voulait pas tant qu'elle en avait l'occasion. M'en aller la faisait revenir au galop, comme si elle retrouvait une liberté de mouvement que ma présence, paradoxalement, entravait, comme si c'était moi qui faisais obstacle à ses sentiments et c'était assez risible, franchement déprimant si l'amour ne tenait qu'à un élastique.

Si j'avais pu me douter, si j'avais vu la situation dans son ensemble, j'aurais *feint* depuis longtemps de vouloir la quitter, oui, j'aurais été pour une fois plus intelligent que sincère et j'aurais fait preuve d'un minimum de sens tactique, je me serais fait Valmont pour l'occasion, même si j'ai tendance à croire que, par définition, la fin ne peut pas justifier les moyens en amour sans le dénaturer gravement.

Si j'avais feint, je n'aurais pas été aussi sincère dans mon désir de me sauver de mon histoire de M dans tous les sens du mot « sauver » et M l'aurait *senti*. Elle n'aurait pas marché. Je n'aurais pas trouvé les mots et M n'aurait pas réagi comme elle le fit.

Mais quelle importance désormais ?

Recevoir les sms de M quatorze heures après qu'elle les eut envoyés ne fut pas seulement tragique, ce fut surtout la pire chose qui pouvait m'arriver. Parce que les lire me remit aussitôt le cœur à l'envers. Ils me replongèrent aussi vite dans mon addiction à M et ruinèrent en un éclair tous mes efforts pour me sortir avec dignité de cette histoire en faisant de nouveau souffler dans ma vie le grand vent de l'espoir et peu importaient tout à coup mes bonnes résolutions. Au diable mon instinct de survie et ma lettre de rupture et les excellentes raisons qui l'avaient motivée car elles ne valaient plus tripette soudain, elles étaient effacées, pardonnées, balayées, oui, M pouvait me reprendre où et quand elle le voulait et, assis sur le rebord de mon lit, mon téléphone portable entre les mains, je ne cessais de relire ses sms en me demandant : quoi faire maintenant ? Que lui répondre ? Comment expliquer ? Justifier ? *Comment rattraper le coup quatorze heures plus tard !* Alors que j'étais *innocent*. Alors que je ne m'étais pas défilé, je ne lui avais pas posé un lapin (appelons ça un lapin). Jamais de la vie !

Mais M ne me croirait jamais. Personne ne croirait un truc pareil. Moi-même n'y croirais pas. Je n'y croirais pas une seule seconde si on me sortait une histoire aussi invraisemblable que celle de sms mettant près de quatorze heures à parcourir un peu plus d'un kilomètre – et puis quoi encore ? Je n'avais rien de mieux comme excuse ? C'est tout ce que j'avais trouvé ? C'était pitoyable. C'était minable. Que je m'y essaye et j'imaginais déjà la scène. Je voyais M saisie d'un brusque mouvement de recul. Presque du dégoût. Sa tête se détournerait. Sa bouche prendrait ce pli dédaigneux que je lui connaissais trop bien et, comme une sanction de plus à mon égard, elle retiendrait au bord des lèvres tout ce qu'elle ruminait et que je ne méritais même pas d'entendre. Elle aurait, oui, cet air buté qui dirait combien je lui faisais pitié. Qui dirait, deux points ouvrez les guillemets :

« Vas-y, cause toujours, mon con. Te gêne pas. Prends-moi pour une. Pauvre type. Espèce de. Quand je pense que j'ai failli. Quand je pense que j'y ai cru. Quelle farce ! Je t'ai avoué mes sentiments, j'ai abdiqué tout orgueil, j'ai trahi les lois de mon sexe en m'offrant sans contrepartie, je t'ai dévoilé ma faiblesse et j'ai rompu mes vœux pour toi, comprends-tu : *j'ai rompu mes vœux pour toi*, j'ai tout trahi pour toi, mon fiancé, ma famille, mon milieu – et toi… TOI ! Tu n'as aucune idée de. Je vais devoir vivre maintenant avec cette tache, ce fardeau, ce poison. Dire que je t'ai attendu toute la nuit et puis : rien ! Couille molle ! Quelle humiliation ! Comme c'est risible. Mais j'ai compris le message. C'était un jeu pour toi. Ta lettre de rupture : du bluff ! Rien que des mots. Du vent ! Imbécile que je suis ! Conne merdeuse. Encore une fois je m'écrase en bas de l'échelle. Jamais personne ne rattrape la voltigeuse qui se jette dans le vide. Toujours trahie est la confiance. Comme c'est dérisoire ! Comme je suis stupide. Claques et gifles je mérite ! Dire que j'ai laissé ma porte entrebâillée en pleine nuit ! N'importe qui aurait pu… Heureusement que. Dire que j'ai failli détruire mon mariage, ma vie, ma vie de famille, ma famille en or, tout saccager. Pour *ça* ? On ne m'y reprendra plus. Tu as eu ta chance, mon con. Et tu ne l'as pas saisie. *Tu ne m'as pas baisée !* Bien fait pour ta gueule ! Les hommes sont tellement lâches. Comment ai-je pu m'imaginer un seul instant ? Mais ouvre les yeux, ma fille. Reviens sur Terre, sale bécasse. L'amour n'existe pas. Souligné autant de fois qu'il le faudra. Mon dieu, heureusement qu'il n'est pas venu ! Quel enfer ce serait aujourd'hui s'il était venu. Quel malheur ! Ô le jeu de massacre ! Ô les cris et les larmes ! Oh les parents ! Et le fiancé ! Oh l'affreuse culpabilité. L'immense chambard ! Je ne veux même pas y songer. Je suis si fatiguée. Je n'en peux plus. J'ai compris la leçon. On ne m'y reprendra plus. Quelle honte. Comme j'ai honte. Quelle humiliation ! Comme tout est sordide. Le voudrais-je encore, je n'ai plus de bras à tendre. Me voilà bien tranquille ! Un mugissement sortira désormais de ma bouche quand on me parlera d'amour. Je suis une vache. Meuh. M comme meuh. Mais tout va bien maintenant. Tout va bien. Je vais me marier. Tout danger est écarté. C'est fini. Il ne s'est rien passé. Il ne s'est jamais rien passé. Les femmes n'ont de désir que de l'interdit. Je comprends tout à présent. Je connais le monde désormais. Le refrain et ses paroles. J'ai été partout. J'ai parcouru le monde entier. Je n'ai rien à me reprocher. Je n'ai rien fait de mal. C'est lui qui n'a pas. Tant pis. Pour lui. Mais ça m'apprendra ! Tout va bien maintenant. La crise est passée ! Ce n'était qu'une crise. Ô mon fiancé ! Oh mon futur époux ! Pardon d'avoir douté. Comme je suis faible. Comme je suis malheureuse. Pardonne-moi. Mais je suis guérie à présent. Fidèle je demeure. Plus vierge que jamais. Hélas. Je suis une vache. Je suis une mouette. Non. Ce n'est pas cela. Je suis. Je ne sais plus. Ce n'est rien. Toujours on se moque de nos rêves. Je vais devenir médiocre, mesquine. Non ! Quelle chose amusante. Quelle chose horrible et sordide. Mais, putain, quelle chose sordide et horrible. Si les gens pouvaient piger. Une bonne fois pour toutes. Je suis une mouette. Je ne suis pas saoule. Il ne faut baiser que quand on s'aime vraiment. Je m'appelle Nina. Je m'appelle Veronika. M comme Marthe. Je suis une actrice. Je suis une héroïne. Moi aussi j'avais sans trop d'histoire un grand espoir. Ce soir-là. Qui est Paul Trémoit dans la chanson ? Ô mon fiancé ! Si tu savais. Comme j'ai besoin de toi maintenant. Je t'ai toujours aimé. Tu dois me croire. Il est impératif que tu me croies. Nous avons besoin de tourments, parfois. Pas de faux tourments mais de vrais tourments. Pour éprouver quelque chose. Pour nous éprouver nous-mêmes. Ne pas mourir idiots. Ne pas mourir tout court. Ce qui ne nous abat pas nous rend plus forts. C'est donc vrai ce qu'on dit ? Je croyais que c'était une publicité. Une incitation à la défaite. Je vais devenir irréprochable. On ne m'y reprendra plus. Ô mon fiancé, ô toi qui as toujours pris soin de moi : tu ne sauras rien de mon errance. Ah non ! Jamais. Je vais me coucher à tes pieds, roulée en boule. Je te préparerai chaque matin ton petit déjeuner. Je te servirai absolument. Ah tu verras tu verras. L'amour est fait pour ça. Comme il est juste et bon qu'il n'en ait pas été comme un et un font un. Ô mon fiancé, ô le seul être sur Terre qu'il me reste ! Je te pardonne ton argument massue puisque tu me pardonnes. Nous sommes à égalité. J'ai fait ce qu'il fallait pour rétablir l'équilibre. Il n'a jamais été question que de nous deux. De notre mariage. Comprends-le ! C'est assez du jour présent. Assez d'avoir peur. Assez d'être une femme. Toi tu me connais. Toi tu m'aimes. Tu es bienveillant. Compatissant. Celui qui détruit doit rendre des comptes. Je n'ai rien détruit ! Ce n'était qu'un moment d'égarement. Un accès de fièvre. Une bouffée d'hormones. L'angoisse de notre mariage. Ce n'était pas sérieux. Rien n'a jamais eu lieu. C'était le démon. C'était pur spectacle. C'était l'été. Je nierai tout si tu me le demandes. Je voudrais n'avoir jamais écrit ces sms. Qu'il me les rende d'ailleurs ! Qu'il me les rende tous. Rien de moi ne saurait lui appartenir. Quel crétin ce crétin ! Pardon mon chéri. J'étais folle. Complètement ivre. C'est à cause de l'alcool. C'est Paris. Ville maudite. Partons nous marier. Passe-moi la bague au cou et serre fort autour de ma gorge les nœuds sacrés du mariage ! Filons d'ici. Vite ! Emmène-moi. Loin de cet enfer. Vite ! Ramène-moi en Cornouailles. Je veux rentrer à la maison. Je n'en peux plus. J'ai si peur de moi. Je n'ai jamais écrit ces sms. Jamais de la vie. Je te le jure. Je me repens. Ce n'était pas moi. C'était une autre. Comment ai-je pu croire en ? Cela n'aurait de toute façon jamais marché entre nous. Un écrivain ! Juste un beau parleur. Une chiffe. Il n'aurait pas tardé à me tromper ! Ils pensent tous à la même chose. Ils ne veulent qu'une seule chose. Et je ne parle pas du reste. Un cafard parmi les cafards ! Mais c'est terminé maintenant. Tu n'es pas comme lui. Ce n'était qu'une lubie. Pardon mother. L'été est bien fini. L'automne passe. Les jours peuvent raccourcir. La nuit rallonger. Nous aurons notre été. L'œuvre est terminée. Le soufflé est retombé. Ce type n'était qu'un soufflé. Ah ah ah ! Je suis sauvée. À moi-même je demeure. Je suis une mouette. Je vais me marier. Quelle horreur ! Non non non. Je ne sais plus ce que je dis. Je sais qui je suis. Tout est rentré dans l'ordre à présent. Je suis morte. Merci mon dieu. Si je changeais de coiffure maintenant ? Tu veux bien ? Tu verras : ce sera une surprise. » Etc.

Niveau 11

Peut-être M ne s'est-elle finalement rien dit d'aussi théâtral et pathétique. Sûrement cela n'amuse-t-il que moi de remuer le couteau dedans ma plaie. Peut-être laissa-t-elle simplement sa porte entrouverte et, comme on ne veut plus rien savoir, comme elle s'était laissée tomber comme un sac rue Tronchet et, auparavant, du haut de son échelle, peut-être, oui, alla-t-elle s'allonger tout habillée sur son lit et sombra-t-elle comme un sac dans le sommeil lourd et aviné, totalement schlass, pintée à mort, laissant au destin, ou à ce qui, prenant mes traits, pourrait se faire passer pour lui, le soin de décider de la suite des événements et de la tournure de sa vie, tandis qu'elle dormirait.

Je ne sais pas. Je ne saurais jamais si elle avait tracé dans son appartement un chemin de bougies conduisant jusqu'à elle, comme un chemin de roses, comme une piste d'atterrissage dans la nuit. Si elle buvait du vin rouge ou blanc ou un alcool plus fort. Si elle avait mis de la musique tout bas, tout doucement, une musique qu'elle aimait et qui lui avait paru s'accorder avec cette nuit et refléter ses émotions et quelle musique ? En mode *repeat*, inlassablement, jusqu'à s'étourdir ? Si, dans son lit, dans l'obscurité, elle m'attendait le cœur battant, nue sous les draps, brûlante, offerte, avide. Si elle se caressait doucement, se titillant d'un doigt, se l'enfonçant parfois en fermant les yeux et en pensant à moi ou à rien. Si elle se pinça les seins jusqu'à sentir la douleur l'électrifier pour s'empêcher de crier ou si elle regarda la télévision, sans le son, sans même la regarder, les yeux dans le vague, attentive au moindre bruit pouvant venir de la cage d'escalier, attentive à ce qui allait maintenant se passer – et demain ? Et ensuite ? Et son fiancé ? Et son mariage ? Et tout ?

Mais demain serait un autre jour. Elle ne pouvait pas tout le temps remettre sa vie au lendemain. C'était ce soir ou jamais. C'était ce soir.

S'était-elle finalement endormie, sombrant dans un sommeil sans rêve, ou veilla-t-elle jusqu'au petit jour, comme Frédéric rue Tronchet ? (Onze heures s'affichaient sur l'écran électronique du réveil posé sur la table de nuit... puis ce fut minuit... déjà une heure du matin... Elle vit trois heures au réveil... Cinq heures arrivèrent ! Cinq heures et demie ! Six heures ! Le jour se levait. Il ne viendrait pas. Il n'était pas venu !)

Je ne saurais jamais la nuit qu'elle vécut. Jamais jamais jamais jamais. Ne le saurais. Je n'y étais pas. *On* ne voulut pas que j'y sois. Le sort en fut jeté ce soir-là et ce fut définitif. Ce fut un pas de plus vers le suicide de Julien. Que faisait-il d'ailleurs ce jour-là ?

Je ne sais pas.

Cinq sms comme cinq actes. Comme une tragédie. Je ne sais pas. Le dernier – pour autant que je les aie tous reçus ! – indique 00:19 et je. Ne sais pas. Lorsque je songe à *sa* nuit de la rue Tronchet (cette nuit-là comme un concept de l'attente la plus vaine et mortelle), je l'imagine s'endormir finalement assez vite. Pas très longtemps après 00:19. Une fois qu'elle eut ouvert sa porte d'entrée et l'eut poussée au maximum contre le chambranle, donnant ainsi l'illusion depuis le palier qu'elle était fermée si on n'y regardait pas de trop près. Je ne sais pas. Au fil des heures, elle m'aurait envoyé d'autres sms. Vers 01:00 ou même 02:00. Ne serait-ce que pour marquer sa déception. Ou bien crut-elle que ma décision de rompre était irrévocable et, de guerre lasse, peut-être douloureusement recroquevillée dans son lit, s'imposa-t-elle le silence le plus morfondu ?

Qu'en penses-tu ?

Autre hypothèse : cinq sms, j'allais dire SOS, c'était peut-être bien assez. C'était déjà trop. Le maximum qu'elle puisse faire. Il ne fallait pas exagérer. Après m'avoir espéré deux heures qui, dans l'état où elle se trouvait, avaient dû lui paraître deux heures de temps à l'état pur, *elle ne tenait peut-être plus à ce que je vienne.* Parce que plus je tardais à venir, plus elle s'était mise à gamberger, plus ses contre-instincts avaient repris le dessus et plus le couvercle qu'elle avait réussi à soulever s'était mis à peser de nouveau sur elle, l'obligeant à voir les choses dans sa lumière sépulcrale, jusqu'à la ramener à la raison, jusqu'à ce qu'elle retourne fermer sa porte, persuadée soudain qu'elle avait tort, qu'elle faisait une énorme bêtise, que c'était pure folie, avait-elle mesuré les dégâts ? Avait-elle pensé à son fiancé ? À ses parents ? Etc. Cela n'en valait pas la peine. Elle s'en rendait compte maintenant qu'elle avait franchi le pas. Elle y voyait clair soudain. Je ne sais pas. Elle s'était peut-être dit qu'elle ne m'ouvrirait pas si je venais. Je ne sais pas. Il aurait fallu que je sois là pour apaiser ses doutes. *J'aurais dû être là !* Seule, elle ne pouvait pas. Elle avait trop d'ennemis intérieurs. Je ne sais pas. Le pire étant de l'imaginer se réveiller au petit matin et s'apercevoir qu'elle était seule et, dans la lumière blafarde, se rendre compte qu'elle était toujours vivante. *Elle avait survécu à cette nuit.* Elle pouvait se passer de moi. Finalement. Elle pouvait vivre sans moi. La Terre tournait encore sur elle-même et autour du Soleil. Rien n'avait changé. Cela n'avait été qu'une illusion.

Avait-elle ri d'elle-même, de moi, de tout en s'apercevant que je n'étais pas venu ? Ri de cette farce de l'amour (quand je ris, moi, de cette farce qu'est la vie ?)

Si tu me le demandes, je préfère l'imaginer s'endormir très vite, comme un sac, dès 00:20, sitôt après m'avoir envoyé son dernier sms qui laissait tout en suspens et, pour la suite, s'en remettre à moi. S'endormir sitôt, au lieu de se mettre à gamberger. S'endormir d'épuisement et d'alcool mêlés, d'angoisse, de tension nerveuse et de culpabilité harcelées, de fardeau trop lourd à porter et d'exaspération sexuelle à vif, de frustration, d'hormones refluant après avoir inondé son cerveau, la faisant glisser malgré elle dans une torpeur purement physiologique. Tout se passerait maintenant pendant son sommeil. Elle était allée au bout de ses possibilités, elle ne pouvait pas faire davantage. Elle avait consenti, elle avait dit oui et elle était désormais la Belle au bois dormant qui attendait son prince et qu'il vienne ou ne vienne pas n'était plus de son ressort. Cela ne dépendait plus d'elle. Cela appartenait à la nuit. Cela pouvait durer des siècles. Cela appartenait au coma. Au conte de fées aussi. Demain serait un autre jour et elle verrait au réveil si, comblée, assouvie ou dépitée, elle devait rompre ses fiançailles – ou bien se marier comme prévu. Elle avait jeté les dés, elle avait osé les jeter, elle était en règle avec elle-même et rien ne pouvait plus empêcher le destin de s'accomplir. Dans tous les cas de figure, elle saurait cette nuit. Elle *saurait*. Il arriverait cette nuit ce qui devait arriver et la poursuivrait ensuite toute sa vie ce qui se passerait, tandis qu'elle était offerte et inconsciente, oui, quoi qu'il advînt, ce n'était pas son affaire, elle était prête, cela se passerait tandis qu'elle dormait. Comme Ulysse fut ramené en Ithaque pendant son sommeil. Et Dante, au tout début du chant premier de l'*Enfer*, avoue qu'il ne sait comment il entra dans la forêt obscure tant il était « plein de sommeil » au moment où il abandonna la « voie vraie ». C'est une fois notre conscience abolie, une fois nos paupières closes, que le pire ou le meilleur semble devoir nous arriver et M saurait, à son réveil, si elle était en Ithaque ou si elle était en Enfer. Il n'y aurait plus à balancer. Ce serait cette nuit et pas une autre nuit. Cela que j'imaginais, assis sur le rebord de mon lit.

Niveau 12

Ne crois pas que j'en aie fini avec cette histoire de sms. Je suis très loin d'en avoir terminé. Je n'en aurais jamais terminé. Je vais travailler cette histoire de sms à la flamme bien moyenâgeuse et tant pis si tu n'as toujours pas vu Pulp Fiction. Ce serait trop facile. Que ces fichus sms ne me soient pas parvenus en temps et en heure cette nuit-là ne fut pas un événement comme un autre. Ce ne fut pas un événement parmi d'autres. Non. C'est ma vie qui bascula cette nuit-là. C'est le suicide de Julien qui fut prémédité cette nuit-là. Je ne plaisante pas. Je n'ai pas le goût à rire. Je n'ai plus les moyens de prendre les choses à la légère. J'ai perdu mon humour cette nuit-là. Il ne m'est resté que le ressentiment et la culpabilité et l'amertume et l'incrédulité. Il n'est resté que mon frigo avec, à l'intérieur, un immonde pot de rillettes encore un peu plus immonde et chaque jour un peu plus. Et avec ça une certaine désinvolture qui est la marque déposée de la défaite. C'est ainsi. Je pèse une tonne dès que je pense à cette histoire de sms et je voudrais peser encore plus lourd, devenir si possible toujours plus bavard (si possible !), boire le calice au-delà de la lie, forcer le trait au maximum jusqu'à répandre sur les murs le sang de toutes les causes dérisoires ayant, depuis que le monde est monde, provoqué des effets inversement proportionnels.

Car ne perds pas de vue qu'il s'agit avant toute chose d'élucider le suicide de Julien et de rassembler toutes les pièces qui, à ma connaissance, le conduisirent à enrouler la ceinture de son pantalon autour de son cou en même temps qu'il l'enroulait autour de la poignée de la fenêtre de sa chambre et adieu Berthe. Si j'ose dire. Ce pourquoi je verse les cinq sms de M au Dossier. Tous les cinq. Sans discussion. Et un et deux et trois et quatre et cinq. Chacun d'eux comme un cran de plus serré autour du cou de Julien.

Là où le piège fut vraiment vicieux, là où se révéla foncièrement diabolique le fait que les sms de M ne me parvinrent pas en temps et en heure cette nuit-là comme ils auraient dû normalement me parvenir en temps et en heure cette nuit-là, c'est que, sachant la vérité, celle-ci gagne encore moins à être connue. Celle-ci est pire que tout.

Car aurais-je convaincu M que, non, je n'avais pas reçu ses sms, non, ils ne m'étaient pas parvenus en temps et en heure, je ne mentais pas, c'était la stricte vérité et, non, je n'avais pas ricané en les lisant, qu'allait-elle imaginer ? Je n'avais pas crié yes, youpi, bingo en lisant ses sms comme si je venais de gagner un pari dont elle aurait été l'enjeu, non non non, qu'elle ne croie pas cela, oh non, je ne m'en fichais pas qu'elle m'ait enfin avoué ses désirs, pas du tout, au contraire, mon dieu non, je n'avais pas feint de ne pas recevoir ses sms et je ne l'avais pas intentionnellement laissé mariner dans son jus, qu'elle ne croie pas cela un seul instant, non non non, que ses appels soient restés sans réponse n'était pas une stratégie de ma part et, non, je ne jouais pas avec ses nerfs, je n'avais pas fait la sourde oreille ni n'avais cherché à la torturer et encore moins à l'humilier ou à la punir au moment où elle se montrait la plus vulnérable, encore moins à tirer profit de sa vulnérabilité ou à retourner celle-ci contre elle et, non, mille fois non, je n'avais pas fait exprès un pas en arrière maintenant qu'elle faisait un pas vers moi car je n'étais pas le genre de type qui tire son plaisir de celui dont il prive l'autre, non non non, quand bien même il existe un seuil où l'exaltation féminine me terrifie puisqu'elle conduisait ma mère à des outrances qui se finissaient toujours mal, je ne cherchais pas à la frustrer ni à la punir, je n'étais pas une espèce de tordu qui avait attendu qu'elle baisse sa garde pour la blesser et briser ce qu'il y avait de fragile et d'apeuré et de malgré tout confiant chez elle, non non non, je n'avais pas attendu qu'elle entrouvre sa porte pour la lui claquer à toute volée au nez et je n'étais pas non plus du style à répudier une femme au nom de l'image que je me fais d'elle, oh non, elle n'avait pas dégringolé de son piédestal cette nuit-là, au contraire, rien ne pouvait mieux me convenir que de la savoir sexuellement offerte et de la savoir m'attendant dans la nuit, alanguie et frémissante et complètement ivre, schlass et pintée, oh non, je n'avais pas eu peur de venir la retrouver en pleine nuit, je ne m'étais pas dérobé ni enfui la queue entre les jambes après avoir lu ses sms, non non non, je serais accouru si j'avais su, je serais accouru le cœur battant, la tête en feu, plein de dévotion, submergé d'inquiétude mais ô combien résolu, ô combien doux et impétueux, elle pouvait me croire, elle n'était pas cette Magda von Hattingberg qu'aima Rilke avec passion tant que leur relation demeura épistolaire, avant que le charme ne se rompe comme se fracasse une porcelaine sur du carrelage lorsque, pleine d'ardeur féminine, la pauvre Magda donna rendez-vous au poète pour qu'ils se rencontrent enfin et plus jamais Rilke ne lui donna de ses nouvelles, non et non, je n'aurais pas été ce genre de poète avec elle, mon désir pour elle n'était pas porcelaine, je n'aurais pas non plus été comme Baudelaire qui, après avoir enfin dormi avec sa « Tout entière », avec son « Harmonie du soir », avec son « Flambeau vivant » se désintéressa complètement d'Apollonie Sabatier, au prétexte que celle qu'il appelait sa divinité n'était plus qu'une simple femme à ses yeux, une pauvre fille maintenant qu'il avait dormi avec elle, sous-entendu Apollonie avait sacrément perdu au change dans la nuit qu'ils avaient passée ensemble et, non non non, je ne couchais pas seulement sur le papier, oui oui oui, j'en avais soupé des amours platoniques et du désir qui brûlait dans mes veines sans jamais exulter et elle pouvait me croire sur parole : elle n'avait rien perdu de son charme en devenant explicite et directe, elle n'avait pas déchu, au contraire, femme et femelle je la convoitais depuis le début et elle devait savoir que ses sms me la rendaient encore plus émouvante et attirante, elle n'en était que plus adorable à mes yeux et digne d'être aimée, enfin humaine, enfin *ivre* et, tant que j'y étais, pour que tout soit clair et qu'il ne subsiste aucun quiproquo, nulle zone d'ombre, non, je n'étais pas en train de faire la fête cette nuit-là, pas du tout, je n'étais pas dans les bras d'une autre à ce moment-là si elle voulait le savoir, jamais de la vie, non non non, j'étais chez moi à ce moment-là, à ne rien faire de particulier, à tenter de l'oublier et à penser le moins possible à elle, à zapper la télévision jusque tard dans la nuit et à picoler sans plaisir, à prendre un bain brûlant dans le noir et à y rester jusqu'à ce que ma peau se fripe et boursoufle comme celle d'un nouveau-né et, si cela avait été possible, qu'elle se décolle de mes os afin que tombe également en lambeaux ce qui, à ce moment-là, tenait bien plus de l'angoisse que du chagrin d'avoir rompu avec elle la veille au matin et, non non non, mille fois non, je n'avais pas trahi sa confiance cette nuit-là, en aucune façon, à aucun moment, dans aucun sens du mot trahir et, bref, aurais-je de haute lutte convaincu M de ma bonne foi et M aurait-elle finalement admis (ô ses yeux levés au ciel !) que ses sms ne m'étaient pas parvenus en temps et en heure cette nuit-là, elle n'aurait pas été longue à comprendre que la vérité était finalement pire que tout ce qu'elle imaginait.

Car elle aurait comme moi jugé que ce n'était pas n'importe quels sms qui s'étaient perdus quatorze heures durant dans la nature, comme bloqués en douane et quelle douane ? Pas n'importe quels sms : elle était bien placée pour le savoir. Elle savait mieux que quiconque qu'il s'agissait des sms dans lesquels elle révélait son *secret*. Dans lesquels elle avouait en toutes lettres son amour pour moi. Dans lesquels elle sautait le pas et franchissait sa ligne jaune et engageait son présent et son avenir et plutôt cinq fois qu'une. Des sms à ne pas mettre entre toutes les mains et surtout pas dans celles de son fiancé ! Et voici que ces sms-ci, ces sms-là, ceux-là et pas d'autres, se perdaient quatorze heures durant dans la nature, comme bloqués en douane et quelle douane ? Voici que rien d'irrémédiable n'était arrivé parce que ses sms avaient fait long feu. De simples pétards mouillés ! Des mots non suivis d'effet. Comme par hasard ces sms en particulier. Ces sms précisément. C'était tout de même extraordinaire. C'était un SIGNE. M aurait compris que ce ne pouvait être le fait du hasard. Elle en aurait déduit qu'*on* lui faisait passer un message. *On* ne voulait pas qu'elle fiche sa vie en l'air en s'envoyant en l'air avec moi. *On* ne voulait pas qu'elle brise ses vœux, désespère sa famille, provoque un scandale, trahisse son fiancé. *On* le lui interdisait et *on* le lui faisait savoir. *On* lui évitait de faire une belle connerie. *On* lui accordait un sursis. *On* la sauvait d'elle-même. C'était symbolique. À ses yeux, cela aurait eu la force d'un symbole. En sorte, il s'agissait d'une espèce de miracle, à son niveau individuel des choses. Un miracle avait eu lieu cette nuit-là et M comme miracle. *On veillait sur elle.* Voilà. Il n'y avait pas d'autre explication. Le miracle des sms. Qu'elle révélerait peut-être un jour à ses petits-enfants, sur sa route de Madison, juste avant de mourir. Elle comprenait tout à présent. Mais oui ! *Ses sms s'étaient égarés pour qu'elle-même ne s'égare pas dans la vie.* Souligné autant d'années que durerait son mariage à partir de maintenant et, de fait, plus rien ne fut plus pareil entre M et moi après cette nuit des sms. La communication intérieure fut rompue entre nous après cette nuit des sms et *La Nuit des sms*, voilà qui ferait un titre de livre absolument nul.

Niveau 13

Au texto écrit comme sur des œufs qu'après mille atermoiements je finis par envoyer à M (« Je découvre seulement maintenant vos sms (trop long à vous expliquer, même si j'aimerais beaucoup)… Vous allez bien ? On peut se voir ? »), M ne répondit rien. Elle répondit cinq heures et quarante-quatre minutes plus tard. Elle répondit comme la mer se retire en effaçant mon nom sur le sable : « Je suis en famille avec mon fiancé, on prépare la liste de mariage, c'est que tout va bien. Cela aurait pu durer dix mois encore, mais vous savez bien que non. Ne m'en veuillez pas. Bises » – et ce « Bises »… ô ce « Bises » !

Il voulait tout dire. Il était *terrible*. Il était aux petits oignons. Il était une première entre nous. Il disait qu'elle ne me craignait plus et qu'elle pouvait désormais me parler sans trembler, sans plus s'évanouir, qu'elle pouvait me faire la bise comme à une espèce d'ami maintenant que le soufflé de l'amour était retombé, maintenant que l'amour avait loupé son coche, comme s'il n'y avait plus aucun espoir qu'il s'incarne. *Il signait mon arrêt de mort.*

Quand la bise fut venue…

Quand bien même, relisant ce sms et le relisant encore pour lui chercher une faille et m'inventer des raisons de le réfuter, je crus déceler, dans l'étrange et incongrue précision qu'elle faisait que cela aurait pu durer « dix mois encore », qu'elle (ou son inconscient) cherchait à me faire passer en douce un message qui, à l'oreille, pouvait s'interpréter comme « dis-moi encore », oui, il fallait *entendre* ce qui était écrit ! C'était mon dernier espoir. L'ultime branche à laquelle m'accrocher. Oui oui oui, elle voulait que je lui dise encore ces choses que le cœur n'est jamais las d'entendre et que je lui parle toujours et ne cesse jamais de l'aimer, bon sang mais c'était bien sûr : si sa bouche disait non, son cœur continuait de dire oui, sur ses seins parfumés oui, son cœur battait encore comme un fou oui il en voulait encore, elle ne voulait pas que l'histoire s'interrompe entre nous, en aucun cas, il n'y avait pas d'autre explication à cette précision qui, à lire et relire son sms, tombait sous le sens, tombait des nues, tombait comme un cheveu sur la soupe.

Sauf que je n'y crus pas moi-même. Je le crus un instant – et puis non. Je ne *voulus* pas croire qu'il y avait un message caché dans son sms. J'inventais tout. Je n'en pouvais plus moi-même. J'étais épuisé. Tellement fatigué. De me battre. Contre des moulins et tant de signes contraires, tant d'obstacles, en permanence. Si même des sms se liguaient contre nous, c'est que c'était sans espoir. C'était cuit. Tant de puissances supérieures et hostiles : je n'en pouvais plus, j'avais ma dose et, aussi ridicule cela soit-il, aussi injuste cela soit-il, l'illusion amoureuse ne résista pas à cette nuit des sms. Elle se dissipa à cet instant précis. Elle rendit stupidement les armes devant l'illusion plus grande encore qui survint cette fameuse nuit des sms et qui fit que, cette nuit-là, je fus empêché d'accourir au moment où M m'appelait, au moment où elle me désirait et où j'aurais dû la rejoindre et où elle serait devenue mienne tandis que je serais devenu sien et nos deux existences seraient devenues ce qu'elles auraient dû devenir, comme une promesse qu'elles s'étaient faite depuis le premier jour et que tout, je dis bien tout, tout ce qui n'était pas nous deux, nous empêcha de tenir. Mais cette nuit n'eut pas lieu et je sus que pareille nuit ne se représenterait plus et qu'elle n'avait aucune chance de se représenter jamais. Précisément parce qu'elle avait eu lieu. Comme Perceval laissa passer devant lui le Graal et plus jamais semblable occasion ne se représenta et on gobe la vérité tout entière, avec ses vérités et avec ses mensonges, ou on ne la gobe pas.

Au mur : le cadre de traviole.

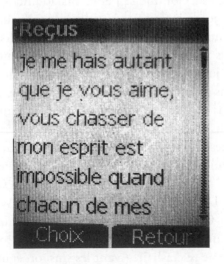

Niveau 14

Dans un de mes petits carnets, ceci, qui date de cette période, deux points ouvrez les guillemets : « Dans la forêt obscure j'habite / Cela ne date pas d'aujourd'hui / Mais je m'y enfonce toujours plus obscurément / Tout m'y enfonce si profondément / Que même ceux qui habitent dans la forêt obscure / Ne s'aventurent pas jusque-là / Et plus personne ne me retrouvera / Dans la forêt obscure / Plus personne / Jamais / Dans la forêt obscure / Dans la forêt obscure (…) Je ne peux pas dire que je déraille : je ne suis pas un train. (…) Les gens qui disent que la vérité n'existe pas. Mais ils en savent quoi ? Ils se sont donné la peine ou la joie de chercher la vérité ou ils se sont contentés de ouï-dire, s'épargnant l'effort d'y aller voir par eux-mêmes ? Si la vérité n'existe pas, ils peuvent dire de quelle façon elle n'existe pas ? Cela l'important : pouvoir dire de quelle façon la vérité *n'existe pas.* (…) Mourir c'est être pris d'un rire mou. (…) Tu aimes que je parle ? C'est parce que tu ne m'as pas encore entendu me taire. (…) J'éprouve des sensations que je ne ressens même plus. (…) Il arrive que j'allume une cigarette et ce n'est pas du bluff. (…) Il y a quelque chose en moi qui rebute les autres et *que je ne peux pas identifier.* Quelque chose qui n'est pas physique mais qui tient à distance, dresse un mur, m'exclut et j'ignore ce que c'est. Comme si j'étais malade mais quelle maladie ? C'est quoi ? (…) Je n'aimerais pas enculer une mouche. (…) Mon frère est mort à mi-ami, Floride, USA. (…) Comme disait l'autre (Kurt Cobain) : "J'étais si maigre à cause de mes problèmes gastriques que j'avais l'air d'un junky ; alors j'ai décidé d'en être un." (…) Observer comment les gens se prennent eux-mêmes en grippe. (…) Me rappeler cette gamine dans le parc Montsouris il y a deux jours : elle ramassait de la gadoue dans une flaque et la malaxait pour en faire des boules grosses comme des œufs qu'elle enfouissait ensuite dans sa jupe relevée. Puis elle s'est enfuie en courant et je l'ai perdue de vue. Mais plus tard, une femme assise sur un banc a poussé un cri : elle venait de recevoir une boulette de boue en plein dans le dos. (…) Avoir un squelette devant soi. (…) Composer un numéro de téléphone au hasard et hurler si quelqu'un répond. Hurler de toutes mes forces. (…) Avant l'avion, personne ne se crashait. Avant les sms, on était bien tranquille. (…) Des personnalités compensées comme des chaussures. (…) Yeux bleu avril ; regard gris novembre. (…) Comme disait l'autre : l'avantage de mourir de chagrin, c'est qu'on ne retrouve pas l'arme du crime. (…) Lorsque Ulysse arrive sur l'île d'Hélios, il recommande à ses compagnons de ne pas tuer les bœufs du Soleil, surtout pas, malgré la faim qui les tenaille ; puis il monte au sommet d'une montagne et il s'endort ; mais ses compagnons lui désobéissent et, pendant son sommeil, ils tuent les bœufs du Soleil. Huit cents ans plus tard, Jésus gravit lui aussi une montagne après avoir recommandé à ses compagnons de prier avec lui ; mais ses compagnons lui désobéissent pareillement : au lieu de prier, ils s'endorment ! *Ils s'endorment comme Ulysse s'endormit tandis que ses compagnons lui désobéissaient.* Si l'histoire est l'histoire, la prochaine fois que quelqu'un aura l'idée d'aller au sommet de la montagne, on le reconnaîtra en ceci que ses compagnons lui désobéiront. Et on sait de quelle façon : ils prieront, tellement la faim spirituelle les tenaillera ! Reste à savoir ce que le prochain sur la liste leur aura recommandé de faire ou de ne pas faire. Quel sera le nouveau mensonge prodigieux ? (…) J'ai écrasé ce matin une espèce de gros scarabée et des fourmis s'occupent maintenant de sa dépouille. Il y a toujours quelqu'un qui termine le boulot qu'on a commencé. (…) Mes maladies ne valent pas mieux que moi. (…) Je n'ai pas besoin de douceurs. (…) Tu connais tes voisins ? (…) Il faut tuer sa biographie un jour. (…) Un jour viendra où les gens en auront marre de porter des vêtements sombres, noirs, ternes. Ils cesseront de porter le deuil. Lequel dure depuis maintenant Musset. (…) Je vais te dire comment je suis devenu idiot. (…) Si Kafka était un alcool, combien de degrés ? (…) Sur le col de nos pensées tombent les pellicules de l'esprit. (…) Qui peut dire aujourd'hui qu'il en a par-dessus le *marché* ? (…) Je refuse de me fâcher avec un dentiste. (…) C'est le jour où le petit Imre Kertész se faisait une joie d'aller voir jouer son équipe de foot préférée que les Allemands envahirent la Hongrie et le match n'eut pas lieu. Il y a des choses qui ne s'oublient pas. (…) Peut-être suis-je là pour un certain temps encore. (…) J'aime le mot créature dans un certain contexte. (…) Pour un commerçant, on est con d'acheter ce qu'il vend (il en tire bénéfice) et on est con de ne pas acheter ses produits (ils sont de très bonne qualité et ils lui rapportent du pognon). Dans tous cas, on est un con. (…) Croisé un couple dans la rue. La femme s'est arrêtée devant la vitrine d'un magasin de chaussures et son mari (il était évident qu'ils étaient mariés depuis des lustres) s'est énervé de devoir l'attendre. La femme a presque couru pour le rejoindre et elle a dit : "Enfin, ça ne coûte rien de regarder." Il a répliqué : "Ça nous coûte la vie." (…) La nuit va continuer après le dîner je crois. (…) As-tu remarqué comme chacun sacrifie aux usages sans jamais dire ce qu'il sacrifie exactement ? (…) Ce soir, il n'y a plus de comparaison possible. (…) Nous vivons des temps de représailles. (…) Comment continuer de vivre ? » Etc.

Niveau 15

Qu'ajouter maintenant ?

Sinon que la réalité (ce qu'on appelle la réalité) aurait pu choisir un moyen de me dépecer un peu plus romanesque, un peu moins dérisoire, je ne sais pas, en y mettant un minimum les formes. En faisant preuve d'un peu de panache. Je ne sais pas. Elle aurait pu m'assassiner proprement, avec une histoire comme on en trouve dans les livres, avec des événements formidables et des éclairs dans le ciel, je ne sais pas, n'importe quoi plutôt que des sms se perdant ridiculement dans la nature. Plutôt qu'un aussi piètre instrument du malheur. Une arme du crime aussi grotesque et lamentable. Je ne sais pas. N'importe quoi d'autre eût mieux valu, n'importe quoi susceptible d'emporter l'adhésion et de hisser *la cause au niveau de l'effet*, n'importe quoi qui aurait mérité d'être *raconté* et qui aurait impressionné les foules, rallier les suffrages, oui, une histoire que j'aurais pu avoir plaisir à raconter et dont j'aurais pu tirer, sinon un minimum de prestige, du moins un certain réconfort, comme si ce qui m'arrivait valait au moins le déplacement. Oui, dis-je, la réalité (ce qu'on appelle la réalité) aurait pu faire un petit effort, elle aurait pu me faire cette *faveur*.

Cela aurait adouci mon niveau individuel des choses.

Mais c'est ainsi que les choses se sont passées. Aussi mal scénarisées furent-elles. Que cela plaise ou non. Cinq sms et puis s'en vont. Ni plus ni moins. Tant pis pour la gloire. On ne choisit pas le tour de cochon que nous réserve l'existence, ceci n'est pas de notre ressort – le grand Eschyle est mort en recevant une tortue sur la tête (une TORTUE ! Sur la TÊTE ! Le grand ESCHYLE !) et,

bref

je ne vois rien de plus à ajouter au sujet de ces sms. Strictement rien. Ces sms sont derrière moi à présent. Le Dossier est clos. *J'ai creusé leur tombe.*

Il y aurait bien ce passage dans l'Épître aux Hébreux, chapitre 11, verset 40, où il est écrit, sinon à mon intention, du moins à l'intention de tous ceux qui, un jour, se sont retrouvés dans une situation plus ou moins comparable à la mienne, deux points ouvrez les guillemets : « Si un homme n'a pas obtenu ce qui lui était promis, c'est que dieu avait en vue quelque chose de meilleur pour lui » et je ne veux pas faire ma tête de lard, je ne veux pas faire ma sœur Anne qui ne voit rien venir ni me moquer d'un auteur qui, il y a environ deux mille ans, fut tout de même assez perspicace pour percevoir le problème qui se pose *depuis toujours* à certains d'entre nous ; mais outre que je ne vois pas ce que dieu *(dieu ?)* aurait de meilleur en réserve pour moi qui ne commencerait pas par la lettre M et outre que je reçois chaque jour dans ma boîte aux lettres des prospectus qui se disputent mon malheur en échange d'un abonnement Premium, oui, dis-je avec force, en écartant de la main ces oiseaux de mauvais augure, outre que mon outre est pleine, j'ai mes propres remèdes pour faire passer la pilule. J'ai mes propres armes pour combattre le démon de la réalité. Pas la peine d'en rajouter dans la fiction, j'allais dire crucifixion.

Niveau 16

Par exemple.

Cette coupure de presse.

En date du mercredi 21 septembre 2005.

Avec ce titre : « Pendant trois heures, on s'est vu mourir. »

Un Airbus A320 avait failli s'écraser.

Il s'agissait du Vol 292. Compagnie JetBlue. Parti la veille de l'aéroport de Burbank (Californie). Destination New York City, aéroport La Guardia.

Et cet Airbus A320. Vol 292. Avec 140 passagers à bord. Plus 6 membres d'équipage. Cet A320.

Son train d'atterrissage.

Peu après le décollage.

Il ne pouvait plus être rentré ni sorti.

Il était bloqué.

C'était un putain de problème.

C'était grave.

Le pilote, une demi-heure après le décollage, fit une annonce au micro. Ainsi que le raconta par la suite l'un des passagers.

Une passagère en fait. Rosannah Digbert. C'est son nom.

Elle raconta que le pilote avait informé les 14 passagers. Que le train d'atterrissage de l'avion. Il était bloqué et. Chacun devait rester calme et respecter les consignes de sécurité. Mais la situation obligeait. À vider les réservoirs de l'avion. En plein vol. Tout le kérosène. Afin de limiter. Le risque d'explosion. Lors de l'atterrissage. Fin de transmission. Dieu vous garde. Ajouta le pilote. Raconta Rosannah Digbert.

Maintenant les passagers savaient. Ils ne pourraient pas dire qu'ils ne savaient pas. Qu'ils s'en sortent. Ou pas. Que l'avion explose à l'atterrissage ou. Qu'il n'explose pas. Tout le monde savait. Tout le monde était. Informé. De la situation. Classe éco et classe affaires mêlées. Peu importait. Cela ne comptait plus. L'argent ne sauverait personne. Tout le monde était logé à la même enseigne. Ce coup-ci.

Au sol aussi on savait. Les télés savaient. Toutes les télés : locales et nationales. MSNBC. Fox. CNN. Les télés. Elles bousculèrent leurs programmes. Elles dépêchèrent des équipes. Elles ouvrirent leurs antennes. Elles se mobilisèrent pour. Trois heures durant. Tenir informer. Tenir en haleine. Lancer le compte à rebours. Trois heures durant. En continu. En temps plus que réel. Éditions spéciales sur toutes les chaînes. *Breaking News – Crash Attempt.*

Crash Attempt.

L'événement du jour.

Le film catastrophe du mercredi.

Tandis que défilaient en bas de l'écran les cours des indices boursiers. DOW 150.00. NAS 40.50. S&P 17.60. De petites flèches de couleur rouge ou verte indiquant pour chaque indice s'il était. À la hausse. Ou à la baisse. En temps plus que réel. Tandis que, 2 500 m plus haut, le vol 292 vidait son kérosène en plein ciel. Les télés, oui, elles déployèrent les grands moyens. Pour expliquer avec des schémas, des animations. Le train d'atterrissage : pourquoi il était bloqué. Comment c'était possible. Qui était responsable ? D'où venait le problème ? D'autres avions étaient-ils concernés ? Jusqu'où ce problème pouvait-il devenir une affaire, un scandale, faire tomber des têtes, faire tache d'huile, oh oui, s'il vous plaît ! Et le vol 292 : qu'allait-il se passer ? Au moment de l'atterrissage ? L'appareil risquait d'exploser : pourquoi ? Comment ? Quelles étaient les probabilités ? Les chances ? Oh mon dieu !

En plateau, des experts se succédaient. Des spécialistes de l'aviation civile. Des pilotes d'Airbus A320 qui, ce jour-là, ne volaient pas. Pour répondre à toutes les questions. Qui se posaient. Envisager les différents cas de figure. Tout mettre au pire et, en même temps, rassurer. Que le public sache. Comprenne. Vive le drame qui. À 2 500 m au-dessus de leurs têtes. Quelque part dans le ciel. Entre Burbank et New York City. Se déroulait en direct. L'angoisse que les passagers du vol 292 devaient. À ce moment-là. Au même moment. Oh seigneur ! Ce suspens. Insoutenable !

Près de trois heures durant. On vit et on entendit aussi les familles. Les proches. Les amis. Comment vivaient-ils cette attente ? Alors qu'il ne restait maintenant – combien de temps encore ? Avant l'explosion. Possiblement. Que ressentaient-ils ? À cet instant. Qu'ils le disent au micro. Face à la caméra. Le public voulait savoir. Les téléspectateurs étaient de tout cœur avec eux. Le pays tout entier retenait son souffle. Ce matin-là. Hier c'était quel autre drame ? Mais c'était hier.

Tandis que les indices boursiers défilaient en bas de l'écran. Tandis que des écrans publicitaires. Entre deux reportages. Rythmaient l'attente. À intervalles très réguliers. De plus en plus réguliers, semblait-il. De plus en plus chers aussi ? Les écrans de pub. Ou bien c'étaient les reportages qui coupaient les écrans de pub toutes les deux minutes ?

Reportages diligentés auprès des amis, des proches et des parents. Pour savoir comment ils vivaient la chose – et meubler l'antenne aussi. Amis, proches et parents magnifiques. Parfaits dans leur rôle (le rôle qu'on leur demandait de tenir). Un casting parfait. Un ancien *marine* était dans l'avion. Il avait fait la première guerre d'Irak. Sa maman apparut à l'écran. Tenant la photo de son fil en uniforme bien serrée contre sa poitrine. L'émotion brisait sa voix. Déjà qu'elle était malade. Elle était en robe de chambre. À fleurs bleues et vertes la robe de chambre. Puis ce fut une Africaine-Américaine. Son époux était dans l'avion. Elle apparut à l'écran les yeux rougis, son bébé de six mois dans les bras. Le bébé : il avait une grosse tête. Une tête énorme. Affreuse. On ne voyait que sa tête. Il serait peut-être orphelin de père d'ici – combien de temps encore ? Puis ce fut un Portoricain. N'oublions pas les Latinos. « Je t'aime Honey. » Dit l'homme. Sa fille se trouvait dans l'avion. Elle faisait partie des 140 passagers du vol 292. Elle était enceinte. De trois mois. Le père était très digne à l'écran. Il contenait son émotion. Derrière lui, il y avait un berceau. La caméra zooma dessus. Le berceau était vide. La caméra s'attarda. S'attarda encore. Et encore. Ce petit berceau vide était un symbole tellement fort. Il augurait tellement du pire. Mais le père gardait espoir. Il avait confiance. Il priait. Pour que sa fille lui revienne. Saine et sauve. Et tous les autres passagers du vol 292. Il priait pour eux tous. Pas seulement pour sa fille. Tandis que les indices boursiers défilaient en bas de l'écran. Tandis que les pubs. Tandis que là-haut. À 2 500 m. Les passagers. Les 140 passagers. Eux aussi. Oui. Ils regardaient la télé.

Eux aussi regardaient MSNBC, Fox, CNN.

Sur les écrans encastrés dans les dossiers des fauteuils ou suspendus en hauteur dans les travées.

Ils recevaient exactement les mêmes images.

Au même moment.

En même temps.

Ils suivaient en direct les éditions spéciales. Qui leur étaient consacrées.

« Breaking news – Crash Attempt. »

Avec les indices boursiers défilant en bas. Les pubs aussi.

Comme s'ils étaient dans leur salon.

Sauf qu'ils étaient à bord de l'avion.

Et cela trois heures durant.

Ce fut extravagant.

Trois heures durant. Les passagers du vol 292. Oui. Ils suivirent à la télé ce qui était en train de leur arriver. Ils entendirent les experts débattre de leur sort. Expliquer le problème du train d'atterrissage. Spéculer sur ce qui risquait de se passer lorsque l'avion. Se poserait. Avec son train d'atterrissage bloqué. Les passagers. Les 140 passagers, ils découvrirent à l'écran ce qu'ils vivaient. En même temps qu'ils le vivaient. Ils virent leur situation devenir une superproduction télévisuelle. En temps plus que réel. Virent leurs parents leurs amis leurs proches. Qui passaient à la télé. Parlaient d'eux à la télé. Les aimaient si fort à la télé.

Le vétéran du Vietnam reconnut sa mère à l'écran. Qui tenait sa photo dans ses bras serrée. En robe de chambre. Cela faisait des années qu'il ne l'avait pas vue. Sa mère comme la photo où il était en grand uniforme. Et la femme enceinte. De trois mois. La femme latino. Elle vit son père. Elle reconnut le berceau de son futur bébé. Ce n'était pas des blagues. Tous virent. Tous suivirent le drame. Qui étaient le leur. En temps plus que réel.

C'était surréaliste. A raconté par la suite Rosannah Digbert. 46 ans. Pendant près de trois heures, a raconté Rosannah Digbert, les télévisions ont diffusé les images de l'avion tournoyant dans le ciel. Audessus de l'océan. Et c'était notre avion ! C'était nous dedans. C'était nous à l'écran ! Avec un point d'exclamation dans la voix. On aurait presque pu se faire signe à travers les hublots pour nous voir à la télé. Vous comprenez ? Vous imaginez. La situation ? On se voyait à la télé et on était là. On n'en croyait pas nos yeux et nos oreilles. A raconté Rosannah Digbert. 46 ans.

Nous étions à la fois dedans. Et dehors. On ne savait plus où on était. C'était très perturbant. On n'avait plus la notion du temps. À force de se voir en direct. A raconté un autre passager. Ross Field. 27 ans. Habitant de Los Angeles. Chômeur dans le secteur de l'industrie automobile. Je vous jure. Voir ces experts discuter en direct de nos chances de nous en sortir. Alors que c'était la panique à bord. Des gens pleuraient. D'autres priaient. C'était affreux. Et ces journalistes. Ces experts. Si calmes. À la télé. Qui analysaient froidement. Notre situation. Dissertaient. Spéculaient. Rationalisaient. En costume-cravate. Ça ne leur coûtait rien. Ils n'avaient pas l'air de se rendre compte. Ils s'en fichaient complètement. Ils ne parlaient pas de. Nous. Ils faisaient semblant. Ils parlaient d'autre. Chose. C'était comme si nous étions déjà morts. Comme si nous n'existions pas. C'est ce que j'ai ressenti. À dit plus tard Ross Field. 27 ans.

À la télé, leur job, c'est de parler de tout comme si c'était du pareil. Au même. Je le sais maintenant. De les voir. De les écouter. Cela a encore ajouté à. C'était encore pire. A raconté Rosannah Digbert. J'ai eu le sentiment. Que quelque chose clochait. Dans ce monde. Pas seulement dans l'avion.

C'était un truc de schizo. A raconté pour sa part Malachi Favors. 17 ans. Une casquette des Spurs vissée sur la tête. Savoir que les gens attendaient de connaître. L'épilogue. Confortablement installés devant leurs télés. À boire des bières. À manger des chips. À se demander si nous allions nous crasher. À prendre des paris peut-être. On avait l'impression. C'était comme si tout le monde suivait un match. Et nous aussi on suivait le match. Alors que. Il s'agissait de nos vies. Il s'agissait de notre mort. A raconté Malachi Favors. 17 ans.

C'est comme l'économie. A renchéri Ross Field. 27 ans. Va-t-elle se redresser ? Oui ? Non ? Le mois prochain ? À la fin, on dirait un running gag. A raconté Ross Field. 27 ans, chômeur. Et c'était pareil pour nous. Allions-nous exploser à. L'atterrissage ? Oui ? Non ? Quel suspens ! Il s'agissait de savoir comment le film allait se terminer. Il ne s'agissait plus de nos vies. J'ai eu le sentiment qu'on transformait ce qui nous arrivait en film du dimanche soir. C'était très bizarre. Je m'attendais presque à ce que Bruce Willis intervienne. Je me demandais ce qu'il fichait. A raconté Ross Field. 27 ans.

Ce qui nous arrivait était déjà bien assez angoissant. On était aux premières loges. On n'avait pas besoin de toutes ces. Informations, a raconté plus tard Pilar Vargas, 31 ans. Elles nous rendaient encore plus. Impuissants. On ne savait pas quoi en faire. Pas quoi penser. On n'avait pas besoin de subir. Ça. Moi, j'ai envoyé un texto à mon père, a raconté Pilar Vargas, 31 ans. Enceinte de trois mois. Pour lui dire que je l'aimais. Je venais de le voir à la télé et je pensais très fort à lui. À ce moment-là. Et au bébé. Je me suis dit qu'il recevrait le texto. Quoi qu'il se passe à l'atterrissage.

Le pire. A raconté Rosannah Digbert. C'est qu'on n'arrivait pas à détacher les yeux des écrans. On n'y arrivait pas. On allait peut-être mourir. Et on regardait la télé. On voyait bien que tout le monde se préparait à la catastrophe. On voyait les pompiers prendre position sur le tarmac. C'était impressionnant. C'était comme si tout le monde *voulait* que l'avion se crashe. Tout le monde n'attendait que ça. On sentait bien. Il y avait une espèce d'envie. Ils auraient été trop contents. À la télé. Partout. Ils voulaient que l'horreur se produise. C'était évident. On était ce jour-là le clou du spectacle. On faisait de l'audience.

Le pire. A raconté Hughes Arrington. Résidant à New York. 59 ans. C'est quand ils ont éteint les écrans à bord de l'avion. À quinze minutes de la. Fin. Alors que l'avion amorçait sa descente. Allait. Atterrir. Avec son train d'atterrissage bloqué. Ce fut le pire. On ne savait plus. On se disait. C'est mauvais signe. C'est très mauvais signe. A raconté Hughes Arrington. 59 ans. On se disait. S'ils coupent la télé, ça sent pas bon. C'est que ça se présente mal. C'est qu'ils nous cachent quelque chose. On est cuit. On va tous y passer. La situation doit être devenue trop critique. Pour qu'ils nous la montrent. On allait s'écraser. L'avion allait exploser. J'en étais persuadé. J'étais. Terrifié. Je crois que tous, à ce moment-là. On s'est vu mourir. Au moment où ils ont éteint la télé. Qu'ils l'éteignent. Ça a vraiment été affreux. C'est comme si ce qui allait se passer était trop affreux. Pour qu'on le voie. Ce n'était pas seulement qu'ils nous privaient de voir jusqu'au bout ce qui allait se passer. C'était comme s'ils nous éteignaient nous. Si on n'était plus à l'écran. C'est qu'on n'existait plus. C'est qu'on était déjà mort. C'était comme si la télé décidait de notre sort. A raconté Hughes Arrington. Mais tout s'est finalement bien terminé. Heureusement. Dieu soit loué. Mais c'était moins une. On a été drôlement secoué. Mais moins que je ne le pensais. Il y a eu une grosse odeur. De brûlé. Les pilotes ont été formidables. A raconté Ross Field. Et moi. Je me rappelle. Moi qui te parle. Lorsque je lus l'article dans le journal à propos du vol 292, avec ce titre en gras qui barrait la page : « Pendant trois heures, on s'est vu mourir ! » Je me rappelle m'être dit. Avoir songé. Que moi aussi je me voyais mourir. Maintenant que mon histoire de M s'était. Crashée. Que ses sms. S'étaient trouvés bloqués. Je me suis dit. Tous autant que nous sommes. Classe affaires et classe éco. Peu importe. Nous sommes tous embarqués. Tous *embedded*. Dans la même galère. Sans échappatoire possible. Et nous contemplons ce qui nous arrive. En temps plus que réel contemplons sur des écrans. Notre chute. Notre dégringolade. Notre mort qui survient. En plus de la vivre. En moins de la vivre et. M comme le vol 292.

M comme « The Revolution Will Not Be Televised » chantait Gil Scott-Heron.

Niveau 17

Je revis M une dernière fois. C'était à la terrasse d'un café. Le soleil était éblouissant, surtout en ce début d'hiver. Une fin d'après-midi de rêve. Il devait être aux alentours de 17 h 30. Elle portait son fameux jean gris et, boutonné jusqu'au cou, un chemisier Vichy bleu marine à manches longues. *Elle n'était plus les bras nus.* Oh Lola…

Cela ne traîna pas. Nous parlâmes pour ne rien dire, moi touillant mon sucre dans mon café, elle touillant sa rondelle de citron dans son Perrier avec son touilleur en plastique vert à l'effigie de Coca-Cola, comme si tout était normal. Comme si nous étions de simples collègues de travail. Comme s'il n'y avait jamais rien eu entre nous et que nous n'avions plus rien à nous dire. Plus rien en commun. Plus rien à voyager qui n'eût déjà été exploré – ou laissé vierge derrière nous. Il y a un moment, dans les séparations, dit Flaubert à la fin de *l'Éducation sentimentale*, lors de l'ultime rencontre entre Frédéric et Mme Arnoux, où l'être aimé n'est déjà plus là. C'est vrai. Je le confirme. Tellement cette dernière fois entre M et moi fut. Inexistante. Insipide. Morne plaine. Pleine de cœur. Corridor. Dora Maar. Marre de tout. Tout fout le camp. Camp de la mort. Merci bien. Ça suffit ! Ferdinand. Je m'appelle Pierrot. Je m'appelle Martin Eden lorsqu'il voit Ruth Morse pour la dernière fois et « leur adieu fut quelconque ». Faut le dire dans quelle langue ? Son stage était terminé et elle quittait la boîte. Elle avait dit au revoir à tout le monde. Bisous bisous. C'était à vomir. Notre histoire avait vécu et tous les deux le savions. Nous avions échoué. Nous n'avions pas su. Pas pu. Pas assez voulu. Et cetera. Les épreuves de la vie, dirait le site Allociné.com. Et cetera. Trop de choses s'étaient révélées contraires. Et il était trop tard à présent. J'avais beau regarder son visage à la dérobée, il me semblait qu'il reculait déjà dans l'ombre dans laquelle j'entrais moi-même. Et cetera. J'aurais voulu dire quelque chose, pour dire, encore dire, dire malgré tout, essayer encore, rater toujours mieux, pourvu que ce soit avec elle ; mais c'était inutile. Quelque chose s'était interposé – mais quoi ? De quel refus s'agissait-il au juste ? De quel *interdit* ? Je n'avais pas d'explication. Je n'avais pas de mots. Je n'en ai toujours pas. Et cetera. Le soleil éblouissait la rue devant nous ; il allait mettre un temps fou à se coucher. Et quand il serait couché, ce serait une très longue nuit. Les gens passaient sur le trottoir. Leur démarche avait quelque chose de mou. Pour eux aussi c'était bientôt Noël. On aurait dit des figurants. Tout semblait tellement factice à cet instant. C'était l'un de ces moments où l'on s'efforce de jouer du mieux qu'on peut son rôle parce qu'il est impossible à tenir. Et cetera.

Je m'éternisais cependant. Je ne parvenais pas à me résoudre à la. Je redoutais tellement ce qui. Allait se passer d'ici. Une heure. D'ici deux heures. D'ici cette nuit. Et puis le lendemain. Et puis les jours suivants. Et les semaines et les mois – combien de temps exactement à devoir affronter son absence ? À ressasser mon propre anéantissement ? À déplorer. À me haïr. Je songeais à cela. Et cetera.

J'avais fini mon café et tripotais l'emballage du sucre, le pliant en quatre, en six, en huit, le dépliant, recommençant à le plier en quatre, en six, en huit. Elle avait à peine touché à son Perrier. À un moment, d'une voix qui me parut traduire exactement le fond de sa pensée, elle dit doucement, distinctement, sans aucune autre émotion qui n'appartînt exclusivement aux mots qu'elle prononça : « Vous me faites pitié. »

Je hochai la tête un instant, les yeux au loin, un peu ébloui par le soleil.

Me levai lentement. La regardai. Restai un instant debout, immobile, devant elle, en plein soleil, sans cesser de hocher lentement la tête.

C'était le moment. C'était le signal du départ. Je le savais. Je le sentais. Je n'allais plus cesser de hocher lentement la tête à partir de maintenant. Je sortis un billet et le déposai sur la table. Je ne... Le mot larmes. Mais non. Pas devant elle. Il était trop tard. Je levai les yeux vers son visage et l'effleurai du regard. Comme un dernier baiser. Un dernier cliché. Puis murmurai d'une voix qui me fera honte toute ma vie : « Vous aussi. » Puis je la regardai une dernière fois. Mais je ne la voyais plus. Elle avait déjà disparu à mes yeux. Je tournai les talons et m'éloignai, m'éloignai, m'éloignai, m'éloignai, m'éloignai tout droit.

Sans me retourner.

Sans cesser de bégayer en moi-même. Sans cesser de hocher intérieurement la tête. En répétant ce qu'elle venait de dire. Son dernier mot. Son dernier souffle. « Vous me faites pitié. » Et moi de murmurer « Vous aussi. » Presque du tac au tac. D'une voix qui me fera honte toute ma vie. Parce que je ne savais pas. Je ne savais plus. Je n'avais plus aucun charisme. Plus aucun ustensile. Ni croquignole. Ave César. Ce n'était pas seulement que je m'éloignais d'elle à chaque pas que je faisais maintenant dans la rue, c'est que je devenais plus petit de seconde en seconde, je rapetissais et me sentais rapetisser. Devenir minuscule.

Partie XIX

« Briser un os,
c'est créer une articulation
là où il n'y en avait pas. »
Ludwig Wittgenstein, *Carnets secrets*

Niveau 1

Et soudain. Après que je me suis éloigné de M, du Perrier qu'elle buvait, de la touillette qu'elle touillait, du papier du morceau de sucre que j'avais roulé et déroulé et finalement abandonné dans le cendrier. Éloigné de la table où nous étions assis, du café qui avait si souvent été le nôtre, du soleil qui éclaboussait la rue. Alors que j'avais tourné le coin de la rue, puis une autre, encore une autre et, désormais hors de sa vue, loin j'étais désormais, de plus en plus petit, point minuscule dans la vie, oui, soudain.

« Dix ans. »

Ces deux mots.
« Dix ans. »

Dans ma tête.
Ces deux mots.
Qui claquent.
« Dix ans. »

Qui résonnent.
Qui éclatent
Dans ma tête.

« DIX ANS. »

Ces deux mots.
Prononcés d'une voix forte.

« DIX ANS. »

Une voix, mais pas *ma* voix.

La voix de quelqu'un d'autre.

Quelqu'un, dans ma tête, vient de décréter d'une voix forte :
« DIX ANS. »

Pas quelqu'un, non : une voix.

Juste une voix.

Mais pas *ma* voix.

Je le sais.

Je ne suis pas sourd.

Quelle voix ?

Niveau 2

« Dix ans ! » Ces deux mots. Très distinctement articulés. D'une voix forte et nette. Impérieuse. Comme on donne un ordre. Comme on tranche dans le vif. Comme un juge abat son marteau.

« DIX ANS ! »

Avec un point d'exclamation.

Sans que j'y sois pour rien.

Car ce n'est pas moi dans ma tête. Pas ma voix. Je le saurais. D'où cet ordre ? Donné une seule fois mais très distinctement entendu. Comme émis depuis mon conduit auditif. Directement dans mon oreille. Pas de l'extérieur de mon oreille, pas du dehors, non non non : de l'intérieur de mon oreille. En dedans de ma tête. À l'intérieur dedans. Cette précision-là. Cette absence totale de parasites. Comme lorsqu'on parle tout près du micro. Qu'on parle *dans* le micro. Qu'on parle normalement, mais amplifié par un micro. Ce son-là. Très près et très fort. Emplissant toute ma tête. Son numérique plutôt qu'analogique. Séparé et froid plutôt que compressé et chaleureux. Cette puissance-là. Cette pureté un peu métallique. Dureté de l'acier. Ce type de voix. Dans ma tête. À l'intérieur dedans. Tandis que je marchais. M'éloignais de M et de mon histoire de M. Sachant que c'était fini. Fini nous deux. Fini elle et moi et tout ce qu'elle et moi signifiait pour moi. Finito. Et tout à coup. Cette voix dans ma tête. Cette injonction donnée en dedans de moi. Impérieusement donnée. Au micro. Voix d'homme. Aucun doute. Aucune ambiguïté possible. Quelle voix ? D'où ?

Une seule fois, par le passé, j'avais connu. Pas la même chose, non, mais pas loin. Pas si loin. Disons un équivalent. C'est pour donner une idée. Tenter de faire comprendre. Je faisais du sport lorsque : BANG ! Mon tendon d'Achille avait pété. D'un coup la rupture complète de mon tendon d'Achille. BANG ! J'avais entendu un BANG formidable à l'intérieur de mon corps, parcourir tout mon corps, résonner à l'intérieur de lui, exploser dans ma tête. J'étais en pleine extension et : BANG ! Fauché en plein élan j'avais été. Le bruit d'un gros élastique qui pète. Exactement ce claquement-là. En dedans de moi. Ce vacarme. Dans tout mon corps. Entendu sans que l'oreille y soit pour quoi que ce soit. Cela le plus étonnant sur l'instant. L'inouï même. Qu'en dedans de soi, un son puisse être perçu. Sans que l'oreille s'en mêle. Un son émis de l'intérieur et non venant de l'extérieur et pourtant entendu très nettement. Par un canal auditif insoupçonné. Incompréhensible. Un tympan intérieur. Je ne sais pas. Une chips en soi ? Je ne sais pas. J'avais tout de suite su que c'était grave. Je n'avais pas été long à comprendre que c'était mon tendon d'Achille. BANG ! L'instant d'après, j'avais voulu bouger mon pied et il n'avait pas bougé. Il n'avait pas répondu. Il ne me répondait plus. Après un si grand bruit intérieur, il faisait la sourde oreille. Entre mon cerveau et mon pied, la communication était subitement coupée. L'impulsion électrique ne passait plus. L'instant d'avant, je n'avais qu'à penser pour que mon pied m'obéisse, je n'avais même pas besoin d'y penser, le courant passait si bien entre nous qu'il n'était même pas besoin que je formule la moindre instruction ; l'instant d'après, voici que mon pied ne m'obéissait plus. J'avais beau chercher les mots qui commandaient à mon pied, je ne les connaissais plus. Ma volonté restait sans effet. Comme si mon pied ne m'appartenait plus. Comme s'il était un étranger et qu'il n'était plus *mon* pied. Comme si j'avais perdu le code, les pédales, l'emprise sur moi-même. Sentiment d'un vertige à ce moment-là. Vertige métaphysique.

Eh bien, cette voix dans ma tête, dans la rue, tandis que je marchais en plein soleil, peu après avoir quitté M : la même intensité. Le même *bruit intérieur*. Entendu en dedans de moi. La même puissance sonore. Sauf que ce ne fut pas BANG ! Pas du tout. Ce fut DIX ANS ! Sauf que rien ne venait de casser dans mon corps, ni tendon ni os, rien de physique en tout cas. De psychique, je ne dis pas. Je ne sais pas. Mais physiquement : non. Cette voix n'exprimait pas un son du corps. Et c'était une voix, pas un son. Une voix parfaitement audible. Dans ma tête en son dedans. Sans venir d'elle cependant. Je sais ce que je dis. Je sais ce que j'ai entendu. Je ne suis pas fou. Une voix. Surgit de je ne sais où. Qui parlait français, c'est à noter. Articula très distinctement : « DIX ANS ! » Rien à voir avec BANG ! Rien à voir avec une rupture du tendon d'Achille. Mais tout avoir avec ma rupture avec M. De toute évidence.

D'où cette voix ? Je ne comprends pas. Je me revois m'arrêter dans la rue. Regarder autour de moi. Quelqu'un, me croisant dans la rue, a-t-il ? Sa voix à lui ? Mais je sais que non. Je n'ai aucun doute sur le fait que la voix ne vient pas de l'extérieur. Quelqu'un d'autre l'a-t-il alors entendue ? Cela me rassurerait peut-être. Il semble que non. Tout est normal dans la rue. Les gens vont et viennent. Ils se fichent bien qu'une voix vienne de tonner dans ma tête. Va-t-elle d'ailleurs recommencer ? Mais non. Plus rien. La voix a parlé et une fois lui a suffi. Ce n'est pas le genre de voix à répéter ce qu'elle dit. Plutôt à dire une fois pour toutes. Plutôt à se faire comprendre du premier coup. D'où cette voix ? *Qui* cette voix ? Je ne sais pas. Je ne sais pas quoi dire. Je n'ai aucune explication. Aujourd'hui encore je ne peux rien expliquer. Je dois vivre avec cette totale absence d'explications. Car cette voix. Parce que cette voix. Voix masculine, de cela je suis sûr. Et forte. Comme parlant dans un micro. *Autoritaire.* Voix sans réplique. Voix de Commandeur. Voilà. Voix de Commandeur. C'est le mieux que je puisse dire.

Jamais je n'ai entendu cette voix auparavant. Elle m'est totalement inconnue. Ne ressemble à aucune voix que je connais. Ni père ni personne. Voix sans visage. Définitivement.

D'où cette voix ? Vient d'où ? Sort d'où ? Voix de *qui ?* Je n'ai pas rêvé. Je sais que je n'ai pas rêvé. Ce n'est pas mon imagination. Ce n'était pas ma voix. C'est difficile à expliquer. C'est encore plus difficile à croire. Je sais ce que tu vas dire. J'ai donné assez de preuves de. Enfin bref. Je m'en fiche. Je sais ce que j'ai entendu. Je sais que la voix ne venait pas de moi. Elle venait *d'ailleurs à l'intérieur de moi.* En tout cas, elle ne m'appartenait pas. Elle ne m'était pas propre : elle était étrangère. Elle venait de. Non. Elle ne venait ni d'en haut ni d'en bas ni d'aucune direction. Elle a surgi de nulle part. Elle s'est simplement manifestée dans ma tête. A tonné tout à coup en dedans de moi. S'est subitement fait entendre en mon for. A ordonné ce qu'elle avait à ordonner et s'est tue. C'est tout ce que je peux dire.

DIX ANS !

J'aimerais que, toi, au moins, tu me croies. C'est important. C'est grave. Que tu admettes que cette voix ne venait pas de moi, quoique je l'entendis très distinctement dans ma tête. Que tu reconnaisses son existence, sa matérialité, son étrangeté, son *extériorité* en dedans de moi. Admettes qu'elle était parfaitement audible. Et que ce n'était pas ma voix. Non et non. Elle n'était pas ma voix car j'ai déjà entendu ma voix quand je parle tout haut. J'ai entendu des enregistrements de ma voix au micro. Je sais de quoi elle a l'air. D'ailleurs je ne l'aime pas. Rien de semblable ici. Aucune confusion possible. Cette voix était bien plus grave et charismatique que la mienne. Bien plus forte. Bien plus *grave*. Je le garantis.

Elle n'était pas non plus ma voix lorsque je me parle à moi-même. Pas du tout. Ce n'était pas ma petite voix intérieure. Ma petite voix intérieure n'émet aucun son. Je la fréquente assez pour le savoir. Je l'aurais reconnue si c'était elle. Je connais bien ma petite voix intérieure. Elle n'élève jamais la voix ! Nous sommes amis. Il s'agissait d'une autre voix. Une voix intérieure sans qu'elle soit ma voix intérieure ni qu'elle soit même véritablement intérieure : plutôt la sensation que cette voix s'éleva en moi. Qu'elle descendit en moi. Qu'elle me traversa de part en part. S'inventa toute seule. Quelque chose comme ça. Qui serait venue d'ailleurs et se serait fait entendre en dedans de moi. Je ne sais pas. Je le jure. Une voix qui n'avait en tout cas rien d'amical. Qui n'était pas hostile non plus. Qui articula très distinctement « DIX ANS ! », comme on prononce une sentence. La voix d'un juge. Voilà. Exactement ce genre de voix. Le marteau de la justice. Je le compris d'ailleurs tout de suite. Immédiatement décryptai l'intention. Pas la peine de me faire un dessin. En même temps que j'entendais cette voix dans ma tête, je sus qu'elle prononçait ma condamnation. Voilà. Ma condamnation. Je n'eus aucun doute sur l'instant. Qu'un verdict venait d'être prononcé. Le mien de verdict. Je venais d'en prendre pour DIX ANS. Voilà. DIX ANS : telle serait la durée de ma peine, à partir de maintenant. C'était décidé. J'allais mettre dix ans à me remettre de mon histoire de M. Voilà. La sentence était tombée. Elle était sans appel. Elle venait d'être prononcée à haute et intelligible voix, pour ainsi dire publiquement. Pour qu'aucune parcelle de mon être ne l'ignore. Ce serait donc dix ans. Je venais d'en prendre pour dix ans. DIX ANS !

Pourquoi dix ans ? Mais il n'y avait rien à objecter. Personne à qui m'adresser. On venait de décider et le jugement était irrévocable. Qui « on » ? Quel juge ? Quel Commandeur ? DIX ANS ! Affaire classée. Affaire suivante. Moi qui me demandais justement le temps qu'il me faudrait pour m'en remettre… J'aurais mieux fait de me taire. Car on m'avait répondu. De toute évidence, on avait pris ma question au sérieux. On avait étudié mon dossier, on avait délibéré et le temps que je fasse quelques centaines de mètres dans la rue, on m'informait qu'il avait été décidé que je devais en prendre pour DIX ANS ! Trop aimable. Express la justice ! En comparution immédiate. DIX ANS ! Rien de moins. Telle la durée de ma peine. Dans les deux sens du mot peine. DIX ANS !

Qui « on » ?

Au mur : le cadre de traviole. Dix années à le regarder. À l'avoir sous les yeux. De traviole.

Niveau 3

Si quelqu'un me disait qu'il a entendu à l'intérieur de son crâne une voix qui n'était pas la sienne, je hocherais lentement la tête d'un air entendu. S'il tentait de me convaincre que cette voix l'avait condamné à une peine de dix ans juste après qu'il eut rompu avec une fille dont il s'était fait une montagne magique : je saurais quoi penser. J'aurais un peu pitié. Je ne serais pas intéressé. J'aurais un nom pour ranger ça dans une boîte et j'aurais très vite envie de passer mon chemin en m'émerveillant des prodiges de l'esprit humain. En m'inquiétant aussi. En ne tenant surtout pas à en savoir davantage. Aucun doute : je serais cet homme qui passe son chemin parce que j'aurais mieux à faire que d'écouter des fariboles et le mot hallucination auditive ici.

Sauf que lorsque cela vous arrive, lorsque c'est vous qui entendez une voix, une voix qui tonne en vous sans que cela soit votre voix, une voix qui, sans autre forme de procès, décide de votre destin pour les dix prochaines années : c'est une autre paire de manches. Vous ne pouvez plus passer votre chemin. Vous ne pouvez pas faire la sourde oreille. C'est impossible.

Précision : cette voix ne vint pas « accompagnée d'une grande clarté ». Deux bœufs ne refusèrent pas tout à coup d'avancer dans la rue. Non ! Sans doute était-ce une voix « claire toute seule », mais je ne peux pas dire si elle venait de la droite d'une église car il n'y avait pas de clocher dans les parages et, à mon niveau individuel des choses athées, cela m'étonnerait fortement. J'espère bien que non ! En tous les cas, *ma* voix ne m'a pas enseigné « à me bien conduire ni à fréquenter les églises et encore moins que je vinsse en France » pour bouter l'Anglais hors des frontières. Ce n'était pas la voix d'un ange. Ce n'était pas la voix de sainte Catherine ni de sainte Marguerite ni d'aucune sainte. C'était juste une voix au micro, une voix sans nom et sans visage, en dedans de ma tête. Voix que j'appelle du Commandeur faute d'éléments plus tangibles en ma possession pour mieux la définir.

Sachant que je ne délirais pas du tout à ce moment-là. *Je n'hallucinais pas.* J'étais dans un état bizarre, certes, forcément, je ne peux pas prétendre le contraire, je venais de, c'était fini avec M – « Vous me faites pitié », cela qu'elle avait dit ? Et puis plus rien. Ce serait plus rien à partir de maintenant. Ce ne serait plus jamais avec elle. Ce serait définitivement sans elle, c'était irrémédiable et je n'avais pas envie de pleurer. Je ne sais pas. J'étais comme anesthésié. C'était trop tôt pour éprouver des émotions. J'avançais tout droit dans la rue et je me sentais vide à ce moment-là, je me sentais comme détaché, je ne pensais à rien, je ne me disais pas des trucs bizarres du genre : la France a eu l'électricité, la France a eu des salsifis, la France a eu du mercure, la France n'a pas été nulle, la France n'est pas un pays et voici qu'il ne reste à présent qu'un tout petit peu d'électricité, un tout petit peu de salsifis, un tout petit peu de mercure et de nullité. Je ne me disais pas : il y a eu des wagons mais il ne reste plus beaucoup d'hommes à mettre dedans. Je ne me disais pas : je ne gère pas, j'erre tout court. Je ne me disais pas : mes nerfs te clausent et ils disent que demain sera le jour d'avant, mais en pire. Déjà qu'ils ont une bouche dans le ventre et parlent comme si tu étais l'un des leurs. Je ne me disais pas : on dirait que mon œil droit est en train de se détacher parce qu'il cherche à me regarder et grand bien lui flasque. Je ne me disais pas : si je touche mon genou, il va faire du vent. Je ne me disais pas : mes fesses remontent en ce moment même jusqu'à mes omoplates parce qu'elles veulent m'arracher les dents avec une pince à épicer. Je ne me disais pas : je ne marche plus dans la même direction que la vie car je souffle des myrtilles. Je ne me disais pas : j'en chie, mais par le petit trou que j'ai devant. Etc. Je ne me disais rien de tel. Je n'étais pas dans un de ces états très bizarres qui s'emparent de mon être sous le coup d'émotions un peu trop fortes pour lui.

Pour autant qu'il m'en souvienne, j'avançais dans la rue de façon plutôt mécanique. Je n'avais qu'une idée en tête : m'éloigner, m'éloigner, m'éloigner. *Fuir.* Voilà. Je ne marchais pas, je fuyais. Sans me retourner.

Sans regarder où j'allais. Je voulais mettre le maximum de distance entre M et moi. Juste mettre un maximum de distance entre moi et celui qui était resté assis au café et dont je m'étais décollé astralement pour le planter là, le laisser sur place, l'abandonner à son sort, ne plus rien avoir à faire avec lui et, si cela se trouve, il est resté assis à la même table de café, pliant et dépliant sans fin le même petit papier d'emballage. Qui sait ? En attendant, je voulais mettre le maximum de distance entre celui que j'étais du temps de M et celui que j'allais devenir, inéluctablement. Je n'avais pas envie de le connaître celui-là. Je n'y tenais pas du tout. J'évitais au maximum d'y penser. J'étais incapable de penser à ce moment-là. Je me contentais de marcher, tout droit, au hasard des rues, comme on cherche à s'étourdir. Si je me disais quelque chose, c'était plutôt des choses du style : je marche, je suis en train de marcher, je peux faire un pas devant l'autre sur le trottoir, j'en suis encore capable, c'est bien, continue, ne t'arrête pas, ne te retourne pas. Il fait beau. Regarde ce soleil : comme il brille. Regarde ce magasin : il vend des abat-jour soldés - 30 %. Regarde ces voitures : fais attention en traversant.

Ce genre de trucs en marchant. Rien d'extraordinaire. Rien de *délirant*. Je n'en étais pas au point de me dire : maintenant avance le pied gauche, maintenant c'est un autre que toi qui avance le pied droit, maintenant tu es une motte de beurre, maintenant tu deviens marmelade, maintenant tout est égal, maintenant la valeur humaine se mesure en kilos si c'est du hachis et en mètres si c'est de la saucisse, maintenant on dirait que j'ai acquis la connaissance de quelque chose que les autres ignorent et cette connaissance est malencontreuse, maintenant ma peau colle à mes os, elle est devenue Alep, elle ne sera jamais rajeunie au-dessous du niveau de la mer moins 57816 + 6 et dans ma main droite il y a écrit Pulaz en africain, c'est comme Mallegro dans tous les pays et cela signifie que maintenant, je vais ennuyer depuis mardi tout le monde avec mes ustensiles et mes plantes auxquelles il manque un i. C'est tout le contraire de ma nature. Cela m'agace de devoir désormais m'occuper de choses dont je me fichais auparavant, etc.

J'étais dans un état bizarre, okay, j'avançais très mécaniquement dans la rue, je l'admets, ce n'était pas la grande forme, okay, mais rien de grave. Rien de rédhibitoire et, en tous les cas, pas au point d'entendre des voix ! Pas au point de me prendre pour Jeanne d'Arc ! Ah non ! Je ne suis pas une pucelle. Je n'ai d'ailleurs jamais été à Orléans. Je n'ai aucune attache dans cette ville. Je ne sais rien de Vaucouleurs si on me le demande gentiment. Que cela soit bien clair entre nous : je ne veux pas être brûlé vif, affublé de la mitre d'infamie, après un procès en sorcellerie bidon, à cause des Anglais, parce que le parti des Bourguignons a trahi, parce que j'ai entendu me hurler dans la tête que je venais d'en prendre pour DIX ANS ! Je ne veux jamais porter une coupe au bol. JAMAIS ! Sans compter que cette voix ne se manifesta qu'une seule fois. Une seule fois elle me parla et une seule fois je l'entendis. Plus jamais une voix ne s'est adressée à moi en dedans de moi, une voix venue de l'extérieur et entendue à l'intérieur de moi, ni cette voix ni aucune autre voix, non, plus jamais de cette façon, en prenant je ne sais quel micro pour, sans y être invitée, se mettre à beugler dans ma tête comme si c'était la sienne et c'est plutôt heureux car des voix comme ça : merci bien ! Si c'est pour me dire des horreurs pareilles (DIX ANS !) : je préfère ne pas. Le Commandeur : je m'en passe sans problème.

Niveau 4

Pourquoi dix ans ? Pourquoi pas une extinction de voix ? Une maladie et on n'en parlait plus ? Ou une phobie spectaculaire ? J'aurais préféré. J'aurais pu me soigner. Guérir peut-être. Pourquoi dix ans ? Pourquoi cette durée-là ? Pourquoi une peine aussi *lourde* ? Je pose la question. N'avais-je pas déjà mon compte ? N'étais-je pas au tapis et M comme KO debout ? Pourquoi pas huit ans ? Ou cinq ? Ou trois ? Ou même un an ? C'était bien : un an. Ça m'allait : douze mois. C'était correct. Cela me semblait raisonnable. Cela me semblait plus juste et approprié. Le chagrin est une durée, nul ne l'ignore. Le malheur n'est pas un pic de souffrance mais une tristesse élongée dans le temps et j'étais prêt à purger une condamnation d'un an s'il le fallait. Une peine équivalente à la joie éprouvée au contact de M et équivalente au temps passé avec M, cela aurait été justice, s'il s'agissait d'être juste. Sachant qu'il faut bien payer d'une façon ou d'une autre, même si on ne sait pas trop ce qu'il faut bien payer. *Personne ne le sait.*

Mais dix ans.

DIX ANS !

J'aurais cinquante-quatre ans quand je sortirai !

CINQUANTE-QUATRE ANS !

On se fichait de moi. C'était une erreur judiciaire. Je voulais porter plainte. Que l'on rouvre mon procès. Plaider moi-même ma cause. Avais-je seulement eu un avocat ? Même commis d'office ? Si c'était le cas, il était nul. Il ne s'agissait pas de Patrick McGuinness ni de John Stone. Eux m'auraient acquitté ! À moins de supposer que mon avocat – si avocat j'avais effectivement eu – ait réussi à ramener ma peine à dix ans, plaidant je ne sais quelle circonstance atténuante, ce qui signifiait qu'il aurait été requis contre moi une peine *bien plus lourde*. Une peine de vingt ans ? De trente ans ? *La perpétuité ?* Oh seigneur ! Je préférais ne pas y songer. Ce n'était pas possible. Qu'avais-je fait ? Ce monde était dingue ! Il déconnait complètement. DIX ANS ! Bon dieu : DIX ANS ! Mais c'était tragique. Je ne voulais pas ! J'allais faire appel. Me pourvoir en cassation. Et comment ! Aller à La Haye s'il le fallait. Quel était mon crime pour mériter pareille sentence ? C'était quoi ce verdict ! D'où une justice aussi aveugle et expéditive ! Dix ans d'emprisonnement ! Dix ans à l'ombre de moi-même. Dix ans de malheur. Une peine de dix ans. Un chagrin décennal. Sept ans, j'aurais compris, le miroir brisé, le piège du cristal, etc. Mais dix ans ! Je n'étais pas d'accord. C'était trop.

Rien que d'y songer.

De m'imaginer les dix années à venir.

Enfermé dans les ruines de mon histoire de M.

Derrière les barreaux de la cour de récréation.

Dix ans en prison, en cellule, au cachot, au mitard de l'amour.

Dix ans à métaboliser l'absence de M. Comme un morceau de sucre mettant dix ans à fondre dans un verre d'eau. Dix ans à digérer un truc qui ne passerait pas avant dix ans.

Je ne sais pas.

Dix ans : il paraît que c'est le temps qu'il faut avant d'avoir accès au compte d'une personne disparue.

Ça veut dire quoi : DIX ANS ?

Niveau 5

Note de l'un de mes petits carnets : M comme prison. Comme geôle. Comme bagne. Gnouf. Cachot. (…) Dix années avant de retrouver une liberté de mouvement, de penser, d'agir et de circuler, de décider par moi-même, de sentir par moi-même. D'AIMER. (…) Dix années claquemuré, à ressasser, à ruminer, à cracher par terre comme un footballeur lorsqu'il rate un but, à glavioter à n'en plus finir, au sol, sur les murs, dans la glace reflétant mon image. (…) Dix années à n'avoir d'autre compagnie que celle du fantôme de M. Du fantôme de notre histoire. De moi comme fantôme. De moi comme échec. Moi comme hiver. Comme vide. Comme maison bleue abandonnée, dégringolée, rasée. (…) Dix ans avant d'éprouver de nouveau le goût de l'autre, d'en retrouver l'envie, feindre de le croire, comme la preuve qu'on est en vie, qu'au monde on est rendu. (…) Dix années à me couper de tout et à me priver de tout. À n'avoir droit à rien. À m'enfermer dans l'amertume à double tour. À n'être que parodie, sarcasmes, rejets, dédains acerbes, ressentiments conglutinés. À dissimuler que j'en ai pris pour dix ans et que je n'ai droit qu'au parloir, une fois par semaine, si quelqu'un veut me voir. À me méfier de tout et de tous, surtout au moment de la douche. À subir toutes sortes de brimades sans pouvoir protester. À filer doux en permanence. À me durcir durcir durcir pour supporter cette existence sans avenir, repliée sur elle-même, enroulée autour de sa défaite. DIX ANS ! À marcher dans la vie comme à l'heure de la promenade, une heure par jour, avant de retourner en cage. À faire de la muscu, de la gonflette, parce que c'est la seule chose à faire en prison et on dirait que beaucoup sont en taule aujourd'hui. Énormément de gens font de la muscu. Dix ans à me faire tatouer comme tout le monde se fait tatouer aujourd'hui, encore un signe de population carcérale. À tourner sans fin en rond entre quatre murs. Dans un sens et puis dans un autre comme un putain de joggeur. En comptant chacun de mes pas. En mesurant avec mes pieds le temps qui ne passe pas, l'espace qui n'en est plus un, le cœur qui ne bat plus. À être menotté dans le dos, enchaîné par les chevilles, ligoté dans la tête, menacé intérieurement de toutes parts, vulnérable de partout. À me branler jusqu'au sang, en regardant des magazines et des vidéos, en convoquant M en pensée. À ne savoir quoi faire, à n'avoir rien à faire, à ne rien faire, à me sentir inutile, entre parenthèses de l'existence, vingt-quatre heures sur vingt-quatre. À hurler que je veux sortir d'ici, hurler que je n'en peux plus, que je veux me casser, que je pète les plombs, un câble, les boulons, que je vais me faire péter le caisson si ça continue, foutre le feu à mon matelas, s'il vous plaît, s'il vous plaît, bandes d'enfoirés, rendez-moi mes lacets ! (…) À gémir tout le temps, sans personne pour m'entendre. À dormir tout habillé, tourné du côté du mur, roulé en boule dans un drap de Falkenau, enroulé dans mon suaire. À rêver de me faire la belle et, du ciel, ne voir que des lambeaux, des rognures, des ossements. À me méfier de tout, de tous, de moi, de mon ombre, de l'ombre de mon ombre, de l'ombre des barreaux. À ne plus croire en rien, plus jamais, en personne, dix ans durant, mon visage comme un masque de cire. À avoir peur tout le temps, dix ans durant. À faire preuve vis-à-vis de moi-même d'un courage effroyable pour seulement oser continuer un jour après l'autre, une heure après l'autre, une seconde après l'autre. À n'avoir d'autre horizon que ma mort institutionnalisée, dix années durant. À espérer une libération conditionnelle, un bracelet électronique, une remise de peine. À savoir que j'ai dix ans à en chier. Dix ans en tête à tête avec un pot de rillettes tout pourri, immonde, gémissant, sec comme de la pierre. À me trouver laid. Repoussant. Minable. À me trouver con. Nul. Merdeux et merdique. Dix ans à me détester. À m'arracher les cheveux, les yeux de la tête. À me prendre en grippe des pieds à la tête et à prendre ma vie en grippe. Le monde en grippe. Les autres en grippe. Tout en grippe. À ne plus savoir que grincer et ricaner et vomir. L'envie de gerber sur tout et sur tous, sans que cela puisse s'appeler une envie. À n'avoir de toute façon envie de rien. À me fossiliser dans une vie de bagnard et à me figer dans une pauvreté d'existence ne me laissant aucun répit, me faisant perdre le goût des êtres et des choses, plus jamais en paix désormais, ni avec moi ni avec rien, dix ans à me sentir coupable. À me faire pitié, comme M avait dit. À penser que c'était de ma FAUTE. Que moi seul étais cause de mon échec. DIX ANS DE CULPABILITÉ. (…) C'était bien au-delà d'être malheureux : c'était dix années à vivre dans le malheur de vivre. Dix années à *détester ma vie*. À souffrir l'effort désespéré de mon existence pour retrouver un semblant d'équilibre, en vertu du principe thermodynamique qui veut que tout système mis en émoi, en vrac, en ébullition finit inéluctablement par redevenir stable. Dix ans d'entropie pure. (…) Etc.

Un jour après l'autre, pendant dix ans, cela ne fait pas une vie.

Cela ampute la vie.

Un livre dont la lecture mettrait dix ans ?

Ah ah ah.

Niveau 6

Que faut-il avoir commis pour en prendre pour dix ans ? Quel crime ? Quel délit ? J'ai fait des recherches, forcément, avec tout ce temps dont je disposais désormais.

Dans le code pénal, il est écrit qu'une infraction est qualifiée de criminelle si la peine encourue est supérieure à dix ans ; mais elle est un délit si la peine est inférieure à dix ans. Très instructif. Vraiment malin.

C'est la durée de la peine qui définit l'infraction ? Grande révélation ! Et quand il s'agit de dix ans pile : cela signifie quoi ? Un crime ? Ou un délit ?

J'ai eu beau étudier en long, en large et en travers les articles 131-1 et 131-2 qui, de par la loi française, définissent les durées de réclusion criminelle ou de détention criminelle, je ne me suis pas trouvé plus avancé. Avais-je commis le plus grave des délits ou le plus petit des crimes ? Pouvait-on me le dire ? Quelle était la nature de *mon* infraction ? Ohé ? Quelqu'un ? Monsieur Voix ? Votre Honneur ? Herr Commandeur ?

Je t'en fiche !

Silence radio sur toutes les fréquences. Naguère, on envoyait au moins deux fonctionnaires vous arrêter au saut du lit. Vous n'en saviez pas davantage, mais c'était encore un tout petit peu humain. Maintenant, votre condamnation vous est directement transmise dedans votre tête. Au centre de votre cerveau. On vous l'annonce au micro via un circuit intérieur connecté à vos fibres, on n'arrête pas le progrès en matière de communications. Mais toujours sans donner la moindre explication. Votre procès a eu lieu, le verdict est tombé, vous voici cloporte parmi les cloportes, vous n'en savez pas davantage.

De quoi m'accusait-on exactement ? Pouvait-on un tout petit peu me renseigner ? M'envoyer discrètement un sms (ou texto) ? Dois-je rappeler que je *n'*ai *pas* commandité l'assassinat du fiancé de M ? Je *n'*ai *pas* violé M sur le rebord de ma cheminée ? Dois-je souligner que je n'avais pas encore couché avec Patricia et que Julien ne s'était pas *encore* suicidé à cette date ? Quel fut exactement mon crime ou délit ? Celui d'avoir rêvé un tout petit peu trop fort ? À voix un tout petit peu trop haute ? D'avoir pété plus haut que mon cul ? Est-ce à cause des muffins ? Mais il s'agissait d'un rêve.

QU'EST-CE QUE J'AI FAIT POUR EN PRENDRE POUR DIX ANS ?

Même en étant le plus impartial que je pouvais, même en mettant les choses au pire, je ne voyais pas. Et je ne vois toujours pas. Rien qui mérite dix ans, en tous les cas.

DIX ANS !

Même Gatsby n'a été condamné qu'à cinq ans. CINQ ANS SEULEMENT !

Bogart n'a souffert que deux ans avant de revoir Ingrid Bergman à Casablanca.

Jean-Patrick Capdevielle n'a été dans le désert que vingt-huit jours !

Même The Torture Never Stops de Frank Zappa ne dure que 9 minutes et 45 secondes.

Donald Crowhurst n'a passé que deux cent quarante-trois jours à devenir fou sur son rafiot tout pourri.

Consécutive au suicide de son ami Casagemas, la période bleue de Picasso n'a duré que quatre ans.

Mister White n'a combattu une mouche que pendant quarante-cinq minutes.

Henry David Thoreau n'a vécu dans les bois que deux ans et deux mois.

Mozart est mort en écrivant la huitième mesure du Lacrimosa de son requiem : il n'est pas allé jusqu'à la dixième mesure !

Artaud n'a été interné dans des asiles d'aliénés que NEUF ANS.

Cervantès n'a été retenu en esclavage à Alger que cinq ans.

Sur la façade de l'immeuble d'en face, il ne fallait qu'une heure au petit carré de soleil pour disparaître.

Les Mille et Une Nuits ne durent finalement que trois ans. À peine trois ans à inventer chaque nuit des histoires pour arrêter le geste du bourreau et sauver sa tête.

Dix ans : cela fait trois mille six cent cinquante nuits – sans compter les années bissextiles.

Je ne vois, dans mon univers, que Dallas pour avoir duré dix ans. Dallas : une peine de prison ? Une *condamnation* ? Il fallait y penser...

Plus sérieusement, rien ne semblait correspondre à mon cas. S'appliquer à mon histoire de M. S'agissait-il d'un cas de récidive, justifiant mécaniquement un allongement de la peine, puisque je m'étais déjà fait prendre, des années auparavant, la main dans le sac de l'amour ? J'en avais pris pour deux ans à l'époque, dont un an avec sursis, si je me souviens bien. J'avais calculé alors que le chagrin dure très précisément le temps de la rencontre amoureuse élevé à la puissance du sentiment amoureux. En clair : plus fulgurant est l'amour, plus on met de temps à s'en remettre. Mais dix ans ! DIX ANS ! C'était vraiment exagéré. Et pourquoi me l'annoncer ?

Parce que connaître la sentence à l'avance signifiait que ma condamnation n'était pas éternelle et ainsi devais-je m'estimer finalement heureux : cela aurait pu être pire ? Ou était-ce du sadisme ? Puisque dix ans durant, je saurais n'avoir rien à espérer. Je ne pourrais à aucun moment m'attendre à être libéré *du jour au lendemain*. D'emblée la possibilité qu'un imprévu pourrait, là, tout de suite, maintenant, ou tout à l'heure, peut-être demain, venir bouleverser mon existence et me sortir de taule m'était ôtée. J'en avais pris pour dix ans et c'était irrémédiable. C'était écrit. Dix ans à vivre dans la peau d'un mort vivant. Avec cette lenteur mécanique des zombies. À faire mon temps qui ne serait pas un temps vécu. Avant de revenir à la vie vieilli de dix années, avili d'une décennie de privation de liberté de pensée, de mouvement, d'aimer. Sacrée perspective !

En sorte, on m'avait réservé un traitement spécial. D'ordinaire, l'individu qui se retrouve dans ce genre de situation subit son sort sans savoir de quoi demain sera fait. Proie de son malheur, il perd la notion du temps – avant qu'un beau matin, tout à coup, sans prévenir, *sans raison apparente*, voici que les oiseaux chantent de nouveau autour de lui. Voici qu'il les entend. Cui cui cui. Il ne sait pas pourquoi, mais le poids qui l'oppressait ne pèse plus sur sa poitrine. Son cœur qui s'était arrêté s'est remis à battre. Ce qu'il reste de son cœur, certes, mais c'est suffisant pour retrouver le goût de vivre. Le voici guérit. Comme s'enfuient à l'horizon les nuages qui obscurcissaient le ciel, le malheur s'est envolé. Il s'est débiné. Parti on ne sait où. Abracadabra. Bon débarras. C'est à la fois soudain et incompréhensible, mais on se sent renaître. La veille, on était encore au trente-sixième dessous, tout nous dégoûtait et ce matin, on trouve la vie presque belle. *On n'a plus mal.* L'hiver est fini. Ceux qui ont été une fois malheureux dans leur existence savent très bien de quoi je parle (les autres peuvent se boucher les oreilles).

Ils savent que le cœur a ses raisons d'être malheureux et rien ne peut le dissuader du contraire. Ils savent qu'il n'y a rien à faire. Cela dure le temps que cela dure. Jusqu'au jour où, surprise, miracle, un jour que rien ne distingue pourtant des autres, voici que les oiseaux chantent et c'est tellement chouette que personne ne se demande pourquoi le soleil s'est mis aujourd'hui à briller plutôt qu'hier ou demain : on prend notre renaissance comme elle vient, trop content de ne plus être à l'ombre. Se poserait-on la question du comment du pourquoi de ce brusque changement de temps en notre faveur, on n'aurait sans doute pas la réponse. Car nul n'a accès au directeur de sa prison ni à la machine judiciaire qui, au fond du fond de notre niveau individuel des choses, décida un jour de notre incarcération et décide maintenant de notre remise en liberté. Ce qui ne veut pas dire qu'on retrouve le goût de vivre par hasard. Je n'y crois plus. Si nous sortons de dépression au jour dit, c'est parce qu'une certaine peine a été prononcée et que des dates d'emprisonnement et de sortie de prison ont été *fixées à l'avance*. Il n'y a pas d'autre explication. Quiconque est malheureux fait le temps qu'il est prévu qu'il fasse depuis le début. Ni plus ni moins. Pas un jour de plus ni un de moins. Il n'y a pas d'autre justification au fait de recouvrer la liberté un jour plutôt qu'un autre. Comme moi-même ne sortirai pas de M comme taule avant la fin de l'année 2014 ou début 2015. On me l'avait notifié de vive voix. J'étais prévenu. Je ne dirais pas ensuite que je ne savais pas. On m'avait fait cette étrange faveur de ne pas me laisser dans l'incertitude, ce qui présentait autant d'avantages que d'inconvénients. On ne m'avait laissé aucune marge de manœuvre à mon niveau individuel des choses qui, maintenant que j'y réfléchis, me laisse sans voix. Me donne envie de pleurer. D'un côté, je savais que je sortirais un jour de prison, ce serait d'ici dix ans et c'était tout de même mieux que d'avoir pris perpet', oh oui, je n'avais pas été condamné à vie et c'était plutôt une bonne nouvelle ; d'un autre côté, je ne pouvais pas rêver que, mystérieusement, sans prévenir, *un beau jour dont j'aurais pu espérer chaque jour qu'il pouvait être aujourd'hui ou demain*, je m'éveillerais de nouveau à la vie comme au sortir d'une nuit glaciale. D'une saison en enfer. Avec mon histoire de M derrière moi. Un avenir possiblement dégagé devant moi. Enfin libéré de mes fers. Non. Je savais ce qui m'attendait. Je savais que ce ne serait pas avant dix ans. Point barre. FIN DE LA DISCUSSION.

Mais quel crime ai-je commis à la fin ? Qu'on me le dise à la fin ! Qui a rédigé l'acte d'accusation ? *Qui s'est plaint ?* Auprès de *qui* ? Qui m'a jugé coupable ? Où les minutes de mon procès ? Les témoins ? Les jurés ? Les juges ? Le président ? Le greffier ? La salle d'audience ? Mon avocat ? Je ne sais pas. Je ne sais rien. C'est dans le plus grand silence que nous sommes anéantis. En totale ignorance de cause. Pourquoi tant d'acharnement ? Pourquoi ne pas m'acquitter ? Quelles dettes avais-je contractées ? Envers qui ?

Comme mes parents mirent dix ans à rembourser *un sou après l'autre* ce qu'ils devaient aux impôts, avec les intérêts ? Sans déconner ! Si la peine qui m'a été infligée à l'insu de mon plein gré a quelque chose à voir avec cette histoire pourrie, j'arrête tout sur-le-champ. Je rends immédiatement mon tablier. Je veux qu'on me *rembourse*.

Est-ce parce que j'avais dix ans au moment de l'assassinat de la petite mésange à bec noir ? Waouh, la lenteur de la justice ne serait pas un vain mot. Elle ne serait pas usurpée. Sur Terre comme au Ciel.

Ou est-ce parce que mon père. Mais oui ! Mon père. Son CANCER ! Son traitement par radiothérapie. J'y pense soudain. Cela me *consterne* ! À l'époque, les médecins affirmèrent qu'il fallait attendre dix ans avant d'être sûr que les rayons aient éradiqué la tumeur et qu'il était guéri. Jusque-là, on ne pouvait pas se prononcer. Une rechute était possible. La rémission n'était pas garantie. Dans son cas, c'était dix ans *minimum*. Et, dix années durant, cette épée de Damoclès pesa sur sa tête – et sur celle de toute la famille. Sur la mienne donc. Car je me rappelle très bien de cette angoisse, diffuse, latente, dont on ne parlait pas trop à la maison car il n'y avait rien à en dire. Je me souviens de *mon* angoisse. Surtout que j'étais du signe du Cancer et j'imaginais qu'il y avait un lien. Un lien affreux. Mais mon père guérit. Un jour, ce fut officiel. Un jour, il ne fut plus question de rien. Il était tiré d'affaire. Abracadabra. Comme on finit de rembourser un emprunt à une date fixée d'avance. Même si l'idée de sa mort me demeura et, avec elle, la découverte qu'il était mortel et cette découverte changea tout. Elle m'apprit la vulnérabilité et M comme cancer ? Comme une maladie, ainsi que je le subodorais *dès le début* (voir page 129) ? Pas n'importe quelle maladie, non, une maladie *mortelle*. Une TUMEUR. Quelque chose métastasant *en moi*. Quelque chose *d'astrologique* ? Et pour que ce morbide excès de vitalité ne soit plus qu'un mauvais souvenir, pour que je sois officiellement déclaré guéri, dix années seraient un minimum ? Dix années avant de pouvoir dire que je m'en étais sorti. Me convaincre moi-même que cette fichue histoire de M était maintenant derrière moi et n'en plus douter ?

Ou est-ce parce que Ulysse ? Car je songe aussi à Ulysse. Je songe tout le temps à Ulysse. Retenu dix ans par vents et par vagues, dix ans contrarié dans ses mouvements, dix ans à subir la colère du dieu de la mer, dix ans en exil, dix ans avant de pouvoir enfin rentrer chez lui – et il ne fallait pas me prendre pour lui. Bien fait pour moi. Faut pas se prendre pour qui on n'est pas. *Faut se méfier des livres.* Faut rester à sa place. N'est pas Zorro qui veut. Mais je ne suis pas Ulysse. J'avoue. J'avoue tout maintenant. Que Poséidon ne m'accable pas de son courroux. Que cesse sa malédiction. Je ne lui ai rien fait. Je n'ai pas crevé l'œil de son cyclope de fils. Je ne connais personne qui s'appelle Polyphème. Jamais de la vie ! Je le jure. *Je ne suis personne.* Je voudrais juste qu'on me fiche la paix.

Je voudrais qu'on *m'oublie*.

J'écris cette phrase le 27 juillet 2015, à 04:08 du matin, heure universelle.

En toute liberté.

Car je suis libre aujourd'hui.

Le suis-je ?

En tout cas, j'ai fait ma peine. J'ai fait mes dix ans. J'ai tiré mon temps et M comme mitard. Dix ans à l'ombre de moi-même. Dix ans à me taire. Dix ans à n'aimer personne ni à laisser personne m'aimer, faute d'en être capable. Cela m'était *interdit*. Dix ans de placard. Claque-muré en mon for. Verrouillé à double tour. Mon niveau individuel des choses complètement cadenassé. Plombé. Sous scellés.

Dix ans de *fidélité*.

Je n'ai pas eu droit à une libération anticipée. À une remise de peine pour bonne conduite. Pas même une toute petite remise. Que dalle. Pas *ça* !

DIX ANS FERME !

Il semble d'ailleurs que mon implication dans le suicide de Julien m'a plutôt valu une rallonge. De combien ? Je l'ignore. Suis-je libre ? Ou en conditionnelle ? Parce que je « manifeste des efforts sérieux de réadaptation sociale » ? Difficile à dire. Ce n'est pas moi qui décide. C'est la Voix. The Voice. Pas le choix.

M'évader ?

Mais on n'échappe pas à soi-même.

C'est juste impossible.

Dans le mot dépression, il y a le mot désespoir.

Il y a aussi le mot prison. Et le mot poésie.

Le mot pendre.

Les mots désirs et espoirs.

Le mot DOSSIER !

Dix années durant, le cadre au mur est resté de traviole.

Il l'est toujours. Je ne l'ai pas encore remis d'équerre.

J'imagine que le jour où je le ferai, ce sera *bon signe*. Cela voudra dire que je suis prêt. Que mon histoire de M (et non seulement M) ne me tient plus dans ses fers. Qu'elle a épuisé tous ses sortilèges. Ne nuit plus à personne. A rejoint le cimetière des amours mortes et enterrées et repose maintenant en paix. Quelque chose comme ça.

Il faudra que ce geste vienne de moi.

Faute de quoi, il n'aura aucune signification véritable.

Je n'en suis pas encore là.

En attendant, j'ai commencé à écrire.

On m'y a autorisé.

Ce fut après que je me sois suicidé pour de faux dans ma cellule.

Avant, c'était niet.

Je ne sais pas qui décide en moi.

Je ne sais pas.

J'aurais peut-être mieux fait de raconter l'histoire de Germaine et de Carlos et de Pablo.

Cela aurait été moins douloureux.

J'allais dire merveilleux.

En attendant, j'avais dix ans à tirer.

Cet ouvrage a été mis en pages par

Cet ouvrage a été achevé d'imprimer en mai 2017
dans les ateliers de Normandie Roto Impression s.a.s.
61250 Lonrai
N° d'impression : 1701541
N° d'édition : L.01ELJN000809.N001
Dépôt légal : août 2017

Imprimé en France